Les Éditions du Boréal
4447, rue Saint-Denis
Montréal (Québec) H2J 2L2
www.editionsboreal.qc.ca

« Mon cher grand fou… »

« Cahiers Gabrielle Roy »
Collection dirigée par François Ricard

Cette collection rassemble des ouvrages consacrés à Gabrielle Roy, textes inédits, études, commentaires critiques et autres documents susceptibles de mieux faire connaître et comprendre l'œuvre, l'art et la pensée de la romancière.

TITRES PARUS

Gabrielle Roy, *Le temps qui m'a manqué,* édition préparée par François Ricard, Dominique Fortier et Jane Everett, 1997.

Lori Saint-Martin, *Lectures contemporaines de Gabrielle Roy. Bibliographie analytique des études critiques (1978-1997),* 1998.

Gabrielle Roy, *Ma chère petite sœur. Lettres à Bernadette 1943-1970,* nouvelle édition préparée par François Ricard, Dominique Fortier et Jane Everett, 1999.

Gabrielle Roy, *Le Pays de Bonheur d'occasion et autres récits autobiographiques épars et inédits,* édition préparée par François Ricard, Sophie Marcotte et Jane Everett, 2000.

Gabrielle Roy

« Mon cher grand fou… »

Lettres à Marcel Carbotte 1947-1979

Édition préparée par Sophie Marcotte,
avec la collaboration de François Ricard et Jane Everett

CAHIERS GABRIELLE ROY

Boréal

Les Éditions du Boréal remercient le Conseil des Arts du Canada ainsi que le ministère du Patrimoine canadien et la SODEC pour leur soutien financier.

Les Éditions du Boréal bénéficient également du Programme de crédit d'impôt pour l'édition de livres du gouvernement du Québec.

Photographies de la couverture : Gabrielle Roy, à Québec, en 1959 (BNC NL-19143), et Marcel Carbotte, vers 1945 (BNC NL-19161).

Dépôt légal : 4e trimestre 2001
Bibliothèque nationale du Québec

Diffusion au Canada : Dimedia
Diffusion et distribution en Europe : Les Éditions du Seuil

Données de catalogage avant publication (Canada)
Roy, Gabrielle, 1909-1983
Mon cher grand fou : lettres à Marcel Carbotte, 1947-1979
ISBN 2-7646-0123-9

1. Roy, Gabrielle, 1909-1983 – Correspondance. 2. Carbotte, Marcel – Correspondance. 3. Écrivains canadiens-français – Québec (Province) – Correspondance. 4. Écrivains canadiens-français – 20e siècle – Correspondance. I. Carbotte, Marcel. II. Marcotte, Sophie, 1973- . III. Ricard, François, 1947- . IV. Everett, Jane, 1954- . V. Titre. VI. Collection.

PS8535.095Z542 2001 C843'.54 C2001-941041-7
PS9535.095Z542 2001
PQ3919.R69Z482 2001

Présentation

> [...] l'obéissance à la dernière volonté est mystérieuse : elle dépasse toute réflexion pratique et rationnelle : le vieux paysan ne saura jamais, dans sa tombe, si le poirier est abattu ou non ; pourtant, il est impossible au fils qui l'aime de ne pas lui obéir.
>
> MILAN KUNDERA, *Les Testaments trahis*

L'œuvre de Gabrielle Roy se compose d'une vingtaine de romans et de récits, dont une quinzaine publiés de son vivant, ainsi que d'articles et de nouvelles qui ont paru dans des périodiques français et canadiens[1]. Parallèlement à cette œuvre, abondamment commentée par la critique, la romancière a laissé un bon nombre d'inédits, achevés ou non, qui sont conservés à la Bibliothèque nationale du Canada à Ottawa, dans le fonds Gabrielle Roy. Elle a aussi laissé une abondante correspondance — au-delà de deux mille lettres recensées jusqu'ici — dont plus de la

1. Pour une liste complète de ces textes, voir la bibliographie de François Ricard, *Gabrielle Roy, une vie*, Montréal, Éditions du Boréal, 1996, p. 595-605.

moitié se trouve également dans le fonds Gabrielle Roy de la Bibliothèque nationale du Canada[2].

Les lettres adressées à Marcel Carbotte entre 1947 (l'année de leur mariage) et 1979 (l'année où Gabrielle Roy subit un premier infarctus et cesse de voyager) sont au nombre de quatre cent quatre-vingt-cinq ; elles forment l'ensemble le plus important de cette volumineuse correspondance. Avant sa mort, Gabrielle Roy a exprimé à François Ricard le souhait que deux parties de sa correspondance soient publiées : les lettres à sa sœur Bernadette, parues en 1988[3], et les lettres à Marcel, présentées dans les pages qui suivent. La publication de ce recueil respecte donc les dernières volontés « littéraires » de la romancière en ce qui a trait à sa correspondance.

Le destinataire de ces lettres, Marcel Carbotte, est né en 1914 à Frye, en Saskatchewan. Ses parents, Joseph Carbotte et Aline Sholtes, sont d'origine belge. Le couple a deux autres enfants, Marthe et Léona, nées avant Marcel. De 1923 à 1926, les Carbotte vivent en Belgique et en France. Lorsqu'ils rentrent au Canada, Marcel entreprend ses études au Collège de Saint-Boniface, où il est pensionnaire. Élève brillant, il fait son cours classique, tout en participant aux activités théâtrales et oratoires organisées par l'institution. Il collabore aussi à la rédaction de la chronique « Page du collège », qui paraît dans le journal *La Liberté.* Il obtient son diplôme de bachelier en 1934.

Marcel retourne alors en Saskatchewan auprès de sa famille qui, ruinée par la crise économique, n'a pas les moyens de lui payer les études de médecine qu'il rêve d'entreprendre. Cependant, un ami de son père, qui l'a vu jouer au théâtre, offre de l'aider. En 1936, Marcel s'inscrit donc à la faculté de médecine de l'Université Laval, à Québec, où il obtiendra son diplôme en 1941. Il fait ses deux années d'internat à Saint-Boniface, pour ensuite y établir sa pratique. Au cours de ces années passées au

---

2. Voir François Ricard, *Inventaire des archives de Gabrielle Roy conservées à la Bibliothèque nationale du Canada,* Montréal, Éditions du Boréal, 1992, p. 71-117. Voir aussi Sébastien Hamel, « La correspondance : un tour d'horizon », dans *Gabrielle Roy inédite,* sous la direction de François Ricard et Jane Everett, Québec, Éditions Nota Bene, 2000, coll. « Séminaires », p. 115-129.

3. Une nouvelle édition de cette correspondance, préparée par François Ricard, Dominique Fortier et Jane Everett, a paru en 1999.

Manitoba, le jeune médecin participe aux activités de la troupe de théâtre amateur Le Cercle Molière. Il sera nommé président de la troupe en 1944 et occupera cette fonction jusqu'en 1947.

C'est à l'occasion d'une réception donnée par le Cercle Molière en son honneur, en mai 1947, que Gabrielle Roy — venue passer quelque temps chez sa sœur Anna à Saint-Vital afin de fuir les journalistes et retrouver un peu de calme pour écrire — rencontre le docteur Carbotte. Ils deviennent aussitôt inséparables. Dès le début de juillet, après seulement quelques semaines de fréquentation, ils décident de se marier. Comme la famille de la romancière accepte mal le nouveau venu, l'atmosphère devient bientôt insupportable pour Gabrielle, qui décide alors d'aller passer quelques semaines de villégiature à Kenora, dans le sud-ouest de l'Ontario, près de la frontière manitobaine. Ce séjour coïncide avec le début d'une abondante correspondance avec Marcel, qui s'échelonnera sur plus de trente ans.

Les lettres de Marcel ne sont pas présentées ici. Elles apparaissent toutefois dans la première édition de cette correspondance, qui a été réalisée dans le cadre de notre thèse de doctorat[4]. Ces lettres permettent de tracer un portrait sommaire de Marcel. Au début de la correspondance, il apparaît comme un homme anxieux, nerveux, qui a parfois du mal à contrôler ses émotions. Dans les premières années du mariage, il semble profondément amoureux de Gabrielle et vit difficilement les périodes de séparation que lui impose son épouse. Il n'est pas seulement dépendant d'elle financièrement ; il a également beaucoup de mal à composer avec la solitude : « Toutes mes minutes de la journée », lui écrit-il le 14 janvier 1948, « je te les ai consacrées. Ce que je trouve le plus dur, c'est de manger seul et de rentrer le soir dans ma chambre. J'ai retrouvé cette impression pénible de ma première nuit de dortoir au collège. » Dans les premiers temps, Marcel se montre un correspondant relativement fidèle, qui répond quasi religieusement aux lettres que lui envoie Gabrielle et qui « attend [ses lettres] avec impatience » (15 janvier 1948).

Au fil des années, cependant, Marcel espace de plus en plus ses lettres. Écrire à Gabrielle semble être devenu pour lui une obligation,

---

4. Sophie Marcotte, *Gabrielle Roy épistolière. La correspondance avec Marcel Carbotte*, thèse de doctorat (4 volumes), Université McGill, août 2000, 1549 p. La thèse est disponible pour consultation à la Bibliothèque McLennan de l'Université McGill.

voire une corvée, plutôt qu'un plaisir. Les lettres des premières années, qui exprimaient l'amour et l'ennui, font place à des lettres beaucoup plus courtes, dans lesquelles Marcel s'emploie surtout à évoquer les événements qui meublent son quotidien et ses préoccupations professionnelles. De l'amant des débuts de la relation, il devient un ami. Bien qu'ils éprouvent toujours un attachement profond l'un pour l'autre, on peut supposer que les époux en viennent à s'écrire par simple habitude, du moins dans le cas de Marcel.

Les lettres de Gabrielle pourraient quant à elles être divisées en trois blocs. Le premier comprend les lettres de 1947 à 1950, c'est-à-dire des mois qui précèdent le mariage (été 1947), alors que Gabrielle séjourne à Kenora et que Marcel pratique la médecine à Saint-Boniface, jusqu'aux années pendant lesquelles les nouveaux époux séjournent en France (1947-1950). Les lettres échangées à cette époque, particulièrement celles de l'été 1947, sont véritablement des *lettres d'amour*. Elles sont très nombreuses et certaines sont relativement longues ; elles fourmillent de détails non seulement sur le temps qu'il fait, sur la vie quotidienne de la romancière, sur ses sorties, ses rencontres, son travail, mais surtout, elles expriment l'ennui, l'amour et la hâte d'être de nouveau près de Marcel. Le biographe de Gabrielle Roy explique : « Presque chaque jour, parfois même deux fois par jour, elle écrit [...] à son "Cher grand fou" de Marcel, qui lui répond régulièrement. Ces lettres de l'été 1947 sont surtout intéressantes en ce qu'elles éclairent, dès l'origine, la nature du lien qui unit les futurs époux et le "pacte" plus ou moins explicite sur lequel va reposer leur relation[5]. »

Puis, pendant les trois années que les époux passent à Paris et à Saint-Germain-en-Laye, Gabrielle fait des séjours en Suisse, en Bretagne et en Angleterre, laissant Marcel à ses études de spécialisation médicale qu'il poursuit dans la région parisienne. Malgré les longues séparations, c'est une période relativement heureuse, au cours de laquelle brûlent encore les étincelles de la première rencontre. L'échange de lettres reste constant : Marcel répond assez régulièrement aux lettres de Gabrielle, qui le prie d'ailleurs de lui raconter « par le menu tout ce que tu fais », puisque « le moindre détail de ta vie m'intéresse ». (Concarneau, 30 juin 1948)

5. François Ricard, *Gabrielle Roy, une vie*, p. 297.

Le second bloc s'étend de 1951 à 1959. Le couple revient d'Europe et s'installe d'abord à Ville La Salle, dans un appartement situé rue Alepin, pour ensuite s'établir de façon définitive, en 1952, au Château Saint-Louis, à Québec. C'est le début d'une existence marquée par de nombreuses séparations — surtout des voyages de repos et de travail pour Gabrielle. L'été, la romancière fait des séjours à Rawdon, à Port-Daniel ou dans la région de Charlevoix. L'hiver, elle quitte presque toujours le domicile conjugal, à la recherche d'une température plus clémente ou d'un endroit propice à l'écriture. Elle séjourne tantôt en Europe (Paris, la Bretagne), tantôt aux États-Unis (golfe du Mexique). Elle retourne aussi dans l'Ouest canadien à quelques reprises, où elle revoit ses frères et sœurs (notamment Adèle, Anna, Joseph et Clémence). La fréquence des lettres commence à diminuer : si Gabrielle continue à écrire à Marcel tous les deux jours — à quelques exceptions près —, celui-ci, en moyenne, ne lui répond plus que deux fois par semaine et par des lettres de plus en plus laconiques. Gabrielle le lui rappelle d'ailleurs : « Peut-être aimes-tu autant ne plus recevoir de lettres de moi, puisque tu n'y réponds pas. » (Port-Daniel, 13 juillet 1954) C'est maintenant l'affection, et non plus l'amour, qui domine l'échange épistolaire. Marcel et Gabrielle, on le comprend à la lecture des lettres, ne sont plus les amants de l'été 1947.

Le troisième bloc comprend les lettres de 1960 à 1979. Durant cette période, Gabrielle Roy quitte Québec chaque année, tantôt pour rendre visite à sa sœur Clémence au Manitoba, tantôt pour fuir les rigueurs de l'hiver. Elle séjourne en Angleterre et en France, et elle découvre la Floride, où elle ira à trois reprises. Non seulement elle écrit moins souvent à son mari, mais elle se plaint de plus en plus de l'absence de réponses de sa part — « Si toi-même m'écrivais plus souvent, je ferais de même, tu peux en être sûr, mais ce n'est pas très animant d'écrire quand le correspondant met si longtemps à répondre » (New Smyrna Beach, 6 février 1969) — et de son propre état de santé. Cette diminution du nombre de lettres échangées entre les époux s'expliquerait entre autres par l'état dans lequel se trouve leur relation, qui va en se détériorant depuis plusieurs années, et aussi par les conversations téléphoniques plus nombreuses, qui se substituent aux lettres. Les préoccupations de Gabrielle, qui écrit à Marcel qu'elle souhaite « conserver l'amitié et l'estime très solides encore, Dieu merci, qui existe entre nous » (New Smyrna Beach, 22 mars 1969), relèvent de plus en plus du quotidien et son travail n'est que rarement évoqué. La lettre devient le lieu où la romancière consigne les événements qui meublent sa vie de tous les jours et ses impressions sur les endroits où elle séjourne et les gens qu'elle fréquente.

Cela dit, jamais dans les lettres il n'est question de l'homosexualité de Marcel. Comme l'explique François Ricard dans *Gabrielle Roy, une vie,* on ne sait pas à quelle époque la romancière aurait découvert l'orientation sexuelle de son mari : « [...] cela reste un mystère que ni sa correspondance ni les témoignages de ses proches ne permettent d'éclaircir » (p. 441). Une scène de ménage évoquée dans les lettres de l'été 1953 et quelques allusions à la nervosité et aux sautes d'humeur de Marcel sont les seuls indices, dans cette correspondance, qui peuvent laisser supposer que la romancière était au courant.

Assez étonnamment aussi, les lettres à Marcel ne contiennent pas beaucoup de renseignements sur la conception que se faisait Gabrielle Roy du travail de l'écrivain. Certes, elle évoque ses lectures, mais elle ne s'emploie jamais, dans ses lettres, à les analyser de façon un peu plus poussée. De même, son propre travail est évoqué çà et là, mais il est impossible de voir dans ces passages des traces explicites de l'œuvre en gestation. Tout au plus peut-on retrouver, dans certaines descriptions de personnes, de paysages ou d'événements, des impressions qui lui ont vraisemblablement servi ensuite dans l'élaboration de son œuvre.

Si Gabrielle Roy a exprimé le désir que ses lettres à Marcel soient publiées, on peut se demander si l'intention de publication a pu être déjà plus ou moins présente au moment de leur rédaction. Il semble, en effet, au fur et à mesure que la correspondance progresse, que Gabrielle s'adresse de plus en plus à un destinataire virtuel, peut-être déjà aux lecteurs de son œuvre qui sont aussi les lecteurs potentiels de sa correspondance, plutôt qu'à Marcel lui-même, qui se retire peu à peu de l'échange. Dans les deux ou trois premières années de la correspondance, Gabrielle soigne davantage la forme et le style de ses missives, sans doute pour continuer de susciter l'admiration de Marcel, qui est avant tout amoureux de l'auteur de *Bonheur d'occasion,* de l'*écrivain* qu'est Gabrielle. Mais c'est surtout en travaillant à son œuvre, plus que par le contenu et la forme des lettres qu'elle lui envoie, que la romancière cherche à susciter la fierté chez Marcel. Cela constitue en quelque sorte un défi pour elle, du moins dans les années qui suivent leur rencontre : « Et tu sais, je voudrais tellement accomplir quelque chose dont tu pourrais être fier.

Depuis que je te connais, je suis devenue plus exigeante envers moi-même. » (Kenora, 14 juillet 1947) De cette façon, Marcel ne serait pas tant l'interlocuteur privilégié de Gabrielle que le représentant de tous les lecteurs potentiels des lettres et de l'œuvre, le premier témoin du travail accompli et surtout celui qui le premier jugera de la qualité de ce travail.

Dans cette optique, Marcel pourrait être perçu comme un « accessoire » dans cette correspondance. Est-il plus ou moins conscient de ce rôle auquel sa correspondante semble le reléguer ? Chose certaine, il ne tarde pas à espacer ses réponses, jusqu'à ne plus écrire du tout dans les dernières années. D'habitude, lorsqu'un des deux correspondants cesse d'écrire, l'autre en fait bientôt autant. Or Gabrielle, au contraire, persiste, malgré le fait que l'« Autre » garde le silence. Marcel a peut-être compris qu'il est réduit à servir d'intermédiaire entre la romancière et son public lecteur, et c'est probablement l'une des raisons pour lesquelles il ne répond plus. Même si cela n'est pas explicitement mentionné dans les lettres, le rôle de Marcel comme représentant des lecteurs de l'œuvre pourrait, d'une certaine manière, faire partie du pacte qui régit la correspondance entre les époux.

Même s'il est possible qu'elle s'adresse déjà, par l'intermédiaire de Marcel, aux lecteurs de son œuvre, Gabrielle Roy se permet, dans cette correspondance, de s'éloigner de temps à autre de ses « habitudes » d'écrivain, ce qu'elle ne s'autorise pas à faire dans les lettres qu'elle adresse à d'autres écrivains ou à certaines de ses amies, où il lui arrive encore de discuter de sujets essentiellement littéraires. Cela dit, la romancière ne cesse pas pour autant d'être *écrivain,* puisque c'est là l'essence même de son être, ce vers quoi elle tend constamment ; mais à Marcel, elle se présente comme un écrivain qui vit dans le quotidien, qui a des sentiments, des émotions, des craintes, des angoisses, des moments de joie et d'émerveillement. Sans doute l'intimité, la proximité, la complicité qui, d'une certaine manière, unit la romancière à son mari, malgré tous les problèmes que le couple a éprouvés au fil des années, lui permet-elle de se laisser aller, dans ses lettres, à retirer son masque d'*écrivain.*

Le ton des lettres et les sujets qui y sont abordés, jumelés à la quasi-absence de réponses de Marcel dans les dernières années de l'échange, donnent à cette correspondance des allures de journal personnel. Écrire à son mari fait partie d'un rituel quotidien pour Gabrielle. La lettre s'apparente de plus en plus à un *exercice de style,* répété presque chaque jour, un peu à la manière du musicien qui exécute ses gammes. Elle semble aussi devenir un moyen, pour la romancière, de compenser l'absence de plus en plus manifeste de celui qui a toujours été son premier lecteur. L'écriture épistolaire constitue une façon d'« enregistrer » cette époque de sa vie, de consigner les événements et les impressions qui marquent son existence.

Dans cette perspective, la lettre aurait pour fonction, comme Gabrielle Roy l'écrivait à Melvin Yoken (4 novembre 1969), d'alimenter la banque d'impressions qui lui servira dans l'élaboration de son œuvre, de combler le vide que crée l'absence momentanée d'inspiration en attendant que se déclenche l'élan nécessaire à l'émergence de l'œuvre. Ce serait dans la lettre que l'écrivain laisserait une place à « l'empreinte du vent, de la vie, de la nature », parfois à son quotidien le plus prosaïque ; la lettre lui permettrait de meubler ce qu'on pourrait appeler l'« entre-deux », tout en demeurant *écrivain.*

Enfin, si la lettre constitue un lieu où l'écrivain se livre entièrement, sans retenue, à son destinataire, le seul fait d'écrire des lettres représenterait une forme de don de soi : le temps que la romancière consacre presque quotidiennement à l'écriture épistolaire lorsqu'elle est dans une période de travail intense est, d'une certaine manière, « volé » à son œuvre. Les nombreuses lettres écrites lors du séjour à Upshire à l'automne 1949, par exemple, alors que Gabrielle Roy travaillait au roman *La Petite Poule d'Eau,* montrent qu'il était primordial pour elle de se rapprocher de Marcel — et peut-être même de nous tous, lecteurs de son œuvre —, de lui donner le plus souvent possible, malgré la tâche qu'elle avait à abattre, une partie d'elle-même.

* * *

L'édition des lettres de Gabrielle Roy à Marcel Carbotte que nous proposons ici a été réalisée à partir des manuscrits qui se trouvaient parmi les archives personnelles de Gabrielle Roy et qui sont conservés aujourd'hui à la Bibliothèque nationale du Canada. La romancière écrit le plus souvent à son mari sur du papier à lettre blanc, de format standard. Elle n'utilise jamais de papier de fantaisie. Il arrive qu'elle lui envoie des cartes postales, expédiées la plupart du temps dans une enveloppe : ces cartes sont destinées à enrichir la collection que Marcel accumule. Il arrive également que Gabrielle envoie des aérogrammes. Quelques cartes de souhaits ont aussi été conservées. Le papier porte parfois l'en-tête de l'hôtel ou du village où la romancière séjourne.

Cette édition a été conçue dans le but de rendre accessibles au grand public et aux chercheurs des documents qui sont susceptibles non seulement d'éclairer l'œuvre publiée et inédite de la romancière, mais aussi d'alimenter la réflexion critique et théorique sur l'écriture épistolaire. Les lettres de Marcel ne suscitent pas le même intérêt, et c'est pourquoi elles ne figurent pas dans ce recueil.

L'objectif premier était de donner ici le meilleur texte possible et le plus conforme à la volonté exprimée par l'auteur. Comme Gabrielle Roy accordait une grande importance à la qualité de la langue et à la révision de ses textes destinés à la publication, nous nous sommes permis d'intervenir pour apporter des corrections d'ordre grammatical et orthographique. La plupart des interventions ont consisté à rétablir des temps du verbe erronés et à uniformiser l'orthographe. Ainsi, les « madame », « monsieur », « docteur », « sœur », dont Gabrielle Roy fait un usage abondant, les faisant débuter tantôt par une minuscule, tantôt par une majuscule, ont été uniformisés selon l'usage courant : dans le texte édité, ces mots commencent tous par une minuscule. Cela dit, pour certains mots et expressions comme « cet/cette après-midi » ou « allè/égement », les variations orthographiques ont été conservées, puisque les deux usages sont acceptés par les dictionnaires courants. La syntaxe et la ponctuation d'origine ont aussi été respectées, sauf lorsque cela pouvait nuire à la compréhension d'une phrase. Le cas des points d'interrogation était plus problématique puisque Gabrielle Roy ne les emploie que rarement. Cette pratique a été respectée ; des points d'interrogation n'ont été ajoutés qu'à la fin des phrases qui appelaient vraiment une réponse de la part du destinataire (par exemple : « As-tu reçu les colorants ? »). Tout ce qui a été ajouté — dans le cas des lacunes du texte — ou déduit — dans le cas des dates et des lieux — apparaît entre crochets dans le texte. Enfin, la mention [illis.] désigne un passage qu'il a été impossible de déchiffrer sur le manuscrit. Ces mots ou passages sont rares, puisque Gabrielle Roy a une écriture relativement limpide.

Nous avons choisi de regrouper les textes en des ensembles qui correspondent aux différentes périodes pendant lesquelles Gabrielle et Marcel ont été séparés. Chaque section est précédée d'une courte introduction, qui livre les détails biographiques nécessaires à la compréhension des ensembles de lettres qui suivent. Y sont évoqués, par exemple, les circonstances qui entourent le voyage de la romancière, son travail, les lieux qu'elle visite durant ce séjour, etc. Ces brèves mises en situation permettent de créer une sorte de fil conducteur entre les différents ensembles de lettres, ce qui facilite la lecture et la compréhension.

Pour cette édition, enfin, nous avons voulu un appareil de notes aussi léger que possible. Ces notes, qui sont regroupées en fin de volume, donnent des précisions sommaires sur les personnes citées, les lieux, le contexte historique, les lectures et les événements auxquels Gabrielle Roy fait allusion lorsque cela est nécessaire. Au besoin, nous y avons reproduit des extraits des lettres de Marcel. Nous avons aussi traduit les passages et les expressions en anglais lorsque leur compréhension pouvait poser problème. Enfin, nous avons signalé les quelques allusions, explicites ou implicites, que Gabrielle Roy fait à ses autres textes.

* * *

Nous tenons à remercier François Ricard et Jane Everett, professeurs à l'Université McGill, de même que Sophie Montreuil et Danielle Demers, qui ont soigneusement relu le manuscrit. Notre gratitude va également à Lionel Dorge, qui nous a fourni plusieurs renseignements ayant trait à Saint-Boniface et au Manitoba, ainsi qu'à Linda Hoad et à Michel Brisebois de la Division des manuscrits et des archives de la Bibliothèque nationale du Canada. Un grand nombre de personnes et d'organismes ont eu l'amabilité de nous transmettre des renseignements nécessaires à la rédaction des notes explicatives. Nous ne pouvons les nommer tous ici; mais qu'ils soient assurés de notre reconnaissance. Nous remercions enfin le Conseil de recherches en sciences humaines du Canada (CRSH) et le Fonds pour la formation des chercheurs et l'aide à la recherche du gouvernement du Québec (FCAR) de leur soutien financier, ainsi que les administrateurs du Fonds Gabrielle Roy qui ont autorisé cette publication.

Sophie Marcotte

Kenora
été 1947

En 1947, Gabrielle Roy nage en pleine gloire. Son premier roman, Bonheur d'occasion, *obtient, depuis sa parution en 1945, un immense succès. Le livre paraît aux États-Unis, chez Reynal & Hitchcock, en avril 1947 — la traduction est de Hannah Josephson — et est choisi, avant même sa publication, comme « Book of the Month » par la prestigieuse* Literary Guild of America. *À la même époque, le studio Universal Pictures de Hollywood acquiert les droits pour l'adaptation cinématographique de* Bonheur d'occasion *pour la somme de 75 000 dollars.*

En mai, afin de fuir la pression et de se reposer, Gabrielle se rend à Saint-Vital, juste à côté de Saint-Boniface, au Manitoba, où elle séjourne chez sa sœur Anna. Elle entreprend la rédaction de son discours de réception à la Société royale du Canada[1].

Au début de son séjour, elle rencontre Marcel Carbotte, qu'elle ne connaissait jusque-là que par une lettre qu'il lui avait envoyée à titre de président du Cercle Molière, en 1945, pour la féliciter du succès remporté par Bonheur d'occasion. En juillet, deux mois après leur rencontre, Gabrielle et Marcel décident de se marier. L'union sera célébrée le 30 août 1947. Entre-temps, à la « Painchaudière[2] *», la vie devient insupportable. Adèle, autre sœur aînée de Gabrielle, décide de rendre visite à ses sœurs et séjourne elle* *aussi chez Anna. Une brouille éclate entre les trois sœurs, ce qui n'est pas sans rappeler le séjour qu'elles avaient fait ensemble chez Anna, en 1943, après la mort de leur mère*[3]*. C'est pourquoi à la mi-juillet, Gabrielle décide de se rendre à Kenora, petit village situé à l'ouest de l'Ontario, à la frontière manitobaine, où elle passera le reste de l'été. Son autre sœur aînée, Bernadette — sœur Léon-de-la-Croix —, habite à Kenora au couvent de la communauté des Saints Noms de Jésus et de Marie dont elle fait partie. Gabrielle logera à l'hôtel Kenricia. Elle terminera la rédaction de son texte pour la Société royale du Canada. Marcel, pendant ce temps, est à Saint-Boniface où il pratique la médecine.*

Kenora, lundi le 14 [juillet] 1947

Cher Marcel,

Hier soir, après ton départ, j'ai agi comme toi lorsque tu cours auprès de la douce et attentive Delphine. J'étais à un tel degré d'exaltation que je ne pouvais tenir en place. J'ai regrimpé le Quality Hill, je suis retournée voir le nonnain[1]. Toutes les sœurs sont venues s'asseoir autour de moi sur leur petit porche face à la grande baie. Et, délicieusement femmes, curieuses comme des blettes[2], si ingénues, elles ont essayé de me faire parler de toi. Cela leur réchauffait le cœur et qui sait, peut-être même leur faisait paraître un peu plus dur qu'à l'accoutumée leur renoncement. La Dédette[3] m'a demandé : « Est-ce bien vrai que toi et Marcel vous étiez des amis depuis des années, et que vous vous écriviez fidèlement ? » (Ce serait là la plus récente légende qui circule sur notre compte.) Peut-être eussé-je pu lui répondre qu'effectivement nous nous aimons depuis des années. — J'ai tellement l'impression que notre amitié est un ouvrage de longue durée.

J'ai bien dormi, huit heures, ce qui est déjà un grand progrès. Ce matin, il fait une chaleur torride. Je n'ose pas m'en plaindre, songeant que s'il règne une telle chaleur ici, chez toi ce doit être intolérable. Je devrai sans doute me lever très tôt, si je veux réussir à travailler quelque peu. Dès dix heures du matin, mes idées sont déjà comme ramollies et dissoutes par la chaleur. Je les cherche ; elles ont fondu. Et, tu sais, je voudrais tellement accomplir quelque chose dont tu pourrais être fier. Depuis que je te connais, je suis devenue plus exigeante envers moi-même. À tel point que ce souci, ou me détruira, ou au contraire m'élèvera infiniment au-dessus de moi-même, et alors, chéri, je te devrai tout.

J'irai sans doute, cette après-midi, par la vedette, chercher un peu de fraîcheur à Coney Island[4]. Ou bien, j'irai à une autre petite plage que les religieuses m'ont signalée. Mais je me ferai une certaine violence. Kenora a perdu beaucoup de saveur depuis que nos yeux ne le voient plus ensemble. À travers toutes les petites corvées que tu auras à accomplir cette semaine, tâche tout de même de te reposer, mon chéri ; tu travailles vraiment trop, et toi aussi tu ne dors pas suffisamment. Comme c'est drôle : nous allons maintenant nous faire des recommandations et défendre à l'un ce dont l'autre lui-même est affligé.

J'ai un tel tas de lettres à écrire que je ne sais par où commencer. Ou plutôt, je le sais bien puisque c'est à toi que j'écris d'abord. Miraculeuse simplification !

Pas de blonds hier soir lorsque, revenue du couvent, je me suis assise quelques minutes sur la véranda de l'hôtel. Peut-être y en avait-il ! Comment aurais-je pu les voir !

Ce matin, j'ai pris le petit déjeuner dans ma chambre. On m'a apporté une énorme cafetière. Je ne serai pas toujours si extravagante, mais il y a une certaine solitude riche de souvenirs que l'on aime entretenir, tu le sais, tu m'en as parlé.

14 jours ! C'est encore long, mais un peu moins que 15. Tout de même, mon rusé, je t'avais pris au sérieux hier soir avec ton histoire de lunettes. Tu mériterais un châtiment.

Quand tu seras à l'hôpital, je compte sur ta promesse de demander à Delphine de m'écrire un petit mot.

Et, en attendant, tu sais, n'est-ce pas, à quel point j'ai hâte de lire une première lettre de toi.

En toute tendresse,

Gabrielle

Hôtel Kenricia

*

Kenora, lundi soir, 14 [juillet] 1947

Cher grand fou,
J'ai oublié de te dire que j'ai pu acheter ici, dans le bazar de l'hôtel, un sac à main en paille, très acceptable et qui fera bien mon affaire. Ça vient de

Haïti, c'est fait par les indigènes, et je l'ai déjà rempli de tout mon capharnaüm. C[e n]'est pas ce qu'il y a de plus beau, mais ça sent les îles chaudes et ça me suffit. J'ai fait le petit voyage de deux heures et, sur le bateau, imagine qui je rencontre : Cécile Toupin, mariée à un M. Favreau[1]. Mais à l'hôtel, je passe inaperçue, je suis toute délaissée, et je ne m'en plains pas. Je voulais aussi te dire ce matin : ne t'ennuie pas trop. Pourtant non, je ne peux te faire des recommandations semblables. Ennuie-toi au contraire et garde-moi tout entier ton besoin d'affection.

Gabrielle

*

Kenora, mardi le 15 [juillet] [19]47

Mon chéri, Marcel,

Je suis allée me baigner à la plage de Coney, cette après-midi, avec tous les bébés, les chiens, les grosses mères suantes, les gosses ; le petit bateau était plein à craquer. Nous nous sommes tous un peu rafraîchis, puis, de retour, je crois bien que nous avions tous eu un peu plus chaud que si nous étions bien tranquillement restés chacun chez nous. Je suis désolée de penser que tu dois rester en ville par cette chaleur.

J'ai écrit au bonhomme Strange. D'ailleurs, j'ai écrit plusieurs lettres en ces deux jours. En ai reçu deux, réadressées de la Painchaudière. C'est toi, n'est-ce pas, mon chéri, qui es allé les chercher ? Autrement, elles ne me seraient pas arrivées si vite. Je te remercie. Tu me combles de tant de façons que j'en reste, tu sais, toute surprise et très émue. L'une de ces lettres venait de Maximilian Becker, mon agent littéraire à New York. Il m'annonce la vente des droits danois[1]. Apparemment, ce sont les pays scandinaves qui mordent les premiers. Il faudra aller voir ces gens intelligents et si bien disposés à mon endroit, ne penses-tu pas ? Je me suis fait embobiner par la Dédette, mais, au fond, avec joie, car faire plaisir aux sœurs, c'est comme faire plaisir aux enfants : c'est si facile, et la récompense est si grande. D'abord que je raconte mon histoire comme il faut ! Demain Adèle et Clémence[2] arriveront à Kenora pour y passer deux jours. Dédette, comme tu peux le penser, a conçu une belle promenade dont, bien entendu, je défraierais le coût. Ce qu'il y a de plus navrant, c'est qu'elle m'a chipé mon idée qui était justement de louer un bateau et d'emmener tout le monde en pique-nique. Le projet a vite grandi, soutenu par l'imagination de Dédette. Tout le couvent est de la fête ; la petite mission de Keewatin[3] aussi. Dieu sait quelles autres gens notre Dédette va s'aviser de cueillir en route ! De toute façon, je crois qu'à l'heure actuelle, une quinzaine de sœurs font leurs préparatifs. Tu croirais que je vais les emmener au Labrador, tant elles sont surexcitées. Je te raconterai demain soir l'aventure qui promet d'être peu banale.

J'ai toujours bien hâte de recevoir un mot de toi. Deux jours sans nouvelles, c'est long tu sais ! Je t'écris sur mes genoux : c'est pour cela que les lignes dévalent en pente. Je suis près de la fenêtre, d'où il vient un tout petit peu de vent — chaud d'ailleurs. Et j'ai rempli le bain d'eau froide avec l'impression que cela rafraîchirait peut-être la chambre.

La plage est ravissante à Coney, mais je ne l'aime pas ; je m'y suis ennuyée de toi plus qu'ailleurs. As-tu fait apparition hier, au banquet de la Révolution et de la prise de la Bastille ? Raconte-moi qui tu y as vu et les choses fines que tu as pu dire. Adigard y était sans doute avec sa Colombienne[4]. Comment est-elle ?

Et toi, Marcel chéri ? Pas trop fatigué j'espère. Profite de ton séjour à l'hôpital pour te reposer et... penser à moi.

Parce que je t'aime bien.

Gabrielle

⁂

Kenora, mercredi le 16 juillet [19]47

Mon cher Marcel,

Il faudra bien que je t'écrive un peu à la course aujourd'hui, quoique je me sois proposé déjà de ne jamais consentir à la hâte, au n'importe comment quand il s'agit de toi. Mais la promenade avec tout le couvent est pour 4 heures cette après-midi. Et puis, toutes les lettres que tu m'as réadressées exigeaient des réponses immédiates. Il y avait le contrat danois qu'il m'a fallu parcourir puis signer. Il y avait une autre lettre de Saint-Pierre, président de la Société royale[1]. Il me propose maintenant le 4 octobre comme la date de l'assemblée. Je lui ai répondu que [je] ne pourrais m'engager pour plus tard que le 27 septembre. Limite absolue. Chéri, ne proteste pas. Ta carrière aussi compte, tu sais, à mes yeux, et il ne peut être question de te retarder davantage. Tant pis, si je ne puis y être. Il faut habituer les gens, tu sais Marcel, à accepter nos conditions quand elles ne sont dictées ni par l'égoïsme, ni par pédanterie, mais au contraire par les exigences de l'esprit créateur ou par la conscience supérieure de sa mission dans la vie. Ainsi, on peut donner aux hommes infiniment plus que le plaisir d'une soirée, d'une réunion, d'une entrevue, plaisirs fort insignifiants quand on y pense, au regard d'une œuvre ou d'une carrière comme la tienne et la mienne le seront, offertes entièrement pour le plus grand bien des autres.

Je t'écris à la course parce que je m'en voudrais de te laisser sans nouvelles alors que tu seras à l'hôpital et peut-être un peu souffrant. De mon côté, rien encore du grand fou. Je trouve ça long... pour n'en pas dire plus.

Je t'envoie la dernière lettre de Ronald Everson[2]. C'est un chic type, un ami éprouvé et qui a toujours été parfait à mon égard. Tu vois, il est prêt à nous rendre de grands services. Tu me renverras cette lettre, en indiquant ta réponse aux questions qu'elle pose si, toutefois, tu crois que ça en vaut la peine. Je ne parle pas du post-scriptum. Bien entendu, je vais lui défendre de vendre la mèche avant le temps[3].

J'ai été sur le point de te téléphoner hier. La soirée s'est passée d'une façon si morne, si lente que je ne savais plus vers quoi me tourner. L'extrême ennui m'a enfin décidée à continuer la lecture de Bergson, merveilleux esprit lucide et généreux. Toutefois, dans cette chaleur, l'effort qu'il exige pour le suivre est presque impossible.

À bientôt, chéri, Marcel. Guéris vite.

Gabrielle

*

Kenora, jeudi le 17 juillet [19]47

Mon cher, cher Marcel,

Ta petite lettre de mardi soir m'a apporté beaucoup de joie. Je n'ai aucune peine à lire ton écriture. Une seule chose m'effraie pour l'avenir : ta crainte, par exemple, de me voir assise le soir, sur la véranda de l'hôtel[1]. Quelle existence cloîtrée tu vas me faire si tu persistes ainsi ! Console-toi : hier soir, personne ne m'a vue. J'étais avec Adèle dans ma chambre. Une petite brise s'était levée, que nous cueillions avidement, assises près de la fenêtre. Clémence n'est pas venue. Seulement Adèle. Elle a été très gentille pour moi. Et j'ai réfléchi au bizarre clan que nous formons. Toujours ou presque toujours aux prises quand nous sommes ensemble et, cependant, périssant d'ennui quand nous sommes séparées.

La communauté m'a donc accompagnée hier après-midi. Les sœurs avaient préparé un panier de pique-nique. Elles ont papoté comme des petites folles; elles ont raconté leurs petites blagues innocentes. Elles se sont exclamées sur tous les tons : « Oh, sœur, que l'eau est belle : regardez comme c'est bleu ! » — « Oh, sœur, comme le bon Dieu a bien fait les choses : qui donc aurait pu créer un si beau lac sinon lui ! » (Il n'y a bien que lui, en effet, à avoir réussi un pareil truc !)

Puis elles ont chanté leurs petites chansons gaies, des cantiques, et elles ont récité une prière pour remercier. Et c'était touchant, reposant, et bien, bien loin du monde tel que nous le connaissons. De toute façon, le dix dollars que j'ai dépensé pour leur faire plaisir m'a singulièrement enrichie. Leur joie était si spontanée. Le batelier, au retour, refusait d'abord de prendre le prix du voyage. Il m'a dit : « Heck, I'd feel like a king taking a sucker from a kid. I wouldn't take a cent from them. » Je lui ai exposé que c'était moi qui payais. Il m'a demandé, attendri, me prenant pour une pauvresse hébergée par la communauté : « And who are you that I should take money from you ? Heck, I've had my pleasure, seeing those sisters laugh and enjoy themselves[2]. » Il accepta enfin d'être rémunéré, mais il s'engagea à promener les sœurs une autre fois et, cette fois, à ses frais. Et toutes les sœurs, comme des petites juives, sont ravies du marché.

J'ai pensé à toi ce matin en m'éveillant. J'espère que tu n'es pas trop souffrant. Il faudrait bien, chéri, que tu restes — [*ajouté en surcharge :*] *ça devrait être restasses, mais quelle horreur !* — à l'hôpital aussi longtemps que nécessaire. Profites-en pour te reposer. C'est injuste que tous les autres médecins du village prennent leurs vacances à la fois et te laissent tout ce boulot[3]. Vois comme c'est compliqué : je voudrais que tu sois sage ; je sais que tu devrais te reposer ; et pourtant je ne serais pas fâchée, tu sais, de te voir arriver dimanche.

Hier, au déjeuner, j'ai rencontré toute la famille du Dr Benoit[4], dans la salle à dîner de l'hôtel. Je voyais bien d'abord une dame qui m'adressait des signes, des sourires, des grimaces amicales, et je n'y répondais pas plus qu'aux avances amicales, tu te souviens, de ce pauvre petit reporter de *La Tribune*, le soir où il nous a vus, chez Picardy[5]. Enfin, j'étais lasse tout de même de ces signaux. Je ne reconnaissais ni la dame, ni les filles, ni le père qui était en chemise rouge de lumberjack. Enfin, j'ai pu reconnaître, à son air toujours turbulent, la Jacqueline. Grandes invitations, grande curiosité aussi de la part de Benoit, et de la part de madame, une petite chatterie point très gentille que je te raconterai.

J'ai reçu ce matin, de la part de M. Nadeau[6], une lettre du magazine américain *'47* (c'est plutôt une revue très littéraire) me demandant de collaborer chez eux. Cela me flatte beaucoup, puisque *'47* groupe, je crois, les écrivains les plus distingués de plusieurs pays et ceux, il me semble, qui ont le plus de dignité[7].

Il a fait si terriblement chaud ici durant les derniers jours que je n'ai pas réussi à avancer mon travail comme je l'aurais voulu. Toutefois, ce matin, j'ai fait un peu mieux. Il avait plu durant la nuit et j'ai pu dormir suffisamment. Chère pluie rafraîchissante ; je voudrais qu'elle revînt encore, et toutes les nuits !

N'admets pas trop de visiteurs auprès de toi. Ils te fatigueront à parler et toi, à essayer de leur répondre. Et puis aussitôt que tu seras un peu mieux, écris-moi encore. Tu sais, je regarde vers mon casier, en bas, chaque fois que je passe par là.

Et elle s'ennuie de toi, et elle a bien hâte de te retrouver.

Gabrielle

⁂

Vendredi soir, le 18 juillet [19]47

Mon cher grand Marcel,
J'ai reçu hier soir un télégramme de Delphine à ton sujet. Voilà une bonne amie qui me renseignerait au besoin sur tout ce que tu ferais. Gentille, gentille Delphine ! Je lui ai tout de suite envoyé un mot pour la remercier.

Toutes tes lettres me sont arrivées, et elles ne sont ni banales, ni ternes, cher grand fou[1] ; tout simplement elles sont les lettres d'un homme trop pressé, surmené et qui, s'il continue à se démener puis à courir comme il le fait, va user trop vite ses forces et des talents trop précieux pour les dépenser ainsi. Mon chéri, je ne te ferai pas de sermon ce soir (d'ailleurs j'ai relevé dans deux de tes lettres l'expression — en parlant de moi — « tes ordres[2] », ce qui m'a grandement surprise, puisque je ne suis pas une personne qui donnerait ou accepterait des ordres, mais mettons que tu as employé ce mot par taquinerie — et voilà une longue parenthèse terminée) parce que je ne les aime pas et que ce n'est pas le temps : tout de même, il serait très sage que tu écoutes, non des ordres, mais une prière que je t'adresse dans l'intérêt de ton plus grand bien : et ce serait, Marcel, que tu prennes vraiment quelque repos après cette opération.

Quant à moi, j'ai fait beaucoup de progrès. Je ne doute pas maintenant que l'atmosphère de la Painchaudière me tenait dans un état d'extrême nervosité. Que veux-tu, on [n']y respire pas la liberté et la confiance ! Pourtant j'ai reçu une lettre bien émouvante d'Anna. Quel être tourmenté, se haïssant pour chaque blessure qu'elle inflige, et cependant incapable de réprimer le goût ou l'affreuse nécessité de blesser ! Il y a des êtres comme ça. Ce sont les plus malheureux de la terre. Leur propre besoin de perfection, toujours insatisfait, les pousse à des reproches perpétuels envers ceux qu'ils aiment le mieux et qu'ils voudraient parfaits. Je suis persuadée maintenant qu'Anna éprouve une très grande affection pour moi, une admiration exagérée même, mais que, peu démonstrative, elle n'ose dévoiler que dans ses lettres.

Avec la Dédette, c'est une autre histoire. Elle voudrait m'amener à ce qu'elle considère une conversion. Il y a un abîme entre nos façons de penser. Il faudrait tout de même que les âmes dévotes conçoivent que l'on peut être tout aussi sincères qu'elles le sont, en dehors des principes qu'elles peuvent accepter sans les interroger. Mais j'aime bien la Dédette, et il faut dire qu'elle est devenue très humaine et qu'elle irradie autour d'elle comme un rayonnement de paix et d'enfantine candeur.

Je me suis fait un ami dans Kenora, n'en pouvant plus de n'avoir personne à qui parler, en dehors des bonnes sœurs que je vois tous les jours. Tranquillise-toi, je l'ai choisi vieux, laid, et même oriental, afin que tu n'aies pas de motifs de jalousie. C'est le Chinois du Café. Je vais lui acheter un bol de soupe ou un sandwich, le soir, avant de me coucher. Je l'ai bien épaté quand j'ai dessiné au dos de ma note, en le payant, le caractère qui signifie homme[3]. C'est tout ce que je connaissais des caractères chinois. Mais il a été réjoui. Nous avons fait la conversation. C'est-à-dire que moi je parle et lui, sa conversation, c'est comme la tienne dans les premiers temps : il rit, il rit tout le temps. Et connais-tu quelque chose de plus reposant, de plus doux à entendre que le rire d'un Chinois ? Va tâcher d'en faire rire un, quelque soir, et tu verras !

Mais tu vois, j'en suis à des expédients enfantins pour tromper le temps et les soirées vides.

Comment va ta gorge ? Quand sortiras-tu de l'hôpital ? Pas trop tôt tout de même.

J'ai reçu une autre lettre d'Arthur Saint-Pierre. La réception à la Société royale est fixée définitivement au 27 septembre. J'espérais m'en sortir, tu sais, mais me voilà prise au piège et tout à trac. Enfin, je ferai de mon mieux, et j'espère que tu ne seras pas trop mécontent de mes efforts. Tu ne sembles pas comprendre suffisamment, chéri, que j'attache un prix immense à ton assentiment. C'est peut-être déjà le seul qu'il m'importe de mériter. Il se peut que tu me croies si assurée de moi-même que je puisse me passer d'encouragement. Ce serait être bien loin de la vérité. Tout comme toi, j'ai besoin d'une chaleur d'adhésion et d'appui.

J'aime bien tes lettres, mon Marcel, seulement je les préférerais un peu plus longues. Songe que si j'étais à Saint-Vital, tu me donnerais tes soirées entières et pas rien qu'une petite demi-heure. Toutefois, ce n'est pas un reproche. Je comprends très bien que tu as trop à faire à la fois.

Je ne rentrerai pas à la Painchaudière sans un frémissement de révolte. J'aurai bien un peu l'impression de réintégrer une geôle. Mais ce sera une autre chose difficile que j'accomplirai pour toi assez facilement malgré tout.

J'ai écrit à Ronald Everson, lui donnant les précisions que tu m'as indiquées. Cela ne veut pas dire qu'il faudra s'en remettre absolument à ses bons services. Nous serions bien avisés d'aller quand même aux bureaux des compagnies de navigation.

Dis-moi bientôt que tu vas mieux, que tu ne souffres pas trop. Et aussi, si tu estimais le projet raisonnable, pourquoi ne viendrais-tu pas te reposer quelques jours ici ? Tu ne me nuirais pas dans mon travail, j'en suis certaine.

Au revoir, mon chéri, Marcel. Plus il y a de jours qui s'écoulent et plus ceux qui restent à attendre paraissent longs.

Gabrielle[4]

*

Kenora, dimanche le 20 juillet 1947

Mon cher Marcel,
J'ai un mal de tête atroce et j'ai épuisé le stock de 292 ou je ne sais plus quel numéro que je gardais avec mes cents[1]. Ces deux derniers jours, samedi et dimanche, sans nouvelles de toi, ont été désespérément longs. Dans l'extrémité de l'ennui, je me suis tournée vers mon travail et j'y ai apporté des efforts un peu plus méritoires. J'ai toujours été ainsi, chéri. Ce n'est que dans l'excès du chagrin ou de l'ennui que j'ai pu obtenir de moi-même une réelle disposition au travail. Peut-être sommes-nous tous un peu ainsi ! Que de notre souffrance, de notre exaspération seulement, nous arrivons à tirer un sens aiguisé, approfondi de la vie. Toutefois, je sais bien, cher Marcel, qu'avec toi je resterai sensible aux malheurs qui nous entourent et que je ne perdrai pas le désir de les combattre.

Comment vas-tu ? Tu ne peux imaginer comme j'ai été inquiète à ton sujet, malgré le télégramme de Delphine !

Je viens de recevoir une longue lettre de Bill Deacon. Je te l'envoie parce que, à ce qu'il me semble, elle demande que nous la considérions sérieusement. Mais tu y verras aussi à quel point la publicité va nous guetter jusqu'à notre départ. Tu comprends, pour demander conseil à Deacon, il fallait tout de même que j'avoue quelque chose de notre cher et merveilleux projet[2]. Or, tu vois, l'esprit de publicité y perçoit déjà son intérêt. Heureusement que tu seras là pour me défendre. J'étais si lasse au moment où je t'ai rencontré de cet empiétement dans ma vie privée.

Retourne-moi la lettre de Deacon. Je la conserverai et nous l'étudierons ensemble avant de prendre une décision. Sur certains points, je ne doute pas qu'il ait raison. L'ennui, ce sera de les faire accepter par Me Jean-Marie Nadeau sans qu'il se doute de qui me viennent ces conseils. Nous y aviserons ensemble, veux-tu ? Tant de misères pour défendre le vil métal. Bien souvent, je me dis qu'il n'en vaut pas la peine, et qu'il serait préférable d'être délivrée de cette obsession à tout prix, d'y renoncer complètement.

Sois tranquille, pourtant, au sujet de la demande de Deacon. Je ne peux faire autrement que de lui accorder l'exclusivité de certaines nouvelles en retour d'une si grande bonté qu'il a eue envers moi, mais je lui ai recommandé — et il est trop aimable pour passer outre — de ne rien publier jusqu'à... Alors, nous serons prêts à partir, n'est-ce pas, chéri, et la liberté toute proche pour nous accueillir.

Il me semble qu'il y a des siècles que je n'ai pas regardé dans tes chers yeux et que je n'ai pas tiré ta mèche de cheveux au-dessus de l'oreille.

Avec toute mon affection et mes pensées,

Gabrielle

⁂

Dimanche, cinq heures p.m. [20 juillet 1947]

Quelle bénédiction ! Il y avait du courrier aujourd'hui et tout à l'heure, en descendant, j'ai trouvé ta lettre de samedi dans mon casier.

Grand fou, tu as bien fait de ne pas t'informer du prix de ta serviette. Elle est payée depuis longtemps. L'aimes-tu vraiment ? Aussi, ne sois pas inquiet quant à mes finances. Je viens de recevoir un chèque de M. Nadeau.

Je suis très heureuse de penser que tu vas venir passer la fin de semaine avec moi. Ce sera au moins à partir de vendredi j'espère. Et qui sait, peut-être plus tôt ? Il faudra que tu m'avertisses aussi vite que possible : il va s'agir de te retenir une chambre.

J'ai été parfaitement tranquille ici, passant inaperçue, jusqu'à hier. Mais alors une petite fille de l'ascenseur a découvert qui j'étais... et me voilà comblée de salam[al]ecs, de courbettes et de regards en coin chaque fois que je descends. Moi qui étais si bien à causer, comme cela, et tout naturellement, sans provoquer chez les gens cette espèce d'ahurissement que [je] leur vois dès lors ! J'ai été causer avec la Dédette pendant une heure cette après-midi. Depuis que j'ai eu ta lettre mon mal de tête a disparu.

Tu es bien gentil de m'écrire que tu m'accorderais le prix Nobel[3]. Je ne le mérite pas encore, chéri. Il ne faut pas que ton affection te ferme les yeux à mes limites, ni qu'elle t'exagère mes mérites. Mais avec toi pour m'aider et me soutenir, qui sait, peut-être un jour arriverai-je à recevoir d'autres honneurs ! J'en serais surtout fière et heureuse à cause [de] toi.

Ça me fait du bien d'apprendre que tu n'as pas été trop souffrant. Et viens vite, viens pour le plus longtemps possible. J'ai tant de choses à dire qui se racontent mal dans une lettre.

Moi aussi, je t'embrasse, mon grand fou, et de tout mon cœur.

Gabrielle

*

Kenora, mardi le 22 juillet 1947

Mon cher Marcel,

Il semble impossible de retenir une chambre pour toi, ici à l'hôtel, ainsi qu'au Lake of the Woods[1]. On attend une délégation ou quelque chose dans ce genre en fin de semaine. Mais si tu veux venir quand même, ainsi que je l'espère bien, je réussirai certainement, avec l'aide de Dédette, à te trouver une chambre. Ce sera peut-être dans une maison de touristes, si tu n'y vois pas d'objections. Je sais bien que cet arrangement n'est pas très agréable mais que veux-tu, à moins que toute la délégation tombe malade, nous ne pouvons pas espérer mieux.

J'ai terminé la première ébauche de mon travail. Ton reproche, même en badinant, que je n'ai pas beaucoup travaillé ici, m'a quelque peu peinée. J'essaierai de m'endurcir, ce sera assez difficile. De toi, j'attends tellement que tu me comprennes dans des expressions sans doute déroutantes et difficiles à saisir. J'essaie tout de même de m'expliquer le plus clairement possible.

Malgré la promesse que je t'ai faite de n'y plus penser, je dois bien t'avouer qu'une certaine phrase que tu m'as dite est restée dans mon esprit, qu'elle m'a tourmentée une partie de la soirée, et que tous les démons hier soir sont revenus. Celui du renoncement, le plus fort contre moi, qui m'a soufflé de me libérer du poids de toutes les possessions terrestres et d'essayer de m'évader en des endroits, en des pays où personne ne me connaîtrait. Je le connais bien celui-là ; il m'a appelée assez de fois : c'est le démon tragique qui suggère comme possible de se fuir soi-même, et qui toujours nous trompe. Mais sa voix avait tant de persuasion hier soir. Il me peignait sous des couleurs si consolantes une vie totalement détachée de tout asservissement, de toute entrave, surtout de l'argent, une vie qui pourrait se donner entière à la contemplation. Et par là, je ressentais comme une nostalgie du Tibet neigeux, tu sais de ces [l]amas qui ont réussi à se détacher du monde au point de pouvoir rester plantés sur un seul pied — jaunes hérons humains ! — et de ne pas manger plus qu'un petit oiseau. C'était à la fois drôle et malheureux ce qui se passait au fond de mes pensées, et sans grande cohérence. Et ce matin, j'ai chassé ces nuées noires pour reprendre, humblement, mon petit boulot quotidien, si pauvre, si petit devant ce que je voudrais accomplir.

J'aurais peut-être dû avoir le courage de ne pas t'ennuyer de mes préoccupations. Et peut-être que maintenant je ne devrais pas y revenir et en reparler. Mon chéri, tu m'as fait comprendre assez cruellement qu'il y avait certaines difficultés qui ne me concernent que moi seule. J'espérais tellement que nos difficultés, comme tout le reste, pourraient être mises en commun. Songe bien que si certaines choses te blessent, elles me blessent moi aussi. Enfin, mettons que tout cela est enterré.

Au revoir, mon cher grand,

Gabrielle

*

Kenora, le 23 juillet 1947

Mon chéri Marcel,
J'ai tout de même réussi à te retenir une chambre au Commercial Hotel non loin d'ici, à l'hôtellerie plutôt comme disait Georges Duhamel quand il était à Montréal[1]. Ce n'est pas loin de Kenricia. Si bien entendu, d'ici à samedi, il y avait une chambre libre ici, je te la retiendrais.

La chaleur est revenue. J'irai à Coney cet après-midi, si je peux finir mon boulot à temps.

J'ai fait quelques petites trouvailles en travaillant ce matin, dont je ne suis pas trop fâchée. Ce sont les expressions les plus simples, les plus dépouillées comme toujours qui sont les plus difficiles à trouver. Il faut couvrir et noircir bien du papier avant d'y arriver.

J'espère que ma lettre d'hier ne t'a pas peiné. Tu m'as dit qu'il fallait s'ouvrir le cœur l'un à l'autre, afin qu'il n'y ait jamais de malentendus entre nous. Et comme tu as raison ! Seulement, quelquefois, on risque ainsi, n'est-ce pas, de causer du chagrin. Maintenant, chéri, je conçois mieux ton point de vue, ayant passé des heures à l'examiner. Je te trouve excessivement généreux, et puis, hélas, bien sensible, trop sensible peut-être. Nous essaierons de nous épargner l'un l'autre, en ménageant justement cet excès de sensibilité qui, s'il est un peu notre ennemi, est bien aussi un peu la raison, ne trouves-tu pas, que nous nous soyons trouvés, reconnus et aimés.

Je t'envoie une petite découpure reçue de Montréal[2]. Espérons que sur notre bateau, il n'y aura rien de semblable. Que ça va être merveilleux, chéri, de voyager ensemble.

J'ai hâte de voir tes complets neufs. Et encore bien plus, le grand fou en ces mêmes habits.

Je t'embrasse et je t'aime.

Gabrielle

*

Kenora, encore [mercredi][1], le soir

Mon chéri de grand fou,
Ta charmante lettre de mardi soir qui dit tant de choses exquises — et entre les lignes j'en ai découvertes de plus douces encore — m'a grandement réconfortée. Tu as de l'humour et savoureux et un peu dans le genre Kéroack[2]... rabelaisien va qui en es arrivé à jouir religieusement ! Sais-tu que cela pourrait s'interpréter de façons fort différentes[3] ! Tout de même, je t'entendais rire tout seul derrière cette lettre et ça m'a fait du bien. J'aime maintenant t'entendre rire. Beaucoup plus que mon ami, le Chinois, que j'ai délaissé, le pauvre, depuis plusieurs jours.

Ah, chéri, que les journées se traînent en longueur sans ton grand nez devant moi.

Je ne te reparlerai jamais de ce que j'ai osé te dire dans ma malheureuse lettre de mardi. Aussitôt qu'elle fut partie d'ailleurs, j'eusse aimé la rattraper. Ne m'en veux pas, chéri, pardonne-moi ce manque de confiance. C'est fini, les démons sont loin, et je suis heureuse que tu m'aimes, que tu veuilles bien, mon Marcel, me décharger de mes soucis. Je te les confierai tous *domnéravant*, pour parler comme [illis.] Pollock[?] du Québec, le pauvre petit père Painchaud, from what part of the Ukraine...

Mais que tu es fou de ne pas savoir comment tu arriveras à m'aider ! Tu ne sais donc pas — ou plutôt tu le sais — quelle force nous donne le sentiment d'être aimé. Et j'ai cette force qui va [me] rendre redoutable comme Goliath — ou est-ce David qui fut le plus fort ? Je t'envoie quelque chose de drôle : les sœurs m'ont passé cela[4]. Tu aurais dû entendre la Dédette lire ce chef-d'œuvre. Elle a vraiment des dons remarquables de comédienne. Si elle était restée dans le monde et si elle avait eu plus de santé, je crois qu'elle eût pu devenir une grande artiste. De nous toutes, c'est elle qui possède le plus beau talent d'actrice.

Conserve bien cette drôleté : nous arriverons peut-être à faire rire les Parisiens avec cet échantillon d'humour canadien.

Écoute, le feu-à-la-buse, si cela te fait vraiment plaisir, je veux bien accepter de dîner avec toi, dimanche soir, et avec les amis du père Legault[5]. Je craignais en y allant de blesser de braves gens dont je n'ai pas accepté les invitations. Mais pour une fois, on peut toujours faire une légère exception. Toutefois, nous nous en sortirons de bonne heure, n'est-ce pas ? Et puis, il n'y aura pas trop de gens, j'espère, à ce dîner ? Après, je pourrai toujours alléguer quelque excuse si on m'offre d'autres invitations. D'ailleurs, avec le caractère excentrique que l'on m'impute, quelle différence cela comportera-t-il ! Aucune. Après, ce sera à toi de céder à mes *prières,* de te libérer autant que possible et de commencer ton feu à toi, dans ta forge à côté de la mienne. Cela fera un beau chœur d'enclumes ! Comme ce sera bon et utile ! Mais plus de tergiversations et plus de petites concessions à l'opinion d'autrui. Une seule importe, je crois bien : celle que la partie supérieure de chacun de nous exige de lui-même. Ou, comme dirait Valéry, choisir un soi-même et savoir se l'imposer[6].

À demain : il est temps d'aller boire mon lait, comme Moumoute[7]. Tâche de venir tôt samedi. Si cela te tente, nous pourrions aller à Coney nous plonger à l'eau.

Je me suis joué le tour : j'ai entrepris de couvrir un autre feuillet. Et le finir vers le milieu, ce serait mal élevé. Qu'est-ce que je vais donc maintenant te raconter ?

Je pourrais te raconter que la finaude de Dédette, hier soir, m'a prise dans un filet. Elle a réussi à me présenter à la bibliothécaire de Kenora, une Miss Stevens, qui m'a invitée chez elle — just for a cup of coffee a-t-elle dit. Mais c'était un petit complot monté en vue de me présenter à l'élite féminine et intellectuelle de Kenora. J'ai donc dû débiter des boniments à 7 ou 8 dames maigres et poètes jusque vers les minuit. La Dédette aussi, tu comprends, voudrait bien m'exploiter un peu pour obtenir quelques faveurs, quelques bénéfices des bonnes gens de Kenora.

Si je la laissais faire ! Imagine-toi qu'elle était en train de manigancer une entrevue avec le directeur de la petite feuille locale[8] ! Oh, repos, repos, oubli, oubli, que c'est dur et compliqué de les saisir !

Tu as quand même dû avoir l'air drôle de te précipiter lundi soir, vers une heure a.m., à l'hôpital. Mais que je t'aime pour cette impétuosité de ta nature et pour cette belle franchise d'attitude qui ne craint pas de s'exposer ! Ne crains pas que jamais je te la fasse regretter. C'est trop beau, c'est trop rare et trop précieux. D'ailleurs moi-même, la prêtresse de la solitude, la dame du silence et de la liberté, crois-tu que je n'ai pas un peu « perdu la face » ? Il y a une folle à bord du petit bateau aujourd'hui qui m'a reconnue. Elle m'a dit : « I've read your book. It's wonderful — but so depressing ». — « So is life, lui ai-je répondu. Look at us, happy people all going to cool off in the lake. Did you ever think of the thousands of little children, of the weary people who never had such a chance, but who are now stuck between brick buildings in hot, stuffy quarters ? No, huh. The trouble with you is that you don't think[9]. »

Et l'étonnant, c'est qu'elle m'a saisi la main et qu'elle m'a dit que j'étais un ange. On ne sait jamais trop ce qui remue derrière un visage.

Demain jeudi... après-demain vendredi, après-après-demain samedi : le plus beau jour de la semaine.

Que j'ai hâte de t'embrasser.

Gabrielle

我愛汝

Crois-le ou non, mais ça veut dire Moi aime Toi, en chinois. J'ai quand même acheté mon lait chez le vieil ami oriental.

*

Kenora, mardi le 5 août [19]47

Mon cher Marcel,
La nuit a été atroce, plus chaude encore que les deux précédentes. J'ai dû traîner mon lit jusque sous la fenêtre pour trouver un peu d'air ce matin. Et si j'ai réussi à écrire quelques lignes, c'est bien par rage plutôt que par goût.

Depuis une demi-heure cependant (il est maintenant près de midi et demi), il passe sur la ville une des plus belles tempêtes que j'ai jamais vues. C'est à peine si j'aperçois le lac de ma fenêtre. Si tu étais ici, nous irions au lac des Lapins[1] nous baigner sous les trombes d'eau et de vent. J'imagine que ce serait vraiment délicieux.

J'espère que tu n'es pas arrivé trop tard, ou plutôt, trop tôt. J'aurais dû me montrer plus énergique hier soir, et te laisser partir peu après le dîner. Mais c'était si pénible d'envisager toute la soirée, la soirée entière sans toi. Après ton départ, je suis allée me promener sur le quai : j'y suis restée jusqu'à dix heures et demie, et après, chaleur ou non, j'étais si fauchée par le grand air et tous nos exercices que j'ai bien sagement cherché le repos. Avant de m'endormir, j'ai lu deux contes de Runyon. C'est très amusant et me rappelle quelque peu une certaine veine de Steinbeck. Celle de *Tortilla Flat,* par exemple. Il y a aussi, quoique moins vigoureux, un peu de l'humour sombre de Maupassant[2], il me semble, sous cette apparente légèreté, ce ton à la blague de Runyon.

Chéri, que ce sera bon de te voir arriver samedi ! Ça ne peut pas s'exprimer. Ces trois belles journées que nous avons passées ensemble ont eu pour effet de m'en faire demander davantage. Je suis devenue comme les nonnains[3] (ah, d'une façon seulement, je t'entends bien !) ; plus on me prodigue de bontés, et plus j'en demande. Que tu es gentil mon Marcel, que tu es selon mon cœur et les exigences de mon esprit !

Je t'embrasse, chéri, en toute tendresse.

Gabrielle

⁂

Kenora, le 6 août [19]47

Mon cher grand Marcel,
Il y a un autobus qui va au lac des Lapins à 2 h 30, cet après-midi. J'irai m'y baigner parce que c'est un des endroits où j'ai été le plus heureuse dans ma vie et parce que j'y serai particulièrement bien pour penser à toi. Le jour où nous étions allongés tous les deux au bout du quai, et où j'ai saisi la « couette » d'un grand garçon que je croyais petit, n'y as-tu pas songé chéri, j'étais si heureuse, si contente que c'est dans l'excès de la bonne humeur que j'ai eu ce geste un peu fou.

Encore trois journées avant de te revoir. Cette fois, que j'en sois satisfaite ou non, mon travail sera fort avancé. Il n'y aura plus qu'à le condenser, ce qui est plus facile que d'étirer, quoique parfois ça fasse mal de sacrifier de grands paragraphes qui ont coûté assez cher. J'ai l'impression, maintenant que j'ai assemblé mes idées, de sortir d'une jungle épaisse où la lumière me venait obliquement et de très loin, alors qu'elle était toute proche. C'est ainsi souvent dans la vie. On ne voit pas bien que ce qui est immédiatement sous son nez.

Hier soir, au bout du quai des avions, j'ai longuement pensé à toi. J'ai dressé la liste de toutes tes qualités qui sont en nombre respectable, tu peux me croire. Veux-tu que je t'en énumère quelques-unes, toi qui es assez avide de bonnes choses ? Il y en a trop pour te les dire toutes en une fois, mais je vais t'en concéder une tout de suite, parce qu'elle me plaît singulièrement et qu'elle est très rare chez tout être humain, surtout chez les hommes, et c'est ton humilité, chéri. Ton humilité, cher Marcel, qui alors que tu me croyais supérieure à toi-même (ce qui, remarque-le bien, est faux) ne t'a pas empêché de m'aimer et de vouloir me protéger. Il n'y a pas beaucoup d'hommes qu'un tel sentiment n'éloigne pas de ceux qu'ils admirent et qu'ils pourraient aimer. J'estime même que seul un homme d'exception, très supérieur par les sentiments et par la sensibilité, aussi bien que par l'esprit, peut ignorer la vanité et l'amour-propre en pareils cas. Tu vois que je réfléchissais sérieusement hier soir. J'ai eu à ce moment envers toi, non seulement un moment de tendresse, ce qui serait déjà beau, mais un élan de profonde et réelle amitié, et cela en plus du reste m'a réconfortée infiniment. Nous sommes, Marcel, des amis, nous pouvons au-delà de tout rester des amis. Quelle perspective heureuse et paisible pour tout le temps que nous aurons à vivre ensemble !

Mais viens samedi et je t'en raconterai plus long sur les aimables côtés de ta nature. À moins que tu grognes et que j'aie à te dire : « ferme... dearie ».

Chéri, Marcel,

Ta chenapane Gabrielle

Genève
hiver 1948

Gabrielle et Marcel arrivent à Londres le 15 octobre 1947. Ils passent huit jours en Belgique, dans la famille de Marcel, puis à partir du 23 octobre, ils séjournent à Paris où ils louent un appartement à l'hôtel Trianon Palace, au 1bis, rue de Vaugirard, dans le VIe arrondissement.

L'édition française de Bonheur d'occasion *(Flammarion) est en librairie depuis le 9 octobre. Le 1er décembre, on annonce que Gabrielle Roy remporte le prix Fémina. Afin de fuir la publicité qui entoure l'événement et les obligations qui en découlent — dont les nombreuses entrevues pour lesquelles on la sollicite —, Gabrielle décide de faire un séjour à Genève, en Suisse. La vie à Paris, dans la période de l'après-guerre, est particulièrement difficile. En plus du rationnement alimentaire, qui est en vigueur depuis 1940 — on contrôle alors les quantités de viande, de pain, de sucre, de café, de fromage, mais aussi de riz et de savon —, les logements sont plus ou moins bien chauffés et les services publics déficients. En Suisse, Gabrielle pourra trouver, outre le calme qu'elle recherche, une chambre bien chauffée et une alimentation plus variée.*

Marcel l'y conduit en voiture, au début de janvier 1948, et revient ensuite à Paris où il doit entreprendre un stage en gynécologie et en oncologie auprès des docteurs Béclère et Moricard. Gabrielle logera à l'hô-

tel de l'Écu jusqu'au 9 février. Pendant son absence, Marcel trouve un nouvel appartement et s'occupe du déménagement : lorsque Gabrielle revient à Paris, le couple s'installe à l'hôtel Lutétia, boulevard Raspail, dans le VIe arrondissement.

Genève, lundi [le 12 janvier 1948]

Mon chéri,
Je t'écris immédiatement après ton départ afin que cette lettre précède si possible ton arrivée à Paris et qu'ainsi tu y trouves quelque chose pour t'empêcher d'être aussi triste que je le suis en ce moment. Ne t'inquiète pas de moi, je serai assez bien ici. C'est de toi que je m'inquiète ! Il faut que tu me promettes de bien manger et de t'organiser une vie confortable.

Ma pensée, tu le sais, va t'accompagner tout le long du voyage. Chéri, je t'entendrai me dire : — « Regarde le joli petit clocher ! » Et je répondrai sur ce ton nonchalant qui t'enrage : — « Ben oui ! » Tu insisteras : — « T'as pas vu. T'as rien vu. » Et je mentirai, je dirai : — « Ben oui ! » Tant de souvenirs, d'habitudes, de petits riens nous lient déjà si fortement l'un à l'autre, n'est-ce pas, chéri de cœur ?

J'ai aperçu cela au moment même où tu démarrais, en face de l'hôtel de l'Écu, j'ai bien vu la chaîne délicieuse de notre esclavage et je t'ai quitté brusquement à cause de tu sais bien quoi... Il me semble que je ne vais plus vivre que pour tes lettres, cher compagnon de ma vie. Et puisqu'il faut bien essayer de me consoler, de me trouver des motifs d'encouragement, j'ose me soutenir à moi-même que peut-être l'absence aura du bon, en ceci qu'elle nous fera prendre une pleine mesure du grand besoin que nous avons l'un de l'autre. Je te promets de toute façon que ce sacrifice ne sera pas en vain. J'entends bien qu'il nous profite à tous deux et qu'il nous unisse encore plus parfaitement. Et vois comment je suis, moi qui te houspillais cent fois par jour pour des riens, voici maintenant que je ne me rappelle plus que tes admirables qualités. Comme je t'aime !

Je t'écris au crayon puisqu'il n'y a pas d'encre dans mon stylo et que je veux déposer cette lettre tout de suite à la poste. Je serais heureuse que tu la trouvasses en rentrant à Paris. J'ai tellement hâte aussi de recevoir un mot de toi. N'oublie pas de m'indiquer ton changement d'adresse, au Lutétia ou ailleurs. J'espère que tu pourras te dénicher une chambre plus gaie et mieux chauffée qu'au Trianon. La patronne de l'établissement vient de prendre les mesures d'une carpette qui recouvrirait l'endroit le plus usé de mon tapis. Ce n'est pas aussi calme ici qu'à l'hôtel de la Paix, mais je m'ennuierai peut-être moins ainsi à entendre les légers bruits que font mes voisins.

Chéri, je t'embrasse de tout mon cœur. Écris bientôt et surtout, mon ange, sois courageux. J'ai déjà bien des raisons de t'admirer, mais j'en veux encore plus. Je t'aime.

Gabrielle

*

Genève, le 13 janvier 1948

Mon cher Marcel,
J'ai causé assez longuement hier après-midi au téléphone avec François de Senarclens[1]. Il m'a paru très aimable et m'a exprimé le regret de n'avoir pu nous recevoir chez lui. Il vient tout juste de s'installer dans un appartement à peine meublé encore, m'a-t-il dit, et est encore en pleins soucis d'emménagement. Qui n'en a pas !

Je ne dormais pas encore hier, vers minuit, et comme j'ai cherché à imaginer où tu pouvais t'être arrêté, quelle chambre tu avais prise et surtout quelles étaient tes pensées, mon chéri à moi. Bien près de moi, je l'espère.

Il fait un temps splendide aujourd'hui, avec une jolie brume dorée à la surface du lac. Mais il me manque pour l'apprécier l'essentiel, c'est-à-dire la possibilité de partager avec toi cette très douce lumière du ciel. Que j'ai hâte au vrai printemps quand nous pourrons nous promener ensemble dans un Paris ni froid ni amer et échanger des impressions heureuses.

N'oublie pas de m'écrire si tu as passé les douanes sans ennuis. Que je te souhaite un abri convenable dès maintenant car n'est-ce pas, pour arriver à travailler, il faut avoir d'abord l'esprit tranquille, débarrassé des petites tracasseries quotidiennes. Dieu sait que j'en ai souffert et que je souffre de ne pouvoir t'en délivrer, moi qui hais tellement cette contrainte bête ! Nous arriverons, je l'espère, à force d'ingéniosité, à réduire ce souci du matériel au minimum et à nous protéger l'un l'autre contre la dureté de vivre. Je suis assez malhabile là-dedans, tu le sais, pauvre chéri, mais pourtant, il me semble qu'en ce moment je pourrais t'être secourable de bien des façons et aider ton installation. Je n'imaginais pas autrefois d'ailleurs comme les embêtements des voyages pouvaient s'endurer quand on était à deux et d'un même cœur contre leur usure.

J'ai peine à me recueillir et à rassembler mes idées car, figure-toi, cette petite chambre, que dans ma naïveté je croyais si paisible, elle est comme un couloir où s'engouffrent tous les bruits des voisins. Une Française, à droite, téléphone depuis tôt ce matin à toutes ses connaissances de Genève. Une vraie pie — et je ne peux faire autrement que saisir tous ses propos. À gauche, un Français aussi. Celui-là gueule contre le service, contre le standard de l'hôtel, contre tout. Je vois à la façon qu'ont ces gens de rudoyer le personnel comment nous avons dû faire figure d'innocents avec notre timide comportement et notre bienveillance peut-être un peu trop marquée. Mais qu'importe : mieux vaut être trop humble que méprisant et effronté comme ces gens que j'ai pour voisins !

Je verrai le docteur Naville vendredi matin[2]. Il est très pris à ce que me dit de Senarclens et ne peut me recevoir avant ce jour. J'espère du moins qu'il pourra par la suite me donner une attention suffisante.

Je t'embrasse, mon chéri, avec toute ma tendresse. À demain, Gabi... Et je t'embrasse encore.

Gabrielle

⁕

Genève, le 14 janvier 1948

Mon cher Marcel,

Je suis déçue, j'espérais bien tout de même une carte de toi aujourd'hui, quelques mots du moins. Il est vrai que la journée n'est pas encore finie et que je peux recevoir du courrier cette après-midi. Tu ne saurais croire comme j'y tiens et, surtout, comme j'espère que tu n'auras que de bonnes nouvelles à m'apprendre. J'ai été voir *Le Diable au corps* hier soir à un cinéma tout près de l'hôtel. C'est un assez bon film et qui vaut surtout par le jeu vraiment remarquable des deux principaux interprètes[1]. Cependant l'histoire reste fort déprimante et j'aurais pu choisir mieux, moi qui cherchais à chasser le cafard.

Il fait doux à Genève depuis ton départ — une vraie température de printemps. J'ai marché hier après-midi assez longuement sur les quais. Sans avoir l'inoubliable beauté des quais de la Seine, ceux de Genève possèdent pourtant beaucoup de douceur. Il faut les voir vers la fin du jour quand les premières lumières de la ville se reflètent dans le Rhône et qu'au loin sur les montagnes s'éteignent les dernières colorations des nuages et de la neige. J'ai trouvé un certain apaisement à longer le fleuve. Des mouettes le survolaient en larges bandes et leurs petits cris plaintifs, à peine articulés, une certaine mélancolie qu'ils exprimaient, mais non sans quelque signification de paix, tout cela convenait à mes pensées. Un spectacle trop joyeux, trop rieur, m'eût plongée dans un sentiment intolérable de solitude.

Délicieuse, délicieuse émotion : le chasseur vient de m'apporter ta chère lettre écrite à Dijon. Comme tu décris bien, mon chéri. Tu me fais presque honte à moi, la romancière, tant tu exerces admirablement tes dons d'observation, et tant tu arrives à définir correctement un lieu, une chambre ou un objet. Je t'avoue que je ne suis jamais parvenue à m'y reconnaître beaucoup en architecture ou en mobilier. Seuls les détails très visibles, très gros, me deviennent familiers et encore ! J'admire que tu saches si bien te débrouiller dans des particularités et détails qui ne frappent guère mon attention[2]. C'est sans doute que je suis très inattentive à certaines manifestations de l'extérieur. Depuis quelque temps d'ailleurs, durant toute ma vie même, j'ai cherché, je crois, à me défendre contre tout ce qui me dérangeait dans ma vie intérieure. Question de tempérament sans doute, mais il se peut aussi qu'il y ait là-dedans une certaine paresse. De toute façon, je profite fort heureusement et sans trop d'efforts de ton esprit curieux, observateur, et je te l'ai déjà dit, de tes connaissances si variées. C'est dit sans aucun sarcasme, mon chéri. Au contraire, avec un sentiment de très réelle gratitude. Tu m'as déjà enrichie du fruit de tes connaissances. Je suis même demeurée toute surprise hier, comme je jetais un regard rétrospectif sur les derniers mois de notre vie, de constater à quel point j'avais appris de toi. Et j'ai souhaité, mon chéri, avec toute l'exaltation de ce moment, qu'il en soit de même pour toi, que tu puisses découvrir en toi que je t'ai apporté quelque enrichissement. J'ai une si grande confiance d'ailleurs en ton avenir. Ma prière continue à être celle-ci : te rendre heureux, Marcel, mon chéri, heureux non pas d'un petit bonheur placide, fait surtout d'habitudes calmes, routinières et sans heurts, mais heureux jusqu'à chérir certaines souffrances, certains aspects de la douleur à cause de la profonde réalisation de soi qu'ils peuvent provoquer. C'est la plus haute façon d'aimer que je connaisse, et je ne crains plus de t'aimer de la sorte.

Moi aussi, j'ai un peu excédé ma ration de cigarettes lundi[3]. Mais je n'abandonne pas ma résolution, malgré l'humiliation de cette défaite. Il me semble que je vais mieux. Peut-être cet air de printemps que l'on respire ces jours-ci à Genève en est-il la cause. J'ai conservé un si pénible souvenir du froid de notre appartement du Trianon. Du moins, ces quelques mois à Paris m'auront ainsi rendue attentive aux satisfactions simples de la vie que l'on [n']apprécie peut-être pas assez, telles la chaleur dans une chambre, un peu de beurre sur le pain. À propos de beurre, vois à ce que tes deux kilos, ou le seul kilo plutôt, ne se gâte pas. Dis-moi aussi vite que possible où tu logeras.

Je t'ai vu déchirant une page de l'*Illustration*, la glissant dans une de tes poches déjà si gonflées et j'ai été émue. Alors je t'ai regardé — ta photo est sur le coin de la table — et nous nous sommes souri. Du moins, il m'a semblé que ta lèvre se retroussait légèrement[4].

Mon chou, il ne faut pas entretenir la tristesse. Je conçois bien qu'hier tu n'aies pu en avoir raison. J'ai erré moi-même toute la journée et je devais avoir une expression très particulière car plusieurs gens m'accordaient, à ce qu'il me semblait, un regard de vive curiosité. Enfin, il faut essayer de secouer cette tristesse et envisager notre séparation comme une étape pénible sans doute, mais qui ajoutera, d'une façon ou d'une autre, à notre amour.

Mon chéri, j'entoure ton cou de mes bras et je te donne comme tu me le demandes « un bon bec là »...

Gabrielle

*

Genève, le 15 janvier 194[8]

Mon chéri,
À travers tout le tas de lettres que tu m'as réadressées, j'ai cherché avec avidité celle qui pourrait être de toi. Et comme il n'y en avait pas, cette volumineuse pile a cessé de m'intéresser. Je ne te fais aucun reproche, remarque bien. Je comprends trop bien qu'arrivant à Paris assez tard, sans doute fatigué, tu n'aies pas pu m'écrire tout de suite. C'est déjà beau, mon chou, que tu aies eu la gentillesse de me faire parvenir mon courrier si rapidement. Ce que je cherche à t'exprimer, c'est qu'un seul mot de toi m'eût donné plus de joie que toutes ces lettres ensemble. Je te renvoie la lettre de Nadeau[1]. Je viens de lui répondre, l'engageant à accepter la solution qui ne comporte aucun risque. J'ai surtout hâte de ne plus jamais entendre parler de cette histoire. Vois-tu, chéri, j'arrive à peine à me remettre en état de travailler, en toute disponibilité d'esprit, que l'on me remet ces malheureuses et vénales préoccupations en tête. Je n'ai jamais su naviguer dans les eaux troubles du réel, et maintenant plus que jamais j'aspire à une évasion totale, vers la vie intérieure, seule vraie, seule toujours profondément significative à mes yeux. En dépit d'une certaine fatigue, tu ne saurais croire, mon amour, comme j'ai été heureuse avec toi, durant nos semaines de vacances. Tu me suffisais pleinement. Être seule avec toi, je ne demande pas autre chose, cela et la joie de travailler me composeraient un univers complet et magnifique. Je te renvoie aussi la lettre de Dachelet, bien gentille comme toutes celles que nous avons reçues de lui. Cet homme possède, selon toute évidence, de grands charmes de sensibilité.

Il pleut aujourd'hui. C'est le même temps gris, saturé de tristesse que tu m'as décrit dans ta lettre de Dijon. Et je regrette de n'être pas partie avec toi, au point de ne plus savoir détourner mon attention du regret. Il me semble que je préférerais cent fois les ennuis de l'existence à Paris, y compris le pain noir partagé avec toi, que le plus grand confort s'il n'est pas embelli de ta présence.

Reçu aussi une lettre de M. de Clercq de l'Agence littéraire atlantique, associé de Pierre Tisseyre. C'est bien ce que nous craignions. Cet imbécile de Pierre Tisseyre, malhonnête plutôt qu'imbécile, avait bel et bien envoyé à Paris un grand nombre de nouvelles[2] de moi et sur lesquelles il n'avait aucun droit de représentation. M. de Clercq m'avertit qu'il a immédiatement arrêté *toute prospection* (ces gens-là parlent comme des propriétaires miniers) et fait rentrer les nouvelles sauf deux, déjà vendues et qui ne figuraient pas dans la liste des quatre nouvelles que je lui avais envoyée. Si tu as le temps et le goût — je n'insiste pas —, chéri, de téléphoner à M. d'Uckermann[3], tu pourrais lui apprendre cette nouvelle. Tu comprends que je ne désire pas entrer en correspondance avec lui en ce moment. Je veux essayer d'éloigner ma pensée de tout ce qui me rappelle la contrainte et ressaisir un sentiment de liberté sans lequel je me sens perdue. C'est demain que j'irai voir le docteur Naville. Je te tiendrai au courant.

Mon cher Marcel, que je m'ennuie de toi ! Que c'est loin tout à coup Genève de Paris !

Embrasse-moi, mon chou. Je t'aime.

Gabrielle

*

Genève, le 15 janvier, 9 heures p.m.

Mon cher chou,
Que pourrais-je faire de mieux pour occuper une partie de cette longue soirée solitaire que de t'écrire ! À peine ai-je terminé une lettre que j'éprouve le goût d'en commencer une autre. Tu es dans ma pensée constamment : tu ne me laisses pas un instant de repos. Il y a toi, toi, toi, associé à chacune de mes impressions, à chaque minute qui passe.

Et puis, il faut bien t'annoncer que cette après-midi, peu de temps après t'avoir envoyé ma lettre du matin, j'ai reçu les deux tiennes de Paris. Deux lettres à la fois ! En plus d'une autre que tu m'as adressée. Mais tout cela ne comptait guère. Le concierge a sans doute été fort surpris de me voir parcourir le bas des lettres en vitesse, puis de m'emparer de deux enveloppes en laissant le reste sur le bureau. J'étais habillée, prête pour sortir. Avec tes deux lettres, j'ai donc passé la porte, et j'étais riche, je me sentais aimée, rien ne nous donne une telle impression de richesse et de sécurité.

Ne t'inquiète pas trop. Il est vrai que les heures m'ont paru très longues et que j'ai regretté [de] n'avoir pas au moins quelques connaissances à Genève. Puis aujourd'hui j'ai eu une inspiration heureuse. J'avais dans ma serviette une lettre écrite, tu te souviens, par un

Genevois, M. Élie Moroy, secrétaire à la Croix-Rouge. Je lui ai téléphoné. Je lui ai demandé s'il me ferait visiter les bureaux de la Croix-Rouge sans me présenter évidemment et s'il pouvait me promettre de ne pas signaler ma présence à Genève. Il s'y est engagé de bonne grâce et est venu me chercher à l'hôtel vers 3 heures cette après-midi. Un petit fonctionnaire ressemblant quelque peu physiquement et même moralement je crois à Bill Deacon. Il m'a plu tout de suite. Cinquante ans environ, très poli, très simple, une nature douce, un peu réticente et voilée. J'ai donc visité le palais du Conseil Général où sont logées depuis la dernière guerre plusieurs sections de la Croix-Rouge. Mon guide a été parfait et j'ai appris des choses fort intéressantes. J'ai aussi vu de mes yeux des actes de décès de soldats canadiens et autres morts au Japon, et cela dans le langage imagé des Nippons. Des lettres aussi, pathétiques, incroyablement tristes. Des demandes pour retrouver un fils, un frère, un fiancé dont on n'a pas entendu parler depuis la fin de la guerre. Ce qui m'a le plus émue, c'est l'immense salle du palais, à voûte très haute, cintrée. Là, sous cette voûte, s'alignent rangées et rangées de casiers. Des millions de fiches dans chaque petite boîte métallique. Et chaque fiche raconte, en quelques mots condensés, un drame. Un tel mort à Hong Kong. Un autre enterré sous les sables du désert. Un autre repêché dans la mer du Nord par un pêcheur allé un bon matin tirer ses filets. Tu ne peux imaginer ce que ces morts d'êtres inconnus racontées en quelques mots si brefs gardent de saisissant. On m'a aussi fait le récit d'épisodes amusants, savoureux même. Enfin, j'ai partagé une bonne partie de l'après-midi dans ce que j'aime le mieux : l'onde amère et chaude de l'humain.

Mon bonhomme m'a ensuite invitée à prendre le thé chez lui. Il a une drôle de femme, toute maigre, nerveuse comme un chat et qui le traite (rien d'étonnant puisque l'homme est si doux) de vieux fou. Assez gentiment au reste. L'intérieur de la maison est très beau. Toi qui aimes les poteries, les meubles d'époque, tu irais de merveille en merveille. Moi, hélas, je n'ai rien vu de cela, hormis peut-être l'atmosphère générale. Mais j'ai été sensible au raffinement des deux êtres qui m'accueillaient en toute bonté, sans chercher à tirer parti de moi. On m'a invitée à y retourner, et sans doute j'y retournerai.

Je suis bien contente que tu sois allé chez les Rousseau[1]. Il te fallait justement ce genre de compagnie. Tu as raison : ce sont des amis qui ont beaucoup de tact et de fines qualités. Dis-leur bien que je suis heureuse de les revoir à Paris.

Je te ferai part demain de ce [que] contiennent la plupart des lettres que tu m'as envoyées de Paris. Je t'envoie tout de même dès maintenant les photos reçues d'Anna. Tu y verras notre petit kiosque et l'humble chapelle où nous avons lié nos deux vies pour toujours[2]. Dire que j'aurais pu ne jamais te rencontrer, demeurer pauvre comme je l'étais autrefois, sans cette inépuisable ressource de t'aimer et d'être aimée de toi ! Douce petite chapelle et cher Marcel qui a eu raison de mon fol amour de la liberté.

J'ai hâte de te savoir bien installé et plongé dans le travail. Dis-moi, le Trianon te paraît-il mieux chauffé maintenant ? Tâche de savoir si les Béclère[3] et Koursliky ont reçu le café que nous leur avons fait envoyer de Genève. Je voudrais passer des heures à t'écrire. Ma visite à la Croix-Rouge m'a cependant fatiguée. Ne t'agite pas. Si l'hôtel de l'Écu ne me convient pas, je trouverai un autre endroit. Pour le moment, ça peut aller. D'ailleurs c'est, dit-on, un des plus vieux hôtels de Genève et tout aussi important que ton hôtel de la Cloche à Dijon, puisqu'il a abrité maintes célébrités. D'abord madame Hanska, bonne amie de Balzac, et puis, assez récemment, Sartre et Simone de Beauvoir[4].

À demain, mon doux Marcel.

Je t'embrasse en toute tendresse.

Gabrielle

Je ne crois pas, chéri, que tu gagnes beaucoup de temps en m'envoyant tes lettres par avion.

⁂

Genève, samedi le 17 janvier [19]48

Mon cher chou d'amour,

Alors tu en es rendu à vouloir être un cygne pour te promener sous mes fenêtres[1]. Pauvre chéri, je n'aime pas tellement les cygnes, tu sais. Je leur trouve ce genre de beauté froide, de lâchement orgueilleux le plus éloigné de la terre. D'ailleurs, c'est curieux, je ne me suis jamais senti une sympathie très vive à l'égard des oiseaux. Ma préférence va aux petites bêtes à 4 pattes, exception faite pour les oies. Toutefois, quand il me reste un petit pain de mon déjeuner, je le conserve et le jette par morceaux à tes amis les cygnes. Les mouettes, plus vives, s'emparent de presque tous les morceaux. Et je ne peux m'empêcher de songer comme il est navrant que tu sois privé de pain blanc, alors que tous les jours les cygnes et les mouettes du lac Léman en ont presque à satiété.

Ta chère lettre de jeudi m'a un peu attristée. Je t'ai vu entrant seul dans ta chambre. Le moment redoutable, n'est-ce pas, où on va se trouver face à soi-même[2]. Car moi aussi, je le crains, va. Seulement, toute ma vie je me suis entraînée à vaincre cet effroi d'avoir à plonger tout à coup en soi. Je pourrais te résumer ma vie ainsi — toujours, j'ai redouté la solitude et cependant, jamais je n'ai su m'en passer. André Gide dit quelque part dans son œuvre qu'il n'est pas sûr que ce ne soient pas les pires contraintes de la vie qui n'aient obtenu de lui le meilleur[3]. Tu as bien fait de me raconter ce moment de profonde tristesse. J'ai cessé de me voir, moi seule, pour t'imaginer dans ta petite chambre, fixant les murs étrangers, et remettant soudain tout en cause, les décisions de longue date, les valeurs acquises, car c'est bien à ce jeu cruel que nous pousse la solitude ; mon cœur est donc allé vers toi avec toute la sympathie qu'on éprouve pour une expérience très familière déclenchée chez un être qu'on aime. Je ne doute pas, chéri, que tu sortes plus énergique, plus sûr de toi, de cette épreuve. Seul, tu verras mieux la vérité, l'importance de ce que tu dois choisir.

Mais oui, achète un *Petit Larousse*[4]. Un dictionnaire à nous deux, ce n'est pas suffisant de toute façon. M. d'Uckermann a-t-il été un aimable compagnon[5] ? Je suis heureuse de te voir sortir un peu le soir, mais n'oublie pas, chéri, la pressante nécessité d'une routine de vie. Je m'applique moi-même à cela qui, entre tous les exercices, me paraît le plus dur.

Je t'envoie le pliant qui accompagne un des médicaments donnés par le docteur Naville. Ceci et l'autre remède doivent être très efficaces, si j'en juge par le prix — 29 francs pour 4 ampoules et une douzaine de pilules. Peut-être ma confiance envers les remèdes, assez fortement ébranlée, s'en trouvera-t-elle affermie. Au reste, je me sens vraiment un peu mieux depuis quelques jours. Je dors déjà plus calmement.

Plutôt que d'aller voir *Tannhaüser,* j'irai entendre Marcel Dupré[6], ce soir, à la cathédrale de Saint-Pierre. J'ai soif de musique, et surtout de la voix des orgues que, à défaut d'un orchestre symphonique, j'aime particulièrement.

Merci pour les lettres de Pauline, d'Émilienne et de ta famille[7]. De mon côté, je voudrais t'envoyer la carte d'Anna, mais elle est si volumineuse que j'essaierai plutôt de t'en résumer le contenu. Anna ne va pas mal, mais comme toujours Clémence lui donne des soucis. Je te cite cette partie qui a trait à Clémence et où tu trouveras le fidèle portrait de cette bizarre créature. Elle sera toujours l'épine dans notre flanc. « Il y a quelque trois semaines, remuée par ses lamentations (Clémence) et la nomenclature de ses étranges maux, j'ai arrangé un rendez-vous avec elle chez le docteur Etsell. Elle ne porte pas ses dents (quelque chose me le disait), ne voudra plus jamais les porter. Elle se plaint surtout de sa bouche ; les gencives lui coulent ; elle a les nerfs des mâchoires enflés ; elle a du chaud et du froid dans la tête, etc., etc. Le docteur Etsell n'a rien vu de sérieux à sa bouche, mais puisqu'elle se plaignait de tiraillements d'estomac, il lui a prescrit du fermentol[8], a écrit aux sœurs de lui servir des mets moins gras et a recommandé à notre Clémence de retourner à son bureau quinze jours plus tard. » Je résume. Clémence n'est pas retournée chez le docteur, s'est claquemurée dans sa chambre. Je reprends le récit d'Anna, ayant trait à la toilette. « Il faisait ce jour-là (jour de la visite au médecin) 65°. Ma Clémence avait deux gilets de laine, la vieille robe bleu et brique, une vieille jupe de laine par dessus avec laquelle je l'ai vue se traîner sur les planchers ici ; la jaquette d'un petit costume gris, une écharpe et son manteau d'hiver. Elle avait mis le vieux chapeau bleu que je lui avais donné — ses plus vieilles chaussures — avec ça, ses cheveux arrangés en une seule tresse et remontés au milieu. Pas de dents. Représente-toi le tableau. »

Je me le suis bien représenté en effet, et j'ai eu malgré tout un goût de fou rire, un de ces rires s'adressant au pittoresque du personnage et cependant j'avais le cœur bien serré. Que veux-tu, Clémence est allée si loin dans le je-m'en-foutisme, elle exprime si bien le dédain de la vie, qu'en un sens, je la trouve presque admirable et drôle à l'excès. Dans l'autre, je me demande comment tout cela va finir. La pauvre enfant, à ce jeu, n'en mènera pas long.

Anna te dit des choses très aimables. Elle a pour toi, c'est visible, une très grande affection. Mon chéri, j'aurais voulu t'écrire une lettre plus encourageante. Ça ne pouvait guère être gai, du moment qu'on touchait au sujet de Clémence. Je vais encore une fois tenter quelque encouragement, mais j'ai l'impression que je ne peux guère faire plus que cet été.

Mon très cher Marcel, à lundi sans doute, puisque demain dimanche, il n'y aura pas de courrier. Comme ce sera long. Gabi t'embrasse. Gabi t'aime follement.

⁂

Genève, dimanche le 18 janvier [19]48

Mon gentil Marcel,
Madame Moroy vient de m'inviter par téléphone à déjeuner chez elle aujourd'hui. J'ai accepté; cette femme, au premier abord, m'est fort sympathique et, du reste, point accaparante.

Hier soir, j'ai été un peu déçue. Le programme m'a paru particulièrement aride, ou peut-être n'étais-je pas dans un état d'âme convenable pour écouter du Bach.

J'ai commencé à travailler un peu[1]. Rien de transcendant, ni même d'avouable, je t'assure, mais enfin, il faut reprendre l'habitude, c'est essentiel. Quoi que dise Naville. Car enfin, il a plutôt l'air de croire que je devrais continuer à me reposer complètement de tout travail intellectuel. Cela ne me serait plus possible, chéri, tu le sais. J'aurais un tel sentiment de culpabilité; j'éprouverais un tel poids d'angoisse que je n'en retirerais aucun bienfait; au contraire. Tout de même, j'ai très bien dormi la nuit dernière. Mon cher petit fou, j'espère que tu as l'esprit un peu plus rasséréné, que le travail du moins t'apportera des moments de réconfort. Je me demande parfois s'il ne faut pas se placer de temps à autre dans des circonstances où le travail devienne notre seul recours. Peut-être que rien de ce qui compte vraiment ne s'est accompli autrement. Dis-toi aussi, mon amour, que le temps de notre séparation sera assez vite passé et que, maintenant, ayant tous deux loisir d'examiner nos sentiments, nous accumulons des forces de tendresse.

Il fait assez froid aujourd'hui, mais ma chambre est bien chauffée. Je peux dormir la fenêtre ouverte.

Aussitôt que tu auras reçu le lait condensé de Saint-Cergue[2], avertis-moi. J'ai découvert que je pouvais t'en faire expédier tout aussi bien de Genève. Il serait bien que nous en fassions de la sorte une petite provision.

Quant aux colis que nous attendions du Canada, Nadeau m'annonce qu'un est parti depuis assez longtemps, qu'un autre est en route. Judith[3] nous en a aussi envoyé un. Attendons encore un peu. S'il n'y a rien d'ici quelques semaines, j'avertirai les expéditeurs.

Comment vas-tu passer ce dimanche, mon chou. Sans doute dans les musées. J'irai peut-être, avec Moroy comme guide, voir ce que donne la peinture suisse. À y vivre quelque temps, Genève, tu sais, offre certains agréments. D'ailleurs, j'aime assez une ville de cette grandeur, ni trop grande, ni trop petite, où on ne se fatigue pas trop en allant d'un endroit à l'autre et où on peut faire un grand nombre de courses, de déplacements à pied. Cela offre beaucoup d'avantages. Enfin, je sais trop bien que Genève compte pour peu auprès de Paris, mais j'essaie de me donner certaines raisons d'être bien ici. Je pourrais te dire tout autre chose, mais je n'y céderai pas.

J'ai hâte d'apprendre que tu es au travail et que tu as des heures régulières pour l'étude, les repas, etc. Tu m'as assez prêché la valeur des habitudes très régulières pour t'y conformer toi-même, pas ? Les Genevois terminent ainsi toutes leurs phrases. Pas ? Pas ? Pas ? Ils parlent toujours aussi de leur fameuse bise dont je n'ai encore senti aucun signe.

Ah, mon Marcel, le temps est tout de même gris, triste. Elle s'ennuie : elle serait si heureuse d'entendre au moins ta voix.

Avec toute ma tendresse,

Gabrielle

Veux-tu envoyer la lettre ci-jointe à Anna, en y ajoutant quelques mots si tu le désires[4] et en mettant une adresse de retour, selon que tu auras déménagé oui ou non.

Je t'embrasse.

Gabi

*

[Genève, 19 janvier 1948][1]

[1re carte]
Voici, mon chou, la tour du Molard où habitent les Moroy. Ils m'ont invitée au lunch, hier, puis visite au musée de Genève où j'ai surtout vu les toiles du maître de la peinture suisse : Ferdinand Hodler[2]. As-tu entendu parler de ce peintre ? Ses œuvres offrent une incroyable variété et certaines sont indiscutablement fort belles. Les Moroy sont exactement les amis qu'il me faut à Genève. Pleins de délicates attentions à mon endroit, ils ne cherchent nullement à m'accaparer, et nous parlons de tout sauf de la littérature et des gens de lettres. J'éprouve donc une

véritable détente à causer avec eux. Quand tu viendras me chercher, j'espère que tu les connaîtras.

Mon chéri, tâche de ne pas trop t'ennuyer.

Gabrielle

[2e carte]
Je crois que tu vas tenir à cette carte, mon cher Marcel, puisque tu n'as pas pu visiter l'intérieur du Palais des Nations. Pour faire suite à la première carte Tour du Molard, voici la recette que je te propose pour chasser l'ennui. Représente-toi clairement tous mes défauts. Rappelle-toi comme je te harcèle quand tu jettes ton manteau sur une chaise. Évoque mes moments d'humeur. Songe que je n'aime pas et n'aimerai jamais laver la vaisselle. N'oublie pas que je suis sauvage et en général ne peut souffrir les réunions à plus de 3 ou 4. Arrange tout ça, grossis un peu le tableau, mets des lunettes au personnage, affuble-le d'une toilette que tu détestes particulièrement. Mais non, ne fais rien de tout cela. Aime-moi plutôt beaucoup.

Gabi

*

Genève, le 20 janvier [1948]

Mon cher Marcel,
Je viens de m'éveiller d'un profond sommeil après le lunch et, il faut le dire, une grande marche au long du Rhône : j'ai donc peine à rassembler mes idées. Mais si je veux que cette lettre parte par le dernier courrier, il faut l'écrire tout de suite. Tu vas voir que je ne sais guère m'exprimer à certains moments.

As-tu commencé tes études pour de bon. Je ne saurais assez t'y engager, mon chou, car je suis bien persuadée que le travail est la seule source parfaitement entière de la joie. Tu te souviens de nos souhaits, la veille du Jour de l'An ! Comme nous nous sommes compris à ce moment.

Le docteur Naville semble m'inciter à aller dans la montagne. J'y réfléchirai et si cela par hasard me tentait, je t'en avertirais aussitôt. De toute façon, je commence aujourd'hui quelques visites au dentiste, qui dureront probablement une semaine. Quand tu seras un peu mieux installé, n'oublie pas que toi aussi, chéri, tu dois te faire examiner, puis soigner les dents. Les Moroy m'ont parlé d'un endroit charmant, un peu plus haut que Sierre, donc dans la direction de Sion, et auprès duquel, disent-ils, Villars n'est rien pour la beauté du site et les avantages de l'hôtellerie. Pourtant, je me suis quelque peu attachée à Genève, contrainte sans doute par l'extrême ennui à chercher autour de moi des indices d'intérêt, à observer davantage et ainsi à mieux aimer.

Peut-être as-tu raison de prendre tes repas à la Maison Canadienne[1]. Il y a des avantages, mais le plus grand ennui qui pourrait en découler, c'est que tu te voies accaparé par des connaissances. De toute façon, chéri, il faudrait, si tu adoptes ce projet, défendre absolument tes heures et tes habitudes de travail.

Je crois que je t'écrirai de nouveau ce soir lorsque j'aurai parcouru quelques rues à pied et que j'aurai repris vie. Je me sens comme plongée dans la ouate.

Alors, attends une autre lettre qui suivra celle-ci de très près.

Je t'aime, mon grand Marcel.

Et toi ? ?

Ta Gabi

Viens de recevoir la lettre [de] samedi. Comme le courrier est lent entre Paris et Genève. Surtout, surtout, mon Marcel, ne m'envoie aucun article ayant trait à moi-même[2]. Tu n'as donc pas compris que cela m'est devenu intolérable ! J'ai à faire une cure morale dont tu n'as pas idée comme elle m'engage en des profondeurs de solitude et comme elle exige le silence. Toutefois, je ne crains pas cette expérience.

Est-ce bien chauffé au Lutétia ? Décris-moi un peu ta chambre. Et quel est le prix ?

À bientôt, mon chou,

Gabrielle

*

Genève, le 21 janvier [19]48

Mon si cher Marcel,
Apparemment il y a une de mes lettres que tu n'as pas reçue — celle justement où je te racontais ma première visite au docteur Naville[1]. C'est dommage parce qu'elle portait sur des détails auxquels je n'ai pas le

moindre goût de revenir. De toute façon, le docteur Naville, après un examen médical comprenant un électrocardiogramme, nouvel examen du sang, etc., etc., m'a dit peu de choses, mais il ressort que je ne souffre d'aucun trouble organique. Il a paru attacher très peu d'importance aux symptômes d'hyperthyroïdie que tu m'avais signalés — surtout lorsque je lui ai dit que le test de métabolisme n'avait rien indiqué. Je devais le revoir cette semaine — mais je n'ai pas de chance avec mes médecins. Celui-ci part aussi pour un mois. Il m'a d'ailleurs donné deux médicaments que je prends avec la bonne volonté d'un[e] enfant. Peut-être recevras-tu tout de même cette lettre égarée et que j'avais adressée au Trianon. J'ai eu un peu l'impression, ainsi que je te l'exprimais dans cette lettre, que le docteur Naville était plus intéressé à dépister en moi des tendances neurasthéniques que tout autre chose. Il m'a recommandé, en somme, ce que toi-même souvent tu m'as proposé, c'est-à-dire abandonner complètement toute élaboration intellectuelle — en d'autres mots m'arrêter de penser. Je n'en connais pas le moyen. Je te reparlerai d'ailleurs de tout cela une autre fois. J'ai peur de me frotter aujourd'hui à ces considérations. Il fait beau, le soleil brille sur les ailes des mouettes, sur le duvet des cygnes. Je me sens portée à me laisser vivre simplement. Et je suis persuadée à certains moments que je retrouverais la paix si je ne sentais braquée sur moi l'attention de tant de gens. C'est pourquoi, chéri, bien que j'aime naturellement l'amitié, il me faut souvent y renoncer. J'espère bien que Flammarion ne me relancera pas ici.

Je pourrais revenir à Paris prochainement si j'étais assurée que je n'aurais pas à m'y défendre contre des invitations, que je pourrais m'y perdre dans un anonymat total. Mais je n'ai pas le droit d'exiger de toi le consentement à la réclusion qu'il me faudrait. Quand je parle de réclusion, je ne veux pas dire captivité, éloignement de l'humain; bien au contraire. Ce que j'entends par là, c'est une disponibilité entière à l'humain, mais elle exigerait un renoncement entier aux obligations mondaines. Je serais satisfaite de vivre seule avec toi et quelques rares amis que nous verrions de temps en temps, au gré de notre fantaisie. Mais il me faut éviter les Vanier[2], d'Uckermann même. J'ai horreur du rôle que me font jouer ces gens et qui me ressemble si peu. Tu le vois, mon esprit tourne et tourne comme une bête captive entre tous ces obstacles à sa liberté. Je voudrais disparaître au regard des hommes. Être comme j'étais autrefois, inconnue, ne devant rien à personne et ainsi donnant le meilleur de moi-même.

Tout cela est exprimé bien maladroitement. Je m'y reprendrai un autre jour.

Je suis heureuse que tu aies commencé à travailler avec Moricard. Tu sais, je donnerais toutes mes chances d'être heureuse pour que tu réalises ta vie, toi, de la façon dont tu l'entends. Mais comment faire taire en soi les commandements de sa conscience, cette despote ? Elle veut de moi des choses qui peuvent te sembler absurdes, qui peut-être ne répondent pas à tes vrais désirs. Je voudrais être auprès de toi. Je t'embrasse en toute tendresse.

Gabrielle

*

Genève, le 21 janvier [19]48

Mon cher chou,
Il me semble que je t'ai écrit plus tôt dans la journée une lettre mal inspirée et qui était d'un ton triste. Je vais me reprendre : je ne veux pas te laisser sur une impression pénible. Un moment de découragement, tu comprends. Je l'ai à peu près surmonté. Et de la façon que tu vas voir.

M'autorisant d'une invitation qu'on m'a faite de retourner au quartier général de la Croix-Rouge, j'y suis allée cette après-midi et j'ai demandé à consulter les dossiers de correspondance relatifs aux demandes de recherche des prisonniers portés disparus. On m'a accordé cette permission, ce qui m'étonne quelque peu. Enfin, c'était me faire une grande preuve de confiance. On m'a même permis, si je le désirais, de copier certaines lettres, en n'omettant que les noms, bien entendu. J'ai préféré lire tranquillement et laisser à ma mémoire le soin de conserver ce qu'elle voudrait bien retenir. J'ai lu des lettres si touchantes que je me suis sentie très près de ces malheureux. Une vieille dame écrit par exemple qu'elle ne peut croire que son fils soit mort puisqu'il lui est apparu dans ses rêves et qu'il a même précisé l'endroit où il se trouvait. Elle demande qu'on fasse des recherches. Et que d'autres plaintes et requêtes. Tu n'as pas idée des prières qui, de toutes parts dans le vaste monde malheureux, s'adressent à la Croix-Rouge. Elle fait tellement figure de bienfaitrice dans le monde entier que certains correspondants emploient au début de leur lettre la formule naïve : Madame la Croix-Rouge, ou bien Madame de Genève.

Touchant, n'est-ce pas, qu'on en soit venu ainsi à s'imaginer une société sous les traits et la bonté d'une femme ! Il y avait bien entendu des lettres fort drôles. Et des centaines et des centaines provenant de malheureuses filles-mères qui, par l'entremise de la Croix-Rouge, espèrent toucher le cœur d'un G.I. Joe et l'amener à prendre soin de leur enfant. Les soldats américains ont laissé plus d'un demi-million d'enfants illégitimes en Allemagne et pour lesquels les mères ne touchent aucune forme de secours[1].

Mais je t'ennuie peut-être avec ces histoires.

À propos de rien, le monument aux réformateurs que tu admirais à Genève est bien de Landowski. Les autres figures sont de Landowski et d'un Français, Bouchard[2]. J'ai cru que ce renseignement pourrait t'intéresser, grand collectionneur de faits.

La nourriture est vraiment excellente à l'Écu. Je ne déteste pas ce petit hôtel. Deux personnages à la Daumier que je retrouve chaque jour à la salle à dîner, t'enchanteraient. Très vieux tous les deux, blancs secs comme des fonctionnaires en retraite, soigneux et précieux dans leur habillement — et par surcroît sourds comme des pots. Ils s'asseoient à des tables voisines. L'un s'écrie d'une voix qui résonne dans toute la salle :

— Vous avez vu qu'on jouera *Tannhaüser.*

L'autre glapit, n'ayant saisi que la fin de la phrase :

— Je vous avoue que j'aime beaucoup mieux *Parsifal.*

Le premier explique :

— À Beyrouth en 1896, j'ai entendu *Les Maîtres Chanteurs.*

Et un échange de souvenirs désuets se poursuit, amusant comme si tu entendais un petit air vieillot de l'autre siècle. Les deux petits vieux, sans se douter que leurs opinions, leurs appréciations, nous ramènent à des temps bien révolus, discutent âprement et font rire toute la salle par leur sérieux imperturbable. Rien de plus drôle évidemment que des gens qui ne voient en rien leur drôleté. D'ailleurs, tout l'hôtel exprime ce petit air du passé, plein d'une certaine coquetterie de manières. C'est vraiment très différent de l'hôtel de la Paix.

Eh bien, mon chou, voilà pour ce soir. Mais oui, je t'entends la nuit[3]. Je t'entends d'ailleurs à toute heure, et à toute heure je te lance moi aussi un appel.

Allons, chéri, on s'embrasse ?

Gabrielle

*

Genève, le 22 janvier [19]48

Mon cher chou d'amour,
C'est curieux, je rêve à toi presque toutes les nuits maintenant et lorsque je m'éveille, je m'aperçois à quel point ces rêves expriment mon ennui de toi.

Il y a eu deux jours radieux, puis aujourd'hui, le ciel a pris cette teinte grise qui chasse toute joie de vivre. Comment est-ce à Paris ? Le Lutétia est-il bien chauffé ? Ta chambre est-elle calme, à l'abri des bruits ? Quand je reviendrai, pourras-tu obtenir pour moi une chambre communiquant à la tienne ? Ce qui m'effraie le plus, c'est que certaines gens apprennent mon retour et recommencent à m'offrir des invitations. Les plus aimables sont plus à redouter. Comment leur refuser ce à quoi le cœur consent ? Mais le docteur Naville a sans doute raison quand il me conseille d'oublier que je dois travailler. Mais pour l'oublier, il me faut éviter la compagnie de tous les gens qui me le rappelleraient. Du moins pour quelque temps. Pour longtemps peut-être. Je ne sais pas. Jamais je n'ai pu travailler sur commande. J'ai éprouvé alors un sentiment d'angoisse qui m'a paralysée. Et ce sentiment de commande, je l'éprouve au contact de presque tous les gens. J'ai donc besoin de ne voir que ceux qui ignorent tout de moi. Ceux-là me rendent l'intérêt à la vie, l'impression de la liberté, et avec eux, je respire.

Je ne veux pourtant pas que tu sois privé de contacts nécessaires et utiles. Tu sais que j'ai travaillé à t'en obtenir et que j'en suis toujours heureuse. Mais que faire maintenant ! Autrefois quand je n'en pouvais plus de l'attention des gens, je m'enfuyais à Rawdon et je retrouvais mon équilibre[1]. Tu vois, dès notre arrivée à Paris, j'ai redouté ce prix Fémina. Je pressentais à quel point il me serait néfaste plutôt que bienfaisant. Chéri, il n'y a qu'un critère pour juger de la valeur des événements et des choses. Nous apportent-ils la paix intérieure ou la menacent-ils ? Toute considération d'honneur, de succès, est si fausse si elle ne tient d'abord compte de cette condition.

J'irai encore à la Croix-Rouge aujourd'hui. Je trouve là comme la trace de mille sentiments vrais, profondément humains, qui me rattachent solidement à la vie.

Je t'envoie une carte que tu voudras bien adresser, si tu veux, à Pierre

Dupuy en Hollande[2]. Je ne sais plus au juste s'il est ambassadeur et s'il faut lui donner de l'Excellence. Veux-tu, chéri, me rendre ce petit service?

Mon chou, mon chou, je t'embrasse du fond de mon cœur.

Gabrielle

*

Genève, vendredi le 23 janvier [19]48

Mon cher Marcel,

Comme je regrette que tu aies passé une journée sans recevoir de lettre de moi[1]. C'est une peine que je voulais t'éviter à tout prix, car j'en ai fait l'expérience à Kenora, l'été dernier, et je ne l'ai pas encore oubliée. Mais tu vois, il n'y avait pas de ma faute, seule une bêtise de la poste.

J'ai hâte d'apprendre que tu as reçu le colis de Genève, parce qu'aussitôt je placerai une autre commande. N'oublie pas qu'il est adressé au Trianon, et de donner des ordres qu'on t'avertisse de son arrivée. Il serait peut-être bien que tu laisses quelque argent au concierge du Trianon puisque les frais de transport sont payables à la livraison. Enfin, voilà pour le colis. Lucotte t'a-t-il donné les galettes qu'il devait demander à un boulanger en échange de notre farine. Ne crains rien, j'ai exposé toutes mes humiliantes petites infirmités à Naville qui n'y voit pas autre chose apparemment qu'un désordre nerveux. Et cela m'accable beaucoup plus que la certitude d'avoir une maladie pour laquelle il existe des traitements et qui, par conséquent, s'accompagne d'un espoir. Enfin, je vais tout de même un peu mieux. Mais que le prix est dur à payer. Si ce n'est que dans la solitude que je refais des forces, autant ne plus s'en soucier!

Quant au conseil du docteur Naville, plus j'y songe et moins je crois en son efficacité. Le domaine intérieur reste toujours fort mystérieux et qui peut, du dehors, décider que telle ou telle condition serait avantageuse. Pour moi, il m'apparaît impérieux, fût-ce aux dépens de ma santé, de ma vie même, de vivre en harmonie avec un ordre dont je ne comprends pas la cruauté mais dont je saisis la volonté. Mais balayons tout cela. Je t'en ai assez entretenu.

Je m'étonne un peu que tu choisisses d'aller voir une pièce de Sacha Guitry[2] qui, toute charmante qu'elle puisse être, ne s'attaque sûrement pas à l'essentiel du drame humain. Tout de lui me paraît si vain, si superficiel, que la légèreté amusante du dialogue n'arrive même pas à distraire. Et quel cabotin ! Le monde du théâtre évidemment ne s'échappe pas souvent du cabotinage, c'est pourquoi je l'aime peu en général. — Sauf lorsqu'on rencontre un artiste dont les moyens d'expression sont si puissants qu'ils nous dérobent toute impression d'artificiel.

J'écrirai certainement un petit mot à ta mère — sois sans crainte[3].

Et puis, prends bien soin du Marcel. Mange suffisamment, couche-toi assez tôt. Je fais toutes ces choses très désagréables moi-même. Il serait si agréable pourtant de donner libre cours à ses penchants et de vivre dans le désordre naturel de nos idées.

Il neige à plein ciel — mais la neige ici n'offre pas cette impression de paix, de douceur engourdissante qu'elle prend dans notre pays.

À bientôt, chéri. Donne vite une autre lettre. Et ne les raccourcis pas trop, chou. Je remarque qu'elles ont tendance à devenir plus courtes.

Je t'embrasse de tout cœur.

Gabrielle

De quelle carte parles-tu. De la gargouille ? Celle-là, mais oui, je l'ai reçue et je t'en ai parlé dans une lettre précédente[4].

*

Vendredi le 23 [janvier] 1948[1]

Mon petit enfant chéri,
Je t'écris encore — deuxième fois aujourd'hui —, parce que je t'aime et parce que j'éprouve un peu plus de joie ce soir à 6 heures qu'après-midi à deux heures. C'est que vois-tu, mon chou, je sens revenir en moi tout à coup cette divine émotion créatrice dont j'ai été si longtemps privée. Je ne veux point encore le crier fort pour effaroucher cette capricieuse, infiniment plus difficile à apprivoiser que nulle autre sensation humaine. Toutefois, je reçois des visites. Comment définir autrement ce sortilège de la vision intérieure par laquelle on entrevoit, connaît des êtres jusque-là inconnus — et non seulement les connaît-on, mais ils arrivent à l'esprit avec un nom, un visage et les actes de leur vie, vie ramassée en un petit faisceau. C'est ce que j'appelle recevoir des visites. Je ne peux t'en parler plus longuement dès aujourd'hui. Cette agitation intime exige le

recueillement. On risque de tout perdre à vouloir trop tôt le saisir d'ailleurs. L'esprit en ceci est comme l'apprenti sorcier. À son caprice — et sans que la volonté y soit pour beaucoup, il trie, assemble —, il me livrera à l'heure voulue le conte, le récit que je n'aurai plus qu'à écrire. Seulement te dire qu'aujourd'hui mon ange, la vie a changé d'aspect. Qu'elle est devenue précieuse dans ses manifestations les plus humbles. Je ne vivrai pas souvent ces minutes de ravissement : il est juste que partageant si souvent mes périodes de dépression avec toi, je t'apporte cette fébrilité heureuse, ce sentiment que je deviens comme un instrument — bien précaire et petit — mais enfin un instrument de beauté et de vérité. Car tout cri humain me semble assez précieux pour vouloir le recueillir et lui donner une forme aussi durable que possible. Quelle noirceur j'ai pourtant traversée pour en arriver là. J'en ai les yeux tout pleins de larmes. Car dans l'obscurité, je demandais cette lumière avec un acharnement et une idée fixe qui touchaient au désespoir. Maintenant que je la possède — ou plutôt qu'elle me possède —, je la redoute presque tant je m'en sens peu digne.

Mon chéri, espérons qu'elle me soutiendra quelque temps — pour ma propre joie, pour la tienne et pour celle qu'elle apportera peut-être à d'autres. Pourtant cette lumière m'a fait pénétrer au cœur des douleurs des hommes. Mais qu'est-ce qui console le mieux le cœur humain, dis-moi ? Qu'on lui définisse son bonheur ou qu'au contraire, on lui prouve que sa peine ne nous est pas inconnue. Chaque homme a d'abord le respect de sa souffrance et de la voir décrite, transposée est bien ce qui lui plaît encore le plus.

Quel fol exposé, n'est-ce pas ? Mon chéri, hier soir, je t'ai appelé au téléphone. J'étais au plus profond du découragement. Il me faut aller de plus en plus loin dans la solitude, chaque fois, pour retrouver le contact avec la vie et ses innombrables personnages. Tu n'étais pas là. J'étais dans un tel état de surexcitation nerveuse que je ne pouvais dormir. Je t'ai appelé vers 9[h 00] ou 9 h 30. Ma déception était immense. Elle grandissait, elle m'obscurcissait l'esprit au point de ne plus voir autre chose. À bientôt, cher petit loup à moi. À demain. Je t'embrasse.

Gabrielle

⁂

Genève, dimanche le 25 janvier 1948

Mon cher Marcel,
Comme je n'ai pas eu de lettre de toi hier et qu'aujourd'hui il n'y a pas de courrier, tu me verrais toute désolée si tu pouvais m'apercevoir. Je ne me plains pas, toutefois. Tu m'as écrit souvent, au travers de bien des préoccupations, et j'en garderai toujours un souvenir tendre. Et puis maintenant, quoique rien ne compense vraiment une lettre de Marcel, j'ai tout de même la consolation de travailler dans la joie quelques heures par jour. Pas très longtemps, tu comprends, car j'ai l'impression que cette joie est comme l'huile dans une lampe et qu'il faut en user avec modération, sans quoi je l'aurai peut-être vite épuisée. L'instant d'illumination dont je t'ai parlé dans ma lettre précédente, cela ne dure guère, tu comprends. C'est très bref, très vite résorbé dans le train-train quotidien. Mais il a suffi souvent d'un tel éclair, d'un seul pour me laisser entrevoir le développement entier d'une œuvre. Après, eh bien après, c'est le boulot de chaque jour, souvent sans entrain, mais enfin on connaît plus ou moins la destination. Il s'agit de dégager alors de sa gangue la pensée qui apparaît à son état fruste, de lui donner avec peine et labeur sa forme la moins banale.

Que d'efforts, que d'erreurs aussi avant d'en arriver là ! Mais jamais je ne songerai à me plaindre du travail exigé par un personnage ou une idée qui demande à être exprimée. Je suis trop heureuse, crois-moi, d'avoir saisi cette petite étincelle dans l'ennui où je [me] trouvais. J'ai commencé un conte — le récit d'une de ces existences effacées, timides et sans éclat telles que j'aimerais vouer ma vie à les traduire[1]. Je ne t'en dirai pas davantage maintenant. Il faut toujours craindre d'user prématurément son enthousiasme et puis, je n'aurais pas encore grand-chose à définir. Mais j'espère que ce conte te plaira : ton assentiment et ta joie, si je les mérite, seront mes plus douces récompenses.

Hier, je suis allée entendre un chœur ukrainien dans un répertoire de chants de cosaques, de ballades et marches de leur pays. J'ai toujours trouvé cette musique du peuple, de paysans, fort émouvante et fort belle. Je n'ai pas été déçue. Il y avait entre autres choses au programme une chanson de danse très entraînante, très vive et saccadée, et puis tout à coup bouleversante, d'une profonde nostalgie ainsi que le veut si souvent cette musique slave qui nous déplace si vite d'une émotion à l'autre que nous demeurons sa proie, abandonnés à tout ce qu'elle suscite et retire. Cette musique nous laisse toujours d'ailleurs sur notre faim, car ce qu'elle nous a permis d'explorer en nous est si vaste et compliqué et en même temps si primitif que l'on reconnaît bien, plus loin que les impressions reçues, toute une zone obscure. La musique nous a laissés à cette bordure avec l'inquiétude de ce que nous aurions pu y trouver, peut-être y revoir. Je ne sais si tu me comprends. J'écris vraiment en petit nègre.

Hier, Flammarion m'a invitée à déjeuner au très chic hôtel de Genève, l'hôtel des Bergues[2]. Le type gagne à être connu. De toute façon, cette invitation qui me pesait m'a apporté un certain agrément. Sans être absolument fine et déliée, la conversation de *Flammarion jeune,* quand il se sent à l'aise, est loin d'être sotte. Au fond, l'homme est timide : il a peur de gaffer et comme il est en même temps fort orgueilleux, le sentiment de sa timidité, sans doute aussi de ses lacunes, lui donne cet extérieur, cet air qui nous déplaisait tant au début. Enfin, il a été un compagnon de table fort supportable, sauf en ceci qu'il m'a importunée de ses conseils. À l'entendre, je devrais être dans la montagne ou sur la Riviera — à n'importe quel endroit en somme plutôt qu'à Genève que lui, personnellement, déteste. Il ne peut admettre que j'aie des raisons de me trouver aussi bien ici qu'ailleurs. Défaut d'imagination, au fond.

Tout de même, il a été gentil et m'a demandé en partant si j'avais quelque message pour toi. Tu comprendras facilement que je préfère d'autres moyens pour communiquer avec toi.

Ce long dimanche se traîne. J'ai tellement hâte à demain qui m'apportera une lettre.

Il me trottait dans la tête hier soir une préoccupation à ton sujet. As-tu songé au blanchissage laissé avant notre départ pour la Suisse chez une blanchisseuse du quartier, c'est-à-dire près du Trianon ?

Mon chéri, je t'aime. Tâche de bien travailler, de ne pas trop fumer. Ne t'ennuie pas trop non plus, juste ce qu'il faut pour désirer mon retour.

À bientôt, cher loup,

Gabi

Rappelle-moi donc l'adresse de ta mère. Voici que je l'ai encore oubliée.

*

Genève, lundi, le 26 janvier [19]48

Mon cher grand fou,
Vraiment tu fais une vie édifiante à ce que je vois par ta lettre de jeudi dernier[1] (reçue ce matin seulement en même temps que ta lettre de samedi : il y a dans le courrier entre Genève et Paris des retards inexplicables). Tu te couches tôt, tu te lèves pour ainsi dire avec le soleil et travailles à heures fixes. Mon chéri, comme cette vie exemplaire et vraiment parfaite coïncide avec mon absence, j'en suis à me demander si je n'étais pas la raison de notre existence déréglée et de tes mauvaises habitudes. Cela porte à réfléchir, sais-tu. Toutefois, je fais du progrès de mon côté, quoique moins marqué que chez toi.

Tes deux chères lettres contiennent des conseils fort pertinents. Tu as dit ceci surtout qui est très juste : « La volonté est une mauvaise maîtresse de l'imagination[2]. » Cependant, je ne peux être de ton avis lorsque tu essaies de me faire croire que j'ai quelque chose de décroché dans le cerveau[3]. Mon chéri, si ne pas accorder d'importance à tant de banalités de la vie, si réserver tout son intérêt et toute son énergie à ce qui nous apparaît comme seul digne d'attention, si cette attitude constitue un dérangement mental, alors les plus grands d'entre tous les êtres humains étaient « dérangés ». J'estime, au contraire, que mon attitude est parfaitement intelligente, puisque d'accord avec ce qui m'importe le plus dans la vie. Quant à chercher de l'intérêt, comme tu me le suggères, au théâtre, au concert ou ailleurs, sois tranquille, je le fais toujours quand je suis dans un état d'esprit à accueillir pareilles distractions, et c'est assez fréquent[4]. Mais n'oublie pas, mon chéri, que, entraînée par des circonstances imprévues, j'ai vécu depuis plus d'un an une vie contenant des émotions, des impressions, des changements qui suffiraient à combler toute une existence. De là le besoin naturel que j'éprouve de calme et de réflexion. Mais nous avons débattu ce sujet cent fois ; nous sommes d'accord au fond ; il n'est donc pas du tout nécessaire d'y revenir.

C'est étrange que tu aies vu toi aussi ce film magnifique : *L'Homme au chapeau rond*. Je l'avais vu la semaine dernière, je l'avais trouvé vraiment remarquable, et je ne sais comment j'avais pourtant oublié de t'en parler. Raimu y incarne un type vraiment inoubliable[5]. Mais l'enfant, la petite fille surtout, tu te rappelles comme elle est délicieuse ? Tout ce que tu me dis du Lutétia est fort rassurant. Je crois qu'il est important que je mette mon travail en bonne marche avant de revenir à Paris. Mais bientôt, nous pourrons parler de mon retour. Et il ne sera pas question que tu viennes me chercher à pied, fou de fou, puisque tu as l'auto.

Quand tu recevras des lettres du Canada, à mon nom, *par avion*, veux-tu bien les mettre dans une autre enveloppe et les affranchir de nouveau — timbre pour courrier ordinaire. Si tu me les réadresses et me les envoies telles quelles, je dois payer une amende aux services postaux.

Il y a eu une espèce de petite tempête de neige ici, samedi. Tout a été désorganisé, téléphone, électricité, transport en commun, même les services de poste je crois. Tout cela pour deux ou trois pouces de neige. Évidemment, ils ne sont pas organisés ici pour combattre la neige. Les tramways qui ne sont même pas munis de balais étaient presque tous en panne. J'ai trouvé l'effarement des gens fort amusant au regard de nos vraies belles tempêtes canadiennes.

Tu transmettras mes amitiés à madame et à mademoiselle Mocquot[6], en leur disant tout le regret que j'ai de ne pas t'accompagner chez elles. Mais au fond, je ne le regrette pas tellement. Je serais dans une taupinière ces jours-ci, dans les oubliettes même du château de Chillon que je ne m'en apercevrais guère et ne m'en plaindrais à condition qu'on me laissât du papier pour écrire et une bougie[7].

Il n'y a que toi qui me manque. Hier soir, je ne pouvais m'endormir tant je pensais à toi avec intensité. Parfois je te parlais à voix haute et il me semblait qu'à plusieurs milles de distance, toi, de ta chambre lointaine, tu me répondais. C'était à la fois ravissant et pénible, épuisant même, cet effort pour rencontrer, saisir, une pensée dans l'espace.

Le personnage de ce conte que j'écris est un malheureux. Un autre diras-tu ? Eh bien oui, un autre. Vois-tu, les heureux de ce monde n'ont pas besoin qu'on se préoccupe d'eux, qu'on parle d'eux, qu'on pense beaucoup à eux, même. Mon bonhomme est un de ces innombrables petits fonctionnaires comme il en pullule dans chaque ville — et tu verras pourquoi il ne pouvait plus dormir[8]. Enfin, je m'abuse peut-être sur l'intérêt que peut présenter un tel être si peu dissemblable de tant d'autres. Mais je l'aime et cela me suffit. À bientôt mon ange,

Ta Gabrielle

*

Genève, le 27 janvier [19]48

Mon cher chou,
Que j'ai été heureuse, hier soir, quand j'ai entendu le déclic de l'appareil qu'on décroche, puisque déjà je savais que j'allais entendre ta voix. La première impression de saisir une voix très chère, sur le fil, que c'est charmant, Marcel. Il me fallait cette provision de joie pour aujourd'hui, car vraiment c'est une sale journée. Une brume très épaisse enveloppe la ville. Elle me rappelle notre départ pour Fribourg, le soir tard, dans pareil brouillard et comme tu m'en as voulu d'avoir eu raison en prédisant que sur les hauteurs, le ciel serait clair. J'étais ravie car au moment où j'avais lancé mon pronostic, je m'étais bien imprudemment exposée.

Cher chou, un petit bout de lettre seulement aujourd'hui. C'est tout ce que je me sens capable de donner. Je dois aller chez le dentiste, puis faire quelques emplettes. Je me rattraperai ce soir, au retour de ces quelques courses. Je vais beaucoup mieux sans aucun doute mais j'éprouve encore après quelques heures de travail, comme c'est le cas aujourd'hui, une période d'affaissement. Je me suis arrangée avec la directrice pour avoir un demi-litre de lait frais tous les jours. En un sens, je reçois plus d'égards, plus de privilèges à table et autrement que j'en aurais dans un plus grand hôtel. Il y a de petits ennuis, mais sans gravité.

Chéri, pardonne-moi de t'écrire si peu longuement. Mais tu me l'as dit : la volonté est une mauvaise maîtresse. Je t'embrasse en toute tendresse,

Gabrielle

*

Genève, le 28 janvier 1948

Mon cher Marcel,
Je reçois tes lettres deux par deux, c'est étonnant — celle de dimanche et celle de lundi. Il en est ainsi presque toujours depuis quelque temps. C'est gentil pour le jour gras — moins le jour maigre. Mon chou, j'ai admiré à travers tes yeux cette superbe église de Vézelay[1]. Que ne ressens-tu à travers les miens ce qui m'intéresse (je ne soigne pas le goût du malheur, détrompe-toi) dans le travail humanitaire de la Croix-Rouge.

Tu te méprends, chéri, si tu crois que j'ai cherché et trouvé là une façon d'entretenir la tristesse. D'abord, j'y ai trouvé certains faits intéressants en eux-mêmes et une atmosphère tissée de mille misères il est vrai, mais si je m'y complais, c'est pour mieux connaître les êtres humains et arriver à les définir le mieux possible. Mais je ne te cherche pas querelle — sans doute je me suis mal exprimée et c'est pourquoi tu me prêches maintenant de me distraire et de m'égayer. Ne crains rien, je sors assez fréquemment. Hier soir, j'ai vu un autre très beau film, à certains points de vue aussi remarquable que *Les Enfants du Paradis*, et traité un peu de la même façon, en teintes douces, en touches légères, subtiles et qui respectent la vérité. D'une fidélité extraordinaire à l'humble réalité. C'est *La Part de l'ombre* avec J.-L. Barrault et Edwige Feuillère[2].

J'ai repris mes deux kilos. Il faut dire que je bois beaucoup de lait frais. Madame Moroy m'a donné quelques coupons et ici, à l'hôtel, on m'apporte un petit pot de bon lait froid l'après-midi.

J'avais presque l'intention de retenir une chambre pour deux semaines dans un hôtel de campagne, probablement à Crans sur Sierre, que les Moroy et d'autres gens me décrivent comme un des plus ravissants endroits de la Suisse romande. Mais j'attends encore des vêtements que j'ai envoyés chez le nettoyeur et puis, je ne viens de finir qu'aujourd'hui mes visites au dentiste. Je suis tombée sur un dentiste qui excelle dans son métier, mais les prix sont à l'avenant, 45 francs suisses pour 4 très petites obturations.

De toute façon, si je me décide pour un séjour de deux semaines à Crans, je pourrai venir te rencontrer à Genève, si tu préfères, quand tu viendras me chercher.

Mon chou, ce sera notre cinquième anniversaire vendredi et le premier que nous ne passerons pas ensemble[3]. Tu conçois à quel point je penserai à toi ce jour-là et comme mon cœur te souhaitera de bonnes choses.

Si le deuxième feuillet est si fripé, c'est qu'en ce moment de distraction je l'avais roulé en boule et jeté dans la corbeille. J'ai dû le récupérer.

Il y a quelques jours, j'ai écrit à Émilienne Daraedt, tu te souviens, cette serveuse de chez Doucet que nous étions allés surprendre un soir chez elle, avec Servandoni. Cette personne me marque une si vive reconnaissance pour le service que je lui ai rendu ; elle m'avait écrit et remercié une seconde fois — elle me touche réellement. D'ailleurs, je croirais volontiers qu'à l'occasion elle serait heureuse de nous aider quelque peu. Peut-être, si nous recevons ou apportons de Suisse de la farine blanche, nous fera-t-elle des galettes. J'ai songé aussi — sans lui en parler encore bien entendu — que si je trouvais une petite habitation pour l'été en Bretagne ou ailleurs, que cette Émilienne, à condition qu'elle soit sans travail à ce moment, ferait une excellente ménagère. Nous reparlerons de cela lorsque nous la connaîtrons mieux.

J'ai acheté ton cadeau de fête, une petite chose assez simple, mais je crois qu'elle te plaira. C'est un coupe-papier en cuivre doré. Je te l'annonce au cas où je ne pourrais te le faire parvenir pour le 9 février.

J'ai écrit à ta maman une assez longue lettre et qui m'a donné beaucoup de peine, car j'étais fort embêtée pour trouver le ton et le sujet qui pourraient lui plaire. Ce n'est pas comme lorsque je t'écris. Je crois que certaines de nos lettres se perdent en route. De toute façon, je n'en ai reçu aucune de toi, datée de vendredi dernier. Que dire alors des colis — certainement que plusieurs doivent être chipés.

Chéri, Marcel, je t'embrasse avec tout mon cœur afin que tu travailles et que tu dormes bien.

Gabrielle

✳

Genève, jeudi le 29 janvier [19]48

Mon cher Marcel,
Je n'ai vraiment pas de chance. Moi qui me disais mieux — et qui en fait l'étais — voici que je viens encore d'attraper un gros rhume. Une sensation de lourdeur, un peu de fièvre — pas beaucoup — 99.3° — mais je resterai quand même dans ma chambre toute la journée. J'ai tout de même réussi, de peine et de misère, à terminer ce matin la première ébauche de mon conte. Il le fallait, chéri, pendant que le sujet dominait encore suffisamment mon esprit pour le mener à son dénouement. Et puis, j'ai si patiemment attendu ce moment d'émotion créatrice, je l'ai tant cajolé — j'ai fait tant de cruels sacrifices pour le mériter. Maintenant, il me reste à soigner la forme du conte, à creuser davantage les reliefs, les facettes du personnage.

J'avais songé à te demander de venir me chercher vers le 15 février. Ne dis pas que ton absence ne me pèse pas puisque je songe à allonger mon séjour ici. Ce serait faux — mais, mon chou, le sacrifice est trop dur pour ne pas le pousser jusqu'au bout, qu'il me rapporte au moins ce que j'en espérais, c'est-à-dire une détente parfaite et une grande amélioration de santé. Ce rhume va diminuer les bons effets du repos. Laisse-moi donc réfléchir encore un peu avant de fixer la date de ton voyage vers moi — chéri, je t'assure que ce ne sera pas plus tard que nécessaire.

Quant au rhume, ne va pas croire que je l'ai mérité par quelque imprudence. Au contraire, j'ai été très prudente. Si j'avais seulement dix lettres de toi aujourd'hui pour égayer la perspective d'une journée de captivité ! Je ne perds pas grand-chose à ne pas sortir, il est vrai ; le temps est gris et maussade. Mais je ne me plaindrai plus jamais, je crois, à toi, de l'ennui que je peux éprouver. Tu as l'air de croire que je choisis volontairement de m'ennuyer. C'est vrai en un sens, mais non par goût de souffrir tel que tu sembles le croire. Tout simplement, l'isolement m'est parfois nécessaire quoiqu'il ne me réjouisse pas, va.

Et crois bien, Marcel, que lorsque je m'exprime ainsi, je ne cherche pas à t'imposer mes vues ; ce n'est pas une discussion que je te propose. Mais maintes fois, tu m'as dit que ce que tu redoutais le plus, c'était le silence. Alors, je m'efforce de t'expliquer ce qui est le moins explicable de ma nature. Chacun de nous d'ailleurs, et tu le sais bien, offre ou plutôt dérobe à l'attention un certain côté où s'affrontent les contradictions les plus puissantes. Pour d'autres, je me moquerais bien qu'ils saisissent oui ou non le mobile de ma vie. Toi, chéri, de toute mon âme je voudrais que tu comprisses.

Quand je reviendrai, j'espère que j'aurai du travail sur la planche — le meilleur des pains — et que nous aurons alors la joie depuis si longtemps escomptée d'examiner cela ensemble. Tu m'aideras en ce sens que tes réactions me seront infiniment utiles. Et quand je ne rapporterais qu'un conte ou deux — tu le vois, je suis devenue humble et n'exige pas trop de moi-même — j'aurai un grand plaisir à te l'offrir. Ce sera un moment vraiment parfait.

J'attends ta lettre avec une hâte exaspérée. Il est près de deux heures. J'ai pris mon lunch dans ma chambre. J'ai mangé un peu de viande, une pomme bouillie, une banane. Et j'ai déjà téléphoné deux fois au concierge lui demandant s'il n'y avait pas de courrier. Que c'est fou et charmant cette façon de rester suspendue à l'arrivée du courrier. On craint la déception et pour l'éviter, on essaie de ne pas prendre son espoir au sérieux. On le ménage avec toutes sortes de précautions. On se met en garde, on se persuade même que très probablement la lettre n'arrivera pas. On aligne déjà toute une série de possibilités contrariantes, afin de ne pas trop souffrir si la déconvenue doit se produire. Et quoi qu'on ait fait, quand l'heure du courrier a passé, et que le casier reste vide, un morne accablement succède à tout ce jeu de l'esprit.

Mouche, mouche, mouche, à travers mes pauvres phrases, je n'arrête pas de morver. Je vais tout de même profiter de la séquestration pour avancer ton foulard. J'ai honte de ne pas l'avoir encore terminé. Mais tricoter, toute seule, ce n'est pas gai.

Je t'embrasse bien tendrement, mon chéri.

Gabrielle

*

Genève, le 29 janvier 1948

Mon chéri,

Tu me fais un aveu ravissant dans ta lettre de mardi, disant : « Je t'aime comme un moi idéalisé. » Ah, chéri, que cela me fait plaisir et que je voudrais arriver à exprimer en plus de tout ce que je pense, tout ce que ton esprit contient de délicates et nobles pensées. Moi aussi, je t'aime, mon Marcel, mon fol amant, au point que parfois je ressens de l'effroi. Jamais aucun lien avant toi ne m'avait retenue, sauf ceux de la destinée, si terribles, si durs, mais contre lesquels il ne donne rien de lutter. Quelle servitude un sentiment comme celui qui nous lie peut représenter si on veut bien y penser calmement, selon la logique. Mais l'amour, heureusement, se passe de logique.

Avec mon dîner, ce soir, on m'a apporté ta lettre, toutes celles que tu avais fait suivre. J'ai donc de quoi occuper ma soirée, et c'est heureux, car je l'envisageais avec ennui, ne sachant à quelle distraction me livrer, puisque je n'ose pas sortir. Je ne me sens pas trop mal. La même légère fièvre que ce matin. Que cela m'embête et me vexe. Je suis si lasse d'attraper ainsi un rhume après l'autre. Naville m'avait parlé d'un sérum ou préventif assez efficace. Mais il est parti jusqu'au 29 février. Je prends donc des aspirines.

Je crains, chéri, de t'avoir peiné, sans qu'il y ait de ma faute, dans ma première lettre de la journée. Ah, tu sais, je veux bien abréger mon séjour ici, si tu y tiens. Phrase bête, évidemment : tu y tiens. Ce que je cherche à exprimer, c'est que je voudrais éviter de te décevoir trop cruellement. Tu as compris cela, n'est-ce pas, et qu'en même temps, j'essayais d'être raisonnable et me résignais à rester ici un peu plus longtemps que convenu afin d'en retirer le plus possible.

Mon chéri, je n'ai jamais mis en doute, ni la sécurité de tes croyances religieuses, ni surtout ai-je pensé que ta voie était facile et dénuée de luttes, de recommencements et d'épreuves[1]. Non, Marcel, je ne suis pas de ces personnes qui croient que la foi dispense des tourments intérieurs et de l'angoisse. Pas plus que moi, je le sais bien, va, tu [ne] vis dans la quiétude, en repos, dans un cercle de valeurs acquises et immuables.

Chaque jour de notre vie, il faut tout remettre en cause, reprendre le terrible débat intérieur, et chaque jour nous marque de ce combat, ou nous grandit ou nous abaisse. Je crois même que malgré des différences d'interprétation, nous sommes très près l'un de l'autre. Il m'est arrivé quelquefois de pressentir que Dieu était mon ami. Ce sont les mots mêmes d'ailleurs qui ont jailli de mon cœur quand cette présence m'a réchauffée. Ami, c'est étrange, n'est-ce pas, mais c'est le genre de relation que seule j'estime pouvoir entretenir avec Dieu. Pas une amitié d'égale à égale. Non plus un sentiment soulignant la distance effroyable entre l'être humain et le maître de l'univers. Rien de tout cela, mais un chaleureux élan d'amitié sans orgueil comme sans infériorité. Je l'ai éprouvé très nettement il y a quelques jours. Hélas, ce n'est pas non plus cela, une joie permanente, sur laquelle on peut compter à chaque instant.

Je vais me coucher tôt, avec l'espoir que demain je me sentirai plus forte. Je t'embrasse, mon chéri. Paula m'a écrit une bien gentille lettre. Je te renvoie sa carte tout de suite puisque tu l'aimes tant[2].

Gabrielle

✻

Genève, le 30 janvier [19]48

Mon cher Marcel,
Tâche de m'avertir un peu à l'avance du jour de ton arrivée afin que je retienne une chambre communiquant à la mienne pour toi. Et à Paris, si tu le veux bien, n'annonce pas mon retour : je veux vivre libre de toute obligation sociale pendant quelque temps.

Ce serait charmant que tu puisses obtenir, en effet, pour moi une pièce qui forme appartement avec la tienne, car je voudrais bien t'éviter un autre déménagement. Mon chéri, tu étais si triste hier soir — après avoir accroché le combiné, j'ai tellement regretté [de] n'avoir point su te consoler. Dans la nuit, ne pouvant dormir — j'avais si mal à la gorge —, j'ai pris la résolution de t'envoyer une dépêche. Je t'attends avec la plus grande impatience.

Madame Moroy est bien gentille quoique nerveuse et énervante. Elle vient de m'apporter de la décongestine[1] — sorte d'emplâtre — et d'autres livres. Ainsi, je saurai occuper ma deuxième journée de captivité. Je voudrais tant être parfaitement bien quand tu arriveras. Je crois que ça ira, puisque j'ai eu la sagesse de rester aujourd'hui encore dans ma chambre.

À bientôt, mon chéri. Que j'ai hâte de t'embrasser.

Gabrielle

Il vaut mieux, je crois, que tu arrives le plus tôt possible et qu'on se presse moins pour le retour.

⁂

Genève, le 31 janvier [19]48

Mon cher chou,
C'est vrai, tu viens me chercher cette semaine, dans quelques jours nous serons réunis. C'est une si joyeuse perspective que je ne comprends comment, au téléphone, je n'ai pas su t'exprimer ma hâte de te revoir et fixer tout de suite la date du retour. J'étais un peu abasourdie et puis partagée entre deux bien exigeantes passions. Tout est clair maintenant. L'isolement m'a fait du bien et me fera apprécier, tu verras, le bonheur de vivre avec toi.

Tu passeras tout de même une nuit à Genève, n'est-ce pas. Comme je ne veux pas déménager tous mes effets dans une plus grande chambre, je tâcherai de retenir une des pièces qui communiquent à la mienne.

Il serait sage, je crois, que tu apportes quelques chèques de voyageurs, afin qu'on ne songe pas à me questionner et puis, on pourra en profiter pour défrayer ma note d'hôtel pour la dernière semaine.

Viens vite, mon chéri. Je vais un peu mieux aujourd'hui. Je tousse un peu mais je me sens déjà moins abattue.

Gabrielle

Dis-moi si tu as reçu ma dépêche.

Mon chéri, je viens de recevoir ta lettre si navrante de jeudi. Pauvre enfant, que ta détresse me fait mal et que je voudrais empêcher que tu souffres ainsi ! Moi aussi, tu sais, je me suis ennuyée à ne plus savoir où trouver quelque allègement. Et pourtant il faudra bien, quelquefois encore, que je te quitte, que j'aille dans l'isolement fouiller mes pensées, me soumettre encore une fois, de temps en temps, à cette épreuve de la solitude au bout de laquelle j'ai perçu mon chemin. Ah, si tu savais ce qu'un seul conte, une seule minute d'inspiration coûte souvent d'oubli de soi et de lourds sacrifices. Qu'importe, l'épreuve est finie pour cette fois ; ne songeons qu'au bonheur de nous retrouver. Je t'embrasse et te dis mille mots tendres.

✳

Le 2 février [19]48

Mon chéri,
Je t'aime, je t'attends. Prépare un peu une liste de ce qu'il conviendrait d'apporter de Suisse en France. Je vais tâcher d'acheter 1 kilo de beurre.

Je t'embrasse, mon amour.

Gabrielle

P.S. Ça va mieux. Cette fois, j'ai surmonté mon rhume très rapidement, sans doute grâce aux médicaments que m'a donnés Naville et puis parce que je suis si heureuse de l'espoir que tu seras là bientôt.

Concarneau
été 1948

Comme elle le fera régulièrement jusqu'à la fin de sa vie, Gabrielle Roy décide, à l'été 1948, de passer quelques semaines seule afin de se reposer et d'écrire. Elle séjourne à Concarneau, dans le Finistère, de juin à septembre, à l'hôtel de Cornouailles — situé tout près de la plage. Marcel l'y conduit en voiture ; il rentre ensuite à Paris où il doit poursuivre ses études médicales. Il viendra rendre visite à Gabrielle à la mi-juillet, puis il passera deux semaines en sa compagnie en septembre, après quoi le couple rentrera à Saint-Germain-en-Laye, où il s'installera à la Villa Dauphine, au 31 de la rue Anne-Baratin. « Si elle a choisi la Bretagne, écrit son biographe, c'est qu'elle espère retrouver, dans ce paysage de mer et de côte déchiquetée qui lui rappelle la Gaspésie, l'ambiance féconde qu'elle a connue à Port-Daniel du temps qu'elle écrivait Bonheur d'occasion[1]. »

Au cours de son séjour à Concarneau, Gabrielle visitera les villages et les sites de villégiature avoisinants : Fouesnant (Beg-Meil), Pont-Aven, Quimper. Avec Marcel, en juillet, elle se rendra à la pointe du Raz, à la pointe du Van et à la pointe du Cabalou. L'île de Sein, située au large de la pointe du Raz, fera l'objet d'un récit qui n'est pas daté mais qu'on peut supposer avoir été rédigé au cours de l'été 1948[2]. Gabrielle aurait aussi écrit, au cours de ce séjour en Bretagne, deux nouvelles inspirées de la vie à l'hôtel — « Pitié » et « Le petit liftier » —, ainsi qu'un texte intitulé « Sainte-Anne-la-Palud », qui porte la mention « Concarneau, septembre 1948 » et qui paraîtra dans la Nouvelle Revue canadienne *(Ottawa, avril-mai 1951)*[3]. *C'est également au cours de l'été 1948 qu'elle aurait abandonné un projet de roman vraisemblablement commencé à la fin de 1946 et dans lequel elle cherchait à reconstituer l'histoire de la venue de ses grands-parents maternels et des immigrants canadiens-français au Manitoba à la fin du* XIXe *siècle*[4].

Concarneau, lundi le 28 juin 1948

Mon cher Marcel,
J'espère que tu as fait un bon voyage de retour sans ennuis, ni crevaisons. Après ton départ, le vent s'est mis à hurler ici comme s'il pleurait tous les maux réunis de la terre. Toute la nuit il a gémi ainsi. Ce matin et cette après-midi encore, il souffle avec la même intensité, mais le soleil brille et les crêtes blanches des vagues dans une mer émeraude sont belles à voir.

J'ai causé un peu à l'heure du déjeuner avec une vieille dame née en Bretagne, mariée à un Américain et qui a vécu aux États-Unis la plus grande partie de sa vie. Il est intéressant de voir comment cet esprit celtique a réagi à l'influence américaine. Au fond, elle me semble beaucoup plus Yankee que Bretonne, mais dans le bon sens et je crois que j'aurai du plaisir à causer avec elle de temps en temps. Autrement, il n'y a rien de nouveau depuis hier midi. Le général belge occupe toujours la même table avec son petit troupeau de vieilles dames et il me fait toujours en passant son petit salut sec et peu empressé. On ne m'a pas encore déménagée — peut-être sera-ce pour demain. J'espère que tu recevras bientôt des colis du Canada qui t'aideront à suppléer à la rareté de certaines provisions et surtout que tu [ne] négligeras pas de manger suffisamment le matin. Ici, j'ai découvert ce matin que la confiture devait être payée comme supplément. J'en avais été frustrée et je l'ai réclamée et ainsi j'ai appris que la pension est de 80 francs par jour, mais sans fanfreluches. Qu'importe, je mangerai des confitures, car elles sont bonnes.

Je suis retournée hier après-midi au port. Tu n'as vraiment pas manqué grand-chose. La fête comprenait surtout des exercices de gymnastique exécutés par les élèves des écoles et des prouesses du nautique que nous avons vues de la Tour Eiffel. Ce n'était rien de renversant, je t'assure. La soirée a été morose; il pleuvait; les vagues s'abattaient avec fracas sur la plage. Cependant le menu a été excellent. Mince petite satisfaction au regard de la mélancolie qui m'empoignait.

Tu me diras où tu as couché en route, si c'est au beau Laval ou à Vitré. Charmantes vieilles petites villes, n'est-ce pas? Tout de même Concarneau était bien joli ce matin au soleil et sous le grand vent du large. Les pêcheurs de thon avaient étendu leurs filets bleus sur l'herbe près de la mer pour les faire sécher. Tout était adorablement coloré, et j'ai compris la passion des peintres pour cet endroit. J'ai lu hier soir dans mon guide de Bretagne que les menhirs et dolmens se trouvent principalement dans la région de Carnac. Peut-être aurons-nous l'occasion de passer par là un bon jour. D'ici je pourrai facilement entreprendre quelques excursions d'une seule journée, vers Pont-Aven par exemple ou vers Quimper. Il y a plusieurs services d'autobus en maintes directions. Pour le moment, je suis très satisfaite de rester en place, et le bel horizon de la mer me suffit. Dieu que j'ai marché hier. J'ai été jusqu'aux Sables-Blancs[1], puis de là, par une petite route creuse, dans les terres, j'ai poussé jusqu'à une vieille ferme bretonne. Et tout à coup, j'ai eu le cœur serré : il y avait dans des champs fleuris de roses, au-delà d'une vieille clôture de perches telle que je les aime, une simple petite maison de crépi, très blanche, seule, sur une colline regardant la mer. Cette maison était si accueillante, elle m'attirait et m'attristait à la fois.

Chéri, tâche de manger suffisamment, de te reposer, et de rester en bonne santé. Je t'embrasse bien tendrement.

Gabrielle

*

Concarneau, mardi le 29 juin 1948[1]

Mon cher Marcel,

J'espère bien que j'aurai une lettre de toi demain; il me semble qu'il y a déjà des semaines que tu es parti.

La journée a été assez belle, avec beaucoup de vent encore, mais ensoleillée çà et là, par moments. J'ai fait une longue marche, d'abord au port puis ensuite en longeant la mer, très loin en direction de Fouesnant. Je suis rentrée fourbue mais un peu apaisée. Ce soir, j'ai dîné à la table des Cox, cette dame dont je t'ai parlé hier et son fils, un aviateur américain en service à Munich. La dame est vraiment charmante et tout à fait fine d'esprit et d'éducation. Pourtant, que je me sens peu encline à faire des connaissances ! Je songe tout le temps à nos dernières heures passées ensemble et comme ça m'a été pénible de te voir partir sans un mot de tendresse. Et je me demande si nous oublierons jamais complètement l'un et l'autre la tristesse de ce moment. Mon pauvre enfant chéri, sans doute je sais mal te marquer mon affection, mais il me semble que tu ne peux en douter. Je souhaite de tout mon cœur que tu retrouves le plein repos de l'esprit comme je voudrais tellement l'obtenir pour moi-même. De grâce, ne t'ennuie pas trop. Je sais qu'on ne peut grand-chose contre ce mal, mais du moins ne t'y abandonne pas.

Si tu revois Jeanne[2] avant son départ pour le Canada, offre-lui mes amitiés et mes souhaits de bon voyage. Je t'envoie une carte du pays que tu n'as pas, je crois. À part celle-ci, je n'en ai point trouvé d'autres différant de celles que tu as achetées, mais j'aurai l'œil ouvert. Comment se porte l'admirable petite vierge noire de la Ville Close[3] ? Ton mal de tête s'est-il complètement dissipé ? Je serais contente que tu voies un spécialiste au sujet de ta sinusite, car il est malheureux de te voir souffrir ainsi.

Je t'embrasse du fond du cœur.

Gabrielle

*

Concarneau, mercredi le 30 juin [19]48

Mon cher chou,

Que tu as été gentil de m'appeler aujourd'hui ! Mais je me suis sentie toute bête et n'ai pas su te dire ce que je ressentais et comme d'entendre ta voix m'a émue. Chéri, que je t'embrasse pour ce moment !

Je dois te dire que j'étais fort inquiète depuis la réception de ta lettre. Dieu merci, il n'y a rien eu de grave, mais je m'aperçois que comme moi tu as les nerfs à vif[1]. Tu as grandement besoin de repos toi aussi, mon fou. Tâche de te coucher tôt et de faire une vie aussi reposante que possible. Je te promets que je m'y entraîne moi-même avec courage.

Depuis ton départ, la plupart des gens qui étaient à l'hôtel sont partis et se trouvent remplacés par une nouvelle bande, en majorité anglaise je crois. Ça fait de plus en plus atmosphère du Villars Palace[2]. Heureusement qu'il y a la mer si proche, toujours variée et d'une grandeur toujours égale à elle-même.

J'ai revu la dame Piriou, tenant boutique de meubles et de faïenceries dans la Ville Close. J'ai même passé une bonne partie de l'après-midi avec elle hier, et nous avons causé de maintes choses d'intérêt local, des costumes brodés, du caractère des gens d'ici, etc. Elle a été très accueillante et m'a invitée à m'arrêter chez elle, en passant, tout aussi souvent que je le désirerais. Il faut te dire qu'elle m'a invitée à visiter l'étage au-dessus de la boutique et que j'y ai vu des meubles encore plus remarquables je crois que ceux qui sont en vente. Le lit entre autres, sculpté par son mari, est vraiment charmant.

Tu comprends, il n'y a pas grand-chose à faire ici sauf tourner dans les petites rues de la ville, puis aboutir au port, mais cela me plaît et je suis loin d'en être lasse. Toutefois, je m'aperçois cette fois comme durant mon séjour en Suisse que je ne prends pas aux paysages le même plaisir lorsque je suis seule que j'y prends lorsque nous les regardons ensemble.

Tu as donc passé par Orléans ! Comment as-tu trouvé cette ville ? Tâche de me décrire un peu ton itinéraire de retour. Et raconte-moi par le menu tout ce que tu fais. Tu sais bien pourtant que le moindre détail de ta vie m'intéresse. As-tu revu le professeur Morin ? Et Béclère ?

Tu sais, j'ai été incroyablement déçue d'apprendre hier soir que tu n'avais pas encore reçu une lettre de moi. Il est vrai que le service est lent ici, puisque le courrier est dirigé, une seule fois par jour, par train tortillard vers Quimper, où il prend l'express de Paris. Mais, chéri, je tâcherai que tu reçoives une lettre tous les jours, et j'espère que tu ne me priveras pas des tiennes qui font toute la joie de ma journée. Hier soir, chéri, j'aurais voulu t'exprimer des souhaits pleins d'affection, puisque c'était notre anniversaire et ce n'est que plus tard, ayant raccroché et l'émotion un peu dissipée, que j'ai trouvé ce que j'aurais aimé te dire. Mais tu le sais, mon chou, tu sais que je t'aurais dit : puissions-nous n'avoir plus jamais de malentendus et que notre amour grandisse et se perfectionne et se développe en profondeur et raffinement.

Je t'embrasse avec toute ma tendresse.

Gabrielle

⁂

Concarneau, le 2 juillet 1948

Mon chéri Marcel,
Quelle belle lettre tu m'as écrite mardi soir ! Je voulais hier soir dès que je l'ai reçue te répondre et t'en remercier, car tes descriptions m'ont enchantée. Je vois si nettement ton assemblée de petites vieilles à coiffes identiques réunies dans le vaisseau sombre de l'église et enveloppées de l'atmosphère un peu triste et austère de leurs vies laborieuses[1]. Seulement, je ne t'ai pas écrit de suite parce que j'ai, hier soir, souffert d'une véritable indigestion. Le menu se compose presque uniquement ici de crustacés, de viandes et poissons : aussi au bout d'une semaine, quoique j'y fasse un choix aussi prudent que possible, j'ai l'estomac plutôt à l'envers. Toute la journée hier, j'ai eu des brûlements d'estomac. Ce matin, n'ayant pris que du thé, je me sens mieux. D'ailleurs la journée s'annonce belle et voilà qui m'encourage un peu. Que je serais heureuse de te voir arriver pour le week-end. Évidemment, je sais que c'est trop loin et que je ne peux te distraire trop fréquemment de ton travail.

Que feras-tu en fin de semaine ? J'essaie de t'imaginer et j'espère de tout mon cœur que tu trouveras une distraction aimable.

Madame Cox, qui est vraiment gentille, sera à Paris dans quelques semaines. Il se peut qu'elle t'appelle au téléphone, comme je lui ai longuement parlé de toi. Cela ne t'engage à rien, ni à l'inviter ni même à la voir, mais elle a été si aimable pour moi qu'il m'a semblé poli de lui donner ton adresse.

J'ai lu avant hier et hier *La Tour d'Ezra* de Koestler. C'est une étude de l'âme juive peut-être moins poétique que celle des frères Tharaud[2], mais forte et infiniment tragique. D'ailleurs le livre constitue une sorte de témoignage du mouve[me]nt sioniste en Palestine depuis 1937. Plus que ça encore, puisqu'il marque les déchirements politiques, mystiques et autres qui se produisirent au sein de ce mouvement. En somme, c'est une espèce d'épopée de la formation de l'état d'Israël depuis l'achat des terres arabes par des Juifs, leur installation en des endroits maudits du désert, leur labeur écrasant, les guérillas entre villages arabes et colonies juives, puis la formation des troupes de police juive, enfin de terroristes. Là-dessous les trahisons progressives du gouvernement anglais en Palestine. Je te conserverai le livre, car je crois que tu auras plaisir à le lire. Si tu veux, je te l'enverrai dès maintenant. De toute façon, mon bagage sera ainsi allégé.

As-tu reçu quelques lettres du Canada ? Je serais bien contente si tu devais recevoir un colis, que tu m'envoies un peu de Klim[3] — c'est fou comme j'ai le goût de boire du lait. Où vas-tu manger principalement ? N'oublie pas qu'il te reste un peu de beurre à la glacière, qu'en outre tu peux en obtenir 100 grammes avec tes coupons du mois et qu'au Petit Lutétia, on t'en vendra une faible quantité sur demande. Ne te prive de rien, chéri, surtout dans la nourriture ; je ne voudrais pas que tu maigrisses davantage. Et puis, pour bien travailler, tu as besoin de te bien nourrir. Je ne sais que te faire des recommandations de mère poule, sans doute ennuyantes, mais vois-y le grand désir que j'ai de ton bien-être.

J'ai peu de chances de me baigner, à moins que le temps ne se réchauffe bientôt. L'eau de la mer est froide, tu n'en as pas d'idée. Je vois bien quelques téméraires qui y avancent à mi-jambe ; je n'ai pas encore ce courage. Évidemment, il suffirait de 3 ou 4 jours de grand soleil pour changer la vie ici. Je n'ai jamais tant souhaité la chaleur. Toutefois, je la redoute pour toi et ainsi je ne sais vraiment plus ce que je veux.

Excuse, mon chéri, cette lettre bien morne auprès de la tienne qui m'a si complètement charmée. Je suis encore secouée par cette vilaine indigestion et je me sens l'esprit vide.

Cependant, mon cœur est tout rempli d'affection pour toi et aussi inondé d'ennui et plein de regrets parce que nous voilà encore séparés pour quelque temps.

Au revoir, mon grand, si cher fou de Marcel,

Gabrielle

❋

Concarneau, samedi le 3 juillet 1948

Mon cher Marcel,
Ainsi tu ne baisses plus les stores de ta chambre, alors que quand j'étais là, il était presque impossible d'obtenir que tu les levasses (quel horrible subjonctif !) le matin. Je ne songe pas à t'en blâmer, va. Moi-même, j'essaie de me réchauffer à la vie anonyme, dans la rue, sur la plage, ainsi que tu essaies de le faire du haut de ton balcon. Chéri, je t'en prie, ne te désole pas ainsi. Après tout, je ne demeurerai peut-être pas ici tout l'été. Considérons maintenant une séparation de 2 à 3 semaines puis après nous ver-

rons. Je me suis tellement ennuyée ces derniers jours que j'ai bien failli t'appeler et te demander de venir me chercher, mais j'en aurais eu honte tôt ou tard. Je vais donc essayer de rester quelque temps. Au fond de mon cœur, tu sais, je regrette que nous n'ayons pas cherché quelque logement ou chambre d'hôtel dans le voisinage de Paris. La situation idéale aurait été que je passe l'été à la campagne et que tu puisses venir me voir en fin de semaine ou du moins quelques fois par mois. Peut-être même aurions-nous pu trouver quelque chose en banlieue et aurais-tu pu voyager matin et soir. Sans doute, je me forge là un espoir chimérique. Il y a bien peu de chances que nous arrivions à dénicher pareil endroit.

Les brûlements d'estomac étaient si affreux et tenaces hier que j'ai acheté à la pharmacie du bismuth qui m'a soulagée[1]. Mais je ne mange encore que des biscottes beurrées, de la compote et un peu de glace. Je crois que ce sont les crustacés et poissons qui m'ont ainsi rendue malade. Je ne devrais pas t'ennuyer avec ces explications. Tu as peut-être raison, chéri, de dire que je me plains souvent. Pourtant Dieu sait que je n'aime pas cela et voudrais t'épargner mes ennuis ! Mais que veux-tu, chou, à qui se confier si on ne peut le faire à la seule personne qui nous soit précieuse et irremplaçable.

Temps mélancolique, nuageux par moments, assez clair à d'autres, aujourd'hui. Je souhaite le plein soleil comme jamais je ne l'ai désiré.

Mme Cox m'a donné une boîte de lait en poudre. C'était une vraie bénédiction car j'avais un goût effréné de boire un peu de lait. Elle et son fils sont partis aujourd'hui pour Douarnenez. Je les regretterai ; j'ai passé quelques moments assez agréables avec eux.

Continue à m'écrire tous les jours. Ta lettre est tout le soleil, toute la lumière de mes journées.

Mon chéri, crois bien, va, que je t'aime.

Gabrielle

*

Concarneau, le 4 juillet [19]48

Mon cher Marcel,
Tes lettres me font beaucoup de bien. Sans cela, je ne pourrais sûrement endurer de rester ici plus longtemps. Il a tout de même fait assez beau

hier pour que je me plonge à l'eau. Mais c'était une bien courte accalmie. Déjà le ciel a eu le temps de s'assombrir à nouveau, et il fait froid. À vrai dire, ma patience commence à se lasser. Si d'ici une autre semaine, il n'y a pas amélioration, je crois que je renoncerai à Concarneau. Aujourd'hui, dimanche, je songe à toi avec tant d'intensité, puisque c'est le jour où habituellement nous sortions ensemble. J'épuise mon imagination à essayer de te voir dans l'occupation et le moment présent. Je serais heureuse de deviner ce que tu fais à cet instant précis, et voilà qui est un peu enfantin.

Les binettes des touristes, sauf une ou deux, ne sont pas fort intéressantes. Un autre petit ménage belge est arrivé, une vieille dame anglaise, sèche et droite comme un poteau — indicateur —, puis il y a une drôle de famille composée d'une femme très jeune, assez jolie, d'un enfant de 10 mois peut-être, tout à fait adorable, et d'une espèce de vieux bonhomme d'allure patriarcale, un Abraham moderne, qui doit être le père du bébé quoique vraiment il paraisse plutôt près des réflexions dernières. Je ne vois personne d'autre à mentionner. C'est étrange mais les Anglais, avec leur réputation (fausse d'ailleurs) d'être excessivement froids et distants, sont les plus sociables et les plus liants parmi tous ceux qui m'entourent. Les Français sont reconnaissables par leur mine de ne pas s'y frôler.

J'ai découvert hier soir un aspect nouveau de la côte, du genre sauvage et mouvementé qui me plaît. Passé l'hôtel des Sables-Blancs, un sentier part sur les hauteurs, entre des bois de pins et des fourrés épais d'ajoncs épineux. On y a de la mer une vue splendide, tandis que par moments s'ouvrent des champs d'avoine et de seigle venant jusqu'à la pointe des falaises. C'est le genre de pays à la fois maritime et riche d'évocations domestiques qui me plaisait tant en Gaspésie[1]. J'ai marché une bonne distance en cette direction qui me plaisait tant et je me suis surprise à me répéter plusieurs fois : « Si Marcel vient passer quelques jours, c'est par ici que nous nous promènerons. »

Mon Marcel ! Nous sommes peut-être trop semblables, et c'est pour cette raison que nous élevons parfois entre nous des motifs de malentendus. Ainsi, quand tu ne me parlais pas avant de partir, j'ai cru que tu m'en voulais : et toi tu croyais que je te tenais rigueur de quelques paroles alors que j'espérais tellement un mot d'affection. Allons, n'en parlons plus : tu verras que nous arriverons à détruire cette malheureuse habitude et à nous faire une confiance totale[2].

Tu me raconteras, je l'espère, la fête à l'Ambassade[3]. Quoique je me tienne à l'écart de ces réunions, je demeure néanmoins curieuse d'apprendre ce qui s'y dit et surtout j'aime que tu m'en fasses une sorte de résumé.

As-tu décidé d'aller occuper l'appartement des Beaulieu[4] ? Si tu y tiens absolument, je ne voudrais pas t'en détourner mais ce projet ne m'attire guère et j'ai l'impression que tu le regretterais. Au reste, si toutefois je ne passais pas tout l'été ici, il serait bien désagréable que tu eusses donné ta parole aux Beaulieu.

Mon chou, je donnerais cher pour pouvoir en ce moment te passer les bras autour du cou et me sentir attirée sur ta poitrine, contre ton cœur que j'entendrais battre.

À demain, chéri, à bientôt,

Gabrielle

*

Concarneau, le 5 juillet 1948

Mon grand chéri,
Essaie d'imaginer comme j'ai été heureuse de recevoir deux lettres de toi à l'instant. Toutefois, je suis désolée que tu n'aies rien reçu de moi, samedi ; je t'ai pourtant écrit à tous les jours, mon chéri.

J'ai eu du plaisir à savoir que tu avais dîné avec Berthe Morin, etc. On dirait que ta vie sociale ne commence qu'au moment où je m'éloigne. J'en suis contente, n'en doute pas, enfin contente que tu trouves auprès de gens qui te plaisent certains moments de détente bien mérités. Garde en effet la bouteille de champagne. Ce sera si tu veux pour notre prochaine réunion[1].

Avec tes lettres m'est arrivé aujourd'hui l'envoi de Nadeau qui comprend des documents intéressants et assez complets à ce qu'il me semble. Enfin, je me réserve de les parcourir ce soir car ils forment une liasse importante. Tant mieux, si tu termines enfin ton travail. Quelle joie n'est-ce pas de sortir enfin d'une tâche de longue haleine et avec le sentiment qu'on a obtenu de soi ce que l'on désirait tant. Pour moi, cette rare et si profonde satisfaction m'a été refusée depuis assez longtemps, et pourtant elle est presque la seule, hormis ton affection, à quoi je tienne. Comprends-tu alors comme je manque souvent de patience et de bonté : c'est que, dissatisfaite [*sic*] envers moi-même, je parais m'en prendre aux autres. Tâche, chéri, de ne jamais me garder rigueur de ces moments d'abattement.

Je voudrais bien que tu m'envoies en effet la photo de nous prise à l'exposition du livre canadien. As-tu montré ta Vierge de Concarneau à Jean Soucy[2] ? Qu'en dit-il ? De valeur ou non, elle me plaît en tout cas.

Je t'écris de la plage, appuyée à un petit muret [de] gros moellons face à la baie de Concarneau et le derrière dans le sable chaud. Il fait un temps idéal aujourd'hui ; un grand soleil fort brille enfin et le vent semble s'appliquer à chasser les nuages pour de bon. Puisse-t-il les pousser jusqu'en Afrique et les y garder, du moins pendant tout cet été.

J'allais oublier de te raconter le plus important de ma journée d'hier. Vers 2 heures et demie, par un temps pas très prometteur, je me suis quand [même] mise en marche vers le château de Keriolet, à 2 kilomètres environ de l'hôtel, probablement plus. Je suis arrivée assez tôt, et il m'a fallu attendre d'autres visiteurs avant de pénétrer dans le château-musée. Enfin quand nous fûmes une dizaine le guide jugea assez profitable de nous ouvrir les portes. Et tu sais, j'ai été surprise, entre certaines banalités, [dans] ce vieux petit manoir, de trouver des choses vraiment ravissantes, certaines tapisseries de Flandres et des Gobelins, tout à fait « inestimables » pour employer l'expression-clé du guide. Enfin, quelques jolies statues de bois et des belles faïences [de] Delft ou de Rouen, puis des meubles bretons, admirablement sculptés, m'ont attirée. Cependant, au sortir du musée, je me suis trouvée à la pluie, une pluie battante qui ne cessait, et enfin j'ai dû partir à pied et accomplir les 2 kilomètres sous cette avalanche. Je suis rentrée aussi ruisselante qu'un pêcheur ayant subi l'ouragan de sa vie. Pourtant ça ne m'a fait aucun tort car j'ai dormi comme une souche et me suis éveillée ce matin, reposée comme il ne m'est pas arrivé de l'être depuis longtemps.

Sauf en fins de semaine, tu te couches assez tôt, n'est-ce pas mon chéri ? Ici, dans cet hôtel plein d'enfants, si l'on veut jouir d'une nuit assez longue, il faut se retirer de bonne heure, car ça piaille un peu partout le matin. Dis-moi comment tu emploies chaque minute de la journée. Donne mon bonjour à tes camarades du labo. J'enverrai sans doute des cartes bientôt. Au reste, j'en ai adressé une à Berthe déjà.

Au revoir, mon grand chéri et à demain. Je t'embrasse et t'embrasse encore.

Gabrielle

⁂

Concarneau, mardi le 6 juillet 1948

Mon cher grand Marcel,
Tu ne m'as pas encore dit si tu avais vu *Les Enfants du paradis.* J'ai hâte de connaître ton opinion sur ce film — j'entends au point de vue esthétique, car, autrement, il n'enseigne [rien] qui vaille. Mais il me semble que ce film est malgré tout un exemple de ces œuvres créées dans un seul but de beauté, d'art pour art, si tu veux, ainsi que nous en avons souvent discuté.

Hier, il a fait miraculeusement beau mais, hélas, ce matin le ciel, après un petit moment de belle humeur, s'est couvert de gros nuages tristes. Quel temps ! Toutefois je m'habitue à cette grisaille, et je trouve que ce ciel mélancolique, un peu lourd, convient aux gens du pays et les exprime mieux que le plein soleil. J'en arrive à y goûter certaines douceurs.

J'ai parcouru hier soir les notes bibliographiques et autres que Nadeau a fait compléter à mon intention. C'est bien loin de ce que je souhaitais et, en somme, ne peut pas beaucoup me servir. Je crois bien qu'il me faudra remettre à plus tard le travail en marche depuis si longtemps. Qu'importe : j'ai attaqué autre chose et je travaille avec un peu plus de facilité depuis quelques jours. Comme je tremble que cette joie encore si précaire ne me soit ravie !

J'ai encore quelques brûlements d'estomac. Jamais ils n'ont duré si longtemps et je me demande qu[oi] essayer pour obtenir du soulagement.

Je commence pourtant à brunir, ce qui me donne un air de meilleure santé malgré tout. Et je m'habitue quelque peu au petit coin, assez gentil, où on m'a installée, à l'étage supérieur. Ma journée se passe à peu près comme ceci : petit déjeuner entre 8 et 9 heures ; travail ou semblant de travail jusqu'à midi, midi et demie — petite promenade à la ville de Concarneau ou sur la plage ; déjeuner ; lettre à mon Marcel, puis, s'il fait soleil, longue flânerie sur le sable ; autrement Gaby part pour une autre marche en songeant à toi ; puis vers la fin de l'après-midi, je m'accorde de lire une heure ou deux. Enfin, je dîne vers 8 heures, reste dehors quelques minutes ; puis je me retire et me couche aux environs de dix heures et demie.

J'aimerais que tu me décrives aussi minutieusement l'emploi de tes journées : tout ce qui te touche m'intéresse tellement.

Quand crois-tu arriver à terminer complètement ton travail chez Moricard ? Par la suite, est-ce que tu prévois travailler de façon pratique ? Je te le souhaite, mon chéri, car je suis persuadée que tu en profiteras énormément.

N'oublie pas non plus de me raconter ta promenade du dimanche avec le docteur Morin.

Chéri, je t'embrasse et te dis toute ma tendresse.

Gabrielle

P.S. Est-ce que tu t'es informé à la banque de la façon à prendre pour envoyer quelque argent à Anna et à Adèle ?

⁂

Concarneau, le 7 juillet [19]48

Cher Marcel,
La journée m'a paru longue et vide hier, sans une lettre de toi.

Heureusement le temps s'est mis au beau aujourd'hui. Dès ce matin, le ciel clair enfin annonçait une journée radieuse. J'espère qu'il luit tout aussi gaiement sur Paris et que tu en auras ta bonne part.

Dis-moi, le colis de Becker contenait-il autre chose que du savon ? Il me semble lui avoir demandé du lait en poudre et des tablettes de chocolat. Je lui écrirai, si ces effets ne sont pas arrivés, pour les lui redemander. En outre, je crois qu'il serait bon de demander aussi du café. Celui que je bois ici est vraiment infect. Je donnerais beaucoup pour une bonne tasse de notre café canadien le matin.

Vas-tu prendre tous tes repas au restaurant ? Ou t'arrive-t-il de faire ta popote à l'occasion ? C'est un moment de la journée qui me plaisait infiniment : j'aimais farfouiller avec toi dans notre coffre de provisions puis te voir, une serviette à la taille, entreprendre de mêler et de soigner tes incroyables gibelottes.

Hier soir, longue promenade jusqu'à la Ville Close, puis en dedans jusqu'au bout où les remparts ouvrent une espèce d'arche sur un bras de mer. Les couleurs étaient incomparables vers 9 heures. Toutes avaient pris une qualité, un fondu admirables jusqu'au varech qui était d'un vieux vert bleu de forêt marine. La flottille de thonières ou de sardinières plutôt baignaient au port dans une lumière presque éteinte, et leurs filets bleus, les mâts noircis livraient des teintes lavées, douces, presque effacées. J'ai compris le grand attrait qu'exercent ces horizons sur ceux qui ont le don de traduire leurs impressions par les formes et les couleurs. Au fond, il n'y a que les artistes peintres pour exprimer vraiment Concarneau.

Rentrée assez tôt, je n'ai pu dormir avant plusieurs heures. Je ne sais pourquoi je me suis sentie si vivement surexcitée.

Un nouveau renfort de villégiature vient d'arriver : la plage commence à prendre pour de bon un air de vie balnéaire qui me répugne assez. J'aimais la grève beaucoup mieux dans sa presque-solitude. La vraie saison ici part du 15 juillet et atteint son point culminant en août. Je ne verrai sans doute pas de répétition de l'Isle-Adam[1] ici ; mais je ne reverrai pas non plus, j'imagine, la longue plage à peu près nue des premiers jours.

Que j'ai hâte d'avoir une lettre de Marcel !

À bientôt, mon fou chéri.

En toute tendresse,

Gabrielle

P.S. Je viens de recevoir cartes et récits du voyage en Normandie[2] ainsi que la lettre de la bonne femme, provinciale de ma pauvre Dédette. L'heure du départ du courrier approche. Je n'ai que le temps d'ajouter ces mots et t'exprimer encore une fois ma profonde affection.

G.

*

Jeudi, le 8 juillet [1948][1]

Cher amour,

Je m'aperçois que je n'ai plus de papier à lettre et je manquerais l'heure du courrier si je partais maintenant en acheter. De toute façon, je crois bien que tu ne seras pas mécontent de cette carte pour ta collection. La journée est splendide. Je passerai l'après-midi sur la plage sous un vent ensoleillé qui brunit vite membres et figure.

J'espère qu'au mois d'août tu pourras venir pour quelques jours au moins. Ton travail avance-t-il ? De mon côté, il y a une légère amélioration. Dis-moi si tu manges suffisamment et si tu prends assez de repos. Mon sommeil est assez bon et je me sens un peu plus reposée.

À demain, mon Marcel.

Je t'aime.

Gabrielle

*

Concarneau, le 9 juillet 1948

Mon cher Marcel,

Tu ne sais comme tes lettres, exprimant la tristesse et l'ennui, me désolent. Moi aussi, va, mon chou, je m'ennuie de toi à en perdre la raison. Tu répètes souvent une petite phrase qui pourrait me paraître injurieuse si je ne l'avais comprise autrement que tu ne l'écris. Tu dis : « si seulement je pouvais t'oublier... » Enfin, je sais, ce n'est pas de m'oublier que tu souhaites, mais de ne pas trop t'ennuyer et si je connaissais le remède, je l'emploierais moi aussi. Car voici deux semaines que tu es retourné à Paris et elles me semblent avoir eu la durée de plusieurs mois[1].

Tout de même, chéri, ne cède pas par amour pour moi à un sentiment de désolation aussi intense. Lorsque nous nous retrouverons ensemble, ce sera si délicieux, si merveilleux qu'en gardant l'esprit tourné vers cette perspective joyeuse, sûrement tu trouveras le courage d'endurer encore quelques autres semaines de séparation.

N'oublie pas surtout de me renseigner sur les questions que je t'ai posées, à savoir quand tu prévois terminer le travail en cours et si on te donnera l'occasion, comme tu l'espérais, de mettre la main à la pâte. Mon Marcel, surtout ne te décourage pas si parfois tu éprouves le sentiment de ne pas avancer comme tu le voudrais. Il me paraît à moi que tu as accompli un sérieux et magnifique travail de base. Que je voudrais pouvoir en dire autant de moi-même. Toutefois, j'ai repris mon travail avec un tant soit peu plus d'énergie. Mon grand bonheur serait, lorsque nous nous retrouverons, d'avoir un travail bien en marche. Il me semble que c'est ainsi que je te prouverais enfin le mieux à quel point tu m'es cher.

Si tu quittes l'hôtel à la fin du mois, arrange-toi, n'est-ce pas, avec le concierge pour qu'il t'avertisse de l'arrivée de nos colis. Celui de ta mère n'est donc pas encore arrivé ? Le café ici, je te l'ai dit, n'est-ce pas, est détestable. Je serais bien aise de recevoir un peu de Washington[2] puisqu'on me donne un petit pot d'eau bouillante, et aussi j'aimerais un peu de lait en poudre. Si tu en reçois, tu m'en enverras une petite part, veux-tu ? J'ai redemandé café et lait à Becker ; c'est pourquoi il faudra s'entendre avec l'hôtel, car il serait désastreux de perdre d'autres colis. Demanderas-tu aussi qu'on nous retienne nos chambres pour plus tard ? Je serais heureuse de reprendre à notre retour les deux mêmes pièces qui ont tout de même acquis pour moi à travers bien des souvenirs déjà une signification particulière.

Tout ce que je connaissais de personnes un peu aimables à l'hôtel est parti ; me voilà aussi seule que toi ; mais cela, me forçant à rentrer en moi-même plus complètement, m'est à la fois pénible et peut-être utile. De toute façon, je suis amenée à penser à toi avec une intensité extraordinaire qui ne t'est pas défavorable, tu sais, grand Marcel à moi.

Ce que je marche ces jours-ci ! Toi qui me reprochais de ne pas prendre assez d'exercice, je pense que tu aurais des difficultés à me suivre par tous les sentiers où je chemine, en regrettant que tu sois au loin et en t'adressant à travers l'espace, mille pensées affectueuses et d'espoir.

Une si belle chose l'espoir quand le cœur bien des fois déçu s'y laisse encore prendre !

Mon chéri de mari, je t'aime tendrement, follement.

Gabrielle

⁂

Concarneau, le 10 juillet [19]48

Mon cher Marcel,
Si tu prends l'appartement des Beaulieu, j'espère que cela ne t'empêchera pas au moins de le quitter pour venir passer quelque temps ici, car je serais bien déçue que tu ne viennes pour une fin de semaine, davantage si possible.

Ma routine de vie est si tranquille que je serais fort en peine de raconter autre chose que de petits incidents banals, sans aucun changement à mesure que les jours se succèdent. Tout l'important de ma vie tient de plus en plus aux nuances de la vie intérieure. Ce matin, j'ai travaillé avec une facilité que j'avais perdue depuis longtemps, et j'ai le cœur encore tout plein de cette pure et délicieuse émotion. Il est facile de voir qu'une vie retirée, dépourvue de toute distraction et en même temps reposante m'est utile parfois. Évidemment je n'ose trop vite crier à la victoire. J'ai été déçue tant de fois.

J'espérais un peu, je ne sais pourquoi, ta visite aujourd'hui. J'en eus été saisie de bonheur. Mais tu es peut-être sage d'attendre le mois d'août où il y aura de nombreux pardons dans la région et où peut-être il fera plus chaud. Je serais si contente de te voir, allongé sur la grève, rôtissant au bon soleil et perdant toute cette tension nerveuse des derniers temps.

Relisant ta dernière lettre, celle de mercredi, j'y trouve un accent de tristesse qui me désole. Il est triste que le laboratoire se vide au moment où déjà tu étais porté à l'ennui. Nous sommes-nous bien compris; j'avais l'impression que tu estimais préférable de terminer ton travail en cours durant l'été — que tu y trouverais des avantages — quitte à prendre des vacances à l'automne. S'il n'y a pas d'avantage pour toi à passer l'été à Paris, autant te reposer immédiatement alors.

Tu es certainement en veine de pessimisme pour aller imaginer Jeanne en boîte. Ne crains rien, elle sait se débrouiller. Tout simplement, ayant les fonds nécessaires, elle doit allonger son séjour en Angleterre. Mon intuition me dit qu'elle doit être à la veille de rentrer, si ce n'est déjà fait. Rappelle-la et je ne serais pas surprise que tu la trouves au gîte[1].

Mon grand chéri, n'oublie pas, lorsque tu es menacé par la tristesse et l'ennui qu'il y a quelqu'un ici ne pensant et ne vivant que pour toi.

Tendrement à toi,

Gabrielle

Je viens de recevoir ta lettre de jeudi et m'attriste avec toi du peu de chance de ce brave Jean Soucy[2]. Voyons, chéri, les Béclère ne peu[ven]t s'être froissés de la carte que je leur ai envoyée — c'est impossible. Dans le doute, tu devrais chercher une explication claire, car il se peut qu'ils attendent un mot de toi. Il se peut aussi qu'ils aient cherché à nous atteindre sans succès, à plusieurs reprises. J'ai l'impression que les messages confiés à la téléphoniste sont traités avec négligence à notre hôtel[3]. Quant à mon travail, si je ne t'en parle pas beaucoup, c'est que je me nuirais et diminuerais mon élan si je devais déjà en parler. Fais-moi plus confiance de grâce. Tant de fois, j'ai vu mon enthousiasme crever pour avoir parlé trop tôt d'une idée qui m'était venue. Je sais maintenant que le début d'une œuvre exige un certain moment de silence, l'atmosphère si tu veux d'une couveuse. Mais comme j'espère avoir quelque chose à te lire et qui ne soit pas trop mauvais lorsque tu viendras[4].

N'oublie pas de me raconter si tu as revu Béclère. Je crains que tu ne t'imagines à tort un refroidissement de Béclère à ton égard.

⁎

Concarneau, lundi le 12 juillet [19]48

Mon cher Marcel,
Il fait un temps d'enterrement en un cimetière trempé. Il pleut, le vent pousse la pluie en petits crochets méchants et aigres ; la mer est toute soulevée, rugissante de bavures blanches. Pourtant, je ne trouve pas le spectacle vraiment triste ; au fond, je me sens toujours libérée par une tempête. Mais comme je m'y plairais davantage si nous pouvions, la main dans la main, courir sur l'extrême bord des vagues. Ah, notre belle nuit de tempête, sur la passerelle du haut, à bord du Fairisle[1] !

Fait-il tout aussi mauvais temps à Paris, compte tenu, évidemment, de la distance de la mer et de l'absence du gonflement des vents qu'ils prennent ici devant tant d'espace ? Quel triste été mon chou et qu'il nous aide peu à surmonter notre ennui et notre besoin l'un de l'autre.

J'ai acheté des journaux hier et tant bien que mal j'ai usé un après-midi puis une soirée de pluie et de vent. J'avais tout de même fait ma longue marche quotidienne pour aboutir comme presque toujours à la délicieuse Ville Close. En passant, j'entre dans la boutique de madame Piriou. Tu comprends, cette brave femme t'a vu, s'informe de toi ; c'est la seule personne avec qui je puisse, si peu que ce soit, parler de toi, et puis j'admire les solides beaux vieux meubles qui parlent d'existences sévères et animées pourtant d'un désir remarquable du beau. J'apprends à apprécier les faïences de Quimper et de Rouen — j'apprends l'histoire d'un bibelot ancien, et les heures passent dans une ambiance d'irréalité : de refuge contre le présent qui m'apaise et me repose.

Ensuite, c'est le chemin du retour que j'accomplis en essayant de te convaincre sur quelque point. Toujours, en imagination mon esprit s'entretient avec le tien. Même la nuit, lorsque je m'éveille, bien souvent je surprends une phrase toute faite, conçue pour te toucher, t'expliquer mes sentiments et qui part vers toi.

Je suis rentrée donc hier, vers 6 heures, trempée comme une soupe et avec un commencement de mal de gorge qui s'est dissipé pourtant après une bonne friction.

L'air est tout de même si revigorant ici que l'humidité n'y est pas dangereuse.

Vers 3 heures tantôt, j'aurai sans doute une lettre de toi; je la lirai vite en bas, dans le hall, incapable d'attendre pour cela de remonter dans ma chambre. Je la trouverai probablement trop brève, trop peu expansive et pourtant, je la chérirai. Il faudra que je la relise deux ou trois [fois] pour saisir le plus important d'une lettre qui n'est pas dit, mais transpire entre les lignes et qui sera ou une atmosphère de tendresse ou un accent secret d'inimitié — car assez souvent je trouve dans tes lettres une sorte de rancune contre mon besoin de solitude ou plutôt une sorte de reproche triste. Mais, chéri, autant alors me reprocher la nécessité de manger, de respirer, de penser. Je voudrais tellement que tu fusses complètement d'esprit avec moi, c'est-à-dire d'accord même dans les exigences dures et qui nous font souffrir. Que je préférerais pourtant être délivrée de ce besoin de solitude qui de temps en temps me commande! Mais écoute ceci de Paul Valéry:

« Mais les amours sont les plus précieuses
Qu'un long labeur de l'âme et du désir
Mène à leurs fins délicieuses[2]. »

Quand je te reverrai, sentant que j'ai peut-être quelque peu mérité cette joie, mon cœur se dilatera de bonheur.

Donne-moi toutes les petites nouvelles. Dis-moi tout, tout ce que tu fais. Et embrasse-moi, mon grand, avec toute ton âme.

Gabrielle

⁂

Concarneau, le lundi 12 juillet 1948

Mon cher Marcel,
Je viens de recevoir tes deux lettres si affectueuses de vendredi et de samedi, j'y vois que mon Marcel est heureux; je n'entends plus les dam-

nés se plaindre dans le vent : mon cœur se dilate de bonheur : et je reprends la plume pour écrire à mon cher fou quoique je lui ai écrit une lettre il n'y a pas plus de deux heures.

Que cela fait de bien un peu de joie, mon trésor ! Que le cœur aime la joie, la reconnaît vite et s'en empare goulûment. La tienne m'est précieuse au-delà de toutes puisqu'elle passe aussitôt en moi s'y répandant comme un air vif et chaleureux.

Tu ne saurais t'imaginer comme les bonnes nouvelles que tu me donnes à propos de Béclère, de l'évidente amitié qu'il a pour toi (je n'en doutais aucunement au reste), tu ne saurais imaginer comme tout cela me plaît. Ta description de la réception chez ces aimables gens est vraiment délicieuse... et navrante pour nous, n'est-ce pas, car il n'est hélas que trop vrai que les Canadiens français bien souvent nous humilient ainsi que tu l'as constaté[1].

Je suis ravie que tu entrevoies pouvoir travailler d'une façon pratique. Je t'embrasserais mille fois pour cette bonne nouvelle. Je [ne] te souhaite aucune déception, pas la plus légère, en ce beau projet[2].

Si tu dois commencer cette existence de grand travail le 15 juillet et la continuer jusque vers le milieu d'août, je crains un peu [que] tu ne puisses venir me voir. Je le regrette amèrement, mais s'il le faut, j'en ferai le sacrifice (et il sera dur) pour ton plus grand bien. J'apprendrai peut-être ainsi à mes dépens les sacrifices que tu as faits toi aussi dans mon intérêt et que je n'ai pas assez vus. Toutefois, si tu entrevois la possibilité d'une petite visite, viens, mon Marcel.

J'enverrai une carte aux Béclère que tu leur feras parvenir si tu le veux bien. Mais chéri, j'hésite sur l'orthographe du nom. Il me semble l'avoir vu écrit autrement. Veux-tu t'en assurer car il serait vraiment fâcheux de faire pareille gaffe. Réponds-moi donc tout de suite à ce sujet afin que je leur envoie un mot.

Et puis, chéri, prends patience. Avec beaucoup de travail, le temps passera mieux, et nous rapprochera de ce beau moment où nous allons nous retrouver.

Je voudrais bien en effet que tu me trouves du lait en poudre. J'arrive au fin fond de ma boîte.

Je regrette aussi de n'avoir point apporté mon tricot. J'aurais pu terminer ton foulard ici, le soir quand je n'ai plus rien à faire. Si ça ne t'ennuie pas, peut-être pourrais-tu m'envoyer le tout qui est dans le sac d'ouvrage dans la malle anti-mites.

Tu sais, il ne fait pas chaud ici, mais je crois que c'est quand même plus tempéré qu'à Paris. De toute façon, avec mon chandail et le veston de laine, je ne souffre pas encore du froid.

Au revoir, chéri ; porte-toi bien et sois heureux dans ton travail.

Tendrement,

Gabrielle

*

Concarneau, le 14 juillet 1948

Mon cher Marcel,

Qui est le « nous » de ta carte d'Amiens ? Comprend-il une, deux, trois personnes ou bien es-tu rendu à employer le français de la grande époque et à t'affubler en ta noble personne du pronom pluriel ? Avoue que tu as des façons rien qu'à toi de laisser subsister un vague à donner les plus vifs accès de curiosité. Imagine que je t'écrive tout à coup : « Ici nous sommes allés à Beg-Meil par la vedette », etc.[1].

J'ai l'humeur à plaisanter pour la raison que je viens de rencontrer Miss Mill et Miss Grout, toutes deux Londonniennes et drôles comme des singes. Nous avons ri pendant une heure à [nous] en fendre les côtes et cela m'a fait du bien : je n'avais pour ainsi dire ouvert la bouche depuis 3 jours.

À nous trois nous avons passé en revue les travers des Britishers, comparé nos souvenirs de toilettes à la turque, de bidets, etc., et ça [a] été un joli feu d'artifice. Miss Mill a cru longtemps elle que le bidet était destiné à se laver les pieds ; Miss Grout a longtemps chéri la version que ça pouvait servir à baigner les bébés. Quant au cabinet à la turque, elles ont avoué comme moi qu'elles s'y étaient représenté, avec joie, et dans la pose que tu connais, les pince-sans-rire, et les influents du monde à partir de Sa Majesté jusqu'au pape. C'était à mourir de joie, tant nous voyions en même temps les mêmes images loufoques.

Je suis contente d'avoir rencontré ces deux bringues — car à part cela, le temps froid et la pluie auraient de quoi me dégoûter à jamais de Concarneau. Si ça continue ainsi, c'est mon manteau de fourrure et une tuque que je vais te demander.

J'espère que tu auras eu les entrevues dont tu me parlais et que tout s'arrange selon tes désirs[2].

Je travaille tant bien que mal, trop transie de froid vraiment pour demeurer longtemps dans ma chambre. À cœur de jour, on entend les gens se lamenter, supplier le soleil de se montrer. La Bretagne qui a des saints pour tout, y compris le mal de dents et la rage, doit pourtant en avoir un à invoquer contre la pluie et les intempéries. Je t'écris, les dents me claquant dans la bouche. Au laboratoire, tu dois geler tout rond, pauvre chou. Mais encore, veinard, tu as la plaque électrique. Que ne donnerais-je pour cet ami !

À demain, chéri. Je t'embrasse de tout mon cœur.

Gabrielle

Je t'envoie une carte pour madame Béclère que tu serais gentil de lui adresser.

*

Concarneau, le 15 juillet 1948

Mon cher Marcel,

J'ai passé ici une bien tranquille et triste fête du 14 juillet. Quelques haut-parleurs installés sur la place de Concarneau et distribuant des flonflons de bal musette, des airs d'accordéon ; un manège de dodg'em cars[1] ; un petit commerce de glaces et de pralines composaient toute l'atmosphère joyeuse commémorant la prise de la Bastille. Cependant, je suis allée au port avec Miss Mill et Miss Grout (à l'ineffable nom !). Et nous y sommes arrivées à temps pour voir un spectacle fort intéressant et assez rare, même en un port de pêche, pour attirer la population locale. Il s'agissait du débarquement — commencé hier et qui se poursuivra jusqu'à samedi — de 180 tonnes de morues pêchées sur les bancs de Terre-Neuve par un équipage de Malouins. À la lueur des lumières des quais, parmi le balancement des vergues, des mâts de toute la flottille de pêche, dans un grand bruit de poulies, de grues, le spectacle ne manquait pas d'attrait. Et l'odeur y était, je t'assure, bien prononcée, vivant témoignage de la pêche, dès qu'on eut commencé à exhumer les morues de la cale. Je prends vraiment un goût très vif pour tout ce qui touche à la vie et au travail des mariniers : ici, on ne les appelle pas pêcheurs, mais bien mariniers, même ceux qui ne vont pas plus loin, dans leur petite barque à moteur, qu'à un ou deux milles des côtes. Enfin, chacun a sa fierté : pour les pêcheurs concarnois, pour leur femme et leur parenté, il semble que ce soit d'être considéré comme une rude et forte population d'intrépides navigateurs, et ma foi, je ne les en blâme pas, cette réputation en valant bien d'autres.

Miss Mill et Miss Grout (que j'ai toutes les peines du monde à ne pas appeler Miss Grouse[?] ou Miss Spout) m'ont maintenue dans un fou rire avec leurs délicieuses histoires. La Grout est garde-malade dans un grand hôpital de Londres. Et elle en a vu de belles durant les raids aériens, surtout au temps de[s] Flying Bombs et de[s] V2. Je me suis fait raconter en détail l'atmosphère de la ville et l'impression des gens durant ces nuits d'alerte, et tant notre sensibilité nous gouverne drôlement, nous avons trouvé ensemble dans ces descriptions de quoi être angoissées et de quoi rire. La Miss Grout va me vendre une livre de bon café. Il faut te dire que les Anglais si respectueux des lois, pour augmenter un peu leur provision de francs permise par l'échange, et très mince au reste, se livrent à Concarneau à un petit commerce assez amusant : cigarettes anglaises (je n'ai pu en obtenir que 20 — 20 cigarettes j'entends), café et je crois bien que c'est à peu près tout. D'ailleurs ils font leur petit trafic avec une telle correction que cela pourrait passer pour la plus digne des occupations. Ces deux filles me sont fort sympathiques, toutes deux possédant une forte dose de cet humour anglais que je trouve si délicieux lorsqu'il s'applique à rire lui-même des travers de sa propre race.

Mais le temps reste maussade, gris. Si c'est cela, le ciel monotone, le charme mélancolique de la Bretagne, à d'autres d'en faire leurs languissants délices — je m'en passerais volontiers. Je donnerais bien deux années de ma vie pour voir le soleil éclatant de la Provence[2].

Mon chéri, j'ai bien hâte comme toujours de recevoir tes lettres. Hier, la prise de la Bastille m'a privée de courrier. Je t'aime mon fou chéri.

Gabrielle

⁂

Concarneau, vendredi le 16 juillet 1948

Mon très cher Marcel,
La cathédrale d'Amiens doit être magnifique en effet, et impressionnante dans le décor de ruines où tu l'as vue[1]. Ce qui me rappelle une

tout autre histoire, une blague sans rapport aucun du reste avec la profonde impression que tu as ressentie et si bien exprimée. Il s'agit d'un des délicieux propos contés par Miss Grout. À Londres, autour de St. Paul['s] Cathedral, dégagée par les bombes des maisons qui l'avaient entourée, une vieille dame rôdait un peu affectée mais malgré elle, enchantée de l'effet artistique, car, dit-elle, « It is like this that Sir Christopher *meant* us to see it[2] ».

Comme toujours, j'ai admiré que tu saches si bien voir, remarquer et ce qui à mon sens est encore plus difficile et rare, *faire* voir. Il est toujours il me semble assez apparent chez toi qu'un certain enthousiasme d'expression aille avec ce qui te touche beaucoup et en profondeur. Et, malgré moi, chéri, je ne puis m'empêcher de songer avec mélancolie que je t'ai rarement vu manifester cette sorte d'émotion pour ce que je ressens moi-même envers ce qui me paraît beau et digne d'intérêt et d'admiration. Tu vas peut-être sourire, mais je dois t'avouer que j'ai encore le cœur un peu serré lorsque je me rappelle que tu n'as lu aucun des livres que dans un moment de ferveur j'ai pu te signaler. Mais allons, je ne t'écris [pas] pour exprimer des reproches, si doux puissent-ils être ! N'y vois, de toute façon, que mon impitoyable désir d'être aussi près de toi que possible par l'esprit aussi bien que par le cœur.

J'imagine ta mère tout heureuse du projet de son voyage et surtout de l'espoir de te voir. C'est dommage tout de même qu'elle n'arrive pas ou plus tôt, ou plus tard[3]. Car, dès maintenant, je ne puis t'affirmer que je serai prête à partir vers le 20 août. Tout dépendra du travail que j'aurai accompli jusque-là. — Il se peut que j'y arrive, mais j'en doute. Et cette fois, je tiens à ne pas interrompre mon travail tant qu'il ne sera pas assez avancé pour ne plus craindre les interruptions et l'ennui d'un déplacement.

D'autre part, j'estime comme toi qu'il serait malheureux d'écourter le voyage en Italie ou de le faire trop rapidement. J'avais plus ou moins l'impression que, décidés à suivre ce projet, nous serions partis vers le 6 ou 8 septembre, enfin par là. N'aimerais-tu pas autant qu'on le remette à plus tard alors, après l'arrivée de ta mère et son installation en Belgique ?

Paula m'annonce l'arrivée d'un certain attaché de l'Ambassade à Paris. Il t'appellera sans doute au téléphone ou te fera signe, car il est chargé je crois de cadeaux pour nous.

Elle a reçu la chaînette et en paraît ravie.

Le mauvais temps persiste ici. C'est à peine si le soleil luit deux ou trois minutes par jour. Te dire si je trouve le temps long, flottant, indécis et morne !

Hier soir, un médecin anglais pensionnant à l'hôtel s'est présenté à moi, accompagné de sa femme. Il avait remarqué — comme il occupe une table voisine dans la salle à manger — dit-il, que je mangeais très peu. En effet, depuis cette horrible indigestion que j'ai eue, la première semaine de mon séjour ici, j'ai peu d'appétit et surtout peur de voir se renouveler les brûlements d'estomac et tout le tralala. De toute façon, ce docteur Irving commença à m'entretenir de la manière dont il s'était lui-même guéri de troubles digestifs par une diète appropriée. Il m'a parlé de sa clinique de diététique en Angleterre avec la sainte ardeur de celui-qui-a-guéri envers celle qui-a-besoin-de-conseils. Je ne sais que penser de cette intrusion dans ma tranquillité. Elle ne peut être dictée par l'intérêt, il est évident ; elle doit donc l'être par la philanthropie propre à tant de Britishers et je ne sais si je dois en rire ou en être quelque peu touchée.

Voilà le nom d'un médecin dirigeant une clinique de diététique en Suisse comparable à celle d'Irving en Angleterre et dont il m'a parlé : docteur Bircher Benner à Zurich. En as-tu déjà entendu parler ? S'il y avait quelque chose de sérieux là-dedans, je songerais peut-être à y tenter un séjour, car je ne peux certainement suivre un régime, surtout celui du docteur Albot, en pension à l'hôtel ou au restaurant.

J'espère que tu auras attaqué ton rhume à temps et que tu n'en souffriras pas trop. C'était peu sage évidemment d'aller à Amiens quand tu te sentais déjà enrhumé. Je commettrais une pareille imprudence que tu m'en rabâcherais les oreilles pendant des semaines.

J'apprends à l'instant que les postiers déclareront probablement la grève cette après-midi. C'est le comble de la désolation. La seule joie qui me restait ici, c'était de t'écrire et de recevoir ta lettre quotidienne.

Pauvre pays aussi et surtout ! Quand donc cessera-t-il de se détruire !

Que la distance me paraît grande entre Paris et Concarneau aujourd'hui.

Au revoir, chéri ; tâche de guérir le rhume le plus plus tôt possible et sois prudent je t'en prie.

Avec toute ma tendresse,

Gabrielle

P.S. Je viens de recevoir ta lettre de mardi dans laquelle tu me parles de la fête du 14 — et que par conséquent tu n'as pas dû dater correctement. Tu m'y donnes une description que j'aime bien d'un coin de Paris que je chéris en effet. Je regrette tellement de ne pas avoir été avec toi, surtout ce soir de la fête.

Tout de même tu mériterais qu'on te punisse. Passer la journée au lit, et puis le soir courir les bals musettes. Je suis très mécontente vraiment. Soigne-toi comme il faut, voyons[4] !

Contente de savoir le cadeau arrivé du Japon[5]. J'ai bien hâte de le voir — tout ce qui vient de Paula m'est cher et à vrai dire quoique je ne l'avoue pas souvent j'aime les cadeaux. Cependant, soyons raisonnables — mets-le dans ton Gladstone[6] ou dans la petite valise noire et tu me l'apporteras quand tu viendras. J'ai bien reçu le deuxième document de Nadeau, aussi inutile que le premier au reste.

Je t'embrasse encore une fois.

G.

⁂

Concarneau, le 25 juillet 1948

Mon cher Marcel,
Tout le monde a été exquisément gentil pour moi, ici, depuis ton départ[1], comme si tous avaient compris que je ne pouvais en ton absence que m'ennuyer et être triste. Et ainsi, des commères et des dames belges, des vieilles dames du bout de la salle et de ma plantureuse voisine à la salle à dîner, j'ai reçu des œillades sympathiques, des saluts qui sentaient à trois milles la commisération, et enfin la preuve qu'on s'accordait à me plaindre d'être privée d'un mari — jugé dans les apartés et chuchotements de fins de dîners, comme un bon garçon, d'air aimable et amoureux. Car, d'après la face de mes voisins, je conclus que c'est à peu près la réputation qu'elles t'ont faite et, ma foi, quoiqu'elle soit loin d'une réalité plus précieuse de beaucoup, je n'en suis pas fâchée.

Il ne faut vraiment pas t'inquiéter de ma santé. Aujourd'hui, j'ai pu manger sans souffrir et j'ai repris courage dans la lutte contre mes cent et un mille et également stupides petits tourmenteurs : les piqûres, les brûlures, le mal de gorge, la nuée des petits diables qui me font la vie dure.

Notre vieille baigneuse en costume 1900, je l'ai appris hier soir, est une Israélite, madame Buchman ou quelque chose d'approchant, et tante de sa compagne qu'elle protège et gronde d'ailleurs comme elle le ferait [à] une jeunesse inexpérimentée.

De plus, madame Dufresne t'a trouvé un « air gentil et bon » — ce en quoi je ne l'ai nullement contredite. À part cela, il y a de part et d'autre un petit mouvement de sympathie envers le Canada par ma personne qui représente le pays sous des aspects peut-être moins attirants qu'énigmatiques. Et l'énigme a toujours passionné et les hommes et les femmes.

J'ai hâte que tu me racontes ton retour et le trajet que tu as suivi. Je me doute bien que tu as dû passer par Tours et si tu en as eu quelque joie, j'en serai contente.

La Belgique est en majorité croissante au Grand Hôtel de Cornouailles tout confort, sur la plage, suivre l'itinéraire en ville ou la corniche[2]. J'ai causé à midi avec un ménage de Liège, très anti-flamand. Nous avons parlé de Dinant, de Namur qu'ils connaissent bien et des grands rochers gris des bords de la Meuse.

J'ai aussi reçu de Grout et Mill une carte où il y a des « best wishes et happy remembrances to Marcelle[3]. » La carte débute sur le ton d'humour délicieux que j'ai aimé chez elles — « Greetings from perfidious Albion to the fair land of France[4] !!... » Je vais tâcher d'y répondre du tac au tac et je me demande si je vais trouver une formule aussi heureuse.

Le temps n'est pas désagréable aujourd'hui quoique nuageux — le soleil luit de temps en temps à travers un film gris et léger. Je t'écris installée sur la plage contre le mur. Tantôt, les régates déboucheront dans la baie et je les verrai bien de mon coin. J'ai été chercher ma robe hier, chez madame Piriou, et j'aurai ma jupe dans une semaine. La robe est gentille d'une façon simple, sans apprêt. Madame Piriou s'est informée de toi. Auprès de tous ceux qui t'ont vu, tu as laissé une impression agréable, un souvenir qu'il me plaît de recueillir, car c'est ma consolation la plus heureuse en ce moment que d'entendre les gens te louanger.

Mon chéri, n'oublie pas les promesses que tu m'as faites de ne point trop fumer, de te coucher tôt et te ménager car il faut bien si tu veux que j'en fasse autant, m'aider par le bon exemple.

Mes souvenirs m'entourent, tous ceux que tu as laissés ici ; nos promenades, le voyage à la Pointe du Raz, la dernière petite balade à la pointe du Cabalou. Ils sont à la fois joyeux et tristes puisque tu es parti — cependant rien n'entame leur essence précieuse.

J'espère que tu [ne] rentreras point trop fatigué et bien dispos, et que ton travail s'organisera exactement de la façon que tu souhaites. Un dernier bonjour à Jeanne si tu réussis à lui parler avant son départ.

Et mille baisers pour toi, chéri,

Gabrielle

*

Concarneau, lundi le 26 juillet [19]48

Mon grand chéri de Marcel,
« ... aux uns portant la paix
aux autres le souci[1]... »

La chaleur qui règne enfin et rend le séjour ici beaucoup plus agréable doit être étouffante à Paris, et ainsi je n'arrive pas à l'aimer entièrement, car je t'imagine plongé dans cette étuve et j'en suis navrée. Heureusement que tu seras bientôt dans un endroit plus frais qu'à l'hôtel. Chez les Beaulieu, la chaleur doit être supportable.

Madame Dufresne a été très gentille pour moi et m'a passé ses coupons pour boîtes de lait en poudre. Je ne sais à quelle quantité j'aurai droit, mais ce sera un bon commencement.

C'est tout de même une ironie de la vie que ta semaine ici n'ait pas coïncidé avec le temps parfait qui s'annonce.

Hier, dimanche, plusieurs pensionnaires ont été à Quimper pour le couronnement de la reine de Cornouailles. J'aurais voulu y aller que je n'y aurais réussi, puisque le dimanche le service d'autocar est interrompu entre Concarneau et Quimper. J'ai eu quelques descriptions de la fête par les Liégeois. Il y avait, paraît-il, une telle foule, qu'on ne pouvait rien voir — donc, je me console. Au reste, la plage était dorée de soleil vers la fin de l'après-midi et j'étais fort satisfaite d'y rester tranquille.

L'hôtel est archi-plein depuis deux jours et beaucoup plus bruyant parce que envahi maintenant par les enfants de 8 à 15 ans beaucoup plus tapageurs que les tout-petits. Je cause sur la plage quelquefois avec deux Françaises, l'une juive plutôt je crois, et ça passe l'après-midi. Pour le reste, je préfère me livrer à la méditation et à de longues conversations imaginaires avec Marcel.

Tu ne sauras jamais toutes les choses que je t'exprime alors que je marche seule, au long de la mer, pour la raison, chéri, qu'elles viennent si rapidement et en si grand nombre que je n'arriverais jamais à les prendre au vol.

Le Nescafé n'est pas mauvais du tout et en le buvant chaque matin une autre occasion charmante m'est offerte de penser encore à toi.

Pour une fois, je n'aurai pas d'hésitation à me jeter à l'eau aujourd'hui. Je crois qu'il n'y aura guère de lâcheurs sur la grève car vraiment, la journée est fort chaude et l'eau très invitante. J'entends même des gens qui se plaignent déjà de l'ardeur du soleil tant nous sommes rarement servis à notre goût exact.

J'espère que tu es rentré assez tôt dimanche soir et que tu as pu bien te reposer avant de te lancer dans toutes tes corvées.

Comme j'ai hâte de recevoir tes lettres ! Je sais bien que tu auras trop à faire ces jours-ci pour m'écrire longuement, mais du moins donne-moi les nouvelles essentielles. Je me sens moi-même la tête assez vide. J'ai beaucoup de choses dans le cœur à t'exprimer mais l'esprit trahit mes intentions et je me sens incapable de faire une lettre intéressante en ce moment. Peut-être pourrai-je accomplir mieux demain.

Mon chéri, au revoir, bon courage et toute ma tendresse,

Gabrielle

Je viens de recevoir ta carte du Mans[2]. Merci mon Marcel. C'est si gentil de m'avoir écrit dès le premier jour.

⁂

Concarneau, mardi le 27 juillet [19]48

Mon chéri de fou,
Même ici, il fait une chaleur atroce, aussi terrible qu'à Kenora l'été dernier. Qu'est-ce que ça doit être à Paris. De tout mon cœur, je souhaiterais te savoir dans un endroit frais et reposant.

La petite vie de potins, commérages, va son train-train. Il ne faut pas être réduit longtemps à l'existence dans un hôtel pour apprendre les petits secrets de chacun. Je préfère la tranquille et rêveuse madame Piriou à toutes les caqueteuses réunies sur la grève ou dans le hall. Hier soir, il faisait trop chaud pour dormir tôt, et je suis allée causer un moment avec cette charmante Bretonne. Vers dix heures, ayant fermé boutique, elle m'a accompagnée un bout de chemin. Et quand je lui définissais telle ou telle impression, elle avait, dans l'obscurité approchante, une voix fort jolie et mélodieuse pour me dire : « Je suis comme cela moi aussi, je pense des choses comme celles-là que vous me dites, mais je n'ai personne à qui les exprimer. » Et j'ai trouvé miraculeux que cette femme qui a passé sa vie dans la Ville Close trouve encore de la beauté à ce qui l'entoure, car rien n'use comme le quotidien. Pourtant je crois que c'est elle qui m'en a fait ressentir le réel attrait. Hier, dans la Ville Close, chaque fenêtre encadrait une coiffe, un visage fripé, et de ces carrés plus sombres dans le gris des murailles descendaient des voix, des confidences. La ville se parlait, de fenêtre en fenêtre, sans aucune gêne, à l'aise, et franchement.

On est bien ici, disait de sa fenêtre à l'étage, quelque vieille femme apaisée. « On voit ce qui se passe — on est dans le mouvement. » Une autre racontait plus loin son emploi de la journée. On ne voyait plus les traits des bonnes femmes, mais à l'accent de ces voix provenant d'en haut, d'en bas, de la droite, de la gauche, on saisissait beaucoup plus que n'en révèlent les visages. On atteignait une sympathie humaine que les visages si souvent éloignent.

Je n'ai pu m'endormir qu'assez tard et je fus éveillée très tôt par la chaleur brutale dès le lever du soleil. Le temps sent l'orage, trop lourd et d'ailleurs les vapeurs commencent à se condenser. Pour une fois je souhaiterais presque une violente averse. Ces chaleurs moites et pesantes me rendent inerte.

Qu'as-tu fait hier et aujourd'hui, Marcel ? La ville a dû te paraître redoutable s'il y fait chaud comme je le crains, et ta pensée a dû se tourner bien souvent vers la pointe du Van. La mienne est reprise fréquemment par ces promontoires de l'extrême Bretagne et par la baie des Trépassés dont j'aime le nom mieux que toute invitation à d'autres voyages.

J'ai nagé assez longtemps hier ; l'eau était tiède, tout à fait réchauffée, à tel point que tout de suite en en sortant, on perdait déjà le peu de fraîcheur acquise.

Dans trois jours, chéri, ce sera un autre anniversaire de notre rencontre. J'espère que quelque joie, toute spéciale, en marquera le passage pour toi. J'espère que tu recevras de mon affection quelque encouragement plus précieux qu'à l'habitude et que les souvenirs t'entourant auront bon visage.

Mon chéri, au revoir pour l'instant. Je vais me réfugier aussi près que possible de la mer, aussi près que possible aussi de ton image qui ne me quitte pas souvent mais que je préfère accueillir dans le silence et un peu d'isolement — où je la retrouve mieux.

Mille baisers au Marcel,

de sa Gaby

*

Concarneau, mercredi le 28 juillet [19]48

Mon cher Marcel,
Je préfère t'écrire maintenant en dînant ou plutôt en déjeunant car il m'est devenu pénible de manger seule, surtout depuis ta dernière visite. De la fenêtre de la salle à manger, j'aperçois une mer qui n'a rien aujourd'hui de triste ou d'angoissé. On dirait plutôt un lac, parfaitement calme et d'un bleu intense. Je me figure presque à certains moments être encore au bord du lac Léman. Le décor est devenu aussi romantique et byronien ou lamartinien. Je préfère la vieille Bretagne maudite, superstitieuse et rétive à cette atmosphère de langueur et de fainéantise. La grève éclate maintenant des couleurs bariolées de parasols, de bouts de tente : on aurait beaucoup de difficulté à trouver quelques pouces de sable libre pour s'y allonger complètement.

Dès 6 heures du matin, j'ai été éveillée par le soleil qui tapait déjà, et j'ai été fort inquiète de toi, à Paris, par ce temps cruel. Il me faudra aller à la ville pour ache[te]r du papier, mais j'attendrai un moment plus frais. Vraiment, tu sais, j'ai la tête vide, mon chéri, et malgré mon grand désir de t'écrire une lettre intéressante je sens que je ne pourrai y arriver. J'ai l'impression que l'été est encore plus dur à supporter ici qu'au Canada. Je regrette de n'avoir pas cherché un hôtel sur la pleine mer.

As-tu enfin rencontré Delinotte et as-tu l'espoir de travailler selon ton goût ?

Je me tracasse aussi de penser que tu as gardé tes préparatifs de déménagement pour les jours les plus chauds. Dis-moi si tu y arrives sans trop de peine.

Ton foulard avance : je tricote un peu çà et là et j'espère le finir tout de même un de [ces] bons jours. Hier, j'ai loué un kayak — et j'ai fait un bon petit tour vers la plage des Sables Blancs. Rien n'est plus facile à manœuvrer que ces légères embarcations et procure autant d'effets agréables pour si peu d'efforts. Il faudra que tu essaies une fois : tu en seras tout de suite emballé.

J'attends ta lettre et l'espère pour cette après-midi. Jamais journées ne m'ont paru si longues que ce lundi et ce mardi.

Je t'embrasse de tout mon cœur, selon une expression devenue bien banale sans doute mais toujours vraie et correspondant à l'élan d'affection qui me porte vers toi.

Gabrielle

*

Concarneau, jeudi le 29 juillet [19]48

Mon cher Marcel de fou,
J'ai reçu hier, en même temps, tes deux exquises lettres de lundi et de mardi. Nous avons chanté tous les deux au même moment, à ce que je vois, des lamentations contre la chaleur. Et tous deux nous nous sommes rappelé Kenora qui évoque peut-être la chaleur étouffante mais sans doute quelque impression autre, liée à notre vie puisque si spontanément nous nous y reportons[1]. Il fait plus frais aujourd'hui et je m'en réjouis surtout pour toi. Ne t'inquiète pas, mon Marcel, de ma santé. Elle est assez mauvaise, va, pour m'assurer une longue vie. L'embêtant est que les gouttes que je prends pour l'estomac, enfin ça ou autre chose, m'ont foutu ce qu'on appelait sur la côte de la Gaspésie le back-door trot et que ma mère appelait — Dieu sait pourquoi — aller en calèche. J'y suis allée rudement, de toute façon et activée par des coliques furieuses. Tout est passé maintenant et je crois que peut-être je me porterai mieux.

Ton souci de m'envoyer du lait[2] coïncide avec l'annonce de deux colis — composés de Klim — et qui sont en route, envoyés, l'un par Jack McClelland[3] et l'autre par Max Becker. De la sorte nous n'en manquerons pas et quand je serai de retour à Paris, j'en préparerai à l'avance un grand pot que j'enverrai à la glacière et que nous boirons ensemble.

N'oublie pas d'avertir le concierge qu'il a à te signaler l'arrivée de ces colis. Ne trouves-tu pas étonnant que le colis de ta mère ne nous soit pas encore parvenu. J'ai bien peur qu'il soit perdu. Du moins s'il est assuré, tu pourras avertir ta mère qui sera remboursée.

Ma jupe neuve sera prête samedi et elle sera fort jolie, je crois. Le prix est très raisonnable — pour la robe, madame Piriou ne m'a demandé que deux mille francs.

Alors tu as décidé d'égayer Marcelle Barthe[4] ! Ne serait-ce pas plutôt le Marcel que tu désirais distraire. Enfin, je suis contente que tu aies réussi à passer agréablement cette soirée. J'aimerais cependant, mon chou, comme tu travailles beaucoup, que tu ne sortes pas trop durant la semaine. Ma mère disait qu'il ne fallait pas brûler la chandelle par les deux bouts. Quelqu'un d'autre a répondu — « But, what a fine light it gives ! » — cité par notre amie Jeanne. Toutefois, en ce qui te concerne, j'accepterais plutôt l'avis de ma mère, car ta santé m'est précieuse au-delà de tout, et je ne tiens pas à ce que tu la compromettes par des excès de fatigue. Je m'aperçois trop bien que sans elle la vie perd de sa saveur.

Madame Dufresne m'attend pour faire une petite promenade avec elle vers la Ville Close. Les Suisses — nos voisins trop curieux — me font maintenant de grands saluts et me tiennent en passant des propos aimables. La madame, qui se croit perspicace, m'a dit comme ceci — « Je vous croyais slave et une personne peu ordinaire. » « Vous irradiez, qu'elle m'a dit, une lumière et une énergie extraordinaire. » Et m'a-t-elle dit — « Je ne me trompe jamais. » Cependant, je me doute qu'elle raconte la même chose à toutes. C'est sa façon d'amadouer les gens.

Au reste, j'ai eu un plaisir fou à lui exprimer mon admiration pour le beau monument des Bastions à Genève[5]. J'ai remarqué que rien n'enrage autant les Genevois qui, apparemment, détestent ce monument. Les Moroy ne voulaient absolument pas que j'en dise du bien.

J'ai causé aussi avec deux familles, l'une de Paris et l'autre de Nancy. Celle-ci, famille du greffier en chef du tribunal de commerce de Nancy, m'a invitée, nous a invités à aller la visiter si jamais nous passions à Nancy. La mère est formidable. Elle t'a détruit une réputation en moins de temps et avec moins de répugnance qu'on en mettrait à tuer une mouche. J'aime le bonhomme cependant, tout ratatiné, dominé par cette corpulente femme et qui ricane de lui-même avec un air de Dullin[6]. Il est plein de finesse, de ruse, de cynisme et au fond, je crois, un brave cœur.

Alors, mon chou, je te quitte jusqu'à demain. J'adresse cette lettre chez les Beaulieu, espérant que tu la recevras plus tôt ainsi.

Ta Gabrielle qui t'aime tendrement

Madame Beaulieu et Marcelle Barthe ont-elles reçu mes cartes ? Dis-moi bien s'il y a lieu d'adresser a/s de M. Beaulieu ou s'il y a un numéro d'appartement.

*

Concarneau, vendredi le 30 [juillet] 1948[1]

Mon si cher Marcel,
Ainsi demain tu seras boulevard Maillot. J'espère que ma lettre adressée à l'appartement des Beaulieu t'y accueillera, et je souhaite, chéri, que tu ne t'y ennuies pas trop.

Le temps légèrement gris, brouillé de frêles nuages, ensoleillé tout au fond, sous les pans de brume blanche, est revenu, et il ne me déplaît pas du tout. Je commence à apprécier ce ciel particulier à la Bretagne.

Je suis tout heureuse que tu aies rencontré Delinotte et que tu puisses travailler avec lui. Tu as raison, la chirurgie des voies urinaires peut t'être utile : au reste, je suis persuadée que tu finiras par obtenir exactement ce que tu désires par-dessus tout comme expérience pratique. Est-ce que tu continueras aussi ton travail chez Moricard ?

Je songe qu'il faudra bien tout de même offrir un cadeau aux Beaulieu pour leur marquer notre reconnaissance. Que dirais-tu d'une faïence de Quimper ?

Depuis ton départ, j'endure moins bien la solitude et recherche davantage la compagnie des gens qui m'entourent. Et je m'aperçois à leur conversation, aux limites de leur intelligence, en quoi les Français moyens sont assez bornés au fond et, certes, pas plus raffinés ni plus ouverts aux idées des autres que les gens de chez nous pris dans la même condition sociale. Les personnes d'élite en France surpassent sans doute l'élite canadienne. Cela dit, les autres Français — ceux que j'observe du moins — ne marquent en rien cette finesse d'esprit qu'on est toujours prêt à leur accorder. En autant que je puisse m'en rendre compte, le groupe de l'hôtel se compose de fonctionnaires, de commerçants, enfin de la classe bourgeoise moyenne. Et je n'ai jamais vu comme chez ces gens une telle indifférence envers tout ce qui n'est pas du plus ordinaire et du plus quotidien intérêt. Les femmes surtout manquent d'imagination et sont étrangement dépourvues du désir de l'inconnu. Elles vous écoutent avec une distraction, un manque de curiosité qui touche à l'impolitesse. Et je revois le regard de d'Uckermann qui errait à la recherche d'un sujet de conversation à son goût où brilleraient ses propres ressources alors que je lui parlais du Canada qu'il ignore et ignorera toujours. Je pense qu'un défaut fondamental du Français, c'est de ne pas savoir écouter. Les Belges, les Suisses, les Anglais sont plus avides d'apprendre, cela ne fait aucun doute. Au reste, le vrai désir d'apprendre que j'aime tant en toi est rare et ne se trouve que dans peu d'êtres humains. Mais aux Français, il manque particulièrement. Et je suis étonnée chaque jour du peu de connaissances qu'ils ont, de leur ignorance et de leur complaisance à être ainsi. Je commence à croire que nous connaissons leur pays déjà beaucoup mieux que la majorité des Français ne le connaissent — et je ne parle pas des petites gens qui ne voyagent guère. Je parle de gens qui ont une voiture, une gouvernante d'enfants et un train de vie assez large. Le croirais-tu, j'ai demandé hier comment on désignait en France ce qu'on appelle des « stouques[2] » chez nous, c'est-à-dire plusieurs gerbes d'avoine ou de blé liées et mises à sécher sur les champs. Eh bien personne ne le savait et ce qui est plus drôle, personne n'avait l'air d'être confus de ne pas connaître un mot qui ne se rapportait pas à la nécessité immédiate. D'ailleurs, tu te serais gondolé à n'en plus finir à entendre ce bon Français hier me faire un cours d'histoire de France où pas un des personnages cités, pas une des dates n'étaient à leur place. Enfin, je sais bien que la finesse, le bon goût et l'humilité sont d'exception sur cette terre, mais les défauts des Français me choquent particulièrement. Sans doute, parce que si longtemps, je les ai considérés comme supérieurs à tant d'autres. Et puis, au fond, parce que je ne sens pas les exigences d'une espèce de parenté.

La dame de Bruxelles m'a cédé sa ration de lait en poudre dont elle n'aura pas besoin. J'ai donc trois grosses boîtes qui me suffiront pour plusieurs semaines. Aussi, ne m'en envoie pas pour l'instant. Que je te remercie quand même mon chéri, pour avoir eu le souci de m'en procurer et la gentillesse d'aller, à cet effet, à la Maison Canadienne. Je suis peut-être restée très enfant, car de tels témoignages d'affection me touchent le cœur à un point que tu ne saurais imaginer.

Au revoir, mon grand Marcel, chéri, à bientôt. Ma pensée court vers toi t'apportant mon entière fidélité et l'élan de mon cœur vers le tien.

Gabrielle

*

Concarneau, samedi le 31 [juillet] [19]48[1]

Mon cher Marcel,

Ne va pas croire, surtout, que ta visite m'a nui comme tu me le dis dans ta dernière lettre ; cela me ferait beaucoup de peine. Et puis, tant pis pour moi si la joie me bouleverse — à ce compte-là j'aime mieux en souffrir qu'en être privée[2].

Je ne vois presque plus s'il fait beau ou s'il fait gris — je ne t'adresserai donc plus ces espèces de petits bulletins atmosphériques qui occupaient un paragraphe de la plupart de mes lettres. Il me semble que je suis installée en dehors du temps et des circonstances. Je poursuis une espèce de dialogue intérieur continuel, soit avec toi, soit avec les personnages de mon imagination, et c'est bien ainsi, car c'est la seule façon que j'ai de m'évader.

J'essaie de t'imaginer dans un décor que je connais mal ou à peu près et cela me déçoit quelque peu, car à part le salon des Beaulieu je n'arrive guère à me représenter ce qui t'entoure. Je m'ennuie mon cher chou. Quoique j'aie pris la résolution de ne plus le dire, il me faut bien de temps en temps l'avouer. Je suis toujours heureuse de savoir que tu trouves toi-même quelque distraction à l'ennui ; cependant chéri, ne sors pas tous les soirs. À ce train-là, tu vas t'épuiser de fatigue.

J'ai signé un chèque hier au montant de 19 840 francs[3] qui comprenait le prix de notre pension à tous deux pour la semaine que tu as passée ici. Inscris-le donc sur une souche de ton carnet afin de tenir la comptabilité à date.

J'ai cherché à réduire le plus possible ma dépense d'énergie depuis quelques jours, puisque j'avais un peu maigri. Je n'ai même pas accompli ma promenade à la Ville Close — et je m'ennuie de madame Piriou qui me console de tant d'autres femmes. Dès demain, dimanche, s'il fait beau, je ne pourrai plus résister au désir de causer avec elle. D'ailleurs elle a de la sympathie pour toi, et cela déjà me fait trouver du plaisir à sa compagnie.

Si j'excite une certaine curiosité, peut-être même une certaine pitié par ma qualité de femme seule, je suscite aussi beaucoup d'envie par le témoignage d'attachement qu'apportent tes lettres quotidiennes, et ma foi, j'en suis heureuse, je me délecte de cette envie. Je ne vois personne qui soit comblé comme je le suis et, il faut l'avouer, c'est une supériorité agréable, la seule qui vaille sans doute.

Quand tu en auras le loisir, chéri, veux-tu adresser un simple mot, une carte postale peut-être à Anna et à Adèle, afin de leur expliquer l'envoi d'argent car, on ne sait comment elles pourraient l'interpréter si on ne leur fournit certaines explications.

Je te souhaite des heures de paix et de fraîcheur au fond du petit jardin que tu aimes, et que mon image y vienne à toi consolante, amie, toujours désireuse de ton plus grand bonheur.

Je t'embrasse, mon chéri, dans le grand et pathétique espoir d'arriver à te donner autant que possible de ce bonheur, si étranger à notre nature.

Gabrielle

*

Concarneau, lundi le 2 août [19]48

Mon grand Marcel chéri,
On nous a coupés hier soir au moment où je voulais te faire mes recommandations les plus tendres et j'en suis encore désolée.

« Écoute », disais-tu, et j'écoutais de tout mon cœur ta voix qui est la première part de toi, tu te rappelles, que j'ai aimée.

« Écoute » à ton tour, mon chéri. J'ai quelques reproches à te faire : j'ai à te gronder. Ce n'est pas la perte d'un pneu, si irritante soit-elle, qui m'est pénible : c'est que tu aies veillé jusqu'à quatre heures après minuit, que tu ne remplisses pas la promesse que tu m'as faite d'être raisonnable. N'aurais-tu pas pu entreprendre de faire les malles, un peu chaque soir et t'éviter ainsi un excès de fatigue. Mon chéri, comment veux-tu que je me détende et que je travaille en paix si je sais que tu ne ménages pas tes forces. Mon chéri, tu te dois de les conserver pour un usage plus important et plus utile à d'autres. Veux-tu me promettre et cette fois-ci tenir cette promesse de ne pas sortir plus que deux ou trois soirs par semaine et même ces soirs-là de ne pas te coucher trop tard ? C'est important, Marcel ; tu ne peux obtenir de ton travail le rendement parfait qu'en lui sacrifiant le meilleur de ton énergie. Je sais que c'est l'ennui qui te pousse à chercher des distractions et dans la mesure du raisonnable, je ne te les reprocherai jamais ; toutefois il ne faut pas que tu y dépenses trop de temps et d'énergie. Promets-moi, chéri, car je serai inquiète continuellement et le séjour ici ne me vaudra rien.

Les brûlements d'estomac ont cessé enfin, mais au prix de quelles misères. Je ne dois manger que des puddings, des fruits, des légumes, un peu de poulet ou de steak grillé. Mais, comme j'ai obtenu qu'on me serve ainsi, je ne me plains pas, au contraire !

Je t'ai préparé une surprise qui, je l'espère, te sera agréable. Il s'agit d'un conte[1] que tu m'as suggéré, sans t'en douter, par une remarque fort heureuse. Je l'achève et pourrais te l'envoyer d'ici quelques jours. Ne veux-tu pas, mon chou, essayer de rédiger toi-même un article pour une revue médicale et que nous pourrions plus tard travailler ensemble ? Cela me donnerait une grande joie. Et puis l'effort t'aiderait à passer les soirées et à défier l'ennui. Et il te serait si profitable.

Comment te trouves-tu dans l'appartement ? Du moins, il est frais, m'as-tu dit, et que j'en suis contente pour toi. Tu ne m'as pas dit si madame Beaulieu avait reçu ma carte ? Ne t'en a-t-elle donc pas parlé ? Pour ce qui est du pneu volé, as-tu fait un rapport au commissariat de police ? Quelle déveine tout de même ! Mais que veux-tu, il pourrait y avoir pire. La perte des choses ne me fait pas un grand mal, car elles sont toujours remplaçables. Il n'y a que le temps qui soit précieux et l'usage que nous en faisons. Mon amour, ne te tracasse plus du souvenir de cet incident et de regrets.

Raconte-moi un peu plutôt comment tu passes les journées que je puisse te suivre en imagination à chaque moment.

Je ne me baigne que tous les deux jours ou à peu près, d'abord parce que le soleil est instable et puis parce que les bains de mer apparemment m'énervent et me privent de sommeil. Je ne suis qu'une pauvre machine qui cloche toujours quelque part. Cependant, sois tranquille, mon chou, je défends chèrement ma petite santé et je fais tout de même quelque progrès.

Au revoir, chou — et mille baisers,

Gabrielle

*

Concarneau, mercredi 3 août [19]48

Mon cher Marcel,
Ç'a été long, trois jours sans lettres de toi. Heureusement que tu m'as téléphoné, car j'en serais autrement à me mordre les pouces d'inquiétude.

Les maris commencent à arriver. Et ce qu'on en a entendu parler avant leur apparition. Des « mon mari a dit ceci... mon mari a dit comme cela ». Les pauvres malheureux ne se doutent pas que nous allons les détailler, d'un premier coup d'œil avec toute la curiosité, quelquefois la malice qu'ont provoquées chez nous les descriptions de leurs épouses.

Celui de madame Dufresne, le Bruxellois, est donc la cible actuelle de notre curiosité, puisqu'il est arrivé ce matin. Sa femme nous en avait tant parlé, trop sans doute, que nous en étions agacées. Le pauvre diable va payer maintenant pour ses éloges dont on nous a rabâché l'oreille. Et notre petite vie de potins et de cancans continue son mince filet insignifiant. Je dis « nous » puisque je fais de temps à autre partie d'un petit groupe qui a élu de siéger en anciens vers le centre de la grève, contre la muraille. Moi, ça me va par moments : je peux profiter de l'ombre projetée par le parasol de madame Millet, m'asseoir dans le fauteuil de madame Barbe quand elle décide d'évacuer la place et me dit comme si elle m'offrait l'univers : « Prenez donc mon fauteuil, chère madame, hum, hum. »

Hier, je me suis fâchée qu'on persiste après plusieurs jours de grande sociabilité à m'appeler toujours madame hum hum ou madame la Canadienne.

J'ai fait remarquer à cette petite assemblée caqueteuse qu'il était pour moi fort embarrassant de m'entendre appeler « la Canadienne » puisqu'il y avait déjà une embarcation sur la grève qu'on désignait ainsi, et que de plus, la veste portée par certains monsieurs était également désignée par le même terme : qu'enfin la langue française était assez vaste pour fournir le terme juste convenant à chaque chose et qu'à tout prendre il y avait trop de « Canadiennes » dans nos expressions quotidiennes : de plus, leur ai-je exprimé, j'avais un nom et un état civil.

Les dames ont très bien pris la leçon, au reste offerte avec le sourire. Depuis elles font d'héroïques efforts pour prononcer mon nom, qu'elles arrangent à toutes les sauces, Carbonne, Barbotte, Bercotte, Rebecotte.

Tu comprends j'aime encore mieux cela. Je n'en pouvais plus de dresser l'oreille chaque fois que j'entendais : « On va faire un tour dans la Canadienne », ou encore : « C'est la Canadienne qui va le plus vite ». Au reste, je ne réagissais plus alors qu'on m'adressait la parole : « À quoi songez-vous, madame la Canadienne ? » Ils se sont tous mis dans la tête d'ailleurs que je devais être une excellente pagayeuse et m'ont proposé un grand voyage en kayak depuis notre grève jusqu'à la pointe de Beg-Meil, une heure d'aviron pour l'aller, autant pour le retour. J'ai préféré assister au départ de la flottille : les braves sont rentrés le soir, tellement épuisés qu'ils eurent de la peine à se hisser hors des kayaks dont la peinture trop fraîche leur collait aux fesses !

Les fureteuses ont déniché une nouvelle qui agite notre bande à l'égal d'une nouvelle d'importance mondiale. Il s'agit de la présence, parmi nous à l'hôtel, de l'avocat qui a défendu Pétain et de l'avocat qui a défendu Laval[1]. Cette nouvelle à elle seule a provoqué hier une excitation, une curiosité et un babillage de couvent. C'était le plus bel os qui nous tombait sous les dents depuis longtemps.

À part cela, la vieille dame en maillot 1900, âgée de 80 ans est restée en panne d'ascenseur ce matin entre deux étages et a refusé de descendre par l'échelle que dans la confusion un des petits liftiers était allé chercher. Finalement l'électricité est revenue et la vieille dame, fort secouée, a pu chercher le refuge de sa chambre. Au bridge, elle est grognon comme tout et on l'entend morigéner ses partenaires de la voix hommasse dont tu te souviens.

Eh bien, chou, voilà, j'ai vidé mon petit baluchon de nouvelles. À toi maintenant de raconter. Surtout, chéri, que j'ai hâte de t'entendre, de te revoir.

Avec toute ma tendresse,

Gabrielle

⁂

Concarneau, le 4 août 1948

Mon cher Marcel,
Ta lettre de dimanche soir que j'ai enfin reçue hier après-midi n'était tout de même pas si désolante. Ce que je vois de plus embêtant dans ce

vol dont tu fus la victime, c'est qu'il va t'entraîner à écrire, à faire des visites au commissariat et te causer de petits ennuis bien agaçants quand tu aimerais sans doute disposer d'un esprit libre, protégé de tels tracas. Évidemment la perte de la roue de secours est en elle-même bien déplorable. Toutefois, comme je te le disais hier, n'y songe plus, tu as bien autre chose à faire que d'user ton énergie à regretter ce qui s'est passé[1].

Ton histoire de chats m'a beaucoup amusée. Sans doute la mère et la fille ont voulu protester contre le nouveau maître qu'on leur imposait. Ce devait être fort drôle de te voir à la chasse de ces deux révoltées. J'espère tout de même que tu en es maintenant débarrassé[2]. Je craignais bien aussi un peu que madame Beaulieu ne te demandât certains services que tu te sentirais obligé de lui rendre dans les circonstances. Je souhaite pour toi que cela s'arrête aux chats. Je ne déteste moi-même rien tant que cette sorte de contrainte à laquelle nous exposent certaines faveurs reçues, et c'est pourquoi je redoutais de te voir accepter l'offre si charmante fût-elle des Beaulieu. Cependant je dois dire que je suis heureuse de te savoir dans un endroit aimable et qui est plus frais que ta chambre d'hôtel. Tâche d'en profiter mon chéri et de cajoler le sommeil qui te sera si bienfaisant.

Le temps s'est remis au gris, et il est plutôt frais. Pour une journée de plein soleil, il y en a trois de temps et de ciel incertains ici — et je crois qu'il n'y aura plus de grosses chaleurs. De toute façon, les nuits sont maintenant toujours fraîches et même assez froides — et j'en bénis le ciel.

J'ai dû me faire piquer par des puces de sable, je suis couverte de petites bosses et ne peux cesser de me gratter.

J'aime bien ta promesse de m'écrire « domnéravant » tous les jours[3]. Je ne voudrais pas pourtant que cela ressemblât le moindrement à une corvée pour toi — et cependant quelle joie m'apporte chacune de tes lettres même si tu as dû l'écrire à la course. De mon côté, je ne t'écris pas toujours non plus dans les meilleures dispositions — quelquefois j'ai à lutter contre une invincible paresse ou plutôt contre le vide du cerveau. Je ne doute pas qu'alors mes lettres te paraissent bien mornes — mais même ainsi, je me flatte de croire que tu les préfères au silence. Et c'est ainsi qu'en toute humilité je t'écris même lorsque je suis à peu près assurée de n'arriver qu'à m'exprimer tout à fait lamentablement.

Je vais profiter de la journée qui n'est pas trop chaude pour faire tantôt ma promenade la plus agréable, c'est-à-dire vers le port et vers la

Ville Close. T'ai-je dit que ma jupe de laine était terminée ? Elle est vraiment très bien et je la porte avec cette curieuse affection que j'éprouve pour certains vêtements et qui fait que je les ai sur le dos jusqu'au moment où ils tombent en haillons. C'est une manière de fidélité à ce qui me plaît et je suppose le besoin de simplifier la vie.

Que j'ai hâte, mon chou, de te revoir et de te parler à cœur ouvert.

À demain, dors bien, mange bien, et travaille, mon chéri, dans la paix.

Je t'embrasse de tout mon cœur en te souhaitant ces biens qui donnent tant de prix à la vie.

Ta Gaby

⁕

Le 5 août [19]48[1]

Mon chéri,
Je ne suis pas sûre que tu aies réussi à obtenir cette carte et je crois bien que tu n'as pas l'autre, souvenir de la petite chapelle tant aimée. Garde-les donc pour ta collection à laquelle, comme tu l'as prédit, je prends intérêt de plus en plus. Je t'écrirai ce soir. À bientôt, cher chou.

Gabrielle

⁕

Concarneau, vendredi le 6 août [19]48

Mon cher Marcel,
Tes deux dernières lettres étaient si douces et charmantes que je m'en veux d'y avoir répondu trop brièvement. Celle de mardi au reste, n'est arrivée qu'aujourd'hui et je n'aurai pu t'en parler dans mon bout de lettre parti avec l'« Île de Sein ».

Il y a dans cette lettre de mardi un accent de tristesse, mon pauvre chou, qui me bouleverse, et cependant, je suis heureuse que tu te confies à moi dans tous les mouvements de ton cœur. J'imagine facilement ce silence déprimant de l'appartement désert — je me doutais un peu que tu le trouverais plus difficile à supporter que l'atmosphère de l'hôtel animée du moins par les bruits de la rue. Mais patience, mon Marcel, ce n'est plus pour si longtemps — et de cette épreuve tu tireras quelque chose, crois-moi, une fortitude de l'âme, alors même que tu ne le sais pas. J'ai découvert moi-même l'effet désastreux du genre de solitude que tu endures — et je ne la supporte pas mieux que toi. J'aime comme toi une sorte de bruit confus autour de moi, le rassurant témoignage du travail, du va-et-vient humain. Et pourquoi dis-tu : « si je pouvais prier... » Je suis sûre que tu sais le faire. Et d'ailleurs ta plainte est déjà un aveu et une prière[1]. Cher chou, va, lutte, je t'en prie, contre ce genre d'abattement et réchauffe ton cœur à l'espoir et à la perspective que nous avons d'une longue vie à passer ensemble. De temps en temps, il me faudra bien m'éloigner, te demander ce sacrifice, mais ce ne sera jamais sans peine et sans t'aimer davantage pour la générosité de ton cœur. Et puis je tâcherai que ce soit le moins longtemps possible.

Envoie-moi les tickets de lait que t'a donnés madame Bruchési ; ils pourront servir. « Pauvre âme dépouillée d'ardeur et d'espoir », ainsi que tu le dis si justement, qu'elle mérite la pitié. Au fond, nous ne sommes portés qu'à plaindre les malheureux qui restent aimables, comme si c'étaient ceux-là qui en avaient surtout besoin. Les malheureux ennuyants, telle madame Bruchési[2], voilà bien ceux dont il faut plaindre la détresse totale.

Il ne faut pas que « l'obsédante pensée que tu doives mériter ma présence » t'accable davantage. Ce n'est pas toi qui dois mériter ma présence, mais moi, moi, comprends bien, la tienne. As-tu saisi, chou, que le remords de ne pas mériter tout ce que je possède m'a tourmentée pendant de longs mois ? J'essaie de conquérir le droit d'être heureuse auprès de toi ; c'est cela surtout qui m'occupe, et c'est pourquoi je voudrais tant exprimer quelque chose qui fût supérieur à tout ce que j'ai pu accomplir jusqu'ici — puisque j'ai reçu tellement plus qu'autrefois. Mais n'affaiblissons pas nos volontés en retours de ce genre ; gardons-la pour notre tâche quotidienne que nous ferons toujours, je l'espère, avec courage et humilité quelles que soient la petitesse de nos moyens et les défaillances de la santé.

Malgré son ton de mélancolie, ta lettre de mardi m'est chère et bienfaisante. Seulement, maintenant sois optimiste, mon chéri ; vis dans l'espérance et, à moi qui suis d'une nature si instable, apporte-moi l'exemple d'espérer.

Tes chats sont-ils logés ailleurs ? Parle-moi aussi de tes visites à l'hôpital, de tout ce que tu fais. Bientôt, tu m'entretiendras de tes efforts quotidiens de vive voix, et comme ce sera doux et charmant.

Toutes mes pensées, tout mon espoir d'obtenir la paix, d'être heureuse, s'en vont vers toi.

Au revoir, mon si cher mari,

Gabrielle

*

Concarneau, samedi le 7 [août 1948]

Cher chou,
Je reçois à l'instant ta lettre de mercredi et me hâte avant le départ du courrier de venir t'adoucir un peu, puisque tu sembles avoir pris à cœur des reproches que je t'adressais dans le but de t'épargner des ennuis. Allons, cœur sensible, ne t'inquiète pas ainsi de tout ce que [je] te dis et tranquillise ta curiosité aussi au sujet de M. Dufresne[1] — je te le décrirai tel qu'il m'apparaît un de ces jours : il n'en vaut pas tellement la peine, tu sais.

Si tu permets à la très sage d'exprimer une autre toute petite recommandation, elle te conseillerait d'attendre encore un peu pour le pneu et les réparations de la voiture puisque tu dois aller conduire ta mère et faire le voyage en Belgique un peu plus tard. Peut-être aussi puis-je demander ici à la femme d'un Belge qui attend son mari dans quelque temps : il se peut qu'il consentirait à nous apporter le pneu. S'il [y] avait possibilité d'attendre, ce serait préférable, il me semble, ne le penses-tu pas ? Est-ce que tu ne peux pas rouler tout de même pour le moment[2] ?

Temps de fin du monde aujourd'hui — pluie, crêtes blanches sur la mer, grondement du vent. Vêtue de mon imperméable je vais affronter le dehors.

À bientôt, chéri. Je t'embrasse du fond du cœur.

Gabrielle

*

Concarneau, le 9 août [19]48

Mon cher Marcel,
Nous avons vécu, samedi, à l'hôtel, quelques heures de drame tel que nous voudrions pour rien au monde, lorsqu'il se termine bien, n'avoir pas connu. La tempête s'était élevée dans l'après-midi et vers quatre heures atteignit une furie qui m'attira au dehors. Je fis le tour de la corniche par un vent terrible qui me jetait au visage des paquets d'eau et dans un réel sentiment d'exaltation. Une heure plus tard, mouillée comme une soupe et épuisée de lutter contre le vent, je rentrai, me mis au lit pour me réchauffer. Le vent entre-temps avait redoublé d'intensité et soulevait d'énormes vagues. Madame Millet me téléphona d'en bas, m'invitant à une promenade en auto vers le port. Je commis la bêtise de refuser et je m'en repens encore, car le spectacle des barques de pêche essayant de gagner l'abri à la jetée, il paraît, fut inoubliable. La tempête augmentait de minute en minute mais comme ma marche m'avait éreintée, je ne subissais pas autant son attrait : je m'étais mise à lire tranquillement. Une heure plus tard, je surpris de ma fenêtre une mer absolument déchaînée. Les vagues roulaient jusqu'à l'extrême bord du chemin, recouvraient toute la plage et se soulevaient contre les murs des villas et au long de la corniche. L'écume rebondissait très loin jusque sur les façades des maisons. À quelque 300 mètres de la côte, devant l'hôtel, deux petits bateaux ancrés étaient balancés comme des bouchons. Je descendis alors et, dans le hall, tombai en pleine atmosphère de drame. J'appris qu'un homme se trouvait dans l'un des bateaux ancrés. Il s'agissait d'un habitant d'une des villas qui avait tenté de sauver la voilure de son bâtiment. Il l'avait atteint dans une barque à rames, accompagné de son neveu. Le neveu avait fait le voyage de retour à la côte puis, le vent tournant, il n'avait pu rejoindre le bateau resté au large, et l'homme qui y restait. Madame Nader, tout alarmée, téléphona alors à l'administrateur de la Marine, à la gendarmerie. Ces personnages vinrent constater le péril évident que courait le bateau de plaisance et l'impossibilité de lui porter secours. Pendant ce temps la nuit tombait, la mer mugissait de plus en plus haut et il était presque impossible de se tenir debout contre la rafale. Nous nous sommes attablés dans la salle à dîner, ayant sous les yeux, par les grandes fenêtres, ce spectacle d'un déchaînement inouï, et chacun s'attendait d'un moment à l'autre à voir disparaître le bateau dont nous suivions les mouvements désespérés. De temps en temps

l'homme se levait, écopait pendant quelques minutes, puis se couchait à plat dans le fond. Les uns le repéraient encore en ajustant leurs lunettes d'approche. Tous s'indignaient que l'on ne lui portât pas secours, et, cependant, comment ! Le port de Concarneau apparemment ne dispose pas de service de sauvetage. Bientôt l'autre petit bateau ancré disparut. Il sombra si vite que c'est à peine si j'eus le temps de voir couler le mât. Je n'avais guère d'appétit. À tous, je crois bien, l'idée de manger pendant qu'à trois cents mètres un homme était menacé d'une mort à peu près certaine, cette idée, dis-je, nous causait un insurmontable dégoût.

De temps en temps, le vent arrachait la toiture d'une cabine, l'emportait vers la mer. Dans le jardin de l'hôtel, de gros arbres s'écroulaient ; des branches leur étaient arrachées. Bientôt la lumière s'éteignit — on apporta quelques chandelles dans la salle à manger : on fixa des bougies dans des bouteilles dans le hall et puis tout à coup, une des grandes baies vitrées s'écroula en mille éclats. Le vent, ayant gagné accès à l'intérieur de l'hôtel par cette énorme brèche, secouait les nappes, arrachait les rideaux. Nous vîmes les vitres de la salle à dîner osciller et nous reçûmes l'ordre de nous en écarter. Vite les tables furent tirées vers le centre de la salle. En même temps, madame Nader condamnait les portes de sortie afin de lutter contre les courants d'air. Il fallut emprunter le chemin de son bureau pour sortir de la salle à dîner ou y entrer.

Le bateau et son malheureux occupant tenaient encore. Quand l'obscurité fut totale, quelques autos se rangèrent devant l'hôtel et éclairèrent la mer de leurs phares. Enfin, la marée avait atteint son point culminant. La tempête s'apaiserait-elle alors et la mer se retirerait-elle assez pour permettre une tentative de secours, voilà ce que l'on se demandait. La mer, en fait, commença à se retirer, mais sans accalmie et toujours aussi violente. Je t'en passe, car nous étions épuisés d'attente et de tension nerveuse et les heures nous parurent interminables, jusqu'au moment où, vers minuit, le bateau sous le jet des phares, comme une embarcation fantôme, vint enfin s'échouer sur le sable. Dans cette lueur fouettée par le vent gesticulaient des ombres, tout l'attroupement des curieux — et ce fut un tableau saisissant, une image digne du meilleur cinéma. Notre homme, après 8 heures en mer, était sain, sauf, et apparemment moins ébranlé que nous tous sur la côte.

Quant aux dégâts dans le port, ici à l'hôtel et un peu partout sur la côte, ils sont considérables. Jamais pareille tempête, paraît-il, ne s'est abattue sur Concarneau. J'aurais aimé en partager avec toi l'impression de splendeur et d'absolu. Ce fut peut-être encore plus grand que nos tempêtes à bord du Fairisle.

Mon chou, j'ai pensé à toi avec une tendresse accrue et plus consciente samedi et il me semble que j'en conserverai toujours l'émotion exaltée.

Que j'ai hâte de recevoir de tes nouvelles et de t'embrasser.

À toi de tout cœur,

Gabrielle

*

[vers le 11 août 1948][1]

Mon cher Marcel,

J'ai fait une courte promenade hier avec les Millet et les deux ménages belges, les Ledent et les Dufresne. Nous avons pris la route de la Forêt Fouesnant et avons continué jusqu'à la pointe de Beg-Meil. J'ai commis la bêtise de manger une crêpe à la fameuse crêperie de Beg-Meil — j'en souffre un peu aujourd'hui, rien de grave, mais c'est un indice que je dois persévérer dans un régime absolu. La troupe était bruyante, les enfants surexcités — les Millet avec qui j'étais en auto, tapageurs, comme une bande de macaques ; j'ai retrouvé l'abri de ma chambre avec soulagement. Je suis désolée de voir à quel point tu t'ennuies. Essaie, chéri, de surmonter cela par le travail, un peu de distractions et, surtout songe que la fin de l'été approche et que nous serons bientôt ensemble[2]. Je t'envoie mes baisers les plus ardents.

Gabrielle

*

Concarneau, le 11 août [19]48

Mon grand chéri,

Je n'ai point reçu de lettre de toi hier et j'espère bien qu'il y en aura une aujourd'hui dans mon casier. Avec quelle hâte je tends la main au postier quand j'ai repéré du coin de l'œil l'enveloppe familière, bleue maintenant et couleur de l'espoir, dit-on. La fameuse tempête de l'autre soir n'est pas tout à fait morte en ses fureurs et elle a de temps à autre des velléités de reprendre sa force atténuée. Tout le long de la côte le vent ne s'apaise en un endroit que pour recommencer ailleurs. Jamais je n'aurai vécu dans une atmosphère si soutenue de révolte, de grondements, de grisaille, et, chose curieuse, je ne m'en lasse pas. Je suis contente du soleil quand il paraît comme un conquérant casqué d'or et je suis contente quand c'est la mélancolie du ciel qui l'emporte dans le combat qu'ils se livrent — je suis contente de ce qu'apportent les heures et les jours et trouve ma richesse partout. Et ce serait presque parfait si l'ennui que j'ai de toi n'y mêlait son goût trop âpre. Je me sens mieux que je ne l'ai été depuis plusieurs mois, et il semble qu'après tout ce climat me convienne à merveille. Je voudrais tellement faire des provisions d'énergie à dépenser avec toi en mille randonnées, courses et vagabondages — mais je sais maintenant que je dois être économe des forces acquises et les conserver en autant que possible pour un usage modéré. Je n'ai pas toujours aimé la prudence que tu connais maintenant et je ne l'aime pas encore — seulement je m'y résigne avec plus de bon sens.

Ce soir, notre petite bande : Millet, Ledent et Dufresne, va au cirque Bouglione. Je crois que je m'y laisserai entraîner puisque, par ces jours de crachat et de vent, il n'y a guère de divertissements sur la plage. Hier soir, nous avions à l'hôtel même une petite séance de prestidigitation qui m'a amusée parce qu'elle évoquait tout à fait l'atmosphère d'une fête de salle paroissiale : boniments, tours de cartes, trucs de magicien, joie naïve des spectateurs, rien ne manquait à l'ambiance fraîche et populaire que les dispositions heureuses des spectateurs tout autant et plus encore que la nature du divertissement, savent créer.

J'ai bien hâte que tu me donnes tes impressions du conte que je t'ai envoyé et qui, à vrai dire, est plutôt une fantaisie qu'un conte. Je l'ai écrit avec le sentiment — que j'espère ne pas m'être trompée — de traduire une émotion, une connaissance et une nostalgie communes à nous deux. Évidemment, la forme n'est pas encore au point. Conserve-moi le manuscrit, car je n'ai pas gardé de copie complète.

Et puis chou à moi, parle-moi longuement de tout ce que tu fais, à l'hôpital et ailleurs. Je suis avide des moindres choses te concernant. Bientôt nous pourrons compter les jours qui nous séparent de ton retour et de mon départ de ces beaux rivages qui, je le crois, me laisseront un souvenir durable et aussi fort que m'en avait laissé la Provence.

C'est un peu le reflet de moi-même que m'a exprimé la Bretagne — et elle m'a pris le cœur d'une façon extraordinaire. Mon cher fou, je t'embrasse avec une tendresse qui grandit chaque jour et qui, dépouillée comme il arrive maintenant de [ma] mauvaise humeur et de mes aptitudes à grogner, devient bien charmante à ce qu'il me semble.

Avec toute cette tendresse sans orages, paisible comme parfois le ciel du Finistère, me voilà en ce moment — et mon Dieu que cela dure — j'en serais bien contente. Mais va, paisible ou autrement, je ne varie guère dans le fond de mon cœur qui lui n'est plus instable mais bien ancré dans ta vie. Au revoir, mon fou chéri,

Gabrielle

⁂

Concarneau, mardi le 17 août [19]48

Mon cher Marcel,
Tu as eu hier une intuition heureuse en m'appelant au téléphone. J'étais plutôt triste, car j'avais passé toute la journée seule dans ma chambre et je n'avais même pas pu travailler. De plus, j'étais inquiète à ton sujet. Enfin, ta voix m'a rassérénée — j'ai bien dormi, heureuse de la pensée que nous serons bientôt ensemble. Ne t'inquiète point : je vais mieux aujourd'hui et je pourrai descendre à la salle à manger. Hier, je me sentais faible comme un moineau — et c'est d'autant plus bête que je me sentais depuis quelques semaines fort bien et que rien ne laissait prévoir cette indigestion. Toutefois, je me sens comme désintoxiquée après ces vomissements et, s'ils n'étaient pas pénibles, j'en serais presque contente, tant ils sont suivis d'une période de bien-être. Je fais pourtant très attention à ce que je mange — c'est même fort ennuyeux — mais il suffit apparemment du plus petit excès ou encore de manger alors que je me sens fatiguée. C'est ce qui m'est arrivé dimanche soir. J'étais allée dans l'après-midi avec la bande Millet-Ledent-Dufresne à Port-Manech où il y avait danses et fête bretonne. La foule était dense — je me suis tenue debout trop longtemps et j'étais vraiment lasse en rentrant.

Ne crains rien, je suis guérie pour le moment et j'ai si hâte de te revoir que cela me soutient et me rend l'énergie et le courage.

Hier, comme je n'étais pas descendue à la salle à manger, tout le monde de notre petite bande a été fort charmant envers moi. Madame Dufresne m'a fait la surprise d'un pamplemousse [qui sont] absolument introuvables ici et qu'elle gardait comme la prunelle de ses yeux parmi ses provisions apportées de la Belgique; madame Ledent m'a apporté du lait condensé quoique je lui eus affirmé que j'avais du lait en poudre; une autre dame belge que je connais à peine est venue me porter des macarons que je ne pouvais manger. J'étais confuse de toutes ces attentions et, en mon for intérieur, un peu honteuse des opinions que j'avais entretenues jusque-là à l'égard de ces personnes, car je ne les avais pas jugées la moitié aussi désintéressées et affables qu'elles me prouvaient l'être. J'ai donc appris, encore une fois, qu'il suffit d'avoir besoin des gens pour les connaître dans leur meilleur et dans une sorte de bonté cachée qui affleure peu souvent, puisque si peu souvent, au fond, nous faisons appel à l'aide, ou à la confiance d'autrui. Donc l'amabilité insoupçonnée de gens que je tenais pour peu différents de la commune masse égoïste, leur gentillesse à mon égard a embelli ma journée d'hier et — comme la vie est singulière! — en a fait une des plus belles journées de mon séjour ici. Il est toujours si doux, en effet, de rencontrer la chaleur humaine, surtout lorsqu'on ne s'y attend pas.

J'ai eu tout à coup, hier, l'impression que ces gens tenaient à moi et qu'ils n'avaient été conscients de leur sympathie pour moi qu'au moment où je manquais à leur petit groupe. Et, au fond de mon cœur, j'étais ravie de penser que je leur manquais. Ainsi va notre curieuse nature!

Tâche de m'écrire longuement. Mon chéri, je ne te ferai aucun reproche, car j'imagine que tu t'en adresses qui sont infiniment plus durs que tous ceux venant de moi. Seulement, fais attention, chou; les pires regrets sont toujours ceux-là que nous nous attirons nous-mêmes. N'en mets point dans ta vie, je t'assure, ils nous poursuivent inlassablement, même ceux qui paraissaient d'un ordre insignifiant.

Je suis navrée que tu t'ennuies tellement et que la solitude soit pour toi une épreuve si odieuse. Je serais si heureuse qu'elle servît aussi à tremper ton énergie et à affermir ta volonté. Mais je n'ai de doute qu'elle agisse ainsi sur toi et te procure des avantages qu'en ce moment tu ne sais pas encore reconnaître.

Bien tendrement et à bientôt,

Gabrielle

✳

Concarneau, mercredi le 18 août 1948

Mon cher Marcel,
Je me demande si j'ai correctement adressé la lettre que je t'ai envoyée hier. J'ai eu après comme une espèce d'incertitude et l'impression que j'avais bien pu confondre avec l'adresse de l'hôtel Lutétia. J'espère que non, car je serais navrée que tu fusses un autre jour sans lettre de moi.

La température est de plus en plus odieuse, chéri, et vraiment ces jours-ci c'est le comble — il fait froid, il pleut presque continuellement. J'ai l'impression que je n'ai pas eu d'été du tout et je me sens horriblement frustrée.

Comme ça doit être triste dans ton coin — triste aussi pour les Beaulieu qui ne doivent pas profiter de leur séjour à Biarritz si c'est aussi macabre par là-bas — enfin triste pour tout le monde !

Tu me parles peu de ton travail et des obligations qu'il t'impose — si tu désires toujours venir passer quelques semaines de vacances ici, avec moi, ou si ce temps t'effraie — enfin, quoi que tu décides, ça me conviendra — mais si tu devais te sentir très occupé au début de septembre, je pourrais toujours rentrer par le train. Évidemment, je préférerais de beaucoup que tu viennes me chercher, mais je ne veux pour rien au monde te déranger s'il y a intérêt pour toi à ne pas quitter Paris.

Je me sens la tête vide, incapable d'enchaîner mes idées — je tâcherai de faire mieux demain — et je t'embrasse avec une affection tout aussi vive quoique je réussisse si mal à l'exprimer.

Gabrielle

P.S. J'ai fait un chèque à l'hôtel au montant de *18 857 francs*. Prends-en note sans tarder si tu veux bien.

✳

Concarneau, jeudi le 19 août [19]48

Mon Marcel chéri,
Enfin une lettre de toi, la plus précieuse parmi celles que j'ai reçues aujourd'hui par tes soins. Comme il y avait un peu de soleil aujourd'hui

et qu'il faut en profiter alors qu'il veut bien luire, j'ai remis le moment de la journée que j'emploie à t'écrire un peu plus tard. Je les trouve bien longues les journées maintenant et je compte celles qui nous mèneront à la fin du mois et, je le souhaite, à ton arrivée — sera-ce pour la fin de semaine après celle-ci? Toutefois, en prenant une décision, songe d'abord aux intérêts supérieurs de ta vie, au travail que tu as en marche, et c'est ainsi que tu me feras le plus grand plaisir — cependant, si tu dois venir vers la fin du mois, comme j'en serai contente!

As-tu apporté quelques provisions de la Belgique, pays de coquins[1] ? Cigarettes, café, chocolat? Et est-ce que tu n'as pas reçu quelques-uns de nos colis de New York ou de Toronto? Cette fois-ci, s'ils retardent beaucoup, il ne faudra plus attendre, mais découvrir le bureau parmi tous ceux de l'innombrable administration française qui doit s'occuper de retrouver les colis perdus, volés, etc., ou alors en faire rembourser le prix s'ils sont assurés.

As-tu bouffé quelques bons repas en Belgique? Raconte-moi un peu au moins ce voyage. Lambert était-il un compagnon agréable? Et c'est bien beau, tu sais, de dire que tu pensais à moi tout le temps. Il y avait, il me semble, une façon autrement éloquente de me l'exprimer. Qu'importe, je suis heureuse que tu aies pu voir bien des musées, je n'en doute pas, et bien des beautés qui t'auront enrichi l'esprit!

Ici le train-train devient affreusement banal. Ce n'est que potins, racontars et bavardages. Heureusement qu'il y a les hommes sur terre pour nous consoler du verbiage insipide de tant de femmes. Monsieur Dufresne offre un certain intérêt — je l'avais plutôt mal jugé dès le début, d'après une remarque assez stupide d'ailleurs qu'il avait faite. Mais il gagne à être connu. C'est un gros Belge, aussi belge il me semble qu'on peut le faire. Il a des connaissances variées et surtout un vocabulaire remarquable — de sorte qu'on peut prendre intérêt à sa conversation. À part cela, c'est un grand voyageur, sorte de commis-voyageur auprès de cliniques, hôpitaux, médecins, à qui il vend à ce que je crois comprendre les divers instruments de torture dont vous vous servez dans le clan médical. Je crois donc qu'il est le représentant d'une fabrique de ces instruments aussi bien que d'appareils de rayons-X et tout le tralala.

Sa grande manie — assez drôle parfois — est d'imiter les accents de notre société de Babel, lui qui en a déjà pourtant un tout à fait unique et reconnaissable.

Mon chou, je ne sais plus que te raconter — les jours sans toi deviennent ternes, vides, embêtants.

Je t'embrasse du fond du cœur.

Gabrielle

⁂

Concarneau, samedi le 21 août [19]48

Mon Marcel chéri,
Ta lettre de mardi a été pour moi d'un précieux encouragement. Je suis si heureuse de constater que tu as aimé l'« Île de Sein » et surtout que tu l'as parfaitement compris. Toutefois, plus que moi-même, ce que j'ai cherché à y exprimer, c'est l'étrange disposition de l'être humain qui lui fait préférer l'inconnu à tout ce qu'il possède et connaît et qu'il peut parer de toutes les beautés de son exigence de la perfection. Et d'ailleurs, tu as saisi cela aussi, et encore que j'ai essayé de traduire le conflit humain entre le renoncement et l'espoir, deux forces adverses qui nous habitent[1].

Je le retravaillerai avec toi, si tu le veux bien, au point de vue forme, car, quant au fond, il est inchangeable.

Pluie, pluie, pluie — je suis à jamais assaillie de nuages gris et du crachin de la Bretagne. Hâte-toi de venir me rejoindre aussitôt qu'il te sera possible de quitter Paris. Je m'ennuie à en perdre toute énergie.

Hier, j'ai été à Quimper par le car et j'ai dû faire une bonne partie du trajet debout, entre de corpulentes ménagères, des paniers de poissons, des bottes d'hortensias, des fers de lit, des colis de toutes dimensions et dans une senteur accablante de sueur, d'ail, de laine mouillée. Maintenant que c'est fait, je ne regrette pas le voyage et toutes ses petites misères. Au contraire, je suis toute satisfaite d'avoir vécu quelques heures à la façon de la multitude. J'ai acheté du drap pour une veste et pour une robe que madame Piriou va me confectionner. Il y a une foule à l'hôtel. Tâche donc de m'avertir un peu à l'avance de ton arrivée, car il sera assez difficile j'imagine de trouver de la place. C'est inimaginable, malgré le mauvais temps, comme on se presse ici.

J'ai rencontré hier Me Colignon de Liège, qui enfin représente le type gai, exubérant et méridional de cette région, tel que tu me l'avais peint. Un gros petit homme rougeaud, farceur, gros mangeur et éternellement en mouvement, agité, curieux de tout et fort bavard, il m'a plu et j'ai eu du plaisir à causer avec lui, surtout du Canada où il a fait une tournée de conférences en [19]37. Je crois d'ailleurs qu'il est un des avocats les mieux connus et les plus en vue en Belgique. Il m'a bien fait rire avec son bagage d'anecdotes canadiennes parmi lesquelles figuraient celles que nous avons entendues maintes et maintes fois et qui sont censées exprimer l'humour canadien-français. À part cela, le gros petit homme s'efforçait d'imiter le parler de chez nous sans y parvenir beaucoup, mais avec tant d'allant, de vivacité qu'il eut beaucoup de succès. Entre autres, son emploi du mot « char » pour automobile alors qu'il parlait « canayen » lui valut bien des rires fort agréables, j'imagine, à sa nature gaie et bouillonnante.

Un véritable Tartarin[2] ! Il prétendit, dès que je lui eus raconté que tu avais des parents en Belgique, connaître des Carbotte ici, là, un peu partout. Et déjà, nous sommes invités chez lui. Il connaît tel grand médecin qui te prendra sous son aile. Il nous mènera voir ceci, cela — tu vois le genre ? Bon, gros, gueulard !

Je t'attends, mon chou, dans une impatience déchaînée. À bientôt, je t'embrasse de tout mon cœur.

Gabrielle

*

Concarneau, lundi le 23 août [19]48

Mon cher Marcel d'amour,
Hier, c'était la fête des filets bleus[1] — et j'aurais aimé que tu y fusses parce qu'elle avait un caractère charmant et spontané qui était plaisant. En fait, les réjouissances durèrent près de trois jours et j'ai compris tout dernièrement comme le peuple français aime les fêtes, les grouillements de foule et toutes démonstrations collectives. Je me suis contentée d'assister au défilé des groupes celtiques en costumes et coiffes de plusieurs régions de la Bretagne : Auray, Quimper, Lorient, Vannes, Huelgoat, etc. Le plus amusant était le groupe d'enfants en sabots et vêtus de lourds habits brodés. Leurs petites figures naïves et sérieuses, émergeant de ces vieux costumes avec toute l'histoire qui s'y attache, devenaient à la fois drôles et pathétiques.

Je m'étais réfugiée, hors de la bousculade, sur le seuil de la boutique Piriou, pour voir à mon aise déferler dans la Ville Close la lumière des broderies, la dentelle des coiffes et vague après vague de monde endimanché, coupée de ci de là par le groupe de musiciens, joueurs de biniou et de bombarde. Par bonheur, il faisait un temps radieux, et c'était plaisir de voir le soleil allumer l'éclat des robes perlées, et surtout le jaune éclatant comme les motifs de chasuble des anciennes toilettes de Pont-l'Abbé.

Tout ce beau monde assez raide et compassé filait vers le bout de la Ville Close et se massait dans un champ en arène, entouré des remparts. La reine de Concarneau passa, environnée de ses filles d'honneur, une jolie petite Bretonne de dix-sept ans qui est la fiancée du fils Piriou, âgé de 20 ans. Le jeune homme était à la fois fier et bouleversé de la distance que mettait la gloire entre lui-même et la belle reine, recouverte de dentelle éblouissante, et leur amour que me racontait madame Piriou ajoutait à la fête un caractère humain, éternel et vrai. Enfin, dans le champ de courses, les danses commencèrent. Les groupes évoluaient sur une plateforme de ciment, suffisamment élevée pour qu'on pût y suivre facilement les figures de la gavotte et des bourrées. La foule, très colorée, emplissait la petite vallée et, du haut des remparts, partout, s'agitaient les spectateurs. Il y eut des chants, de la danse, des luttes entre garçons de villages, tous les éléments d'une fête campagnarde, mais le soleil éblouissant, les remous si colorés de la foule, la beauté du site en faisaient quelque chose de neuf et de fort charmant. J'ai conservé pour toi un humble petit souvenir de la fête : un filet bleu miniature.

Dimanche prochain, il y aura, paraît-il, un pardon intéressant à peu de distance de Concarneau, en l'honneur de saint Philibert[2]. Nous irons si tu peux venir à temps. Autrement, nous tâcherons d'assister au pardon de Josselin qui aura lieu le dimanche suivant.

Je suis infiniment contente, tu sais, d'apprendre que tu es en train de rédiger tes impressions de Bruges. Persiste, je t'en prie, car rien ne me fera autant plaisir.

À demain, mon fou chéri. Que j'ai hâte de te revoir.

À toi, en toute tendresse,

Gabrielle

⁂

Concarneau, lundi le 23 août [19]48

Mon cher Marcel,
Je viens de recevoir ta lettre de jeudi, si désolée que je t'écris pour la seconde fois aujourd'hui — oui, je conçois que tu sois terriblement fatigué. Il eût été préférable que nous eussions pris nos vacances ensemble cet été, mais au fond, c'est un peu ta faute, chéri, si nous ne l'avons pas décidé ainsi, car plusieurs fois tu m'avais dit que tu aurais plus de facilité de travail durant cette saison. Toutefois, tu ne pouvais prévoir bien des lanterneries de la vie en France et qui contrarient sans cesse nos projets. Il te faut de bonnes vacances paisibles. Viens donc ici dès que tu le pourras, dimanche si possible, et nous déciderons sur place s'il vaut mieux rester ici ou aller chercher le soleil ailleurs[1]. Il a plu presque continuellement depuis deux semaines et c'est peu gai — mais il se peut que le temps change.

Enfin, viens toujours, chéri, nous tâcherons de voir un pardon — je t'en ai parlé dans ma précédente lettre —, visiter Carnac peut-être et puis tu te reposeras complètement. Tu as besoin d'une bonne nourriture et de beaucoup de sommeil. Pour ma part, j'aurais fait du progrès ici, si seulement j'avais pu manger convenablement, mais je suis lasse du menu, toujours le même, et je n'ai plus aucun appétit.

J'espère que tu ne te sens pas obligé d'attendre le retour des Beaulieu pour évacuer leur appartement et je souhaite de tout mon cœur te voir arriver cette fin de semaine.

À bientôt, chou, prends courage. Tu n'es pas le seul, tu sais, qui ait à surmonter le découragement et le sentiment d'un ennui intolérable. Sois courageux, Marcel, je t'en prie.

Gabrielle

Upshire
automne 1949

Après de courtes vacances à Ascain avec Marcel à l'été 1949, Gabrielle décide de se retirer à Upshire, en banlieue de Londres, chez Esther Perfect et son père. Elle y séjournera du 14 août au 13 octobre. C'est là qu'en 1938 a véritablement débuté sa carrière d'écrivain, comme elle le raconte dans son autobiographie : « Du grand lit de cuivre, je pouvais suivre le déferlement des downs qui me parurent plus attirantes encore que la veille sous la douce lumière du matin qui en tirait des éclats d'un vert soyeux [...]. *Or en même temps que cette paix si longtemps absente revenue m'habiter, je découvris en moi, ce matin-là, le vif désir d'écrire, né tout aussi instantanément*[1]. *» Pendant ce temps, Marcel demeure à Saint-Germain-en-Laye, à la Villa Dauphine, où le couple s'est installé à son retour de Concarneau en septembre 1948, et il poursuit ses stages de spécialisation médicale à l'hôpital de Saint-Germain.*

Lorsque Gabrielle arrive en Angleterre, elle a déjà terminé la rédaction des « Vacances de Luzina », le premier des trois récits qui constitueront La Petite Poule d'Eau, *roman d'inspiration en partie autobiographique qui sera publié en 1950 (Beauchemin). Au terme de ce séjour à Upshire, elle aura rédigé une première version des deux autres récits, « L'École de la Petite Poule d'Eau » et « Le Capucin de Toutes-Aides ».*

La plupart des lettres que Gabrielle envoie à Marcel au cours de ce séjour en Angleterre sont rédigées sur du papier portant l'en-tête « Upshire, Waltham Abbey, Essex. ».

Upshire, lundi matin, le 15 août [1949]

Mon cher Marcel,

Je suis arrivée à bon port tard hier soir, vers onze heures, après le voyage le plus fou que tu puisses imaginer. Tout cela me paraît bien drôle maintenant après une nuit de bon sommeil. D'abord, il y avait à bord du train et du bateau une foule de 3 mille personnes environ. À l'embarquement, les valises et bagages à main confiés aux porteurs étaient à peu près tous égarés. Les porteurs tâchaient de repérer les propriétaires des valises, ceux-ci cherchaient leurs effets dans un encombrement invraisemblable : tout le monde criait à la fois. Une bousculade à y perdre jambes et bras ! J'avais perdu mes deux valises. Je courais en tous sens. Enfin, je rentrai dans mon bien. Évidemment, il ne restait plus un fauteuil disponible. J'entrepris alors de faire la queue au bar où l'on pouvait échanger des dollars. Cinq cents personnes voulaient en faire autant et s'y débarrasser de leurs francs français. Ma petite transaction terminée, nous touchions à Douvres, les falaises crayeuses étaient toutes proches : j'avais à peine eu le temps de renifler l'air de la Manche. Arrivée à Londres, j'eus mille difficultés à m'assurer un porteur pour porter mes deux valises à l'autobus. Le premier me passa au nez archi-plein. Il commençait à faire sombre. Le train était arrivé à Londres avec une heure et demie de retard. Je craignais qu'Esther ne m'attendît pas plus longtemps sur la route d'Epping — à l'endroit où je devais descendre. Alors tout le monde à l'arrêt du coach se mit à me prodiguer des conseils. Un bon samaritain porta mes valises. Une bonne dame me prit sous sa protection et m'engagea à être tranquille, me promettant de ne pas me laisser en panne, si le taxi envoyé par Esther devait être reparti. Enfin, il y avait tant de bonnes âmes qui veillaient sur moi que je fus tout à fait rassurée. Au chemin de la forêt, personne en effet. Il était déjà près de onze heures. Alors j'ai filé un peu plus loin dans le coach jusqu'à la petite ville d'Epping d'où je pouvais avoir un taxi. La station de taxis était fermée. Les deux vieux cockneys fouillèrent la ville pendant que je surveillais mes valises. Enfin, le vieux couple réussit à relancer le conducteur de taxi chez lui. J'arrivai à Upshire 20 minutes plus tard. Esther venait de rentrer découragée. Nous nous étions manquées de quelques minutes. Toute cette aventure m'a donné chaud hier. Ce matin, par une belle journée ensoleillée, je ne la trouve pas si désastreuse. J'emploie la seule feuille de papier que j'ai sous la main pour te donner tout de suite quelques nouvelles. Dès cet après-midi, je t'écrirai plus longuement. L'endroit est aussi charmant que mon souvenir me le présentait, à part quelques petites lacunes. Mais en somme, je n'ai pas éprouvé de ces désillusions brusques qui nous abattent à l'arrivée. Seulement je m'aperçois déjà à quel point je suis habituée à toi, mon chéri, et comme sans toi, je ne suis plus que la moitié de moi-même.

Porte-toi bien mon chou et garde-moi ta tendresse qui m'est si nécessaire. À bientôt,

Gabrielle

*

Mardi le 16 août 1949

Mon cher chou,
J'ai bien hâte de recevoir une lettre de toi. Je sais que c'est trop tôt encore pour en espérer une aujourd'hui. Qu'importe, j'ai déjà commencé à guetter le facteur et à m'informer des heures du courrier.

Le pauvre vieux Perfect se régale en ce moment d'une tranche de mon jambon. À mon goût, il est beaucoup trop gras et j'ai l'impression de m'être fait rouler. Il doit y avoir dans les treize livres de ce jambon au moins 6 à 7 livres de gras, deux ou trois autres d'os — il reste donc très peu de viande maigre. Toutefois les Perfect ont l'air d'en être contents, tel quel.

J'attendrai encore quelques jours pour te donner mes impressions de l'Angleterre, du moins mes impressions des gens et de la vie que je pourrai observer. Je me méfie de jugements trop hâtifs, me rappelant comment en France nous avons été amenés à corriger nos vues sur le pays au fur et à mesure que nous le connaissions mieux. À prime abord, la vie me paraît ici comme partout ailleurs difficile pour ceux qui ont peu d'argent, et je suis chez des gens peu fortunés. Ma venue leur apporte un secours immense, et ils m'en montrent une bien touchante gratitude. Je crois que je ne manquerai de rien du moins pour quelque temps, car le bonhomme Perfect croit m'obtenir tout le lait dont je pourrai avoir besoin. Nous sommes dans une région agricole, et tous les fermiers ont des troupeaux. Cependant, il me semble que les Anglais cèdent à une espèce d'apathie, soit fatigue venue à la suite de vexations quotidiennes. Ils paraissent aussi devenus fatalistes et acceptent les privations et les contraintes presque sans plaintes, beaucoup trop facilement à mon avis. Je vais jeter un coup d'œil à Londres aujourd'hui. Je dois y aller pour obtenir des livres contre mes traveller's cheques. Je me suis bien reposée hier. J'ai dormi comme une souche — dans l'après-midi et j'ai eu en plus une bonne nuit. C'est tellement calme dans ce petit coin. Rien n'a changé dans le petit village même qui conserve toujours son air du passé mais un peu plus loin sur la route de Waltham Abbey, on vient d'ériger des habitations en série, des tènements en briques et ciment d'une uniformité désespérante et d'autant plus tristes qu'ils sont en pleine campagne.

Mon chéri, j'espère de tout mon cœur que tu t'arranges assez bien. T'a-t-on donné une chambre à ton goût ? Peux-tu y travailler convenablement ? J'attends des nouvelles avec une forte impatience. Je t'embrasse bien tendrement et te souhaite toute la joie possible dans tes études.

À demain, chéri,

Gabrielle

*

Mercredi le 17 août [19]49

Mon cher Marcel,
J'ai fait le voyage à Londres hier, sans difficultés, de façon plutôt agréable ; un mille à pied jusqu'au coach qui m'a déposée au Marble

Arch. De là, je me suis débrouillée assez bien jusqu'à Picadilly Circus par autobus. L'American Express change les traveller's cheques sans aucune espèce de formalités. Je n'ai même pas eu à produire mon passeport. Le change est à 4 shillings six pence au dollar, ce qui me paraît équitable d'après le prix des repas et autres prix dont j'ai pu me rendre compte. J'ai déjeuné dans le quartier, et, ma foi, fort bien, d'une cuisse de poulet, pain-beurre, tomates au four et excellent sundae. Le pain est très bon et comprend une centaine de variétés depuis le pain tout à fait blanc jusqu'aux brioches ou pains de seigle et de son. Le café est aussi fort savoureux. Je le trouve meilleur qu'en France et on le sert dans les restaurants de Londres avec de la crème comme en Amérique. Cependant le meilleur de tout me paraît être la crème glacée qui est faite de lait et de crème, délicieuse au goût. Mon parcours en autobus m'a permis de revoir une bonne partie de la ville — Westminster Abbey m'a semblé insignifiante après Notre-Dame de Paris. Les tours sont grêles, la masse beaucoup moins harmonieuse que je la revoyais dans mon souvenir. Ce qui reste indubitablement magnifique, c'est le House of Parliament. La verdure, principal charme de Londres, fait défaut, et tu ne saurais croire comment Hyde Park, Green Park et Regent's Park sont pelés et tristes à voir. La sécheresse, si rare en Angleterre, a complètement changé la physionomie du pays. Les feuillages sont racornis, déjà jaunes et beaucoup de feuilles mortes volent déjà sous les pas des passants. Ici, à Upshire, c'est beaucoup moins ravagé, et la campagne offre toujours son aspect millénaire, doux et imprégné d'une tranquillité extraordinaire. Après avoir fait dédouaner ma malle, je suis rentrée à Upshire. Partie le matin vers 10 heures, j'étais de retour à 4 heures et nous avons pris le thé au fond du jardin. De là nous avons une vue agréable sur la petite ville de Waltham Abbey, à une distance d'à peu près trois milles. Mon voyage m'avait un peu fatiguée, mais de façon bienfaisante, car j'ai encore dormi profondément. J'espère qu'il en est de même pour toi. J'ai tellement hâte de recevoir tes lettres. Sans doute aurai-je un mot de toi demain. La journée s'annonce belle, hier, on espérait la pluie mais les nuages ont filé ailleurs. C'est vraiment dommage : le petit jardin d'Esther profiterait tellement d'un peu de pluie. — Nous parlons de toi, le soir, après le souper, et cela m'est bien doux de pouvoir m'entretenir de toi, avec des gens tout disposés à t'aimer. Il faut maintenant que j'obtienne ma carte de rationnement, après quoi je serai tranquille, ayant terminé les corvées de l'arrivée. Raconte-moi un peu ce que tu fais, où tu es logé et comment passent tes journées. J'éprouve une grande curiosité envers tous les petits événements de ta vie. Je t'embrasse, chou, avec toute [*ajouté en marge sur la première page du feuillet :*] ma tendresse. Écris-moi bientôt.

Gabrielle

⁂

Vendredi le 19 août 1949

Mon grand chéri de Marcel,

Quand Esther m'a apporté mon plateau du petit déjeuner ce matin, il y avait, entre la cafetière et les toasts, ta chère lettre, que j'ai saisie avec avidité. J'éprouve beaucoup d'amitié envers ces vieilles dames qui chacune à leur façon s'ingénient à te distraire en mon absence et je voudrais les remercier tant leur bonté à ton égard m'est précieuse. Je suis bien indignée, toutefois, d'apprendre que tu es si mal logé[1]. J'espère que tu insisteras pour obtenir une chambre plus agréable le plus tôt possible. J'ai presque honte de ma grande chambre bien aérée et charmante avec son caractère vieillot, ses portraits de famille, ses keepsakes et petits bouquets de bruyère séchée que ramasse inlassablement Esther, en songeant à ta mauvaise chambre. Quel personnage délicieux que cette Esther. Non, je ne m'étais pas trompée en te la décrivant sous le jour que tu connais. Elle a quelque chose de Cécile Chabot[2], sans le talent peut-être, mais bien ce côté sentimental, trop doux, naïf, qui frôle la mièvrerie et cependant en est toujours loin par une ingéniosité, une parfaite innocence de l'âme. Tu l'aimerais, je le crois, et aussi le cher vieux bavard qui est si heureux de me raconter ses vieilles histoires que j'ai toutes entendues il y a onze ans. Nous prenons le thé au fond du jardin tous les jours, parmi les abeilles qu'attirent le parfum des confitures. Le vieux se couche peu après. Esther et moi prenons un souper léger vers huit heures, huit heures et demie, puis je monte me coucher. Sois sans inquiétude quant à la nourriture qu'on me donne. Il y a du bon poisson frais, deux ou trois sortes d'excellents pains, carottes, laitue, haricots, pommes de terre du jardin, et je bois un grand verre de lait frais le soir. Nous nous arrangeons avec un fermier voisin pour obtenir un lièvre et un poulet. En outre, Esther s'arrangera pour acheter un petit rôti de bœuf cette semaine. De plus, nous avons du macaroni en quantité, du beurre et du tapioca. Esther me fait de très bons entremets au lait et je te promets d'aller me peser dans une dizaine de jours. J'ai bien l'impression que je constaterai un accroissement de poids. J'ai obtenu ma carte de rationnement[3] et comme visiteuse, on m'a donné des coupons pour deux livres de « sweets » en plus de la ration coutumière. J'ai acheté des *Barley Sugars*[4] délicieux, et je vais tâcher de restreindre ma gourmandise et d'en garder pour toi. Je mange véritablement comme une ogresse. Il est vrai que le changement de gibelotte stimule toujours l'appétit. Parle d'une autre veine ! Je suis logée tout à côté de la district nurse, une espèce de guerrière moderne qui me donnera mes piqûres quand j'en aurai besoin et sans aucune espèce de fatigue pour moi. Le temps est au frais depuis mon arrivée. Je crois bien que je suis partie par une des plus chaudes journées de l'année — mais déjà je suis reposée de ce voyage ahurissant. — Je crois t'avoir dit, n'est-ce pas, que je n'avais eu aucun ennui à la douane. Tu comprends, devant la horde des voyageurs, les douaniers n'ont su que faire appel à ce qu'on nomme *the sense of honour.* Ils nous mettaient sous le nez en vitesse une carte rappelant en gros caractères que *smuggling is punishable by law*[5], et tout s'arrêtait là. Ils n'ouvraient pour ainsi dire aucune valise.

Esther m'a demandé la permission d'envoyer quelques tranches du fameux jambon à sa sœur mariée qui habite à Londres. Je lui ai rappelé qu'elle était libre d'en disposer comme elle l'entendait et je crois bien que je ne pouvais lui apporter de plus grande joie que celle de partager son jambon avec d'autres. Mais j'ai peur que la générosité l'emporte tant et tout, qu'en quelques semaines l'énorme pièce de cochon ne sera plus qu'un souvenir.

Je lui ai donné à choisir ce matin entre mes fichus, elle a choisi le japonais gris à ramures jaunes, rouges et vertes et elle était contente comme une enfant comblée.

J'ai laissé mon ancien petit kodak aux Perfect autrefois, à ce qu'il paraît. Je tâcherai donc d'obtenir quelques rouleaux de pellicules et t'enverrai des photos. J'ai peu d'espoir de réussir mieux que toi. Qu'importe, tu riras de mes efforts comme j'ai osé le faire des tiens.

Mon chou, écris-moi souvent une belle, longue lettre comme celle de lundi dernier. Rien ne me donnera tant de courage et de joie.

Je t'embrasse de tout mon cœur, et je t'envoie mille fois par jour mes pensées toutes pénétrées d'affection.

Gabrielle

*

Dimanche le 21 août [19]49

Mon cher chou,
La journée a été radieuse et d'une sérénité que les paysages anglais seuls lorsqu'ils sont imprégnés de soleil me paraissent posséder. Sans doute est-ce là un autre tour que me joue mon imagination. Pourtant, je crois que tu serais touché par la grâce molle et lumineuse du pays. Le village d'Upshire tient tout entier sur une très légère colline et se déroule d'un seul côté du chemin. Il commande ainsi une vue parfaite sur une large et souple vallée qui se termine très loin par une région boisée. Dans la vallée s'élèvent de nombreux bouquets d'énormes chênes. Ce sont de très vieux arbres que Mr. Perfect, dans sa jeunesse, se rappelle avoir vus aussi gros et aussi largement étalés qu'ils le sont maintenant. Esther m'a indiqué quelques may trees, qui ornent aussi de leur gracieux feuillage la vallée d'Upshire. — J'aperçois encore de ma fenêtre le toit de tuiles de quelques vieilles fermes et, souvent le soir, des troupeaux de belles vaches blanches et noires qui viennent s'abreuver à un trou d'eau sous des saules. Pourquoi ce paysage ramène-t-il à ma mémoire l'élégie de Gray[1] que tu connais bien et dont tu m'as cité, il me semble, quelques vers ? Pour compléter l'ambiance paisible et un peu désuète de ce qui m'entoure, je me suis mise à lire, choisi dans la petite bibliothèque très chrétienne d'Esther, un roman de jadis, *King Charles Ransom*[2]. C'est écrit dans le vieil anglais avec des *thee, thou, prithee, thee* et l'exquise élégance du temps des Stuarts. Grâce à toi, mon chéri, j'en suis venue à goûter bien mieux qu'autrefois les moments du passé que l'histoire et les monuments nous aident parfois à ressaisir. — J'espère, chéri, que tu verras par cette lettre que mon séjour ici me procure la plus grande détente. Il serait vraiment impossible, je crois, de ne pas être apaisée par ce village, doucement endormi au flanc des souvenirs et de la forêt, et surtout, par la patience, jamais démentie, de ceux qui me donnent l'abri. Je me suis demandé, comme ce dimanche était si beau, ce que tu déciderais en fait de promenade. J'ai imaginé que tu offrirais peut-être une petite balade au monsieur Barbe et à sa sœur anguleuse. Puis, j'ai songé que tu resterais peut-être au jardin. N'oublie pas de me raconter comment s'est passée pour toi cette journée qui m'a apporté un tel sentiment de paix. J'ai la curieuse impression qu'elle a dû nous unir dans une sensation d'égale tranquillité. Comme je l'espère du moins.

N'oublie pas non plus, cher Marcel, de faire signe à Moricard. Même s'il n'est pas rentré, je crois qu'il apprécierait un mot de toi. Sois sage, mon chou, pour me faire plaisir et tâche de vivre une vie reposante. Je t'embrasse de tout mon cœur. À demain. Mille fois par jour mes pensées filent vers toi. [*Ajouté en haut de la première page de la lettre :*] Esther et le bon vieux te prient d'accepter leur amitié : Esther aime beaucoup la grande photo de toi. Moi je trouve que tu m'y regardes avec trop de sévérité.

Gabrielle

*

Lundi le 22 août [19]49

Cher Marcel,

Deux lettres de toi ce matin : voilà une bien agréable façon de commencer la journée. Je te remercie d'être si gentil pour moi. La nouvelle version de l'histoire d'Irène me paraît bien probable — mais je parierais cent dollars qu'elle vient tout droit de la fée carabosse. Je crains bien, en effet, qu'Irène ne consentira jamais à venir avec nous au Canada. Je le regrette car j'ai l'impression que je ne trouverai jamais une autre domestique aussi bien tournée, aussi serviable qu'elle. Pauvre enfant, je déplore l'ennui, la solitude de sa vie qui ont dû la pousser dans les lits du cuisinier, si cuisinier elle a vraiment choisi[1]. J'écrirai un mot à madame Raw. Je t'envoie une livre aujourd'hui afin que tu la lui remettes. N'oublie pas de lui réitérer mes remerciements. Je voudrais bien aussi que tu m'excuses auprès de la pauvre vieille madame Hamel d'être partie sans lui serrer la main. Elle est capable de croire à un affront prémédité. Je suis contente de te savoir dans la petite chambre de Brisson[2], avec bidet, étagères pour tes livres et surtout dans une ambiance que je peux imaginer. Et je suis heureuse de penser que tu vas bientôt te mettre à travailler avec Lamarche[3]. Je te souhaite toute la joie et les satisfactions possibles dans cette aventure. J'aimerais bien toutefois que tu continues à donner un peu de ton temps à la recherche. Tu as déjà accompli un bon travail de fond à ce qu'il me semble et il serait dommage que tu ne le poursuives pas en quelque mesure. J'ai été faire quelques emplettes aujourd'hui dans la petite ville de Waltham Abbey. C'est ennuyant comme un cimetière protestant. L'abbaye est fort ancienne, construite par Harold, roi des

Saxons, vers 1059 ou par là[4]. La tour a été restaurée, mais la nef d'une lourde architecture normande t'intéresserait vivement. Le petit cimetière l'entoure et j'y ai relevé de curieuses et très vieilles épitaphes. Plusieurs pierres tombales présentent la forme d'une momie égyptienne, mais sans tête et sans pieds. Vaguement, par l'arrondi et la taille, elles suggèrent une forme humaine sous un suaire. J'ai trouvé au marché un tas de bonnes choses : oranges, poires, miel, bonbons, que j'ai apportés à la maison. Le cher vieux radoteur[?] Perfect, s'est mis dans la tête que nous irions tous à Cambridge un de ces jours. Il paraît qu'on peut s'y rendre par un coach qui passe non loin d'ici. J'aimerais autant ne pas bouger, mais je crois bien que je devrai faire ce plaisir à Esther et au bonhomme. Ce sera peut-être la semaine prochaine. En attendant, et chaque jour, Esther s'ingénie à me servir des mets nourrissants et qui me conviennent. Si cela continue ainsi, je serai malade de trop manger plutôt que de jeûner. J'observe avec intérêt que la vie anglaise s'est beaucoup américanisée. Les salaires doivent être assez élevés : les gens dépensent énormément : avec assez d'argent, je crois que l'on obtient à peu près de tout. Les routes sont couvertes d'autos, quoique l'essence soit assez parcimonieusement distribuée. En fin de semaine, notre tranquille petit village est envahi par les Londoniens, beaucoup, il est vrai, venus à bicyclette ou motocyclette. Bref, il semble que le besoin de jouir de la vie ait été intensifié ici comme en France, comme partout, j'imagine. Ce qui me frappe surtout, c'est l'exquise bonté du petit peuple anglais. Il marque une obligeance extrême, une volonté d'aider son prochain qui rend la vie ici, en dépit de certaines restrictions, très facile et très agréable. Je t'en dirai davantage dans ma prochaine lettre. Au revoir, mon chou.

[*Ajouté en haut de la première page de la lettre :*] Porte-toi bien, travaille avec joie et pense souvent à ta Gaby qui t'aime profondément.

Gabrielle

*

Mardi le 23 août 1949

Mon cher Marcel,
Je te conserverai la carte postale et la série de Strasbourg envoyées par Paula[1]. Tu aurais pu de toute façon garder les petites cartes pour ta

collection. J'espère que tu as lu les quelques mots de Paula. Elle m'a l'air contente. Je crois qu'elle a la bougeotte encore plus que moi. Elle semble adorer les changements et Dieu sait qu'elle en a eus assez. Je suis de plus en plus réjouie de voir que tu vas entreprendre sous d'heureux auspices ton stage à l'hôpital de Saint-Germain. Cette pensée que tu te plais dans ton travail me remplit d'un sentiment paisible. J'ai confiance que tu vas pouvoir te concentrer beaucoup mieux maintenant que tu n'auras pas à accomplir le voyage quotidien à Paris. As-tu envoyé des fleurs à madame Raw ? Je lui ai écrit un mot hier. L'adresse est-elle 1, rue des Écuyers ? Je ne l'avais pas notée et je me demande si ma mémoire est fidèle. Dis-moi aussi si tu as reçu le billet d'une livre. Si oui, je t'enverrai le reste de la petite somme prêtée par Mrs. Raw. Lorsque tu recevras la prochaine lettre de Nadeau, tu pourrais peut-être l'ouvrir et conserver mon chèque en attendant mon retour. J'aurai assez d'argent ici avec mes chèques de voyageurs, et je ne vois pas la nécessité de me faire envoyer d'autres traites ici, du moins pour le moment. Cela me coûte plus cher, ici, toutefois, que je ne l'avais prévu car, bien entendu, en plus de ma pension, je paye moi-même tout ce qui est acheté spécialement pour moi, poulet, fruits, lait, miel, etc. Les Perfect sont loin d'être fortunés : de la sorte je les aide un peu, ce qui permettra à Esther de mettre quelques livres de côté pour ses dépenses personnelles.

Ta chère lettre quotidienne que je reçois le matin, avec mon petit déjeuner, devient une habitude dont je me passerais mal et qui embellit toute la journée. Je regrette d'avoir manqué de t'écrire, deux fois je crois, la semaine dernière. J'étais extraordinairement fatiguée ces deux jours-là. Depuis, j'ai pris beaucoup de repos. Je dors très bien, je fais la sieste l'après-midi, je trotte le moins possible, et si ma santé ne s'améliore pas ici, c'est qu'il n'y a rien à faire. Cependant, j'ai confiance de rattraper des forces et il me semble que c'est déjà commencé. Le pire moment est toujours vers le soir, où je m'ennuie sans bon sens. Alors la beauté sereine du paysage n'a plus guère d'effet sur moi. Je désirerais bien davantage nos deux petites pièces de la Villa Dauphine. Je n'ai pas encore entrepris de recherches pour retrouver Connie Smith[2] — mais d'ici quelques jours, j'irai à Londres dans ce but et je te tiendrai au courant. J'espère que je pourrai m'acquitter de ma dette.

Mes lettres sont loin d'être intéressantes comme je les voudrais. Je ne sais si c'est la détente que doit nécessairement provoquer une vie si tranquille, dans ce petit village endormi, qui en est la cause, mais je me sens d'une paresse intellectuelle complète. Mes pensées sont assoupies à l'égal du silence qui règne à Upshire. Esther et le bon vieux Perfect me chantent à longueur de journée qu'il ne faut pas résister à cette somnolence et qu'elle est un bon indice. J'espère qu'ils ont raison, car je ne voudrais pas m'y résigner trop longtemps. Mon chou, je te remercie de tout cœur de tes bonnes lettres qui font ma joie. Décris-moi tes journées entières que je puisse te suivre du matin au soir. Je t'embrasse bien tendrement.

Gabrielle

⁂

Mercredi le 24 août 1949

Mon cher Marcel,
Mes journées commencent à prendre le chemin d'une autre routine et je réserve maintenant une heure après le thé pour venir t'écrire. C'est plus tôt que le moment que tu m'accordes et qui doit être après le dîner, j'imagine. Mais, une image me plaît et c'est celle-ci : nous sommes tous les deux assis à une petite table occupés à nous communiquer nos pensées au-delà de la Manche. J'ai lu, à propos, dans les *Nouvelles Littéraires*, une belle étude sur la Manche[1]. Fait singulier et qui illustre bien le tour d'esprit particulier de[s] deux nations : les Anglais n'ont jamais accepté d'autre nom pour cette étendue d'eau que The Channel ; ce sont les Français qui, d'après sa configuration, l'ont baptisée La Manche. Eux seuls, d'ailleurs, je crois, francisent les lieux géographiques même en des pays qui n'ont rien de français. Ils ont fait Londres de London, Exestre je crois d'Exeter et Lancastre de Lancaster. Cependant, les Anglais ne s'accordent de liberté que dans la prononciation et respectent l'orthographe des noms géographiques. J'oubliais Tamise de Thames qui, cette fois, est presque une amélioration de l'original. J'ai relu ta lettre d'hier, comme je n'en avais pas de fraîche aujourd'hui et j'ai été de plus en plus joyeuse de la réception qui t'a été faite à l'hôpital de Saint-Germain et des impressions agréables que tu en as retirées[2]. Ce matin, mon colis que j'avais demandé à McClelland est arrivé par le premier courrier. Il contient hélas des vivres dont nous aurions pu nous dispenser, à savoir 4 boîtes de café alors que le café est en vente libre en Angleterre.

Cependant d'autres choses s'y trouvaient qui feront l'affaire d'Esther : du riz, du poisson en conserve, du beurre en conserve également et un morceau de fromage. J'ai donc proposé à Esther de reprendre deux boîtes de café que je conserverai pour nous et que [j']apporterai en France. Dommage que je n'aie pas demandé du sucre. La ration est suffisante pour la table, mais un petit excédent aurait permis à Esther de faire des confitures. Le jardin s'orne de quelques pruniers — prunes damson[3], pas tout à fait mûres encore — et de pommiers mais ces pommes sont de l'espèce du Kent, des petits fruits verts, incroyablement surs. Cependant Esther avec sa stricte habitude de ne rien laisser perdre du jardin, dépenserait tout son sucre dans l'espoir de rendre ces pommes mangeables, plutôt que de l'employer à un meilleur usage. Mais toi qui aimes les mûres, comme tu te régalerais ici sans autre effort que d'avoir à les cueillir tout au long des haies. Il y en a partout en grande abondance. Et ceci me rappelle les landes de Lanvaux et la leçon d'humilité que j'y ai reçue. J'en conserve malgré tout un des souvenirs les plus enchantés de nos pérégrinations. Te souviens-tu des adorables couleurs du schiste et des plantes qui le couronnaient[4] ?

Un peu de pluie hier a apporté du secours aux potagers et aux pâturages, mais la sécheresse a été aussi grave ici et peut-être plus désastreuse encore qu'en France. J'irai tantôt faire ma marche du soir, dans la vallée que je t'ai décrite et qui est celle, d'après la légende, où périt la reine Bodicea[5] de sa propre main, ayant pris du poison, lorsqu'elle vit les Romains près de la capturer. J'ai hâte à demain à cause de ta prochaine lettre. Je me porte bien, je vais un peu mieux tous les jours. J'espère que tu es toi-même en bonne santé et que tu dors bien. Tâche mon chéri de te coucher assez tôt. Je suis au lit, imagine-toi, à dix heures tous les soirs. Je t'embrasse [*ajouté en haut de la première page de la lettre :*] avec une bien grande et toujours fidèle tendresse.

Gabrielle

*

Jeudi le 25 août 1949

Mon cher Marcel,
Trois mots, en vitesse pour te rappeler que je pense à toi avec affection. Les Perfect vont visiter une vieille amie à Loughton[1], à une heure d'ici, et ils ont tellement insisté pour que je les y accompagne que j'ai cédé

pour cette fois-ci. Esther prie de t'envoyer une branche de lavande séchée, et un bout de « Rosemary for remembrance[2] ».

Je te l'adresse en souvenir du 30 août 1947 avec l'expression de ma fidèle tendresse.

Gabrielle

*

Vendredi le 26 [août] 1949

Mon cher Marcel,

Notre petite promenade d'hier à Loughton nous a conduits chez une bonne et pieuse vieille fille anglaise qui a tout pour sympathiser avec Esther. Le même amour exagéré des plantes, des fleurs, la même habitude de puiser dans la Bible à tout instant des textes pour appuyer sa conversation. Une belle femme, cependant, d'un physique ou plutôt de visage ressemblant à Jeanne Lapointe. Des beaux yeux bleu clair et francs. D'admirables dents. Cette femme est d'ailleurs énergique et travailleuse. Elle gère seule une nursery[1] importante, conduit son propre tracteur sur ses deux acres de terrain et quand elle ne parle pas de l'amour du Christ soigne des milliers de plants de tomates, des poires en espalier, de superbes pruniers et d'exquises fleurs. Jamais je n'ai vu d'aussi beaux ou belles « asters » qu'à l'entrée de sa propriété, devant le petit cottage. Trouve-moi donc, à ce sujet, si tu as le petit dictionnaire anglais-français, le nom français d'*aster*[2]. Et, pendant que tu y seras, cherche aussi may tree et mulberry tree[3]. J'ai passé un après-midi reposant. Dans tout ce pays de la forêt d'Epping, on a la sensation de vivre en dehors de toute époque déterminée et dans une atmosphère que l'horreur de notre siècle aurait épargnée. Ces Anglais sont curieux et attachants. Parfois, l'on se demande si ce n'est pas par l'absence de l'imagination qu'ils échappent aux malheurs. Pourtant, on ne peut dire qu'ils manquent de sensibilité, quoiqu'ils me paraissent sentimentaux beaucoup plus que sensibles. Nous sommes revenus en coach puis à pied à travers les champs. Le vieux insistait pour porter mon sac de plage que j'avais pris et que je rapportais, bourré de prunes. Il est admirable pour un bonhomme de 80 ans. Lui et Esther ont eu un tel plaisir à m'exhiber à leur amie l'horticulteur que ma foi, l'effort ne m'a pas paru trop pénible. Pourtant j'ai regagné ma gracieuse chambre avec satisfaction et je me suis promis de ne plus m'embarquer en aucune expédition d'ici quelque temps. Par lettre, j'ai réussi à obtenir l'adresse de Connie Smith. Elle habite toujours Londres, demeure à ce que je vois dans un beau quartier, et à ce que j'ai appris sert de dame de compagnie à une vieille dame. J'irai la voir la semaine prochaine.

J'aimerais en effet recevoir de temps en temps le *Figaro littéraire* et les *Nouvelles Littéraires.* Informe-toi donc auprès de madame Jacquart[4] si l'on ne pourrait se procurer des œufs en poudre à Saint-Germain. J'en ai vu à Paris, dans une vitrine, mais je ne voudrais pas t'imposer une course si longue. D'ailleurs, je ne sais pas si on peut acheter ce produit séparément. Peut-être entre-t-il dans les colis américains. Si c'était possible d'en envoyer un paquet, cela ferait grand plaisir à Esther; elle prétend que la poudre convient très bien aux gâteaux, puddings, cossetardes et qu'elle aime garder ses œufs frais pour le breakfast. J'aimerais aussi pour moi-même si tu as le temps de m'en acheter une petite boîte, quelques chocolats à la crème. Je ne peux pas manger les tablettes mais les bonbons à la crème et simplement recouverts de chocolat ne me fatiguent pas l'estomac. Je n'en ferais pas abus. Pour le reste, attends encore un peu. Je te demanderai peut-être quelque friandise pour Connie, mais rien ne presse.

La journée a été d'une douceur extrême et je suis contente de passer de longues heures sous le pommier, les jambes au soleil et la tête à l'ombre, en attendant qu'Esther vienne dresser sa petite table à thé et me crie — Tea!

Comme tu as déjà reçu ton petit cadeau destiné à notre cher anniversaire, j'aurai le plaisir ce jour-là ou peut-être le lendemain, de choisir un autre petit souvenir pour toi, mais je crois que j'attendrai de pouvoir te l'offrir en personne. Que dirais-tu d'une cravate en paisley? Enfin, je jetterai un coup d'œil aux vitrines de Bond Street dès mon prochain voyage à Londres. Mais dès maintenant je t'adresse à l'intention de notre anniversaire mes souhaits de joie, de santé et de bonheur. Mon chéri, j'espère que tu as oublié comme moi les quelques prises de bec que nous avons eues et que tu te rappelles surtout les beaux moments d'exaltation que nous avons connus ensemble. Nous ne sommes peut-être qu'au début, je l'espère de tout mon cœur, d'une parfaite amitié et nous arriverons, n'est-ce pas, à l'édifier selon le meilleur de chacun de nous. Me voilà à prendre un ton prêchi-prêcha. Ce doit être l'influence des petits prônes quotidiens d'Esther. Pauvre fille! Dans son ambiance naturelle, chez elle, parmi ses fleurs, ses pauvres fauteuils élimés, la poussière charmante de tant de souvenirs qui l'entourent, je lui trouve quelque chose de tendre, de vieillot qui me touche le cœur et qui n'est pas dépourvu d'attrait. Mais tu aurais dû la voir hier, en visite dans une robe rafistolée, avec ses pauvres mains défraîchies par les besognes, son petit canotier reverni et toute sa gêne d'être en parade. Hors de son milieu, elle est pathétique, et c'est le sort des gens très enfermés comme elle dans le sentiment et dans le respect de la tradition et du devoir.

Tu serais gentil de saluer madame Mille, madame Racault[5] et nos autres connaissances de la Dauphine en mon nom.

Je t'embrasse, chéri, bien tendrement.

Gabrielle

⁂

Dimanche le 28 août 1949

Mon cher Marcel,

Esther et son père sont partis en visite, cet après-midi. Le temps était lourd — je me suis endormie. J'ai dormi trop longtemps. J'ai la tête vide, me sens abrutie. Ne m'en veux pas, car je me sens tout à fait incapable de réunir mes pensées. Je me rattraperai demain et te donnerai les menues nouvelles qui se ressemblent invariablement. La petite Colette va-t-elle mieux ? L'avidité de Mme I.[1], je crois bien, conduira plus d'êtres humains autour d'elle au désastre que nous ne pouvons imaginer.

J'espère que tu trouves du moins un répit à l'hôpital et que cela te repose de l'atmosphère de la maison. J'ai rêvé à toi presque toutes les nuits dernièrement. Y a-t-il autant de monde dans les deux pensions ? Je crois que nous aurons de l'orage par ici bientôt. Le ciel est menaçant et les arbres sont d'une immobilité extraordinaire. J'ai eu un rouleau de pellicules ; je profiterai de la première journée de beau soleil pour prendre quelques instantanés que je t'enverrai. Écris-moi fidèlement, chou, et, si possible, n'imite pas mon exemple d'aujourd'hui. Toutefois ce ne sont pas les sentiments qui me font défaut, mais une incapacité complète en ce moment de te les exprimer. Prends bien soin de ta santé. Sois raisonnable dans tes heures d'étude. Crois à ma constante affection.

[*Ajouté en marge :*] Avec mille baisers,

Gabrielle

*

Lundi le 29 août 1949

Mon cher grand,
La journée m'a paru longue, sans lettre de toi, quoique je me sois occupée tout le temps, ou enfin à peu près. Je n'ose pas encore te parler du travail que j'ai fait qui me découragerait si je te le livrais dans l'état actuel, mais j'ai acquis un peu de confiance et les journées que je remplis mieux me paraissent plus agréables qu'au début de mon séjour ici. Je suis un peu de l'avis de Goethe en ceci que l'ennui m'est presque indispensable pour me contraindre à des efforts méritoires[1]. Gide disait à peu près la même chose lorsqu'il exprimait dans son journal : « Je ne suis pas sûr que l'ennui n'ait pas obtenu de moi le meilleur[2] ». J'en souffre pourtant et beaucoup, bien que tu n'acceptes pas volontiers de me croire à ce sujet. Je regrette de t'avoir écrit si brièvement hier. J'étais véritablement hébétée. Aujourd'hui, je me suis éveillée de bonne heure, infiniment mieux disposée. Je suppose que ce relâchement complet des nerfs m'a fait du bien. Il faut dire que tout ici conduit à la détente. Durant les heures chaudes, rien ne bouge dans ce petit village. Quand le laitier, le boulanger, le green grocer[3] ont fait leur apparition quotidienne, le village rentre dans un calme stupéfiant. On n'entend plus que le bêlement des moutons quand ils descendent du sommet des pâturages vers les champs tout près. Esther ne fait aucun bruit. Elle vaque à ses occupations en sandales aux semelles de caoutchouc et avec une douceur de mouvement parfaite. Si bien qu'enfermée dans ma chambre, j'éprouve parfois le sentiment d'être dans un décor figé : une carte postale de la vieille Angleterre avec ses fleurs, ses cottages de pierre et de briques et son ancienne auberge. Il y en a une, un peu plus bas que le village, dont l'enseigne m'enchante : The Good Intent. Chaque maison est fleurie. Les jardins débordent de roses, de géraniums aux tons vifs et de verges d'or. Tout cela est charmant à condition de savoir que l'on peut en sortir. Cependant, il y a ceci de bon ici que la propreté va avec le pittoresque. Tous les soirs j'essaie d'imaginer ce que tu fais. Je te vois au salon de la Dauphine, faisant aller ta patte et disant « n'est-ce pas » — n'est-ce pas ? J'ai le cœur ému. À ces moments, j'adore tes petits tics et je voudrais bien les observer de mes yeux. Il y a deux ans, ce soir, je n'arrivais pas à dormir. J'allais devenir le lendemain madame Carbotte. J'avais en toi une

confiance d'enfant, et je l'ai encore, mon chéri, malgré ma nature qui peut te sembler instable et qui, pourtant, dans le fond, varie peu. Mais je te laisse le soin de me dépouiller de mes défauts, en voulant bien t'y aider, va, et j'espère, mon cher chou, que tu me demanderas toujours d'être pour toi exigeante et de vouloir ton perfectionnement. Je ne puis être heureuse qu'en étant utile. C'est le bonheur que je désire pour nous : être utile l'un à l'autre constamment.

Que fais-tu en ce moment ? Il est 7 heures du soir. J'aimerais pouvoir saisir l'image exacte de ton visage à cette minute, ton regard et entendre ta voix. T'entendre dire « ma choute » par exemple ou bien « chenapane ». Tes féminins irréguliers sont irrésistibles et je les ai toujours aimés. Tu devrais continuer à en inventer d'autres. Tâche de m'en trouver un nouveau ce soir. Dors bien, Marcel.

Je t'embrasse de tout mon cœur.

Gabrielle

*

Mardi le 30 août 1949

Mon cher Marcel,
J'ai passé la journée tendrement unie à toi par ceux-là de nos souvenirs que je préfère et dans nos projets les plus chers pour l'avenir. Comme pour rendre la journée plus agréable, un vent doux s'est élevé. Il anime et balance en ce moment le groupe de vieux ormes et de chênes encore plus anciens que j'ai sous les yeux de ma fenêtre. Je peux regarder des heures, sans m'en lasser, ce mouvement des arbres contre le ciel : de toutes les voix de la nature aucune ne me plaît autant, je crois bien, que ce frisson des feuillages, si ce n'est la pleine tempête. Nous avons pris le thé au jardin comme d'habitude. Esther m'a spécialement gâtée aujourd'hui. Elle avait acheté de délicieux petits pains aux raisins et nous avons mangé de l'excellent fromage du colis canadien. Le cher vieux m'a chanté deux chants de sa jeunesse, dont *Annie Laurie*[1]. Il a conservé une voix claire, très pure, presque un soprano, et j'imagine en l'écoutant, les yeux fermés, entendre le timbre d'un enfant de chœur. Il m'a dit aujourd'hui (il me suit partout, avide de s'exprimer à moi), il m'a dit avec une nostalgie que j'ai aimée : « La grande passion de ma vie a été

d'apprendre. Je n'ai été qu'un jardinier, mais je crois que je n'ai négligé, dans ma condition sociale, aucune des occasions qu'elle m'offrait de m'instruire». Ses lectures sont étonnantes. Le bonhomme connaît encore de bons bouts de poèmes par cœur et, tiens-toi bien, quelques sonnets de Shakespeare. Il est quelquefois agaçant parce qu'il cherche ses mots avec lenteur et un souci de précision constant, et il lui arrive de se répéter, mais je tâche de l'écouter sans impatience. Mais j'avais commencé de te parler de la journée qui s'achève et à laquelle je me suis essayée à donner un prix spécial. Plusieurs fois l'image de la vieille ferme de Rawdon s'est mêlée à mes pensées. J'ai meublé en imagination la maison, j'ai même installé une chambre dans le grenier de la vieille étable. J'y ai mis mes couvre-pieds, mon tapis natté, un poêle du Québec, des étagères pour nos livres, des géraniums en pots, une berceuse ancienne, et c'était le plus joli refuge que tu puisses souhaiter. Nous y étions bien. Tu te plaisais particulièrement au bout de l'étable. Tu approuvais avec quelques petites réserves ma singulière réalisation. Je te souhaite d'entretenir une vision aussi aimable que celle-là le fut pour moi. Je voudrais que tous ceux qui t'entourent fussent aussi charmants pour toi que le sont envers moi Esther et son père. J'éprouve à la fois le désir et la crainte de te les présenter. Le charme de ces deux êtres est si ténu, si délicat, tient tellement à leur ambiance naturelle que j'aurais peur qu'il ne fût pas compris. Tant de simplicité paraît quelquefois insignifiance. Pourtant, j'ai confiance que tu saisirais le côté délicieux de ces deux vies confiantes comme des oiseaux dans la Providence mais d'une qualité si frêle et si irréelle que parfois je me demande si ce n'est pas mon imagination qui crée ici ce qu'elle a cherché. Non, pourtant, j'habite chez deux êtres exceptionnels. Après le thé, le vieux a dit une petite prière spécialement pour toi. « O God, dit-il, bring comfort and peace and happy thoughts to the dear husband of our little Gabrielle. » Je l'ai remercié car il me semble bien qu'une telle prière est l'offrande la [*ajouté en haut de la première page de la lettre :*] plus estimable du cœur. Je t'embrasse mon chéri dans tout l'élan de mon affection pour toi.

Gabrielle

Te plais-tu toujours à l'hôpital. Comment répartis-tu ton temps? Je suis contente que tu aies vu l'exposition Gauguin. Tu juges ces œuvres avec intelligence[2].

*

Mercredi le 31 août 1949

Mon cher grand,
Une douzaine de belles roses rouges, à peine épanouies, dans toute la fraîcheur de leur première heure, m'ont apporté ce matin le témoignage de ta délicate attention. Esther était toute ravie de me les apporter. « Oh, that sweet, lovely man of yours ! » m'a-t-elle chanté toute la journée. Par ce geste tu es devenu à ses yeux de vieille fille qui n'a pas connu l'amour, l'homme chevaleresque, l'homme idéal, quelqu'un approchant les chevaliers de Sir Walter Scott. Elle a plus d'admiration pour moi aussi qui suis l'objet d'un tel cadeau. Ô éternel féminin ! Esther me place plus haut dans son estime à cause de ces fleurs que tu m'as envoyées, et le croirais-tu, ma joie est augmentée de la douce envie sans malice aucune que la pauvre fille me porte. J'aurais écrit cent et un livres, j'aurais accompli les exploits les plus vaillants qu'aucun auprès d'Esther ne lui inspirerait pour moi autant de sympathie que lui en fait éprouver les attentions que tu me marques. Pauvre chère fille, malgré sa vie, elle a gardé un cœur généreux qui ne désire rien tant que de voir l'amour emplir d'autres existences !

Aujourd'hui, j'ai été me faire coiffer à Waltham Abbey. Quel petit trou ! À quinze milles de Londres, il donne l'impression d'être enfoui au fond de la province la plus retirée. J'ai abouti dans une boutique proprette mais équipée à peu près comme au temps de la « Good Queen Bess[1] », sauf que l'électricité y était tout de même, quoique drôlement mesurée. Pour commencer, j'ai dû poser la tête sur le bord de l'évier, le front plutôt et ainsi je me faisais l'effet d'être offerte, sur le billot, à la hache du bourreau. Je sentais autour de moi une odeur qui m'a toujours particulièrement offensée. Les cheveux enfin lavés, je m'aperçois qu'on a employé au nettoyage de ma tête cette horreur des horreurs : du savon Lifebuoy. J'empeste encore en t'écrivant. Je ferais une excellente réclame contre la B.O.[2]. Enfin, comble des engins retardataires, un petit séchoir à main, grand comme une soucoupe, fut repéré et à l'aide de cette médiocre chaleur, une pauvre fille procède à me sécher les cheveux. Elle promenait la petite machine par en dessus, par en dessous, me tapotant çà et là, tirait ici une mèche, en soulevant une autre, si bien que j'avais la sensation d'être épouillée. Tu comprends que je me suis lassée de ce petit jeu. D'autant plus que les ondulations et les boucles, à être ainsi malmenées, menaçaient de périr en peu de temps. Je suis sortie du beauty-parlor dans toute la dignité de quelques boucles intactes sauvegardées par des légions d'épingles et sous un filet, telle une belle qui ira à une danse et n'entend pas étrenner trop vite sa coiffure. Je me sentais parfaitement ridicule. Je suppose que le soleil du bon Dieu finira par me sécher. Demain, il faudra que je te raconte une autre déconvenue et qui prête plutôt à rire. Nous qui croyons les Français lents, démodés et astreints à de vieux usages ! Mon chou, il faut venir en Angleterre pour connaître un train de tortue. Pourtant, j'aime le pays en dépit et peut-être à cause de sa lenteur prodigieuse. À demain, cher chou, conserve le beau livre que tu [*ajouté en haut de la première page de la lettre :*] m'as acheté. Malgré le grand désir que j'ai de le voir tout de suite, je craindrais trop qu'il soit retenu aux douanes ou égaré. Écris-moi quelques mots dans ce livre en souvenir de notre anniversaire.

Gabrielle

⁂

Jeudi le 1er septembre 1949

Mon cher Marcel,
Tu devrais voir ma tête aujourd'hui. J'ai l'air d'une biche qui sortirait d'un fourré, empanachée de broussailles. Le pauvre vieux Perfect lui-même, qui ne s'y connaît pourtant pas beaucoup en coiffure, m'a souligné qu'à son avis, il ne valait pas la peine de payer 5 shillings 6 pence pour revenir avec une pareille tête. Je conserve pourtant un souvenir amusé de ma séance sous l'éventail et des personnages cocasses de Waltham Abbey. Mes connaissances consistent en des types vraiment invraisemblables. Pour voir encore vivants des spécimens peu communs de l'humanité, il faut venir à Waltham Abbey. Ils doivent tous s'y trouver réunis par une faveur exceptionnelle de la Providence qui a sans doute conservé ce petit bourg à l'intention des gens assis, endormis, pétrifiés. J'avais présenté une prescription à remplir au *chemist*[1]. Il s'agissait de l'anodine potion de sulfate de soude et phosphate de soude que je prends après les repas. Ce n'est pas malin, tu le vois. Du fond d'une bou-

tique ancienne, ornée de grosses boules de verre ambre et jaune, un vieux à petites moustaches lisses est venu me reluquer. L'idée qu'il aurait à remplir une ordonnance écrite en français l'a d'abord confondu. Je lui ai proposé de la lui traduire. L'effort n'était pas grand, les termes français offrant une ressemblance criante aux mots anglais.

Mais, m'a dit le vieux, je n'ai pas les ingrédients. Je dois les faire venir. Ça prendra du temps.

— L'épicier doit nous livrer des provisions après-demain. Bien, dis-je. Tâchez de lui envoyer la potion qu'il me remettra.

— Ah, il ne savait pas s'il recevrait les ingrédients à temps. Il ferait de son mieux.

Une semaine entière se passe. Hier, je profite du voyage à Waltham pour repérer la boutique du bonhomme. Les bouteilles étaient enveloppées à mon intention. Il avait l'air d'être tout fier d'avoir réussi en si bon temps. Cependant, me dit-il, je n'ai pas encore reçu la facture pour les ingrédients.

Je suggère de lui laisser une somme approximative.

— Oh, non, refuse-t-il, vous me paierez quand vous repasserez par ici.

Et il me laisse partir, avec les deux fioles, sans plus d'inquiétude que cela, tout souriant, un bon vieux qui croit à l'honnêteté des passants. Ils sont tous comme ça, le long de la rue Principale, des petits boutiquiers doux et bienveillants et qui paraissent sommeiller dans la paix du Seigneur.

J'avais à acheter un bout de corde pour Esther. J'entre donc chez le quincaillier qui s'appelle ici l'ironmonger. Encore un petit vieux, à demi affaissé qui s'avance lentement derrière le comptoir. Des bons yeux presque éteints, qui souriaient encore, quelque peu, faiblement. J'ai mis 15 minutes à obtenir mon bout de corde. Le petit vieux a ouvert trente paquets ficelés, posés sur les étagères les plus élevées, cependant que d'autres étagères plus à sa portée étaient complètement vides. Quand il a enfin trouvé la corde, il a laissé échapper une exclamation de contentement extrême.

— Oh, here it is !

Pour te détendre les nerfs, tu devrais venir faire un petit tour à Waltham. À condition de n'être pas pressé, c'est vraiment reposant d'y passer. Tes fleurs sont de plus en plus belles. Elles embaument ma chambre. Elles sont arrivées en retard, mais [*ajouté en haut de la première page de la lettre* :] ayant dû être expédiées de Waltham Abbey, tu sais, c'est presque un miracle qu'elles soient ici. Porte-toi bien, mon chéri, et donne-moi d'abondantes nouvelles de tout ce qui te concerne. Tendrement,

Gabrielle

⁂

Le 2 septembre 1949

Mon chéri,
Je n'ai pas le courage de t'écrire une bien longue lettre aujourd'hui. Je me sens vannée, mais ce n'est que de la fatigue car je n'ai jamais aussi bien mangé depuis très longtemps. Une grande difficulté à réunir mes idées, voilà tout. Cependant, je ne voudrais pas te priver d'au moins un petit bout de lettre ; je sais trop bien comme la journée me paraît aride sans lettre de toi.

Prends garde de ne pas encourir la colère de Long John Silver[1]. Quelle malheureuse figure a dû présenter le pauvre petit homme d'Arras quand ce vieux pirate l'a attaqué, tel que tu me le racontes. J'espère que cette atmosphère de potins et de mesquines querelles ne te déprime pas. J'en avais quelquefois le dégoût. Et nous n'avons à la subir qu'en passant. Que serait-ce, imagine-toi, si nous étions réduits comme les abonnés à vie des pensions à n'en pouvoir plus sortir. Parle-moi de tes impressions de l'hôpital, ce que tu y vois. As-tu revu madame Raw. Je lui ai écrit mais ne suis pas sûre d'avoir adressé la lettre correctement. Est-ce bien 1, rue des Écuyers ? Quand je serai de retour, nous irons jouer au ping-pong chez eux. À demain, mon chou.

Je t'embrasse bien affectueusement.

Gabrielle

Tu as bien fait de m'acheter les œuvres de Goethe. L'article [de] d'Harcourt dans *La Revue de Paris* m'avait mise en appétit de le lire.

⁂

Samedi le 3 septembre 1949

Mon cher Marcel,
J'ai eu le cœur serré à lire quelques mots de ta lettre qui, sans le vouloir, laissaient échapper un peu de l'ennui que tu éprouves et je te remercie de me l'avoir dit d'une façon si discrète et voilée. Ne crains rien ; je ne l'entends pas comme un reproche, car je te sais trop généreux pour vouloir assombrir mon séjour à Upshire — mais je n'ai pu m'empêcher d'être un peu retournée. J'endure mieux mon propre ennui, vois-tu, que de te savoir plongé dans le même état. J'espère que tu te plairas chez les Joly[1]. Tu me raconteras n'est-ce pas ? tout le menu de l'affaire. J'aime bien tes observations sur les gens et les choses et je trouve que [tu] découvres presque toujours l'essentiel. C'est bien mon avis, aussi, que les protestants en général sont plus égoïstes, fermés et durs que les catholiques très sincères. Il y a des exceptions et les chères personnes chez qui j'habite en sont. Mais le protestantisme reposant sur le libre arbitre, accorde à la nature humaine plus de générosité et de bonté qu'elle en a, en réalité. Je m'intéresse en ce moment à étudier le mouvement de la Réforme en Angleterre, d'après certains livres dans la bibliothèque des Perfect, et j'espère obtenir d'en dehors une biographie de Wesley[2]. L'endroit paraît si bien choisi pour en tirer une documentation de ce genre, qui, plus tard, pourra me servir. Malheureusement, le village est assez pauvre en ressources intellectuelles. Toute sa beauté est dans son cadre et dans le caractère ancien et paisible de ses habitations. Je crains bien que sa vie réelle, sauf chez les Perfect, soit plutôt végétative. Mais jamais je [ne] me lasserai de l'harmonieux balancement des chênes, des replis si doux du terrain, de la qualité assoupie de ce vieux pays à l'abri de l'agitation de notre temps. Esther, je crois bien, est une de ces rares personnes qui continuent à voir le quotidien avec un regard inhabitué à sa beauté et qui ne cesse d'en recevoir de la joie. Je m'émerveille qu'ayant vécu dans ce petit village, elle en saisisse encore la douce harmonie, qu'elle remarque chaque fleur sur son passage et qu'elle ait encore de la joie à voir flotter un nuage. Voilà la richesse que je lui envie et dont j'ai eu ma bonne part pourtant — mais je voudrais la retenir entière, car, en fait de possessions, c'est bien la seule qui m'importe vraiment. Nous essaierons de la cultiver, mon cher Marcel, elle n'encombre jamais et reste pourtant comme une source qui jamais ne tarit. J'ai relu quelques poèmes de Wordsworth[3], dernièrement, ce grand amoureux de la nature et de la

méditation, et voilà sans doute pourquoi je touche la corde pastorale. Voilà le mot juste, tiens, pour décrire la qualité d'Upshire, de ses vallonnements et de ses vieux arbres si admirablement groupés — il est absolument pastoral. Tu as raison, attends qu'il fasse plus frais pour envoyer les chocolats. La poudre d'œufs, tâche cependant de l'obtenir : elle ferait tellement plaisir à la ménagère Esther. Pour [*ajouté en haut de la première page de la lettre :*] l'amour que tu me portes, chéri, aide-toi le plus possible à supporter mon absence qui, parmi d'autres avantages, aura celui de te rendre plus précieux que jamais à mon attachement. Mes plus tendres souhaits filent vers toi.

Gabrielle

[*Début d'une nouvelle page :*] P.S. Le prix de ta pension me paraît bien excessif — du moins s'il doit continuer tel, à partir de septembre. Pour août, passe encore ! J'ai l'impression que [madame] I[soré] fléchirait si tu lui laissais entendre qu'on t'offre ailleurs des prix plus raisonnables. C'est un bluff à essayer, et je serais fort étonnée qu'il ne réussisse pas. Elle ne pourrait supporter que nous nous en allions, je te l'assure. Elle compte trop sur le fait que nous tenons à rester chez elle. Essaie donc mon idée, en soulignant à M. I. qu'elle nous fasse des prix en tenant compte d'un séjour prolongé. Si ça ne marche pas, tu n'auras rien perdu. Me voilà loin des voix rustiques de mon patelin ! Hélas, nous sommes toujours ainsi partagés entre la nécessité de se défendre dans la vie et la confiance si nécessaire.

J'ai le cœur plein de dégoût quand je songe à ces profiteurs, genre que tu connais. Ici, pour la moitié à peu près du prix que tu dois payer, j'ai une nourriture autrement soignée, variée et, au fond, abondante. Je n'ai pas l'eau chaude dans ma chambre, il est vrai, ni la sonnette pour appeler la bonne, mais Esther m'apporte dans ma chambre tout ce que je lui demande. Elle a maintenant l'électricité, et le cottage est très propre et tout à fait confortable. Ah, si nous avions un pareil toit à Saint-Germain !

Tâche quand même d'obtenir une réduction de prix, car vraiment, tels qu'ils sont, c'est de l'iniquité. Je t'encourage, cette fois, à montrer les dents.

Que fais-tu l'après-midi ? As-tu au moins écrit un mot à Moricard. Marcel, chou, ne néglige pas davantage un geste si élémentaire — vraiment tu me décevrais beaucoup. Et me voilà encore plus loin de mes champs et des vieux chênes d'Upshire. Je t'embrasse de tout cœur.

Gabrielle

⁂

Dimanche le 4 septembre 1949

Mon cher Marcel,
Avant que je ne l'oublie, je vais te demander de m'envoyer, le plus rapidement possible, les objets que voici : 1. — la boîte de lait en poudre, de 2 1/2 livres, [que] je crois que j'ai laissée dans la cave de la Villa, dans une des petites boîtes de carton sur le dessus d'une des malles. Esther trouverait son profit à employer ce lait pour la cuisine et à me garder autant de lait frais que possible. J'aurais dû apporter la boîte en question mais, enfin, j'espère que ça ne t'embêtera pas trop de me l'envoyer. 2. — trois petites boîtes de *dicholium*[1] en comprimés. Je croyais en avoir apporté une provision suffisante mais j'ai dû la fourrer ailleurs ou bien oublier. 3. — Enfin, si cela ne t'ennuie pas trop de faire une petite course pour moi, du coton perlé pour broder. J'ai commencé à broder la nappe de gros lin bis que j'ai achetée à Concarneau, tu sais, l'été dernier. Cela m'occupe agréablement durant les soirées et me délasse. Malheureusement, je m'aperçois que je n'ai pas toutes les couleurs qu'exigent ma fontaine artistique et le grand nombre de personnages : Bretons et Bretonnes dansant la gavotte. Et je serais déçue, maintenant que j'ai mis la main à ce petit travail, de l'abandonner. Tu trouveras le coton perlé dont j'ai besoin dans n'importe quelle mercerie, je crois, de Saint-Germain, et certainement dans la rue de Paris. J'ai cherché à en obtenir à Waltham Abbey, comme tu penses, mais en Angleterre, par mesure d'économie on ne vend que du coton mat et puisque j'ai commencé avec un coton lustré, il me faut le même. Je t'envoie un échantillon ainsi que la petite bague en papier de la marque et qualité dudit coton perlé.

Voici les couleurs qu'il me faudrait :

1. *rouge vin* (2 écheveaux ou petites tresses, selon le nom qu'on leur donne, je ne sais trop)
2. *brun, deux teintes* de brun, clair et plus foncé
3. *noir,* 1 écheveau
4. 2 écheveaux de *bleu* tel l'échantillon
5. 2 écheveaux de *vert* tel l'échantillon
6. 1 écheveau de *rouge vif*
7. 1 [écheveau] *couleur biscotte ou ivoire ou crème.*

J'ai hésité, mon chou, à te demander cette corvée, mais j'ai tellement le goût, maintenant qu'elle est commencée, de finir la nappe bretonne. Je te remercierais donc de tout cœur si tu voulais bien t'occuper de m'envoyer toutes ces choses ensemble. Si tu avais la poudre d'œufs, tu pourrais l'envoyer en même temps, mais si cela devait retarder l'expédition du colis, remets la poudre d'œufs à plus tard.

Je crois bien que j'ai oublié : il me faut aussi un écheveau de coton violet, très violet comme pour un Monseigneur.

Merci chou.

Gabrielle

Je crois que la nappe sera jolie. En tout cas, ce travail me repose, le soir, de mes autres occupations de la journée — et c'est étonnant comme j'y ai pris de l'intérêt.

Je dois aller à Londres mardi rencontrer Connie Smith. Je ne me sens pas encore l'énergie toutefois de visiter beaucoup ni d'entreprendre certaines promenades dans la ville. Je vais donc attendre encore un peu et me contenter de ce que je suis principalement venue chercher ici, c'est-à-dire une ambiance reposante et très calme. Il manque sans doute de certaines choses ici, et de certaines denrées — par contre, je songe à apporter, lorsque je reviendrai, bien des friandises dont nous avons été privés et qui, je crois, te feront plaisir, entre autres, des cornichons sucrés, et peut-être des céréales telles Shredded Wheat, Puffed Wheat et Puffed Rice. En as-tu le goût? Pour moi, il m'est revenu à la vue des boîtes familières et je ne peux me rassasier de Shredded Wheat. J'espère que je ne te mets pas trop l'eau à la bouche.

As-tu vu madame Raw? Je t'en prie, éclaire-moi au sujet de son adresse. Présente mes amitiés à madame Joly et autres dames que je connais à la Dauphine.

Esther a entrepris de me faire une espèce d'album pour contenir une collection de fleurs et plantes anglaises. Tu serais bien gentil de mettre de côté, dans un livre, quelques feuilles du jardin de madame d'Aumale que nous ajouterons plus tard à ma collection enfin en marche grâce à Esther. Si le tamaris n'est pas trop en lambeaux, garde-m'en une toute petite tige.

C'est bien dans ma nature, diras-tu, de désirer un jour les seules possessions de l'esprit et du cœur, puis, le lendemain, de te demander tant de petites choses bien concrètes. Tu auras raison de me railler, mais fais-le avec circonspection, car nous nous ressemblons passablement, à ce qu'il me semble. Seulement tu t'exposes moins que moi, car tu es de nous deux le plus silencieux et peut-être le plus compliqué.

Tel que tu es, tu me plais pourtant et je ne voudrais pas trop te changer.

Capte toutes ces pensées tendres et malicieuses qui volent vers toi et n'oublie pas les petites commissions.

Je t'embrasse plusieurs fois.

Gabrielle

⁂

Lundi le 5 septembre 1949

Mon cher Marcel,
Quelles idées tu es allé te mettre dans la calebasse ! Je n'aurais pas été vexée de ne rien recevoir le 30, tu le sais bien — mais je regrette que tu n'aies pas été tiré plus tôt de l'indécision[1]. Maintenant les roses ne sont plus qu'un beau souvenir. J'en conserve une seule pour mon herbier dans lequel vont entrer toutes sortes de plantes du jardin d'Esther : hawthorn, rosemary, mint, valerian, michaelmas daisies, hops, veronica, lavender[2]. Est-ce que les mots qui désignent les fleurs ne sont pas les plus charmants de tous ? La plupart répandent un parfum délicieux, surtout dans un coin ensoleillé du jardin, sous un pommier arrondi et chargé de fruits.

Je suis bien heureuse que tu aies trouvé si intéressante la compagnie des Joly. D'après ce que tu me dis de leur intérieur et du monsieur bibliophile, j'en dégage que tu as dû chez eux passer quelques heures profitables à ton esprit observateur[3]. Mais en ce moment, je me plais d'être justement éloignée d'un monde trop raffiné et de retrouver chez des gens simples et bons les sources vives de la sérénité et de la joie primitives. Comme la société des gens simples quand ils ont un bon goût naturel me repose ! Je ne dis pas que je voudrais y passer ma vie, loin de là. Toutes nos joies ont besoin pour naître des contrastes et des chocs émotifs provoqués par une illumination soudaine. Ainsi, j'aurai d'autant plus de plaisir à revoir Paris, je suppose, que je le retrouverai avec des yeux et un cœur satisfaits de campagne et de paysages champêtres.

Quand tu m'enverras le colis demandé dans ma lettre d'hier, n'oublie pas d'indiquer que c'est un présent. Inscris gift sur le papier d'emballage. De cette façon, il passera probablement l'inspection de la douane sans être ouvert. J'ai bien hâte de recevoir le fil de coton.

Il a fait une chaleur terrible aujourd'hui. Le temps est orageux. C'est à espérer que les nuages crèveront par ici au lieu d'aller lâcher les averses plus loin, ainsi que cela s'est passé depuis quelques semaines. Jamais je n'ai tant désiré la pluie que durant cet été. Je me prends à souhaiter ardemment entendre le son de la pluie battre les vitres, et nul spectacle ne me paraîtrait aussi agréable que celui de la campagne inondée, ruisselante. Que la pluie tombe donc à Saint-Germain et à Upshire, si possible au même moment afin que nous en connaissions ensemble le rafraîchissement.

Je t'embrasse avec toute ma tendresse.

Gabrielle

*

[vers le 6 septembre 1949][1]

Cher Marcel,
Bonjour de Londres où j'ai passé la journée avec Connie. Je m'en retourne à Upshire un peu fatiguée mais intéressée par ce que j'ai eu le temps de revoir.

À demain, mille tendresses,

Gabrielle

*

Mercredi le 7 septembre 1949

Mon cher Marcel,
J'ai vécu hier une journée très heureuse de ma vie, car mon cœur a été débarrassé d'un poids et j'ai senti la joie d'un devoir de gratitude accompli. Je me suis rendue sans trop de difficultés chez Connie puis elle m'a accompagnée à l'American Express. Nos affaires terminées, nous avons pris le thé ensemble. Le soleil brillait. Londres comme toutes les villes, et peut-être plus que d'autres, est à son mieux au soleil de septembre.

Connie était si émue lorsque je lui ai remis l'argent que, ma foi, elle avait l'air, plutôt que de recevoir son dû, d'accepter un cadeau. Elle est dame de compagnie auprès d'une très vieille personne (80 ans), invalide et très douce si j'en peux juger selon les apparences. Connie est donc bien partagée, mais tout de même elle a perdu durant la guerre ses quelques meubles, ses pauvres trésors qu'elle avait traînés d'endroits en endroits depuis son départ de Liverpool, dans sa jeunesse. L'argent lui vient donc bien à point. La pauvre fille a toujours le même cœur débordant de générosité. Elle n'a pas voulu me laisser partir sans m'encombrer d'un tas de friandises, biscuits au chocolat, gaufrettes, cigarettes. Si je m'étais laissée faire je serais revenue chargée comme un mulet. Tout de même, mon sac de plage était archi-plein lorsque j'ai repris le coach. Il contenait même une bouteille de lait que Connie a obtenu sans ticket d'une marchande de ses amies. Jamais aucun cadeau ne m'a donné tant de tintouin. Tout au long du voyage, je craignais tellement que le lait coulât dans mon sac que je n'avais plus d'autre idée en tête. Pourtant je l'ai trouvé excellent au souper. Esther, de son côté, avait fait bonne chasse et était revenue d'une ferme des environs avec une autre bouteille de lait. Tout cela ajouté à la bouteille quotidienne nous faisait tant de lait qu'aujourd'hui nous mangeons cossetarde sur cossetarde, après avoir bu à notre goût.

Je t'ai envoyé un mot griffonné à la hâte de Londres, hier, et j'espère que tu l'as reçu. Je tenais absolument à te faire participer à cette journée pour moi si heureuse. Je t'envoie ton chèque que maître Jean-Marie Nadeau, je ne sais par quelle distraction, m'a adressé ici. Je lui avais pourtant signifié dans ma dernière lettre envoyée d'ici d'adresser nos chèques comme d'habitude à Saint-Germain. Tu serais gentil de lui accuser réception du chèque. J'ai eu les livres anglaises hier pour taux de $4 la livre, ce qui va me permettre d'ajouter un peu à ma pension. Tu me parlais dans une lettre précédente de faire le tour des pensions de Saint-Germain dans l'espoir d'en trouver une meilleur marché. Je t'approuverais grandement car la rapacité de la patronne m'est devenue odieuse et d'ailleurs nous aurons à faire face à tant de dépenses dans l'avenir qu'il serait sage de freiner un peu, si possible, dans nos dépenses actuelles. Toutefois, le plan que je t'ai proposé obtiendrait peut-être des résultats heureux et t'éviterait l'ennui de déménager. Il ne faut pas, en voulant économiser de l'argent, perdre ce qui est infiniment plus précieux et autrement irremplaçable : le temps. Cela seul ne nous est jamais remis.

Enfin, de tout mon cœur, je souhaite d'abord que tu sois installé confortablement et le mieux possible d'ici mon retour. Je travaille maintenant tous les matins avec un peu moins de difficultés, et rien ne me rendrait si heureuse que d'avoir quelque chose à montrer au sortir d'Upshire et qui compenserait certaines heures bien lourdes à supporter, en dépit de tout ce que j'écris à la louange du pays. Toutefois, je m'exprime mal. Mon séjour ici serait parfait, si l'ennui quelquefois ne m'empêchait d'en apprécier les avantages. Mais il est convenu, je crois, que nous tâcherons de nous encourager mutuellement plutôt que de céder à l'expression de nos embêtements. J'admire d'ailleurs comme tu sais bien supporter les tiens et je voudrais t'imiter en cela. J'ai peur, cependant, que tu ne fasses une vie trop sédentaire. J'aimerais tellement que tu sois au grand air au moins une heure par jour. Il faut essayer de marcher tous les jours, chéri, et ne pas passer des soirées entières enfermé au salon. De temps en temps, promène-toi au dehors, je t'en prie.

As-tu réussi à obtenir le coton à broder? Je voudrais bien terminer ma nappe si possible ou du moins avancer le travail passablement.

Depuis deux jours je n'ai pas eu de tes nouvelles et je suppose que tu as dû employer la fin de semaine à trotter. N'oublie pas de me faire partager tes promenades par la description que tu peux en faire. Chaque lettre de toi m'est toujours bien agréable. Je fronce parfois les sourcils en te lisant, car tu négliges encore souvent de mettre un point à la fin de tes phrases et de commencer par une majuscule. Ceci n'a pas une très grande importance d'ailleurs, et le texte même me fait te pardonner aisément tes distractions en matière de ponctuation. Mais, comme dirait ta mère, réponds aux questions. As-tu vu madame Raw? Lui as-tu envoyé quelques fleurs? Sinon, tu pourrais très bien, à ce qu'il me semble, aller lui en porter toi-même. Profite de l'occasion pour exprimer de ma part à ces gens sympathiques que leur pays m'apporte la douceur de vivre que j'avais escomptée.

Je t'embrasse bien tendrement et t'envoie mille pensées affectueuses plus promptes que la plume à les noter [et] à [les faire] filer vers toi.

Gabrielle

*

Jeudi le 8 septembre 1949

Mon cher Marcel,
Je vois par ta lettre de lundi que la chaleur a passé à Saint-Germain[1]. Ici, elle a été très forte aussi : heureusement elle n'a guère duré. — Aujourd'hui il fait bon et frais. — Un bon vent parcourt à l'aise la vallée d'Upshire et apporte au village une sensation d'allégement. Cependant, il ne pleut pas, et c'est désastreux pour les pâturages et les potagers.

Je dois me sentir à peu près aussi lasse que tu étais toi-même abattu quand tu m'as écrit cette lettre, car toutes mes pensées restent enveloppées dans des paquets de brume. Et comme je n'ai pas le recours de narrer de nouvelles récentes, puisque c'est ici tous les jours pareil, me voilà bien embêtée pour t'écrire ma lettre quotidienne. Tu auras la patience, j'espère, d'attendre que souffle le bon vent des idées, et que j'arrive enfin à t'écrire une lettre convenable.

J'imagine, en effet, que tu ne puisses pas accomplir beaucoup à l'hôpital, pendant l'absence de Larget et tant que l'interminable temps des vacances ne sera terminé. Mais alors ce sera bientôt la débandade de Noël. Vraiment les Français exagèrent en ceci comme en diverses autres choses. Sais-tu qu'en Angleterre les vacances scolaires ne dépassent pas six semaines. Les gens se plaignent-ils encore qu'ils ont les enfants trop longtemps sur les bras et qu'un mois de vacances devrait suffire. Je ne sais qui a raison. Certainement les Anglais qui ont de longues heures de travail, moins de congés qu'en France, n'accomplissent pas plus pour tout cela. Je déplore avec toi que tu ne puisses plus amplement profiter du présent. Tu avais sans doute raison de me dire que j'avais gâché tes vacances. Là n'était pas mon intention pourtant, mais je n'en pouvais plus de manger à l'hôtel et en pension. Il me fallait vraiment des repas simples comme Esther m'en sert, et son dévouement quotidien et le réconfort d'une maison amie. Que ne puis-je t'assurer les mêmes bienfaits. Du moins, tâche de mettre le temps qui passe à profit en lisant quelques-uns des innombrables volumes que tu avais apportés à Ascain.

J'ai reçu un mot de Cécile Chabot. Apparemment elle a séjourné en Bretagne tout l'été et en revient, follement éprise du pays. Cela ne m'étonne pas. Il faudrait avoir l'âme bien morne pour ne pas chérir profondément ces landes secrètes, cette mer variée comme un cœur humain, ce vent, et ces Bretons si justement semblables à leur pays. Or, Cécile est loin d'avoir l'âme insensible. Je suis contente de l'avoir fortement encouragée à voir la Bretagne. Je crois que mes fortes émotions en France, je les ai ressenties à Concarneau, à la Pointe du Raz, dans une plus faible mesure, en Camargue. Je ne parle pas d'émotions artistiques qui sont d'un ordre différent, s'adressant en partie à l'intelligence, mais des grandes impressions provoquées par la nature alliée à des types particuliers de l'humanité. Bien tendrement,

[*Ajouté en marge :*] Gabrielle

⁂

Samedi le 10 septembre 1949

Mon cher Marcel,
Je suis un peu inquiète de toi, aujourd'hui, comme j'ai passé deux jours sans recevoir de lettres. Hâte-toi de me rassurer. Le pire c'est que demain, dimanche, je n'aurai pas encore de courrier. Les commissions que je t'ai demandées peut-être ont pris trop de ton temps ; j'espère que ce n'est que cela et que tu es bien portant. Je me lance si facilement sur la piste des noires conjectures, dans le doute.

Aujourd'hui, le village est en fête. Ce matin, il y avait au temple une cérémonie de mariage. J'y suis allée, sur les instances d'Esther qui, pauvre fille, n'aime rien tant que les « weddings ». Le petit temple est charmant, d'une grande simplicité. À mon étonnement, puisqu'il est de la Low Church[1], très opposée aux images, j'y ai remarqué deux tableaux pieux, l'un de la Résurrection, l'autre une Madone. Autrement, de larges bouquets de glaïeuls seuls ornaient le temple. Mais que de toilette ! Une grande moitié des hommes étaient en pantalons rayés, et chapeaux hauts de forme. La mariée avait une éblouissante robe de satin à traîne. Dames d'honneurs, petites filles bichonnées à souhait, photographe, rien ne manquait du grand jeu. C'est apparemment dans les petits villages que se déroule maintenant la cérémonie du mariage dans tout son éclat. Lady Buxton, la châtelaine d'Upshire, était la seule à oser se montrer dans tout son naturel. Une grande Écossaise gauche, à souliers plats et allure de marcheuse à plein air, je n'ai pas eu de peine à la repérer dans la foule. Elle est bien de ces good-bud country women[2] qui mettent une espèce d'orgueil de caste à paraître ignorer tous les artifices féminins. En Angleterre, dans une certaine société, c'est tout de suite un brevet d'éducation supérieure que de porter des tweeds et des talons plats. Tout de même, je dois le dire, une grande supériorité du cœur accompagne souvent ce parti pris de simplicité. Et peut-être est-ce moins un parti pris qu'une indifférence à l'extérieur et une concentration sur les valeurs intérieures.

La cérémonie du mariage elle-même fut d'une grande dignité. Rien de plus beau que ces paroles que selon le rite anglican, on fait répéter aux époux à voix haute : « To thee, I give my troth — for better or for worse, for poorer or richer, until death do us part[3] !... »

Cette après-midi, on fête les vieilles gens d'Upshire. En réalité, la paroisse offre aux vieillards un thé et des divertissements, mais l'invitation évite de blesser les susceptibilités. Elle a été lancée sous cette forme : party for the *older* people. Le bon vieux Perfect s'y est rendu de bonne heure tout surexcité. J'entends actuellement des chants qui s'échappent du town hall. L'accordéon vient d'entamer la vieille rengaine : *Let the Rest of the World Go By*. Tantôt c'était : *When Irish Eyes Are Smiling*[4]. Les applaudissements me parviennent, très nourris. Les vieilles gens doivent être assis au long des grands bancs, souriants, le cœur ému par les chants de leur jeunesse. Ainsi passent les jours à Upshire, pleins de sollicitude humaine. Mais hélas, à chaque instant, mon plaisir s'éteint parce que tu n'es pas là pour le partager.

[*Ajouté en haut de la première page de la lettre* :] Je t'embrasse de tout mon cœur et attends avec beaucoup de hâte une lettre de toi.

Gabrielle

⁂

Lundi le 12 septembre 1949

Mon cher Marcel,
J'étais bien contente de recevoir enfin une lettre de toi ce matin. Ma journée en a été tout embellie, et j'ai eu un peu plus de courage pour entreprendre ma tâche quotidienne.

J'ai fait aujourd'hui une découverte étonnante. La district nurse, qui habite tout à côté du Century Cottage, étant en vacances, j'ai trotté jusqu'à Waltham Abbey pour une piqûre. Je ne savais trop à qui m'adresser. Tout au long de la rue principale, c'était bien garni de plaques-enseignes de médecins, mais toutes indiquant des heures de consultation de 9[h 00] à 10[h 00] a.m. et de 6[h 00] à 7 h 30 p.m. Un passant à qui je demandai quelques explications m'apprit que partout en Angleterre les médecins sont débordés, qu'ils ne savent plus où donner de la tête depuis l'étatisation de la médecine, car tout le monde se fait soigner et souvent pour d'insignifiants malaises. Je me faisais donc bien du scrupule de réclamer d'un de ces pauvres médecins harassés un temps précieux pour une aussi peu importante chose qu'une petite piqûre. Sur les entrefaites, j'entrai chez mon vieil ami, le pharmacien à petites moustaches cirées que je t'ai déjà présenté, je crois, lissant ses moustaches derrière les grosses boules de verre couleur ambre et rose de sa pharmacie. De toute façon, je devais toujours au bonhomme le prix de deux bouteilles de potion. Le cher vieux m'annonça n'avoir pas encore reçu l'*invoice.*

— Vous n'avez pas l'air de tenir beaucoup à l'argent dans ce patelin, lui ai-je fait remarquer. Je finirai par m'en aller sans vous payer, si cela continue ainsi bien longtemps.

Pour ma piqûre, le bonhomme que j'ai baptisé le crocodile parce qu'il remue si lentement quoiqu'il ne soit pas féroce, loin de là, pour ma piqûre donc, il me conseilla d'aller à l'hôpital. Et c'est là que j'ai fait l'étonnante découverte. Selon le British National Health and Welfare Service, non seulement tous les Anglais peuvent être traités gratuitement, mais aussi les étrangers — enfin ceux qui ont une carte d'identité[1]. Je ne sais pas s'il en irait de même pour des traitements et des soins plus compliqués mais, en tout cas, je peux aller me faire piquer tous les jours si le cœur m'en dit sans qu'il m'en coûte un cent.

Évidemment quand cela sera nécessaire, je préfère m'adresser à la garde-malade, ma voisine, plutôt que d'aller courir à Waltham Abbey. Qu'est-ce que cette médecine étatisée donnera à la longue, je l'ignore, bien entendu ; mais il semble que l'Angleterre soit engagée jusqu'au cou dans l'expérience de la sécurité sociale. Je dirais qu'elle est plus poussée ici encore qu'en France. La grande majorité des gens en bénéficie sûrement, mais que deviendra le chercheur dans cette aventure, l'individu qui, pour accomplir son œuvre, la plus bienfaisante aux autres, a besoin de beaucoup de loisirs et de liberté ? Est-ce que la majorité des gens perdra donc ou gagnera à la longue dans cet essai ? Je t'envoie, sous pli séparé, quelques cartes postales. Tu remarqueras particulièrement la très jolie croix de pierre dite « Eleanor's Cross » et dédiée à Eleanore d'Aquitaine[2]. Elle mourut sur les champs de bataille, ayant été y rejoindre le roi, son époux. Et le roi ramenant la dépouille mortelle, fit élever un de ces jolis monuments à chaque étape du long voyage à travers l'Angleterre, où reposa la reine morte. Il y en a sept en tout. La dernière, à Londres même, a [pour] nom « Charing Cross[3] ». D'après certaines traditions, « Charing » serait une déformation de l'appellation française : chère Reine.

J'ai trouvé parmi les effets d'Esther une autre carte que j'ai crue susceptible de t'intéresser, celle de la cathédrale d'Exeter. Esther me l'a gentiment donnée, bien que la carte lui vienne de sa nièce. Je craignais ne pas en trouver une à acheter. Elles sont assez rares en Angleterre, et, en général, peu jolies. C'est dommage car certains monuments et surtout certains paysages donneraient d'excellents résultats photographiés par Yvon[4], par exemple.

Je t'envoie également un petit pot de cornichons sucrés. J'espère qu'il arrivera indemne. N'oublie pas de m'en donner des nouvelles.

Je suis un peu fatiguée de mes trottes — je ne bougerai plus du reste de la semaine, car je n'ai encore engraissé que d'une livre, et que je voudrais bien revenir telle que tu aimerais me voir.

Si tendrement à toi,

Gabrielle

⁂

Mardi le 13 septembre 1949

Mon cher grand,
J'ai bien reçu ce matin le dicholium et le fil à broder. Je te remercie, car je sais combien il est ennuyeux de faire un colis. Le coton ira bien ; j'aurais aimé en avoir de couleur violette mais enfin je me contenterai des teintes que j'ai déjà. J'ai aussi reçu plusieurs *Nouvelles littéraires.* Pour le moment cela suffira à m'assurer de la lecture et amplement, car je lis moins qu'à Saint-Germain et profite le plus possible des derniers beaux jours en restant au jardin ou en faisant de petites promenades dans la vallée. N'envoie donc pas d'autres journaux, à moins que je t'en redemande. — Maintenant, dis-moi, à ton tour, si tu as reçu ton chèque que je t'ai réadressé. Je t'ai envoyé une boîte de café et des cornichons sucrés

aujourd'hui même, et cela a été assez compliqué ; le bureau de poste d'Upshire est logé derrière la cuisine de notre voisine, la peu affable Miss Corket. Tu concevras aisément qu'elle n'aime pas les envois à l'étranger, que d'ailleurs elle n'est pas obligée d'accepter. Tout de même, j'ai réussi à l'amadouer quelque peu, et tes cornichons sucrés, je l'espère, sont en route. Si tu les aimes, je t'en apporterai d'autres. Mais n'oublie pas de me dire, avant, s'ils en valent la peine.

Je m'occuperai dès cette semaine des livres que tu me demandes. J'en prends note et verrai si je peux te les procurer par lettre — autrement, si je devais aller à Londres, ce sera un peu plus long[1].

Je comprends bien ton hésitation à vendre Man-Can[2]. Moi aussi je ne la verrais pas partir sans regrets, tant elle nous a conduits par des chemins agréables et nous rappelle de souvenirs exquis. Je n'ose pas te donner de conseil à ce sujet car tu sais mieux que moi ce qu'il faut décider à ce sujet. Toutefois, il me semble que les chances de la vendre à un prix convenable diminueront au fur et à mesure que les autos neuves reviendront sur le marché. Nous n'avons pas besoin non plus d'être murés à Saint-Germain, faute de voiture. Nous pourrons prendre passablement de taxis avec l'argent que nous coûtent l'entretien de la voiture et l'essence. Évidemment, nous devrons sacrifier nos excursions du dimanche et bien sûr, cela nous sera pénible. Agis au meilleur de ton jugement, mon chou. Si tu décidais de faire faire les réparations nécessaires, j'imagine que tu obtiendrais un surplus de fonds à cet effet de l'office des changes canadien, en leur adressant la demande, soit directement, soit par l'entremise de monsieur Nadeau. Je suppose que tu pourrais présenter la dépense comme justifiée par la nécessité de tes déplacements, de Saint-Germain à Paris, dans l'intérêt de ton travail. Je crois même qu'il n'y aurait pas de grandes difficultés à obtenir une autorisation de fonds supplémentaires destinés à un tel emploi[3].

Quant à ton regret de ne pas être installé à la Maison Canadienne, je t'avoue que je ne le comprends guère. Tu aurais dû prendre tous tes repas au restaurant et, en définitive, tu aurais dépensé presque autant d'argent qu'à Saint-Germain, et tu aurais perdu ton temps à courir de la maison au restaurant.

Quant aux Stain for vaginal smear[4], je devrai certainement m'adresser à un pharmacien de Londres, pour avoir quelque chance de te les procurer. Toutefois, l'infirmière du service public reviendra de ses vacances lundi ou mardi prochain, et peut-être pourra-t-elle me renseigner à ce sujet. Je ne manquerai pas de faire tout mon possible pour t'envoyer cela et les livres aussitôt que je le pourrai.

Je serais bien contente que tu ailles voir *Les Vignes du Seigneur* et que tu m'en donnes tes impressions. S'il est vrai que tu m'aimes, mon chéri, surtout ne t'abandonne pas à la mélancolie car j'en souffrirais au point que je ne pourrais plus prendre ici le repos qui me permettra de revenir mieux portante et plus énergique. Ne néglige pas ta santé, non plus, je t'en prie.

As-tu reçu d'autres nouvelles de ta mère ? Madame Racault va-t-elle mieux. Je suis vraiment désolée que sa santé que je lui enviais tant commence à la trahir. Que de tracas et d'embêtements tombent donc aussi sur cette gentille et si sympathique Mrs. Raw ! Toutes ces nouvelles me peinent, et je vois de plus en plus comme je vis en ce moment dans une espèce de Shangri-La[5], dans une espèce d'oasis du bonheur dans la mer tourmentée de la vie.

J'en profite tant que je peux, bien assurée que ces oasis deviennent de plus en plus rares en notre siècle brutal et malheureux — et qu'il est presque miraculeux que j'en ai[e] trouvé une seule.

Je suis si contente, mon chou, que mes pauvres lettres soient un rayon de réconfort dans ta vie. Puisque c'est tout ce que je peux te donner en ce moment, j'ai cherché à y mettre de la constance et de la fidélité, à défaut de choses bien intéressantes, et rien ne me serait plus agréable que de te savoir distrait et rasséréné par mes efforts. Il faut dire qu'ils tendent continuellement à ce but.

Veux-tu connaître la dernière utopie de notre chère, enfantine, rêveuse Esther ? Depuis que je lui ai dit que tu pouvais exercer la médecine dans tout l'empire britannique, elle me présente tous les jours le projet suivant. Tu viendrais me rejoindre en Angleterre. Tu y ouvrirais un cabinet de consultation, et tous ensemble (il faudrait que nous soyons près d'Upshire) nous coulerions des jours heureux. La pauvre enfant a refusé une fois pour toutes, comme Cécile Chabot, mais avec beaucoup plus de succès, de voir la laideur et la méchanceté du monde, et elle peuple l'univers de sa propre charité et de sa propre candeur. Ainsi ses histoires se terminent comme les contes de fées.

À bientôt, chéri, prends bien soin de toi. Avec mille baisers,

Gabrielle

*

Upshire, le 14 septembre 1949

Mon cher Marcel,
J'écris aujourd'hui même à Max Becker pour lui demander les colorants. Le temps dont je dispose pour ma correspondance et que j'emploie presque entièrement à ton intention, tous les jours, ne me permettra pas aujourd'hui de t'écrire une bien longue lettre. En fait, j'ai tout juste le temps de t'adresser bonjour et les souhaits de courage et de santé, de bonheur, les souhaits enfin que tous les jours je forme pour toi. Ne conclus pas que ma pensée soit moins occupée de toi — elle te suit constamment, au contraire, et t'enveloppe à chaque moment de la journée.

Je suis si contente que tu te sois amusé au spectacle des *Vignes du Seigneur*[1]. Le thème tel que tu m'en indiques la nature est bien de ce genre légèrement sensuel et spirituel dans lequel a si longtemps pataugé le théâtre français. Il n'en reste à peu près rien dans la mémoire, après l'audition, mais si la pièce dont tu me parles fait rire, c'est déjà un grand mérite, et on aurait tort de lui en vouloir trop. J'aurai plaisir à voir quelques pièces telles avec toi, cet hiver. Cette madame Joly me plaît d'après tout ce que tu m'en dis, et j'aimerais la mieux connaître.

Tu ne me dis pas si tu as besoin des colorants demandés en premier lieu et de ceux que Becker pourra t'obtenir. Faut-il commander quand même si je le peux, des colorants à Londres ? J'attendrai tes indications quant à ceux-ci.

Je t'embrasse bien tendrement.

[*Ajouté en marge :*] Gabrielle

*

Upshire, le 15 septembre 1949

Mon cher Marcel,
J'ai commandé les livres chez Heinemann, les colorants auprès de Max Becker et j'espère bien maintenant que tout cela ne tardera pas trop à te parvenir.

Ce matin, j'ai reçu la plus gentille des lettres, venant de Mrs. Raw. Elle s'étonne que tu ne sois pas encore allé la saluer et voir sa petite Susan Augusta. Je déplore que tu n'aies pas saisi l'occasion de lui envoyer des fleurs après le service qu'elle m'a rendu, avec l'amabilité dont tu as éprouvé toi-même toute la délicatesse. Cela me peine, et j'espère que tu répareras cet oubli en allant tout de suite lui remettre du moins l'argent que je lui dois. Elle doit conduire son fils en Angleterre prochainement. Il ne faut donc plus tarder aucunement. Je sais, hélas, que l'on n'apprend que par sa propre expérience, amère souvent, mais je voudrais tellement te convaincre qu'il vaut infiniment mieux abattre chaque jour la petite difficulté qui se présente, que de la remettre au lendemain. À déblayer le terrain, un peu tous les jours, on n'arrive pas devant ces montagnes de corvées qui, à force de s'amonceler, nous écrasent et nous découragent. Je sais que tu as besoin d'avoir l'esprit libre pour poursuivre par la méditation de chaque instant ton travail en cours, et c'est bien pour cela, chéri, que je t'encourage à te débarrasser le plus tôt possible des distractions matérielles, de t'en libérer en accomplissant immédiatement l'effort qu'elles exigent.

Je t'envoie quelques instantanés pris dans le jardin Perfect, avec mon vieux Brownie d'autrefois. Ce n'est pas brillant comme résultat et tu verras que tu n'as pas beaucoup à m'envier en ce domaine de la photographie. Les visages sont ceux d'Esther, de William Perfect et de moi-même, au cas où tu ne les reconnaîtrais pas.

Donne toutes mes amitiés à Mrs. Raw et dis-lui que je lui écrirai bientôt.

Affectueusement,

Gabrielle

*

Upshire, le 16 septembre 1949

Mon cher Marcel,
Je suis étonnée que tu n'aies pas reçu, en même temps que les cartes, une longue lettre que je t'ai adressée le même jour et dans laquelle je faisais quelques commentaires sur ces cartes. Peut-être quelques-unes de mes lettres ont-elles été perdues. Je t'écris presque tous les jours et, lorsque

rarement j'y manque, c'est que j'ai dû faire une trotte à Waltham Abbey, ce qui me prend une bonne partie de la journée ou bien que j'ai la tête vraiment trop vide. De toute façon, ce n'est pas comme tu l'imagines, par désir de te rendre la pareille. Mon chou, j'ai bien des défauts, mais je n'ai pas le caractère aussi vindicatif. Quant aux photos que je t'ai annoncées depuis longtemps et que tu dois avoir maintenant reçues, je ne pouvais absolument pas faire plus vite. Quoique peu éloigné de Londres, Upshire, comme je te l'ai déjà expliqué, pourrait tout aussi bien être situé dans le bled de Luzina[1], tant il manque de ressources d'approvisionnement. Aucun magasin, si ce n'est une petite boutique de nananes. Pour tout, il faut courir en dehors. J'ai dû laisser mon rouleau de pellicules à Londres, la dernière fois que j'y suis allée, et attendre que Connie aille réclamer les photos et qu'elle me les envoie. Tout cela a pris beaucoup de temps qui a dû te paraître à toi, plus long qu'à moi, tant je me suis soumise à la lenteur reposante du patelin. Mais, tu le vois, j'ai été constamment occupée de tenir ma promesse et de te faire plaisir. Les apparences sont souvent trompeuses. Il faudrait que tu saches combien de fois par jour je trouve l'occasion d'amener ton nom dans la conversation ; il faudrait que tu saches qu'en brodant ma petite nappe bretonne, j'imagine notre vie ensemble, de préférence dans la vieille ferme de Rawdon, et il faudrait encore que tu saches qu'à chaque instant de la journée, je suis préoccupée de ton bien-être, de tes études et de ta santé morale. Ainsi, j'ai sauté avec joie sur la nouvelle d'une de tes dernières lettres m'apprenant que, la température aidant, tu avais beaucoup étudié. Et je suis vivement embêtée que les moustiques te harcèlent la nuit. Figure-toi que je subis la même torture depuis deux ou trois jours. J'en suis à souhaiter le gel qui détruirait ces petits monstres. On prétend pourtant que les étés secs ne favorisent pas l'éclosion des moustiques, mais il me semble bien n'en avoir jamais tant vu que cette année, pourtant assez sèche.

Madame Isoré t'a-t-elle accordé un rabais, à partir du mois de septembre ? Sinon, je crois que tu devrais insister. Tu sais qu'elle a autant de prix qu'elle a de pensionnaires, un pour cette pauvre vieille madame Hamel, un autre pour Mme Mille, et ainsi de suite. J'espère que tu auras un entretien avec elle, car si tu ne dis rien, évidemment, elle ne t'offrira pas elle-même de changer quoi que ce soit.

Si tu n'as pas encore envoyé les chocolats, n'en fais rien. J'en ai eu de Connie et comme j'en mange très peu, cela me suffit amplement. Esther serait bien contente, toutefois, de recevoir le lait en poudre que je te demandais il y a quelque temps.

J'ai eu un autre rouleau de pellicules, horriblement cher. Tout ce qui est considéré comme objet de luxe atteint en Angleterre des prix fantastiques.

Qu'importe, je veux essayer de photographier quelques aspects d'Upshire. Malheureusement, il me faudrait un autre appareil car ce sont les vues d'ensemble, le paysage qui est ici particulièrement joli. Il te faudra être patient.

Je remarque, vilain, que tu négliges encore très souvent de commencer tes phrases par une majuscule et que tu fais foin de la ponctuation, surtout des points. Ta mère et la mienne ont une excuse bien valable pour cet entortillage — jamais je ne songerais à le leur reprocher — mais tu n'en as aucun, à ce que [je] sache — et je te prie de faire plus attention. Pas pour moi, mais pour éviter une habitude à laquelle tu sembles trop t'abandonner.

Pauvre chou, me voilà encore à te sermonner, quand j'ai le cœur pourtant si plein du désir de t'être agréable. Cependant, il ne faudrait pas pour cela, n'est-ce pas, renoncer à t'être utile et à obtenir de toi le meilleur. Et je crois que là est bien la preuve que tu me demandes de mon attachement.

[*Ajouté en marge :*] Gabrielle

P.S. Avant qu'elles ne tombent ou se fanent, aurais-tu la gentillesse de cueillir pour moi quelques feuilles de tilleul pour ma collection de plantes qui devient imposante.

Tu pourrais me les conserver entre les pages d'un livre.

*

Le 17 septembre 1949, Upshire

Mon cher Marcel,
J'ai reçu aujourd'hui une lettre de Cécile Chabot qui m'écrit avoir eu avec toi une assez longue conversation au téléphone. J'étais donc particulièrement contente d'avoir ainsi d'autres nouvelles de toi. La pauvre petite t'a-t-elle dit qu'elle [a] eu une autre rechute en juillet et que son médecin a dû lui donner deux piqûres par jour et la condamner au

repos complet ? Elle est si imprudente aussi et dépense son énergie dès qu'elle lui revient un tant soit peu. Mais je la comprends d'agir ainsi : il est si pénible de se retenir d'en faire autant que les gens bien portants. Quant à moi, il n'y a pas de doute que mon séjour ici me profite, mais je n'ai pas encore d'énergie à dilapider. Il me semble que je peux en faire un peu plus, cependant, de jour en jour. Esther me sert d'excellents repas, assez substantiels et toujours légers — et je souffre beaucoup moins de l'estomac. J'espère que tu n'es pas trop las de ton côté, de la tambouille. Rien qu'à penser aux choux-fleurs et aux endives bouillies, pleines d'eau, le cœur me lève. Si nous étions assurés de trouver mieux à Saint-Germain, je serais disposée à changer, mais je crains que ce ne soit à peu près partout la même chose.

Mes connaissances en botanique augmentent. Je suis pilotée, il faut le dire, par deux fervents, s'il en fut jamais, de la nature. Esther et son père, qui fut jardinier du châtelain, connaissent et aiment toutes les plantes depuis les plus sauvages jusqu'aux produits des croisements les plus complexes. Mais ils exagèrent tous deux dans leur zèle de m'instruire et m'indiquent à la fois tant de fleurs et de plantes que j'en perds la boussole. Que je voudrais avoir ta mémoire ! Je vais essayer d'obtenir de la graine de lavande pour notre futur jardin. William Perfect voudrait me donner des boutures de ses géraniums qui sont tout à fait remarquables. Mais comment emporter cela !

N'oublie pas d'envoyer le lait en poudre aussitôt que tu le pourras. Esther achève la boîte que je lui ai apportée.

J'ai reçu un mot de Mr. Duvye Evans, de Heinemann, ce matin. Il a déjà leur catalogue de livres médicaux. Il croit facile de se procurer le livre anglais, mais l'autre pourrait, m'écrit-il, être plus difficile à obtenir. Je crois qu'il aurait été tout aussi facile de le faire venir par Nadeau. Comme je le craignais, mes éditeurs m'invitent à les aller voir à Londres. Il est difficile de ne pas aller les saluer maintenant que je leur ai demandé une faveur. Enfin, j'y verrai quand [*ajouté en marge :*] j'aurai terminé le travail qui m'enchaîne ici pour le moment. Je t'embrasse avec ferveur.

Gabrielle

*

Lundi le 19 septembre 1949, Upshire

Mon cher Marcel,
Sir Stafford Cripps[1] vient d'annoncer la dévaluation de la livre anglaise, et j'ai l'impression que l'événement aux yeux de la plupart des Anglais prend l'importance ou la signification d'une catastrophe. Il faut être en Angleterre aujourd'hui, j'imagine, pour mesurer toute la distance qu'il y a entre le sentiment national en France et le sentiment national des Britanniques. Les Français, je crois, ont subi tant de revers et d'humiliations que la dévaluation ne pouvait pas beaucoup les accabler. Au reste, un sens de l'humour les aide à supporter les épreuves et peut-être aussi un sentiment plus fin, plus profond des véritables valeurs. Quant aux Anglais, ils ont à faire l'apprentissage de l'humiliation collective. Je t'assure que ce n'est pas drôle de voir comment ils prennent les choses. Leur gravité n'est pas non plus pour faciliter l'épreuve. Évidemment, je base mes impressions d'après la réaction des petites gens d'Upshire. Ils assurent qu'ils auraient préféré mille fois un régime de la plus grande austérité au premier emprunt et aux emprunts successifs à l'Amérique qui leur fait maintenant sentir leur dépendance vis-à-vis d'elle. Et je crois que ceux d'Upshire du moins seraient capables, en effet, de vivre d'épluchures (tant leur orgueil national les soutiendrait) plutôt que d'accepter des services qui diminueraient la liberté et le prestige de la nation.

Cet orgueil a fait de grandes choses autrefois en Angleterre. J'avoue que je lui trouve aujourd'hui, moi qui déteste le nationalisme, une sorte de beauté pathétique. Ce peuple sans imagination ne me semble pas avoir comme les Français, le pressentiment de ses malheurs. Il ne peut les voir que lorsqu'il a le nez dedans — et alors son effarement présente quelque chose d'aussi complet que celui d'un enfant, à sa première déconvenue, avant qu'il ait eu le temps de s'habituer aux échecs.

Tu as raison, c'est un peuple sans art, sans beaucoup de goût, et cependant bon, hospitalier, simple et reposant comme aucun autre, et si tu devais faire un séjour en Angleterre, je suis sûre que tu en garderais un doux souvenir, comme de s'être promené par exemple, avec Alice, dans le pays charmant de l'illogisme[2]. Cela repose, de toute façon, de la trop grande lucidité des Français.

Je ne sais ce qui m'arrive aujourd'hui. Ce matin, en me penchant, j'ai éprouvé une vive douleur musculaire à la hanche. C'est à peine si j'ai pu me relever. Et, depuis, la douleur revient au moindre mouvement. Ça m'a tout l'air de ressembler à tes attaques de lumbago, et je suis furieuse. Il y a bien assez de rhumatisme dans la famille comme c'est là. Esther m'a apporté une bouillotte et je suis immobilisée au lit. J'espère que ce sera fini demain, car déjà l'immobilité me paraît insoutenable.

Tu as eu raison de ne pas envoyer le lait. Je m'arrangerai pour en obtenir à Londres par l'entremise de Connie qui est débrouillarde comme pas une.

Oui, j'ai reçu plusieurs *Nouvelles littéraires.* N'en envoie plus d'autres. J'ai de la lecture en avance.

Je t'embrasse de tout mon cœur, cher chou, et te souhaite de plus en plus de joie [*ajouté en marge :*] dans tes études. Aussi tout le succès que tu mérites et que tu obtiendras, je n'en ai aucun doute.

Gabrielle

⁂

Upshire, le 20 septembre [1949]

Mon chéri,

J'ai reçu aujourd'hui la jolie boîte de chocolats (comme tu as choisi avec goût !) et j'ai eu le plaisir d'en offrir aux Perfect, tous les deux friands de chocolat. Je me sens mieux de mon attaque de rhumatisme, ou crampe ; il ne m'en reste qu'une raideur dans la jambe — et j'ai pu aujourd'hui visiter *Horlies,* l'ancienne habitation des Buxton, châtelains d'Upshire. *Horlies* est maintenant une espèce de pensionnat pour orphelines ou enfants abandonnés et compose un des nombreux groupes de ce genre connus sous le nom de Dr. Barnardo's homes. Ce médecin a laissé une imposante fortune, je crois, pour l'entretien des écoles qu'il a lui-même, de son vivant, organisées et qui entraînent surtout les jeunes filles dans les arts ménagers. Les petites y apprennent à coudre, à repasser, à faire la cuisine et, paraît-il, sont en grande demande au Canada, comme domestiques[1]. L'ancien manoir est franchement laid, mais le site est admirable. La famille Buxton habite maintenant Woodenridge, une aussi laide construction, d'après ce que j'ai pu en voir. Cette famille a d'ailleurs, autrefois, construit la plupart des cottages du village, ainsi que le temple. Là, ils y ont mis plus de goût, mais c'est surtout, je crois, qu'ils n'ont pu gâter le site charmant dont ils disposaient. — Des relations assez étroites, entre villageois et châtelain, semblent ainsi avoir duré longtemps ici, jusqu'en des temps tout récents. Il me semble que je connais toute la lignée à force d'entendre le bonhomme Perfect évoquer ses anciens maîtres depuis Old Sir Victor Forvel jusqu'au Young Sir Thomas Buxton. Ils devaient, ces gens-là, être tout à fait du genre de *Country Squire*[2], fort occupés à la chasse, à la culture tels que nous les représente l'*Old Chum Tobacco*. Te souviens-tu de ces fameux calendriers dans l'Ouest Canadien ?

J'ai mis en marche une longue nouvelle qui fera pendant aux « Vacances de Luzina[3] ». J'aimerais en terminer une première ébauche avant de boucler mes valises et quitter Upshire, car je voudrais conserver l'allure du récit et ne pas risquer de le compromettre par le moindre changement à mes habitudes présentes. J'espère que ça ira vite. Je m'ennuie beaucoup de toi, mon chéri. Les soirées me paraissent interminables. J'ai, en fait, terriblement hâte de te retrouver. Je vais donc essayer de faire diligence — je voudrais revenir avec un travail assez avancé.

Je t'embrasse bien tendrement.

Gabrielle

As-tu reçu le chèque que je t'ai réadressé ? Les cornichons et le café ?

⁂

Upshire, le 22 septembre [19]49

Mon cher Marcel,
C'est entendu, je tâcherai de te procurer les autres colorants à Londres. J'espère que tu peux attendre un peu. Je dois sacrifier toute la journée quand je vais à Londres, à cause de la marche d'ici au coach, et aussi parce [que] je dois toujours revenir avant la noirceur, ayant à faire un bout à pied à travers la forêt. J'avais songé y aller assez tôt la semaine prochaine, et alors je ferais tes commissions et les miennes à la fois. Tu comprends, mon travail avance assez bien, et je n'aime pas quitter la forge dans ce temps-là.

Il est étonnant que tu reçoives ainsi mes lettres en bloc plutôt qu'une à la fois. Je te les envoie pourtant, une chaque jour. Je vois que tu prends beaucoup de plaisir au commerce des Joly et de leurs amis, et j'en suis fort contente, car ce cercle, d'après ce que tu m'en dis, me paraît fort intéressant. As-tu donné la livre à Mrs. Raw? Il ne faut pas l'oublier, n'est-ce pas. Il fait un temps gris, avec un peu de pluie à intervalles, depuis deux jours. Ce n'est pas désagréable, mais j'apprécierai le soleil davantage lorsqu'il reviendra. Quoique ce pays soit assez joli sous un ciel mélancolique ou dans une demi-brume blanche, je l'aime mieux franchement illuminé.

Esther et le bonhomme t'envoient leur douce amitié. Je t'embrasse de tout cœur et j'écrirai plus longuement demain.

Gabrielle

*

Upshire, le 23 septembre [19]49

Mon cher Marcel,
Je suis si contente du bon accueil que tu as reçu à l'hôpital de Saint-Germain et de l'intérêt que te porte, sans aucun doute possible, le docteur Larget. J'ai bien l'impression que tu vas accomplir un beau travail, sous sa protection. Ton enthousiasme me réchauffe le cœur ; rien ne me plaît davantage que de te voir ainsi prendre tout feu et flamme pour ton admirable profession[1]. Après la mienne, elle me paraît la plus belle au monde, et j'entretiens toujours la conviction que tu feras un médecin remarquable. C'est peut-être pour cela que j'ai été plus sévère et exigeante envers toi qu'envers moi-même, assez souvent. Et c'est pour cela que je vais encore te rappeler qu'il faut absolument commencer chaque phrase écrite par une majuscule et la terminer par un point. Suis-je assez taon ?

En effet, comme je te le disais dans une lettre précédente, il serait idiot de débourser huit cents francs pour l'envoi du lait en poudre. Je ne comprends pas toutefois pourquoi on te demande un tel prix, puisque je t'ai envoyé un colis de 4 livres d'ici pour trois shillings, c'est-à-dire à peu près 150 francs. Qu'importe, je tirerai d'autres plans.

Y a-t-il toujours autant de pensionnaires à la Dauphine et au Franklin[2] ? As-tu obtenu des prix diminués à partir de septembre ? Je t'en prie, chou, réponds à mes questions. Je m'étais plus ou moins engagée à t'écrire aujourd'hui une assez longue lettre, mais je crois que je devrai remettre cela à demain. Ma pensée n'attrape que d'insignifiants objets et je risquerais de t'embêter en te les décrivant.

J'irai donc faire une petite marche en songeant à toi, à ton travail qui prend forme et semble si bien promettre et cela me reposera les nerfs. J'ai peut-être un peu trop travaillé ces jours-ci.

Tiens-moi au courant de tout ce qui t'arrive et à bientôt, chéri.

Gabrielle

⁂

Upshire, le 25 septembre [19]49

Mon cher Marcel,

Il y a une espèce de fête religieuse aujourd'hui au village : le *Harvest Festival*[1] — que je te raconterai dans une autre lettre. En attendant, je t'embrasse avec beaucoup de tendresse. À bientôt, chéri,

Gabrielle

⁂

Upshire, le 26 septembre [19]49

Mon cher Marcel,

Ce que l'on nomme ici l[e] *Harvest Festival* correspond à peu près au Thanksgiving de l'Amérique, à la façon, j'imagine, dont devaient le célébrer les premiers pionniers. Le petit temple d'Upshire était décoré pour l'occasion des fruits, des plantes et des fleurs de la saison. Il doit y avoir parmi les femmes du village chargées de parer l'église au moins une personne de goût, car la disposition des offrandes était vraiment charmante. Chaque famille envoie donc à l'église un tribut de son jardin ; ces dons, après la fête, sont envoyés aux hôpitaux ou à des organisations charitables. Le spectacle qu'offrait hier la petite église était donc charmant. Sur le carrelage, couleur vieille brique, reposaient des pyramides de pommes rouges, des petites collines d'oignons violacés, des gerbes de betteraves confondues avec des aubergines, des tomates. Il était facile de voir que chacun avait envoyé des légumes de choix. Au bord des petites fenêtres s'étageaient encore des laitues, des paquets de carottes bien lavées, de superbes pommes de terre. On offrait à Dieu, non pas ses œuvres ratées, en fait de fruits et de légumes, telles qu'il y en a pourtant passablement cette année à cause de la sécheresse, mais celles qui avaient bénéficié de l'arrosage et des soins les plus vigilants des jardiniers.

Tout au long de l'allée, de très grands vases, comme des amphores, portaient de gracieux bouquets de marguerites, de verges d'or, des épis de blé, d'avoine, d'herbe, du pampas, des dahlias et toutes autres espèces de fleurs de la saison. Elles recouvraient presque entièrement la chaire et s'avançaient bien en avant de l'église qu'elles parfumaient abondamment.

Comme il fallait s'y attendre, le *curate*[1] commenta la parole du bon grain et de l'ivraie[2]. (Je t'apporterai, à ce propos, un échantillon d'ivraie que le cher vieux Perfect a eu pour moi.) L'assistance chanta plusieurs hymnes dans lesquels il était question de pâturages, de champs de maïs, d'épis gonflés et tout respirait le calme et la joie dans l'abondance des biens de la terre. Pour moi, le beau moment de la soirée fut d'entendre Mr. Perfect chanter une partie de l'hymne en solo. Il s'en tira, ma foi, fort bien, et j'étais très fière de lui. Je lui ai fait un bien grand plaisir en le lui disant — ce qui était facile puisque je le sentais vivement.

J'aurai bientôt, j'espère, terminé l'ébauche du travail que je voulais dessiner ici, et je te parlerai dans un jour ou deux de mes projets de retour. Comme il sera bon de te revoir ! En attendant, j'espère de tout mon cœur que ton travail à l'hôpital continuera à t'enthousiasmer et qu'il te sera des plus profitables.

Je t'embrasse bien affectueusement.

Gabrielle

⁂

Upshire, le 27 septembre [19]49

Mon cher Marcel,
Je suis bien désappointée au sujet des cornichons supposés sucrés. On m'a affirmé qu'ils l'étaient au magasin où je les ai achetés. Encore un cadeau raté ! Vraiment, je n'ai pas de chance dans le choix de mes pauvres présents. Qu'importe, j'apporterai quelques provisions qui auront peut-être plus de succès.

Je ne peux prévoir encore la date exacte de mon arrivée. J'ai encore besoin de cinq ou six jours de travail pour finir ce qui est en cours. Ensuite, je devrai passer quelques jours à Londres. Je crois bien que je serai de retour en deux ou trois semaines, et je pourrai, dès la semaine prochaine, te donner des précisions. En principe, tu pourrais t'arranger avec madame Isoré pour notre installation à partir du 15 octobre, j'imagine. Nous ne devrions pas payer plus que 1 000 francs par jour chacun, au maximum. En fait, s'il n'y a pas moyen d'obtenir d'elle un arrangement raisonnable, je crois que nous ferions bien de chercher ailleurs. Demande-lui donc ses conditions dès maintenant afin que nous ayons le temps d'aviser à autre chose, s'il le faut. Tu ferais bien aussi de mentionner que pour ce prix, j'entends pouvoir suivre mon régime, et manger suffisamment sans suppléments. Elle a assez longtemps abusé de nous — je n'ai pas l'intention de me laisser manger la laine sur le dos plus longtemps. D'ailleurs, je suis persuadée qu'une attitude ferme de ta part aura raison d'elle. Il y a aussi la question du chauffage. J'ai eu tellement froid l'hiver dernier, surtout le matin, j'aimerais bien avoir l'assurance que nous serons mieux chauffés cet hiver. Je ne vois pas, cependant, de meilleur coin pour nous, si nous devons rester à la Dauphine, que nos deux pièces de l'an dernier, malgré certains désavantages. Mon chou, fais donc pour le mieux et occupe-toi de cela dès maintenant, si tu le veux bien, afin que l'on sache à temps à quoi s'en tenir, et donne-moi des nouvelles de tes démarches.

J'ai dû remettre mon voyage à Londres comme il pleuvait et qu'au reste, je me sentais un peu fatiguée. Ne crois-tu [pas] qu'il vaudrait mieux, si je réussis à me procurer les colorants, les apporter plutôt que te les envoyer, puisque la différence de temps ne sera pas bien grande?

Tâche de continuer à m'écrire le plus souvent possible même maintenant que je n'en ai plus pour bien longtemps avant de revenir. J'ai besoin, moi aussi, du réconfort de tes lettres.

J'attends donc avec beaucoup de hâte tes prochaines lettres et je t'embrasse de tout cœur.

Gabrielle

As-tu été voir quelques autres pensions à Saint-Germain?

*

Le 28 septembre 1949

Mon cher Marcel,
Tu ne m'écris plus bien souvent et je manque beaucoup ta lettre quotidienne. Je sais que tu es pris par tes occupations et qu'il te reste peu de temps pour écrire. Mais ne serait-ce que quelques phrases, il faudrait que tu me donnes plus souvent signe de vie.

J'ai bien hâte de te revoir, tu sais, je vais tâcher de faire le plus vite possible. Tout à coup, le charme d'Upshire a beaucoup pâli à mes yeux ; je me suis aperçue que mes pensées s'absentaient de ce lieu, couraient toutes vers Saint-Germain ou, plus précisément, vers l'ancienne chambre de M. Brisson. Aurons-nous nos deux pièces de l'an dernier ? Si seulement nous pouvions avoir une pièce dans laquelle il y aurait un foyer, quelle bonne garantie ce serait contre les jours froids ! J'aimerais tellement voir pétiller un feu de bûches de temps en temps.

Je ne t'en dis pas plus long pour aujourd'hui, car j'ai le cœur serré et plein d'ennui.

Bien tendrement,

Gabrielle

*

Dimanche le 2 octobre 1949

Mon cher grand Marcel,
Je vais à Londres demain et, comme l'aller et le retour me prennent une bonne partie de la journée, j'y resterai peut-être deux ou trois jours, car j'ai besoin de faire quelques emplettes. Si je m'en sens le courage, je jetterai un coup d'œil au National Gallery.

J'attends maintenant ta lettre pour prendre mon billet et décider du jour où je partirai. J'espère que tu as pu prendre des arrangements convenables avec madame Isoré. À moins que tu n'aies réussi meilleur marché ailleurs.

Le temps a été très beau aujourd'hui. Un ciel impeccable. J'aurais aimé être avec toi à Saint-Germain, nous aurions marché dans la forêt et j'aurais reconnu les arbres mieux que je ne les connaissais l'année dernière. J'ai fait passablement de progrès en botanique sous la direction de

Mr. Perfect. Je crois qu'il doit être assez las de mes questions, car je n'arrête pas de lui en poser. Tu comprends, pour une fois que j'ai rencontré quelqu'un qui connaît le nom des plantes, il va de soi que j'étais prête à en profiter. J'ai hâte de te montrer mon album. Pour un commencement, ce n'est pas mal.

J'imagine que tu as dû beaucoup travailler la semaine dernière; je n'ai pas reçu beaucoup de lettres. Le temps m'a paru long; je me consolais en pensant que tu employais toute ton énergie à ta tâche quotidienne.

À bientôt, mon chéri. Je ne tiens plus en place. Que j'ai hâte, que j'ai hâte de te revoir.

Gabrielle

*

Londres, mardi le 4 octobre 1949

Mon cher Marcel,
Heureusement que Connie a une chambre à ma disposition, car il est impossible de se loger dans les hôtels de Londres actuellement. Donc, hier soir, ne trouvant pas de chambre, j'ai téléphoné à Connie qui m'a accueillie les bras ouverts. Je crois que je serai de retour le 13, si madame Isoré peut nous donner notre petit appartement pour cette date. Dès demain, j'irai acheter mon billet et je t'enverrai un mot tout de suite. Je dois retourner à Upshire ramasser mes effets. Que de tintouin!

J'ai vu mes éditeurs cet après-midi et j'ai visité trois ou quatre des grands magasins de Londres. Tout cela pour un maigre résultat: deux cravates pour toi. J'espère que tu les trouveras de ton goût. J'ai eu toutes les peines du monde à choisir, j'étais paralysée par la crainte de ne pas choisir ce qui te plairait.

Je suis bien fatiguée, ce soir. J'ai perdu l'habitude de la veille à Upshire — et Londres est bruyant et sale. Je suis assez bien logée chez Connie — j'y resterai deux jours encore.

J'ai commandé tes colorants aujourd'hui et le pharmacien m'a promis de faire tout son possible pour me les obtenir à temps.

Je cherche un costume d'automne mais jusqu'ici je n'ai rien vu de bien seyant.

Mon chéri, je suis trop lasse pour t'écrire une lettre intéressante ce soir. Je te raconterai mes impressions de vive voix bientôt, de toute façon. Porte-toi bien.

Je t'envoie mes pensées les plus fidèles et les plus affectueuses.

Gabrielle

12 Longridge Road
Earls Court
London S.W.5

*

Londres, mercredi le 5 octobre 1949

Mon cher chou,

J'ai pris mon billet aujourd'hui à l'American Express, pour jeudi prochain le 13. J'arriverai à Paris, à la gare du Nord, à dix heures p.m. par le service Folkestone-Boulogne. J'espère que tu ne trouveras pas l'heure de mon arrivée trop tardive. Comme je veux partir d'Upshire le jour même, je ne pourrais me rendre à Londres assez tôt pour les trains maritimes de l'avant-midi.

J'ai mieux profité de ma journée aujourd'hui. Je me suis acheté un petit manteau de fourrure, un trois-quarts. La dévaluation de la livre sterling fait que je l'ai eu à très bon compte. J'ai eu le temps aussi de visiter la National Gallery. Il y a là de merveilleux Rubens, plusieurs Rembrandt et un délicieux Van Eyck[1]. Je t'apporte un catalogue illustré. Ce soir, j'irai au théâtre ou au cinéma avec Connie. Demain, je retournerai bien me reposer à Upshire, jusqu'à jeudi prochain. Connie a acheté un beau petit poulet pour moi, qu'elle fera rôtir avant mon départ demain, afin que je l'apporte chez Esther, tout prêt à manger.

J'ai eu deux Graham Greene comme cadeaux de William Heinemann, *Brighton Rock* et son dernier roman, le plus puissant de tous à ce qu'on dit : *The Heart of the Matter*[2].

Je n'ai pas eu de lettres de toi depuis presque une semaine. J'étais bien désappointée de n'en pas recevoir une lundi matin avant de quitter le Century Cottage. Tu imagineras donc facilement à quel point j'ai hâte de rentrer au village pour y lire les lettres qui doivent être arrivées en mon absence.

Ma journée a été agréable à Londres aujourd'hui. Il faisait un soleil exquis. J'ai revu avec plaisir les pigeons de Trafalgar Square entourer la haute statue de Nelson. Mais maintenant, toutes mes pensées prennent le chemin du retour, et je ne prends qu'un demi-plaisir à ce qui autrement me plairait.

J'espère que tu vas bien, chou. Je t'avoue que j'étais inquiète de toi, lundi matin, et je me tracassais de partir sans avoir eu de lettres de toi depuis plusieurs jours. Ce n'est pas gentil, chéri ; tu sais pourtant comme l'on se remplit la tête d'idées noires et d'inquiétudes lorsqu'on est au loin et que l'on ne reçoit pas de nouvelles. Je t'embrasse de tout mon cœur. Je t'écrirai après-demain sans faute.

Gabrielle

✻

Vendredi le 7 octobre [1949]

Mon cher chou,
J'ai eu beaucoup de joie en rentrant hier soir de trouver une lettre de toi et, davantage ce matin, en recevant ta dernière lettre du 4 octobre. Je crois que tu as bien fait d'accepter les conditions de Mme Isoré. Déménager t'aurait fait perdre du temps, t'aurait occasionné une grande fatigue et voilà ce qu'il faut surtout éviter. D'ailleurs, nous serons bien dans notre petit coin, je n'en doute pas, malgré certains inconvénients. J'ai une hâte folle de t'y rejoindre.

À la veille de quitter Upshire, j'y retrouve la grâce et la paix qui m'ont si fortement attirée en cet endroit. Depuis quelques semaines, je n'y voyais pas grand-chose d'agréable tant je m'ennuyais de toi. Maintenant, tout en étant heureuse de m'en aller, je subis la douceur du cher vieux petit village et je goûte la compagnie d'Esther et du bon vieillard. Ils étaient si heureux de mon retour, hier soir, que cela m'a presque fendu le cœur. Ils se sont très attachés à moi, j'ai l'impression que je suis entrée complètement dans leur vie simple. Ces quatre journées que j'ai passées à Londres leur ont paru bien longues. Il a fallu, en arrivant, que je leur raconte mon petit voyage, mes emplettes, mes courses. Je leur ai fait un grand plaisir en leur décrivant le charme de Trafalgar Square entrevu à travers le vol de milliers de pigeons et en leur parlant de la Tamise et de ses vieilles péniches grises. Il faut dire que Londres, bariolé, gris, mal bâti, détient quelque chose qui touche le cœur plutôt que l'intelligence — tel Paris — et que cette qualité de Londres vient en partie de son caractère mystérieux. Je ne crois pas qu'il y ait aucune autre ville en Europe qui donne une telle sensation de mystère et en même temps d'être au centre de l'univers.

Qu'importe, quel soulagement j'ai éprouvé en réintégrant le cottage. Je suis rentrée chargée comme un mulet. Connie avait fait une chasse extraordinaire dans son quartier et en avait ramené du miel, du lait, des oranges, un gâteau aux fruits, et le fameux poulet. À l'orée de la forêt, en descendant de l'autobus, j'ai dû attendre une heure avant d'avoir un taxi. L'inspecteur des postes d'essence qui se trouvait sur la grand route s'est occupé lui-même de me dépatouiller — et a téléphoné à deux ou trois postes de taxis. Je ne sais si c'est mon accent ou mon manteau farine qui m'attirent tant de sympathie, mais partout je rencontre des êtres obligeants à l'extrême qui me sortent toujours d'embarras. Il y a une jolie brume blanche tous les matins depuis quelque temps, que le soleil dissipe vers onze heures. Après, la clarté s'installe comme en plein été. Mille fois par jour je songe à partager avec toi quelque impression heureuse. Bien tendrement,

Gabrielle

[*Ajouté en haut de la première page de la lettre :*] Je suis très contente que tu travailles si bien. Tâche toutefois de prendre un bon repos le soir, pour te préparer à de tels efforts.

⁂

Upshire, le 9 octobre 1949

Mon cher Marcel,
Je n'ai pas encore reçu mon billet de chemin de fer de Londres, mais j'imagine qu'il sera dans le courrier de demain matin : comme je te l'écrivais, dans une lettre que je t'ai adressée de Londres, je partirai jeudi le 13 octobre par le train de Folkestone-Boulogne à 4 h 20 p.m. de Londres et j'arriverai à la gare du Nord vers dix heures p.m. Il serait préférable, j'imagine, que tu t'assures que ce train aboutit à la gare du Nord. J'en suis à peu près sûre, mais comme je n'ai pas reçu mon billet, je n'en

ai pas la confirmation sous les yeux. J'attends aussi tes colorants qu'un chimiste de Londres a promis de m'envoyer ici, et qui arriveront à temps, je l'espère.

Je profite de mes dernières journées ici pour bien me reposer.

C'est bien enrageant : la fatigue de mon voyage à Londres m'a fait perdre quelques-unes des livres de graisse que j'avais réussi à emmagasiner. Cependant, je me sens assez bien et une journée de repos complet hier m'a remise à neuf.

Je ne pense qu'à toi et je n'arrive pas à occuper mon esprit à autre chose qu'au retour. La Villa Dauphine elle-même m'apparaît agréable, tant il sera bon de t'y retrouver. Esther me fait des sermons tous les jours sur le genre de vie que je dois suivre, selon elle, si je veux persister dans l'amélioration de ma santé. Elle a décidé que je devrais me retirer au lit tous les soirs à neuf heures et que je devrais passer une journée par semaine au lit. Elle tient cette recette du médecin qui l'a soignée pendant la guerre, alors que la pauvre fille était plus morte que vive. Mal nourrie, mal chauffée pendant des années, elle a fait, vers la fin de la guerre, une longue dépression nerveuse. Son frère, un invalide de la Première Guerre mondiale, était venu mourir au Century Cottage, entre-temps. Esther lui était très attachée, et elle montre à tout instant les cravates, des habits, les médailles de guerre du pauvre John, que l'absorption des gaz a mis près de 25 [ans] à tuer lentement.

Malgré cela, Esther est restée très gaie et sereine. C'est une des véritables chrétiennes que j'ai rencontrées dans ma vie.

À jeudi, mon cher chou, je voudrais y être déjà, il me semble impossible d'attendre jusque-là pour revoir ton visage chéri.

Gabrielle

Lyons-la-Forêt
1950

Gabrielle Roy achève la rédaction de La Petite Poule d'Eau, *auquel elle travaillait depuis environ un an, en mai 1950. Les études médicales de Marcel étant terminées, le couple décide de rentrer au Canada à la fin de l'été*[1].

Pendant que Marcel s'occupe des préparatifs en vue du départ, Gabrielle passe une partie de l'été à Lyons-la-Forêt, en Haute-Normandie, où elle loge à l'hôtel de la Licorne. La durée exacte de son séjour est impossible à déterminer, puisque seules les deux lettres reproduites ici ont été conservées. On n'en sait pas davantage sur ce qu'elle aurait pu écrire durant l'été 1950. Cela dit, il semble qu'un « conflit » soit survenu entre Gabrielle et Marcel, puisque Gabrielle reviendra, dans une lettre écrite à Port-Daniel et datée du 25 juin 1951, sur « la fâcheuse aventure de Lyons-la-Forêt ».

[vers le 20 juin 1950][1]

Chéri,
J'ai passé une assez bonne nuit, sauf que le mal de dents m'a éveillée deux ou trois fois. Il me semble que cela va un peu mieux, ce matin. J'espère bien que je ne mijote pas un abcès. Le village est beaucoup plus joli que l'on en jugerait après 1re vue. J'ai fait un petit tour ce matin, pas très long, me rappelant la promesse que je t'ai faite d'être raisonnable. Les dames anglaises sont artistes-peintres, deux d'entre elles du moins, et partent en excursion tous les jours.

[*Ajouté en marge* :] Je t'écrirai longuement demain. Je t'embrasse de tout mon cœur et j'espère que tu n'auras pas trop d'embêtements en rangeant nos effets.

Gabrielle

*

Lyons-la-Forêt, le 21 juin 1950

Mon cher Marcel,
Il y a eu un orage, hier soir, comme j'en ai rarement vu dans ma vie. Nous avons été privés d'électricité pendant plusieurs heures et nous avons dîné à la lueur des bougies. Tout cela ne manquait pas d'un certain charme. L'eau ruisselait devant l'hôtel en torrents et couvrait la rue entière d'au moins 1 pied. Sans mon mal de dents, je me trouverais tout à fait bien ici. C'est un curieux mal de dents d'ailleurs. Ce doit être

plutôt une névralgie, car le mal me laisse pendant plusieurs heures et reprend surtout à la nuit. Ce matin, le mal est tout à fait endormi. Un dentiste vient à Lyons-la-Forêt, tous les jeudis. J'irai le voir demain s'il le faut. Autrement, je me sens très bien. La nourriture est excellente et je mange comme un ogre. Contrairement à ce que je pensais en arrivant, les patrons soignent mon régime et me traitent gentiment. Le trio des Anglaises est tout à fait sympathique. Dommage qu'elles soient sur leur départ. Tous les matins, elles partent avec tout leur attirail pour la forêt ou quelque coin pittoresque et, pendant que la mère et une des filles font des croquis, l'autre fille fait, paraît-il, la lecture à voix haute. Je n'ai pas vu le fruit de leur travail, mais elles me paraissent du type anglais amateur de la France. Une vieille dame française leur parle en un anglais des plus cocasses, à travers les repas. C'est des plus cocasses. Tu es loin d'avoir vu le plus joli du pays. Sans aller bien loin à pied, on découvre partout des aperçus délicieux. Je suis retournée à la petite église. En route, j'ai fait connaissance avec une dame de Rouen qui a sa maison d'été, ici. Elle a un frère qui habite la Saskatchewan et nous avons parlé du Canada.

As-tu vu Griffiths ? J'espère, mon chéri, que l'emballage de nos effets ne te donnera pas trop de tintouin. Dis-moi aussi comment progresse ton projet de voyage en Italie. Il faudra absolument que tu m'indiques les endroits où tu passeras quelques jours, ainsi que la date ou tu t'y trouveras, afin que je puisse t'y écrire. Il est toujours dur d'être séparée de toi, et même de plus en plus dur. J'espère que je pourrai me mettre bientôt à travailler, car, autrement, l'ennui me rendrait la vie insupportable. Sois prudent, mon chéri, et économe de ta santé. J'ai hâte de te lire. Quoique j'aime le pays et que je m'y trouve bien, il me semble avoir depuis des semaines été séparée de toi. Mes amitiés à madame Lewen[?]. Dis-lui que j'ai lu le livre qu'elle m'a prêté et que je l'ai trouvé fort poétique.

Je t'embrasse, cher cœur, avec tendresse, bien, bien des fois.

Gabrielle

Lac Guindon
hiver 1951

À leur retour au Canada, à l'automne 1950, Gabrielle Roy et Marcel Carbotte s'installent à Ville LaSalle, en banlieue ouest de Montréal, où ils louent un appartement de quatre pièces dans la rue Alepin, avec vue sur le fleuve Saint-Laurent. La Petite Poule d'Eau, *le deuxième roman de Roy, paraît en octobre à la Librairie Beauchemin.*

La romancière éprouve des ennuis de santé tels que le docteur Dumas, qu'elle consulte alors, lui recommande le repos complet. À la fin de novembre, elle doit même subir une thyroïdectomie. Toujours en convalescence au début de janvier 1951, elle décide de se rendre au lac Guindon, dans les Laurentides, où elle séjournera à la Villa du Soleil pendant une quinzaine de jours. Pendant ce temps, Marcel Carbotte est à Montréal, où il se cherche un emploi.

Lac Guindon, le 8 janvier 1951

Cher chou,
J'espère que tu as fait un bon voyage de retour et surtout, que tu n'as pas trouvé l'appartement trop triste en y entrant hier soir. Je connais bien et redoute la sensation d'entrer seule dans une maison déserte ; j'espère du moins que tu étais assez détendu par le grand air pour t'endormir tôt et ainsi échapper à l'ennui. Quant à moi, j'ai passé une assez bonne nuit ; de la sorte, j'ai eu le courage ce matin d'aller faire une marche qui m'a menée un peu plus loin que celle d'hier au Domaine des Lacs[1]. Comme de fait, Fido m'a lâchée en route. Titsa[2], elle, a sauté sur mon lit, ce matin, dès que je lui ouvris la porte vers 8 [heures] et quart.

Il fait beau soleil, une neige très très fine, une poussière de neige, dirait-on, flotte dans ce pâle soleil.

J'ai hâte d'avoir un mot de toi et te souhaite de tout mon cœur d'avancer tes projets cette semaine. Je suis avec toi bien affectueusement.

Gabrielle

*

Lac Guindon, le 10 janvier 1951

Mon cher Marcel,
J'ai un peu allongé ma marche ce matin ; de la sorte, j'arriverai peut-être à fournir de bonnes trottes à pied, comme il y a quelques années. Une pensionnaire est arrivée hier soir avec un petit chien. Noiraud, par

ailleurs, est revenu après trois jours d'absence. Nous voilà donc avec cinq bêtes. La rencontre n'a pas encore eu lieu entre Titsa et le nouvel arrivant, mais elle est tout à fait capable maintenant de prendre soin de sa petite personne de chatte.

As-tu donné un coup de téléphone à maître Nadeau ? Si rien ne presse, c'est-à-dire s'il n'y a rien à régler immédiatement, tu peux lui dire que je serai sans doute en ville dans quelques semaines, je ne sais pas au juste quand, mais certainement aussitôt que je me sentirai tout à fait remise d'aplomb.

As-tu reçu quelques nouvelles de ton côté ? J'espère que tu conserves quelques-unes des bonnes habitudes prises ici : repas à l'heure, suffisants ; sommeil tôt le soir et pas trop prolongé le matin. Il n'y a pas de doute qu'on se trouve très bien d'un tel régime, après quelques semaines. Mais, nicotine, nicotine, qu'il est dur de se passer de toi !

À bientôt, chéri,

de ta Gabrielle toujours affectueuse

[*Ajouté en marge :*] N'oublie pas de porter mon portrait chez un verrier, afin de faire ta réclamation à la Cunard[1].

Port-Daniel
été 1951

Gabrielle Roy passe l'été 1951 à Port-Daniel en Gaspésie, où elle a décidé de se retirer, seule, afin de se reposer et de se remettre à l'écriture. Elle séjourne chez Irving et Bertha McKenzie, là où après la mort de sa mère, en 1943, elle avait rédigé une partie de Bonheur d'occasion. *C'est au cours de ce séjour qu'elle revient à* Alexandre Chenevert, *roman auquel elle avait commencé à travailler à Genève, en janvier 1948, et qui l'avait occupée toute l'année suivante, jusqu'à ce qu'elle le mette de côté pour écrire* La Petite Poule d'Eau.

Quant à Marcel, qui est toujours en quête d'un emploi, il passe quelques jours à Québec après avoir reconduit Gabrielle à Port-Daniel en voiture, puis rentre à Montréal. Il obtiendra un poste à l'automne — après le retour de Gabrielle à Ville LaSalle —, à l'hôpital de la Miséricorde à Montréal, après avoir envisagé de s'établir à Saint-Jérôme, au nord de la métropole.

Port-Daniel-Centre, le 25 juin 1951

Mon cher Marcel,

Je t'écris à tout hasard au Château Laurier en espérant qu'on te fera parvenir ma lettre si tu as quitté l'hôtel pour un autre endroit[1]. Je suis désolée que tu aies eu tous ces ennuis avec l'auto. Il valait bien la peine, hein, d'aller courir au bout de la ville pour y faire entreprendre une si mauvaise besogne. J'espère que c'est la fin des vexations. Mon chéri, je suis avec toi dans tous les instants, et je souhaite ardemment que tu réalises tes espoirs si légitimes. Je pense que tu auras vu M. Morin et M. Vézina maintenant ; j'attends donc d'autres nouvelles avec hâte. Je serai si heureuse de te voir occupé et redevenu gai comme autrefois.

Il a fait un temps de chien aujourd'hui, mais la petite mère McKenzie a fait un feu dans le gros poêle de la salle et, malgré tout, la journée a été supportable. Je l'ai surtout dévidée à écrire des lettres, dont une à Cécile pour lui donner quelques nouvelles des gens chez qui elle logeait autrefois et que j'ai moi-même rencontrés hier soir. Le temps a été assez beau autrement, c'est-à-dire avant aujourd'hui. J'ai donc pu refaire les promenades sur les falaises et dans la campagne, promenades que j'affectionnais à mon premier séjour à Port-Daniel[2]. Tu sais, on découvre de très beaux paysages de certaines hauteurs accessibles à pied seulement. Je regrette que tu aies eu si peu de temps ici. Je t'aurais mené vers certains coins que tu n'aurais pas pu ne pas aimer. Je sais bien cependant que tu n'étais guère d'humeur à trouver de l'apaisement devant les beautés de la mer et de la nature ; je m'en veux de t'en avoir fait un reproche. D'ailleurs moi-même, je n'éprouve plus la même détente et la même impression joyeuse qu'autrefois lorsque j'arrivais dans un lieu charmant. C'est sans doute que je ne ressens plus de joie que si je la partage avec toi.

J'ai découvert, dans la vieille étable d'Irving, une petite chatte bien plus belle que Titsa, une petite bête habillée de la façon la plus cocasse, mais j'ai appris à me méfier de mon amitié pour les bêtes depuis tous les embêtements que le sort de Titsa a soulevés.

Si tu as quitté l'hôtel, j'espère que tu me donneras bien vite l'adresse où je pourrai t'atteindre. Il se peut que tu aies eu tant de difficultés à te caser parce que tu arrivais à Québec au début du week-end. En tout cas, j'aimerais te savoir bien logé et, si possible, non chez des amis, à cause des obligations que cela crée.

Il est bien difficile de s'habituer à la séparation lorsque nous avons été si constamment ensemble. Mais je vais tâcher de montrer plus de fortitude que j'en eus dans la fâcheuse aventure de Lyons-la-Forêt[3]. Quels beaux souvenirs tout de même que ceux de ce dimanche passé là-bas avec toi et Cécile.

Mon chéri, sois prudent ; repose-toi suffisamment. N'exagère pas la cigarette je te prie. Garde-toi bien portant et pense souvent à moi. Je ne cesse pas de mon côté d'entretenir ton image dans mon cœur.

Gabrielle

Port-Daniel-Centre
Comté Bonaventure
P.Q.

*

Port-Daniel-Centre, le 1er juillet 1951

Mon chéri,
Je t'aurais écrit plus souvent la semaine dernière si seulement j'avais été certaine de te rejoindre au Château Laurier. J'ai été inquiète, n'ayant pas eu de lettre de toi en quatre jours. Enfin, hier, j'ai respiré plus à l'aise en recevant ta lettre de jeudi. Ne reste pas si longtemps sans m'écrire, mon chou, ne serait-ce que deux ou trois lignes si tu n'as pas le temps d'en faire plus. Au loin, tu sais, l'imagination trotte, et se forge mille tracasseries.

J'ai reçu une longue lettre embrouillée — du vrai petit nègre — de Solange Rolland[1]. Je t'envoie la première page qui te concerne. Le reste est si ennuyeux que cela ne t'intéresserait guère, je pense. Cette personne a des idées plein la tête, mais [ne] sait apparemment en exprimer aucune clairement. Je lui répondrai moi-même d'ici quelque temps, mais en ce qui te touche personnellement, tu lui écriras au plus tôt, n'est-ce pas ?

As-tu fait les démarches nécessaires pour être reçu au Collège des médecins de la province de Québec[2] ? J'espère que tu n'as pas tardé en cela, puisqu'il est plus facile de te faire appuyer alors que tu te trouves à Québec. J'ai bon espoir qu'une place s'ouvrira pour toi bientôt. Garde ton courage, mon chéri. Je suis certaine qu'il ne s'agit plus que d'attendre très peu de temps maintenant, et tu verras comme nous serons contents tous les deux.

Si tu ne prévois pas être de retour à Montréal cette semaine, il vaudrait peut-être mieux que je demande à Mrs. Creagh, notre voisine, de dégeler le réfrigérateur. Il y aura aussi les comptes du téléphone à régler, car j'imagine qu'ils ont dû être envoyés à notre appartement. Quant à mon courrier personnel, Mrs. Creagh a eu la bonté de me le faire parvenir.

J'ai aussi reçu de New York, vendredi soir, les épreuves de *Where Nests the Water Hen*. Mr. Binsse a repris le début qui me semble maintenant très enlevé et tout à fait bien[3]. L'ensemble est d'ailleurs beaucoup amélioré. Mr. Lindley, de Harcourt Brace & Company, qui m'a écrit, semble tout à fait emballé. J[e n]'ai trouvé rien à changer pour ainsi dire, car, en travaillant plusieurs jours avec Binsse, nous arriverions sans doute à parfaire l'œuvre, mais telle quelle, elle est satisfaisante et même soignée. J'ai donc télégraphié à New York le lendemain, samedi, ainsi qu'ils me le demandaient là-bas, au cas où je leur consentirais de procéder tout de suite à l'impression. Comme toujours, à la dernière minute, ils sont pressés. Ils entendent lancer le livre le 10 octobre[4]. Voilà donc une chose terminée, enfin complètement derrière moi, et j'en suis contente.

Je suis installée assez confortablement ici ; du moins, maintenant qu'il fait chaud, je m'y sens bien. Ne crains pas pour moi. Évidemment je m'ennuie follement de toi — mais la séparation a quelque chose de bon : elle suffit, au bout de deux ou trois jours, à me démontrer que tu es tout pour moi, que là où tu es se trouvent mon âme et ma vie. Je serai néanmoins assez heureuse ici si j'ai l'assurance que de ton côté la vie est supportable et surtout que tu gardes ton courage. Mais écris-moi plus souvent : car quatre jours sans lettre, c'est interminable. C'est le Sahara sans limites. N'oublie pas de faire signe à M. Issalys[5].

Je t'embrasse bien tendrement, mon cher Marcel.

Gabrielle

P.S. Pour le téléphone, au cas où la note serait échue, peut-être vaudrait-il mieux adresser tout de suite un chèque à la compagnie. Ce serait embêtant qu'ils nous coupent le téléphone.

*

Port-Daniel-Centre, le 2 juillet 1951

Mon cher Marcel,
Je t'écris, dès l'après-midi, sans attendre le courrier du soir, vers 6 h 50, qui m'apportera, je l'espère, une lettre de toi; je t'écris dès maintenant afin de m'assurer que cette lettre partant tout de suite te sera livrée sans faute en deux jours.

J'ai si hâte de te lire. Rien n'entame et n'use pour moi le plaisir de recevoir et de lire une lettre de toi. Je souhaite particulièrement que cette semaine soit heureuse pour toi, que tu y reçoives enfin des nouvelles qui apportent la paix en ton cœur. J'ai confiance. Cela marchera sans doute à Québec, mais si cela ne devait pas être, il y aura encore beaucoup d'espoir pour Montréal et, en définitive, si rien de mieux ne se présente, il y aura toujours Saint-Jérôme. Mais quelque chose me dit que tu réaliseras ton désir de rester à Québec, et j'en serai parfaitement contente.

As-tu trouvé une chambre ailleurs? Donne-moi ton adresse si tu dois rester encore quelque temps à Québec. Je suis toujours inquiète quand je n'ai pas d'adresse où te rejoindre en cas de nécessité urgente.

Le temps est redevenu maussade aujourd'hui; mais hier, il a fait un temps radieux. J'en ai profité pour me mettre les pieds du moins à l'eau. L'eau était bien froide, mais la trempette m'a donné un bon appétit et ensuite un bon sommeil. Je crois que l'air de la mer va m'être profitable et bienfaisant. Je suis heureuse, mon cher Marcel, que tu puisses maintenant comprendre que la solitude, bien qu'elle soit pour moi une amère pénitence, me soit pourtant utile, de temps en temps. Elle ne fait que raffermir, de toute façon, mon affection pour toi.

Parle-moi de tout ce que tu fais. Tu connais ma curiosité de tout ce qui t'arrive de petit, de puéril, aussi bien que d'important.

Une espèce de brume blanche très légère, qui cache mal le soleil, commence à paraître autour de la maison, sur les champs et sur la baie qu'elle dissimule déjà. C'est la même blancheur laiteuse que nous avons vue à la Charité-sur-Loire, par ce matin ensorcelé, tu te rappelles[1]. Ou je me trompe fort, mais je crois que cette brume blanche présage le retour du beau temps. Puisse-t-elle aussi présager la fin des épreuves que tu as endurées et ta joie d'être au travail.

Mon chéri, je t'embrasse avec tendresse en attendant de te lire bientôt.

Gabrielle

*

Port-Daniel, le 3 juillet 1951

Mon cher Marcel,
Je viens de recevoir ta lettre désolée de samedi. Ce n'est pas de ma faute, chéri, si je ne t'ai pas écrit plus souvent. J'ai été moi-même quatre longues journées sans rien recevoir de toi, et je n'étais pas certaine que mes lettres te parviendraient au Château Laurier. Mais ne t'inquiète plus ; dorénavant, je t'écrirai souvent[1]. Seulement ne manque pas de me tenir au courant de tes allées et venues. Ne te désole pas si quelque obstacle t'empêche d'entrer dans un hôpital de Québec, en tout cas. Nous trouverons autre chose. Ce n'est pas le moment de perdre courage, maintenant que toutes tes démarches sont certainement sur le point d'aboutir. L'une ou l'autre mènera bien à quelque chose. Ne doute pas non plus de l'affection que j'ai pour toi. Elle ne te manquera jamais.

Je t'écris ceci à la hâte, tout de suite après avoir pris connaissance de ta lettre, afin que la mienne parte par le courrier de demain matin — et pour cela je dois la confier immédiatement à un messager, car la petite poste ferme à 6 h 30.

Je t'embrasse, mon chou, et déjà j'ai bien hâte que mes vacances soient terminées et de retourner vers toi.

Gabrielle

*

Port-Daniel, le 5 juillet 1951

Mon cher Marcel,
Tu ne m'écris pas souvent. C'est bien mon tour de t'adresser un petit reproche, sans méchanceté, sans malice. Je comprends si bien l'état d'esprit où tu te trouves. Cependant, moi aussi, le silence me pèse et m'incline à l'inquiétude. Écris-moi donc un peu plus souvent.

Une autre journée de vent et de pluie. J'ai fait la promenade de la pointe jusqu'au phare pendant une accalmie. C'était beau là-haut, sous les coups du vent. La mer déferlait, accourait en grosses crêtes blanches. Sur les récifs, l'écume giclait en tous sens. Je suis rentrée apaisée par ce tumulte.

Mais que j'ai hâte d'avoir d'autres nouvelles de tes démarches. En tout cas, si elles n'aboutissent pas à Québec, il y aura encore autre chose à tenter. Je t'en prie, ne cède pas au découragement. Tout finira bien, tu verras.

Je t'embrasse avec tendresse.

Gabrielle

P.S. Mon petit messager vient de m'apporter ta lettre du 3 juillet. Je suis désolée pour toi que la place à Québec ne te soit pas offerte pour l'instant. Mais si tu as Jeanne-d'Arc, c'est peut-être aussi bien[1]. De toute façon, d'ici un an ou deux, je suis assurée que ta carrière sera en bonne voie de réussite. De Montréal, tiens-moi au courant de tout ce qui se décidera.

Je t'ai envoyé deux autres lettres au Château Laurier. Si tu ne les as pas eues avant de partir, tu pourrais peut-être demander qu'on te les fasse parvenir.

Bonsoir, cher chou. Prends courage. Tu verras, tout ira bien. Enfin, à Montréal ou à Québec. Qu'importe si on est ensemble. Tu peux toujours, si le cœur t'en dit, prendre plus d'informations au sujet de Saint-Jérôme et m'en tenir au courant, avant de prendre une décision[2].

Gabrielle

*

Port-Daniel, le 6 juillet [19]51

Mon cher Marcel,

J'ai bien hâte d'apprendre de quelle nature est l'offre que l'on te fait à Sainte-Jeanne-d'Arc. Si, après réflexion, tu considères qu'il vaut mieux accepter la proposition de Saint-François-d'Assise[1], bien que moins intéressante que tu ne l'espérais, tu sais, je suis prête à y consentir. Bien entendu, à privilèges égaux pour toi, si l'offre de Jeanne-d'Arc t'apporte autant, sinon plus d'avantages que l'offre de Québec, je serais bien contente. Surtout, mon chou, il ne faut pas trop t'arrêter à des questions d'argent, car Dieu merci, nous en avons assez pour faire face aux nécessités, et je ne voudrais pas que tu choisisses une place inférieure à tes mérites simplement parce que tu veux gagner le plus d'argent possible. Cela me serait intolérable. Écris-moi donc tout ce qui en est au plus vite car je suis torturée de curiosité et d'impatience, ici, si loin de toi.

Je ne sais pas si tu as reçu toutes mes lettres adressées au Château Laurier. — J'en doute. J'en ai envoyé trois cette semaine à Québec. Dans l'une, je t'envoyais la première page d'une lettre de Solange Rolland. Elle m'y disait qu'absente de Saint-Jérôme jusqu'au *neuf juillet*, elle t'y attendrait à partir de cette date, du moins elle attendrait des nouvelles de toi. J'espère que tu lui écriras, de toute façon. Elle s'est certainement démenée pour toi, quoique, à y réfléchir, je redoute un peu cet excès de zèle qui, si l'on n'y répond pas par autant d'exubérance, risque de provoquer la mésentente. Si je me sens incapable de donner à certaines gens autant qu'ils sont prêts à me donner, j'aime mieux, en toute justice, ne pas trop accepter d'eux ; et Solange est justement l'une de ces personnes à qui, je le crains, je ne pourrais donner beaucoup de moi-même, bien que je l'estime, mais à vrai dire son verbiage me tape un peu sur les nerfs. Il faut, néanmoins, la remercier comme il sied des efforts qu'elle tente à ton profit. Elle te conseillait dans la lettre plus haut mentionnée de faire, bien entendu, ta demande officielle auprès des sœurs de l'hôpital[2] et elle estimait tes chances d'y entrer très grandes et fort nombreuses. Tu verras, après réflexion et après avoir considéré l'offre de Jeanne-d'Arc, ce qu'il faut penser de ce projet de Saint-Jérôme. J'ai l'impression que tu trouveras mieux et même que la proposition de Québec serait plus avantageuse. Qu'en penses-tu ? Il est vrai que nous pourrions vivre à la campagne — mais condamnés à y vivre peut-être l'apprécierions-nous moins. Et puis, dans l'intérêt même de ta carrière (qui sera belle et fructueuse malgré un début difficile, de cela j'ai la conviction), une petite place à Montréal est peut-être mieux que la première place dans une petite ville.

Je te dis tout cela, non pour influer sur ta décision — que je voudrais entièrement libre, mon chéri —, mais pour éclaircir le problème et y voir clair moi-même et, si possible, t'aider. Ce que je souhaite le plus ardemment c'est que tu trouves avec le travail le sentiment de ton utilité en ce monde et une source de contentement en toi-même.

Ne manque pas, par conséquent, de me tenir au courant du progrès de toutes tes démarches.

Grande tempête aujourd'hui. Il faut croire que j'ai la chance d'arriver aux bons endroits à temps pour y voir des ouragans, des raz de marée, etc. Le vent secouait si bien la maison McKenzie la nuit dernière que j'y avais l'impression d'être en bateau. Cet après-midi, j'ai emprunté le suroît d'Irving, les bottes de la petite bonne à tout faire, et je suis allée marcher au bord de la mer, si près que les vagues venaient lécher lesdites bottes et parfois m'éclaboussaient. L'eau se brisait sur les récifs : partout, j'ai vu, apportés par la vague, des débris de poissons, des coquillages, des bouts de bois. C'est étonnant ce qu'on peut trouver au bord de la mer, après une nuit de gros vent. Le vieux pêcheur, Louis Langlois, qui habite plus loin encore que nous, à la pointe, se désolait, lui. La mer ramenait à la côte ses « attrapes » de homard, presque toutes en pièces, brisées, effondrées. Quel gâchis ! Chacune de ses attrapes est longue à faire et coûte $3.00. Le vieux, qui a passé soixante ans, m'offre toutes sortes de cadeaux. Au début de la semaine, un homard fraîchement cueilli, qu'il venait de faire bouillir dans une vieille marmite de fer (j'avais pensé d'abord que c'était un récipient pour y faire le savon), une marmite d'une saleté innommable. Tu penses bien que je n'ai pas goûté au homard. Les autres s'en sont régalés. Hier, le vieux Langlois (il ne s'agit pas du père Elias[3], mais toujours du plus proche voisin) m'offrait des fraises des champs. Je voudrais bien en faire des confitures pour nous deux.

Je suis un peu fourbue de ma promenade sur les rochers, en terrain fort accidenté, mais contente, et je sens que la vie circule en moi, fouettée et ranimée par un exercice salutaire.

Je voudrais terminer la paire de chaussettes commencée pour toi, il y a si longtemps. Si je ne fais pas attention, je deviendrai comme la grand-mère de Gide dont il nous entretient dans *Si le grain ne meurt*[4] et qui avait cinquante tricots inachevés perdus dans les coins et recoins de sa maison. M'enverrais-tu mon livre de tricot qui est, je crois, dans le tiroir du bas de ma commode. J'en ai besoin pour finir les bas. Aussi, m'enverrais-tu quelques-uns des livres de la collection Flammarion, je veux dire les livres de format cahier que j'achetais en France pour 30 ou 50 francs. Je les ai tous lus, mais j'en relirais certains avec plaisir. Envoie-m'en seulement trois ou quatre. Je ne veux pas trop m'encombrer.

J'ai tellement hâte d'avoir une bonne, longue lettre de toi. Prends soin de ta santé. Fais-toi des repas suffisants et, de temps en temps, pour te distraire, va prendre un repas chez Cécile ou au restaurant.

Si tu veux que je travaille en paix ici, il faut que tu me donnes l'assurance que de ton côté, tu ne cèdes pas au découragement. Comme le capucin[5], je vois bien que je prêche toujours la même chose, mais il n'y a peut-être pas mieux à apprendre en ce monde qu'à se préoccuper des autres. Et comment pourrais-je ne pas être constamment préoccupée de toi ?

Remercie madame Creagh de sa gentillesse à m'envoyer mon courrier et dis-lui de ma part que j'apprécie ses bontés.

Je t'embrasse avec la plus profonde et la plus fidèle affection.

Gabrielle

⁂

Port-Daniel, le 8 juillet 1951

Mon cher Marcel,
J'ai reçu ta lettre de jeudi hier soir. D'après ce que je vois, tu as eu de l'aussi mauvais temps pour rentrer que nous en avons eu ici jeudi et vendredi. Aujourd'hui, il fait très beau, très chaud même. Je ne suis pas allée me tremper pourtant. Je ne sais pas si l'eau trop froide en est la cause mais j'ai moins bien dormi que d'habitude ces nuits dernières. L'air était très vif aussi. Et comme je ne voudrais pour rien au monde retomber dans l'insomnie d'autrefois, je vais laisser passer quelques jours avant de me mettre à l'eau.

Je t'envoie mes deux dernières lettres adressées à Québec et qui m'ont été retournées. Il n'y a pas grand-chose là-dedans, mais elles t'apportent du moins la preuve que j'ai pensé à toi tous les jours avec affection.

Tu as donc, j'imagine, été chercher la Titsa ? As-tu ramené la tribu ? Ou bien Cécile a-t-elle décidé après tout de garder l'un des chats. Je le souhaite, car avec tous ces animaux, je crains bien que tu sois embêté.

Si pour une raison importante, tu veux me parler au téléphone, c'est facile puisque le téléphone est dans la maison même. Je croyais te l'avoir dit. Tu n'as qu'à appeler chez Irving McKenzie, Port-Daniel-Centre. C'est à l'heure des repas qu'il est plus sûr de me trouver à la maison, entre midi et une heure et vers six heures du soir.

J'espère que tu auras d'excellentes nouvelles à m'apprendre bientôt. J'ai travaillé un petit peu ces jours-ci, rien de bien fameux. Je réchauffe la forge plutôt qu'autre chose. Et Dieu sait qu'elle a eu le temps de refroidir.

Je t'embrasse de tout cœur.

Gabrielle

Mrs. Creagh m'a réadressé quelques exemplaires des [*ajouté en marge :*] *Nouvelles Littéraires* [et] du *Figaro.* Si tu les veux, je te [les] retournerai.

✳

Port-Daniel, le 9 juillet [19]51

Mon cher Marcel,

Que je suis désolée de tous ces atermoiements qui te font tant souffrir ! Mon chéri, quel que soit le parti auquel tu te rangeras, je t'approuverai et en serai contente. Décide donc selon ton choix. Non, certainement, je ne me déplairai[s] pas à Saint-Jérôme. Et puis, plus tard, si nous n'aimons pas cela, il y aura peut-être une place pour toi au futur hôpital des Sœurs grises. Cependant, si tu aimes autant l'offre que l'on t'a faite à Québec, même si ce n'est pas payant, celle-ci serait peut-être préférable. Du moins, tu pourrais y ouvrir un bureau et y avoir ta clientèle privée, j'imagine. Enfin, fais comme tu l'entends pour le mieux, et sois assuré que je n'en serai pas déçue[1].

Tu n'as rien à perdre de toute façon à voir dès maintenant madame Rolland qui doit être de retour. Tu fais bien aussi d'approcher Bétournay[2]. Tâche de garder tout de même ta patience, mon chéri. Je suis assurée que nous touchons au bout de notre épreuve, que ce n'est plus qu'une question de temps, que tout va bientôt changer pour nous de couleur.

Si tu t'ennuies trop, dis-le-moi, je reviendrai immédiatement. Je ne puis supporter l'idée que tu sois seul dans des moments si pénibles.

Mon Dieu, cette Titsa n'a donc pas amélioré son caractère. Laisse-les du moins sur la galerie, ces vilains.

Je t'embrasse en espérant de toute mon âme que tu sois bientôt heureux.

Gabrielle

[*Ajouté en marge :*] Non, ne m'envoie pas le livre de Connie. Je le lirai à mon retour[3].

✳

Port-Daniel, le 10 juillet 1951

Mon cher Marcel,
Plus je pense à l'idée de nous établir à Saint-Jérôme, et plus l'idée me paraît acceptable, agréable même. Je n'aurais certainement pas d'objections. Occupe-toi donc de ce projet sans craindre de me déplaire. Pauvre chéri, je ne demande que d'être avec toi en quelque coin où tu te sentirais raisonnablement heureux. Que de choses que j'aurais, il y a quelques années seulement, estimées importantes, me paraissent maintenant vaines — car j'ai l'essentiel et cela me comble.

Dans un autre jour, j'aurai fait trois semaines de séjour ici. Mettons que j'y passe encore une quinzaine de jours, pas beaucoup plus, je crois — et il sera temps de songer à rentrer. La vie me plaît assez ici, mais je m'ennuie beaucoup. Cependant, j'ai commencé à travailler passablement. Peut-être faut-il que je sois forcée par l'ennui, acculée à lui, pour obtenir de moi un réel effort. C'est possible, mais c'est pénible.

Nous devrons, de toute façon, arriver à une décision pour la fin d'août, date où il nous faudra donner un mois d'avis aux Hamel[1], si nous devons partir. Quoi qu'il en soit, je n'aurai pas de regrets. Partout, l'on peut trouver des raisons de s'y sentir bien.

Je t'embrasse avec la plus vive affection. Je suis contente que tu sois du moins admis au Collège des médecins de la province. Voilà toujours bien un pas de fait. Sois courageux, [*ajouté en marge :*] Marcel. La guigne est à la veille de lâcher. Tu verras.

Gabrielle

❋

Port-Daniel, le 11 juillet 1951

Mon cher Marcel,
Comme tu dois avoir chaud, en ville, aujourd'hui ; même ici, l'air est à peine respirable. Je ne crois pas que cette chaleur dure longtemps ; et puis elle a ceci de bon qu'elle réchauffe certainement l'eau de la Baie, trop froide jusqu'ici pour le bain.

Chéri, veux-tu m'envoyer 150 à 200 feuilles de papier pour machine à écrire. J'en ai dans une boîte dans ma chambre, il me semble, dans le petit meuble de coin si je me rappelle. Je n'en ai pas pris beaucoup avec moi, croyant que je pourrais m'en procurer ici — mais c'est impossible. Je crois bien que je n'aurai plus rien à te demander après ceci, jusqu'à mon retour.

Hier, aucune lettre de toi : j'ai été déçue. Toutefois je comprends que tu te livres à des démarches qui exigent du temps et surtout une attention non divisée. Quelle que soit la décision que tu prendras, je m'y rangerai avec contentement.

Manges-tu suffisamment et à des heures régulières ? Tu ne me réponds pas à ce sujet. Permets-moi d'insister : il faut bien, malgré tout, tu sais, s'astreindre à une sorte de régularité, sans quoi l'on est perdu.

Ne te désole pas, chéri, tout va se tasser enfin, j'en ai la certitude. Un peu de patience encore, après en avoir tant eu, il ne faut pas abandonner. Je t'envoie une lettre de Paula[1]. J'ai reçu les *Amérique Française.* Andrée Maillet n'y va pas de main morte, hein. Du moins elle a le courage de son enthousiasme et ne cherche pas — par crainte d'être prise en faute — à le modérer et à le dissimuler comme tant d'autres critiques que j'ai lus et qui, à force de se réserver des portes de sortie, finissent par ne plus rien dire du tout[2].

J'ai hâte, terriblement hâte de te retrouver. Écris-moi souvent, afin que le temps qu'il me reste à passer ici s'écoule un peu moins lentement.

Le pays est très beau aujourd'hui, sous une brume de chaleur, légère, presque invisible, qui flotte à la surface de la terre et des herbes. Le vent passe dans le foin en l'inclinant doucement. J'aime les après-midi chauds, à la campagne, quand de la terre saturée de soleil monte cette vibration de lumière.

Je t'embrasse de tout mon cœur.

Gabrielle

⁂

Port-Daniel, le 13 juillet 1951

Mon très cher Marcel,
Comme il n'y a pas de départ de courrier ici, le dimanche, j'ai calculé que tu ne pouvais pas recevoir une lettre de moi le mardi; ne sois donc pas déçu mardi prochain. Je ne puis rien faire pour ce jour-là; autrement, je tâcherai de t'apporter tous les autres jours le peu de réconfort que je puisse te donner.

Mais il faut t'aider. J'ai été très fâchée d'apprendre que tu dormais le jour, veillais la nuit. Et encore, ce n'est pas en tournant la vie à l'envers que tu vas l'améliorer. Il faut bien que tu te mettes dans la tête que l'épreuve présente, si longue qu'elle soit, n'est qu'une épreuve; qu'elle passera comme toutes les épreuves; que tu en sortiras sûrement. Alors, que t'aura servi d'avoir broyé du noir si longtemps, d'avoir usé ton énergie tous les jours contre la meule de l'ennui. Je sais que ce n'est pas facile d'y résister; il le faut pourtant. Crois-moi si tu ne peux te croire toi-même; place ta confiance en ma confiance car, pour ma part, j'ai la conviction que tu seras bientôt placé.

As-tu écrit à madame Rolland? J'espère que tu as fait cela, du moins, car elle aurait raison de s'étonner de n'avoir pas encore reçu de réponse. Y a-t-il d'autres nouvelles de Jeanne-d'Arc? Tu ne me réponds pas, au sujet de ce que [je] t'ai proposé quant à Québec. Ne me laisse pas dans le noir. Je voudrais tellement t'aider.

Oui, de mon côté, je travaille un peu, tous les jours. Rien de très remarquable encore, cependant j'ai lieu de n'être pas trop mécontente si je considère à quel point j'étais rouillée. J'ai repris la vie de mon cher, de mon pauvre Alexandre Chenevert.

Je te remercie pour les livres que tu m'as expédiés et surtout pour ta lettre du 10, reçue hier. C'est un bon moment pour moi quand mon petit messager arrive avec une lettre où je reconnais ton écriture. Du voisin j'ai emprunté toute la collection d'Edgar A. Poe. Quel esprit génial! Je comprends que Baudelaire se soit enthousiasmé à traduire son œuvre. Poe, par l'esprit, par l'enchantement d'une morbidité poétique, est véritablement son frère. Quel bonheur ce dut être dans sa vie douloureuse de rencontrer tout à coup cette âme si pareille à la sienne, cet être fidèle à sa propre destinée! J'ai relu des contes que je connaissais déjà, tel

The Tell-Tale Heart ; d'autres inconnus de moi jusqu'ici : *Eleonora,* par exemple et *The Ragged Mountains*[1].

Je me fais donner mes piqûres par le docteur de l'endroit, le docteur Quesnel, très serviable et très sympathique. Il a vite découvert que j'étais *Bonheur d'occasion.* Hier soir, comme il allait faire une visite dans les rangs, il a eu l'attention de m'inviter à l'accompagner afin de voir un spectacle d'humanité qui pourrait me servir comme écrivain. Nous sommes partis, lui, moi, et trois de ses petites filles. Le brave docteur, en chemin, m'avait attribué un rôle. Je devais dans la maison être présentée comme infirmière. Est-ce que j'ai dit : une maison ? Une masure, une bauge serait plutôt le terme. Quelle misère ! Je croyais en avoir vu dans ma vie, mais cela dépasse tout. Aucun meuble sauf la table, un poêle et un lit, ou ce qui servait de lit, quelques planches recouvertes d'un tas de guenilles. Là-dedans, des enfants comme des poussins pointant [i]ci et là la tête entre les guenilles. J'avais le cœur serré : j'ai dû faire un drôle de visage pour une garde-malade. Il s'agit là d'arriérés mentaux, de ces types abrutis tels que se plaît à en dépeindre Erskine Caldwell[2]. Je te passe la crasse accumulée sur le plancher et la table. Pas de porte : un carré ouvert sur le ciel, pur, lui, et net. Pas de fenêtres non plus ; tout juste deux petits trous qui laissaient passer un peu d'air. Quand nous jugeons cette sorte de pauvreté impossible en notre XXe siècle, nous oublions peut-être plus d'humains qu'on ne le croit ; en tout cas des demi-idiots, des êtres à mi-chemin entre l'état animal et l'état humain. J'étais tout de même reconnaissante au docteur Quesnel de m'avoir révélé cette scène. Et comme, au retour, j'ai trouvé confortable, accueillante, ma petite chambre avec sa berceuse, la grande table de travail que je me suis fait donner et mes deux fenêtres ouvertes sur les marguerites, les arbres et, dans le lointain, le bleu de la mer.

Si tu vois madame Rolland bientôt, peut-être ne serait-ce pas une mauvaise idée de lui demander s'il y a des maisons à louer à Saint-Jérôme.

Par ailleurs, penses-tu encore à ton projet d'internat dans un hôpital de Montréal ?

Je t'embrasse bien tendrement.

Gabrielle

*

Port-Daniel, dimanche le 15 juillet [19]51

Mon cher Marcel,
Mets de l'encre dans ton stylo, mon chou ; j'ai eu toutes les difficultés du monde à déchiffrer ta dernière lettre. Elle m'a beaucoup peinée quand je suis arrivée à en reconnaître le sens ; de te voir livré ainsi à l'ennui m'accable. J'aime mieux cependant que tu me dises tout, plutôt que de garder cela sur le cœur[1].

Toutefois, si tu voulais bien examiner que nous sommes liés par une affection éprouvée, que nous ne sommes ni l'un ni l'autre dépourvus de dons et d'une certaine santé, que nous échouerons certainement un jour ou l'autre au rivage d'une vie telle que nous espérons, ne crois-tu pas que tu trouverais en tout ceci des motifs de résister à la tristesse. Considère encore que personne n'a jamais été diminué, en définitive, par des déboires, des contretemps, à moins que cette personne ait bien voulu être diminuée ; qu'au contraire, nous sortons presque tous grandis, assagis, plus forts et plus humains des épreuves. Mais je ne veux pas avoir l'air à tes yeux d'une prédicante. Crois-moi seulement lorsque je te dis qu'il est mieux pour nous de ne pas avoir ce que l'on désire, du moins de la façon dont on le désire, et que bien souvent nous obtenons autre chose qui plus tard s'avère être supérieur à ce que l'on croyait tant désirer.

Tu n'as pas ce que tu désires ; probablement tu obtiendras tout aussi bien ou mieux sous une autre forme.

En attendant, relève la tête, hausse la voix, marque de l'assurance, ne marque aucune peur puisque en définitive tu n'as rien à perdre et fais ce que tu peux faire dans les circonstances, sans rien laisser voir de tes déceptions, sauf à moi quand tu ne peux plus faire autrement.

Si Jeanne-d'Arc est en faillite, qu'importe. N'attends pas plus longtemps et occupe-toi dès maintenant de Saint-Jérôme. De toute façon il faut compter là aussi avec des semaines d'attente. Alors ne perds plus de temps. Et si Saint-Jérôme devait accrocher quelque part, pense dès maintenant à autre chose. Je serais bien étonnée que dans quelques années d'ici tu ne sois pas arrivé à un poste enviable, mais cela si tu t'es montré courageux, persistant, sans permettre aux difficultés de t'abattre.

Je voudrais bien que tu me dises si la Toilet Laundry[2] a livré les rideaux de ta chambre en ton absence. Cela m'inquiète. N'oublie pas de m'en parler.

M'as-tu envoyé le livre de tricot : je n'ai encore rien reçu. N'oublie pas non plus le papier : si tout cela n'est pas encore parti, ajoute un exemplaire ordinaire de l'édition canadienne de *La Petite Poule d'Eau* ; c'est pour le docteur Quesnel.

De Bruxelles, par l'entremise de Simone Routier[3] — tu te souviens, nous l'avions vue à Ottawa, en passant —, je viens de recevoir un exemplaire du journal *La Libre Belgique,* lequel contient un article des plus élogieux sur mon dernier livre[4]. Ce journal a son siège social justement dans la rue Mont-aux-Herbes-Potagères de si drôle mémoire. Je te conserve ce journal jusqu'à mon retour, qui n'est plus tellement loin maintenant.

Je me demande, en effet, si l'air de la mer me convient. Je suis plus vivante, je sens moins de fatigue, je me sens beaucoup plus énergique, mais je dors moins bien ; je me sens même assez souvent nerveuse et agitée la nuit comme autrefois. En tout cas, les bains de mer sont à retrancher absolument, hélas, moi qui les aime tant. Hier, après avoir encore essayé, j'ai passé une nuit d'insomnie totale et d'angoisse. J'avais comme le pressentiment que tu m'appelais à l'aide ; j'étais au désespoir de n'être pas sur place pour connaître la nature de ce qui te désolait et de ne pouvoir te porter secours. Quelle nuit !

Je vais donc me contenter d'aller m'asseoir de temps en temps face à la mer en attendant de rentrer. C'est déjà une grâce de pouvoir contempler ce miroir de l'infini. Chéri, il se passe en moi ces semaines-ci une étonnante révolution morale. Il me semble que le père Joseph-Marie lui-même que j'ai tant aimé, à son tour plein d'amour pour moi, me mène vers Dieu[5]. Et cela paraît simple et facile, dans ses pas. La foi ne me répugne plus du tout ; peut-être même l'ai-[je] déjà accueillie. En tout cas, je me sens comme éclairée par une confiance, une clarté qui ne peuvent pas venir de moi seulement.

Je t'embrasse avec tendresse.

Gabrielle

[*Ajouté en marge :*] *As-tu acheté le* Photo Journal[6] *en question ?*

Je regretterai le pauvre petit Chi Min[7]. C'est toujours celui qui part qui paraît le plus gentil. Mais je suis contente qu'il aille [*ajouté en marge :*] à Repentigny. Là il devrait filer une bonne petite vie de chat.

*

Port-Daniel, le 16 juillet [19]51

Mon cher Marcel,
Viens de recevoir ta lettre du 14. Merci, chou. Merci pour le papier ; cela suffira.

Je me sens un peu lasse ce soir. Je remettrai donc à demain le plaisir de t'écrire plus longuement.

Mange suffisamment. Garde ton courage, mon chéri.

Je t'embrasse tendrement.

Gabrielle

Je viens de recevoir une lettre de notre voisine. Lui as-tu remboursé, chéri, le prix du nettoyage des rideaux ? Sinon, tâche de le faire tout de suite.

*

Port-Daniel, mardi le 17 juillet [19]51

Mon cher Marcel,
J'espère de tout mon cœur que cette semaine sera plus heureuse pour toi que celles qui l'ont précédée ; en tout cas que tu touches à la fin de l'incertitude. Mais, de grâce, si rien n'y marche encore à ton goût, n'en conclus pas qu'il n'y a plus d'espoir. Ce serait grande folie.

Est-ce que tu étudies un peu tous les jours. J'aimerais penser que tu t'astreins à un effort régulier, même si tu imagines n'en tirer aucun profit. Tel n'est pas le cas, au fond. N'en garderais-tu que l'avantage de l'entraînement que ce serait déjà profitable.

As-tu pensé que peut-être il serait bon que tu passes ton examen avant de te fixer ?

As-tu aussi complété ton dossier pour les Sœurs grises[1] ? Je crois que tu ne devrais pas tarder à l'envoyer quoi qu'il arrive.

Le beau temps est revenu ; cependant il ne fait pas chaud ; l'air reste piquant. Ce sont des journées qui ne me déplaisent pas. Comme je ne prends plus de bains de mer, je passe mon après-midi à lire, t'écrire ; ensuite une petite promenade ; et, enfin, des placotages avec les voisins en occupent le reste.

J'ai hâte de te revoir. Je t'embrasse avec amour, mon grand. Sois sage, mange à heures fixes. Marche un peu tous les jours ; écoute bien ta prédicante.

Gabrielle

⁂

Port-Daniel, mercredi le 18 juillet [19]51

Mon cher Marcel,
J'ai reçu, hier soir, le livre de tricot, la *Revue de Paris* et les *Nouvelles Littéraires.* J'aurais encore mieux aimé une lettre de toi : cependant je te remercie beaucoup d'avoir eu la gentillesse de m'envoyer tout cela. Je crois bien que je ne « t'achalerai » plus maintenant, ayant tout ce qu'il me faut jusqu'à la fin de mon séjour ici. Même, il n'est plus nécessaire de me réadresser ni les *Nouvelles Littéraires,* ni aucune des revues auxquelles nous sommes abonnés. Garde-les. J'ai suffisamment de lecture pour occuper les quelques semaines que je passerai encore chez la mère McKenzie.

J'y suis bien : je profite sagement des avantages de l'endroit ; néanmoins je serai contente de rentrer chez nous. Où que ce soit, quoi que ce soit, le moindre petit coin partagé avec toi, c'est maintenant chez-nous. Et quelle saveur dans le mot, et quel attrait !

Mrs. McKenzie me fait une très bonne table, un peu monotone, mais du moins sans accroc à mon régime. La pauvre carcasse n'est donc pas trop mal en point. Plutôt bien, même, ce dont je suis fort contente.

Je vais tâcher de finir au moins un des bas que je te promets depuis si longtemps. C'est une marque peut-être insignifiante d'affection... cependant, c'est une façon de penser à toi... tendrement.

Je t'embrasse et je t'aime.

Gabrielle

[*Ajouté en marge :*] Ci-inclus une petite lettre que je viens de recevoir de la mère de Paula.

⁂

Port-Daniel, le 20 juillet 1951

Mon cher Marcel,
Je t'aurais bien parlé une heure au téléphone hier soir, si je n'étais pas de la sotte espèce à qui parler au téléphone, à longue distance, paraît une telle extravagance qu'elle lui coupe le souffle. Mais je suppose que rien ne changera ce sentiment d'urgence qui me prend au téléphone. Tout de même, ma soirée a été embellie par le son de ta voix. J'espère qu'il en a été de même pour toi.

Dans ta lettre d'hier, tu me disais que tous te lâchent sauf moi[1]. Quant à moi, ne crains pas que cela arrive jamais. Pour les autres, il ne faut pas les englober tous dans ce sentiment que je comprends que tu puisses éprouver. Néanmoins, chéri, il reste que nous sommes riches en véritables amis : le fait qu'ils ne peuvent pas beaucoup nous aider ne doit pas nous cacher leurs vertus.

Je souffre affreusement de voir tes projets mettre tant de temps à prendre corps et visage. Je reste pourtant persuadée que cela n'ira pas toujours ainsi et que nous devons arriver bientôt à un bon tournant. En tout cas, si tu n'as pas de succès, ni pour Jeanne-d'Arc, ni pour Saint-Jérôme, je suis prête à aller avec toi n'importe où dans un village perdu, si tel poste pouvait t'attirer. Et il me semble que, tant que nous serons ensemble, rien de vraiment grave, de vraiment malheureux ne peut nous atteindre.

As-tu donc été porter les deux petits chats à Repentigny ? L'appartement doit te paraître vide. Tu as bien fait pourtant : il fallait se défaire de ces chats. Que dit Titsa du départ de sa famille ? Je suppose qu'elle est contente de pouvoir reprendre toutes ses aises.

Il pleut encore aujourd'hui. On n'a jamais vu un été pareil sur ces côtes. Dans l'Ouest, cependant, la sécheresse règne. Quel drôle de monde.

Courage, mon grand, en dépit de tout, je sais que tu arriveras à tes fins. Et j'admire que tu tiennes tête à la meute. Je t'embrasse avec une profonde affection.

Gabrielle

*

Port-Daniel, le 22 juillet 1951

Mon cher Marcel,
J'ai été mal inspirée, en effet, de venir en Gaspésie cet été[1]. Saison plus maussade, aussi pluvieuse, je n'en ai pas encore vue. Qu'importe, cela m'aura changé les idées. J'ai eu l'intention de revenir cette semaine. En vérité, cela m'a pris tout mon courage pour remettre mon départ un peu plus tard afin de tâcher de compléter au moins un chapitre avant. Je reviendrai donc, je crois bien, au début du mois d'août. Dès la semaine prochaine, j'irai retenir ma couchette et, dès lors, je pourrai t'annoncer la date de mon retour ; j'imagine que ce sera vers le 5 ou 6 août. J'espère que d'ici là le temps ne te paraîtra pas trop long.

Je suis contente que tu aies gardé Chi Min plutôt que Petite. Son pelage gris me paraît si joli, et puis, il ne faut pas oublier qu'il m'a déjà coûté 3 dollars. Quel scandale tout de même !

Je t'envoie la page du journal de Belgique dont je t'ai déjà parlé ; un autre exemplaire m'a été envoyé, cette fois-ci par Beauchemin.

Je suis contente, mon chéri, des efforts que tu fais pour maintenir ton moral, et domestique et spirituel. Aucun de ces efforts n'est perdu, crois-le, ni non plus ridicule. Ils me paraissent méritoires, et je t'admire de les poursuivre simplement et avec bon sens. Bientôt je pourrai te donner un coup de main dans les corvées les plus désagréables.

Au revoir mon chéri, je t'embrasse.

Gabrielle

*

Port-Daniel, le 23 juillet 1951

Mon cher Marcel,
J'ai un léger petit rhume aujourd'hui ; un peu mal à la gorge. Si je m'écoutais, je ne ferais que flâner toute la journée. Mais je sais trop à quel point une journée sans lettre serait pour toi morne et longue ; d'ailleurs, l'habitude vers trois heures l'après-midi de m'asseoir pour t'écrire m'est devenue indispensable. Il fait un temps radieux. La mer est d'un bleu parfait, et le vent, comme j'aime tant le voir, court dans l'herbe. Elle est très haute maintenant. Ce soir même, le vieil Irving m'a promis qu'il commencerait à faucher les foins. Je n'aurais pas voulu par-

tir avant d'assister à la fenaison ; sentir encore une fois l'odorante odeur des herbes coupées ; reconnaître, plus tenace que les autres, celle du trèfle embaumé. Voilà donc une joie que j'aurai et qui me replongera dans mes souvenirs de grandes vacances à Somerset, chez l'oncle Excide. Excide Battery, comme je l'appelais pour le voir rouler ses gros yeux et tirer ses moustaches en prétendant qu'il était fâché. Et peut-être l'était-il, car, au fond, sa nature avait de la susceptibilité[1].

La vie de mon côté passe doucement, il me semble, un peu plus agréablement à présent que j'ai arrêté la date de mon retour. J'éprouve la hâte d'être avec toi, même de t'aider à la popote autour du feu. Je ne veux pas te retrouver amaigri, donc attention : mange assez et repose-toi comme il sied.

Je t'embrasse de tout mon cœur.

Gabrielle

✻

Port-Daniel, le 24 juillet [1951]

Mon cher Marcel,
Merci pour l'exemplaire de *La Petite Poule d'Eau* que j'ai reçu et que j'offrirai aujourd'hui au docteur Quesnel. Il a l'air d'en désirer un vivement. Je te remercie surtout pour ton petit bout de lettre quotidienne qui me fait grand bien. Sans cela, les journées seraient insupportables. Je partirai d'ici probablement dimanche en huit, soit le cinq août — si j'obtiens une couchette pour ce jour-là, et j'arriverai à Montréal le lendemain, donc le 6 août.

Je crois que tu as raison de ne pas mettre trop d'espoir dans le projet de Saint-Jérôme. Celui-là aussi pourrait tourner en queue de poisson. J'espère bien que non mais mieux vaut ménager notre espoir en n'attendant pas trop de ce côté-là. Comme tu le dis, s'il y a déjà seize médecins à Saint-Jérôme, c'est déjà un nombre assez considérable. Mais, surtout, ne te décourage pas ; tant que tu auras du courage, j'en aurai moi aussi. Je ne sais quel est le projet qu'entre-temps tu entends soumettre à M. Vézina, mais je trouve qu'il est bon de tenter autre chose que ce que tu as mis en marche. Je t'approuverai en tout cas quel que soit le résultat que tu puisses obtenir. Nous n'avons plus beaucoup de choix ; il faut donc tout essayer. Et puis, s'il le faut, nous irons ailleurs. Le monde est vaste et, quelque part, bien sûr, il doit y avoir place pour gagner notre vie à tous deux. Je ne suis nullement découragée par tout ceci, crois-le, je suis toujours persuadée que tout simplement nous traversons une longue période de malchance — mais qu'ensuite le soleil luira pour nous.

J'écrirai à Jeanne pour lui expliquer que je ne serai plus en Gaspésie quand elle y viendra[1]. Je regrette d'avoir à manquer sa visite, mais moins que je regretterais de retarder à voir ton visage.

Si je ne me sens pas trop fatiguée, je tâcherai d'aller à la pêche, une nuit, avec un des bonhommes Langlois — et te raconterai cela plus tard.

Encore une belle journée. Il paraît que le temps sera au beau fixe à présent pour au moins une semaine. Je souhaite que les pronostics s'avèrent justes. Une dizaine de journées ensoleillées compenseraient pour l'affreux temps pluvieux que j'ai enduré jusqu'ici sans trop d'inconvénients toutefois, ayant assez de lecture pour me tenir compagnie.

La petite lettre de madame Mille est bien laconique, en effet[2]. Apparemment, elle sait beaucoup mieux converser qu'écrire ; c'est souvent le cas d'ailleurs — et vice versa chez les gens qui sont gênés dans l'expression verbale.

Raconte-moi le dîner chez les Rolland et ton impression des médecins que tu y as rencontrés.

Je t'embrasse bien tendrement, mon chéri.

Gabrielle

*

Port-Daniel, le 25 juillet 1951

Mon cher Marcel,
J'attends une confirmation des chemins de fer nationaux de la chambrette que j'ai retenue pour le 6 août. C'est donc à peu près certain que je quitterai Port-Daniel le 6 pour arriver à Montréal mardi matin le 7. Ces chambrettes ne coûtent que $4 et quelques cents. Comme c[e n]'est guère plus cher qu'une couchette, et infiniment plus confortable, j'ai pensé m'accorder l'avantage qu'elle doit comporter.

Je pense à toi continuellement, et toujours avec l'espoir de t'aider à réaliser tes espoirs. Tu sais, chéri, si le projet de Saint-Jérôme devait échouer, je me demande s'il ne vaudrait pas mieux te résigner tout de suite à suivre une période d'internat. Si tu dois en finir là, mieux vaut le plus tôt possible. La question d'argent ne doit pas t'arrêter car, si ton traitement n'est presque rien, n'oublie pas que j'ai du même fait moins d'impôt sur le revenu à payer ; par conséquent nous pouvons estimer qu'il ne nous coûterait pas plus de vivre encore un an comme par le passé. Je serais tout à fait contente de cet arrangement si tu le considères selon ton intérêt. Et peut-être est-ce la seule solution. Après, tu réussirais sans doute à faire ta place, soit à Notre-Dame, soit au futur hôpital des Sœurs grises. Je trouve qu'il serait ridicule de sacrifier ta carrière à venir pour la seule satisfaction de gagner tout de suite de l'argent. Ne le crois-tu pas ?

Autrement, si ce projet ne te tente pas, tu pourrais peut-être risquer d'ouvrir un cabinet de consultation à Montréal — et qui sait si après avoir envoyé tes cas au docteur Gérin-Lajoie[1] ou à un autre, celui-ci ne serait pas alors mieux disposé à t'accueillir dans son service. Je te dis ce qui me passe par la tête. Bien sûr, tu as dû peser tout cela toi-même et plus logiquement que je ne le fais. Cependant, il me semble que tout ceci ressemble à une partie de poker où tu dois jouer tes cartes en tenant compte des intérêts des autres aussi bien que des tiens. Autrement, pourquoi voudrais-tu que dans ce monde égoïste, l'on t'acceptât ?

Enfin, fais ce que bon te semble de mes idées. Elles ne valent peut-être pas cher. S'il s'en trouve une qui puisse t'aider, je serais heureuse. Et je serai heureuse que tu ne cèdes en rien de tes ambitions légitimes et que tu leur livres une bonne guerre à tous ces gens installés qui, une fois dans la place, la gardent comme une forteresse.

J'ai encore ce rhume qui me fait surtout souffrir de la gorge. Rien de grave ; c'est tout simplement pénible et agaçant.

Je t'embrasse cent et cent fois.

Gabrielle

*

Port-Daniel, le 27 juillet 1951

Mon cher Marcel,
Je t'envoie la belle lettre que je viens de recevoir de madame Le Bigot[1]. Tu as bien fait d'ouvrir celle des Herckenrath. Ces aimables lettres font du bien au cœur, n'est-ce pas ?

J'ai eu du sirop de codéine du docteur Quesnel pour mon rhume. Je crois que ça ira maintenant. Aujourd'hui, il fait un grand vent, mais il y a du soleil. Le meilleur temps pour les foins, paraît-il.

Je suis contente, mon chéri, que tu te sois remis à l'étude avec ardeur et comme j'espère que tant d'efforts soient récompensés. Je n'en doute aucunement d'ailleurs. Tant mieux si Saint-Jérôme t'offre un poste. Plus tard, je crois que tu pourras choisir un poste plus avantageux. N'y compte pas trop, cependant, je veux dire à Saint-Jérôme, afin de [ne] pas subir une autre déception.

Ainsi, Titsa est une mère acariâtre au point qu'elle ne laisse même pas le pauvre Chi Min aller à ses petits besoins. Attends que je sois là, et elle va se faire châtier comme elle le mérite.

Ta description des nouvelles habitudes de la Petite m'a fort amusée. Je l'imagine très bien allant quêter de la nourriture d'un camp à l'autre. Repentigny est un endroit idéal pour elle. Mais égoïstement, peut-être, je me réjouis que tu aies gardé Chi Min.

Je suis tout heureuse surtout des bonnes habitudes régulières que tu as prises[2]. Tu as beaucoup de courage, mon Marcel, et je suis fière de toi. Quoi qu'il en soit des événements contrariés, je sais moi, maintenant, que tu as l'âme courageuse, et cela m'est plus agréable que tous les honneurs et les succès que tu aurais pu récolter. D'ailleurs, ceci viendra à son heure.

Je t'embrasse bien tendrement.

Gabrielle

⁂

Port-Daniel, le 30 juillet 1951

Mon cher Marcel,
Ici, chez les Écossais de la région, on appelle toujours les femmes d'après le prénom du mari. Mrs. Irving, Mrs. Clifton, madame Georges, etc. Je suis donc devenue madame Marcel. Ça me va. Mais je compte maintenant les jours d'ici mon retour à la rue Alepin. Il n'y a rien comme les contrastes dans la vie pour donner du prix aux objets qui nous entourent. En arrivant ici, j'étais contente d'y trouver une vie simplifiée, presque inconfortable, j'y appréciais jusqu'à un certain point l'absence de

commodités. De la sorte, en rentrant, j'ai l'impression que je serai prête à redécouvrir le confort et les babioles modernes, et à m'y prélasser.

Je serai donc là le 7, vers huit heures du matin, à notre heure. Les derniers jours sont les plus longs. Dès que j'ai décidé de quitter un endroit, je ne m'y sens plus attachée. Curieux cela, n'est-ce pas? Es-tu toi-même ainsi?

C'est pas mal tôt pour espérer te voir à mon arrivée. Tu sais, j'aime autant prendre un taxi, plutôt que de te faire venir à la gare à cette heure. Cependant, viens, si cela te plaît. Le plus vite je te verrai, et le mieux ce sera.

Je t'embrasse, mon cher Marcel, bien tendrement.

Gabrielle

*

Port-Daniel, le 31 juillet 1951

Mon cher Marcel,

Je commence à croire à la télépathie pour de bon. Hier soir, tout à coup, sans aucune raison que je puisse définir, j'ai éprouvé une sensation d'allègement, que tout irait bien désormais pour toi. Je n'ai donc pas été surprise quand j'ai été appelée au téléphone. La ligne était mauvaise, malheureusement. N'importe, j'ai saisi que tu es content, et comme cela me réjouit. Si tu es prêt à accepter d'entrer comme interne à l'Hôtel-Dieu, si cela, dis-je, te paraît la meilleure solution, n'hésite pas; je serai tout à fait d'accord. Dans l'intérêt éventuel de ta carrière, il me semble que c'est mieux que Saint-Jérôme — et les autres postes ne sont pas encore assurés, n'est-ce pas —, alors mieux vaut, je crois, commencer par là où il le faut. En tout cas, un internat à l'Hôtel-Dieu ne peut te nuire et a toutes les chances, il me semble, de te mener à un poste tel que tu en envisageais un, au début. J'ai hâte que tu me donnes, par lettre, plus de détails.

Je suis contente que tu puisses partir pour quelques jours de vacances bien méritées avec le docteur Jutras[1]. Une petite promesse seulement, chéri — le docteur Jutras m'a l'air de boire assez copieusement; au risque de paraître ridicule —, et où est le ridicule là-dedans, je t'en prie — n'accepte qu'un seul verre, mais pas plus, hein, mon chou. Cela me fera tellement plaisir.

Maintenant, je tiens absolument à ce que tu fasses ce petit voyage. Quant à moi, il m'est difficile de remettre à plus tard la date de mon départ, car j'avais déjà une fois décommandé la chambrette retenue, et puis j'aime autant rentrer. Mais ça ne me fait rien de t'attendre tranquillement chez nous. Je ferai cela, ou bien j'irai passer deux ou trois autres jours à la campagne quelque part. En tout cas, même si je devais revenir seule, ça ne fait rien. J'aime tellement l'idée que tu auras toi aussi un peu de plaisir et quelque chose qui ressemble à des vacances. Surtout ne change pas d'idée ; cela me peinerait beaucoup.

Au cas où j'arriverais pendant ton séjour là-bas, n'oublie pas de laisser ma clé en bas chez madame Hamel, car je n'en ai pas, l'ayant laissée à Cécile. L'a-t-elle rendue ? Et puis, à cause des chats, il vaut peut-être mieux aussi que je revienne, car on ne peut encore demander à Cécile de les héberger. Ces malheureuses petites bêtes nous auront donné bien de l'embarras.

J'espère donc que tu feras un bon voyage, et que peut-être cela servira un peu tes affaires. Quand comptes-tu entrer à l'Hôtel-Dieu, si la chose se décide ? N'oublie pas de me laisser une lettre à la maison m'expliquant tout, et puis ce sera gentil d'avoir une lettre en arrivant. Si tu as le temps, samedi, achète-moi quelque chose à manger pour mardi. Ou plutôt, non, ce serait trop d'avance, et j'aurai ce qu'il me faut chez Bourdeau[2].

Mais laisse-moi une lettre et envoie-moi un mot aussi en route ou une fois à la Malbaie.

Je t'embrasse affectueusement.

Gabrielle

Ville LaSalle
hiver 1952

En janvier 1952, Marcel Carbotte, qui occupait depuis l'automne précédent un poste à l'hôpital de la Miséricorde à Montréal, se voit offrir une situation plus intéressante à l'hôpital du Saint-Sacrement de Québec, où on lui propose enfin de travailler dans sa spécialité, la gynécologie. Gabrielle Roy passe l'hiver dans l'appartement de la rue Alepin à LaSalle en compagnie du chat Chi Min et entourée de quelques voisins et amis. Dès la mi-février, elle cesse de travailler à Alexandre Chenevert, *qu'elle avait repris l'été précédent. Elle souffre beaucoup du foie et a du mal à dormir.*

Quant à Marcel, il prend pension à Québec, au Château Saint-Louis, chez madame Chassé.

Ville LaSalle, 22 janvier 1952

Cher Marcel,
Merci pour ta bonne petite lettre qui m'a tirée d'inquiétude. J'espère que tu trouveras à ton goût la pension que l'on t'a indiquée[1].

Connie a décidé de partir pour l'Angleterre dès le 3 février[2]. Tout de suite après ton départ, elle est venue me dire qu'elle croyait que je n'aurais plus besoin d'elle et qu'elle était inquiète de ce qui pourrait lui arriver ici à supposer qu'elle tombât malade, etc. Pour la tranquilliser, je lui ai dit qu'elle n'avait pas à s'inquiéter, et que je lui paierais son voyage de retour s'il devait devenir nécessaire pour elle de s'en retourner en Angleterre, qu'en tout cas rien ne pressait — et qu'elle serait sage d'attendre au moins un mois ou deux avant d'en arriver à une décision. Mais dès que je lui ai promis que je défraierais son voyage de retour, elle s'est rendue aux bureaux de la Cunard pour m'annoncer en revenant qu'elle avait retenu sa place, à $200.00, soit $62.00 de plus [que ce] qu'elle a payé elle-même pour son billet [pour venir au] Canada. Elle n'avait en banque que $43.00, économisés sur ses gages. J'ai donc dû, ce matin, lui faire un chèque pour la balance. Voilà donc un essai qui m'aura coûté assez cher. Enfin, j'aime autant, je crois, la voir partir maintenant, car je sentais qu'elle n'était pas heureuse, et cela m'angoissait. L'ennui, apparemment, la tenait bien, sans que la pauvre fille en dît grand-chose — et la retenir, maintenant que je connais son ardent désir de rentrer chez elle, serait inhumain.

Les cousines[3] viendront dîner ici avec moi demain soir. Il fait un froid brutal ; toutes les fenêtres sont transformées en verre opaque [et] recouvertes de forêts en dessins de givre.

Je ne vais pas trop mal, comme d'habitude. Je verrai Dumas encore une fois, et s'il n'a rien de mieux à me proposer, je reviendrai à la testostérone, car je suis affreusement lasse de tous ces essais infructueux.

Prends bien soin de toi-même et tâche de garder des habitudes propices à la bonne santé. C'est si dur de traîner l'aile et de ne plus avoir de santé.

Je t'embrasse bien affectueusement.

Gabrielle

La dernière facture du téléphone se monte à $11.04, $4.03 pour ce mois-ci et un solde de $7.04. Est-ce que ce dernier compte est resté en souffrance ? Je tiens à le savoir afin de régler la note en entier.

*

Ville LaSalle, le 28 janvier 1952

Cher Marcel,
Je n'ai reçu ta lettre de jeudi qu'aujourd'hui, lundi. J'ai donc eu le temps de m'inquiéter fortement. Je suis peinée d'apprendre ce qui arrive au docteur Morin dont l'amitié pour toi, je crois, est vraie, sincère. Il m'a fait l'effet d'un être loyal[1].

J'espère que tu te plais mieux là où tu es qu'à la Miséricorde et que tu t'y trouveras bientôt à l'aise.

Ici, petit train-train ordinaire. Madame Sumner est venue dîner avec moi un soir cette semaine. La pauvre est inquiète au sujet de Paula, nouvellement arrivée à Tunis où des troubles éclatent maintenant, comme hélas partout ailleurs[2]. Autrement, je n'ai pas beaucoup sorti, car le temps a été très froid pendant quelques jours. Maintenant c'est gris et humide.

Connie a à peu près fini ses préparatifs. Je lui fais apporter sucre, thé, chocolat, en me faisant une certaine violence, car je trouve son procédé à mon égard entièrement dépourvu de la délicatesse de cœur que j'étais prête à lui accorder. N'importe ! Mieux vaut oublier, si possible, la dernière impression qu'elle me laisse. Elle prendra le train pour Halifax samedi soir et je devrai sans doute aller à la gare, auparavant, avec elle, jeudi sans doute, pour le départ de sa fameuse malle que l'on doit expédier d'avance, à ce qu'il paraît.

J'espère que tu seras commodément installé au Château Saint-Louis et que tu y trouveras les repas à ton goût.

Chi Min grandit en beauté, mais non en sagesse. Tous les matins et tous les soirs, il fait sa petite crise de folie : courses, gambades. Il a maintenant un autre tour, c'est de répandre les mégots et les cendres de cendrier partout. Le matin, l'on trouve la cuisine dans un état incroyable. Tout est par terre, les gants pour prendre des plats chauds, le calendrier d'Esther, la pelotte à épingles, le balai à brosser, etc. Tout de même, je me suis attachée à lui, et je regretterais d'avoir à le perdre. Cependant, que faire, si je me décide enfin à partir pour un petit séjour ailleurs qu'ici où je m'ennuie trop et me trouve constamment en face des mêmes pensées. Cela me fera vraiment de la peine de le donner, à moins que ce ne soit à des gens qui aiment vraiment les chats.

Je t'envoie une lettre reçue ici que j'ai ouverte, tu m'excuseras, en pensant qu'il s'agissait peut-être de quelque chose d'assez important que j'aurais pu régler pour toi. D'autre part, je n'osais pas te l'adresser immédiatement au Château Laurier où je ne te croyais que pour un jour ou deux.

Donne-moi la description de l'endroit où tu vis maintenant. Tâche de t'y reposer et de faire une vie propice à la bonne santé.

Je t'embrasse bien affectueusement.

Gabrielle

✳

Ville LaSalle, le 30 janvier 1952

Cher Marcel,

Tu ne m'écris pas très souvent, les jours passent sans nouvelles de toi. Est-ce que tu as des ennuis, des contretemps ? Il ne faudrait pas que tu restes avec de la tristesse sur le cœur.

Je t'ai adressé ma dernière lettre au Château Saint-Louis, sans y ajouter le nom de la rue que tu ne m'as pas donné. J'espère que celle-ci et la précédente t'y rejoindront. Ton installation te plaît-elle ? Et les repas ? As-tu commencé ton travail à l'hôpital ?

Je t'enverrai dès à présent, si tu le désires, la dernière publication d'*Historia*[1], ainsi que les *Nouvelles littéraires*. Seulement, je veux m'assurer de ton adresse exacte auparavant.

Cécile m'a téléphoné dès son retour, m'annonçant que tu avais assisté à sa causerie[2]. Comment était-ce ? La pauvre enfant m'a paru bien fatiguée.

Je te souhaite la prompte réalisation de tes projets à Québec et de pouvoir te livrer bientôt à un genre de travail qui puisse te rendre heureux. Je ne sais pourquoi, j'ai pourtant, mais cette impression doit être due à ce que tu me donnes si peu de nouvelles, j'ai un peu, dis-je, le sentiment que tu es déçu. J'espère bien me tromper et qu'au contraire, tout ira selon tes espoirs.

Je t'embrasse affectueusement.

Gabrielle

*

Ville LaSalle, le 1er février 1952

Mon cher Marcel,
Je suis bien contente des bonnes nouvelles que vient de m'apporter ta lettre du 31 janvier, contente surtout que ton travail réponde à tes aspirations[1].

Je vois que tu es déjà plongé dans un grand boulot, et, sans doute, c'est une chose excellente que tu aies tout de suite assez de travail pour t'occuper. Veille, cependant, à ne pas brûler la chandelle par les deux bouts. Je t'envie de pouvoir connaître l'ineffable joie du travail accompli.

Le docteur Dumas a reçu le résultat des tests qu'il m'avait demandés et que j'ai fait faire, enfin, à l'hôpital de Verdun. Le[s] test[s] thymol et ictère, m'a-t-il dit, sont assez élevés — ce qui indique, m'explique-t-il, de mauvaises fonctions hépatiques. Il m'a prescrit de l'hépaxacide aminé et, pour remplacer la testostérone et stimuler le métabolisme général, du [stenediol]. Connais-tu ce médicament ? Il m'a dit que c'était dans le genre du perandun, mais moins virilisant. Je dois avoir 3 piqûres de 22 mg par semaine. Le docteur Jasmin, bien gentiment, s'est offert de me les donner. Je ne sais pas encore quelle compagnie, je ne crois pas que ce soit Ciba qui fabrique ce produit. Dis-moi si tu crois pouvoir m'en procurer à prix réduit. Je ne connais pas le prix au détail, ayant tout juste commandé une première fiole chez Couture[2]. D'ailleurs, c'est un essai sans doute. Le docteur Dumas veut sans doute s'assurer d'abord que le médicament me conviendra, car il ne m'en a prescrit que pour un mois. J'espère que j'en obtiendrai du soulagement, car j'ai rarement été si affaissée et à bout qu'en ce moment. J'aimerais partir d'ici, en effet, mais d'abord, il faut que j'arrive à me ressaisir et à prendre un peu de mieux. Comme je suis actuellement, je n'aurais pas l'énergie d'entreprendre quoi que ce soit. Cela passera peut-être. Cette fois, le docteur Dumas me promet du soulagement et m'assure qu'il croit découvrir le fond de mes misères.

Fais bien attention à ta santé, pauvre chou. Tant qu'on a une bonne santé, la vie est bonne malgré tout. Mange à des heures régulières et dors bien. Écris-moi souvent. Il est bien agréable de recevoir des lettres.

Je t'embrasse tendrement.

Gabrielle

J'irai conduire Connie à la gare demain soir. Je crois avoir trouvé une bonne maison pour Chi Min, au cas où je me déciderais, si je prends du mieux, à quitter l'appartement.

*

Ville LaSalle, le 3 février 1952

Mon cher Marcel,
Tu es bien gentil de m'inviter à partager ta chambre sur le fleuve, bien située, en effet, d'après ce que tu m'en dis[1]. Cela me ferait vraiment plaisir, mais pas tout de suite. Je me sens encore trop fatiguée pour le moment. Un peu plus tard, peut-être, j'irai, si cela va mieux. Dorothy Creagh est venue avec moi, hier, conduire Connie à la gare. Notre pauvre Connie avait l'air passablement émue. Je ne serais pas étonnée qu'elle en vienne à regretter d'être retournée si vite en Angleterre.

Chi Min semble s'ennuyer beaucoup, de toi d'abord, à présent de Connie. Deux ou trois jours après ton départ, il paraissait te chercher. Il courait fréquemment dans la pièce d'en avant et appelait. Aussitôt qu'il entendait quelqu'un monter l'escalier, il accourait et miaulait à la porte. À part cela, c'est un vrai diable qui n'arrête pas, comme un écureuil, de cacher les objets sous les divans ou sous le paillasson de la cuisine.

Connie, heureusement, a laissé la maison propre, sauf dans quelques petits coins. Tout de même, dans l'ensemble, l'appartement est bien nettoyé. En tout cas, elle voyagera mieux au retour qu'à l'aller. Comme elle est allée elle-même à la compagnie Cunard, ils lui ont fait prendre un lit en première classe à bord du train. Jamais, disait-elle, elle ne voyagerait à la manière des émigrants, ainsi qu'à son arrivée. La pauvre n'avait pas l'air de s'apercevoir que c'est à nos frais qu'elle s'en retournait. Tout cela, au fond, est de l'orgueil déplacé et je me suis aperçue qu'elle en possède une forte dose. Il se peut que je me trompe. Pourtant, elle a parlé avec tant de dédain et de dérision des émigrants avec qui elle est venue à bord de son bateau que j'ai bien de la peine à être dissuadée que la marque britannique ne soit pas au fond de son attitude en beaucoup de choses. C'est compréhensible, mais il sied mal d'être fier aux dépens des autres. Connie, en définitive, est une des personnes sur qui je me suis trompée le plus. Je croyais la connaître — mais cela revient à ce que disait la cynique madame Mille : les étrangers sont toujours aimables. Enfin, elle est partie comblée, je veux dire Connie. La belle-fille de Mrs. Creagh lui a donné une boîte de chocolats, Mrs. Creagh et Dorothy un stylo neuf pour remplacer sa vieille Parker. Ces dames l'ont emmenée dimanche dernier manger du poulet au Chic-N-Coop[2]. Et je te dis qu'elle s'est empiffrée les derniers jours, en prévision de l'austérité anglaise.

Mais parlons de choses plus agréables. Je suis heureuse en tout cas que tu te plaises à Québec. Tout ce que tu me racontes au sujet du travail en marche me rassure et me fait grand plaisir. Je sais que ce n'est pas le courage à la besogne qui te manque et je suis bien sûre que tu seras bientôt grandement apprécié et aimé.

N'oublie pas de répondre à cette madame Dubé, puisqu'elle place tant de confiance en toi.

Je t'écrirai de nouveau bientôt. Sois sans crainte à mon sujet. Je vais d'abord tâcher de me reposer complètement avant d'aviser à un changement. Tu comprends que Connie, tout en m'épargnant bien des petites corvées, ne m'était pas reposante moralement. Je t'embrasse bien tendrement.

Gabrielle

*

Ville LaSalle, le 5 février 1952

Mon cher Marcel,
Merci bien pour ta bonne lettre encourageante. Je suis si contente de te voir plus heureux. Cécile vient de me téléphoner. Elle ira se reposer dans une petite pension à Saint-Bruno avant son exposition et sa causerie, le dix-huit février, au Cercle universitaire[1].

J'ai songé comme toi qu'un changement me serait bienfaisant[2]. J'espère donc arriver à prendre assez de forces pour l'entreprendre. En tout cas, je prends bien fidèlement mes nouveaux médicaments en espérant que cette fois ils m'apporteront un réel soulagement. Une bonne chose au moins, je dors bien, beaucoup mieux que d'habitude.

Chi Min, comme s'il pressentait l'abandon, n'a jamais été aussi affectueux et gentil. La tache sur le papier que tu aperçois à la fin du premier paragraphe provient de ses pattes. Dans un élan d'affection il vient de sauter sur ton bureau où je t'écris et de m'embrasser tout en mettant les pattes sur cette lettre.

J'ai été dîner chez les cousines dimanche soir, mais le voyage en autobus et tram est si long, si fatigant qu'il m'a éreintée[3].

Cécile me dit que le docteur Hébert s'informe fréquemment de toi et se lamente de t'avoir perdu, disant : « J'ai perdu un ami ». Tu serais bien inspiré, il me semble, de lui écrire un petit mot. Sensible comme il est, je pense que ce geste de ta part lui irait au cœur et lui serait infiniment agréable. Tâche de le faire. Quelquefois, il en coûte si peu pour faire plaisir — et ne pas le faire alors est une omission terrible, une omission qui entraîne souvent des regrets torturants.

Que ta première clinique ait été un succès, voilà qui me fait bien plaisir[4]. J'aurais été étonnée qu'il en fût autrement, car dans le travail que tu aimes et qui te convient, tu ne peux que réussir. Je te réadresse deux lettres provenant de Québec que je viens de recevoir ce matin.

J'ai annoncé hier aux Hamel que nous leur céderions très probablement l'appartement au printemps. Madame Hamel aurait l'intention à cette époque d'augmenter le prix du loyer [à] $85,00, m'a-t-elle dit. Je lui ai répondu que je lui souhaitais d'obtenir ce prix si elle le peut, mais que je doutais fort qu'elle y arrivât. Imagine-toi un peu ! $85,00 pour ces quatre petites pièces. Mrs. Creagh aimerait déménager de ce côté, mais au prix que nous payons. Peut-être arrivera-t-elle à s'arranger avec les propriétaires.

Raconte-moi tout ce que tu fais dans le détail. Tu sais, n'est-ce pas, que rien ne peut m'intéresser davantage.

Je t'embrasse avec tendresse.

Gabrielle

*

Ville LaSalle, le 7 février 1952

Mon cher Marcel,
Tu es bien gentil de m'écrire maintenant presque tous les jours : cela m'est un réconfort. Hier, je me sentais un peu grippée, je n'osais pas sortir, même pour aller au coin déposer une lettre : voilà pourquoi je ne t'ai pas écrit. Aujourd'hui, je vais beaucoup mieux, et ta lettre qui vient tout juste de m'arriver contribue à me remonter le moral et la santé. Il me semble que le traitement du docteur Dumas commence à m'apporter quelque soulagement. Cela et le repos, sans doute. Ne t'inquiète pas. J'arrive à ne pas trop m'ennuyer, car Mrs. Creagh et Dorothy sont charmantes pour moi. J'ai de la lecture et aussitôt que ce léger rhume sera dissipé, je sortirai un peu. En attendant, je dors bien, et mange aussi suffisamment. Un filet de bœuf presque tous les jours.

Je continue à me féliciter des joies que t'apporte ton travail. Je pense qu'il serait bien, pourtant, que tu ouvres un bureau sans trop tarder. Évidemment, le docteur Gagnon doit avoir de bonnes raisons de te demander de différer ce projet quelque temps[1]. J'espère que tout ira à ton gré.

Après réflexion, l'attitude de Connie me blesse moins. En tout cas, je suis soulagée de la voir partie, et je goûte le silence, le calme de l'appartement, du moins pour le moment. Chi Min n'a jamais été si gentil et si agréable comme petit compagnon. Mrs. Creagh lui a trouvé une excellente maison chez une de ses amies qui habite dans la banlieue de Saint-Lambert. C'est presque la campagne, me dit-elle. Cette dame possède une grande maison, deux autres chats, et elle viendra elle-même chercher Chi Min un samedi matin, en auto, alors qu'elle rendra visite à Mrs. Creagh. Je ne pouvais espérer meilleur refuge pour Chi Min, qui a l'habitude de sortir et de jouer dans les champs. Ces jours-ci, il demande à sortir et passe deux ou trois heures assis sagement au haut de l'escalier de sauvetage, les pattes en manchon, à regarder devant lui, et sans doute à méditer. Je serai au regret de m'en séparer, mais il faut se faire une raison. Puis, un chat n'a pas beaucoup de mémoire, et il sera très bien chez cette amie de Mrs. Creagh qui aime les chats. Peut-être, plus tard, si nous voulons le reprendre, y consentira-t-elle, mais j'en doute : après tout, ce ne serait pas très gentil à son égard de lui redemander le chat après quand elle s'y sera habituée.

J'imagine que la capitale est en émoi à la suite de la mort du roi[2]. Cette mort nous vaut un répit à la radio des affreux programmes commandités et de la belle musique. Hier, j'ai entendu l'admirable *Requiem* de Mozart.

Continue, chéri, à travailler dans l'enthousiasme et l'entrain. Continue à te bien porter et à m'écrire souvent.

Je t'embrasse de tout mon cœur.

Gabrielle

P.S. Mon chéri, je te souhaite un joyeux anniversaire[3]. Attendras-tu un peu le cadeau que je comptais te donner jusqu'à ce que tu viennes ou que j'aille moi-même te rendre visite. En attendant, je t'envoie pour ce jour mes souhaits de bonheur, mes pensées les plus tendres et mille baisers. Je tâcherai de te téléphoner samedi.

*

Ville LaSalle, le 10 février 1952

Mon cher chou,
J'espère que tu as passé une journée particulièrement heureuse, hier, le jour de ton anniversaire de naissance. J'ai pensé à toi avec tendresse cinquante fois au moins. J'aurais aimé me trouver avec toi. J'ai bien hâte de me sentir moins fatiguée afin d'aller te rendre visite. Hélas, cela ne va pas vite. Pendant quelques jours, il me semble que je commence à grimper la pente, puis c'est encore une dégringolade. Tout ce que je demande, ce n'est pas une santé parfaite, mais de retrouver, comme cela m'est arrivé à plusieurs reprises, un regain de vitalité.

Le docteur Jasmin et sa femme sont charmants pour moi. Hier soir, ils m'ont amenée à l'auditorium de Saint-Laurent, à une séance de cinéma. J'ai vu quatre films impeccables, peut-être aussi beaux que

Farrebique; d'abord *Louisiana Story*, que je t'engage à voir si tu en as l'occasion. C'est un documentaire émouvant, plein de poésie et de tendresse humaine. Ensuite, il y avait, au programme, *Nanook*, la simple histoire d'une famille esquimaude dans le cercle arctique. C'était aussi fort beau. Enfin, l'idylle d'un couple polynésien, dans les îles des mers du Sud — *Tabu* — puis *Industrial Britain*[1]. 4 heures de cinéma et pourtant, j'avais à peine l'impression d'avoir été si longtemps assise, immobile sur une chaise dure. Quelle beauté. Il y avait une foule considérable. Enfin, cette soirée m'a plu extraordinairement. La compagnie des Jasmin ajoutait au plaisir de la soirée, car ils sont réceptifs, gens de goût et de sensibilité. Les remarques que nous échangions manifestaient un plaisir ressenti à l'unisson. J'aurais aimé que tu visses ces beaux films.

À part cette petite sortie, la vie passe quiètement dans mon coin. As-tu reçu les deux grandes lettres provenant de Québec que je t'ai réadressées ? J'avais un peu l'impression qu'il pouvait s'agir d'un embêtement. J'espère me tromper.

J'avais mille choses à te conter au téléphone, hier matin. Il n'y a pas de doute, cet instrument me paralyse. N'importe. J'ai été tout heureuse d'entendre ta voix.

Tâche de bien te porter. Je suis contente que tu aies de temps en temps la visite du chat de la maison. Cela doit te rappeler l'attachement du Chi Min pour toi. Il continue tous les matins à te chercher, accourir dans la pièce d'[en] avant et miauler comme s'il espérait te voir surgir. L'amie de Mrs. Creagh n'est pas encore venue le chercher. Ce sera peut-être pour samedi prochain. Il fait beau aujourd'hui. Une neige fraîche, tombée dans la nuit, étincelle au soleil. L'eau du fleuve est bleue et lance de vifs éclats. Mais que j'ai hâte de voir l'hiver prendre fin.

Les précisions que tu me donnes sur ton travail continuent à m'enchanter. Je n'en avais pas besoin, évidemment, pour avoir une pleine confiance en toi. Néanmoins, on est toujours content lorsque les événements nous donnent raison, en corroborant nos convictions intimes. Je te souhaite, mon chou, une année vraiment heureuse. Sois ménager de tes forces et de ta santé, pourtant, et tâche, à travers tes occupations, de prendre un peu d'exercice au grand air. Cela calmera ta tension nerveuse dont tu devrais te méfier, toi aussi.

Je t'embrasse bien tendrement.

Gabrielle

*

Ville LaSalle, le 11 février 1952

Mon cher Marcel,
J'ai été un peu déçue, ce matin, de ne rien recevoir de toi ; mais je ne t'en fais pas reproche. J'imagine que tu as beaucoup à faire et je suis si contente de te savoir enfin plongé dans le bienfaisant travail.

Moi-même, je me sens un peu mieux ce matin, après une semaine de repos complet. Espérons que cette fois, ce n'est pas un mieux passager. La vie me paraît tellement différente dès que je commence à sortir de cette impitoyable lassitude ; tout de suite, elle m'apparaît plus aimable, riche, et même merveilleuse.

J'ai passé une petite soirée bien tranquille, hier, dimanche. Après avoir lu une heure ou deux, j'ai été faire un bout de conversation chez les Creagh. Mrs. Creagh, ce matin, vient de m'offrir de laver mes pyjamas et torchons de vaisselle dans sa machine. Elle me rend cinquante petits services fort appréciables, tels que faire entrer le Chi Min, par exemple, s'il se trouve dehors et que je doive sortir. D'ailleurs, ce petit diablotin est tellement gâté, que lorsqu'il m'entend parler dans l'appartement d'à côté, il vient pleurer à la porte d'avant pour me suivre chez les voisins — et je cède.

On parle beaucoup actuellement dans le voisinage du projet de canalisation du Saint-Laurent[1]. S'il devait se réaliser, il est plus que probable que le canal passerait pour ainsi dire à notre porte, coupant une partie de notre chère île Huron. À l'endroit de la vieille centrale s'élèveraient des écluses. Toute l'atmosphère de l'endroit s'en trouverait transformée. Presque certainement, le quartier se commercialiserait rapidement avec l'apparition des quais, docks, baraquements de toutes sortes. Cela fait que je regretterai moins de quitter un quartier que j'aime depuis longtemps à cause de son caractère encore grandement nature. Évidemment, la chose est loin d'être faite ni même décidée. Par ailleurs, si l'on adopte le plan qui entend comprendre un développement de sources hydrauliques en même temps que la construction d'un canal, la rive sud serait plutôt exploitée, c'est-à-dire que le canal en ce cas suivrait plutôt la côte Sainte-Catherine, si je comprends bien. De toute façon, le quartier s'en trouvera sûrement métamorphosé. Hamel désire vendre sa propriété, mais à $48.000,00. Jamais, à mon avis, il n'obtiendra ce prix exorbitant. En ce moment, ils sont tout amabilité à mon endroit.

Je ne vois pas d'autres nouvelles pour l'instant. J'espère de tout mon cœur que tes projets les plus chers sont en bonne voie de réalisation. D'ailleurs, j'ai la conviction profonde, inébranlable, que tu as mis le pied sur le bon barreau de l'échelle, et que tu ne pourras manquer de monter. Je te le souhaite avec beaucoup de tendresse, et je t'embrasse affectueusement.

Gabrielle

*

Ville LaSalle, le 12 février 1952

Mon cher Marcel,
Je t'enverrai cette après-midi les deux livres que tu me demandes; aussi, la dernière livraison d'*Historia* et quelques *Nouvelles* et *Figaro.* Je n'ai pas encore lu les dernières livraisons, mais je ne tarderai pas à les parcourir et à [te] les adresser également.

Il fait très froid ce matin, mais la journée est claire et lumineuse.

Je crains que le stenediol soit encore un essai qui ne me convienne guère. Après 5 piqûres, je me sens de plus en plus ensommeillée et apathique. Je tâcherai de continuer encore un peu avant de revoir le docteur Dumas, au cas où la patience puisse aider, mais je commence à être tout à fait découragée. Je m'endors tout le temps; au moindre effort, je me sens éreintée, le cœur palpitant, la gorge sèche. Je n'ai aucun appétit et je manque totalement de courage. Ce n'est pourtant pas dans ma nature d'être ainsi. Pauvre chou, j'aurais tellement aimé aller te voir cette semaine, et j'espérais me sentir assez énergique pour secouer cette abominable torpeur. Peut-être cédera-t-elle enfin. Je me dis toujours que cela ne peut pas durer indéfiniment.

Prends bien soin de ta santé. Tâche de conserver ce bien si précieux que tu as la chance de posséder pour l'œuvre que tu as à accomplir et par affection pour moi-même qui tiens à te voir heureux.

Je t'embrasse tendrement.

Gabrielle

*

Ville LaSalle, le 13 février 1952

Mon cher chou,
Une belle journée venteuse aujourd'hui, comme elles me plaisent, ensoleillée et pleine de cris aigus du vent. Le fleuve fume à plein ciel et Chi Min refuse de mettre le nez dehors.

Je me sens un peu mieux ce matin, et malgré tout, je reprends courage. Je crois toutefois que je vais demander à mon bon voisin le docteur Jasmin de me donner une injection contre le rhume. Il a un produit, à donner en une seule piqûre, qui semble très efficace, paraît-il. J'ai bonne envie de l'essayer, car j'attrape le rhume deux ou trois fois par mois.

J'espère que ton intervention chirurgicale a marché à ton goût hier.

Je t'ai expédié les livres demandés hier après-midi. N'oublie pas de m'avertir lorsque tu les recevras. Je t'enverrai d'autres *Figaro* et *Nouvelles* bientôt.

Je t'embrasse de tout mon cœur, en te disant à bientôt.

Gabrielle

*

Ville LaSalle, jeudi le 14 février 1952

Mon cher Marcel,
Il n'y a pas de doute, je crois que vraiment je commence à aller mieux. Si ce n'était pas de ces maux de gorge et rhumes quasi perpétuels, je me sentirais presque bien, à présent. J'ai l'impression de sortir d'un long tunnel obscur, la tête éclaircie et débarrassée d'un poids de fatigue terrible. Si cela continue ainsi et que j'arrive à me prémunir contre ces rhumes incessants, je serai ô combien soulagée et heureuse.

Le docteur Panneton m'a téléphoné hier, voulant m'inviter pour ce soir, à dîner avec Jean Désy et sa femme[1]. Je ne me suis pas engagée définitivement à cause de mon rhume. Je verrai, lorsque Philippe Panneton me rappellera cette après-midi, si je peux risquer une sortie. Il m'est difficile de lui refuser cela, alors que je lui dois une consultation et bien d'autres bontés.

Hier soir, vers 7 h 30, le docteur Jasmin m'ayant téléphoné qu'il était à ma disposition pour me donner une piqûre, j'ai vite enfilé mon manteau et j'ai couru chez lui, le sachant pressé et ne voulant pas le faire attendre. Chi Min est sorti derrière moi. Il faisait très noir, une nuit de bourrasque. Vite, je traverse la rue, m'engouffre chez le docteur Jasmin. Juge de mon étonnement en sortant de chez lui, 5 minutes plus tard, de retrouver le Ki Min sur le perron du docteur Jasmin qui m'attendait. Tout de même il n'est pas toujours aussi gentil. Hier matin, j'avais laissé un de mes chemisiers au dos de la petite berceuse dans ma chambre. En faisant le ménage, j'ai été étonnée de trouver des boutons blancs, deux ou trois, sur le plancher. Je me demandais bien d'où ils pouvaient venir. Or, ce n'était pas malin. Chi Min, que j'ai surpris plus tard, en flagrant délit, les arrachait l'un après l'autre de mon chemisier. Je crois bien qu'il partira, hélas, ce samedi-ci, quand sa nouvelle maîtresse viendra de ce côté. Pauvre Chi Min, pourvu qu'il ne s'avise pas de tâcher de revenir en son quartier, comme ce chat dont on a parlé dans les journaux et qui avait marché dix-sept milles, dit-on, pour retrouver son logis.

Je n'ai pas encore eu de nouvelles de Connie. Sans doute, j'aurai un mot d'elle dans quelques jours.

As-tu eu le temps d'écrire un petit bout de lettre au docteur Hébert ?

Je t'embrasse, mon chéri, avec une grande affection. À demain,

Gabrielle

*

Ville LaSalle, le 16 février 1952

Mon cher Marcel,

Je viens de recevoir ta petite lettre du 13. Je crois que tu serais bien avisé de ne pas, en effet, prêter tes livres médicaux trop facilement. Tu peux toujours prétexter qu'ils sont en des malles et que tu ne peux les faire venir immédiatement, enfin ce que tu voudras, mais tu prêtes trop facilement tes livres en effet. On doit prêter des livres, mais seulement à des gens que l'on sait susceptibles de les rendre, surtout s'il s'agit de livres que tu ne peux te procurer facilement et dont tu peux avoir un grand besoin.

J'ai dîné avec le docteur Panneton, les Désy et René Garneau au Petit Trianon[1] jeudi soir. Philippe Panneton m'a ramenée à la maison à 10 h 30 ; de la sorte, cette sortie ne m'a pas trop fatiguée. Tout de même, je n'ai pas réussi à m'endormir ce soir-là avant 3 h 30 a.m., ce qui prouve bien, je crois, que je devrais éviter toute surexcitation mentale. Car, lorsque je passe la journée à peu près seule, je dors bien. Ce n'est pas gai, j'aime voir certaines gens, mais il semble que je doive m'adapter à mon tempérament et non le forcer à me servir comme il ne le veut pas. J'ai trouvé Jean Désy particulièrement intéressant, très charmeur, sympathique et fin d'esprit. Philippe Panneton m'intimide toujours un peu. Je ne sais pas être naturelle et en repos avec lui. Mais avec Jean Désy, je me suis sentie comme avec un vieux frère et c'est surtout avec lui que j'ai causé. Je crois que cette bonne impression a été réciproque, car lui et sa femme ont beaucoup insisté pour que nous allions les visiter un jour à Boucherville où ils habitent l'année longue, parce que las des servitudes mondaines et épris de vie près de la nature. Philippe Panneton ignorait que tu te trouves à Québec et nous a d'abord invités tous les deux à ce dîner. Comme, bien entendu, tu ne pouvais y être, il m'a demandé s'il pouvait inviter René Garneau comme sixième convive, ce qu'évidemment je ne pouvais qu'accepter. Du reste, Garneau a été aimable, quoique apparemment préoccupé. La conversation a surtout roulé sur le caractère de MacKenzie King[2] que M. Désy a connu dans l'intimité. Apparemment, ce fut un homme petit, tatillon, mesquin, une sorte de Louis XI, renard s'il en fut jamais, allant à ses buts par des moyens finauds et détournés. Désy nous a raconté comme exemple de la petitesse de sa nature que King avait téléphoné un jour à son épicier, lui demandant un rabais de 20 % sur les denrées achetées chez ledit épicier. Il alléguait que le premier ministre du pays avait droit selon lui à des privilèges semblables. Plus tard, lorsqu'il prit sa retraite, il écrivit à quelque connaissance dans le gouvernement italien, laissant percer un désir de passer des vacances dans un petit village de la côte italienne, ajoutant que c'était là un rêve de sa vie qu'il voulait bien voir se réaliser, si seulement il en avait les moyens pécuniaires. Grand embarras en Italie. Le comte Sforza[3] s'informe auprès de M. Désy. Est-il exact que l'ex-premier ministre du Canada soit si pauvre qu'il ne puisse venir se reposer en Italie ? Enfin, quelque noble personnage du pays consent à mettre sa villa, un personnel de domestiques à la disposition de King à qui il n'en coûtera pas un sou, et qui est ravi. Malheureusement, le pauvre type, dès lors, était déjà trop malade pour s'embarquer. Il ressort de cette anecdote et de bien d'autres racontées par M. Désy que King avait une horreur presque maladive d'avancer un cent de sa poche. Nous avons bien ri.

J'ai entendu un peu de musique hier soir chez les Jasmin que j'aime vraiment beaucoup. Entre autres, *Boris Godounov*[4]. Je t'assure que l'audition était autre chose que celle que nous jouait notre petit gramophone à manivelle. Quelle splendeur quasi barbare et vraiment shakespearienne!

J'ai aussi reçu hier soir, enfin, une piqûre contre le rhume. Ce vaccin se donne en une seule injection. Donc, ce sera bientôt fini, je veux dire la réaction. En ce moment, cela me donne surtout la nausée, mais c'est supportable.

Prends bien soin de ta santé et donne-moi bientôt d'autres nouvelles.

Je t'embrasse tendrement.

Gabrielle

*

Ville LaSalle, le 19 février 1952

Mon chéri,

Si je vais assez bien, j'irai passer quelques jours avec toi la semaine prochaine. Est-ce que je pourrai obtenir à peu près ce que je dois manger à ta pension?

Cécile a donné sa causerie hier soir au Cercle universitaire. Auparavant, elle est venue me la lire, ici, à la maison, voulant connaître mon avis sur son travail. J'ai pu lui dire en toute sincérité que ce travail témoignait de sa personnalité fraîche et pure. Je pense qu'elle aura eu du succès, et j'en suis fort heureuse.

L'autre jour, il m'est arrivé une sotte aventure. J'ai oublié la clé de l'appartement à l'intérieur. Madame Hamel n'en possédait aucune; son mari était absent pour la journée. Belle situation. Enfin, j'ai réussi à ouvrir la petite fenêtre de la salle de bains, mais je ne pouvais moi-même me glisser par cette ouverture trop petite. Dorothy a essayé sans plus de succès. Enfin, nous avons pensé qu'un enfant pourrait faire l'affaire, et j'ai jeté les yeux sur nos voisins Alepin. Ayant demandé de l'aide de ce côté, toute la tribu s'est offerte. L'un des gamins à tignasse roussâtre s'est faufilé sans peine dans la salle de bains, a attrapé la barre chromée et a vite fait de se laisser retomber sur les pieds. Cette aventure m'a servi de leçon, je te prie de le croire. Je vérifie maintenant à deux ou trois reprises que j'ai bien ma clé avec moi avant de sortir.

Il neige constamment depuis 5 jours. Hier soir, le paysage avait une allure de Noël. Tous les bruits se trouvaient étouffés. Une merveilleuse blancheur et une atmosphère de pureté envahissaient le quartier.

J'ai hâte de te revoir, mon chéri. Il me semble qu'il y a bien longtemps que tu es parti. Tous s'informent de toi avec beaucoup d'intérêt et de sympathie, les Hamel, les Creagh, le docteur Jasmin, et d'autres. Tous te regrettent.

Chi Min a cessé de te chercher. Sa courte mémoire de chat t'a été fidèle, je crois bien, aussi longtemps qu'il était dans sa nature de se souvenir, deux ou trois semaines, ce qui est long dans la vie d'un chat. Il dévore sans bon sens. Il préfère maintenant le Ballard et en consomme une boîte en deux jours. C'est la ruine. Il me suit pas à pas, jusque dans la salle de bains. Je n'ai jamais vu un chat aussi curieux.

J'espère que tout continue à marcher à ton gré à Québec. Que je suis heureuse que tu sois engagé en un travail satisfaisant !

Je viens de recevoir ta lettre du 17 février. Je ne comprends pas que tu aies été quatre jours sans lettre de moi. J'ai pourtant l'impression de t'avoir écrit au moins tous les deux jours, mais le courrier est si lent d'ici. Pauvre chou, je regrette que tu aies connu une telle inquiétude, mais ce n'est pas sage d'accueillir de telles émotions, car s'il y avait eu quelque chose de grave, tu sais bien que je t'aurais téléphoné[1].

À demain, cher Marcel ; je t'embrasse affectueusement.

Gabrielle

*

Ville LaSalle, le 21 février 1952

Mon cher Marcel,
Il fait un temps abominable, ce matin, petite neige cinglante, vent aigre. Chi Min refuse de mettre le nez dehors. Ce matin, il y avait [un] beau dégât dans la cuisine. M. le chat m'avait laissé un beau gros tas, pas très embaumant, plus ou moins enveloppé dans du papier journal. Il est vrai que c'est de ma faute. Hier, je lui ai donné du gras à manger, restes de jambon et de steak. Enfin, les traces du dégât sont plus ou moins effacées — et Chi Min dort du sommeil du juste sur le fauteuil rouge.

J'achève ma série de piqûres de stenediol et reverrai le docteur Dumas demain, tel que convenu. Je ne sais reconnaître exactement moi-même le résultat de ce traitement. En un sens, je suis mieux, c'est-à-dire durant la période pré-menstruelle, j'ai éprouvé une amélioration certaine ; presque pas de maux de tête, moins de nervosité et d'angoisse. Dans le fond, je crois que ma fatigue est moins intense. Pourtant, le moindre effort m'est encore excessivement pénible. Si je me fais violence, j'en ai pour des jours à me remettre. Enfin, je verrai demain ce qu'en pense le docteur Dumas et j'espère être en état d'aller te voir la semaine prochaine.

Mon pauvre chéri, j'aurais abandonné depuis longtemps tout effort pour retrouver une meilleure santé, tant je suis lasse, si ce n'était que je désire ne pas encombrer ta vie. Pour cette raison, je lutte toujours et peut-être c'est encore là ce que j'ai de mieux à faire.

Est-ce que ta pension continue à te plaire ? Y prends-tu tes repas au complet, y compris le lunch ? J'espère que la nourriture est assez abondante pour ton appétit, car si c'était comme à Saint-Germain, j'aurais des inquiétudes. La qualité y était bonne, mais la quantité insuffisante.

Mrs. Creagh vient faire un bout de causette presque tous les jours, lorsque je ne sors pas — et, quoique je m'ennuie de toi, cette demi-solitude, dans l'état de fatigue où je suis, m'est bienfaisante, malgré ce que tu en penses. Du moins je dors bien. Je m'oblige aussi à sortir prendre l'air tous les jours. En fait, je ne néglige rien pour obtenir une meilleure santé. J'ai même abandonné complètement depuis près de deux mois tout travail intellectuel. Espérons que dans ce tas de cendres accumulées dans ma tête, je trouverai un jour une petite flamme encore vivante.

Je t'embrasse de tout cœur, mon chéri, en espérant le bonheur de te revoir bientôt.

Gabrielle

*

Ville LaSalle, le 5 [mars] 1952[1]

Mon cher Marcel,

J'ai passé six jours bien agréables et trop courts avec toi ; ils m'ont laissé un souvenir charmant, un peu irréel, sans doute à cause du site qui donne curieusement l'impression d'un éloignement définitif du monde. Cela m'a plu. Je suis bien contente de connaître maintenant l'endroit où tu vis et de te savoir dans une atmosphère délicate et raffinée.

En rentrant, j'ai trouvé l'appartement bien vide, surtout que Chi Min était enfin parti. Samedi dernier, sa nouvelle maîtresse est venue le chercher. Hier, Mrs. Creagh en a eu des nouvelles, par le téléphone. Chi Min semble se plaire dans sa nouvelle résidence. Il a, comme compagnon, un bon gros vieux chien que Chi Min a d'abord accueilli en arquant le dos et grondant. Ensuite, il a adopté le parti de l'indifférence. Ses nouveaux maîtres sont contents de lui et le trouvent fort beau. Du reste, il n'avait donné aucun embêtement à Mrs. Creagh durant son séjour au numéro 7. Il y dormait presque toute la journée, sur un fauteuil bleu. Pour dire le vrai, il ne paraissait rien regretter et n'a souffert que d'être enfermé dans une boîte pour le voyage à Saint-Lambert.

J'ai reçu une lettre de Miss Holmes, une des amies de Connie, qui était venue nous saluer, tu te souviens, à notre départ de Liverpool. Elle me remercie pour un peu de thé que Connie lui a donné de notre part. Pauvres femmes, le thé pour elles est presque tout le petit luxe de la vie. Miss Holmes m'annonce que Connie a trouvé à se placer presque en arrivant. Elle parle d'un « post[2] », mot qui dans son élégance britannique me paraît ne pas signifier autre chose qu'un emploi de domestique. Elle serait encore une fois chez des connaissances, « old friends » même, dit-elle. Cela ne présage pas très favorablement pour l'avenir, telle que je connais maintenant la pauvre Connie. Enfin, j'espère qu'elle y sera heureuse.

Il faisait très doux lorsque je suis rentrée. Ce matin, il neige à plein temps. Il a plu la nuit dernière, et la marche est difficile, même dangereuse. Je ne peux m'empêcher de craindre pour toi les pentes glissantes de Québec. Fais bien attention, n'est-ce pas. Quel ennui aussi d'avoir sans doute à faire poser les chaînes que tu venais tout juste de faire enlever. Enfin, l'hiver sera bientôt fini.

Mes petites vacances avec toi m'ont fait du bien. J'y ai mangé avec un bien meilleur appétit que je n'en ai eu depuis des mois. Je m'aperçois aussi que l'air de la ville sur les hauteurs me stimulait quelque peu et dissipait mon besoin de dormir en partie.

Mon chéri, je souhaite que tout continue à te plaire dans ton travail. Renouvelle l'expression de mon bon souvenir à Mme Chassé que j'ai trouvée vraiment élégante dans son accueil et ses manières d'être. Quel repos il y a à vivre avec des gens polis.

Je t'embrasse bien tendrement.

Gabrielle

[*Ajouté en marge sur la première page de la lettre :*] Je t'envoie aujourd'hui la dernière livraison d'*Historia* et une lettre pour toi adressée ici. Le n° de l'appt est bien 1009 ?

*

Ville LaSalle, le 7 mars 1952

Mon cher Marcel,

Oui, le Chi Min me manque passablement. Mais que veux-tu, il fallait bien se faire une raison. On peut sacrifier une part de son indépendance au profit d'un être humain, mais à celui d'un animal, si gentil soit-il, c'est un peu de la folie. Puis le Chi Min doit être bien là où il est.

J'ai entendu un peu de musique hier soir, chez les Jasmin, des poèmes de Renard avec musique de Ravel, et des *Variations* de Corelli. Un beau programme. Je suis rentrée tôt pour me mettre tout de suite au lit. Je suis comme toi, en ce moment, passionnée de lecture. Heureusement que j'ai ce goût, car, autrement, je m'ennuierais à dépérir.

Les Hamel demandent $85.00 par mois pour l'appartement des Creagh. C'est une procession de gens depuis quelques jours qui tous trouvent le prix exorbitant. Je crois bien que le proprio, s'il veut louer, va être obligé d'accepter un prix moins élevé. C'est elle, évidemment, dure comme une pierre, au fond, qui fixe les conditions. Je plains les malheureuses gens qui, obligés de loger quelque part, en sont réduits à payer des loyers aussi énormes.

Je vais t'envoyer, dès aujourd'hui, de la lecture : *Everybody's*[1] et des journaux de France. Quand tu auras fini ceux-ci, veux-tu en faire un paquet pour Irène Soumis :

6441, 2e avenue,

Rosemont, Montréal

Irène les conservera en bon état à notre disposition. J'irais bien la voir de temps à autre, mais c'est vraiment trop loin. À notre petit cinéma de quartier, j'ai vu, l'autre soir, *Trio* de Somerset Maugham ; trois nouvelles de lui présentées par l'auteur. Cette formule me plaît énormément. C'est sans affectation, direct, spontané et donne la joie de la lecture avec quelque chose en plus, comme une sensation de rêverie intérieure, sans brusquerie, lente et mélodieuse. Il y a vraiment beaucoup de finesse dans cette présentation, surtout dans la première nouvelle : « The Verger[2] ». C'est dommage que l'on montre si peu de films de qualité au LaSalle, car il n'est pas fatigant pour moi de m'y rendre à pied, tandis qu'une course en ville m'épuise trop, vraiment.

Continue à bien travailler ; cela m'enchante de te voir à ce point stimulé. Et donne-moi bientôt d'autres nouvelles.

Je t'embrasse bien tendrement[3].

*

Ville LaSalle, le 10 mars 1952

Mon cher Marcel,

C'est une vraie journée de printemps ; on entend l'eau courir au long des trottoirs vers les égouts. L'air est léger à respirer, mais la marche fort difficile. Cela va faire du joli, s'il gèle cette nuit.

J'ai passé le week-end le plus solitaire et le plus tranquille de ma vie, je crois bien, le plus insipide aussi, avec *La Patrie, La Presse,* etc. Chaque fois que j'achète ces journaux, je me promets pourtant que c'est la dernière, car il n'y a vraiment rien à y lire. Je pense que c'est pour les mots croisés seulement, en définitive, que je m'y résous.

Vraiment, la maison paraît bien vide depuis le départ de Chi Min. Pauvre petit chat, je l'aimais bien, en dépit de sa turbulence, et le matin surtout, je m'ennuie de ne pas le trouver dans la cuisine.

Mrs. Creagh a reçu la visite d'une vingtaine de personnes au moins, samedi et dimanche, tous aspirants locataires. Pauvres gens ; presque tous ont des enfants et les Hamel refusent de les accepter. C'est bien dur et, pour tout dire, inhumain. Tu comprends que Mrs. Creagh a hâte que son appartement soit enfin loué, car elle est lasse de cette procession d'étrangers chez elle. Je lui ai offert de venir se reposer chez moi, quand Hamel fera faire la visite du numéro 7.

Cécile restera encore une semaine au Cercle universitaire. À date, elle a vendu 17 tableaux, ce qui n'est pas mal, ne trouves-tu pas. Elle paraît bien de sa santé, du moins en autant que je puisse juger par sa voix au téléphone et ce qu'elle me dit. Sa sœur Thérèse est rentrée de la Floride à la fin de février avec une mine splendide à ce qu'il paraît, hâlée, pleine d'allant et se portant à merveille. Voilà qui est bien agréable à entendre.

Je n'ai pas encore reçu les fioles de stenediol mais je pense que le colis, si tu l'as envoyé en même temps que ta dernière lettre, ne peut guère tarder. Je regrette de t'avoir causé tous ces ennuis ; il aurait mieux valu, en effet, les faire livrer ici directement.

Si je ne trouve pas bientôt l'occasion de t'envoyer ton manteau de printemps par quelqu'un, je tâcherai d'en faire un paquet car j'imagine que tu en auras besoin bientôt, quoique rien ne presse avant le mois d'avril. Toi qui prends le rhume si facilement, tu fais mieux [d']être prudent et [d']attendre que le printemps soit tout à fait arrivé avant de changer de pardessus.

La bonne cuisine de Mme Chassé me manque. Je mange suffisamment tous les jours ; je ne néglige pas de me faire des repas convenables, mais à dire le vrai, c'est l'appétit ici qui fait défaut. Enfin, j'arrive à prendre des repas suffisants malgré tout.

Tâche de m'écrire bientôt — et n'oublie pas de me donner des nouvelles du voyage et retour de ton patron. Tout ce que tu m'as dit au sujet de son travail m'intéresse beaucoup. Je crois que j'aurais eu moi-même une véritable passion pour le travail de recherche et de laboratoire, si la vie m'en eût rapprochée.

Je t'embrasse bien affectueusement.

Gabrielle

⁂

Ville LaSalle, le 13 mars 1952

Mon cher Marcel,
J'ai reçu les deux fioles de stenediol hier ; je te remercie. J'espère que, de ton côté, tu as reçu les diverses revues que je t'ai envoyées : *Historia, Everybody's,* ainsi que des journaux. Je t'en enverrai d'autres bientôt.

La neige disparaît vite dans les parages sous l'effet de la pluie, du vent et, à certains jours, d'un soleil déjà fort et réjouissant. Je suis contente de saluer ces signes de printemps. Plusieurs oiseaux sont de retour, dans les beaux arbres derrière la maison. Quant aux canards, certains ont dû passer l'hiver dans les parages, car j'en ai vu en tout temps.

Tu vois, j'ai bien peu de nouvelles à t'apporter, puisque j'en suis à commenter si souvent le temps et les aspects de mon paysage. Il est vrai que pour moi, cela a tout au moins autant d'importance que des rencontres avec la plupart des gens, sauf, évidemment, quelques magnifiques exceptions. Cécile m'a téléphoné ce matin. Elle viendra passer une journée bientôt, sans doute.

J'espère que tu continues à réaliser tes projets avec bonheur. Je t'embrasse de tout cœur.

Gabrielle

*

Ville LaSalle, le 15 mars 1952

Mon cher chou,
Je suis si contente d'apprendre que tu as bon espoir de pouvoir te consacrer en partie à la recherche. Cela me paraît tellement plus satisfaisant, tellement plus conséquent que tout le reste en médecine. En somme, c'est aller directement vers l'essentiel plutôt que vers l'effet relativement éloigné d'une cause. Et n'importe si le chercheur n'arrive pas lui-même à un résultat de son vivant, un autre suivra, profitant du chemin parcouru, et accomplira un pas définitif peut-être pour le bienfait des autres. Tout cela me semble si beau. J'exprime mal ce que je ressens à ce sujet, mais, enfin, comprends que c'est d'abord un assentiment profond envers le travail du chercheur. Si plus tard je pouvais t'être utile en cela, j'en serais heureuse, tu sais.

Ne crains rien, je n'ouvrirai pas la bouche, bien entendu, sur des projets d'ailleurs trop mal définis pour qu'on ose risquer leur succès par des paroles. Tu connais d'ailleurs ma grande aversion à parler des projets à l'ébauche, ma grande frayeur de leur faire tort en les exposant à la connaissance d'autrui.

Sois donc en repos : tout cela est strictement entre nous, comme un bel espoir qui me dilate le cœur. Si tu savais comme j'ai désiré te voir t'orienter vers la recherche, la plus noble poursuite humaine à mon avis.

Je t'embrasse bien affectueusement.

Gabrielle

❋

Ville LaSalle, le 18 mars 1952

Mon cher Marcel,
J'ai téléphoné aujourd'hui au Canadian Pacific, leur demandant de venir chercher ton manteau de printemps que je t'envoie avec tes caoutchoucs. J'espère que tu recevras le tout bientôt. Je me suis aperçue à la dernière minute que l'emmanchure de ton manteau n'avait pas été réparée ; je croyais que cela avait été fait par le valet lorsque nous lui avions confié ton vêtement, à l'automne. Si tu as le temps, avant de mettre ton manteau, de le confier à un tailleur, ce serait une bonne chose, car la couture ne tiendra pas longtemps telle quelle. J'ai cousu tout cela un peu, mais pour être solide, il faudrait une bonne couture à la machine.

Je dois aller dîner chez les Désy à Boucherville ce soir. Le docteur Panneton m'y emmènera. J'espère que je pourrai rentrer tôt. Ma santé fait un peu de progrès de jour en jour, mais je voudrais consolider ce mieux avant de m'exposer à la fatigue, car vraiment il me faut peu de fatigue encore pour retomber à plat. Cependant, il n'y a pas de doute que j'ai pris beaucoup de mieux. Si je me compare à ce que je ressentais, il y a trois mois, je m'aperçois, en effet, d'une véritable amélioration qui me donne confiance. Le docteur Dumas m'a certainement bien soignée et avec grande intelligence. Pour lui, la majeure partie de mes malaises provient du foie et d'un manque d'assimilation. Il se peut qu'il ait raison, car les médicaments pour le foie qu'il m'a prescrits semblent bien me réussir, du moins jusqu'ici, sauf l'hépax toutefois que j'ai de la difficulté à digérer.

J'ai eu d'autres nouvelles du petit Chi Min. Il paraît qu'il a cessé de faire le gros dos à son compagnon chien, sans pour cela le traiter encore en ami. Tout simplement, il le tolère, de même un roi son sujet débonnaire. Il a pour ses courses toute une grande maison, y compris cave, grenier, solarium ; de plus, des champs plus vastes encore qu'ici. Et donc, il trotte beaucoup, part en chasse, mais rentre toujours droit à sa maison à laquelle il semble s'être tout de suite habitué. Apparemment il n'a pas beaucoup souffert de dépaysement et se montre satisfait.

J'ai commencé à te tricoter une paire de chaussettes, sous la direction de Mrs. Creagh qui est une experte en la matière. Dommage que je n'aie pas eu l'énergie de me mettre plus tôt à son école. Il est vrai qu'auparavant, je ne m'en sentais nullement le goût.

Les Hamel ont enfin loué l'appartement voisin au prix de $85.00 par mois. Les Creagh déménageront donc chez nous dès le 1er mai ou avant, si notre logement devient libre plus tôt.

Dis-moi donc combien tu as payé les petites fioles de stenediol, afin que je me rende compte si tu les as eues à meilleur compte des distributeurs que moi-même à la pharmacie Couture. N'oublie pas, chou.

Ringuet m'a dit t'avoir vu à sa conférence[1]. Apparemment cela l'a touché de t'y apercevoir, mais quant à moi, je crois que je n'aurais pas bougé pour si peu. En général, je n'aime guère les conférences. Si peu souvent, en effet, le conférencier se met vraiment en frais pour son public.

Je te souhaite bon succès dans ta quête d'un bureau et dans tes frottis. N'exagère tout de même pas dans le travail, mon chéri. Il ne faut pas que tu brûles la chandelle trop vite. Tâche d'apprendre à fournir chaque jour un effort raisonnable plutôt que de donner ces assauts brusques et violents.

Je suis toujours heureuse de recevoir tes lettres. Tâche de ne pas passer trop de jours sans me donner signe de vie.

Au besoin, si tu n'as pas trouvé de logement pour le mois de mai, nous pourrions prendre pension chez madame Chassé. Aurait-elle deux chambres pour nous ? Mais en ce cas, évidemment, il faudrait trouver un endroit où entreposer nos meubles. Enfin, nous avons encore le temps d'y aviser. Il ne me déplairait pas, pour un temps, de vivre en pension.

Je t'embrasse bien tendrement.

Gabrielle

P.S. Jacqueline Benoist[2], que j'ai vue récemment, me disait que madame Dubé s'était de nouveau informée de ton adresse. Est-ce que tu lui as répondu ? Apparemment, la pauvre femme tient beaucoup à être soignée par toi. En ce cas, pourquoi ne viendrait-elle pas à Québec ? C'est une suggestion que tu pourrais lui faire, vu qu'elle désire si fortement se mettre entre tes mains.

G.

*

Ville LaSalle, le 22 mars 1952

Mon cher Marcel,
Je ne pouvais pas recevoir de plus beau cadeau de fête que celui de la bonne nouvelle que tu m'annonces. C'est arrivé à point. Comme je suis contente pour toi, qui mérites si bien d'ailleurs d'être aidé dans tes recherches et tes études. J'espère bien que ce beau projet se réalisera, et si l'offre t'est faite en tout sérieux, il faut accepter, mon chéri, que je puisse ou non t'accompagner, car je pense que tu tireras le plus grand profit d'un séjour d'études aux États-Unis[1]. Tu vois donc maintenant que je n'étais pas si mauvais prophète lorsque je t'exprimais ma certitude pour toi d'une belle et fructueuse carrière. En tout cas, cela augure bien et débute assez convenablement, n'est-ce pas.

Ne t'inquiète pas de louer un appartement dès à présent, surtout si tu prévois que ce voyage pourrait avoir lieu dans un avenir prochain. Il s'agira tout simplement d'entreposer les meubles, soit à Québec, soit ici. Informe-toi si l'on peut le faire à bon compte à Québec. De mon côté, je demanderai à madame Hamel si elle consentirait à nous louer, pour y garder les meubles, sa grande pièce vide ou encore une partie de sa cave qui est sèche et propre. Qu'en penses-tu ?

Tu ne me dis pas quand tu iras aux États-Unis, si bien entendu ton projet devait se réaliser. Je pourrais peut-être t'y accompagner, cela dépendra un peu du temps que tu passerais là-bas, mais surtout de mon état de santé. Enfin, lorsque tu auras des précisions, je serai contente que tu m'en fasses part, afin que je prenne de mon côté les dispositions nécessaires. Dans quelle ville irais-tu ? À New York ou ailleurs ? J'ai bien hâte que tu m'en dises davantage.

J'ai dîné chez les Désy, mardi soir, en leur manoir de Boucherville. J'ignorais que madame Désy est apparemment de la famille des Boucherville et qu'elle a hérité du manoir ancestral. C'est un petit hôtel de famille, véritablement exquis, aménagé avec un goût parfait. Des toiles de Bartlett[2], représentant Montréal et les environs vers 1830, décorent leur salle à manger. Quant aux richesses artistiques, œuvres d'art, elles sont nombreuses, glanées à tous les coins du globe par les Désy, elles vont des statuettes antiques, figures étrusques, objets de la sculpture grecque, vases persans, etc., jusqu'aux magnifiques porcelaines modernes de Copenhague. Il y a de tout dans cette maison, et chaque pièce est présentée avec soin. Mais plus précieuse encore que le décor est la qualité des gens qui y vivent. Les Désy sont d'un accueil véritablement élégant, simple et humain. Ce n'est pas souvent que l'on rencontre chez nous des gens qui parviennent à être élégants sans contrainte apparente. Ils ont beaucoup insisté pour qu'à ton prochain séjour à Montréal, nous nous arrêtions chez eux.

Voilà donc pour moi l'événement de la semaine après, bien entendu, la bonne nouvelle que tu viens de m'annoncer.

Écris-moi bientôt. Je me sens si impatiente de connaître tout ce qui t'arrive que bien souvent, je maudis la distance qui nous sépare. Ne sois donc pas avare de tes lettres et de papier.

En attendant ta prochaine lettre, je t'embrasse de tout cœur et te souhaite la réalisation du meilleur.

Gabrielle

⁂

Ville LaSalle, le 26 mars 1952

Mon cher Marcel,
Les étourneaux à ailes rouges, les magnifiques commandeurs, sont arrivés dans les parages. Depuis quelques jours, je les aperçois, tôt le matin, en entrant dans la cuisine, posés sur la corde à linge : leurs ailes de feu animent le paysage encore gris et leurs petits cris aigres et piailleurs réjouissent le cœur, en annonçant le printemps. Même si nous n'avons pas été complètement heureux ici, à Ville LaSalle, il faut convenir que le site est unique et qu'il nous a donné bien des moments de ravissante communion avec la nature.

Hier, j'ai enfin été chercher ma peinture chez Jori. Elle m'a gardée à dîner, puis Jean et Jori sont venus me reconduire[1]. Ils ont été tous deux spécialement agréables. Plus je les connais, plus je préfère Jori à son mari. C'est elle certainement, des deux, qui a le caractère le plus solide et la personnalité la plus intéressante. À propos, j'ai entendu chez eux sur le compte de Jeanne L. des choses auxquelles je ne puis, en toute justice, sans preuve à l'appui, m'arrêter ; et cependant, je dois dire que cela correspond à un certain malaise que j'ai toujours ressenti en sa présence, appelle cela une sorte d'intuition féminine, qui m'a toujours secrètement conseillé de ne pas lui accorder mon entière confiance. Je me trompe peut-être, je le souhaite ; pourtant, je me demande s'il n'est pas prudent de garder vis-à-vis d'elle une certaine distance.

Quoi qu'il en soit de ton projet d'études à l'étranger, il faut absolument, dès maintenant, aviser à placer nos meubles. Jean et Jori me disent que le coût de l'entreposage à Québec est moins dispendieux qu'à Montréal. Peut-être, en définitive, serait-il préférable d'y placer nos effets, car dans un immeuble d'entreposage, ils sont assurés contre tous risques, mites, détérioration, humidité, etc. Hâte-toi donc de prendre des renseignements à ce sujet. Il ne faut pas laisser cela à la dernière minute.

Cécile, au téléphone, l'autre jour (à propos, la pauvre enfant a fait une autre légère congestion de poitrine, à l'issue de son exposition) me disait qu'ayant vu le docteur Hébert, il s'était de nouveau informé de toi. Apparemment, il n'avait reçu aucune nouvelle de toi. Ne lui as-tu donc pas écrit comme tu m'avais assuré l'avoir fait. Sinon, chéri, cela me peine beaucoup. Voilà un homme qui t'a tout de même rendu de fiers services, et que ton indifférence à son égard blesserait cruellement. Toi qui es sensible comme feuille au vent, tu es pourtant à même de comprendre à quel point le manque de gratitude et d'attention afflige. Si tu n'as pas encore écrit cette lettre, fais-le donc immédiatement en ne remettant pas à un instant plus tard. Songe, mon chou, que quelquefois dans la vie, à remettre à plus tard, on perd définitivement l'occasion d'agir, et que l'on se donne ainsi des motifs désolants de regret. J'ai un peu moi-même ce défaut, et je sais qu'il m'a fait tort ; essayons tous deux de nous en défaire. Il y a un vieux proverbe chinois, plein de sagesse, qui dit : il est toujours plus tard que vous ne pensez.

Chez Jori, hier, la vue de leur petit chat blanc, maintenant gros et soyeux, m'a fait m'ennuyer sans bon sens de Chi Min. Quel est donc ce charme étrange des chats qui les rend de si bonne compagnie, malgré leur petite vie égoïste et parasite !

J'espère que tu vas bien et que tu ne t'ennuies pas trop. J'ai hâte que tu viennes me faire visite. Évidemment, il vaut mieux attendre encore un peu, afin de profiter de ton voyage pour faire des rangements ici. C'est bien ennuyeux, je sais. C'est pourquoi, au fond, je tâche de ne pas m'encombrer d'objets, car quand vient le moment de se déplacer, ils pèsent lourd.

Je t'embrasse bien affectueusement.

Gabrielle

⁂

Ville LaSalle, le 29 mars 1952

Mon cher Marcel,
Merci bien des fois pour ta lettre du 27 mars. Ce n'est pas un reproche que j'ai voulu te faire au téléphone[1]. C'est plutôt avec le désir d'une bonne conversation amicale qui m'aurait aidée, la veille, à résister à l'ennui, que je t'avais appelé — mais devant l'appareil, décidément, il m'est quasi impossible de dire ce qu'il est dans mon intention d'exprimer.

Tu comprends que j'ai surtout hâte de connaître la date vers laquelle tu viendras à Montréal et de régler notre déménagement afin que je puisse prendre des dispositions. J'ai aussi bien hâte d'apprendre où en est ton projet. En tout cas, et malgré les inconvénients de ne pas avoir encore de demeure fixe, je suis contente pour toi et souhaite que tout marche selon tes désirs dans ce projet d'études. Nous aviserons, lorsque tu viendras, du reste. Je t'avoue que je compte sur toi et me fie sur toi pour tout ce qui a trait à ce déplacement et à une installation temporaire, et j'aurais l'esprit plus tranquille touchant ceci si tu t'en occupais dès que tu auras les précisions nécessaires.

Il ne faut pas, je crois, en venir à placer nos effets ici et là en des greniers chez des connaissances, d'abord à cause des risques de feu, de destruction par les mites, etc., et puis aussi parce que cela, quoi qu'on en dise, crée toujours des obligations entre les gens qui rendent service et ceux qui les reçoivent.

Ce serait une bonne chose, il me semble, qu'à ton prochain voyage à Ville LaSalle, tu emportes ton pardessus, tes gants et couvre-chaussures, enfin tes vêtements d'hiver, pour les placer dans la malle du corridor dans laquelle nous saurons que sont placés les lainages, avec paradichlorobenzine. Ce sera plus facile aussi de trouver ces effets lorsque nous en aurons besoin.

Je ne vais pas trop mal, mais j'ai encore attrapé un sale rhume. Au bon soleil qui luit aujourd'hui, je m'en débarrasserai sans doute assez vite.

Même si tu dois être encore en suspens pendant quelques jours, donne-moi des nouvelles, ou enfin écris-moi, ne serait-ce qu'un infime bout de lettre. Et de grâce, chéri, commence donc tes phrases par une lettre majuscule. Personnellement, cela ne m'offense aucunement, bien sûr, que tu mettes des minuscules après les points — je trouve cela plutôt amusant, mais si tu persistes en cette habitude, tu finiras par faire de même dans des lettres d'importance.

Crois-tu venir à la fin de la semaine prochaine ? C'est-à-dire vers le 5 avril ? Ou sera-ce dans l'autre semaine ? J'ai bien hâte de te revoir. J'espère que ce sera le plus tôt possible. En attendant, je t'embrasse bien affectueusement.

Gabrielle

*

Ville LaSalle, le 6 avril 1952

Mon cher Marcel,
J'étais si déçue, hier, quand tu m'as annoncé que tu ne viendrais pas ce week-end : voilà pourquoi j'ai pu te paraître de mauvaise humeur. Je le regrette. J'avais un beau poulet au four, déjà doré. C'est fou ce que l'idée de le manger toute seule m'a soudain désappointée sans mesure. Enfin, j'espère bien te voir arriver jeudi. J'espère surtout que tu auras une réponse satisfaisante d'ici là. Et sinon, mon Dieu, ne perds pas patience. Il s'ouvrira bien un autre chemin pour toi. De toute façon, nous aviserons à placer nos meubles et nos effets les plus encombrants sans trop de difficulté, j'imagine. Et nous pourrons toujours prendre pension en attendant que les événements se précisent. Dans les circonstances, c'est encore le meilleur parti à prendre. J'ai si hâte de te voir.

Agathe, qui a rejoint Marcel LeGoff à Montréal depuis peu, doit venir avec son mari me rendre visite cette après-midi[1]. Ils ont trouvé un logement du côté de Ahuntsic, banlieue nord de Montréal, sur la Rivière des Prairies. Agathe a l'air toute dépaysée, la pauvre enfant, éberluée de se trouver à Montréal. Ils ont dû vendre leur maison où ils se trouvaient tellement à leur aise. C'est bien affligeant d'être contraint de tout laisser et changer ainsi sa vie.

Je te donnerai d'autres nouvelles des LeGoff après les avoir vus. Mais plutôt, je les garderai pour t'en faire part, car je pense que si tu dois te mettre en route jeudi, cette lettre-ci seulement aura le temps de t'arriver avant.

Il fait un bien triste, un bien sale temps, mais même en temps maussade, l'horizon des fenêtres de l'appartement offre de l'intérêt. Il est déjà plein d'oiseaux, mouettes, pigeons, commandeurs, grives. J'espère que de notre logis à venir nous aurons aussi un horizon. Je crois que je ne pourrais pas vivre avec une vue sur un mur. La petite boutique de hot-dogs est ouverte depuis hier soir. L'ouverture s'est faite à la pluie battante, sous un vrai déluge. Nous avons bien ri, Mrs. Creagh et moi, de voir, par un temps pareil, s'allumer tout à coup les petites lumières de foire, rouges, bleues et vertes de la bicoque. C'était à la fois drôle et pathétique. Deux ou trois passants trempés ont paru au comptoir. À neuf heures, désespéré, le marchand fermait boutique. C'est curieux, je me suis attachée, malgré tout, à cette bicoque, bien que je continue à la trouver si laide. Elle fait maintenant pour moi partie du paysage.

Allons, je vais aller me couper une tranche de poulet pour mon lunch. Je suis condamnée à manger du poulet pour trois jours, j'ai bien peur.

À bientôt, chéri. Cette fois, j'espère qu'aucun contretemps ne se mettra en travers de ton voyage à Montréal.

Je t'embrasse bien tendrement.

Gabrielle

Rawdon
printemps 1952

Afin d'éviter la fatigue et le stress qu'aurait pu lui causer le déménagement, Gabrielle Roy demande à son mari de la conduire à Rawdon — à quelque quatre-vingts kilomètres de Montréal — chez madame Tinkler, là où elle a l'habitude de se rendre depuis une dizaine d'années. Elle y séjournera jusqu'à la fin de mai, après quoi elle s'installera avec Marcel au Château Saint-Louis, chez madame Chassé.

*Au cours de ce séjour à Rawdon, elle se remet à l'écriture d'*Alexandre Chenevert, *qu'elle avait pratiquement abandonné pendant l'hiver. Elle réussit à terminer une première version des deux premières parties de son roman.*

Marcel, de son côté, continue à travailler à l'hôpital du Saint-Sacrement, à Québec, et il donne quelques cours à l'Université Laval. Il espère toujours obtenir une bourse pour un séjour de recherches aux États-Unis.

Rawdon, le 15 avril 1952

Mon cher Marcel,

J'espère que tu auras terminé le déménagement sans trop de fatigue ni d'ennuis. Tu as été gentil de venir me conduire ici avant la fin — et je l'ai apprécié car j'étais pas mal claquée. Je serai bien ici, la grande chambre sera assez chaude avec la chaufferette. Au soleil, l'après-midi, c'est même trop chaud.

Je me hâte de t'écrire afin que dès en rentrant à Québec, tu y trouves ma lettre pour t'accueillir et te demander d'oublier si possible que j'ai été dans les derniers jours d'une humeur peu agréable. J'éprouve une grande impatience de connaître les dernières nouvelles concernant ton installation et ton projet d'études. S'il n'aboutit pas immédiatement n'en sois pas découragé, il se peut que ce ne soit que partie remise. Bon courage, chéri. J'ai une grande confiance que tu réussiras — et j'en serai contente quelle qu'en soit la manière, pourvu que tu sois heureux. Je me suis laissée entraîner à t'exprimer des choses, les unes peut-être vraies, mais sans vrai ressentiment, crois-moi, au fond. En fait, ce qui compte pour moi et me compensera tous les sacrifices, c'est de garder ton affection et de ne rien perdre de celle que j'ai pour toi. Voilà, à ce qu'il me semble, [ce] qu'il nous faudrait tâcher de conserver et qui me paraît plus précieux que tout le reste.

Ne manque pas de m'écrire au plus tôt. Le courrier sera assez lent, j'imagine, de Québec à Montréal, puis de là à Rawdon.

Il fait un soleil merveilleux aujourd'hui. La neige va vite disparaître et je connaîtrai, après celui de Ville LaSalle, un autre avant-printemps, ce qui n'est pas mal.

La petite mère Tink est toute gentillesse et affabilité pour moi — et en ce temps de l'année, un séjour chez elle ne peut être que reposant et agréable.

Je t'en dirai plus dans ma prochaine lettre.

D'ici là, je t'embrasse bien tendrement en te souhaitant que tout marche selon ton désir.

Gabrielle

*

Rawdon, le 16 avril 1952

Mon cher Marcel,
Je t'écris au moment où tu dois être en route à Québec. J'espère qu'elle est éclairée par le même beau soleil qui brille ici et semble promettre la réalisation des plus grands espoirs. Je te souhaite un bon retour à Québec. Ne manque pas de m'apprendre tout ce qui t'arrive, car je m'y intéresse dans les plus petits détails.

La neige des pays d'en haut ne tardera plus guère à fondre. Il fait une chaleur presque accablante cette après-midi dans ma grande chambre, car les vitres sont incendiées par le soleil. J'irai faire une promenade à pied en direction de « ma vallée[1] ». Pas jusque-là, bien entendu.

Je n'ai guère de nouvelles depuis hier : il se passe si peu de choses en ce moment dans ce coin. La petite vieille me fait d'excellents repas et quant à moi, comme la mémère de Saint-Fériol, je tricote. Pas du matin au soir, mais un quart d'heure par ici — un quart d'heure par là.

J'ai hâte de te lire. Je t'embrasse affectueusement.

Gabrielle

N'oublie pas, dès que tu en auras le temps, de faire connaître ton adresse actuelle à la direction de ta revue médicale.

*

Rawdon, le 20 avril 1952

Mon cher Marcel,
Je te remercie pour ta bonne, longue lettre de jeudi dernier que j'ai reçue

hier. Je suis bien contente de te savoir débarrassé du déménagement et tranquille pour poursuivre ton travail et tes études. Voilà une chose faite, en tout cas.

Ici, il fait une chaleur invraisemblable pour le temps de l'année. Nous avions bien tort de craindre que j'y retrouverais l'hiver. Le contraste est d'ailleurs singulier entre la neige qui reste en certains endroits et les oiseaux partout actifs ; les feuilles, du reste, commencent même à sortir.

J'ai retrouvé avec plaisir les Paré qui vivent maintenant à l'année à Rawdon. Tu te souviens, c'était mes voisins au temps où j'habitais la cabane de Miss Szabo. Cela me fait une visite plaisante environ un soir par semaine. Autrement, je lis, et comme la vieille de Saint-Fériol, je tricote.

As-tu songé de rendre la dernière clé de l'appartement ? Et, en cette journée de déménagement, tu as pris au moins deux repas, j'imagine, chez Mrs. Creagh. Elle m'a promis une visite à Rawdon ; je la remercie de nouveau en ton nom si elle vient.

J'ai reçu le stenediol, et je t'enverrai un chèque dans quelques jours pour cela du moins — car tu en as bien assez à payer sans prendre à ta charge le coût de mes médicaments. Je vais assez bien et pour le moment j'ai meilleur appétit.

N'oublie pas de me renseigner sur le développement de tes projets et de ce que tu prévois pour l'été.

J'ai revu madame Godin, qui de plaisir en me revoyant, m'a sauté au cou, les larmes aux yeux. J'en ai été émue. La pauvre femme a été bien malade — d'une grave dépression nerveuse. Elle a beaucoup maigri. Quant à lui, il a tout à fait l'air d'un spectre, les yeux enfoncés, la peau tirée sur les os, maigre à faire peur. Son expression est celle d'un être totalement exténué, arrivé à la limite de ses forces, je le crains, irréparablement. Or, le plus triste de tout ceci est qu'ils vivent enfin dans leur grande maison neuve — en vérité presque un château, avec un confort inimaginable, bonne pour les enfants, infirmière pour le seconder lui-même. Ils ont les meubles à l'avenant, une voiture somptueuse, des glaces de prix. Le bureau du docteur est meublé de la façon la plus moderne qui soit. Hélas, il n'en est que plus triste de les voir tous deux en ce décor, amaigris, malades, ayant tous deux perdu la santé. J'en ai encore le cœur affreusement serré. Sur leur visage même semble être écrite l'interrogation angoissante : à quoi bon tout ceci, maintenant[1] ?

Je suis peinée que tu aies trouvé ta mère à ce point fatiguée. J'espère qu'elle suivra ton conseil et se fera examiner par un cardiologue. Je suis navrée aussi d'apprendre les épreuves qui les unes après les autres assaillent la famille de nos cousines. Je tâcherai d'écrire à Irène sous peu.

Sois bien prudent, mon chéri, et ménager de ta santé. Il ne reste pas grand-chose quand elle nous trahit. Ne va donc jamais au-delà de tes forces — en définitive, c'est encore le meilleur moyen d'accomplir beaucoup.

Je t'embrasse de tout cœur, en espérant une autre lettre de toi très vite.

Gabrielle

Rawdon
Comté Montcalm

*

Rawdon, le 22 avril 1952

Mon cher Marcel,
J'espère bien avoir une lettre de toi ce soir, car il y a déjà plusieurs jours que je n'en ai reçu. Je travaille un peu, pas trop mal peut-être ; il m'est difficile d'en juger. En tout cas, j'espère que tout cela finira par s'organiser, je veux dire toutes ces ébauches successives que j'ai mises sur papier et qui jusqu'ici ne paraissent pas se tenir tellement ensemble. Il me semble qu'il y a une légère amélioration. Mais n'en parlons pas trop. Que de fois j'ai fait fuir de merveilleuses possibilités, en criant trop tôt à la capture !

Comme cela me ferait plaisir que tu connaisses également, en ce moment, la joie du travail dont tu me parlais, il y a une dizaine de jours. Je trouve le temps long tout de même. Quel dommage que Rawdon soit si loin de Québec.

As-tu eu d'autres nouvelles touchant tes projets immédiats ? Quoi qu'il en soit, tu ne peux manquer de te faire bientôt un nom à Québec. J'en suis certaine.

Hier, j'ai eu l'occasion de faire une petite promenade en auto avec les Pontbriand, c'est-à-dire de visiter ce qu'ils appellent : le Domaine ; une immense étendue de terre, en bordure de la Ouareau, encore sauvage et belle, où ils ont fait construire routes et pont (largement à leurs dépens), et où ils projettent des lotissements et constructions de maisons d'été. L'ensemble ne manque pas de grandeur. Malgré leurs défauts évidents, ces gens ont un certain goût et un flair extrême.

La nature devient très belle. La rivière est éblouissante dans ce soleil. L'encombrement des glaces, à certains endroits, dans cette lumière aveuglante, est singulièrement beau à voir.

Je pense à toi tout le temps et parle de toi, à cœur de jour, avec la petite mère Tink.

Je t'embrasse tendrement.

Gabrielle

⁂

Rawdon, le 24 avril 1952

Mon cher chou,

Je suis désolée de cet accident dont tu me parles dans ta dernière lettre. Tu n'avais pas beaucoup besoin de cela, en effet. Est-ce que ton assurance en couvrira les frais ? Pauvre chou, que c'est ennuyeux[1] ! Autrement, j'espère que tout va bien du moins.

Ici, je coule une vie qui serait vaine et embêtante, si elle devait toujours durer telle quelle, mais qui me fait un bien immense en m'apportant un relâchement nerveux complet, un bon sommeil. Je travaille un peu tous les jours. *Alexandre Chenevert* sort des limbes. Arriverai-je vraiment à terminer un jour cet ouvrage ! Parfois, je le crois possible ; parfois, j'en doute. Au fond, c'est aussi insensé d'entreprendre pareille entreprise que de se lancer à pied à travers le monde. Je ne pourrais pourtant l'éviter.

J'ai hâte de te revoir, tu sais. La petite vieille t'aime beaucoup. Elle croit qu'en toi j'ai trouvé la perle rare, le joyau des joyaux. Certains jours, je suis prête à lui donner raison.

C'est presque l'été en ces collines, si doux, si lumineux, qu'on pourrait se croire en juin.

T'ai-je dit que j'ai retrouvé les Paré ? Je les vois environ une fois la semaine. Leur accueil est si chaleureux, si cordial que je n'en reviens pas.

J'achève ta paire de bas. Si tu passes à travers ceux-là en deux semaines, je te tordrai le cou. J'en commencerai peut-être une autre paire, si je trouve par ici de la laine à mon goût.

J'ai relu la série de *Thibault*[2], ces temps-ci, les ayant dénichés dans ma malle au grenier. Je ne peux maintenant comprendre comment j'ai si vivement, autrefois, admiré cet ouvrage. Certes, il est poignant et habile. Mais que ce réalisme brutal me laisse à présent déçue ! La vie ne peut faire œuvre d'art que traduite en symboles et langage poétique — et la transposition poétique manque aux livres de Martin du Gard. C'est de la photographie, non de la création artistique. Que lis-tu toi-même, en ce moment ? Dans quelques jours, je t'enverrai la dernière livraison d'*Historia*. Sous pli, je t'envoie aujourd'hui un chèque pour les médicaments que tu as achetés pour moi.

Je t'embrasse très affectueusement.

Gabrielle

*

Rawdon, le 26 avril 1952

Mon cher Marcel,
Quel est ce choc nerveux dont tu me parles ? Qu'as-tu éprouvé au juste ? Mon chéri, je crains que tu ne vives beaucoup trop tendu. De grâce, tâche de t'apaiser : cet accident n'est tout de même pas si grave. Et pour le reste, l'attente que tu dois subir, les quelques retards et peut-être même désillusions que tu puisses rencontrer, trouves-tu que tout cela soit de nature à te bouleverser ainsi. Sois plus calme, mon chou, il le faut bien, voyons. Ah, que de plus en plus j'aspire à vivre dans la paix, éloignée de toute cette complexité de l'existence qui épuise les nerfs. Essaie du moins de te détendre[1].

Tu m'écris souvent, Dieu merci, et je t'en sais gré, c'est-à-dire de trouver, à travers tes préoccupations, quelques moments pour moi ; cependant, avoue-le, tes lettres ne sont guère longues — elles n'en disent pas beaucoup. Je t'envie de voir passer les transatlantiques ; le spectacle doit en valoir la peine. Ici, c'est autre chose, non moins beau. Aujourd'hui, le thermomètre est à 72 degrés. C'est invraisemblable. Je vais au soleil dans la cour, sans bas, comme en plein été.

Tant que je travaille, le temps passe assez vite ; après, malgré tout, le reste de la journée me pèse. Nos petites balades en auto me manquent énormément — surtout notre promenade préférée — au long de la côte Sainte-Catherine, le soir, quand le pavé reluit de pluie.

Que fais-tu toi-même le soir ? Hector[2] te fait-il sa visite quotidienne ? Qui vois-tu ? Moi, personne, sauf les Paré, et madame Godin une fois. Je n'aime pas beaucoup le village — je préfère, pour me promener, prendre des routes solitaires. D'ici cinq ou six jours, si la chaleur persiste, ce sera ravissant dans la région.

N'oublie pas de me tenir au courant de tout ce qui t'arrive. Je pense à toi à chaque instant. Je t'embrasse tendrement.

Gabrielle

✳

Rawdon, le 28 avril 1952

Mon cher Marcel,

Je t'envoie aujourd'hui une *Historia*, deux *Revue de Paris*. Je te recommande particulièrement, dans *La Revue de Paris*, un reportage de Peyrefitte : « Le Miracle de Saint-Janvier », que j'ai trouvé amusant au possible[1]. Le ton, l'allure du récit, me rappellent un peu Stendhal. Je relis justement *La Chartreuse de Parme* en ce moment.

Le ciel s'est assombri : le pays, hier si ravissant, a pris une teinte de deuil. Mais, quoi : on ne peut espérer tous les jours un temps parfait comme il y en a eu ici depuis mon arrivée — il y a deux semaines aujourd'hui.

J'espère que le temps file assez vite pour toi et qu'il est rempli d'agréable façon.

Moi aussi, j'ai eu bien des cauchemars dernièrement : des disputes affreuses, des plaidoyers qui me brisent de fatigue.

Hier soir, j'ai fait une marche avec la petite vieille tout au long et suivant les contours du lac. Il y a de très beaux coins que, hélas, nous n'avons pas eu le temps de voir ensemble. Et que de maisons neuves — çà et là, entre les pins, autrefois solitaires, il y a maintenant de multiples petites colonies.

Partout, l'on a commencé à brûler les débris de branches, de feuilles et de saletés que la neige, en se retirant, a découverts ; la bonne odeur de ces feux embaume l'air, le soir. Mais j'ai hâte qu'il pleuve afin de sentir une odeur de printemps, encore plus agréable, celle de la terre trempée.

J'en suis, je le crains, à te parler sans cesse des petites satisfactions que me procurent la nature, la campagne, n'ayant pas grand-chose d'autre, vois-tu, à commenter. J'espère bien que tout cela ne t'ennuie pas trop.

Je te souhaite de belles journées remplies de contentements, et je t'embrasse avec tendresse.

Gabrielle

*

Rawdon, le 30 avril 1952

Mon très cher Marcel,
Comme ta dernière lettre m'annonçant une visite probable m'a fait plaisir. J'espère que tu pourras t'échapper ce week-end prochain ou, du moins, la semaine suivante. Si cela t'est possible, avertis-moi un peu d'avance, afin que la mère Tinkler ait le temps de préparer un repas convenable, car, tu comprends, pour moi seule, et au régime comme je le suis, elle n'a pas besoin de se mettre en grands frais. Pour ta visite, j'aimerais un repas que tu puisses trouver satisfaisant. Mais n'importe, si tu n'as pas loisir de m'avertir assez tôt; on s'arrangera toujours. Je serai si contente de te voir.

Oui, sans doute, l'île d'Orléans doit avoir des coins ravissants. En fait, j'ai hâte de les explorer avec toi, ainsi que les environs de Québec. C'est une perspective toute joyeuse. J'aime retrouver des coins déjà connus et appréciés, mais je crois que je préfère encore en découvrir d'entièrement neufs. Nous aurons donc ensemble cette bonne et joyeuse expérience.

Je suis navrée de ces énormes dépenses qui t'accablent pour ainsi dire à la fois. Cent dollars pour les dégâts faits à la voiture, mais c'est énorme. L'assurance ne couvre-t-elle donc pas en entier les frais d'accident? Pauvre chou, j'espère que c'est la fin de nos embêtements, que du moins une période de répit s'ouvre devant toi.

Ne te mets pas en boule si l'on tarde tant à te donner une réponse quant aux projets que tu formes. Attends patiemment, en ménageant ton énergie. Je sais que l'attente, cette impression d'être en suspens, est l'une des plus énervantes qui soient — mais, si tu n'y peux rien, tâche d'attendre au moins calmement, sans user inutilement tes nerfs.

J'ai bien hâte de te voir. Je vais espérer tous les jours que ce sera pour bientôt.

Bien affectueusement,

Gabrielle

*

Rawdon, le 2 mai 1952

Mon cher Marcel,
Je craignais bien que tu ne puisses venir, en effet, ce week-end. C'est dommage, mais je comprends bien que tu aies pu être empêché de venir. N'importe, ce sera partie remise. Le voyage est si long ; je conçois qu'il te soit difficile de l'entreprendre.

Hier soir, j'ai passé quelques heures chez les Paré qui se meurent d'envie de te revoir. Je n'ai jamais de ma vie connu de maisonnée plus gaie. Une histoire n'y attend pas l'autre ; et d'un éclat de rire à un autre, la veillée passe avant qu'on ait pu s'en apercevoir. Ces dames sont un peu vieux jeu, mais d'un vieux jeu agréable qui a un peu le côté des *Dames aux chapeaux verts*[1]. Par ailleurs, elles lisent beaucoup, sont renseignées, et de leur retraite à Rawdon, grâce à deux journalistes sans doute dans la famille, connaissent tous les potins qu'elles racontent, mais jamais avec méchanceté. C'est une maisonnée infiniment reposante pour moi.

Il fait plus froid depuis quelques jours, mais le soleil continue à luire, en sorte que ma chambre est assez chaude, agréable à habiter. Je ne veux pas te faire de fausses joies, mais dans une couple de semaines, je serai peut-être prête à te rejoindre. J'aimerais terminer deux ou trois chapitres qui sont en train avant de bouger, afin de ne pas interrompre le mouvement. Si tout va bien, ce ne sera pas long. Ensuite, je me reposerai de l'ouvrage avant d'attaquer la dernière partie qui sera la plus dure. Je crois qu'il vaut mieux pour moi travailler cinq à six semaines à la fois, et ensuite lâcher pendant quelques semaines. De la sorte, je ne me fatigue pas trop.

Est-ce que tu peins sous la direction de Jean Soucy lorsque tu vas le voir, le soir ? Je suis très contente, tu sais, que tu aies pris l'habitude d'une marche quotidienne en autant que possible. Tu verras, c'est loin d'être du temps perdu. Je trouve pour ma part que la marche, lorsqu'on n'est pas trop fatigué, facilite la réflexion et détend les nerfs.

J'espère que le temps ne te pèsera pas trop d'ici à ce que nous nous retrouvions.

Porte-toi bien, ne m'oublie pas.

Je t'embrasse de tout cœur.

Gabrielle

J'ai pris la liberté d'ouvrir la lettre ci-jointe, croyant bien qu'il ne s'agissait que de la convocation habituelle du docteur Jutras. As-tu avisé la direction de ta revue médicale de ton changement d'adresse ?

*

Rawdon, le 5 mai 1952

Mon cher Marcel,
J'aimerais bien te voir le week-end prochain. Cependant, comme ça ne sera plus très long avant que je quitte les lieux, je me demande s'il ne vaudrait pas mieux que tu attendes encore un peu pour venir ; alors je pourrais repartir avec toi. Comprends que je ne veuille pas t'empêcher de venir le plus tôt possible, tu penses bien qu'au contraire, ta visite me comblerait. Je voudrais t'éviter de venir deux fois, tout simplement, comme le voyage est long — et j'aimerais bien entendu retourner avec toi. Qu'en penses-tu ?

Je ne suis pas encore tout à fait certaine de la date à laquelle je serai prête. J'aurai à aller en ville un et peut[-être] deux jours pour mon impôt sur le revenu, pour voir maître Jean-Marie Nadeau et, sans doute, avant de partir, le docteur Dumas. J'ai aussi à faire des rangements au grenier ; détestant cet ouvrage tout autant que tu le détestes, je ne l'ai pas encore attaqué. Bref, j'ai encore pas mal de petites choses à faire. Dans quelques jours, je pourrai sans doute te dire quand je serai prête ; ce ne pourrait être à la fin de cette semaine en tout cas. Donc, si tu trouves le temps trop long, viens quand même.

Maintenant, trouveras-tu à me loger au Château ? À partir du moment où je pourrai t'y rejoindre ?

D'ici la fin de la semaine, je pourrai te donner plus de précisions.

J'espère que tout marche à souhait pour toi, tout le temps. Que je voudrais donc avoir le pouvoir d'arranger les événements en ta faveur. Ça ne serait pas long que tous tes vœux seraient comblés.

As-tu reçu l'*Historia* et [les] *Revue de Paris* — également le chèque de $25.00 que je t'ai envoyé ?

Je t'embrasse bien tendrement.

Gabrielle

Si, toutefois, tu préfères venir ce week-end et que je me rende à Québec lorsque je serai prête, par train, cela me conviendra parfaitement. Donne-moi le *numéro de téléphone* de Mme Chassé, au cas où je veuille [*ajouté en marge :*] t'appeler. C'est toujours plus long d'obtenir la communication lorsque l'on n'a pas le numéro.

⁂

Rawdon, le 7 mai 1952

Cher Marcel,
C'est incroyable quel temps tes lettres mettent à me rejoindre. J'en rage.

Viens ce week-end si tu crains de ne pouvoir venir plus tard — car je pourrai toujours faire le voyage de retour par train. Enfin, agis ainsi qu'il te paraîtra le mieux.

Tu penses bien que je trouve le temps long et que j'ai hâte de t'embrasser.

Très amusantes, tes histoires d'Armand Lavergne[1] — charmantes aussi.

Tu as raison : Peyrefitte n'est pas du tout sympathique ; seulement, il faut bien l'avouer, son ironie est drôle en diable.

Je t'embrasse de tout cœur.

Gabrielle

⁂

Rawdon, le 11 mai 1952

Mon cher chou,
Je suis bien contente que les nouvelles te paraissent favorables quant à ton séjour d'études aux États-Unis, quoique désolée de voir ta visite à

Rawdon encore une fois décommandée. Qu'importe : l'essentiel, pour le moment du moins, c'est que tu te rapproches de ton but.

J'imagine que tu ne seras pas fixé de façon définitive pour quelques semaines encore. Qu'allons-nous donc décider entre-temps, je veux dire quant à mon retour à Québec. Je pensais t'y rejoindre vers le 26 ou 27 mai, soit dans deux semaines exactement, et te demander de retenir un coin pour moi chez madame Chassé, à partir de cette date. Cependant, si tu devais partir vers ce temps ou à peu près, cela change de visage, n'est-ce pas — qu'en penses-tu ? Je vais tout de même attendre ta réponse pour prendre des dispositions. Si l'on savait dès maintenant si tu partiras et quand, cela faciliterait nos projets d'installation pour l'été. Mais tu n'y peux rien tout de suite, je le sais, et d'ailleurs, ne t'en inquiète pas à mon sujet. Je peux toujours allonger mon séjour ici — s'il le faut ; au fond, j'y suis bien, et cela ne me fera pas de tort.

Donc, je vais attendre que tu me donnes de plus amples nouvelles que tu dois toi-même attendre, je le comprends du reste très bien.

Je suis heureuse que tu sois aimé, apprécié comme tu le mérites. Et, si tu réussis comme tu l'espères à te faire une carrière qui nous permette de vivre une vie privée et tranquille ensemble, avec assez de loisirs, je ne me plaindrai de rien, sois-en assuré. C'est là ce que je désire le plus vivement, en effet, non pas seulement dans mon intérêt d'ailleurs, mais dans le tien aussi, chéri — car il me semble qu'il faut du recueillement dans la vie ; pour toi comme pour moi, cela me paraît très important.

J'ai fini une deuxième paire de chaussettes que je te garde.

Ou bien tu viendras me chercher dans deux semaines, si les circonstances veulent que ton voyage soit retardé à beaucoup plus tard — ou bien tu me diras s'il vaut mieux que j'attende plus longtemps ici.

Je t'embrasse bien affectueusement.

Gabrielle

Donne-moi donc le numéro de l'appartement aussi.

*

Rawdon, le 13 mai 1952

Mon cher Marcel,

J'aurais bien aimé t'accompagner, en effet, dans ta visite du sous-marin[1]. Je n'avais aucune idée que l'espace habitable y fût si réduit — encore que je ne l'imaginais pas réparti en salons et salles de réception. J'espère que nous aurons l'occasion d'en visiter un autre ensemble.

Mrs. Creagh, Dorothy et leur amie Stella sont venues samedi ; je les ai invitées à souper avec moi chez la mère Tink. Les Creagh sont enchantées de leur nouvel appartement. Elles ont fait peindre la cuisine, la salle de bains et ma chambre. Frais : $100.00. Leurs nouveaux voisins sont tranquilles : tout va donc pour le mieux de ce côté. Autre bonne nouvelle pour Mrs. Creagh : le docteur Jasmin a enlevé les débris de construction sur son terrain et fait faire une pelouse. Mrs. Creagh dit que la maison du docteur Jasmin a pris une tout autre allure grâce à ce fond de verdure, qu'elle paraît maintenant beaucoup plus à son avantage.

Elle m'a donné des nouvelles amusantes de Chi Min. Il est très heureux à ce qu'il paraît, sauf quand le bébé pleure. Alors Chi Min s'inquiète beaucoup. Il fait le tour du berceau et va quérir la mère. Il la presse de venir au bébé, ne la laisse pas tranquille tant qu'elle n'a pas tout lâché pour s'occuper de l'enfant. Il vit en très bons termes avec le vieux chien de la maison, grossit et devient de plus en plus sédentaire, ne bougeant guère de sa station auprès du berceau. Sa grande occupation est de l'empêcher de crier. Drôle de petit chat ! Ses maîtres en sont bien contents.

J'irai à la ville demain, voir le docteur Dumas et, si j'ai le temps, prendre quelques coupons d'intérêt dans mon coffret. L'autobus part d'ici à dix heures du matin, quitte la ville vers 4 h 30 p.m. ; cela ne donne pas beaucoup de temps. Mais j'aime mieux faire le voyage deux fois, au besoin, plutôt que de coucher en ville.

J'ai bien hâte, comme tu le penses bien, de connaître les dernières nouvelles te concernant. Comme j'espère que tout ira selon tes désirs.

Je t'embrasse de tout cœur, en espérant te revoir bientôt.

Gabrielle

*

Rawdon, le 18 mai 1952

Mon cher Marcel,
Je t'envoie, inclus, une communication du Receveur général du Canada que Mrs. Creagh a réadressée ici. J'espère, chéri, que tu n'as pas oublié de faire ta déclaration pour l'année 1951 — avant la fin d'avril. Hâte-toi

de le faire, si tu l'as oublié, car il pourrait t'arriver d'être obligé de payer une amende.

Il pleut à plein temps; ce n'est pas très gai aujourd'hui, bien qu'un des pruniers de la mère Tink soit en fleurs et répande le plus frais des parfums tout alentour de la maison.

J'ai été en ville mercredi revoir le docteur Dumas, entre autres. Il trouve, et moi aussi, que j'ai fait beaucoup de progrès. Il me recommande de vivre à la campagne le plus possible, ce que peut-être nous arriverons à réaliser, je l'espère, avec le temps.

Porte-toi bien; écris-moi au plus tôt. J'espère que le départ ou l'absence plutôt du docteur Gagnon ne t'impose pas un trop grand surcroît de besogne.

Je t'embrasse bien affectueusement.

Gabrielle

⁂

Rawdon, le 19 mai 1952

Mon cher chou,

Je n'ai reçu ta lettre du 15 qu'aujourd'hui. Voilà pourquoi, dans ma lettre d'hier, je n'ai pas répondu à ta question. Viens donc me chercher; j'en serai enchantée. Faire le voyage avec toi est en effet beaucoup moins fatigant. Et, tu le sais, pour moi un voyage en auto est toujours une fête.

Si cela te convient aussi bien, j'aimerais rester ici jusqu'au samedi le 24 ou le dimanche 25 — mais, s'il est plus facile pour toi de venir le 22, cela me va aussi. En tout cas, je t'attendrai pour la fin de la semaine. Si un contretemps devait survenir pour t'empêcher de faire le voyage, tâche de m'en avertir.

J'ai follement hâte de te voir, et je t'embrasse de tout mon cœur.

Gabrielle

Si absolument nécessaire, tu peux m'appeler au téléphone chez le voisin : Douglas Parkinson.

Port-Daniel
été 1952

Après avoir passé un mois à Québec, au Château Saint-Louis, avec Marcel, Gabrielle Roy décide de se rendre à Port-Daniel. Elle passera le mois de juillet et les trois premières semaines d'août chez les McKenzie, où elle a l'habitude de séjourner lors de ses vacances en Gaspésie. Elle revient à Alexandre Chenevert, *auquel elle n'a pas travaillé depuis son départ de Rawdon un mois plus tôt. À son départ de Port-Daniel, elle aura réussi à terminer une première version de son roman.*

Avant de se rendre à Port-Daniel, Gabrielle Roy passe par Montréal, le temps de régler quelques affaires urgentes avec son agent, maître Jean-Marie Nadeau. Elle loge chez Cécile Chabot, qui partage un appartement rue Stirling avec sa mère et sa sœur Thérèse. Elle en profite pour rendre visite à Bernadette, alors de passage au couvent des sœurs des Saints Noms de Jésus et de Marie dans le chemin de la Côte-Sainte-Catherine.

Marcel Carbotte, qui espère toujours obtenir une bourse pour la réalisation d'un stage en oncologie et cytologie dans un centre de recherches américain, se rend à Boston, avant même qu'on lui ait donné une réponse à ce sujet — et sans prévenir Gabrielle ; il y poursuivra ses recherches au Vincent Memorial Hospital, qui est rattaché à l'Université Harvard.

Port-Daniel-Centre, le 1er juillet [1952]

Mon cher Marcel,

La Dédette a bien regretté, la pauvre petite, [de] ne pas te voir et [de] ne pas avoir eu la permission de venir à Québec. Elle t'envoie ses amitiés très vives et un salut particulièrement affectueux. Je l'ai trouvée assez maigrie ; elle souffre un peu de l'estomac : manque d'acide, elle, mais vaillante et toujours enthousiaste. Je l'ai vue samedi soir, puis dimanche, tout l'après-midi. Ç'a été fatigant. Dédette a tenu à me présenter à notre mère supérieure, à notre mère économe, à sœur ceci et à sœur cela, directrice d'un autre couvent ou personnage important d'un autre collège, car, ainsi qu'elle le dit, le pensionnat du chemin Sainte-Catherine groupe l'été « la crème de l'intelluactile [*sic*] de l'ordre ». Bref, j'ai rencontré une bonne trentaine de religieuses ; j'ai dû visiter le musée d'histoire naturelle du couvent, qui n'est pas mal du tout, au reste, et même prendre la collation en grand style, au réfectoire de la visite importante. Tout cela était charmant, amusant, mais assez éreintant.

J'ai pris les autres repas chez Cécile. Elle, sa mère et Thérèse ont été superbes. Nous avions très maladroitement jugé Thérèse à notre première rencontre. C'est une personne qui a des sentiments délicats et beaucoup de finesse. Comme on gagne à la connaître ! Cécile n'a pas voulu accepter un sou de moi ; j'ai compris que je la blesserais en insistant. Au fond, toutes les trois étaient heureuses, je crois, de me recevoir à leur tour, et leur accueil a été un des plus exquis que j'ai jamais éprouvés dans ma vie. Dans la soirée du dimanche, j'ai rencontré l'autre sœur, Marguerite, ainsi que la petite Nicole et le beau-frère Jacques. Celui-ci m'a paru assez insignifiant, mais Marguerite a quelque chose des Chabot, de leur nature sensible et émouvante. À neuf heures, j'ai pris mon train, bondé. Ma chambrette, hélas, était loin d'être aussi confortable que celle de l'an dernier, sans air climatisé, ou à peu près pas. L'air y était rare et j'ai peu dormi, mais je suis arrivée ici au soleil, par une journée de mer bleue et de lumière, et ma fatigue en a été dissipée. Je te raconterai demain, en plus longs détails, ma conversation avec Dédette, mon séjour chez les Chabot. Ceci n'est qu'une petite lettre en arrivant pour t'annoncer que le voyage est terminé et t'exprimer sans tarder mon affection constante, et combien ma pensée est occupée par toi.

Tu sais, n'est-ce pas, à quel point j'espère se voir réaliser tes projets. Je n'en parle pas beaucoup, car j'éprouve la crainte de nuire à la réalisation des projets ardemment désirés par des paroles. Il n'en reste pas moins que je n'arrête pas d'espérer ce que tu désires et que je supporte bien mal l'attente, moi aussi. Tâche tout de même de te distraire d'une façon bienfaisante pour ta santé, en faisant des exercices en plein air. Pourquoi n'irais-tu pas nager une fois par semaine avec le jeune Anderson qui est si sympathique ?

Dis bonjour de ma part à madame Chassé, à madame Rainville et aux autres.

Je t'embrasse bien tendrement, et longuement.

Gabrielle

*

Port-Daniel-Centre, le 3 juillet 1952

Mon chéri,
J'espère avoir une lettre de toi ; les premiers jours au loin sont toujours les plus difficiles à supporter ; après, quelques petites habitudes établies aident à endurer l'ennui.

Il a dû faire bien chaud hier à Québec, car même ici, le soleil cuisait. Cependant, déjà aujourd'hui, le temps est changé, et il fait plutôt frais. Je commence à craindre qu'il n'y aura pas plus d'été cette année que l'année dernière. Quelle tristesse !

Travailles-tu bien ? Et te plais-tu dans ta nouvelle chambre ?

À bord du train, j'ai retrouvé un groupe de religieuses, sœurs de l'ordre de Bernadette, et aussi deux sœurs du Bon Pasteur, en route pour

Grande-Rivière où elles doivent suivre des cours de sciences naturelles, étude de coquillages surtout. L'une d'elles, la meneuse, sœur Adélia, m'avait été présentée par Dédette. Un professeur de Laval, je crois, doit organiser leur expédition sur les grèves de Grande-Rivière. Ce serait amusant à voir. Sœur Adélia m'a promis de m'écrire et de m'envoyer le programme de leurs études auxquelles elle voudrait que j'assiste un jour au moins. J'irai peut-être si je peux m'y faire conduire facilement. Grande-Rivière n'est pas loin ; à une quarantaine de milles seulement.

T'ai-je dit que Cécile entrait justement à l'Hôtel[-Dieu] pour des examens, le dimanche même où je les ai quittées. J'aurai sans doute bientôt des nouvelles d'elle — et je t'en ferai part.

J'espère que tu ne t'ennuies pas trop. À dire le vrai, ces deux derniers jours, malgré le beau temps, m'ont paru éternels.

Écris-moi longuement et souvent. Tes lettres sont ardemment attendues — et ne peuvent jamais être trop nombreuses et venir assez vite.

Je t'embrasse avec la plus grande affection.

Gabrielle

⁂

Port-Daniel-Centre, samedi le 5 juillet [19]52

Mon cher chou,

Je viens de recevoir ta bonne petite lettre, la première de cette série, et que cela m'a fait plaisir. Je serai certainement heureuse de voir les Jutras et cie, s'ils passent par ici[1]. Ce qui me fait le plus grand plaisir, c'est d'apprendre que tu t'es baigné deux fois en une semaine. Cela ne peut manquer de te faire grand bien. Profites-en, chéri ; va nager chaque fois que tu le peux[2].

J'espère bien aussi que tu auras des nouvelles très prochainement quant à ton voyage. Que j'ai hâte, grand Dieu, de te voir fixé là-dessus !

J'ai commencé à travailler un peu. J'espère faire un été passable. Aujourd'hui, il a fait un temps vraiment délicieux — du soleil, du vent. De beaux nuages tout blancs flottaient à travers le ciel — et le vent, en retournant les feuillages, exposait le vert si tendre, gris vert de leur envers. Il creusait aussi dans le champ de seigle, devant la maison, des vagues et des replis. Sur la mer, il y avait de jolies crêtes blanches — une journée comme je les aime tant en ce pays. Tu le comprendras aisément, je m'ennuie beaucoup au fond ; c'est [à] une sorte d'exil que je m'emploie ici — j'espère du moins en tirer profit.

Tâche de m'écrire souvent. Tes chères lettres sont toute ma joie ici. Je suis contente que ta chambre soit assez fraîche la nuit pour que tu puisses y bien dormir. La mienne est merveilleusement rafraîchie par les vents de la mer. Et comme il est délicieux, m'éveillant parfois vers quatre heures du matin, d'entendre les premiers cris des mouettes — puis de me rendormir.

Travaille bien — délasse-toi aussi et garde ton beau courage que j'admire et qui me rend fière de toi.

Je t'embrasse de tout cœur.

Gabrielle

Mon souvenir amical à Guy Roberge[3].

*

Port-Daniel-Centre, le 7 juillet [19]52

Mon cher Marcel,
Que j'aurais aimé t'avoir auprès de moi aujourd'hui ; alors cette journée aurait été parfaite. Un ciel sans nuages ; une chaleur trop forte même, ici autour de la maison, mais, sur la plage, quelle délicieuse fraîcheur. L'eau n'était pas trop froide ; j'y ai pataugé un peu. Puis, les enfants du voisin, les petits Journeaux, m'ont emmenée faire un tour en barque. Sur l'eau, en maillot, j'ai bruni considérablement, et je suis revenue à la maison, sentant bon le sel et le vent, et me sentant si bien que j'aurais tout donné pour te faire partager ce bien-être. Hélas, je me doute bien que cette journée a été affreuse pour toi, en ville. Heureusement que c'est à Québec où il doit faire un peu moins chaud toutefois qu'à [Montréal]. Malgré le grand désir que j'ai de voir persister le beau temps, je souhaite que pour toi il ne fasse pas trop chaud.

J'ai l'intention de faire envoyer quelques homards frais à madame Chassé d'ici ; on peut les faire expédier dans de la glace. Crois-tu que ça lui ferait plaisir — et, sans doute, elle les partagerait avec toi qui aimes le homard. Moi, hélas, je ne peux en manger, mais je serais contente de vous en régaler.

Les fleurs, plus tardives ici qu'à Québec, lilas et roses, sont en pleine floraison. Il me semble que tout ici est plus beau encore que l'année dernière. Il est vrai que cette journée a été exceptionnelle.

J'attends ta deuxième lettre dans l'impatience et l'espoir que tu ne t'ennuies pas trop.

Je t'embrasse, mon chéri, avec toute l'affection possible.

Gabrielle

*

Port-Daniel, le 10 juillet 1952

Mon cher Marcel,
J'espère bien que tu pourras partir, en effet, le 1er août et obtenir ta bourse à temps. Quand tu seras sur les lieux, tu verras si l'on peut s'organiser pour y trouver soit une pension, soit un petit appartement meublé où je puisse aller te retrouver — plus tard. Je te souhaite de tout cœur de n'être pas plus longtemps en suspens : c'est une si cruelle sensation.

Hier, la caravane Jutras, Garneau et Larkin[1] m'ont rendu visite, tôt dans l'après-midi. Leur visite, trop courte hélas, m'a fait grand plaisir — car ici, les distractions, comme tu le penses bien, ne sont pas nombreuses. Ensemble, nous sommes allés voir le phare, au bout de la pointe. J'espérais que nos amis feraient quelques croquis de l'endroit ; mais bien qu'ils s'accordent à le trouver délicieux, ils avaient, dirent-ils, un horaire à respecter, et devaient se trouver à Carleton le soir même.

Néanmoins, ils ont passé environ une heure assis en rond sur la galerie, en dégustant, en mon honneur, un verre de scotch apporté par eux. La journée était belle ; de la galerie, on avait une vue sur les champs et la mer également plongés dans le plus grand calme. Je crois qu'ils m'ont tous un peu envié ma retraite, dont ils ne connaissent pas évidemment les petits désavantages. N'en apercevant que le beau côté, comme d'ailleurs il m'arrive à moi-même, ils ont été séduits par l'endroit. J'ai vu leurs sketches qui, sauf un, de Garneau, ne valent pas les tiens, à mon avis. Ils trouvent tous d'ailleurs que tu as certainement du talent pour la peinture.

Jutras m'a fait bien des amitiés. Il était content, je crois, de me revoir ; quant à moi, cela m'a fait un réel plaisir de le retrouver gai, et assez bien portant, à ce qu'il semble.

Tu as dû rôtir, en effet, dans ta petite chambre, ces jours derniers, car même ici, il y a eu deux nuits trop chaudes pour bien dormir. Pauvre chou, j'imagine que cette chaleur a dû être dure à supporter. Aujourd'hui, il fait plus frais. Une bonne brise souffle de la mer. Je me suis lavé les cheveux à l'eau de pluie dont il ne restait pas grand-chose dans le tonneau de la mère McKenzie, et je les ai fait sécher au vent et au soleil. C'est joliment plus agréable que d'aller chez la coiffeuse.

La journée se dévide assez bien en somme, par ici : mais, le soir, j'ai une petite crise d'ennui et je voudrais bien te voir arriver.

Tâche de te reposer, de te distraire d'une façon salutaire à ta santé et écris-moi bientôt et souvent.

Je t'embrasse tendrement.

Gabrielle

*

Port-Daniel, vendredi le 11 juillet [19]52

Mon cher Marcel,
Quel changement depuis hier ! Ce matin la brume était si opaque qu'elle me dissimulait complètement le dehors, dès l'extérieur de ma fenêtre ; puis, dès le matin, il s'est mis à pleuvoir une fine petite pluie monotone et pas désagréable si elle ne dure qu'un jour ou deux. En tout cas, pour le moment, j'en suis assez contente.

Fait-il plus frais à Québec aussi ? J'imagine et avec plaisir que tu dois pouvoir mieux travailler.

Hier, par un temps radieux, j'ai fait une toute petite course à bicyclette. Ne t'inquiète pas ; je ne vais pas loin et, surtout, je descends du vélo pour attaquer plutôt à pied la moindre côte. Cela me fera une bonne distraction. J'irai tantôt commander les homards chez la voisine. J'espère qu'ils vous arriveront frais — probablement vers mardi ou mercredi prochain.

Pas de lettre de toi hier, mais il faisait si chaud au début de la semaine ; je comprends que tu n'aies pas eu le courage de passer plus de temps qu'il n'en fallait dans ta chambre. Tout de même, ne me laisse pas trop de jours sans nouvelles de toi ; tu comprends, l'imagination trotte alors et s'invente des motifs d'inquiétude.

Comme autre pensionnaire, il n'y a en ce moment qu'un vieux qui y était déjà, l'an dernier, à moitié aveugle. C'est un compagnon assez affligeant, mais je n'ai à le voir qu'aux repas. J'ai visité une famille voisine que je connaissais très peu jusqu'ici : des Écossais du nom de Mac Donald, très aimables, très accueillants. On a surtout parlé des temps passés sur la côte : comment le courrier était alors transporté, mi par bateau, mi à dos d'homme au long d'une piste. La madame MacDonald m'a montré une lettre de ce temps-là — et adressée à madame Un[e] telle — Baie des Chaleurs — seulement.

À demain, mon chou. Porte-toi bien. Je t'embrasse bien affectueusement.

Gabrielle

J'ai reçu une lettre de Mrs. Tinkler m'annonçant que la pauvre Maggie est morte, tu te souviens, celle qui trouvait à redire sur tout, hélas !

*

Port-Daniel, le 13 juillet 1952

Mon cher Marcel,
Reçois-tu toutes mes lettres ? Je les confie souvent au petit bonhomme des voisins pour la poste — et quelquefois je suis un peu inquiète à leur sujet. En général, je t'ai écrit tous les jours, je crois, sauf en deux ou trois occasions peut-être.

On expédiera les homards lundi ; donc madame Chassé devrait recevoir le colis mardi.

Il a plu hier soir et une partie de la nuit — à présent, le temps a l'air de se remettre au beau. En réalité, je suis assez chanceuse cet été ; dans l'ensemble la température est belle pour ce pays.

Je [ne] travaille pas trop mal ; malgré tout, le temps me paraît long, et j'ai déjà hâte de te retrouver.

Si tu as quelque chose de bien écrit, d'intéressant à lire, je ne serais pas fâchée que tu me l'envoies, si tu en as le temps.

Comment as-tu passé ce week-end ? Pour ma part, j'ai été avec le vieil Irving en buggy jusqu'au village, hier c'était. Quel plaisir, bien plus grand, du moins quand c'est neuf, de se promener en buggy. Du siège élevé, j'avais une belle vue sur la mer incomparablement bleue hier.

Donne-moi d'autres nouvelles bientôt. Je souhaite du plus grand cœur la réalisation immédiate de tes projets, et je t'embrasse, mon chéri.

Gabrielle

*

Port-Daniel, le 18 juillet 1952

Mon cher Marcel,
Il fait bien chaud encore aujourd'hui ; j'ai vraiment une chance exceptionnelle de me trouver ici par un tel été !

Il y a eu pas mal de chahut le jour des élections[1] et, à ce que l'on raconte, des choses assez scandaleuses. En tout cas, l'argent du parti roulait. Il est venu ici, pour chercher les gens et les conduire voter, ni plus ni moins que quatre flamboyantes autos, à tour de rôle. Dire que l'on pourrait faire tant de choses utiles avec l'argent dépensé si sottement.

Comment tout cela s'est-il passé autour de toi ? Plus tranquillement, sans doute.

J'ai hâte de recevoir la lettre que tu m'annonces de Miss Hill[2]. Tu m'avais déjà parlé d'elle, tu te souviens, alors que je me documentais auprès de toi sur les us et coutumes de la région avant d'écrire la dernière partie de *La Petite Poule.*

Madame Quesnel, la femme du docteur, est venue hier après-midi, me faire une visite éclair en compagnie de deux dames de Montréal — et c'est tout ce qu'il y a de neuf. Les jours coulent les uns pareils aux autres, tellement beaux, ensoleillés, si parfaits que même de cela on finit par se lasser. La mer est d'un bleu pur, sans aucune ride. Je me lève assez tôt, à présent — souvent vers 7 heures, 7 heures et demie. À cette heure, la mer a le calme d'une surface métallique. Mais je comprends depuis que j'ai été jusqu'à Grande-Rivière que tu aies pu avoir une si pénible impression de la Gaspésie. Hors la pointe ici, et quelques rares endroits, la côte offre en effet un spectacle déplorable — bicoques tombantes, cordes à linge sur la route, plages couvertes de débris, déchets et saletés de toutes sortes. Or, ce n'est point l'argent qui manque aux gens actuellement. C'est bien, il faut l'avouer, un pays de paresse, d'incurie. Les Écossais d'ici sont plus travailleurs et, du moins, embellissent leur propriété.

Allons, je ne veux pas t'attrister. Du moins, j'aime ma pointe, ses arbres et son lointain sauvage qui n'est pas encore gâté.

Je t'embrasse, mon chou, bien tendrement.

Gabrielle

⁂

Port-Daniel, lundi le 21 juillet [19]52

Mon cher Marcel,
Que fais-tu chou ? J'ai passé quatre jours sans nouvelles de toi. J'espère bien avoir du moins une lettre de toi ce soir. La chaleur a dû enfin s'épuiser à Québec comme elle s'est usée ici — depuis deux jours, il pleut par intermittence, et il fait beaucoup plus frais.

Je n'ai pas grand-chose à te conter, tu le comprendras aisément, surtout si je m'en tiens aux événements, et puis certains jours, comme aujourd'hui précisément, je me sens l'esprit plutôt vide. Mais je m'imagine que tu aimes mieux avoir une lettre de moi — même simplette — que pas de lettre du tout et, tu vois, je m'efforce de dérouler la bobine. Fais de même si tu te trouves aussi sans ce qu'on nomme l'inspiration.

J'ai bien hâte en tout cas d'avoir de fraîches nouvelles. En attendant, je t'embrasse très affectueusement.

Gabrielle

⁂

Port-Daniel, mardi le 22 juillet [19]52

Mon cher Marcel,
Écoute, si tu as la certitude d'avoir ta bourse d'études, je veux dire si tu es assuré que ce n'est qu'une question de temps et que tu tiens à te rendre aux États-Unis dès août, je peux te prêter, disons, $500.00, qui te permettraient d'attendre que la chose soit enfin réglée — et en te mettant tout de suite à l'œuvre.

Dis-moi ce que tu en penses ?

Je t'écris à la course, profitant d'une personne de la maison à qui je veux confier cette lettre et qui part à l'instant pour la poste. Il pleut, et il m'est difficile de sortir.

Tu ne m'as pas dit : le homard était-il du moins en quantité suffisante ? Après coup, je me suis demandé si 5 livres suffisaient à faire un bon dîner ! J'ai peur à présent que ce soit peu.

Je t'embrasse tendrement.

Gabrielle

*

Port-Daniel-Centre, le 22 juillet [1952]

Cher chou,
Quoique je t'ai déjà écrit aujourd'hui, je ne puis m'empêcher de répondre tout de suite à ta lettre reçue à l'instant, si désolée qu'elle me fend le cœur. Mon chéri, je voudrais bien me trouver près de toi ; mais en ce moment ce serait difficile, n'est-ce pas, d'avoir une chambre chez madame Chassé. Du reste, j'ai beaucoup travaillé jusqu'ici, j'espère relâcher un peu à présent et me reposer un peu avant de retourner à la ville.

Pense à ce que je t'ai suggéré dans ma première lettre de la journée. Accepte mon offre de bon cœur, si tu le peux. Autrement, si ton projet ne réussit aucunement, viens passer une semaine avec moi, te détendre. Je serais si heureuse de te voir arriver.

En tout cas, ne reste pas dans cet état d'esprit funeste. Mon chou, tu as raison. Exige une réponse immédiate, car cette attente t'use et te fait tort.

Courage, chou, ne te laisse pas abattre. Je t'embrasse si affectueusement.

Gabrielle

*

Port-Daniel, le 24 juillet 1952

Mon cher Marcel,
J'espère que tu as repris courage ; j'ai été si désolée à cause de toi. Je comprends que la chaleur des dernières semaines ait contribué pour beau-

coup à te briser les nerfs. C'était à peine supportable ici, certaines journées. Qu'est-ce que ça devait donc être dans la ville ! Je rends grâce au ciel d'être ici cet été, je te prie de le croire. Aujourd'hui, j'ai pris un bon bain de mer. L'eau était presque tiède. Quelle différence avec l'an dernier ! Cela me fait du bien. J'ai bon appétit quand je fais trempette. D'ailleurs, j'ai pris 4 livres depuis mon arrivée. J'espère que c'est le dernier été que tu passes entièrement en ville. Dorénavant, il faudra que tu tâches de prendre un mois de vacances l'été, et à la mer, si possible. Je t'assure que c'est plus vivifiant comme vacances que n'importe où ailleurs.

J'ai hâte d'avoir ta réponse à mes deux lettres précédentes et d'avoir le réconfort de te penser plus heureux.

Hier soir, j'ai été à la pêche au maquereau, en barque, avec Fred McKenzie, le fils du vieil Irving, en vacances ici avec sa femme et leurs deux enfants. Ils sont de Ville LaSalle, y possèdent un garage, mais dans l'autre coin que celui que nous habitions, du côté du pont Mercier. Fort gentils, fort aimables, ils mettent dans la maison une animation que j'aime bien. Cela me fait une bonne distraction. Nous n'avons attrapé que deux poissons. Moi, aucun — pourtant nous étions environnés de bandes de poissons. Tu ne peux imaginer la rage que l'on peut éprouver à voir les poissons tout autour de soi, si nombreux qu'ils sautaient partout à la surface, et à n'en attraper aucun. Apparemment c'est l'époque de l'accouplement — et les poissons alors semblent faire bande. Partout dans la baie, on les voyait venir comme des vagues qui se brisaient cà et là. J'y retournerai et espère bien cette fois avoir plus de succès. La pêche est une vraie passion et peut devenir bien exigeante quand on s'y met. Excuse ce pâté que je viens de faire et le trou qui en est résulté lorsque j'ai tenté de le gratter.

Je t'embrasse mon chou avec tendresse.

Gabrielle

⁂

Port-Daniel, le 28 juillet 1952

Mon cher Marcel,
Je suis bien contente d'avoir reçu enfin ta lettre du 24 juillet. Je ne comprends pas, toutefois, que je ne l'aie reçue qu'aujourd'hui. Le courrier est bien lent en ce pays.

Ce soir, je suis allée à la pêche dans la rivière Port-Daniel, à quelques milles d'ici, avec Fred McKenzie et sa femme. Nous avons pris quatre jolies petites truites et quelques anguilles. Je t'assure que cela m'a drôlement secouée en tirant ma ligne d'apercevoir ma capture, toute pareille à un poisson, et énorme. Je t'ai eu toutes les peines à l'amener à terre. Et quel poisson dur à tuer, Seigneur ! J'en ai encore le frisson rien que d'y penser.

Crois-tu qu'il te serait possible, si tu vas là-bas, de venir avant passer quelques jours ici ? Je n'insiste pas trop, sachant que tu ne veux pas perdre de temps à partir dès que ton voyage sera décidé. Mais si c'était possible, comme je serais contente. Songes-y.

Je t'embrasse tendrement.

Gabrielle

*

Port-Daniel, le 31 juillet 1952

Mon cher Marcel,
J'espère que tu te seras bien amusé à la cueillette des fruits avec les Lemieux et Marius Barbeau[1]. M. Barbeau est très bien connu ici pour avoir séjourné dans la région à plusieurs reprises. Il se retirait chez une voisine justement, une dame MacDonald chez qui j'ai vu de ses livres autographiés. Dans cette région même, il a beaucoup collectionné : vieilles chansons, légendes, histoires de trésors et de revenants. Le personnage est très pittoresque : je l'ai rencontré une ou deux fois, je crois. J'espère que ta journée t'a plu et t'a distrait. J'aime beaucoup les Lemieux, moi-même, surtout madame, je pense, quoique lui aussi ait quelque chose de très attachant et sympathique. J'aurai plaisir à les revoir.

Depuis ma fameuse pêche — capture d'une anguille géante — je me tiens tranquille. Je n'ai pas dormi très bien, la nuit après — rêvant que j'étais encore occupée à tirer cette bête de l'eau puis à l'assommer.

J'ai hâte d'avoir une autre lettre de toi. Je trouve les jours longs — de l'une à l'autre ; et, lorsque tu manques d'écrire pour deux ou trois jours, j'ai l'impression d'un vide — et je n'arrive pas à ne pas m'inquiéter un peu. Je sais que c'est fou, mais c'est ainsi, et je ne puis me changer en cela. Tâche donc de m'écrire tous les jours, ne serait-ce que deux lignes.

J'ai fait faire 4 petits pots de confitures aux fraises des champs. Cela sera bon à manger avec des toasts au petit déjeuner. L'embêtant va être de les transporter sans casser les verres.

Le fils d'Irving a fait la capture d'un petit flétan aujourd'hui — pêche rare dans la Baie des Chaleurs. Nous en ferons un régal demain sans doute. Pour moi, ce sera agréable car, alors que les autres ont de quoi bouffer : harengs, maquereaux, saumons frais, truites et homards, je dois habituellement me contenter de les voir s'empiffrer.

Je t'embrasse de tout cœur, mon chéri. J'ai bien hâte de te retrouver.

Gabrielle

*

Port-Daniel, le 5 août 1952

Mon cher Marcel,
Si tu savais comme j'ai été inquiète de toi pendant ces cinq jours où je n'ai reçu aucune nouvelle. Enfin, ta lettre de Boston vient de m'arriver. Je suis ravie de te savoir enfin là-bas, mais tout de même, tu aurais pu m'écrire un mot avant de partir — un seul mot aurait suffi. Je me suis fait du mauvais sang, tu comprends[1].

J'ai hâte d'avoir d'autres nouvelles. Et d'abord de connaître la durée approximative de ton séjour aux États-Unis. J'irai certainement te retrouver, mais si c'est pour assez longtemps, j'aurai à régler certaines choses avec Nadeau auparavant et je devrai aller à Rawdon arranger mes effets.

J'écrirai d'ici une semaine sans doute à Mrs. Tinkler, et si ma grande chambre est libre, j'irai passer quelque temps chez elle. Nous pourrons alors faire nos projets.

Je suis archiheureuse que tes projets soient en bonne voie de réalisation. Je te souhaite, mon chéri, un séjour d'études bien profitable, agréable aussi. Je crois que j'aurai plaisir à rencontrer quelques-unes des personnalités dont tu me parles. Certainement, j'aimerai vivre quelque temps à Boston. En attendant, le mieux serait peut-être que tu prennes pension, si la chose est possible. Ensuite, un petit appartement nous conviendrait, j'imagine, pour nous deux. Pour le moment, arrange-toi pour avoir le moins de souci possible et pouvoir te mettre tranquillement au travail.

Écris-moi souvent. De te savoir encore plus loin me fait m'ennuyer davantage.

Bon courage; tu vas voir que tout ira très bien dorénavant.

J'ai hâte de te retrouver et j'espère que ce sera assez tôt. Écris-moi au plus tôt. De mon côté, je te tiendrai au courant de tout ce que je ferai.

Je t'embrasse bien tendrement, en te souhaitant un bon travail et la joie, mon chou.

Gabrielle

*

Port-Daniel, le 6 août 1952

Mon cher Marcel,

J'étais si surexcitée, hier soir, après réception de ta première lettre de Boston; tout à coup tu me semblais si au loin que je n'ai guère dormi. Je crains de t'avoir écrit une lettre passablement décousue. À présent, mes impressions se tassent, s'apaisent et me gardent dans un contentement plus serein. J'ai grande confiance que ce séjour va être merveilleux pour toi.

Il fait très beau; ce temps parfait continue, alors qu'en ce pays c'est presque invraisemblable. Tant mieux: j'en profite avec reconnaissance, n'ayant encore jamais eu un tel été à la mer. Je voudrais te dire à quel point tout ici est beau par une journée comme celle-ci. Mais cela semble fou de chanter toujours: la mer est bleue. Pourtant, que de vérité dans le banal apparent de cette expression! Que de charme dans cette mer, lorsqu'elle est véritablement bleue!

Hâte-toi de me donner de plus amples nouvelles. J'espère que, pour le moment, tu trouveras une bonne pension. Il me semble que ce serait la meilleure solution pour toi, du moins en commençant.

J'ai pas mal avancé mon travail. J'ai tellement hâte de te le faire lire. En ce moment, je mets la main aux chapitres qui me paraissent les plus faibles. Il y a encore énormément à faire, mais j'ai du moins terminé la charpente entière de l'œuvre, élevé l'édifice. Ce qui reste à accomplir, c'est désormais à l'intérieur — et je me sens comme soulagée, étonnée aussi après de si durs efforts d'avoir atteint, malgré tout, ce stade.

Je t'envoie mes pensées les plus affectueuses, les plus fidèles, et je t'embrasse de tout cœur.

Gabrielle

*

Port-Daniel, le 12 août 1952

Mon cher Marcel,
Enfin, j'ai reçu ta deuxième lettre de Boston — entre la première et celle-ci, j'ai trouvé l'intervalle assez long mais du moins j'avais cessé de m'inquiéter : la pensée que tu es engagé dans le travail qui te plaît me réconforte et me rend tout heureuse. Je n'avais pas cru y tenir à ce point, tout ce qui t'arrive de bon me fait plus grand plaisir, je crois, que mes petits succès.

Je ne pourrai pas être avec toi, cependant, dès le début de septembre. Cela ne me donnera pas assez de temps pour voir à toutes mes affaires. Je prévois que tu seras à Boston probablement jusqu'à Noël sans doute, d'après ta lettre. Donc, nous aurons pas mal de temps ensemble là-bas, de toute façon. Je ne sais pas encore exactement quand je serai prête à te rejoindre — peut-être vers la fin du mois de septembre — ou bien, si tu peux louer un petit appartement dès le premier octobre, j'arriverai vers ce temps-là. L'été est si beau ici, si exceptionnel que je voudrais en profiter le plus possible tout en avançant encore un peu plus mon roman.

Réfléchis à tout cela et dis-moi ce que tu en penses. Si le temps te paraît trop long, j'irai te rejoindre avant. Si tu penses pouvoir différer encore un peu notre installation à Boston, je ferai de même, ce qui n'a qu'un avantage : de ne pas me presser pour terminer mon travail.

Je t'envoie une lettre que Mrs. Creagh a réadressée ici. Tiens-tu à ce que je t'envoie les *Nouvelles littéraires* et autres publications de France ? Ou aimes-tu autant que je les conserve pour te les apporter ?

Travaille bien, chéri, et tâche de te distraire aussi par la marche et des exercices qui t'aideront à te maintenir en bonne santé.

Je t'embrasse bien affectueusement.

Gabrielle

*

Port-Daniel, le 13 août 1952

Mon cher Marcel,
Le courrier est lent de Boston à mon coin, et trop de jours passent sans lettre de toi : ceux-là me paraissent les plus longs. J'imagine que tu as beaucoup à faire et que de t'installer convenablement t'a pris beaucoup de temps. Cela est si ennuyeux, n'est-ce pas ? J'espère que tu trouveras assez facilement pour le premier octobre un petit appartement convenable. Peu importe la qualité des meubles, etc. — pourvu qu'il y ait deux pièces isolées l'une de l'autre, afin que l'on puisse travailler sans se gêner mutuellement, c'est tout ce qui importe. Tu auras le temps d'y voir, sans te presser.

Il paraît que Boston est une ville aimable. Une ancienne garde-malade, une Miss Blondell, autrefois d'ici, y est actuellement en vacances. Elle a travaillé plusieurs années au Vincent Memorial justement — et elle me dit que Boston est la ville la plus ravissante qui soit. Peut-être exagère-t-elle. Qu'en penses-tu ? Elle me décrit la ville comme pleine de parcs, d'ombrages, et possédant un très beau musée. Enfin, j'ai hâte de voir cela de mes yeux.

Après un été si chaud, tout est mûr déjà ici ; les avoines et l'orge. La campagne prend déjà une couleur rouille ou, du moins, dorée. Les verges d'or commencent à paraître dans les champs — quant aux framboises, elles sont juteuses, abondantes à souhait.

Je n'ai pas grand-chose de neuf à te raconter — mais, sans doute, j'emmagasine à mon insu bien des impressions qui se réveilleront lorsque je t'aurai comme auditeur.

Je t'embrasse de tout cœur, mon chou.

Gabrielle

*

Port-Daniel, le 14 août 1952

Mon cher Marcel,
Dans ma lettre d'hier, je t'interrogeais sur l'atmosphère de Boston et, justement dans la tienne, reçue hier soir, tu m'en donnes tes impressions. Voilà une manifestation de télépathie. Je suis intéressée par ce

que tu m'en dis. Un voisin anglais, Mr. Morthy, prétend que Boston est la ville américaine qui se rapproche le plus de Londres — en aspect physique, selon ton expression, du reste heureuse. J'aime à présent m'en servir.

Une autre journée délicieuse : un ciel pur, un soleil réjouissant, un peu de brise. J'espère que tu ne souffres pas autant de la chaleur en ce moment qu'à Québec. J'ai acquis un beau hâle — couleur miel, qui me donne un air de très bonne santé. J'espère le conserver jusqu'à mon arrivée à Boston.

Je fais un peu de bicyclette, pas beaucoup — mais je trouve commode d'avoir le vélo pour la petite plage à un quart de mille de la maison ; je peux y aller sans fatigue, une ou deux [fois] par jour, et là, j'aime m'asseoir sur les rochers, dans une pinède odorante. Quel coup d'œil gracieux j'ai de cette hauteur !

J'aurais aimé dîner avec toi chez le docteur Siu[1] : ces gens dont tu me parles doivent être bien intéressants. Tu es chanceux, en somme, bien que tu aies dû attendre longtemps, de pouvoir faire un séjour dans un tel milieu. Je ne doute pas que nous y passerons des moments très agréables ensemble.

Je commence à manger les légumes verts du potager de Mrs. McKenzie : petits pois, carottes, haricots ; tout cela est fort en retard, mais je me rattrape à présent et trouve cela délicieux. J'aurai peut-être le temps de manger des pommes du jardin avant mon départ — ce sont des pommes blanches, très bonnes en compote, tu sais comme celles que nous allions acheter, l'automne dernier, dans une ferme du boulevard LaSalle. Mrs. Creagh m'avait annoncé sa visite avec Dorothy, cet été, mais [je] me demande si elle a renoncé au projet. Dorothy a un poste beaucoup plus important, paraît-il, au Bell — mais aussi de plus grandes responsabilités. Si elles étaient venues plus tôt, ça aurait été agréable — maintenant, à moins qu'elles ne se décident rapidement, je n'escompte guère leur visite.

Es-tu loin de la mer ? J'imagine qu'il ne doit pas y avoir une grande distance entre la ville et la côte — ou est-ce que je m'abuse ? Loges-tu près de l'hôpital ?

J'ai toujours hâte, comme tu le sais, de recevoir tes lettres. Ne m'en prive pas plus que nécessaire.

Je t'embrasse bien tendrement.

Gabrielle

⁂

Port-Daniel, le 15 août 1952

Mon cher chou,
Tu as bien fait de t'acheter des complets d'été ; surtout à ce prix : c'est à peine croyable. Comment sont-ils ? Décris-les-moi un peu.

Patience ! Cette chaleur ne pourra durer longtemps ; tu seras bientôt soulagé mais j'ai presque honte, pour ma part, d'avouer qu'ici, c'est parfait comme température. Cet été est vraiment idyllique — quant à la qualité de la lumière et au degré de chaleur.

Je suis infiniment heureuse de te voir passionné par la recherche. Si cela t'intéresse vraiment à ce point, tu ferais peut-être bien d'y employer ta vie. Qu'importe si tu n'y fais pas fortune. Crois-moi, il vaut beaucoup mieux pour ton bonheur et pour le mien, que tu consentes à tes aspirations profondes — et je ne crois pas, j'espère, que l'argent est ton mobile essentiel. Tu gagneras toujours assez pour notre existence que j'accepterais bien volontiers simple à condition que tu suives ton penchant le plus courageux, le plus vrai — tout en étant tellement utile à ce pauvre monde souffrant. Enfin, nous parlerons de ça à loisir, lorsque j'irai te rejoindre.

J'ai bien hâte, tu sais. Je hâte mon travail le plus possible. J'aimerais avoir enfin à te montrer quelque chose, non pas fini — cela prendra encore bien du temps — mais du moins à peu près échafaudé. Mais, à présent que l'œuvre prend forme, j'ai un [peu] peur que tu ne l'aimes pas ; je redoute que ton impression soit défavorable.

À demain, chéri ; travaille bien ; voilà qui me fait grand plaisir.

Bien tendrement,

Gabrielle

⁂

Port-Daniel, le 20 août 1952

Mon cher Marcel,
Oui, le courrier est bien lent, en effet, entre la ville des *Pilgrims* et ce coin-ci du monde : ta lettre du 16 août vient tout juste de m'arriver. Je

regrette que tu aies une chambre si lugubre. Est-ce dans le genre de la drôle de grande chambre que nous avions à Colmar[1]. Le soleil égayait celle-là — toutefois. Il me semble lire entre [les] lignes dans ta dernière lettre que tu n'es pas entiché de Boston, en dehors du milieu médical.

Et puis, Marcel mon grand, tu as pourtant dû apprendre au collège que trois sujets dans la même phrase commandent un verbe au pluriel. Je peux te passer l'absence de virgules, de points, et de majuscules — mais que le diable m'emporte si je vais endurer un verbe au singulier lorsqu'il est précédé de trois sujets. Fais attention, bougre d'affaires; bientôt tu ne seras plus lisible[2].

Plaisanterie à part : respecte un peu notre chère langue. Pense aux grands efforts que l'on fait au pays de Maria Chapdelaine pour survivre !

J'attends une réponse de la mère Tinkler pour filer à Rawdon. Rien encore. J'espère qu'elle aura ma grande chambre libre. Peut-être a-t-elle fourré des pensionnaires dans tous les coins. En ce cas je resterai ici encore quelque temps. Le temps reste superbe.

J'ai été à la pêche en mer avec les voisins Journeaux, lundi soir. Toute la nuit. J'avais mal compris, croyant que nous ne partions que pour deux ou trois heures — mais embarquée à bord de la goélette, il était trop tard pour revenir en arrière. Heureusement que j'étais vêtue chaudement car il fait un froid d'Arctique, à deux milles des côtes, la nuit. La goélette possède une petite cabine, garnie de 4 petites couchettes, je devrais dire quatre petits bancs plus ou moins rembourrés. J'y ai dormi près de 3 heures tout de même et j'ai jiggé. Cela, en langage gaspésien, signifie pêcher à la jigg. La jigg est une sorte de plomb affreusement meurtrier, muni de crocs, avec lequel on réussit à attraper parfois des poissons. Mais il faut continuellement tirer puis laisser aller le plomb au bout de 10 à 12 brasses de corde. Je te prie de croire que je n'aimerais pas gagner ma vie à jigger. On tire, on relâche la corde, on tire — ainsi l'expression jigger car on a l'air en effet de danser sur place. Tous ces vaillants efforts m'ont valu une seule capture, mais une fameuse : une morue de 15 livres environ. C'était la plus grosse capture faite à bord; donc ce n'était pas si mal.

À part ça, on a placé les rêts de harengs. 4 heures plus tard, on les a halés, et on en a retiré 1 500 livres de harengs. J'étais pas mal fourbue en rentrant, mais la nuit dernière j'ai dormi le tour entier de l'horloge ; et me voilà rafistolée. L'expérience a complété mes connaissances du métier et je suis contente de mon expédition.

J'espère, chéri, que ton travail continue à te passionner. Écris-moi souvent ; je n'ai jamais assez de nouvelles.

Je t'embrasse bien affectueusement.

Gabrielle

⁂

Port-Daniel, le 21 août 1952

Mon cher Marcel,
Je quitterai Port-Daniel lundi et je serai à Rawdon le lendemain soir. Tu m'y écriras à partir de maintenant, si tu veux bien.

J'aurai eu du beau temps ici jusqu'à la fin. Aujourd'hui, j'ai été me baigner à la plage, vers le milieu de la baie — le sable y est fin et l'eau beaucoup plus chaude qu'à la petite plage de la pointe — mais c'est trop loin pour y aller tous les jours : près de deux milles. Que j'aime ce coin-ci ! Plus je le connais et plus mon attachement est grand, sans doute parce que je le comprends mieux. Au fond, il en va des pays comme des individus : il faut les apprendre petit à petit, les conquérir ou se laisser conquérir par eux, je ne sais.

La petite vieille Tink est toute contente de mon arrivée chez elle pour quelque temps.

J'aurai peut-être un peu plus de nouvelles et de choses à te raconter après mon déplacement. La vie, si paisible ici, ne prêtait pas à grands commentaires. Cependant, quel bien mon séjour m'a fait. J'espère garder mon air de bonne santé jusqu'à ce que j'aille te retrouver afin que tu constates par toi-même que l'air de la mer m'est extrêmement profitable ; du moins il l'a été, cette fois-ci.

Allons, chou, je t'embrasse, en attendant le plaisir de te lire bientôt.

Gabrielle

⁂

Port-Daniel, le 24 août 1952

Mon cher Marcel,
Je t'écris encore un mot d'ici ; car, vraisemblablement, je ne pourrai t'envoyer une lettre de Rawdon que mercredi ; j'y arriverai seulement mardi

soir. J'ai retenu une chambrette à bord de l'Océan Limitée[1] : tout ira bien. Je suis contente de quitter l'endroit, car depuis deux jours le temps a viré au froid, et le pays a beaucoup moins d'attrait avec un vent aigre.

Tu me diras si je dois apporter mon manteau de fourrure — sans doute, si nous devons rester là-bas quelques mois, il le faudra. Veux-tu que je t'apporte ton gros chandail vert ? Si tu n'y tiens pas, et j'aimerais autant, car il prendra beaucoup de place dans mes valises, je l'envelopperai et le mettrai dans une de mes vieilles malles au grenier de la mère Tink.

J'espère, chéri, que tu continues à travailler avec plaisir et confiance. Je travaillerai moi-même à quelques chapitres à Rawdon en attendant d'aller te rejoindre.

Il n'y a que deux autres pensionnaires ici, à présent ; il n'y en a guère eu plus de tout l'été ; bientôt les touristes auront entièrement quitté les lieux.

Je t'embrasse de tout cœur, et attends ta prochaine lettre avec impatience.

Prends bien soin de ta santé et ne m'oublie pas.

Gabrielle

Rawdon
(Montcalm). P.Q.

Rawdon
automne 1952

*Gabrielle Roy tient à mettre la dernière main à la première version d'*Alexandre Chenevert *avant d'aller rejoindre Marcel à Boston. C'est pourquoi, de Port-Daniel, elle retourne à Rawdon, chez madame Tinkler, où elle séjournera jusqu'à la mi-octobre. Marcel, qui n'a finalement pas obtenu la bourse sur laquelle il comptait pour la réalisation de ses recherches, devra rentrer à Québec plus tôt que prévu : Gabrielle le rejoint à Boston, où elle passe avec lui les deux dernières semaines d'octobre, après quoi le couple fait un bref séjour à New York et à Cape Cod. De retour à Québec, Gabrielle et Marcel s'installeront de nouveau au Château Saint-Louis.*

Rawdon, le 27 août 1952

Mon cher Marcel,
Je suis arrivée hier soir par une chaleur aussi torride qu'au pire de juillet. Je regrette de n'être pas restée une semaine de plus à Port-Daniel — mais, en un sens, je suis contente, malgré tout, de changer d'atmosphère. Le petit train de Rawdon, à fenêtres doubles hermétiquement closes, était comme une étuve. Ce n'est pas trop mal la nuit, heureusement, à cause de tous ces arbres autour de la maison. Qu'est-ce que ça doit être par chez toi. Cher, j'espère bien que tu auras bientôt une bonne fraîcheur.

La petite vieille Tink n'a pas eu grand monde cet été; nulle part, d'ailleurs, [ne] semble-t-il y avoir eu beaucoup de touristes cette année. J'ai entendu la même plainte à Port-Daniel. Il est vrai que la mode lance puis abandonne les endroits très capricieusement. Le manque d'argent aussi dépeuple les stations de vacances.

Ce sera samedi, chéri, notre cinquième anniversaire. Nous le fêterons, si tu veux, dès que je serai avec toi. Peut-être pourrons-nous prendre un week-end sur la route, comme au bon temps de France.

Ma pensée est souvent avec toi : elle le sera davantage, si possible, le 30 août. J'espère que nous passerons nos autres anniversaires à venir ensemble.

Donne-moi d'autres nouvelles de ton travail en cours. Porte-toi bien, chou, et garde ton courage et ta persévérance.

Je t'embrasse avec la plus grande affection.

Gabrielle

⁂

Rawdon, le 29 août 1952

Mon cher chou,
J'ai reçu ta première lettre adressée à Rawdon. J'espère que tu as fait le petit voyage dont tu me parles dans cette lettre[1] ; j'aurais aimé le faire avec toi.

La chaleur demeure très grande ces jours-ci. J'ai été me baigner hier dans la rivière d'Origène Pilon au bas de mon ancien petit camp[2]. La tribu Paré y était en entier. Chacun s'est informé de toi avec cordialité et t'envoie ses amitiés. L'eau était tiède : comparée à l'eau de mer, elle était même chaude, mais c'est beaucoup plus fatigant de nager dans de l'eau douce qu'à la mer.

Il y a un monde fou à Rawdon en ce moment ; ça en est ahurissant. L'endroit va se vider sans doute tout de suite après Labor Day[3], lundi prochain.

Je suis comme toi, pauvre chou : je me creuse la tête pour trouver quelque chose d'intéressant à te raconter, et il y a peu de neuf. Certains jours surtout, je me trouve la cervelle si vide.

Je règle toutes mes affaires peu à peu. J'ai pris quelques intérêts de mes obligations en passant par Montréal. Je vais faire venir mon manteau de fourrure bientôt, si je dois l'emporter. Il semble faire bien trop chaud pour penser à cela maintenant : cela fait même plutôt saugrenu. Il m'est arrivé une malchance : j'ai cassé la serrure de ma grosse valise noire — et je ne puis la faire réparer ici. J'en aurai absolument besoin ; cependant, j'hésite à l'envoyer réparer à Montréal, car sans doute ce sera long et je ne sais trop du reste comment m'y prendre. Il faudrait sans doute la confier à un camionneur.

As-tu reçu *Historia* ? Je t'enverrai ces jours-ci une pile de *Nouvelles littéraires* et de *Figaro*.

À demain, chéri ; je tâcherai de t'écrire une lettre moins simplette. L'intention compte tout de même pour quelque chose, n'est-ce pas ?

Je t'embrasse tendrement.

Gabrielle

Je viens de recevoir une autre de tes lettres, réadressée de Port-Daniel, celle qui contient une coupure concernant Lemelin[4]. Merci d'avoir songé à m'envoyer cela. Je t'embrasse encore bien fort.

⁂

Rawdon, le 30 août 1952

Mon cher Marcel,
Je t'écris dans la balançoire de la mère Tink. Il fait bon et frais ; un peu d'ombre et de soleil se jouent sur cette feuille, car je suis sous un arbre que le vent agite par petits à-coups. Je donnerais cher pour t'avoir auprès de moi, aujourd'hui. J'espère que cette journée sera aussi agréable que possible pour toi. Je te souhaite tant de belles et de bonnes choses, chéri.

J'ai reçu un mot de Bernadette, hier, de retour à Saint-Boniface, après ses études d'art dramatique dont elle se déclare enchantée. La pauvre enfant brûle d'enthousiasme — elle espère, l'an prochain, un séjour d'études à Laval. Je crois bien que ce qui l'y attire surtout c'est le désir de me revoir, de te voir toi aussi. En tout cas, elle fait de ses pieds et de ses mains pour obtenir cette permission, qu'elle aura, j'imagine. Mauvaise nouvelle cependant d'Anna, encore à l'hôpital, pour des examens me dit Dédette, sans préciser davantage. J'espère que ce n'est pas pour une autre opération : cette pauvre Anna en a bien eu sa part, il me semble. Je suis assez inquiète.

Je t'envoie une lettre de Jeanne, que je viens de recevoir, pensant que certains passages de sa lettre peuvent t'intéresser.

Pour me détendre de mon travail, je me suis remise à la fameuse nappe de Bretagne[1] ; j'en suis à la sempiternelle bordure. Peut-être la finirai-je, si je vis assez vieille ! Mais comme tu en as suivi les progrès avec plaisir, en brodant je me sens comme près de toi et heureuse.

As-tu fait le voyage en bateau jusqu'au Cape Cod ? J'aimerais le refaire avec toi.

Soigne-toi bien, chéri. Je suis contente de l'expérience que tu acquiers là-bas, sans aucun doute immensément profitable pour toi, pour d'autres que tu aideras.

Je t'embrasse bien fort.

Gabrielle

⁂

Rawdon, le 2 septembre 1952

Cher Marcel,
J'espère que tu auras secoué ton rhume en peu de temps ; rien n'est si fatigant, je crois, qu'un rhume, l'été. Tâche de faire attention à toi.

Je ne comprends pas que tu aies négligé d'apporter ton pardessus d'hiver — que vas-tu faire, grands dieux, dans deux mois d'ici ?

Mon chéri, tu te trompes : nous avons tout de même passé trois de nos anniversaires ensemble : à Concarneau, à Londres l'été suivant ; puis, l'été dernier, à Ville LaSalle — il est vrai que celui-là, tu l'as presque oublié. L'an prochain, j'espère du moins que ce sera plus gai. Peut-être que je me trompe, mais j'ai l'impression que tu me reproches de n'être pas avec toi cette année ; si oui, ce n'est pas très juste, chéri, car j'ai bien hâte de te rejoindre, mais je n'ai pu très aisément le faire à cette date. En tout cas, ce ne sera plus tellement long et j'espère t'arriver avec un peu de travail fait et en assez bonne santé pour que tu en sois content.

Mais soigne-toi bien, et ne fais pas d'imprudences. Je t'ai envoyé hier 3 *Nouvelles littéraires*, un peu tardivement. Au vrai, j'ai assez longtemps tardé à les lire cet été, trouvant tellement plus de plaisir à vivre au grand air ; à présent, le goût de la lecture me revient. Je te recommande particulièrement l'« Aventure sans retour », récit de l'odyssée de Robert Scott lancé dans la découverte du pôle Sud[1]. J'ai trouvé cela exaltant, et j'aime penser que tu y trouveras autant de confiance en l'homme que j'en ai tiré.

Je t'embrasse de tout cœur.

Gabrielle

T'ai-je dit que Mrs. McKenzie m'a fait cadeau de deux très jolis tapis crochetés, très colorés, et qui auront de l'effet dans notre future maison de campagne. Aussi deux petites images sans conséquence, mais en des cadres en bois ancien de cent ans au moins et que j'aime beaucoup. Cet été, elle a été d'une gentillesse parfaite envers moi et les repas étaient très suffisants.

*

Rawdon, le 4 septembre 1952

Mon cher Marcel,
Je t'envoie aujourd'hui quelques lettres pour toi reçues ici ; la seule qui me paraisse peut-être d'importance, je la mets sous ce pli ; je mets les autres avec un journal.

Mon pauvre chou, c'est bien désolant que tu aies un si vilain rhume — tout cela parce que tu ne profites pas assez du soleil, j'en ai peur. Tâche de te mettre au soleil, de temps à autre, avant que la belle saison soit terminée, encore une fois. L'été prochain, nous irons à la campagne ensemble, je le souhaite. Il te faudrait du soleil, des exercices en plein air et une vraie détente telle que n'en apporte que la vie aux champs.

Il fait assez beau encore ici, mais plutôt frais à présent. Le village s'est à peu près vidé des estivants, du gros de la population flottante. Je l'aime mieux ainsi, dans sa vie authentique.

J'ai terriblement hâte de rallier Boston et de t'embrasser, mon chéri ; n'était la crainte, en interrompant mon travail, de perdre la flamme, alors que je vois enfin le but, je perdrais patience et t'arriverais par le premier train. Mais patience ! La fin est en vue, et cela ne sera plus long. Je prendrai un bon repos avec toi, alors, car en vérité, j'ai fait un travail de forçat cet été. Si encore il y paraissait !

J'espère que de ton côté tu continues à être satisfait. Souhaite-m'en autant. Moi aussi, tu sais, j'ai besoin d'être encouragée — même un cheval éprouve ce besoin — et, de ta part, un mot d'approbation m'est si bienfaisant.

Soigne-toi, tâche de te débarrasser de ce rhume au plus tôt — et prends ensuite des vitamines D. Puisque cela aide les patients, pourquoi cela n'aiderait-il pas les docteurs.

À bientôt, chéri. Je t'embrasse tendrement.

Gabrielle

*

Rawdon, le 6 septembre 1952

Mon cher Marcel,
Je crains que tu n'arrives pas à rejoindre les deux bouts si tu n'as pas encore réussi à toucher aucun argent du gouvernement canadien, et je

t'envoie tout de même $200.00. Accepte-les sans scrupules ; tu me rembourseras si tu reçois enfin quelques subsides ou, si cela devait te faire défaut, plus tard, quand tu seras en mesure de le faire — car, à vrai dire, je suis inquiète ; l'argent va te manquer bientôt[1].

Cet argent est en dollars américains à ma banque de Westmount. J'imagine que tu ne devrais pas avoir de difficultés à encaisser ce chèque où tu te trouves ; s'il devait en être autrement, fais-le-moi savoir, et je m'informerais de ce qu'il y a à entreprendre.

J'espère que tu pourras demeurer à Boston le temps qu'il te faut pour mener à bien tes études. Je serais déçue de ne pas aller te rejoindre à présent que j'en ai formé le projet et que je m'y suis attachée. Toutefois, si tu devais revenir au début d'octobre, ce serait fou, n'est-ce pas, d'y aller pour si peu de temps. Je vais donc, tout en me préparant, attendre que tu sois toi-même plus assuré de l'avenir prochain. C'est bien l'ennui de nos deux vies, que nous soyons si peu fixés l'un et l'autre, d'habitude, sur les événements, et que nous soyons par eux si longtemps tenus en suspens. N'importe ; il y a aussi, parfois, des avantages de liberté dans cela et, en définitive, nous avons reçu plus de faveurs de la vie que la plupart des êtres humains.

J'imagine que, si j'arrive à terminer l'ébauche de la dernière partie de mon ouvrage, comme je l'espère, pour bientôt, je pourrais aller te rejoindre vers le 24, 25 septembre, peut-être un peu avant — mais je t'avertirai à temps pour te donner le loisir nécessaire de trouver un appartement meublé et assez tranquille pour nous assurer la paix.

Je t'enverrai bientôt un autre paquet de journaux.

Persévère, chéri, dans tes vues. Je suis assurée qu'en définitive, tu seras heureux d'avoir gardé fidélité à tes ambitions les plus hautes.

Je t'embrasse tendrement.

Gabrielle

*

Rawdon, le 8 septembre 1952

Mon cher Marcel,

Lundi, je m'ennuie toujours car il n'y a pas eu de lettre, la veille, ni l'avant-veille parfois.

Il a fait très froid la nuit, dernièrement, mais les journées sont belles et ensoleillées — sans doute les feuillages tourneront-ils bientôt aux belles couleurs d'automne. C'est si joli ici, vers la fin de septembre !

J'ai hâte d'apprendre ce qui en sera définitivement de la durée de ton séjour à Boston. Ne te mets pas martel en tête à cause de moi si tu devais décider de revenir au mois d'octobre. Tu viendrais en ce cas me chercher ici, je pense.

Je te souhaite que tout aille pour le mieux, et je t'embrasse bien tendrement.

Gabrielle

*

Rawdon, le 16 septembre 1952

Mon cher Marcel,
Enfin, une lettre de toi ; j'ai été tirée d'une vilaine inquiétude. Il y avait huit jours que je n'avais rien reçu. Si tu es trop fatigué pour écrire, chéri, dis-le-moi au moins en une ligne. Ne serais-tu pas très inquiet toi-même, si tu devais rester huit à neuf jours sans nouvelles de moi. Je comprends très bien que tu ne puisses pas tous les jours m'écrire une longue lettre. Je me contenterais de deux ou trois phrases, au besoin, mais tâche, chéri, de garder la bonne habitude d'un petit bout de lettre quotidien.

Je pense bien qu'il vaut mieux que j'attende que tu sois toi-même plus fixé en tes projets avant de bouger. Je serais ravie que tu puisses venir me chercher. Espérons que cela pourra se faire ! J'aurais bien le goût d'un voyage en auto, en ayant été privée depuis tant de mois.

N'hésite pas à dépenser l'argent que je t'ai envoyé si le besoin s'en fait sentir et garde ton courage que j'admire beaucoup. Ne mets pas trop de confiance, toutefois, en cette bourse. Il me semble qu'il doit y avoir sous cette histoire quelque attrape car, depuis le temps qu'on t'en a fait la promesse, elle aurait pu être tenue cent fois déjà — ne te fie pas trop aux autres, demande-leur le moins possible, compte surtout sur toi-même : crois-moi, c'est encore, bien souvent, le plus court et le meilleur chemin pour arriver à son but.

Aussitôt que tu auras pris une décision, tâche de m'en faire part, car je voudrais être prête dès que tu seras prêt toi-même à venir me chercher. Je fais faire une doublure en laine à mon manteau d'écureuil dans lequel j'ai grelotté tout l'hiver dernier ; cela peut prendre une semaine à dix jours. En tout cas, je vais presser la couturière autant que possible. J'achève la nappe bretonne que tu vas trouver belle, je crois, en tout cas très gaie. Les gens d'ici en écarquillent les yeux.

Je t'embrasse de tout cœur, chéri.

Gabrielle

As-tu reçu les deux derniers envois de journaux. À date, j'en ai envoyé trois en tout. J'ai bien hâte de te retrouver, mon chou.

⁂

Rawdon, le 17 septembre 1952

Cher Marcel,
Ne travaille tout de même pas à te rendre malade, chéri ; sois raisonnable.

J'espère que tu pourras venir me chercher pour retourner là-bas avec toi ; sinon, je t'attendrai ici, à moins que tu aimes [mieux] que j'aille te retrouver.

Je suis un peu fatiguée moi-même, à présent, quelques distractions, un changement d'ambiance me feraient du bien, je crois.

Je souhaite que ton travail te soit profitable. Je ne vois pas comment il pourrait en être autrement.

Ici, il fait beau, mais assez froid maintenant pour la saison.

Ce n'est qu'un petit bout de lettre insignifiant — néanmoins toute mon affection l'accompagne et te suit.

Gabrielle

⁂

Rawdon, le 22 septembre [19]52

Cher Marcel,
J'ai dévoré ta petite lettre si longtemps attendue — je suis toujours bien contente du beau travail que tu poursuis. Ne pense donc plus à cette histoire de bourse — tu n'as pas tellement besoin des autres. Je crois même

que tu t'es fait un certain tort en te plaçant dans la vie, parfois, sous la dépendance des autres. Tu verras que tu pourras très bien arriver sans cela et avec plus de satisfaction et de fierté supérieure, au fond.

Dès la fin de cette semaine ou début de l'autre, je serai prête à te rejoindre — ou à attendre, si tu le juges préférable. Peut-être vaut-il mieux pour toi que tu termines ton séjour d'études seul, dans la concentration à laquelle t'oblige la solitude. Fais pour le mieux, chéri ; je t'attendrai avec patience.

J'espère quand même que ce ne sera pas trop long — car je m'ennuie beaucoup.

Je suis maintenant trop fatiguée de mon manuscrit pour bien travailler. J'ai tout abandonné pour un mois ou deux — après on verra. Je sens un grand besoin de délassement après un si long effort, même s'il n'en résulte pas tout ce qu[e] [j]'en espérais.

Je conçois que tu doives être aussi très fatigué. Comme ce serait agréable de prendre ensemble deux à trois semaines de vacances sur la route. Reprendre une fois encore notre chère existence de vagabondage.

Tâche de te reposer et de m'écrire bientôt, n'est-ce pas ?

Je t'embrasse de tout cœur.

Gabrielle

*

Rawdon, le 23 septembre 1952

Cher chou,

J'ai pensé que cette petite photo de moi t'inciterait peut-être à m'écrire un peu plus. Ce fut pris par une des demoiselles Paré, il n'y a pas longtemps.

As-tu reçu trois paquets de journaux ? En veux-tu d'autres ?

Je te souhaite une belle semaine de travail avec le docteur Meigs.

Ça ne m'étonne pas qu'il t'aime et te considère beaucoup. Il faut être imbécile pour ne pas découvrir en toi, tout de suite, de grandes qualités.

Je t'embrasse tendrement et je t'écrirai plus longuement très bientôt.

Gabrielle

*

Rawdon, le 27 septembre 1952

Mon cher Marcel,
Je suis toujours heureuse de voir que tu profites si bien de ton séjour au V. Memorial. Peut-être devrais-tu y passer encore un mois. Maintenant que tu es si bien en train ce serait dommage d'interrompre ton élan. Crois-tu que ce ne serait pas une bonne idée, ou que tu viennes me chercher, ou que j'aille te rejoindre, si tu peux trouver un endroit où nous puissions vivre à assez bon compte. Avec ce que je dépense ici, ajouté à ta part, ça ne serait pas trop difficile d'arriver. Ça vaudrait le coup, je trouve, même pour un seul autre mois. Si cette idée te plaît, je serais enchantée. Évidemment, si tu avais le temps de venir me chercher, ce serait parfait.

En tout cas, songes-y bien, et sois assuré que je serais heureuse de t'aider un peu à poursuivre quelque temps du moins un séjour qui va t'être si profitable. N'importe la bourse d'études! Tu arriveras par tes propres moyens et, j'en suis sûre, tout aussi bien et peut-être mieux que si tu avais été aidé. Songe que bien peu des grands médecins que tu admires et voudrais suivre ont été aidés de telle façon. Je te dis cela afin que la déconvenue ne t'enlève pas du moins de confiance. Tu as, au contraire, toutes les raisons d'avoir confiance en toi-même.

Dis-moi ce que tu penses de mon idée. J'espère qu'elle te plaira et que tu me répondras là-dessus bientôt.

En attendant, je t'embrasse de tout mon cœur.

Gabrielle

Comme le methiscol[1] (capsules) et [le] stenediol sont des médicaments fabriqués aux États-Unis, j'imagine qu'il y aurait intérêt à m'en faire une petite provision là-bas, surtout le methiscol qui coûte si cher. De toute façon, commande-m'en, veux-tu, quelques centaines de capsules que tu m'apporteras lorsque tu viendras me chercher. Je ne peux m'en procurer ici, sauf au plein prix.

Dimanche le 28 [septembre 1952]

J'ai un peu mal à la gorge depuis ce matin — quelques frissons. J'espère que je ne vais pas attraper le rhume. Cela court en ce moment, à cause de variations brusques de température. Pourtant, j'ai été bien prudente.

Soigne-toi bien toi-même et fais attention de ne pas te refroidir et de ne pas prendre un autre rhume.

Je t'embrasse tendrement.

Gabrielle

⁂

Rawdon, le 1er octobre 1952

Mon cher Marcel,

Je n'ai reçu ton télégramme qu'aujourd'hui ; il avait été déposé tout simplement au bureau de poste. J'ai eu le temps, tout de même, d'envoyer un chèque daté d'aujourd'hui et recommandé à la poste. Donc, tout doit être en règle.

Je viens de recevoir toute une fournée de coupures de journaux d'Angleterre relatifs à *Where Nests the Water Hen*[1]. Mr. Binsse avait eu raison de me le prédire : Merry England apprécie et aime apparemment beaucoup notre *Petite Poule* — je te conserve ces coupures pour tes archives.

J'ai bien hâte de te revoir, mon grand. Cependant, ne te hâte pas toi-même si cela doit être préjudiciable à ton travail en cours.

Je suis allée en ville lundi, y ai rencontré Louise Guertin, maintenant Mrs. Hugo McPherson[2]. Elle sortait de chez le docteur Doré. Elle a un goitre, quoique n'ayant pas l'air trop malade.

Je t'embrasse bien fort.

Gabrielle

⁂

Rawdon, le 2 octobre 1952

Mon cher Marcel,

Je viens de recevoir ta lettre du 30 septembre et je m'empresse de t'écrire que je vais me hâter autant que possible d'aller te retrouver. Mais ne pourrais-tu pas louer un petit appartement meublé — est-ce vraiment impossible ? Pour moi qui dois continuellement surveiller mon régime, je redoute beaucoup la nourriture des restaurants. D'ailleurs, même s'il fallait payer assez cher pour l'appartement, on gagnerait en se faisant notre popote la différence. Enfin, fais ton possible — et écris-moi aussitôt que tu auras vu de quoi il retourne[1]. J'irai volontiers par train, si tu ne peux venir. Tu le comprends, l'essentiel, c'est le logement.

Faut-il autre chose qu'un passeport à la frontière ?

À bientôt. Je t'embrasse affectueusement.

Gabrielle

Montréal
janvier 1953

Lorsque Gabrielle Roy et Marcel Carbotte rentrent de leur séjour à Boston, en novembre 1952, pour s'installer de nouveau au Château Saint-Louis, la romancière croit avoir enfin terminé son troisième roman, Alexandre Chenevert, *auquel elle travaille depuis bientôt quatre ans. Elle se rend donc à Montréal, en janvier 1953, afin de faire dactylographier son manuscrit par Jacqueline Deniset. Elle le fera également lire par Cécile Chabot et Jeanne Lapointe.*

Les lettres que Gabrielle écrit à Marcel au cours de ce séjour à Montréal sont rédigées sur du papier qui porte l'en-tête « The Laurentien Dominion Square, Montréal Canada ».

Mercredi, le 21 janvier 1953

Mon cher Marcel,

J'ai été tout de suite voir Jacqueline en arrivant, car je ne pouvais me résigner à passer la soirée seule ; sans toi, je me suis sentie perdue. Tout de même, ça m'a fait quelque chose de revoir Montréal. Pas de neige du tout ; ça fait curieux. Jacqueline n'a encore terminé qu'environ un tiers du manuscrit, car elle a été un peu souffrante ; et puis, je crois, elle a accepté d'autres petits travaux qui se sont présentés entre-temps, ce qui a fait pâtir le mien un peu. Mais elle m'assure qu'elle aura fini dans une dizaine de jours au plus tard.

J'espère que tu ne t'ennuieras pas trop ; d'un autre côté, je serais triste de penser que je ne te manquerai pas. Madeleine Lemieux m'a dit que tu serais le bienvenu chez elle à n'importe quel moment et de ne pas craindre d'aller te distraire chez elle si le temps te paraît long à passer.

J'ai fait un bon voyage reposant et sans événements, tout bonasse, et me voilà dans une chambre tout à fait confortable. Je verrai Cécile demain sans doute, car je lui ai parlé au téléphone ce soir. Elle ira probablement à Québec dans peu de temps. J'ai laissé deux ampoules sur ta table — si elles ne sont pas ce que tu veux, tu pourras t'en procurer à un magasin d'appareils électriques, rue Cartier, juste après la pharmacie Soucy au coin de Crémazie.

J'espère que tu te porteras bien et avoir des nouvelles de toi aussitôt que possible.

En attendant, je t'embrasse bien tendrement.

Gabrielle

Ch[ambre] 354.

*

Montréal, le 23 janvier 1953

Mon grand chéri,
Que Montréal fait laid, en effet, après Québec, surtout avec sa physionomie actuelle qui n'est ni du printemps ni de l'hiver, c'est-à-dire sans aucune neige et sans verdure non plus, bien entendu. J'ai hâte de rentrer.

Je dois dîner chez Jori[1] demain soir. J'ai déjeuné hier avec Judith qui est mieux maintenant après quelques ennuis de santé. Toujours charmante, elle t'envoie son souvenir très amical. Tout le monde en fait autant d'ailleurs. J'ai aussi vu les Chabot, Cécile va assez bien, mais quel pauvre petit oiseau ! Auprès d'elle, je me sens costaude. Mme Chabot a une assez vilaine grippe. J'ai dîné hier soir avec la famille et passé quelques heures de délicieuse détente auprès de Cécile à parler de nos beaux voyages en France, etc. C'est vraiment un être enchanteur et qui vit, malgré ses innombrables misères, dans une sorte de sphère enchantée ; je veux dire, obtenant toujours, il me semble, des gens le meilleur, et en quelque sorte une tendresse de tous, qui serait insoupçonnée dans le cours habituel de la vie.

J'espère que tu vas bien, que tu évites la grippe qui fait ici beaucoup de victimes. Sois prudent et tâche de te mettre au lit chaque soir à une heure raisonnable. La première nuit ici, je n'ai pas beaucoup dormi, à cause des tramways. J'ai songé au malheureux Alexandre[2], empêché de se reposer par tant de bruit. En tout cas, quoi qu'il en soit du reste, Jacqueline semble elle aussi porter mon pauvre caissier dans son cœur, et cela me paraît bon signe.

J'ai déjà une hâte folle de te revoir. J'espère que tu éprouves le même sentiment. Verrai Philippe Panneton mardi — marié, légalement enfin, à son amie de longtemps, madame Marcotte[3], et apparemment heureux et très gai. Je t'embrasse le plus affectueusement du monde.

ta Gaby

*

Le 27 janvier 1953

Mon cher Marcel,
Je viens de recevoir avec tant de bonheur ta deuxième petite lettre me décrivant la beauté de la ville sous l'effet de la glace et de la neige. Ici, il a neigé un peu aussi, enfin, mais sans embellir beaucoup le coup d'œil. Je suis un peu fatiguée de mes trottes, et j'ai bien hâte de rentrer, tu sais ; cependant Jacqueline n'aura pas terminé la copie de mon manuscrit avant la fin de la semaine. J'attendrai probablement qu'elle en ait fini avec ce travail, car 3 copies et l'original font une vraie montagne de papier. Dès jeudi, elle pourra sans doute prévoir la fin, et j'espère de tout mon cœur revenir samedi au moins, bien que je n'en sois pas sûre. J'ai vu pas mal de monde, entendu bien des potins, les uns amusants, les autres plutôt tristes, et je préfère te garder cela pour une narration orale ; il me semble que tu y trouveras plus d'intérêt. J'ai déjeuné avec le docteur Jutras qui a l'air mieux que jamais et qui me dit avoir trouvé en toi un véritable compagnon selon son cœur. Il aime ton esprit, ta culture, ton intérêt pour tant de choses diverses, enfin que de choses de toi ; nous avons longuement causé de toi à la Maisonnette[1] où il m'a emmenée déjeuner. Tous s'informent de toi avec affection ; je suis heureuse de constater la bonne impression que tu as laissée aux gens qui t'ont quelque peu connu.

J'ai fait réadresser les *Nouvelles* et *Figaro littéraire* qui m'attendaient au bureau de Nadeau à l'appartement 508. J'espère que tu les auras reçus. Je n'ai gardé pour les lire ici que la dernière livraison de *Lisez-moi Historia* et *La Revue de Paris*.

La petite Louise de Jacqueline m'enchante. C'est une enfant exquise, très sage maintenant : hier elle nous a chanté des chansons anglaises, françaises et en hongrois pendant une heure ; c'était ravissant de l'entendre.

Chéri, je t'embrasse bien affectueusement.

Gabrielle

⁂

Mercredi, le 28 [janvier 1953]

Mon cher Marcel,

Je reviendrai vendredi par le train partant de Montréal à 7 h 05 et rentrant à Québec à onze heures je crois. C'est tard, je regrette, mais j'espère que tu viendras quand même me rencontrer. J'ai bien hâte de te revoir, et je t'embrasse de tout cœur,

Gabrielle

Rawdon
printemps 1953

Cécile Chabot et Jacqueline Deniset n'ont que du bien à dire au sujet du personnage d'Alexandre Chenevert. Gabrielle Roy n'est cependant pas au bout de ses peines, puisque Jeanne Lapointe, à qui elle a aussi demandé de lire son roman, lui fait plusieurs remarques concernant le style et la composition du texte. Au printemps 1953, la romancière se rend donc de nouveau à Rawdon où, en tenant compte des suggestions que lui a faites Jeanne Lapointe, elle arrivera à terminer Alexandre Chenevert. *Le nouveau manuscrit sera dactylographié par une copiste de l'endroit et envoyé aux éditeurs au début de juin.*

Pendant ce temps, Marcel veille au déménagement : le couple change d'appartement au Château Saint-Louis.

Rawdon, le 21 avril 1953

Mon cher Marcel,

Je suis partie de Québec à 11 h 15 seulement, le train étant en retard à cause d'un accident. Tout de même, il a repris une demi-heure de retard en route, en sorte que je suis arrivée à Joliette à 4 h 15, au lieu de 3 h 15. Il ne fait pas très chaud dans le pays, à peu près comme à Québec, mais le soleil a l'air de vouloir percer l'humeur sombre du ciel. Je pense qu'il fera beau bientôt. Le voyage par Garneau et Shawinigan Falls est assez court en somme, mais un peu fatigant à cause du changement à Garneau, où il n'y a pas de red cap[1] bien entendu : on doit transporter toutes ses affaires soi-même. Le paysage est assez banal aussi. Il est vrai que la campagne mouillée, hier, n'était pas de nature à réjouir le cœur.

J'ai retrouvé tout pareil ici, comme l'an dernier. J'ai toujours aimé en arrivant à Rawdon l'impression que le temps ne s'écoule pas ici comme ailleurs.

Si tu as le temps, veux-tu commander mes methiscol dès maintenant, car je n'en ai plus beaucoup.

J'ai eu un téléphone de maître Jean-Marie Nadeau ce matin, au sujet de mon impôt. Je dois communiquer avec Archambault[2] cette après-midi. J'ai bien hâte que toute cette affaire soit réglée.

Dis bonjour à nos amis de ma part. Tâche, mon chou, de ne pas te fatiguer par trop de sorties, coup sur coup. Il faut songer à user modérément de tes forces.

Je t'embrasse bien tendrement, et j'espère avoir une bonne lettre de toi très prochainement.

Gabrielle

✱

Rawdon, le 23 avril 1953

Mon chéri,
J'ai eu depuis mon arrivée ici la bonne intention de t'écrire une longue lettre ; à dire le vrai, je me sens encore trop fatiguée pour l'entreprendre. J'ai éprouvé tout à coup en arrivant une immense lassitude. Sans doute cela se dissipera bientôt, puisque je dors assez bien et mange bien aussi.

Comment vas-tu, toi, mon chou ? Tu n'as pas eu de matins trop chargés dernièrement ? Et puis de Saint-Victor[1] sera de retour avant longtemps. Et alors tu pourras prendre les choses un peu plus facilement, n'est-ce pas ? Je le souhaite de tout cœur, crois-moi.

Il fait aujourd'hui un triste vent plaintif. De jour en jour la météo annonce du beau temps ; néanmoins cet air froid et maussade persiste. Je suis assez bien dans la maison, toutefois, car la petite vieille brûle assez de bois.

Les Paré que j'ai vus l'autre soir t'envoient mille bonjours et amitiés. Madame Godin est venue faire un bout de causette avec moi, avant hier. Je l'ai trouvée mieux, gaie, et quel plaisir j'ai eu de la voir ainsi !

Comme j'ai hâte d'avoir un mot de toi. Demain peut-être. Je redoute de courir pour rien jusqu'au bureau de poste. Quelle déception quand il n'y a rien ! Donc, j'attends un peu, car j'ai l'impression que tu auras attendu ma première lettre avant d'écrire.

Je t'embrasse bien affectueusement.

Gabrielle

✱

Rawdon, le 25 avril 1953

Cher Marcel,
Je viens de recevoir ta petite lettre. J'en ai été bien contente, tu sais. La pension doit être assez triste en effet avec tous ces changements de cuisinière et l'atmosphère d'inquiétude qui y persiste[1]. Pour nous tous, autant que pour madame Chassé, il serait bon d'arriver à plus de stabilité. Espérons que tous ces ennuis aboutiront à une période de calme.

Mais tu sais, ce n'est pas infiniment gai ici non plus. Sauf un jour, il a fait un assez vilain temps depuis mon arrivée. Je m'y ennuie à dire le vrai. À ma grande honte, je m'aperçois que de plus en plus je suis encline à ce sentiment d'ennui qu'autrefois je connaissais beaucoup moins. Il est vrai, pour que la campagne soit séduisante, il y faut du soleil, de la verdure ; tout cela ne me fera pas trop longtemps défaut sans doute.

Es-tu toujours très occupé ?

Ta patiente qui a été si mal et t'a donné tant d'inquiétude est-elle à présent tout à fait bien ? Je te remercie de m'avoir commandé le methiscol, et je t'avertirai dès que je l'aurai reçu. J'irai peut-être passer une journée à Montréal la semaine prochaine. J'ai réglé mon affaire de l'impôt : du moins, j'ai envoyé, selon les chiffres de la maison Archambault, une somme de 2,200.00 dollars. Je m'attendais à un peu plus ; si ce rapport est accepté, je n'aurai pas à me plaindre. Évidemment, il se peut qu'on me réclame davantage.

Écris-moi souvent, mon chéri : tes petites lettres sont le plus beau moment de la journée. À te dire la vérité, je me sens un grand, un très grand besoin d'être soutenue et encouragée.

Je t'embrasse de tout cœur.

Gabrielle

*

Rawdon, le 28 avril 1953

Mon cher grand Marcel,
Mrs. Tinkler vient de m'apporter ta lettre du 27 — enfin je n'arrive pas à déchiffrer la date inscrite, ta deuxième lettre en tout cas depuis mon départ. Que j'aurais aimé voir avec toi le dernier film de Chaplin[1]. Si possible, il faudra le voir ensemble. Je suis contente qu'il t'ait procuré une si forte émotion.

Voudras-tu me dire quelle sera ma part de loyer pour les deux pièces, dès le 1er mai ; je t'enverrai alors un chèque. Rappelle-moi aussi le prénom du docteur Morin. Comme j'ai mis de côté, à son intention, un exemplaire de la première édition de *Bonheur d'occasion,* il me faudrait connaître son prénom afin d'autographier le volume. N'oublie pas, je te prie.

C'est une bonne chose que Jean Paul ait déjà vendu autant de toiles[2]. J'espère qu'il en sera encouragé. Le temps n'est pas encore très beau, mais ne t'inquiète pas ; je n'en souffre pas trop ; la maison est chaude, j'ai de la lecture et quelques autres distractions. D'ailleurs, l'air plus vif de Rawdon commence à m'aider à surmonter ma fatigue. J'ai assisté, chez les Paré, à une séance de télévision. Simonne vient de s'acheter un appareil ; c'est assez maigre, assez vulgaire, au fond. Les visages paraissent aplatis, les nez épatés, les pommettes saillantes ; de temps en temps les corps prennent des allures comme on en obtient dans les miroirs déformants. En général, le spectacle prête à rire plutôt qu'au sérieux, et il a toujours cela d'amusant. Ainsi nous avons vu *Othello*[3] et, quoique bien jouée sans doute, la pièce devenait une espèce de mélodrame. Rien de plus fou que les gros plans montrant Iago préméditant de semer la jalousie dans le cœur d'Othello. En somme, je n'aurai jamais tant ri d'une pièce même drôle.

Si tu reçois d'autres *Nouvelles* et *Figaro littéraire,* garde-les tant que je ne te les demanderai pas. Inutile de me les envoyer pour le moment ; j'ai assez à lire. J'espère que mon absence ne te procure pas trop d'ennui, malgré tout. Nous serons peut-être plus heureux ensemble après. Je t'embrasse tendrement.

Gabrielle

*

Rawdon, le 1er mai 1953

Mon cher chou,
Imagine-toi : de la neige aujourd'hui pour commencer le mois de mai, le mois le plus beau... Une petite neige mollasse, sans consistance, c'est vrai ; néanmoins de la neige. Heureusement, la maison est chaude comme un cocon. La mère Tink s'est mise à chauffer sans dérougir. Mon travail ne souffre pas du mauvais temps ; au contraire. J'espère d'ici quelques semaines avoir à peu près terminé. Je tire, comme un chien vers un rosbif, vers ce but. Je serai si contente, il me semble, après.

Je ne suis guère sortie depuis quatre ou cinq jours, même pas pour aller chez les Paré. Pour me délasser, je lis un peu de sérieux ; après des niaiseries.

Aujourd'hui, tu as sans doute déménagé dans nos pièces. J'espère que tu t'y plairas. As-tu demandé à Champion[1] s'il ferait peindre ma pièce à ses frais ? Rien ne presse, c'est entendu. Et les cuisiniers ? Et les embêtements de madame Chassé ? Quoi de neuf ?

Je n'ai pas été au courrier depuis mercredi après-midi, en sorte que j'ai peut-être au bureau de poste des lettres de toi qui m'attendent. J'irai, ce soir, sans faute. Habituellement, quand je fais un voyage exprès pour le courrier, il n'y en a pas. Mais les lettres doivent arriver tout de suite après : cela me met en rogne.

Raconte-moi tout ce que tu fais. Décris-moi aussi un peu tes pensées. Pour ma part, je me sens le cerveau vide après l'effort soutenu que je fais tous les matins, de huit heures à midi. J'ai eu de la misère à me dérouiller, tu ne pourrais en avoir l'idée. Une véritable misère ! Un vilain coup. Maintenant, ça commence à ronronner un peu. Dis-moi que tu es content, assez heureux, que tu m'aimes bien ; c'est tout ce qu'il me faut pour être contente.

Je t'embrasse bien fort.

Gabrielle

P.S. Je viens de recevoir ta dernière lettre. Il se peut que je passe presque tout le mois de mai ici, certainement jusqu'au 15 du moins. Après, je ne sais pas. C'est possible : tout dépendra de mon travail. Mais si cela aide beaucoup madame Chassé, plutôt que de laisser la chambre libre, donne-lui-en le privilège[2]. On verra que faire, si je dois revenir plus tôt qu'à la fin de mai. Enfin, qu'en penses-tu toi-même ?

Gabrielle

*

Rawdon, le 2 mai 1953

Mon chéri,

Je t'ai répondu brièvement hier, au sujet de l'une de nos pièces que madame Chassé t'a demandée ; je t'en ai écrit quelques mots au bureau de poste dès en recevant ta lettre. Madame Chassé tient-elle à louer cette pièce pour tout le mois de mai ? Évidemment, il m'est difficile de prévoir en ce moment à quelle date j'aurai fini mon travail et désirerai rentrer à Québec. Mais, enfin, la chose n'a pas une importance extrême, et je la laisse entre tes mains à décider. Je peux toujours rester ici jusqu'à la fin du mois, s'il le faut; l'économie ainsi réalisée nous permettra d'autres dépenses en juin. Toutefois, j'ai peur de trouver tout ce temps sans toi bien long.

J'ai écrit aujourd'hui à Jeanne, lui demandant si elle pourrait venir travailler deux jours avec moi. Alors, nous verrions la fin de l'ouvrage, je crois — et il n'y aurait plus qu'à faire recopier le manuscrit[1]. Du moins, je l'espère.

Il fait plus beau aujourd'hui. Je me sens mieux. Je pense à toi mille fois par jour, un peu inquiète des ennuis qu'a dû t'amener le déménagement au milieu de toutes tes activités. Tâche au moins de te reposer le soir. Ne sors pas tous les soirs.

Hier soir, j'ai vu *Le Pendu dépendu*[2] chez les Paré, à la télévision. Je suis revenue de mes préjugés contre la T.V. Cette pièce du moins était magnifique à voir sur l'écran, admirablement jouée par Antoinette Giroux et d'autres que nous avons vus dans *Tartuffe*[3].

Je t'embrasse de tout cœur, et je suis impatiente comme toujours de lire tes lettres.

Gabrielle

*

Rawdon, le 7 mai 1953

Chéri,

C'était bien agréable de te parler au téléphone, cette après-midi. Qu'avais-tu à me dire que tu ne te rappelais pas? Tâche de venir jeudi, avant l'arrivée de Jeanne. Comme ça nous aurons un peu de temps seuls. Et si tu ne peux pas, viens quand même vendredi. Nous aurons amplement de place. Peut-être pourrons-nous aller à la pêche ensemble au lac Morgan. Apporte un vieux pantalon et des vieux souliers. Téléphone à Jeanne, si elle tient à aller à la pêche avec nous, d'apporter aussi quelques vêtements de misère.

Tu n'as pas idée comme j'ai hâte de t'embrasser. Si tu [veux] me parler au téléphone, appelle Douglas Parkinson, ou demande plutôt à l'opératrice de Québec qu'elle me fasse demander chez le voisin Douglas Parkinson — ou, si je ne suis pas là, tu pourrais laisser un message.

Au revoir, chéri,

Gabrielle

[*Ajouté en marge, au début de la lettre :*] Pourrais-tu m'apporter une fiole de perandun pour injections. Je n'en ai presque plus. Je n'ai pas encore reçu le methiscol. Je l'aurai peut-être demain. Apporte aussi une paire de caoutchoucs pour la pêche.

⁂

Rawdon, le 10 mai 1953

Mon cher Marcel,
Quelle journée merveilleuse aujourd'hui, aussi chaude qu'en juillet! Cela me fait regretter davantage que tu ne sois pas ici. J'espère qu'il fera aussi beau le week-end prochain et, surtout, que rien ne t'empêchera d'accourir ici.

Je n'ai pas reçu le methiscol. Comme j'étais sans ce médicament depuis 2 semaines, j'ai demandé à Mlle Paré, qui allait en ville, il y a quelques jours, de m'en apporter une petite quantité en liquide. Je n'en aurai donc pas pour longtemps. Voudrais-tu écrire un mot au représentant de la compagnie. Il doit y avoir eu erreur quelque part, puisque tu as commandé le médicament depuis plus de deux semaines.

J'ai follement hâte de te revoir et je t'embrasse bien affectueusement.
Gabrielle

⁂

Rawdon, le 24 mai 1953

Mon cher Marcel,
Je suis désolée de t'avoir causé de l'inquiétude ; j'aurais dû t'écrire avant de recevoir ta lettre, car je sais trop combien longue peut paraître une semaine sans nouvelles lorsqu'on est séparé par la distance. En tout cas, j'ai eu du bonheur de te parler hier soir au téléphone. Si tu ne peux absolument pas venir me chercher, ne te tracasse pas à ce sujet ; je trouverai bien le moyen de rentrer autrement. Ce qui m'ennuie, c'est qu'avec mes manuscrits, 3 copies et l'original, je vais être joliment plus chargée qu'à mon arrivée. Je doute que ma copiste ait entièrement fini dans une

semaine. N'importe : en ce cas, je prendrai ce qui sera fait et me ferai envoyer le reste par express. Que de complications pour faire refaire le manuscrit. Évidemment, j'aurais été mieux servie par une personne expérimentée comme Jacqueline. Cette petite que j'essaie fait de son mieux, et ce n'est pas mal, mais je dois la surveiller de près. Comme j'ai hâte que tout soit terminé. Nous célébrerons la chose à nous deux, par un dîner fin ou quelque petite fête.

Comme je te l'ai dit au téléphone, j'ai passé une journée à Montréal, cette semaine, vendredi c'était. J'ai trouvé le temps d'aller souper chez les Chabot. Imagine-toi que notre pauvre petite Cécile, en plus de toutes ses autres maladies, a maintenant un ulcère du duodenum ; la voilà astreinte au même régime que le mien ; seule compensation, seul avantage, dit-elle, à l'affaire. Malgré tout, elle a encore du courage. J'ai fait de mon mieux pour la remonter, et je crois y avoir réussi quelque peu. La pauvre enfant viendra peut-être passer une journée à Rawdon.

Ma chambre sera-t-elle prête dès le mois de juin — en as-tu parlé à madame Chassé ?

Je suis très contente des nouvelles que tu me donnes des tiens. Quelle belle réussite pour Arthur ! Ils doivent être contents d'un poste si magnifique ; en tout cas, je le suis pour eux. Quel dommage que mon frère Germain n'ait pas eu un peu du caractère studieux, de l'ambition honorable d'Arthur, car ce n'est pas le talent qui lui a jamais manqué[1].

Je suis bien confuse de mon échange de lettres à Germain et à Winnifred[2]. Je me demande ce que j'ai pu alors envoyer à mon frère ; sans doute une lettre à laquelle il ne comprendra rien ; il va maintenant me falloir expliquer mon erreur. Du moins, écris à Winnifred si tu le veux bien, pour lui dire ce qui s'est passé.

J'ai hâte d'avoir d'autres nouvelles de toi et j'espère que, malgré tout, tu pourras venir me chercher, ne serait-ce que pour repartir ensemble aussitôt après que tu auras pris un peu de repos.

Il fait un temps splendide : soleil, grand vent frais : les lilas sont en fleur. Mais j'en ai assez pour le moment de la campagne ; à présent, je trouverais plus d'attrait à la ville.

Je t'embrasse bien fort.

Gabrielle

*

Rawdon, le 26 mai 1953

Mon cher Marcel,
Ta dernière lettre m'a désolée. Il ne faut pas te laisser abattre ainsi. Après tout, il y a six mois à peine que tu as ouvert ton bureau, et tu disais toi-même qu'il fallait te donner un an avant d'avoir un peu de clientèle. Ce qui me paraît le plus triste là-dedans, c'est que tu considères ce temps d'attente comme un temps perdu. Songe, au contraire, que plus tard tu pourras le regretter comme un temps que tu aurais pu employer à profit pour lire, écrire un peu, améliorer ton français, que sais-je ! C'est un temps que tu pourrais tellement tourner à ton profit, au lieu de te ronger les freins, de vouloir pousser dessus afin qu'il cède la place à un autre. Méfie-toi, chéri, de ces dispositions ; ainsi, tu fais du temps un ennemi beaucoup plus que ce qu'il devrait être, c'est-à-dire un associé et une des plus grandes richesses que nous possédions sur terre. Je vois que ce n'est pas facile, lorsqu'on est nerveux comme tu l'es, de contrôler son impatience. Pourtant, il n'en tient qu'à toi de changer du temps mort en temps vivant qui pourrait te servir à acquérir des connaissances, de la facilité en ceci ou cela, à ton choix. Apporte un dictionnaire au bureau, une grammaire et travaille ton français… aussi l'anglais ; ainsi, cette période d'attente pourra te servir. Je t'en prie, mon chou, écoute-moi ; ce sont là de vieilles vérités ennuyeuses que je te raconte, mais toujours utiles à entendre.

L'Académie canadienne-française doit me décerner, enfin, cette semaine, sa médaille[1] ; à ce propos, le secrétaire m'a appelée chez Parkinson — j'imagine que tu as dû lui indiquer le moyen de communiquer avec moi — me demandant d'aller la recevoir à Montréal mercredi — ce que je n'ai aucune intention de faire — mais j'ai dit la chose autrement, plus poliment.

J'ai hâte de te revoir. Sois courageux. Tu as fait beaucoup de chemin durant la dernière année. Je t'embrasse avec affection.

Gabrielle

*

Rawdon, le 2 juin 1953

Mon cher Marcel,
Si je ne t'ai pas écrit souvent ces jours-ci, c'est que je m'attendais à rentrer d'un jour à l'autre, et non par paresse ou manque d'inclination. À

moins de changements, je reviendrai samedi et, probablement, par le petit train de Joliette, si Douglas est libre de m'y reconduire samedi matin. Le train arrive à Québec à 4 heures de l'après-midi, gare du Palais. Si tu ne reçois pas d'autre message de moi d'ici là, ce sera signe que je n'aurai rien changé à ce projet et j'arriverai à 4 heures. Toutefois, tu ferais bien de t'informer à l'avance si le train est à l'heure.

J'ai eu des ennuis à n'en plus finir avec ma copiste ; j'aurais dû me douter, en employant quelqu'un d'aussi inexpérimenté, qu'il en serait ainsi. À condition de la surveiller de près, cela ira tout de même. Mais je n'ose pas lui laisser le manuscrit, le tiers à terminer, sans y avoir l'œil. L'ensemble ne dépassera pas de beaucoup trois cents pages ; en sorte que ce sera, je crois, plutôt dense, enfin ; les suggestions de Jeanne m'ont été infiniment précieuses et profitables.

J'ai bien hâte de te revoir ; il y avait quantité de choses que je me proposais d'emporter, plusieurs livres en[tre] autres ; mais, je devrai me limiter à une caisse ; comme cela est, je serai chargée comme un mulet.

Donc, j'espère te revoir samedi. À moins d'imprévus, je serai là, et j'espère qu'il n'y en aura plus d'autres, car il me semble que tous les petits embêtements qui pouvaient se produire se sont en effet produits.

Je t'embrasse le plus affectueusement du monde et j'éprouve la plus grande impatience de te revoir.

Gabrielle

Été 1953

De retour de Rawdon, Gabrielle Roy passe six semaines à Québec avec Marcel. Puis, elle repart de nouveau, cette fois en compagnie de Jeanne Lapointe. Les deux femmes passeront d'abord une semaine à Laterrière, dans la région du Saguenay, puis quelques semaines à Port-au-Persil, dans Charlevoix. Elles logeront chez mademoiselle Bouchard, où se trouvent au même moment Jean Paul Lemieux et son épouse Madeleine, ainsi que Suzanne Rivard.

Laterrière, le [12] juillet 1953[1]

Mon cher Marcel,

Nous voici installées dans un immense domaine; la maison, genre chalet suisse, est vaste et présente vraiment l'air d'un petit manoir seigneurial, un peu comme celui du petit château de Keriolet près de Concarneau, que nous aimions tant : elle a même une espèce de petite chapelle. Une très belle, très haute pièce vitrée donne sur les lointains de la forêt qui, ainsi délimités par la vitre, composés comme pour y entrer ainsi qu'un tableau dans un cadre, donnent l'impression d'un Corot. Tout est très beau ; j'occupe la chambre dite de monseigneur, parce qu'un archevêque, de passage, y coucha. Elle est meublée à la canadienne en meubles d'un beau bois doré. Jeanne est logée à l'autre bout de la demeure. Nous voyons peu souvent notre hôtesse[2] qui dirige à Chicoutimi des serres et un magasin de fleurs.

Mais presque tous les jours nous allons à Chicoutimi, ou entreprenons quelque autre randonnée. Hier nous nous sommes rendues jusqu'à Dolbeau. Jeanne a l'esprit de bougeotte encore plus que moi; à peine dans un lieu, elle veut se rendre à un autre. Je ne m'en plains pas, parce que, ainsi, je vois du pays, roule à plaisir et vis au grand air, ce qui semble très bien me convenir.

Cette maison a une histoire, à la façon des vieilles demeures anglaises, liées à la vie d'une famille, et je te raconterai ce que j'en sais petit à petit. Je n'en connais encore que des bribes, au reste intéressantes par ce qu'elles laissent soupçonner.

À quelques pieds de la maison commence la vraie forêt, mais comme le domaine est parcouru de routes forestières en tout sens, nous le traversons de part en part grâce à la petite auto de Jeanne. Elle ne craint pas les mauvaises routes pour sa voiture. C'est même inouï à quel point elle s'enfonce par toutes sortes de chemins, mais elle semble manœuvrer très bien — et tout va pour le mieux.

Je pense que nous partirons pour Port-au-Persil mercredi. J'espère que j'y trouverai en arrivant une lettre de toi, me disant que tu te portes bien. Je t'embrasse tendrement. Jeanne t'envoie mille bonjours. Nous parlons souvent de toi ici.

Gabrielle

*

Laterrière, le [13] juillet 1953

Mon cher Marcel,
Je ne sais pas quel temps mes lettres peuvent mettre à te parvenir d'ici. N'importe, je t'en écris une autre ce matin, comme la journée s'annonce belle à crier Alléluia et comme j'ai aussi le temps de souffler, Jeanne étant absorbée par un livre. Autrement, c'est le mouvement perpétuel : une course par les trails de la forêt, en auto, vers la grande carrière de sable où on prend les bains de soleil, une expédition à la petite dam des castors que l'on enjambe pour aller se baigner en un merveilleux petit lac entouré de roseaux et tout endormi entre ses berges boisées. Que c'est reposant par ici. Quand même, je suis heureuse de rester un peu en place quand Jeanne cesse d'avoir le besoin de courir de droite à gauche. Hier, dimanche, nos hôtes ont passé la soirée avec nous. Il s'agit de Mlle Dubuc (Marie) et de sa compagne et associée en affaires, une Galloise au joli prénom de Thalia. Hier soir, auprès d'un grand feu de bûches, dans la haute pièce vitrée dont je t'ai parlé, cernées par la forêt juste au-delà, nous avons écouté cette Thalia nous chanter, d'une belle voix triste et émue, des chants de son pays et aussi des Negro Spirituals. C'était très réussi. Ensuite, nous avons relu quelques morceaux de Shakespeare. Cette soirée t'aurait plu, je crois, et j'ai regretté que tu n'aies pu en être.

Où as-tu passé le week-end ? J'ai eu l'idée que c'est peut-être chez René Laberge avec Jean et Simon.

Au revoir, chéri, je t'embrasse affectueusement.

Gabrielle

✳

Port-au-Persil, jeudi [16 juillet 1953]

Mon cher Marcel,
En arrivant au Port-au-Persil, cette après-midi, j'ai tout de suite reçu ta lettre des mains de Madeleine ; rien ne pouvait me faire plus plaisir. Tout le pays a été embelli pour moi par cette lettre reçue à l'instant de mon arrivée. C'est bien beau ici ; depuis une heure seulement que j'y suis, je comprends la fidélité des Lemieux à ce coin. En descendant la grande côte, venant de Saint-Siméon, j'ai reconnu le paysage de ta peinture faite il y a deux ans. L'aubergiste a l'air tout à fait aimable ; son accueil m'a paru sincère, plaisant.

Tu as raison de me mettre en garde contre l'épuisement d'une amitié[1]. Mais, sois rassuré, c'est là une chose que j'ai toujours redoutée moi-même et que je cherche à éviter. Il est vrai que dans un petit hôtel, il peut devenir difficile de s'isoler. J'essaierai une semaine ; après, on verra. Dis-moi si tu crois pouvoir y venir un week-end. L'air est merveilleusement frais, après le séjour en forêt, il est bon d'apercevoir le fleuve étalé et des horizons éloignés.

Je suis contente que tu te plaises tant avec Cyrias[2]. C'est un des esprits les plus doux et les plus fins que j'ai connus en ma vie. Je suis aussi tout heureuse que tu aies pu te baigner avec les copains[3]. Demain, je te raconterai avec plus de détails ma semaine passée à Laterrière et mes impressions d'ici. À Laterrière, c'était difficile de t'écrire longuement, car Jeanne se conduisait un peu en cheftaine, décidant une course ici, une promenade par là et, pour la bonne entente, je cédais presque toujours ; en sorte que je disposais de très peu de temps pour faire ce que j'aurais pu préférer faire. Néanmoins cette semaine a été riche pour moi de bien des observations que j'ai hâte de te communiquer. Des vacances comme celles-ci, entourée de gens, sont peut-être cette année bonnes et utiles pour moi — mais pas trop longtemps, je crois. Il m'est pénible d'être toujours entourée. J'éprouve tout à coup un grand besoin douloureux d'être seule avec cet être intérieur en nous qui est si accaparant et exigeant. Mais je m'efforce bravement de faire, pour une fois, comme tout le monde.

J'ai hâte que tu m'écrives de nouveau, me donnant les nouvelles et tes pensées. Je te griffonne ceci, en vitesse et sur un coin d'une chaise car, dès en arrivant en ce lieu encore inconnu, j'ai senti le besoin de venir tout de suite près de toi; et avant même d'avoir fait monter ma plus grosse valise qui est encore dans l'auto de Jeanne.

Je t'embrasse bien fort. Tous ici, Jeanne, Suzanne Rivard[4], les Lemieux, t'envoient leurs amitiés.

Gabrielle

*

Port-au-Persil, le 19 juillet [19]53

Mon cher chou,
J'ai rarement vu auberge aussi heureuse que celle-ci. L'hôtesse, mademoiselle Bouchard, traite chacun comme un enfant chéri; en sorte que l'on a l'impression d'être chez soi, dorloté et aimé. Ajoute à cela la beauté du paysage, la grande propreté du petit hôtel, des repas excellents, une bonne humeur naturelle chez les gens du petit village : ainsi, tu comprendras que ce coin en est un de délices. En un sens, c'est beaucoup mieux qu'à Port-Daniel; l'eau pour s'y baigner est très froide, cependant; mais, j'ai beau chercher : c'est le seul inconvénient que je puisse trouver à l'endroit. Aujourd'hui, il y souffle un bon vent frais du golfe. La chaleur, hier, était intense; j'espère que tu as pu t'éloigner un peu de la ville.

Je m'arrange très bien avec les Lemieux. Il est entendu que nous sommes libres d'aller chacun à sa guise. Nous descendons à la plage ensemble et prenons nos repas ensemble. Autrement, eux et moi allons à nos petites affaires sans rendre de comptes, et je crois que tout va bien marcher. Ils sont certainement plus faciles à vivre que Jeanne, d'un caractère tourmenté, d'une personnalité si forte.

Le paysage est adorable. Assise, le soir, au bord de la colline où se trouve l'hôtel, j'ai toute la vallée à mes pieds, la mer, le phare de Kamouraska qui clignote au loin : aussi la Montagne du Saumon. J'ai l'impression d'être aux premières places, dans un balcon, pour assister à un spectacle qui est plein de grandeur. En un mot, je suis vraiment séduite. Toto[1] se conduit assez mal. Comme tout le monde le gâte, il a pris des allures de petit potentat, chasse de son domaine le pauvre chat de la maison, les autres chiens du voisinage, les gens à bicyclette. Il ne peut endurer les chevaux qui passent ni, depuis quelques jours, les automobiles. En sorte que Madeleine doit le mettre presque constamment en pénitence, c'est-à-dire l'attacher à sa corde. Mais, Toto a l'air de penser que c'est là un jeu et tourne même si bien sa corde qu'il est presque impossible de la démêler. Il danse à la grande joie d'une de nos pensionnaires, vieille fille, croque des bonbons et hier, a essayé de tuer une poule de la patronne. Madame Faucher, épouse du peintre[2], loge à l'auberge voisine avec ses deux petites filles, gentilles comme tout. Nous nous retrouvons d'habitude à la plage. Tout le monde ici espère que tu viendras un peu. Moi, je le souhaite de tout cœur. Hier, Madeleine me disait : « Comme ce serait gentil que Marcel et Cyrias puissent venir ensemble. » Jean Paul a peint d'assez jolies choses, dans sa manière habituelle, une plage très belle entre autres. La demoiselle Bouchard est très attentive à mes difficultés de régime. Comme tout est délicieux, le grand danger est que je mange trop. Toi qui peux manger de la tarte, je crois que tu succomberais volontiers aux pâtisseries de la patronne.

J'attends de tes nouvelles avec impatience. J'espère qu'à l'hôpital tout va bien pour toi. Je te remercie des belles promenades que tu as fait faire à Dédette[3] : c'était très gentil de ta part. J'ai bien fait rire les Lemieux en leur racontant le pèlerinage de trois nonnains à Sainte-Anne-de-Beaupré au coût de $5.00 et le tour de l'île d'Orléans. Ne t'inquiète pas du volume d'Anne Hébert ; sûrement, Dédette nous le retournera.

Le déménagement de la salle à manger est-il complété ?

Écris-moi vite, porte-toi bien et pense à moi avec bonté. Je t'embrasse bien tendrement.

Gabrielle

*

Port-au-Persil, lundi le 20 juillet [19]53

Mon cher Marcel,
Je souffre de penser comme tu dois avoir chaud en ville ces jours-ci. Même ici l'air est lourd ; cependant, on peut toujours aller se rafraîchir à la mer. Hier soir, la patronne donnait un bal ; les danses carrées étaient merveilleusement réussies ; nulle part, je [ne] les ai vues si bien exécutées. Madeleine y a pris place et dansait très bien. Un groupe de jeunes

gens a chanté en chœur et dansé d'autres danses folkloriques, charmantes à voir. Nous avons un couple de Juifs, assez sympathiques, que j'ai baptisés *Pipple*, parce qu'ainsi ils prononcent, comme la Charlotte de l'anecdote, people. Nous avons aussi une pensionnaire dénommée la dame aux corneilles, parce qu'elle a écrit plusieurs lettres à la patronne lui demandant : primo, s'il y avait des coqs qui pourraient l'éveiller le matin ; deuxièmement, s'il y avait des côtes ; enfin, s'il y avait en ces lieux des corneilles dont les cris lui sont pénibles. Apparemment, une pauvre Miss O'Rorke[1] !

J'ai hâte de te revoir, mon chou, quoique les jours soient heureux ici. Je t'embrasse avec la plus grande tendresse.

Gabrielle

*

Port-au-Persil, le 23 juillet 1953

Mon cher Marcel,
Je viens de recevoir ta lettre du 20 juillet, et je suis bien attristée par les nouvelles que tu me donnes au sujet de la sœur de Jean[1]. Ce pauvre ami doit, en effet, être très malheureux. Je suis désolée aussi de penser que tu ne peux pas encore t'éloigner de la ville, au moins quelques jours. La vie est si agréable ici, je suis sûre que tu y prendrais goût comme tant d'autres. Aujourd'hui est le premier jour frais des vacances, un peu froid même ; jusqu'ici, c'était pour ainsi dire parfait. Hier, je suis allée avec les Lemieux à Murray Bay. En passant, nous nous sommes arrêtés chez Binsse qui s'est fait restaurateur de grande classe. Dans une immense et magnifique maison (la sienne), il a ouvert une salle à manger et donne surtout des repas pour groupes et parties. L'intérieur est fort beau, enrichi de rares et belles pièces de famille. Binsse a l'air heureux de son nouveau métier — pour l'été seulement, car à l'hiver, il s'occupe de traduction.

Je ne perds pas complètement espoir que tu puisses venir ici, ne serait-ce que quelques jours. Si tu ne t'ennuies pas trop, j'y resterai en effet, encore quelque temps. Je me plais beaucoup à l'auberge ; la patronne est parfaite, les autres pensionnaires sympathiques et la nature si belle qu'elle me réjouit totalement. Comme aujourd'hui c'est gris, j'essaierai peut-être d'attraper une truite dans le petit lac de la patronne à un demi-mille de la maison.

Cher chou, tâche de te délasser un peu et cherche le moyen, si possible, de venir nous voir au moins brièvement. Ta présence est tout ce qui manque pour que ces vacances soient parfaites.

Je t'embrasse avec tendresse.

Gabrielle

*

Port-au-Persil, le 27 juillet 1953

Mon cher Marcel,

Nous avons fait une bien belle promenade hier à Tadoussac, les Lemieux, Cyrias et moi-même. Passé Tadoussac, à quelques milles d'un petit chemin sablonneux, il y a des dunes merveilleuses. Imagine des étendues de sable doré, des collines de sable parsemées çà et là de touffes d'herbe, de petits arbres, et où émergent par places des effleurements de roc rose et bleu. L'endroit est beau à lui ouvrir les bras. Je le porte en mon cœur depuis hier et je rêve de te le faire connaître. J'espère que nous pourrons le voir ensemble, un jour, bien que la route pour y aller soit difficile.

Jean Paul a commencé mon portrait aujourd'hui[1]. Il lui faudra sans doute une ou deux autres séances. C'est un peu fatigant de garder la pose sur un roc contre la mer, mais je suis contente d'être agréable aux Lemieux qui sont, pour parler comme Mme Mille, tout ce qu'il y a de comme il faut pour moi. Le temps se remet au beau. Nous faisons beaucoup de petites promenades en auto quand le temps ne permet pas les bains de soleil et de mer; en sorte qu'on ne s'aperçoit pas beaucoup des méchants jours. Les Rousseau[2] sont arrivés avec leur bébé et un chargement imposant: lit, coussins flottants, peignoirs de plage, ballon, chaufferette, mille autres objets. Jeanne R. semble être la prévoyance faite femme. Elle se montre maintenant très gentille à mon égard. Il y a aussi les Russang-Berger, lui un Suisse, elle une sœur de Amyot Jolicœur[3]. Beaucoup de cuisses nues, de petites femmes en shorts, choquent terriblement Mémère, la petite vieille mère de la patronne. La petite vieille fait des tartes incomparables — au dire des autres — et doit souffrir de les voir mangées par les cuisses nues.

J'ai hâte d'avoir de tes nouvelles. Porte-toi bien et dis-moi, est-ce que ma plantation pousse ? Y a-t-il dans les petits pots autre chose que des mauvaises herbes ? Je t'embrasse bien tendrement.

Gabrielle

[*Ajouté en marge :*] Marcelle Barthe est arrivée dans le pays — loge à l'auberge voisine avec un Slave du nom de Vodanovitch.

Automne 1953

Presque sitôt rentrée de ses vacances dans Charlevoix, Gabrielle Roy se voit offrir, par l'Office national du film, d'écrire un scénario ayant pour sujet sa région natale. Après un court séjour à Montréal, elle se rend donc dans l'Ouest et débarque chez sa sœur Adèle, à Tangent, où elle espère pouvoir trouver la paix et la tranquillité propices à l'écriture[1]*. Elle y passera une dizaine de jours. Pendant l'absence de Gabrielle, Marcel doit encore s'occuper seul des ennuis de logement : le nouveau propriétaire du Château Saint-Louis menace en effet madame Chassé, chez qui le couple a pris pension, de lui retirer les chambres qu'elle administre.*

Adèle est depuis toujours obsédée par le souhait de devenir « écrivain ». Lors du séjour de Gabrielle à l'automne 1953, elle corrige les épreuves d'un manuscrit intitulé Le Pain de chez nous, *qui a été accepté par les Éditions du Lévrier, à Montréal, et qui sera publié en mars 1954. Le récit s'inspire de l'histoire de la famille Roy. Adèle a toujours soutenu que Gabrielle a alors lu son manuscrit contre son gré, qu'elle l'a abondamment raturé et qu'elle a tout mis en œuvre pour la décourager de publier son texte. Mais l'incident n'aura de véritables répercussions que lors de la parution de* Rue Deschambault, *en 1955 : Adèle accusera Gabrielle d'avoir « plagié » son livre, puisque ce dernier s'inspire aussi de la vie de la famille Roy, et elle lui reprochera sa trop grande imagination puisque, pour elle, c'est la « vérité » et l'exactitude des faits racontés qui importent avant tout.*

Le 18 septembre [19]53

Mon cher Marcel,

J'espère que tu as reçu rapidement mes deux télégrammes et que tu as compris à quel point j'étais avec toi jeudi, te souhaitant de réussir parfaitement. Tu me donneras des nouvelles du congrès, de l'accueil que l'on a fait à ton travail, le plus tôt possible, n'est-ce pas ? J'ai bien hâte de les recevoir.

Pour ma part, le voyage de nuit en avion ne m'a pas paru trop fatigant. Malgré tout, j'ai dormi quelques heures, là-haut dans les airs, ce qui paraît le comble du ridicule, ne trouves-tu pas? Les lumières éteintes, bercée par le ronronnement des quatre moteurs, j'ai pu sommeiller. Tout le monde en fait autant. Cela paraît archicurieux, je t'assure, de voir des rangées de gens inclinés en arrière, bouche ouverte, crânes chauves, lunettes sur le nez, et tous soustraits pour quelques instants à l'étrange réalité. Je parie que l'on pourrait même dormir ainsi toute une nuit, n'étaient les arrêts : Toronto, Winnipeg, Saskatoon, où l'hôtesse de l'air nous réveille pour nous prier d'attacher la ceinture de sécurité. En tout cas, je suis heureuse d'avoir fait le voyage par les airs. J'imagine que l'on s'y habitue vite comme à toute autre chose, mais cette fois-ci du moins, j'en aurai tiré bien des impressions, les unes admirables et précieuses. Et que de belles images de la terre l'on a du ciel ! J'ai eu une heure de clarté avant l'arrivée à Edmonton, — et c'était à peine de la clarté — plutôt une lueur douteuse qui avait l'air de sourdre sans qu'on puisse voir d'où, une étrange couleur imprécise qui baignait la terre d'une douce mélancolie. Tout ressemblait aux détails de ces cartes en relief, et même il était assez difficile au premier coup d'œil de distinguer la signification des contours. En quittant Montréal, nous avons voyagé environ une heure au-dessus des nuages. Ils formaient comme une immense plaine à courtes vagues blanchâtres, figurant ici et là des collines, et j'ai eu l'impression d'une terre où il aurait été possible de descendre et de marcher. Comment ne pas aussi penser à Saint-Ex. lorsque dans la nuit, perdue dans la plaine du Canada, une seule petite lumière apparaît en bas[1] ! On se demande pourquoi les gens sont levés à cette heure, qui ils sont, ce qu'ils peuvent faire ! C'est très touchant une lumière de maison, peut-être même un reflet de lampe à huile, perçue des hauteurs du ciel. Je crois bien que tu aimerais voyager par avion. Mais assez parlé de cela. Tâche de bien te reposer avant de remettre le collier. J'y compte, puisque tu n'as pas eu de vacances cet été. Présente mes amitiés à ta mère, à Herbert.

Je prends le train de Tangent dans quelques heures. Je n'ai pas vu grand-chose d'Edmonton, mais ce que j'en ai vu me donne froid au dos. Que l'Ouest après Québec paraît tout de même morne, vide, trop vaste et d'un ennui tragique ! Je t'embrasse tendrement.

Gabrielle

[*Ajouté en marge au début de la lettre :*] Une femme, de tes patientes, a téléphoné, peu après ton départ, toute en peine, parce qu'elle attend les papiers que tu devais envoyer pour elle, si je comprends bien, à la compagnie d'assurances. Je lui ai demandé de t'appeler jeudi, au bureau.

*

Tangent, le 21 septembre 1953

Mon cher Marcel,
Je ne crois pas rester ici plus d'une semaine. Le pays est devenu tout à fait désert dans la région qu'habite Adèle. Je comprends que la pauvre ne puisse vendre sa terre, à des milles de tout voisin. Maintenant, presque toutes les fermes sont abandonnées dans ce coin-ci de la paroisse. Les gens déménagent au Nord où la terre est moins accidentée, plus facile à cultiver. Peut-être Adèle arrivera-t-elle à la louer à des Français nouvellement arrivés au pays, des gens du Pas-de-Calais débrouillards et fort sympathiques. Cependant ils semblent à peu près sans argent et n'ont point par conséquent de moyen de s'acheter des machines. Et ici, main-

tenant, rien ne se fait plus sans outillage mécanique des plus coûteux. J'essaie de voir clair dans cette situation impossible et de conseiller Adèle du mieux possible, mais je n'ai pas la tâche facile, car la pauvre est têtue comme pas une.

Évidemment, il faudra qu'elle aille passer l'hiver au Manitoba et peut-être tâcher de s'arranger avec Clémence. Je suis infiniment lasse de tout ceci, mais il faut bien me rendre compte qu'Adèle doit l'être mille fois plus que moi.

Je ne veux pas t'attrister avec toutes ces histoires navrantes. Comme je ne puis faire grand-chose pour Adèle pour le moment et que dans cette atmosphère il est impossible de travailler, je vais donc revenir dimanche ou lundi. Je m'arrêterai à Montréal quelques jours. Veux-tu dès lors m'écrire à l'hôtel Laurentien. Je tâcherai d'y avoir une chambre. Cécile m'a offert de loger chez elle, mais j'occuperais sa chambre, et je ne peux me résigner à accepter.

J'espère que tu auras pour moi des nouvelles plus gaies que je n'en ai pour toi. Je serais si heureuse d'apprendre que tu as bien profité de ton voyage à Sherbrooke et que tu as été content de revoir ta mère.

Je t'embrasse bien affectueusement.

Gabrielle

*

Montréal, le 1er octobre 1953

Mon cher Marcel,

Merci de m'avoir téléphoné. Je me doutais un peu que nous aurions avec madame Chassé les embêtements présents — mais, que veux-tu, il semble impossible pour nous d'agir autrement. Agis du mieux possible et n'en perds ni le sommeil ni le manger, pauvre enfant. Madame Chassé a sûrement parlé sous le coup de l'excitation nerveuse et verra par elle-même, plus tard, qu'elle a eu tort.

Ce qu'il faudrait obtenir, si l'on prend le petit appartement du 7e, c'est une porte du salon à la salle de toilette, et je crois bien qu'il faudrait insister dès maintenant et en faire une condition absolue avant de signer le bail car dès lors, ce sera beaucoup plus difficile d'obtenir ce que nous voulons.

Il me faudra rester un peu plus longtemps à Montréal ; si seulement tu pouvais venir me voir dimanche, comme j'en serais contente !

Présentement Cécile est à Ottawa, et j'occupe sa chambre — deux nuits, car on m'en a enfin retenu une au Laurentien pour demain. Madame Chabot me fait d'excellents repas, me choie et m'entoure d'affection. Quelle tendre et douce femme !

J'ai des milliers de choses à te raconter au sujet d'Adèle, de mon voyage. Je préfère garder cela pour le tête-à-tête tranquille. J'ai été en parfaite santé tout le long du voyage. Seulement, la dernière nuit sans sommeil à cause d'un long retard de l'avion m'a fatiguée, et aujourd'hui j'ai assez mal à la gorge. Je me reposerai un jour ou deux avant de faire les courses indispensables en ville.

Si j'ai du courrier qui paraît important, envoie-le-moi à l'hôtel.

Prends soin de toi, mon chou, reste calme. Les désagréments s'éloigneront, tu verras ; des jours plus sereins viendront.

J'ai envoyé un chèque à la London Life Insurance [de] $185,10 : c'est la somme qu'on m'a donnée au téléphone, lorsque je me suis informée. C'est bien cela, n'est-ce pas ? Rassure-moi là-dessus, car l'an dernier c'est 230,00[$] que j'ai envoyés à la compagnie.

Enfin, tu peux être tranquille de ce côté.

Mon chéri, je m'aperçois de plus en plus que pour traverser les difficultés, les épreuves de la vie, rien n'est meilleur qu'une tendresse, qu'une amitié profonde, et je souhaite de tout mon cœur que nous arrivions à obtenir ce sentiment. J'espère te rendre heureux et avec toi être heureuse et vivre dans la confiance.

Écris-moi bientôt ; tâche de rester maître de tes nerfs et de ménager ta santé et ton sommeil.

Je t'embrasse affectueusement, en espérant que nos difficultés s'aplanissent.

Gabrielle

⁂

Montréal, le 3 octobre [19]53

Mon cher Marcel,
Je t'envoie des coupons d'intérêt pour la valeur de $270,00. Ne manque pas d'inscrire et de garder les numéros pour ton rapport de l'Impôt sur le Revenu.

Quel changement ici, spécialement aujourd'hui, avec l'air froid mais tonique et vivifiant de la Rivière-de-la-Paix ! Tangent ne m'a pas déçue autant que tu le crois. C'est plutôt l'impossibilité où j'étais de travailler là, dans une toute petite pièce avec Adèle qui voulait parler du matin au soir, qui m'a ramenée plus tôt. Mais il y a eu là-bas beaucoup de beau ; des ennuis aussi, c'est vrai, dont je t'entretiendrai ; en définitive ce fut pourtant plus agréable qu'autrement. J'ai hâte de te raconter tout cela.

J'espère que l'affaire de l'appartement est réglée et que tu n'es plus dérangé et contrarié de ce côté. Évidemment, il nous faudra avant longtemps quelque chose de plus grand mais, sans doute, nous pourrons nous arranger pour le moment.

J'ai été un peu grippée ces jours-ci ; cela commence à aller mieux ; dès lundi, je pourrai faire mes courses. J'espère que tu ne t'ennuies pas trop, un peu tout de même.

J'ai vu Judith Jasmin quelques minutes hier. Elle est maintenant au Service domestique et se livre à des reportages avec René Lévesque, travail qui lui plaît énormément. Sa santé n'est pas encore bonne, et elle m'a confié qu'elle avait l'intention d'aller te consulter un de ces jours — peut-être après son voyage à la Jamaïque, dans un mois. Elle doit encore une fois faire un reportage sur les voyages de la Reine et, bien entendu, elle en est heureuse[1].

À part elle, je n'ai encore vu personne. Je m'ennuie de toi affreusement et que j'aurais aimé te voir ce week-end-ci.

Si je n'ai pas de nouvelles de d'Uckermann[2], ces jours-ci, je crois que je vais lui envoyer un câble. Je ne peux plus endurer de vivre ainsi en suspens.

Je t'embrasse avec tendresse.

Gabrielle

[*Ajouté en marge au début de la lettre :*] Je viens de recevoir ta lettre. Pauvre madame Chassé ! Je ne peux m'empêcher de la plaindre. Cependant, il est vrai qu'elle a été injuste envers les autres, quelquefois. La dureté de sa vie l'a trop durcie. Je suis désolée d'apprendre qu'Herbert n'est pas bien. Je crains qu'il n'ait travaillé trop longtemps[3]. À bientôt, G.

Hiver 1954

En janvier 1954, Gabrielle Roy passe une semaine à Baie-Saint-Paul, dans la région de Charlevoix, avec Madeleine Bergeron. Les deux femmes logent à l'hôtel « Baie-Saint-Paul Inn ». Puis, à la fin de février, la romancière se rend à Montréal, où elle séjourne quelques jours. Son troisième roman, Alexandre Chenevert, *paraîtra en mars.*

Afin de fuir la publicité qui entoure cette parution, Gabrielle Roy retourne dans Charlevoix, cette fois à Port-au-Persil, chez mademoiselle Bouchard, là où elle avait fait un séjour l'année précédente en compagnie de Jeanne Lapointe. C'est au cours de ce second séjour à Port-au-Persil qu'elle semble avoir entrepris la rédaction de Rue Deschambault.

Lundi, le 3 janvier 1954

Mon cher Marcel,
Nous avons fait le voyage assez vite et sans ennuis, malgré un peu de brume dans les caps et une glace assez vive çà et là, sur la route, mais pas dans les montées, heureusement, qui étaient recouvertes de gravier. Le village, avec toute cette neige fraîche, est ravissant à voir ; tous les toits sont chargés jusqu'à la cheminée et devant chaque maison s'élèvent des remparts. Les décorations de Noël sont bien jolies ici, un prix étant attribué à ceux qui les réussissent le mieux.

Cet hôtel-ci est parfait quant au confort, mais les chambres ne sont pas aussi accueillantes qu'à Belle-Plage[1]. Toutefois, en plein hiver, on ne peut demander mieux que ce que nous trouvons ici à un prix somme toute fort modique. Hier soir, nous sommes allées au cinéma tout juste à côté voir un film policier français, pas trop mal, ma foi. Tout était fini à 10 h 10 — et à onze heures j'étais au lit. Je ne me sens pas trop mal, sauf que je reste plongée dans un accablement profond et que le moindre effort me paraît impossible à entreprendre. Sans doute cela va passer, mais je trouve la pente longue à remonter et je m'ennuie de ne pas travailler. Madeleine est une vraie Miss O'Rorke[2] et elle rit de bon cœur quand je le lui dis. À peine arrivée dans un hôtel, elle déménage les meubles de sa chambre à son goût. Ma foi, quand je l'ai vue faire, je l'ai imitée et j'ai aussi déménagé mon lit afin de voir les champs de neige.

Ne t'inquiète pas à propos de Madeleine Chassé[3]. Monsieur Gravel ira en ville mercredi justement et il la ramènera. Madeleine B. s'est entendue avec le chauffeur de l'école[4] pour aller chercher Madeleine C. à l'aéroport. Donc, tout est pour le mieux — et Madeleine B. n'aura pas à interrompre sa semaine de repos pour aller à Québec[5]. J'en suis bien contente pour elle. Il ne manquerait plus pour notre joie que tu arrives à ton tour. En tout cas, si tu ne le peux cette fois, peut-être pourras-tu venir plus tard.

Il me semble que je ne t'ai pas souhaité comme il faut tout ce que mon cœur désire pour toi de paix, de contentement réel et profond. C'est que j'étais tout ahurie la veille du jour de l'An par cette fatigue de l'esprit et du corps. Mais tu sais, n'est-ce pas, que de te voir heureux est le plus cher de mes désirs. Je t'embrasse bien tendrement.

Gabrielle

*

[Montréal, fin février ou début mars 1954]

Mon cher Marcel,

J'ai fait tous les magasins aujourd'hui, et je n'ai pas trouvé une seule robe qui me convienne. C'est vraiment décourageant.

Par ailleurs, *Alexandre Chenevert* va être en librairie à Montréal dès samedi ; la semaine prochaine, en province. Le père Issalys et Boulizon m'ont invitée à dîner avec eux ce soir[1]. Ils m'ont arraché mon consentement pour un autre dîner, probablement vendredi, où il y aura environ 12 à 15 personnes, et M. Issalys désirerait beaucoup t'y voir. Je lui ai dit que moi aussi, je serais incroyablement heureuse que tu puisses venir, mais que je craignais bien que cela te soit impossible. Toutefois, si tu désirais venir et que cela pût s'arranger, tous, et moi la première, en serions charmés.

J'espère que tu vas bien. Je n'ai la force que pour t'écrire brièvement ce soir, car j'ai trotté dans les magasins, et me voici bien fatiguée, car il faisait aujourd'hui un temps lourd et chaud.

J'ai téléphoné à Cécile, je la verrai demain ; à Jacqueline aussi, qui attend son bébé d'un jour à l'autre.

Prends bien soin de toi-même, et écris-moi bientôt.

À toi, bien tendrement,

Gabrielle

*

Port-au-Persil, mardi 2 mars 1954

Mon cher Marcel,
Le voyage par train est plus long que je ne m'y attendais ; je suis arrivée à La Malbaie à 7 h 15 ; il est vrai que le train arrête à toutes les gares, en route, même à des petits trous comme Donahue ; ensuite, j'ai terminé le voyage en un rien de temps dans un taxi envoyé par Mlle Annette. Les routes sont pour ainsi dire plus belles qu'en été, entièrement découvertes. J'en ai été tout étonnée. Il n'y a presque plus de neige ici, du reste, et ce matin il pleut. La mer est libre et le pays est beau, malgré tout. J'ai été reçue comme une véritable princesse et je suis très bien installée dans la meilleure chambre de la maison. Jusqu'ici, c'est assez chaud pour que je puisse garder la fenêtre un peu ouverte. Je suis donc contente d'être venue, mais tu me manques, et j'espère que tu m'écriras souvent pendant que je serai ici.

Mémère a dû être pas mal secouée ; elle est très maigre et toute pâle, toussote sans cesse, mais quelle énergie anime cette petite vieille ! Tu diras à Madeleine Lemieux, si elle téléphone ou si tu la vois, que Mémère n'a pas de chapeau sur la tête dans la maison. Apparemment, c'est une coutume d'été. J'ai eu mon déjeuner dans la chambre ce matin et, vraiment, je suis si entourée d'attentions que ça en est presque gênant.

J'espère que je verrai, durant mon séjour ici, une vraie tempête avec vent, grande marée et tonnerre de vagues ; c'est bien probable que mon souhait se réalisera.

J'aime penser que je te manquerai, mais, surtout, que tu ne t'ennuieras pas trop et que tout marchera à souhait pour toi, que ton travail te rendra très heureux. Tâche de ne pas veiller trop tard et de prendre de bonnes nuits. Il pleut trop ce matin pour que je m'aventure à la mer ; cette après-midi peut-être, je pourrai faire une bonne marche.

Je t'embrasse si tendrement.

Gabrielle

*

Port-au-Persil[1], le 3 mars 1954

Mon cher chou,
Aujourd'hui, il a fait soleil ; le temps était doux, et j'ai fait une bonne

marche, malgré un assez vilain rhume de cerveau. Avec cet air pur, je ne le garderai sans doute pas longtemps.

Il n'y a presque plus de neige dans le pays, sauf sur les bords de la route où elle a été rejetée tout l'hiver ; autrement, on voit apparaître l'herbe brune et morte de l'automne dernier ; et, ma foi, je regrette un peu de n'être pas venue plus tôt. Toutefois, c'est bien agréable de se promener par les routes de gravier à peu près sèches.

Que fais-tu de bon ? As-tu assisté hier soir à la réception pour M. Bruchési[2] ? Ici, tout cela semble bien lointain. Déjà je me suis mise au rythme reposant de la maisonnée, et le soir je veille en bas en me berçant avec mesdemoiselles Marie et Annette, et avec Mémère. C'est tout tranquille ; on entend vraiment le silence et puis le tic-tac de l'horloge. Cela me fait du bien, mais d'abord, j'éprouve une certaine résistance à tant de calme. Cela prend quelques jours pour s'y réhabituer.

Tes plantes vont-elles bien ? Tu m'as fait une gentille et agréable surprise en repiquant dans les petits pots les filles de la plante-mère, et cela est d'un bel effet dans la petite cuisine jaune.

J'ai encore peu de nouvelles à te conter, n'ayant guère fait autre chose depuis mon arrivée que dormir, manger, marcher un peu.

J'espère que tu ne te surmènes pas — et j'attends tes lettres avec une grande impatience. À bientôt donc ; je t'embrasse avec tendresse.

Gabrielle

*

Port-au-Persil[1], le 5 mars 1954

Mon cher Marcel,

Tu sais sans doute que les Lemieux m'ont appelée au téléphone hier soir. En leur parlant, j'ai appris que tu n'avais pas encore reçu mes lettres, et cela me désole car je t'en ai écrit une presque dès en arrivant, du moins le lendemain, et une autre mardi. Mais que veux-tu ? Les lettres descendent d'abord à la petite poste, dans la cuisine d'une maison, en bas, dans le hameau au pied de la montagne. De là, elles partent, après y avoir passé une nuit, très tôt le matin pour le village proprement dit, c'est-à-dire à Saint-Siméon. Il s'écoule encore quelque temps là, avant que les lettres repartent. Elles y séjournent une partie de la journée, prennent enfin le chemin de La Malbaie par camion — mais, bien entendu, elles y arrivent trop tard pour prendre ce jour-là le train de Québec. Elles passent donc la nuit à La Malbaie et, enfin, le lendemain matin à 8 heures, elles commencent enfin leur voyage vers Québec. J'ai appris tout cela hier soir, et je m'aperçois que lorsque tu recevras mes lettres, les nouvelles ne seront plus très fraîches. Moi, du moins, je recevrai tes lettres un peu plus rapidement que toi les miennes. Heureusement qu'il y a le téléphone s'il devenait nécessaire de communiquer l'un avec l'autre rapidement. Mais ne prends pas ce retard trop à cœur ; je trouve qu'il a un côté amusant, à présent que je peux suivre par la pensée ce cheminement de tortue du courrier.

Les Lemieux avaient l'air bien heureux d'avoir reçu mon livre[2]. Il n'était pourtant que naturel que je leur en donne un.

Aujourd'hui il fait assez froid, mais l'air est sec et plaisant. Toutefois, j'ai écourté ma marche et suis rentrée, contente de retrouver la chaleur.

Nous passons des petites soirées paisibles et courtes car à dix heures, Mémère monte se coucher, et les autres peu après. Aujourd'hui Mlle Annette va dresser son métier et commencer une pièce de tissu. Hier, elle a ourdi, c'est-à-dire mis son fil en écheveaux. J'aime ces travaux de la maison. Mme Rose, la voisine et sœur de Mlle Annette, vient faire son tour tous les jours. De ma chambre, je sais tout de suite qu'elle vient d'arriver aux grands éclats de voix qui remplissent la maison et me parviennent aisément. Seulement, si j'entends et reconnais bien sa voix, je n'arrive pas à démêler plus que quelques mots ici et là de son étrange débit, car tout s'enfile sur le même ton et à une vitesse folle. Madeleine Lemieux imite d'ailleurs très bien ces phrases tout en bloc de Mme Rose.

Il y a aussi dans la maison, en ce moment, le bébé de Mémère : un gros garçon épais, à moitié sourd, gras et à visage de lune, qui fait des petits travaux de réparation. J'ai eu peur, en arrivant, d'entendre cogner des clous à longueur de journée. Mais non : le gros garçon fait à peu près tout silencieusement, ce qui est un grand mérite. Toutefois, la peinture me menace, car il est question d'une mise à neuf de toutes les pièces. J'espère que la peinture n'arrivera pas — comme les lettres, elle est en route depuis longtemps, mais qui sait quand elle achèvera son voyage ! En tout cas, pour une fois les lenteurs de l'express me comblent d'aise. J'ai toujours hâte de te lire. Repose-toi bien et garde un bon souvenir de ta Gabrielle qui t'embrasse affectueusement.

Gabrielle

*

Port-au-Persil, le 7 mars 1954

Mon cher Marcel,
Ta petite lettre m'a bien réjoui le cœur, tu sais. J'en étais à l'attendre à chaque minute. Et puis, hier soir, comme c'était agréable de te parler, d'entendre ta voix !

Si tu peux venir le week-end prochain, quelle joie ! Je t'ai suggéré hier d'amener un compagnon pour que la route te paraisse moins longue, mais bien entendu, si tu préfères venir seul, c'est comme tu l'entendras ; c'est toi que je veux voir. Simplement, j'ai pensé que Cyrias, qui aime tant ce pays, s'il est libre samedi prochain, pourrait être très content de t'accompagner. Ou bien, si tu aimes mieux, emmène Jean ; enfin, fais exactement comme tu voudras — mais, si tu veux venir avec quelqu'un, il y a ici assez de chambres ouvertes pour nous caser tous. Peut-être que je repartirai avec toi dimanche. J'ai commencé une nouvelle que j'aimerais ébaucher jusqu'au bout ; d'un autre côté, j'aimerais mieux rentrer avec toi que seule. En tout cas, si c'est possible, viens, mon chou. Le paysage est beau même en ce temps de l'année.

Si tu ne peux venir ce week-end prochain, peut-être que je t'attendrai jusqu'à l'autre fin de semaine afin, cette fois définitivement, de revenir avec toi.

Je t'envoie la lettre de Rachel Jutras où il est dit à propos de toi de belles choses qui sont vraies, je crois[1]. Quelle bizarre personne, mais de qualité riche tout de même ! T'envoie aussi la petite lettre d'Issalys.

Je travaille pas mal le matin, mais évidemment, j'étais passablement rouillée, depuis si longtemps que je n'avais rien écrit. Chaque fois, c'est aussi dur de recommencer. D'une fois à l'autre, on ne retient pas grand-chose de l'acquis...

J'ai très hâte de te lire ; encore plus de te voir arriver, si possible. Mais ne va pas te torturer à ce sujet bien entendu ; viens seulement si tu le peux sans trop d'obstacles.

Je t'embrasse bien tendrement.

Gabrielle

Manitoba
printemps 1954

À la fin de mai 1954, Gabrielle Roy se rend à Winnipeg, à l'occasion de la réunion annuelle de la Société royale du Canada qui a lieu, cette année-là, à l'Université de Winnipeg. Elle y prononcera, le 31 mai, une conférence intitulée « Souvenirs du Manitoba[1] *».*

Gabrielle passe ensuite quelques jours à Saint-Vital, chez sa sœur Anna, où Clémence, Bernadette et Adèle viennent la rejoindre. C'est la dernière fois que Gabrielle et Adèle se verront.

S[ain]t-Vital, le 3 juin 1954

Mon cher Marcel,

J'ai quitté le campus ce matin pour venir passer quelques jours chez Anna et enfin, le temps s'est amélioré ; aujourd'hui il fait beau et chaud après des jours tristes et froids. J'étais contente de quitter la bande — environ 500 fellows[1], je crois. Mon petit discours a été enregistré et passera sur les airs vendredi soir à huit heures et demie — heure de l'Ouest, j'imagine. Léona et plusieurs de Saint-Boniface sont venus assister à ce symposium, où j'ai donné ma communication. Ensuite, je l'ai revue, ainsi qu'Arthur[2]. Tous les deux ont été charmants pour moi, vraiment tout à fait fraternels. Un soir, ils avaient emmené Anna à l'Université et de là, avec Frank Scott et Jean-Charles Falardeau[3], nous avons tous été dîner at Trossi's Restaurant — qui se trouve le long du Pembina Highway. Nous avons commandé des filets mignons — $5.00 chacun, je crois bien. Le patron est venu nous demander comment on les trouvait... Il se trouve que ce Trossi, [qui] avait été boucher à Saint-Boniface autrefois, se souvenait de moi[4]. M'ayant reconnue, il a refusé de nous présenter l'addition et nous a offert ce magnifique repas gratuit. Tant de générosité, tant de fidélité, de souvenir surtout, m'a émue.

J'ai tant de choses à te raconter que je ne sais trop par quel bout commencer vraiment. Mardi soir, il y a eu une fête au Collège de Saint-Boniface pour toute la Société royale. C'était charmant. J'ai entrevu beaucoup de gens qui m'ont demandé des nouvelles de toi et qui t'envoient leurs meilleurs souvenirs — entre autres l'abbé D'Eschambault[5] — assez vieilli je trouve.

Léona et Arthur m'ont emmenée faire un petit tour, en auto, de

Saint-Boniface. Il y a peu de changements depuis 7 ans. Mais la fabrique de Boux[6] devient une très grande affaire, on y ajoute encore d'autres constructions. Léona est comme moi fort étonnée qu'on ne te rembourse pas, vu l'ampleur de cette organisation.

J'aurai beaucoup d'autres nouvelles à te donner, mais je ne viens que d'arriver chez Anna. Ma tête est encore bourdonnante du brouhaha de nos parlotages — assez insipides la plupart — et à vrai dire j'arrive à peine à me concentrer après une telle débauche de discours. Je t'écrirai un peu plus tard. Ce soir et demain, je verrai Adèle, sœur Léon, Clémence — etc. — qui toutes viendront me voir chez Anna. En fin de semaine, si c'est possible, je ferai une petite tournée de campagne. Écris-moi ici, je serais heureuse d'y recevoir une lettre. Le jardin est joli ; les oiseaux chantent autour du kiosque[7]. Contrairement à ce que j'appréhendais, je suis contente de me retrouver ici. L'endroit ne me rappelle plus que de beaux souvenirs. Anna et Albert — beaucoup mieux, solide encore — t'envoient leurs amitiés.

Gabrielle

*

S[ain]t-Vital, le 7 juin 1954

Cher Marcel,

Je viens de recevoir ta gentille petite lettre du 4 juin. Depuis, tu as dû sans doute recevoir ma deuxième lettre, que je t'ai écrite de la Painchaudière. Hier, Arthur et Léona nous ont emmenés, moi et Anna et Albert, en visite à Somerset[1], chez mes vieux oncles. Nous sommes partis par une matinée radieuse et rien n'indiquait une mauvaise journée à venir. Mais dès midi, les orages ont commencé et ç'a été une véritable flotte. En quittant la ferme de l'oncle Excide[2], vers 3 h 30 de l'après-midi, nous nous sommes trouvés dans des chemins impossibles, du moins les deux milles de chemins de terre de la ferme au village. Heureusement, mon cousin nous a tirés avec son tracteur presque jusqu'au village. Arthur prenait l'aventure à la rigolade, mais la pauvre Léona, je crois, était fort nerveuse. Enfin, tout s'est bien terminé et cette visite fut malgré tout une aventure des plus heureuses de ma vie. L'accueil que nous avons reçu partout était émouvant. J'ai peur de gâter la beauté de cette journée en en parlant trop vite, et surtout à la hâte. Je me réserve donc de t'en faire le récit verbalement, plus tard, pendant une heure de tranquillité.

Tout le monde est infiniment mieux, plus heureux aussi qu'à mon séjour ici il y a sept ans. La santé d'Anna, malgré bien des petites souffrances, est grandement améliorée. Son moral est meilleur. Même Clémence est devenue plus gaie, et grasse comme une petite barrique. Au fond, ce voyage-ci me rassure et me réconforte sur le sort de chacun.

J'avais l'intention de revenir d'un jour à l'autre, mais j'étais vraiment très fatiguée après les palabres à l'Université. Depuis que je suis à la Painchaudière, je me laisse vivre plus calmement, et d'un jour à l'autre, remets mes préparatifs de départ au lendemain. Je passerai peut-être la semaine ici, cela ferait tant plaisir à Anna.

Je t'écrirai de nouveau très bientôt. D'ici là, je t'embrasse de tout cœur et t'envoie mille bonnes choses de la part de Léona et Arthur et aussi de la part des Painchaud.

Gabrielle

Si tu m'écris, envoie tes lettres par avion ; elles arriveront ainsi tellement plus vite.

Été 1954

À l'été 1954, Gabrielle Roy passe trois semaines à Baie-Saint-Paul, à l'hôtel Belle-Plage, où elle travaille à Rue Deschambault. *En juillet, elle ira aussi passer quelques jours à Port-Daniel, en Gaspésie, puis elle reviendra à Baie-Saint-Paul pour le reste de l'été. Il semble y avoir eu une querelle assez vive entre Gabrielle et Marcel, mais les lettres qu'ils s'écriront cet été-là ne livrent pas de détails qui permettent d'en déterminer la cause.*

Le manuscrit de Rue Deschambault *sera achevé en novembre 1954.*

Baie-Saint-Paul, le 25 juin 1954

Mon cher Marcel,

Nous avons passé une journée magnifique aujourd'hui, les deux Madeleine, moi et le petit chien noir, à qui on a donné le nom de Copain. La pauvre petite bête, depuis le week-end que nous avons passé ici ensemble, restait dans les jupes de grand-mère Dufour, couchée près d'elle et lui léchant la main. La vieille dame et le chien perdu faisaient bon ménage, se consolant sans doute mutuellement. L'étrange est que la petite bête n'a recherché personne depuis notre départ, mais dès l'arrivée des deux Madeleine et de moi-même, [elle] est venue nous offrir encore son amitié.

La marée était basse — c'est à peu près le seul désavantage ici car, lorsque la mer se retire, il faut marcher près d'un mille pour trouver un peu d'eau —, alors nous sommes allées cette après-midi nous baigner dans un ruisseau frais et faisant le plus joli tapage sur son lit de grosses roches. Hier, nous avons été nous baigner en bas, dans la petite anse, sous la maison de Bergeron qui n'est toujours pas louée. Il fait chaud même ici. J'espère donc que tu ne trouveras pas l'appartement trop pénible. Il y a peu de monde encore à l'hôtel, 6 ou 7 personnes je crois, en plus de nous trois. La cuisine est absolument merveilleuse, très variée, avec des petites surprises alléchantes tous les jours.

Ce jeu de marées ici, s'il a des inconvénients pour la baignade, par contre compose des paysages merveilleux. À marée basse, la grève dénudée, rose et dorée, m'a fait penser aux sables de Tombelaine[1], tu te rappelles, tout près du Mont-Saint-Michel.

Madeleine B. est arrivée pour ses vacances avec un magasin entier de chaussures, de culottes à la corsaire, de blousons, de petits jerseys qui font mon envie. Mais je m'arrange très bien avec mes jupes et quelques robes.

Je souhaite de tout cœur que tu trouves des délassements agréables et que tu ne t'ennuies pas trop ; et je t'embrasse affectueusement.

Gabrielle

*

Baie-S[ain]t-Paul, le 4 juillet 1954

Mon cher Marcel,

J'éprouve un grand chagrin de t'avoir peiné. J'aurais voulu te dire ce matin, au téléphone, que mon intention n'était pas ce que tu la croyais... et je n'ai pas trouvé les mots. Madeleine B. devait descendre à Québec, ce soir, pour conduire M. Chassé à l'aéroport. C'est ainsi que j'avais formé le projet, en venant avec elle, de continuer sans arrêt à Québec, puisque mon train part vers l'heure où M. Chassé partira. Si je ne t'ai pas demandé de m'y conduire, c'est que je pensais que tu aurais peut-être une promenade en vue pour aujourd'hui, et je ne voulais pas gâcher ta journée. Je voulais aussi t'éviter ce qui semble t'être toujours pénible, c'est-à-dire de me voir partir. Je me suis sans doute trompée, comme toi-même tu t'es trompé en interprétant mes intentions. Je pars aussi malheureuse que possible. J'avais espéré bien travailler là-bas, ébaucher quelque chose que j'aurais continué plus tard. Maintenant je me dis : à quoi bon tout ça ! à quoi bon tant d'efforts !

Du moins, je souhaite profondément et de tout cœur que tu retrouves la paix de l'âme.

Bien tendrement,

Gabrielle

*

Port-Daniel-Centre, le 13 juillet 1954

Cher Marcel,

J'ai reçu la semaine dernière une lettre de l'abbé Pierquin[1], et pensant que tu aimerais sans doute la lire, je te l'envoie. J'ai eu beaucoup de peine à la déchiffrer, mais je suis parvenue à en saisir un peu le sens; assez pour y répondre par un petit bout de lettre.

Peut-être aimes-tu autant ne plus recevoir de lettres de moi, puisque tu n'y réponds pas. Dans la dernière que je t'ai écrite juste avant de quitter Baie-Saint-Paul, je cherchais à t'exprimer que je reconnais avoir mal agi, c'est vrai, en me rendant directement ici de la Baie-Saint-Paul. C'est-à-dire, j'ai pu te donner l'impression de manquer ainsi d'égards envers toi, alors qu'il n'en était rien pourtant; mes malles faites, toutes prêtes, aurait-il été tellement mieux que je m'arrête, en passant, à Québec? Du reste, tu te souviens, avant de partir pour la Baie, il avait été question entre nous que je fasse peut-être un court séjour à Port-Daniel. Si je reviens sur ces choses, c'est dans l'espoir de t'enlever l'impression que je n'ai pas fait attention à tes sentiments. Quant à ce [qui] s'est passé entre nous, avant que je parte, j'espère que tu te rends compte que bien souvent nos paroles dépassent nos pensées. Je t'en ai dit d'odieuses que je regrette, que je regretterai toujours — et sans doute aussi je me souviendrai toujours de certaines paroles que tu m'as dites. Elles contenaient assez de vrai pour faire très mal, longtemps; mais sont-elles entièrement vraies? Voilà [ce] que je ne sais pas moi-même!

Je reviendrais bientôt à la Baie-Saint-Paul, si cela te plaisait, si tu pouvais t'échapper un jour ou deux pour venir m'y rejoindre, soit maintenant, soit dans quelques semaines.

Avec toute mon affection,

Gabrielle

*

Baie-Saint-Paul, mardi le 24 août [1954]

Cher Marcel,
C'est dommage que tu n'aies pas été ici aujourd'hui. Il y avait de belles vagues hautes et l'eau était bonne pour se baigner. Il y avait vraiment tout pour une journée parfaite; un peu de vent doux, du soleil, et ces belles vagues dans lesquelles il était amusant de courir. C'est la première fois de l'été où je me suis baignée avec plaisir.

J'irai demain chercher notre toile; j'ai hâte aussi de te revoir lundi. J'espère que la voiture ne t'a pas donné d'autres ennuis en route. René

Richard nous a invités à faire un pique-nique avec lui et Blanche à Port-au-Saumon[1]. Je ne sais trop encore si nous irons.

Les deux Madeleine ont regretté comme moi de te voir regagner la ville si tôt. Elles t'envoient bien des amitiés et je pense bien que Copain chien te trouve aussi à son goût. Il est arrivé quelques nouveaux, pas trop. Ce soir, il fait très doux ; enfin nous aurons peut-être un peu de véritable été, et ce n'est pas trop tôt.

Madame Gravel a une vilaine grippe à son tour, mais sa vieille mère se rétablit.

Je regrette que tu aies oublié de prendre *La Maison au bord de la mer*[2]. Je te l'apporterai lundi ; je crois que tu aimeras le ton singulier, très poétique de ce livre. Dans « La Mer qui nous entoure », cette traduction de Swinburne m'enchante : « Semelles du vent, le long de la mer[3]... ».

Je t'embrasse tendrement, en attendant le bonheur de te revoir.

Gabrielle

France
printemps-été 1955

En mai 1955, Gabrielle Roy prend l'avion à destination de la France. Son séjour à Paris et en Bretagne durera un peu plus de deux mois. À son arrivée, elle retrouve son amie Paula Bougearel qu'elle n'a pas vue depuis six ans. Elle reverra aussi le peintre Jean Paul Lemieux et sa femme Madeleine, ainsi qu'Anne Hébert.

Au début de juin, Gabrielle et Paula se rendent à Port-Navalo, en Bretagne, et s'installent à l'hôtel Boris. Elles visiteront ensemble les villages de Quiberon et de Vannes, et prendront le bateau jusqu'à Belle-Isle. Après le départ de Paula, qui doit retourner à Paris auprès de sa famille, Gabrielle restera quelques jours à Port-Navalo, puis rentrera elle aussi à Paris, où elle subira une opération pour les hémorroïdes dans une clinique spécialisée de Neuilly. Elle aurait souhaité, pour se remettre de son opération et pour se reposer, aller en Angleterre, chez Esther Perfect. Mais elle rentrera d'urgence à Québec, après avoir appris que Marcel a subi un accident cardiaque.

[Montréal,] Vendredi [6 mai 1955]

Cher Marcel,

Je pensais que Cécile tomberait sur le derrière en apprenant ma grande nouvelle : départ pour Paris — mais non : d'un petit ton calme, elle m'annonce aussitôt qu'elle aussi s'en va bientôt, en juin, par cargo — escales au Portugal, en Espagne —, à Marseille. Elle a gagné $750,00 en droits d'auteur qu'elle croyait perdus, sur ses illustrations du fameux manuel scolaire[1]. Elle nage dans le contentement et se hâte de dépenser tout le gagné.

Dis aux Madeleine que j'ai téléphoné et donné de leurs nouvelles à Lucille Gagnon — qui m'a raconté des histoires d'ennuis à la douane canadienne à faire frémir. Elle se dit assez bien — ni trop mal ni trop vivante, mais dans l'ensemble mieux.

J'ai fait un bon petit voyage calme et plat, avec un bon porteur, gentil, gentil, qui m'a fait penser tout le temps à M. Jackson from C.P.R., n'est-ce pas, de *Rue Deschambault*[2].

J'attends Annette Zarov[3] qui doit m'apporter elle-même quelques photos. Les autres seront envoyées à Québec. J'espère que la finette arrivera bientôt. Il est onze heures et demie, et mes paupières se ferment. Un grand besoin de sommeil m'accable.

Je t'embrasse bien tendrement et j'embrasse aussi nos chères Madeleine.

Gabrielle

Remercie Madeleine C. mille et mille autres fois pour l'aide merveilleuse qu'elle m'a apportée[4].

[*Ajouté en marge au début de la lettre* :] Les petites avanies continuent : — signe sans doute que je n'en aurai pas de grandes — ; bretelle de jupon cassée — bas neufs troués.

*

Paris, dimanche le 8 mai 1955
Le Grand Hôtel du Louvre
Place du Théâtre Français
Paris (Ier)

[*Ajouté en marge :*] Merci pour les jolies fleurs.
Mon cher Marcel,
Quelle journée ahurissante ! Arrivée à 11 h 30, heure de Paris, je n'ai d'abord aperçu personne venu à ma rencontre à la gare du quai d'Orsay. J'allais me décider à prendre un taxi pour me rendre à l'hôtel, lorsque je vois apparaître Paula. Te dire à quel point j'ai été contente ! Car on a beau dire, c'est assez dur d'arriver seule dans une grande ville. Nous avons passé la journée ensemble — mangé dans un petit restaurant de la rue Richelieu, non loin de l'hôtel. Mon chou, tout m'a l'air d'être à un prix fou, presque le double des prix du temps où nous étions ici. Dans quelques jours, j'aurai sans doute acquis un peu plus d'habileté à me diriger et à me défendre.

Mais que je [te] dise tout de suite la nouvelle que je viens d'apprendre en téléphonant à l'instant à M. d'Uckermann. C'est qu'il a été très malade, opéré pour je ne sais quoi — revenu chez lui de la clinique depuis 4 jours seulement. Je dois aller le voir chez lui demain après-midi et te donnerai d'autres nouvelles de sa santé plus tard. Mais sans lui, la maison Flammarion, j'en ai l'impression, est peu de chose. Il paraît — à ce que m'a dit Paula — qu'il y a de grandes affiches des *Plouffe*[1] dans le métro de Paris.

As-tu reçu mon télégramme, ou plutôt câblogramme ce matin ?

Mon chéri, si je te disais le prix que ça m'a coûté, tu en frémirais. Le voyage s'est bien fait, par temps calme — avec arrêt toutefois à Gander pour faire le plein d'essence à cause du très grand nombre de voyageurs — 62 je crois. C'est quand même un voyage éreintant, surtout parce qu'on est empilé là-dedans comme des sardines, sans place pour les pieds. Pour toi, avec tes grandes jambes, ce serait un véritable supplice. Il y avait une bande de Canayens là-dedans, au parler si vulgaire, si laid que vraiment ils m'ont fait honte.

J'ai une grande chambre haute de plafond, ancienne au possible — et la tuyauterie est bien ce que j'ai vu de plus drôle depuis longtemps. Le bain est si haut de base qu'il va me falloir un tabouret pour y grimper. Je resterai quand même ici un moment avant de regarder ailleurs — d'abord parce que j'ai besoin de me reposer, et puis d'apprendre de nouveau à m'orienter.

Quelle ville merveilleuse tout de même ! Avec Paula, j'ai traîné la patte du côté du Trocadéro, puis par le Cours Albert et le Cours de la Reine. Les marronniers sont en fleur. Mes Canayens, derrière moi en rentrant à Paris, s'extasiaient. — C'est-y beau, c'âbe-là — qu'est-ce que cé' ben ça ? J'ai hâte d'avoir une lettre de toi et souhaite tellement que tu ne t'ennuies pas trop. Mon souvenir le plus affectueux aux Madeleine. J'écrirai bientôt à Mlle Chassé. Je t'embrasse tendrement.

Gabrielle

⁕

Paris, le 9 mai [19]55

Mon cher Marcel,
J'ai passé une soirée inoubliable, mais pénétrée du regret que tu ne fusses là pour admirer avec moi *Athalie* au Théâtre Français. J'y suis allée seule. J'ai fait la queue au bureau de location des places à bon marché — 3/4 d'heure, ça ne m'a pas paru trop long : les conversations, près de moi, m'amusaient, surtout celle d'une starlette de cinéma avec son amoureux — « Et Renoir m'a été sympathique — et j'ai eu un gros plan — deux minutes à l'écran. C'est peut-être pas long, mais ça peut marquer — etc. ». J'ai eu une place excellente, dans la troisième galerie, pour 100 francs. Si certaines choses sont très chères, d'autres comme tu le vois — et parmi les plus précieuses — sont très abordables. Par contre, j'ai payé 90 francs un milk-shake pas très bon. N'importe ! J'apprends à me débrouiller et je suis heureuse de me trouver à Paris. La première fois que j'y suis venue, j'étais trop effrayée de la ville, la deuxième trop fatiguée et pas assez bien de ma santé. J'ai l'impression que cette fois j'en profiterai mieux.

Le spectacle *Athalie* fut en tout point grand, majestueux et parfaitement abordable. Quel sublime d[r]ame, cette pièce. Comment ne l'avais-je pas comprise avant ? Véra Korène[1] était Athalie. Ce fut pour moi une révélation égale à celle que nous a donnée *Le Misanthrope* — peut-être plus éblouissante. Je t'assure que je trouve bien commode d'être logée dans ce quartier à deux pas du Français, où je me propose de passer plusieurs soirées. Et puis, ma chambre me plaît bien, à l'ancienne mode, mais très paisible. J'ai retrouvé avec plaisir les petits soins : la couverture faite, les rideaux tirés, mes vieux petits pyjamas de nylon bleu posés sur le lit — attends que la femme de chambre découvre le foot-pyjama —, un journal aussi offert par l'hôtel et que je trouve le soir sur ma table. Cher pays ! On est prêt à grogner sur la lenteur du service — 3/4 d'heure ce matin pour avoir une communication téléphonique —, sur un certain manque de confort, et puis on est charmé par une attention exquise.

Je ne te répéterai pas les nouvelles données ce matin à Madeleine Chassé ; sans doute elle t'en fera part. Malgré le voyage en avion assez éreintant, j'ai assez vite récupéré, sauf que le décalage d'heures me porte à dormir tout l'avant-midi et veiller une partie de la nuit.

Tâche de me donner l'adresse des Valin[2] — puis celle des Lemieux si tu peux la demander à Guy Roberge. M. d'Uckermann paraît se rétablir assez bien ; il t'envoie mille choses.

Je t'embrasse de tout mon cœur.

Gabrielle

[*Ajouté en marge au début de la lettre* :] Dis à M. Chassé d'envoyer à Denver Lindley[3] : 1. profil (celui qu'elle aime ;) 2. photo triste, que j'aime le mieux ; 3. photo sévère (celle que M. Bergeron préfère ; à l'agrandissement me paraît moins bonne).

⁕

Jeudi, le 12 mai [19]55

Mon cher Marcel,

J'ai bien hâte de recevoir une lettre de toi. Chaque fois que j'entre à l'hôtel, je jette un coup d'œil à mon casier, hélas vide. Aujourd'hui, belle journée mi-ensoleillée, mais pas beaucoup plus chaude qu'à Québec à mon départ. Somme toute, j'ai presque toujours besoin d'un manteau. Le petit jaune, quoique plus très neuf, m'est bien utile. J'ai fait le tour aujourd'hui des magasins Trois-Quartiers, Le Louvre, puis j'ai regardé les vitrines du Faubourg Saint-Honoré [et] de la rue de Rivoli. Il y a de jolies choses, mais pas tellement extraordinaires — et très chères. Je n'ai encore acheté qu'un petit chemisier. Le cœur ne me dit pas d'acheter. La sollicitation des vendeuses est si pressante qu'elle effarouche un peu. Pour finir la journée, je me suis assise un moment au Jardin des Tuileries et [j'ai] regardé jouer les enfants tout endimanchés. Pauvres petits ! À tout instant, on leur rappelle de ne pas se salir ! Ils ont bien peu d'enfance.

Hier soir, je suis allée voir une pièce de la Gaîté : L'*Extravagant Captain Smith*[1], qui fait rire tout Paris à ce qu'on dit. Ma foi, je n'ai guère trouvé cela drôle. Je me demande ce que les Parisiens peuvent trouver de bien drôle à ces situations cent fois rabâchées. Pourtant, la salle était transportée de rires. Je dois aller voir *Port-Royal*[2] samedi soir avec les Bougearel. Paula habite à l'autre bout de la ville, ce n'est pas commode pour se voir souvent. Malgré tout, je l'ai vue deux fois déjà. Petit à petit, elle me raconte sa vie qui n'est pas drôle. Après un recours et d'infinies démarches, Henri B. n'est guère plus avancé. Je crois comprendre qu'on l'engage à prendre sa retraite — environ $175.00 par mois, peut-être moins —, et les pauvres se débattent. J'irai dîner chez eux samedi. Paula n'a pas l'air enthousiaste de me recevoir chez elle, sans doute leur indigence les gêne. Mais que de chichis pour rien ! Sa mère n'est pas bien de sa santé. Enfin, ils m'ont l'air d'avoir toutes sortes d'embêtements et j'en suis malgré tout attristée.

J'ai déjeuné seule avec M. d'Uckermann, chez lui, mardi. Il se remet déjà au travail partiellement, quoique son médecin lui ait commandé un long repos. Je dois le revoir prochainement. J'attends, et j'espère pour bientôt, les épreuves (la suite) de *Rue Deschambault*. J'ai hâte d'avoir fini tout cela qui ne m'arrive que petit à petit, à l'hôtel. Paula m'a prêté un dictionnaire et je pourrai me débrouiller.

Aujourd'hui, malgré toute ma bonne volonté, j'ai été prise d'ennui. En passant devant la Madeleine et ailleurs, quai de la Concorde, je nous ai revus ensemble dans ces mêmes lieux ; je me suis aperçue combien il est plus heureux de voyager à deux. J'espère, chéri, que tu t'arranges assez bien et que tu ne t'ennuies pas trop.

Les chats de Paris sont toujours aussi nombreux, aussi dodus et choyés. Je n'en reviens pas de les voir partout. Ah oui! Ce matin, j'ai fait un tour par les Halles. Je pense avoir marché 5 ou 6 milles.

Je t'embrasse avec tendresse.

Gabrielle

[*Ajouté en marge au début de la lettre :*] Entre nous, les Désy[3] n'ont pas l'air très aimés par les Français, du moins par M. d'Uckermann.

⁂

Grand Hôtel du Louvre
Place du Théâtre Français
Paris Ier
[15 mai 1955]

Mon cher Marcel,

Je n'ai reçu ta première lettre qu'hier. Quelle joie! Et aussi que d'aventures hier. D'abord, j'ai passé presque toute la journée chez les Bougearel — beaucoup mieux installés que ne me le laissait entendre Paula —, dans un quartier ouvrier, mais dans un immeuble neuf, construit depuis la guerre, avec tout le confort moderne : douche, incinérateur, ascenseur, champ de jeux pour les enfants, un bel appartement ensoleillé de 3 pièces plus la cuisine moderne — et sais-tu combien ils paient pour cela : $18.00 par mois. Évidemment, ce n'est rien auprès du genre de vie qu'ils ont fait, mais tout de même, ils ne sont pas tristement logés comme je le craignais. Dans la soirée, nous sommes allés ensemble voir *Port-Royal.* Aussi beau que le *Maître de Santiago*[1], joué d'ailleurs en beaux tableaux saisissants de couleurs, de relief. Très sobre. Et alors, au théâtre, assise à ma place, devine qui j'aperçois tout à coup aux fauteuils d'orchestre — comme le monde est petit! Les Lemieux : elle, dans sa petite cape de fourrure canadienne qui me la fait tout de suite reconnaître. Aussitôt je cours les embrasser. Bien entendu, on s'est retrouvés après le spectacle. Il y avait aussi l'Agan Khan — tout impotent, traîné par deux types à l'air de lutteurs — et la Begum[2], mais cela m'intéressait moins que de retrouver les Lemieux. Je dois les revoir cette après-midi. J'ai tant de choses à te raconter que je ne sais plus au juste par où commencer. À travers tout cela, je corrige mes épreuves, en suis déjà à « Ma tante Thérésina Veilleux[3] ». M. d'Uckermann doit partir pour son château mercredi ; il m'a offert de m'y emmener. Mais cela ne peut se faire, à cause des convenances ; à bien y penser, on voit tout de suite que ça pourrait prêter aux commérages. J'ai vu le docteur Béclère et irai déjeuner chez lui mercredi ; il va me falloir faire très attention à mon régime, car j'ai eu, déjà, l'autre nuit, une petite indigestion. À part cela, je me porte bien, mais il m'est difficile de dormir. Trop d'idées dans la tête. Trop de surexcitation.

Merci de m'avoir envoyé la [lettre] de Rachel : je vais lui répondre. Quant aux questions qui embarrassent Binsse, ou bien qu'il m'écrive, ou bien qu'il te demande à toi, ou encore à Madeleine Chassé de les éclaircir pour moi. Je pense que M. Chassé avec son bon jugement pourrait s'occuper de tout cela. Veux-tu le lui demander de ma part ? Et s'il y a des points trop compliqués, qu'elle veuille bien m'en faire part. Veux-tu aussi lui demander de parcourir le manuscrit envoyé par Binsse et de me dire ce qu'elle en pense, car elle connaît bien l'anglais.

La Petite Poule d'Eau s'est vendue assez bien en Allemagne[4] ; dans mon dernier état de compte de Flammarion s'ajoutent 77 070 francs provenant de la vente de ce livre en Allemagne. Je m'ennuie beaucoup de toi. J'espère que tu m'écriras souvent. Je t'embrasse de tout cœur et salue les Madeleine.

Gabrielle

[*Ajouté en marge au début de la lettre :*] Les Lemieux ont l'air très bien, très heureux et ne veulent rentrer qu'en septembre.

*

Grand Hôtel du Louvre, le 19 mai 1955

Mon cher Marcel,
J'ai reçu deux lettres de toi, à date, c'est tout. Je pense que j'en recevrai peut-être quelques-unes à la fois demain ; j'ai bien hâte.

Je dois déjeuner et passer l'après-midi avec la mère de Paula. Hier, les Bougearel m'ont emmenée aux *Deux Ânes*[1]. C'était comique, mais d'un esprit frondeur que je ne prise pas beaucoup au fond. Faire rire du gouvernement, d'hommes politiques en vue — à la longue cela me paraît assez vain et peut-[être] même dangereux. Enfin, je me suis amusée quand même. J'ai revu les Lemieux. J'ai été déjeuner avec eux, un jour, au restaurant Doucet. Même propriétaire, même atmosphère qu'au temps où nous y allions — et à des prix encore très raisonnables. Ensuite, nous avons été faire un petit tour au Louvre. Je me suis surtout attachée à revoir les petits cabinets, les merveilleux Clouet, Holbein, Cranach, etc. Hier, j'ai été à l'exposition la plus courue en ce moment. Il y a un petit nu — une sanguine — de Renoir qui à lui seul vaut bien la fatigue de voir l'exposition malgré une foule ahurissante. Hier, j'ai également déjeuné chez les Béclère ([je] me suis acheté un petit chapeau blanc pour l'occasion). Ils m'ont longuement interrogée à ton sujet, désirent te revoir et te marquent beaucoup d'estime. Le docteur Béclère ne peut guère plus faire de voyages. Il est très handicapé par une jambe malade ; en fait, il semble éprouver de grandes difficultés à marcher, et même à se tenir debout. Madame Béclère est toujours aussi exubérante, d'allure vive et jeune, avec un accent pétillant. Avant-hier, j'ai déjeuné chez les Garneau, princièrement installés rue de Mersine, dans un hôtel qu'ils ont loué meublé[2]. Le grand salon est plein d'or, de velours et de meubles assez beaux. J'ai trouvé Mme Garneau parfaite, une Canadienne qui a pris le bon ton de Paris, sans affectation aucune, qui sait très bien recevoir, simplement, avec de la chaleur et de la cordialité. De tous nos attachés culturels en France, ce sont eux, à coup sûr, qui font les choses le mieux. M. d'Uckermann m'accompagnait à ce déjeuner — il était venu me prendre à l'hôtel ; aujourd'hui, il doit partir pour sa maison de retraite. À ce déjeuner chez les Garneau se trouvaient aussi M. Monnet, sénateur de Londres, un M. Rivière, directeur du folklore français, une petite femme en vison, qui n'a pas dit un mot — on me l'a présentée comme une nièce du Cardinal Léger — et Robert Kemp et sa femme. M. Kemp m'a beaucoup questionnée sur le Canada. Il n'est pas du tout tel que je l'imaginais. C'est un petit homme à cheveux longs, assez sautillant qui, en ce moment, attache une importance terrible à son entrée éventuelle à l'Académie française[3]. Les Kemp m'ont ramenée à l'hôtel après le déjeuner. Je suis bien contente que les mondanités soient finies. Tout cela peut être intéressant si ça ne dure pas trop longtemps. Mais ça devient vite ahurissant. Maintenant, je vais garder tout mon temps pour voir librement et à tête reposée ce qu'il me reste à voir. Que je n'oublie pas de te dire : j'ai retrouvé les Valin. Hier, Nicole — qui pilote elle-même une petite Renault — m'a fait faire un tour de Paris. Nous avons été dans un magasin de Passy où je me suis acheté un imperméable et un assez joli chemisier. Ensuite, nous avons dîné chez elle avec Rock, qui travaille énormément. Tous deux t'envoient un souvenir très amical. Ils doivent rentrer à Québec en juin. Leur chat Pilou se promène dans l'appartement de Paris — et est devenu gras et magnifique. Ce chat aura beaucoup voyagé sans en être dérangé dans ses habitudes.

J'ai bien hâte de recevoir d'autres nouvelles de Québec, des Madeleine et surtout de toi, car malgré toutes les distractions, je me sens loin et seule. J'achève de corriger les épreuves et si le temps se réchauffe, je songe à aller, dès le mois de juin, dans quelque petit coin de la Bretagne. Les Béclère me conseillent fortement Port-Navalo, qui se trouve dans le Golfe du Morbihan — la partie la plus tempérée de la Bretagne. As-tu eu d'autres nouvelles du petit père Issalys ? Tâche de m'écrire longuement et [de] me raconter tout dans le menu détail. Je vais tâcher de trouver le temps de sortir les enfants de Paula un après-midi. Je les aime beaucoup ; ils sont confiants, pleins de drôleté, et paraissent éprouver une réelle affection pour moi. Je t'embrasse de tout cœur.

de Gabrielle

P.S. Les Désy ne paraissent guère être aimés, ni par les Canadiens, ni par les Français — mais n'en dis rien à personne car cela n'avance guère. Je suis contente de ne pas avoir à les revoir. J'ai vu *Living-Room* de Graham Greene — une pièce sans conséquence, mais admirablement jouée, surtout prenante par l'atmosphère lourde, un peu hallucinante qui s'en dégage[4]. Mais, au fond, quand on y réfléchit par après, on s'aperçoit que ce n'est pas neuf, ni très profond. Tout de même, c'est un des bons spectacles de Paris. Hélas, j'ai manqué *La Condition humaine* qui se terminait le 15 mai[5]. Mais j'ai vraiment contenté par ailleurs mon envie du théâtre. Jean Soucy se décide-t-il à venir en France cet été ? Dis-lui que beaucoup de gens ici s'informent de lui et désirent le voir arriver à Paris.

M. Paré a-t-il fait une armoire à pharmacie pour notre salle de bains ? Presse Champion de faire tout ce qu'il faut. C'est seulement en le talonnant qu'on arrive à obtenir quelque chose. J'espère qu'il fait plus chaud à Québec qu'ici. On grelotte.

À bientôt mon chou.

Je t'embrasse encore et encore.

Gabrielle

[*Ajouté en marge au début de la lettre :*] Jeannette[6] prend-elle soin de toi ? Ici, il fait un froid de canard. On se croirait en février.

⁕

Hôtel du Louvre,
Place du Théâtre Français,
Paris Ier,
le 21 mai 1955

Mon cher Marcel,
J'ai reçu hier, avec grande joie, ta troisième petite lettre. Je suis contente que tu aies pu profiter du bon soleil à Repentigny. Certes, tu en as besoin. Comment as-tu trouvé ta mère ? Et Herbert ? J'espère que tu leur as fait part de mon bon souvenir.

Ici, il a fait très, très froid. Heureusement que j'ai pris mon manteau chaud. Sans cela, j'aurais gelé et certainement pris un vilain rhume.

J'ai passé hier soir une excellente soirée avec les Chartier[1] qui m'ont emmenée dîner dans un restaurant réputé — genre vieille province française — où j'ai quand même pu manger un chateaubriand grillé, et ensuite — mais il ne faudrait pas recommencer, je le sais — des crêpes Suzette. Une merveille ! Les Chartier m'ont ensuite emmenée faire un petit tour, en auto, des monuments éclairés. Tu sais que deux soirs par semaine, les monuments de Paris sont éclairés par des projecteurs si habilement disposés que la lumière semble venir d'une source invisible pour baigner les façades et les masses de pierre. L'Arc de Triomphe était splendide. Et Notre-Dame donc ! La nuit, enveloppés de cette lumière, des détails que l'on [n']avait jamais remarqués se révèlent à l'œil.

J'ai aussi été à Saint-Germain-en-Laye avec Nicole Valin, qui a eu la bonté de m'y conduire en auto. Arrêtée à la Villa Dauphine, je n'ai pas pu voir madame Isoré — absente, à Paris —, mais j'ai pu relancer chez elle madame Racault[2], toujours pleine de santé, rose, grasse, fort gaie. Ses grands enfants sont mariés, Yvonne et Jean attendant tous deux un bébé. Le petit Bruno est devenu un beau garçon robuste — mais vraiment le même enfant que nous avons connu, avec ses joues rebondies et rouges, sa tête en brosse, peut-être plus espiègle, cependant. Madame Racault a eu une véritable joie — presque un coup de sang — à me voir tout à coup surgir chez elle. Elle me dit que tous regrettent le temps où nous étions à la Dauphine, que jamais, depuis, on [n']a retrouvé l'atmosphère gaie et fraternelle de ce temps — que même madame Isoré, paraît-il, appelle le « temps des Carbotte ». Il est bon de penser, n'est-ce pas, que nous avons pu laisser un si beau souvenir derrière nous.

Ensuite, avec Nicole, j'ai fait une apparition chez les Jarry[3]. Là aussi j'ai reçu un accueil débordant. Les Jarry nous ont gardé une grande affection. Zamba est devenu un large et gros chien toujours aussi encombrant et démonstratif. Les beaux arbres du jardin avec leurs chants d'oiseaux m'ont doucement serré le cœur. J'étais émue de me revoir dans ces lieux, et si c'était possible, j'aimerais y vivre quelques jours. Les Jarry doivent venir me revoir à Paris, cette semaine. Je passerai cette après-midi du dimanche avec les Lemieux. Ce n'est pas très folichon à cause d'Anne[4] que l'on doit traîner partout. Cependant, il me semble qu'elle est devenue plus raisonnable.

Écris-moi très vite et souvent. Ce lien entre nous des lettres m'est très cher et très nécessaire. Je t'embrasse avec tendresse.

Gabrielle

*

Paris, vendredi le 27 mai [19]55

Mon cher Marcel,

Je reçois peu de lettres de toi ; rien depuis lundi, et j'en suis attristée ; heureusement que j'ai eu des nouvelles par Madeleine Chassé.

Alors, c'est décidé : je pars mercredi matin, pour un petit coin de Bretagne, avec Paula qui y demeurera une dizaine de jours avec moi. Peut-être sur les lieux trouverons-nous autre chose qui nous plaira mieux, mais pour l'instant, nous allons dans un petit hôtel dont j'ai eu l'adresse par l'agence de voyages de Claude Michel, à Paris. Ça m'a l'air bien d'après les renseignements que j'ai eus.

Madame Jarry m'a invitée à passer la journée du dimanche avec eux à Saint-Germain. Ils viendront me chercher en auto, me garderont pour déjeuner et viendront me reconduire. C'est très gentil de leur part. Je m'aperçois que leur amitié a de la fidélité et qu'on peut y compter. Nicole Valin te rapportera mon manuscrit [de] *Rue Deschambault* ; tu seras gentil, dès qu'elle arrivera à Québec, d'aller le prendre chez elle. Je t'ai envoyé par la poste l'autre copie — celle de Flammarion —, avec corrections et annotations, puisque tu aimes conserver ces choses-là. Range-la dans un tiroir de ma commode en attendant mon retour. J'ai terminé mes corrections d'épreuves et s'il y a lieu, pour une édition canadienne, je pourrai envoyer un jeu d'épreuves corrigées — ou alors on pourra prendre le manuscrit que Nicole Valin rapportera. Au fait, M. Issalys t'a-t-il donné signe de vie ? Je m'occupe en ce moment de la version scolaire — définitive — de *La Petite Poule d'Eau* que j'enverrai à Madeleine Chassé avec mes instructions[1]. Je me suis acheté deux petites jupes de coton pour la Bretagne, et je pense que cela me suffira, aussi une paire de bons souliers pour les rochers. J'ai bien hâte de me trouver au bord de la mer. Trois semaines à Paris, c'est tout de même fatigant car, en somme, j'ai vu beaucoup de choses et ne me suis guère arrêtée. J'ai beaucoup aimé *L'Amour des quatre colonels*[2] que j'ai vu hier soir avec les Lemieux. C'est une comédie très fine et qui, parfois, touche à la poésie pure. Mais le plus beau spectacle reste *Port-Royal.* Le plus beau film est celui qui a eu le grand prix de Venise en 54 : *La Strada.* C'est quelque chose qui évoque un peu *Miracle à Milan,* mais encore plus fin, plus symbolique. Vraiment, je suis sortie du cinéma, où j'avais été voir ce film toute seule, tellement ensorcelée que j'ai pris une dizaine de minutes à me ressaisir. Il paraît que *Les Diaboliques*[3] est aussi très beau.

J'espère que tout va bien pour toi, que tu ne te sens pas trop fatigué. C'est incroyable le nombre de Canadiens qui se trouvent actuellement à Paris. Suzanne Rivard y est arrivée, à ce qu'ont dit les Lemieux. Les Falardeau sont actuellement en Angleterre et doivent revenir sous peu à Paris[4].

Dès maintenant, tu pourras adresser mon courrier et tes lettres à l'adresse que je te donne au bas. Donne-la, si tu veux, aux Madeleine et dis-leur toute mon amitié.

Je t'embrasse affectueusement et espère te lire bientôt.

Gabrielle

Hôtel Boris
Port-Navalo
Morbihan

⁂

Paris, le 28 mai 1955

Mon cher Marcel,
Je viens de recevoir enfin ta quatrième lettre, dont le ton est plus joyeux, et quel plaisir j'ai éprouvé à la lire. Je suis bien contente que nos armoires

soient installées ou à peu près; ainsi, nous serons beaucoup plus à l'aise pour entreprendre l'hiver dans notre petit appartement. Il y aura de la place pour serrer les objets, et cela m'enlève une épine. Je te remercie de t'occuper de tout cela, et combien j'aurais aimé entendre les disques nouveaux avec toi et les Madeleine. C'est une joie en perspective pour le temps où je serai de retour. Oui, je ne t'ai pas trop dit à quel point j'avais trouvé Jean Paul effarouché par Paris — il est peut-être mieux ne pas répandre cela qui pourrait lui faire du tort —, mais entre nous, il est vrai qu'il ne profite guère de son séjour ici — du moins à Paris —, mais sait-on, d'une manière à lui, il en tire sans doute quelque bien. En tout cas Madeleine a un caractère incroyablement généreux; en un sens, elle a presque la sainteté, car supporter le caractère de Jean Paul et d'Anne — qui lui ressemble énormément —, ce doit être affreusement difficile. Cela dit, ils ont été pour moi tout ce qu'il y a de plus gentil. Je n'ai pas revu Madeleine Perreault qui fait la grande vie mondaine à Paris et a son agenda rempli de listes de cocktails, déjeuners, grands dîners, soupers, séjours chez la comtesse une telle, chez la marquise une telle — et cela des semaines à l'avance. Avec tout cela, j'ai l'impression qu'elle s'ennuie à mourir et cherche sans cesse un dérivatif à son mal. Enfin, chacun, en définitive, choisit la vie qu'il veut, mais souvent ce n'est pas celle qui le rend heureux. Paula a été charmante pour moi, s'occupant de prendre nos places pour le voyage en Bretagne et de tous les détails qui rongent le temps. Car, c'est toujours la même chose, en France, pour le moindre déplacement, il faut s'organiser des jours à l'avance et perdre un temps précieux à courir de droite à gauche. Nous allons voyager en 3e classe — le prix des places par le rail est devenu très coûteux; du reste, à deux, ce ne sera qu'instructif et amusant de côtoyer les petites gens. J'espère trouver un hôtel accueillant à Port-Navalo. En tout cas, dès en arrivant, je t'écrirai. Le docteur Gagnon semble agir de façon bien curieuse. Tout cela ne te fera pas tort à toi qui es autrement fidèle à ton poste et soucieux de tes responsabilités. Mille fois par jour, je pense à toi, et me dis que notre voyage d'il y a 8 ans a été merveilleux. Mais nous ne le savions pas assez. Nous prenions pour acquis ce qui aurait dû nous paraître véritablement charmant. J'ai vu le film *Les Diaboliques* hier soir. Ce n'est qu'un film policier, mais avec un dénouement si inattendu, si extraordinaire qu'il atteint par là à une assez grande valeur. De tous nos amis à Paris, Nicole Valin a été la plus obligeante et la plus fidèle — bien que je la connaisse peu. Aussi, si tu peux leur rendre leurs bontés de quelque façon — peut-être en les emmenant faire une petite balade au cours de l'été —, j'en serais fort contente.

Chéri, me donnerais-tu quelques mesures pour un vêtement à ta taille? Je vois de si jolies choses pour hommes que j'aimerais t'acheter, peut-être, un chandail ou une chemise sport. Les manches, je le sais, c'est 37 pouces, et le tour du cou 16 — n'est-ce pas, ou est-ce que je me trompe? Redis-les-moi afin que je ne fasse pas d'erreur. Peut-être à Londres trouverai-je encore mieux qu'ici. Malgré bien des distractions heureuses, le temps me paraît long sans toi. Tâche de m'écrire souvent: tu n'as pas idée comme tes lettres me réjouissent le cœur. Je t'embrasse tendrement.

Gabrielle

*

Port-Navalo, le 2 juin [19]55

Mon cher Marcel,
J'ai l'impression d'avoir découvert un des coins les plus charmants de la Bretagne, ici, à Port-Navalo. En tout cas, l'endroit répond parfaitement à l'image que je me faisais autrefois de la Bretagne: des landes, des escarpements un peu sauvages recouverts de genêts dorés et embaumants. L'hôtel est situé dans un petit bois de pins et diverses autres essences — et, tout de suite après, c'est la mer dont j'entends de ma chambre le grondement à l'heure de la marée montante. Le petit village est très joli: des maisons basses entourées de fleurs; la population, aimable. Cette après-midi, j'ai marché avec Paula jusqu'au village voisin à un kilomètre: Arzon. Nous avons eu une journée très belle, ensoleillée dans l'avant-midi, puis légèrement brumeuse et plus fraîche. C'est un Breton de Nantes qui a restauré cet hôtel Boris, très confortable quoique rustique. Il y a dans une salle du bas un immense lit clos transformé en armoire qui te plairait, j'en suis sûre. Le voyage de Paris, par train, a été assez fatigant. Notre compartiment était rempli de bébés, de chiens, de gens qui sortaient leurs provisions et mangeaient sans façon. J'ai trouvé ça un peu pénible. Ce fut bon de retrouver l'air pur de la mer et la sauvagerie des landes — un peu comme celles de Landau, mais à proximité de villages tout fleuris et humanisés par un labeur de plusieurs générations. J'ai

aussi à te raconter la belle journée de dimanche dernier que j'ai passée avec les Jarry. D'abord, déjeuner avec eux au Franklin[1]. J'ai vu madame Isoré, cette fois, très vieillie, l'air assez malade, puis sa fille, Mme Jacquart, qui est en France depuis 2 ans, et ses fillettes. Catherine est maintenant une jolie et sage fillette, tout à fait française. Ensuite, les Jarry m'ont emmenée faire une promenade en auto. — Alain conduisait leur auto neuve — une Allemande, très confortable — par la vallée de l'Eure, chez le peintre M. Prin. Les Jarry lui ont acheté plusieurs tableaux et me disent qu'il a une très bonne cote et que ses toiles ne peuvent que prendre de la valeur avec le temps. Je lui ai demandé de retenir un tableau que je trouve beau et qui, selon les Jarry, est dans la meilleure manière de ce peintre. La ville de Paris vient de lui acheter une toile. Tu verras par la coupure ci-jointe d'*Arts & Spectacles*. Cette pièce que j'ai fait mettre de côté, avec cadre, me coûterait 25.000 francs [*ajouté en surcharge :*] environ $80 à $85.00, prix d'ami qu'il me fait — à cause des Jarry. J'avais pensé de te l'offrir comme cadeau puisque c'est le genre de cadeau que tu parais préférer. Mais j'aimerais être sûre que la toile te plaît. C'est une étude de Normandie — une route dans un paysage vert un peu sombre, sous une petite pluie, avec des arbres sur le côté, et une silhouette disparaissant au fond de la route[2]. Prin passe pour être le peintre par excellence de la pluie. Dis-moi donc le plus tôt possible si c'est le cadeau qui te plairait le mieux ou préfères-tu de belles lithographies.

Madeleine Lemieux m'assure que l'on peut en avoir de magnifiques — reproductions de chefs-d'œuvre à 5 mille francs. Quant à moi, une huile originale me paraît un meilleur choix. Alors j'attends que tu me dises que faire.

Les Jarry m'ont chargée de mille choses pour toi et m'ont dit que le docteur Larget s'informait souvent de toi et te gardait un sentiment très affectueux[3]. J'aurais été le saluer au passage, mais il est en ce moment très malade, infarctus du myocarde. Tu lui ferais un plaisir immense en lui écrivant. Le cher vieil homme, en me sachant à Saint-Germain, aurait voulu me voir, mais les Jarry m'ont dit qu'il était trop malade pour recevoir des visiteurs.

J'ai bien hâte d'avoir une lettre de toi, ici, dans un endroit où je n'en ai pas encore reçu. Hâte-toi de le faire — pour que je sente ta présence dans ce beau coin du Morbihan. En vérité, j'aime mieux cela comme endroit de séjour que Concarneau, et le climat me paraît plus doux. J'ai même mis mes pieds à l'eau ce matin ; elle m'a paru tiède. Les Lemieux doivent venir, non loin d'ici, dans un village très pittoresque aussi, que leur ont recommandé les Garneau : S[ain]t-Gildas-de-Rhuys.

Je t'embrasse bien tendrement. Donne le bonjour aux chères Madeleine.

Gabrielle

⁂

Port-Navalo, le 6 juin 1955

Mon cher Marcel,
Deux lettres de toi, une de Madeleine Chassé m'arrivent à la fois, en pays Morbihan, et chassent un peu de la tristesse qu'y répandent en ce moment un jour froid, des nuages sombres et des averses. Je suis navrée que tu t'ennuies, mon chéri ; moi aussi, crois-le, et à chaque jour j'éprouve le désir de rentrer au plus tôt, mais je me dis que si je veux acquérir quelque chose de neuf, dans ce voyage, il faut bien avoir un peu de patience. Tant mieux si Madeleine Vachon a été contente de ma carte. Je lui en enverrai une autre. Quant à Jeanne, c'est fait, je lui ai écrit un mot hier. J'attendrai tout de même ta réponse à ma première lettre écrite ici, au sujet de la toile de René Prin, pour décider quoi que ce soit en fait de cadeau pour toi. J'ai un peu cherché une statue, mais le village ici est trop petit, il n'y a rien d'intéressant en fait de choses anciennes. J'espérais explorer plus loin sur Quiberon ; le mauvais temps nous en a empêchées jusqu'ici. Mercredi, s'il fait beau, nous prendrons le car pour Vannes, [et] de là vers Quiberon. D'ici, on ne peut aller nulle part sans repasser par Vannes, car ce n'est pas encore la saison du tourisme et les vedettes qui traversent le Golfe ne font pas encore ce service. C'est dommage, car il y aurait tant de belles promenades à faire par eau. N'importe : il nous reste encore pas mal de choses à voir dans les environs immédiats. Et puis, aujourd'hui, nous sommes toutes deux heureuses de flâner, car les jours précédents, nous avons bien dû courir 5 / 6 kilomètres par jour. Et j'ai maigri un peu à ce régime, quoique je mange bien. À l'hôtel, on me fait suivre mon régime assez bien ; ce qui me manque le plus, ce sont les desserts très nourrissants que j'avais chez madame Chassé. À propos, je lui ai envoyé à elle aussi une carte. J'espère qu'elle l'a reçue.

Bonne nouvelle que celle de la vente du terrain à Repentigny. Ainsi, ta mère pourra sans doute rentrer bientôt à Saint-Boniface, comme elle le souhaite. Mais sera-t-elle vraiment plus heureuse là-bas !

Hier, nous avons eu une journée magnifique, très chaude, et j'ai un peu pataugé dans l'eau au bord des rochers. Mais on ne peut apparemment espérer deux belles journées de suite en ce pays. Moi aussi, comme les Madeleine, j'ai donc pris trop de soleil en une seule fois. J'en ai eu un bon coup au visage, qui est aussi rouge que celui des vieilles femmes de la région. En plus, le vent fouette ici et maltraite l'épiderme. Les Lemieux doivent venir à Saint-Gildas — huit kilomètres d'ici — vers le 15 ou le 16 du mois. Sans doute ils m'offriront quelques petites promenades en auto. À Paris, Jean Paul ne se servait pas de son auto, ayant trop peur de la circulation qui est devenue, il est vrai, intense. Je ne sais pas, du reste, si je passerai tout le mois de juin ici. Cela dépendra du temps qui reste bien incertain. Et puis, après le départ de Paula, j'ai peur de m'ennuyer, il y a encore bien peu d'estivants d'arrivés. Enfin, je te dirai un peu plus tard ce que [je] pense faire. Si je vais en Angleterre plus tôt que prévu, je rentrerai peut-être au Canada plus tôt que prévu aussi. Paula est une excellente compagne et nous nous plaisons aux mêmes choses : promenades à pied, au bord de la mer ou dans la campagne, interviews des vieilles gens. Nous en connaissons quelques-uns assez bien.

Dis à Madeleine Chassé que j'ai reçu les photos. Cela suffira pour maintenant. Remercie-la pour moi en attendant que j'écrive de nouveau très prochainement. Paula t'envoie son bon souvenir. Dis le mien à madame Chassé, à tous nos amis.

Je t'embrasse du fond du cœur.

Gabrielle

[*Ajouté en marge :*] Je t'ai envoyé par courrier recommandé mon costume de Boston dont je voulais me débarrasser, car je n'en ai plus besoin. Quand il arrivera, veux-tu l'envoyer nettoyer puis le mettre dans ma garde-robe.

⁂

Port-Navalo, le 8 [juin] 1955[1]

Mon cher Marcel,

J'ai visité Vannes hier après-midi, prenant le car à 1 h. pour l'aller et revenant à 7 h 30. Ça nous a donné une bonne partie de la journée pour visiter la cathédrale, le pâté de vieilles rues, et le port. Il y a d'assez jolis coins qui rappellent le Vieux Nantes ou même Quimper. Je t'envoie une carte de la cathédrale aujourd'hui par courrier ordinaire ; elle figurera bien dans ta collection. La journée fut assez belle hier, avec quelques averses seulement. Mais ce matin, la pluie tombe constante et froide. Ça commence à être tout de même décourageant. Dommage, parce que ce pays au soleil est si beau ! De tous les coins de la côte que nous avons vus en passant, celui-ci est le mieux favorisé car il donne, d'un côté, sur le Golfe du Morbihan, de l'autre, sur la pleine mer. À la nuit, on peut relever le scintillement d'une douzaine de phares peut-être... clignotant à tour de rôle. Pourtant, il se fait peu [de] pêche à présent dans ces eaux. C'est tout comme en Gaspésie ; la jeunesse quitte la campagne et les petits villages rustiques pour aller travailler dans les usines. Il n'y a plus guère [que] des vieux qui font encore un peu de pêche aux crabes. À l'hôtel, on sert énormément de fruits de mer ; tu te régalerais. Est-ce le même mauvais temps à Québec ? En tout cas, n'oublie pas, chéri, de garder les draperies du salon fermées, l'après-midi du moins, car le soleil fanerait la couleur de mon petit fauteuil vert.

J'ai dormi hier soir comme une bûche après cette longue promenade dans Vannes, puis le voyage dans un de ces cars si poussifs qu'on les croirait à la veille de s'écraser en un tas de ferraille sur le bord de la route. Malgré craquements, geignements et plaintes de toute leur carrosserie, ils foncent à train d'enfer. Mais il est intéressant de voyager dans ces cars « d'intérêt local », comme on les appelle. On y est coude à coude avec les habitants, les femmes à coiffe, les vieux pêcheurs, les enfants revenant de l'école, et on y entend raconter tous les menus faits de la vie d'ici. Bien souvent, je regrette notre auto, nos beaux voyages sans grande fatigue ; cependant, il y a du bon à être forcé de prendre les moyens de locomotion les plus ordinaires, à partager la vie des gens du pays. Une petite religieuse de Saint-Louis-de-la-Charité vient me donner mes piqûres. Elle vient d'Arzon, à 1 kilomètre, dans des sabots, sur son Vélosolex, les ailes de sa coiffe au vent et pétaradant à toute allure. Elle est très gentille et m'exploite peu : 100 francs pour la piqûre.

Tu me manques beaucoup, chéri. Il me semble qu'il y a bien plus qu'un mois que je suis partie. Madame Jarry m'a prêté quelques livres, dont un très beau que je viens de terminer : *La Transhumance.* Aussi, le dernier livre de Paul Guth : *Le Naïf aux quarante enfants*[2]. C'est amusant, mais un peu forcé par endroits. T'ai-je dit qu'à Paris, j'ai déjeuné un jour avec Mlle Audemar, qui m'a priée de t'exprimer son bon souvenir. C'est elle, de tout le personnel de chez Flammarion, que j'ai eu le plus de plaisir à revoir[3]. Avant mon départ — la veille — j'ai vu Anne Hébert, qui arrivait de Florence où elle avait passé quelques semaines avec Jeanne Rhéaume[4]. J'ai cru comprendre que celle-ci avait eu une exposition à Rome et passablement de succès. On dit qu'elle fait de très belles choses. Madeleine Lemieux me dit que les aquarelles de J. Rhéaume sont tout à fait bien. Tu tiens au René Prin que j'ai retenu ; je trouverai bien le moyen de l'emporter avec moi — et je serai heureuse de le faire. L'embêtant, c'est de le prendre avec moi en Angleterre. Mais aujourd'hui, j'écris à René Garneau pour lui demander comment procéder [*ajouté en marge :*] au cas où j'achèterais cette toile. Je t'embrasse bien tendrement.

Gabrielle

[*Ajouté en marge au début de la lettre :*] S'il vient un mandat postal de la part de mon frère Germain, garde-le pour moi.

⁂

Quiberon, le 13 juin [19]55

Mon cher Marcel,
Un mot de Quiberon où je suis venue passer la journée avec Paula. À six heures, nous prendrons la vedette pour Belle-Isle — reviendrons demain matin, elle pour prendre le train pour Paris, moi le car pour Port-Navalo où je serai de retour demain soir. Le voyage donne un peu de fatigue, mais je pourrai me reposer dès en rentrant à l'hôtel. Heureusement, nous avons une belle journée, la plus sûre et ensoleillée depuis mon arrivée en Bretagne. Quiberon me plaît beaucoup. C'est très vivant, très animé et le port est très amusant. On y a vu arriver des sardiniers comme à Concarneau — sur les quais les sardinières en coiffes — surtout la coiffe de Pont-l'Abbé — attendant que les sardiniers arrivent au port pour se rendre à la conserverie et y obtenir quelques heures peut-être de travail. Tout est retapé, blanchi à la chaux, clair et gai.

Dédette m'annonçait, dans sa petite lettre que tu m'as réadressée, qu'elle viendrait cet été suivre ses cours à Laval. Si tu as un peu de temps libre, aurais-tu la bonté de lui faire faire une petite promenade peut-être.

Je t'écris à la terrasse d'un petit café donnant sur la mer, en grignotant un peu de galette bretonne. Dès mon retour je t'écrirai pour te raconter mon voyage un peu plus clairement. Cette journée de grand air — départ très tôt le matin — m'a plutôt claquée. J'espère qu'en rentrant demain, je trouverai une lettre de toi. Je n'en ai guère plus qu'une par semaine, c'est peu quand il n'y a que cela qui compte véritablement. Chéri, tâche de te garder en bonne santé. Je t'embrasse bien tendrement. Paula t'envoie une pensée amicale.

Gabrielle

⁕

Port-Navalo, le 14 juin [19]55

Mon cher Marcel,
Je me hâte de t'écrire en arrivant de Quiberon et de Belle-Isle-en-mer. Ta lettre m'attendait, dans laquelle tu me dis n'avoir reçu de lettre de moi depuis 8 jours. J'en suis étonnée. Une lettre au moins a dû s'égarer, car je t'écris certainement deux ou trois fois par semaine, sauf quand tu restes toi-même assez longtemps sans m'écrire. Enfin, tâchons de nous unir plus souvent par correspondance : c'est si agréable et si charmant. Beau voyage par un temps radieux, enfin. Depuis trois jours que le soleil brille, je n'ose pas croire à tant de bonne humeur du ciel. De tout mon voyage — éreintant —, ce qui m'a surtout impressionnée, c'est Belle-Isle-en-mer, encore que je n'en ai vu qu'une bien petite partie car l'île a quelque 86 kilomètres de tour et nous n'y avons passé qu'une nuit, arrivant à 7 h 30 p.m. et reprenant la vedette le lendemain matin à 6 h 45 a.m. Tout de même, en arrivant, nous avons profité des heures de clarté qui nous restaient pour visiter les curieuses formations schistiques, falaises et rochers du Port-Coton — un petit village qui a gardé le nom et quelques vestiges du temps où l'île fut cédée à l'Angleterre. À propos, il se trouve dans Belle-Isle des descendants des Acadiens qui après le grand dérangement vinrent se fixer à Belle-Isle-en-mer. Le plus beau, c'est le bourg principal : le Palais, merveilleuse petite ville dans un style très pur, très homogène, bâtie sur une légère élévation au-dessus d'une rade magnifique et entourée de fortifications de Vauban. Le coup d'œil, comme on approche de la mer, vaut le voyage. La population se vante de

n'être pas du tout bretonne — mais, selon ses gens, française. J'aime bien la nuance. Quiberon aussi m'a plu. Mais c'est beaucoup plus touristique, quoique resté charmant. Nous sommes revenues par car de Quiberon à Vannes, en passant par Carnac et Auray, puis de Vannes à Port-Navalo, par un autre car. Le voyage en quatre étapes pour l'aller autant [que] pour le retour, fait en deux jours seulement, a été atrocement fatigant, mais il [en] valait la peine. À Vannes, nous nous sommes quittées, Paula pour rentrer à Paris, moi pour revenir seule dans les pins et sapins de Port-Navalo. J'avais le cœur un peu serré. Heureusement que ta lettre m'attendait à l'hôtel. Alors, c'est entendu, je vais écrire à Mme Jarry de bien vouloir prendre pour moi à Pacy-sur-Eure le tableau de René Prin. Lorsque nous y sommes allées ensemble, je n'avais pas assez d'argent sur moi. Cette semaine, je vais enfin toucher le solde de la somme à mon crédit chez Flammarion.

Que je suis navrée de cet accident survenu à notre chère Madeleine Chassé. Dis-lui immédiatement que je vais lui écrire dès demain.

N'oublie pas de me dire si mon costume est arrivé. S'il n'y a pas de douane, et s'il arrive en bon état, j'enverrai ainsi de mes vêtements, afin de garder de la place dans mes valises pour les petits achats que j'ai faits. Porte-toi bien, mon chéri, et écris souvent. Je t'embrasse de tout cœur.

Gabrielle

[*Ajouté en marge :*] C'est entendu : je te ferai un choix de cartes.

*

Port-Navalo, le 16 juin 1955

Mon cher Marcel,

Puisque tu as été huit jours sans lettre de moi, c'est peut-être que j'ai insuffisamment affranchi une de mes lettres. Ils sont sévères ici, et si le poids de la lettre excède d'un cheveu le minimum, ma lettre peut être partie par courrier ordinaire. Enfin, hier, j'ai mis à la poste un petit colis pour Madeleine Chassé, un autre pour Madeleine B., et un pour Bernadette. Ces petits paquets contiennent une statuette de Saint-Anne-d'Auray pour la mère de M. B., une autre statuette de Quimper pour M. C. et une petite potiche pour M. B. J'espère que tout arrivera en bon état. J'ai fait un emballage soigné. Si ces choses arrivent intactes, dis-le-moi, et j'enverrai peut-être pour nous deux à l'avance quelques grosses tasses à déjeuner ou une potiche de Quimper. C'est d'un modèle courant, mais très joli. La grande chaleur est arrivée hier ; pour une fois, je bénis le ciel d'être à la mer et dans un hôtel entouré d'arbres. Par temps [de] pluie, tous ces arbres m'assombrissaient le ciel, mais ce matin ils jettent une bonne fraîcheur et partout dans les branches, les merles, les tourterelles chantent. Le chant des coucous reste très agaçant toutefois. Les Lemieux doivent arriver ce soir pour s'installer dans le village voisin ; sans doute que j'aurai de leurs nouvelles avant la nuit. Je dois retourner à Vannes pour toucher le solde de mon argent chez Flammarion — et je pourrai enfin rester tranquille et me reposer. Les Cojocaru m'ont écrit qu'ils viendraient passer un week-end avec moi, soit du 18 ou du 25 juin. Ça m'a tout l'air, d'après la lettre de Mme Cojocaru, qu'ils vont s'installer en France. En tout cas, ils vont essayer de s'installer et si cela ne leur plaît pas, songer plus tard peut-être au Canada. Je ne pense pas, chéri, retourner à Saint-Germain car très probablement, en partant d'ici, je ne ferai que passer par Paris pour prendre un avion vers Londres — à moins d'imprévus. Mais j'écrirai aux Jarry et leur demanderai — ce qui est fait d'ailleurs — de présenter tes amitiés au docteur Larget. Je n'ai pas eu d'autres nouvelles de sa santé, et je ne sais si je pourrai en avoir. Les Jarry doivent partir en vacances ces jours-ci pour un mois. Quels gens charmants et véritablement bons. Ils m'ont reçue avec une douceur et une générosité qui m'émerveillent. J'espère que ton blanchissage est bien fait par la bonne femme Beaumont. En es-tu content ? Jeannette s'occupe-t-elle assez bien du ménage ? Tire-t-elle les draperies du salon tous les matins comme je le lui ai demandé ? C'est important, car je ne voudrais pas trouver mon joli fauteuil vert fané. Il y aura du théâtre dimanche soir au village, la troupe du Théâtre de la Gaîté venant y jouer un mélodrame. Je pense y aller ; ça pourrait être aussi amusant que *L'Opéra en Avignon*[1]. Peu à peu, je fais la connaissance de quelques gens du village, enfin assez pour m'arrêter échanger quelques paroles çà et là. Il y a un peu plus de touristes, depuis hier. Je regrette que Paula ait eu si peu de beau temps ici — maintenant que la voilà de retour à Paris, il fait très chaud. Son séjour lui a quand même fait grand bien, et elle en a certes besoin. Elle souffre surtout d'insomnie, dormant peu et très mal. Quant à moi, j'ai maigri un peu — et ce n'est pas étonnant car depuis 10 ans je n'ai pas autant marché —, mais je me porte bien, à condition de suivre mon régime. Je suis contente que tu te sois remis à la peinture et j'ai hâte de voir tes toiles. N'oublie pas, si Dédette vient à Québec, de la saluer, et si possible de lui offrir une petite promenade ; cela donnera une telle joie à la pauvre nonnette. Peut-être pourrais-tu, si elle a la permission, l'inviter à prendre un repas à la pension. Enfin, je laisse tout cela entre tes mains, sachant bien que tu seras généreux envers Dédette, qui t'aime beaucoup et te considère vraiment comme son frère — mieux sans doute que ses propres frères qui ne sont pas très attentifs[2]. Je passerai sans doute une bonne partie de la journée sur les rochers de la lande que j'aime tant et je pataugerai un peu dans les vagues au bord de l'eau. Je bénis le ciel pour ce beau temps. À bientôt, mon chéri, écris-moi le plus souvent possible. Je t'embrasse du fond du cœur.

Gabrielle

*

Port-Navalo, le 20 juin [19]55

Mon cher Marcel,
Je viens de recevoir ta petite lettre du 13 juin : tu vois, chacune de tes lettres met une semaine à me rejoindre ici. Mais il ne faut pas s'en étonner. Port-Navalo est à l'écart des courriers rapides et des grandes routes. C'est curieux : tous les week-ends, il fait un temps de chien, puis, les touristes, les cars bondés, tou[te]s ces pauvres gens en troupes partis, le soleil brille et le beau temps revient... pour 4 ou 5 jours. Alors, dès le lundi, on retombe ici dans une petite vie tranquille, assez charmante. Il n'y a que 8 pensionnaires actuellement, la plupart du calibre de nos Rossignol et autres compères de l'hôtel d'Arcain, braves gens, bornés, assez terre à terre. La plus intéressante des pensionnaires est une dame Clément, que son amant — un gros brasseur d'affaires — vient voir tous les 3 ou quatre jours. C'est étrange, mais elle est bien la plus humaine, la plus authentique du groupe. Comme elle est ma voisine de table, j'échange avec elle quelques propos. Comptable aux Halles, elle me parle avec charme de la vie de ce quartier à l'heure où elle va à son travail — à 2 ou 3 heures du matin. Je t'écris, assise à une petite table du jardin, au doux soleil, en sirotant mon filtre bien que le docteur Béclère m'ait absolument défendu le thé et le café. Je peux te paraître bien privilégiée ainsi pourvue : table au soleil, joli jardin plein du frémissement des feuilles fraîches ; au loin, le bruit des vagues, mais en vérité, je m'ennuie trop

pour jouir pleinement de tout ceci. Paula me manque, car vraiment elle fut une bonne compagne, voyant presque tout du même œil que moi, et s'adaptant à tout merveilleusement. C'est bien autre chose avec les Lemieux, qui sont venus me chercher l'autre jour, le lendemain de leur arrivée à S[ain]t-Gildas, pour m'emmener jusqu'au Pouldu[1]. De la part de Jean Paul, ce n'est que jérémiades sur tout, sur les cabinets, le service, les prix. Il promène un visage aigre et triste. C'est le plus bel éteignoir qu'on puisse rencontrer. Mais ne le dis à personne : on a déjà bien trop raconté à Québec le genre de voyage qu'il fait et son triste caractère d'enfant gâté. Ne dis rien de ce que je t'écris à son sujet, à cause de Madeleine, à cause des amabilités qu'ils ont tout de même eues pour moi. Il est vrai : la vie est chère, mais en province à peu près comme au Canada, et même un peu moins. Je songe rentrer à Paris dès lundi prochain pour trois ou quatre jours et de là, j'irai peut-être faire un petit tour en Angleterre. J'ai terriblement hâte de te revoir ; j'y pense constamment, et si j'écoutais l'ennui, je reviendrais tout de suite. Mais je me dis qu'ensuite je regretterais peut-être de ne pas avoir mieux profité de ce [*ajouté en marge :*] voyage. Je t'embrasse bien tendrement[2].

[*Ajouté en marge au début de la lettre :*] Tu m'écriras dès lors à l'adresse suivante :

Hôtel Lutèce
5, rue Jules-Chaplain
Paris (VIe)

⁂

[Port-Navalo,] le 21 juin 1955

Mon cher Marcel,
Je t'envoie sous pli quelques cartes que j'ai choisies pour toi, de Vannes et une de Port-Navalo. Il n'y en a guère de ce petit village qui soient intéressantes car le charme de la région est plutôt dans la couleur de sa végétation et dans l'ensemble d'un paysage moitié eau, moitié terre, le golfe s'insinuant un peu partout en capricieuses et nombreuses petites lagunes. Hier après-midi, j'ai passé l'après-midi dans la vieille ville de Vannes qui a conservé beaucoup de façades et de petites ruelles moyenâgeuses. Je t'écrirai bientôt par courrier aérien. Je t'embrasse du fond du cœur.

Gabrielle

*

Port-Navalo, le 25 juin [1955]

Cher Marcel,
Une bonne lettre de toi, ce matin : ma journée en est toute réjouie ! À cela s'ajoute le beau temps — installé depuis quelques jours —, un soleil radieux, une mer très douce. Que je voudrais te voir ici avec moi quelques jours. Je pensais quitter lundi le 27, j'attendrai peut-être à mercredi le 29, car les Cojocaru doivent arriver demain — et il se peut qu'ils veuillent rester deux ou trois jours, quoique dans leur lettre ils ne me parlent que d'une nuit à passer dans mon hôtel. En tout cas, je serai à l'hôtel Lutèce mercredi au plus tard et, de là, au bout de 3 ou quatre jours sans doute, si j'ai de bonnes nouvelles d'Esther, j'irai chez elle pour quelque temps. J'avais bien l'intention d'envoyer un petit souvenir à ta mère. Te l'enverrai-je à toi ou à Repentigny ? Je ne peux m'en charger, car j'aurai déjà un excédent de bagage. N'oublie pas d'envoyer mon tailleur que tu as reçu chez le nettoyeur. J'enverrai peut-être ma grosse valise par bateau, avec quelques-uns de mes effets, ce qui me débarrassera, car j'ai acheté une valise et un sac pour avion. J'ai acheté aussi pour nous deux un petit service à déjeuner en faïence de Quimper et je l'ai fait envoyer par la quincaillerie où je l'ai pris. Je sais que c'est un risque à prendre ; cela peut arriver en miettes ; par ailleurs, on me dit qu'il y a moins de danger quand c'est envoyé par petits paquets comme je le fais. Je tâcherai de trouver une autre statue pour remplacer celle des sœurs que tu as brisée. Je ne pense pas trouver ici de *Vierge à l'enfant*. Dans le Quimper, on fait presque toujours S[ain]te-Anne, mais j'ouvrirai l'œil. À Vannes, si je l'avais su plus tôt, j'aurais eu plus de choix, et j'y étais hier, mais à présent je ne pense pas y retourner, sauf pour prendre le train, et j'aurai peu de temps. C'est tout de même à 40 kilomètres. J'ai revu les Lemieux hier ; Madeleine est une brave personne, j'ai du plaisir à la revoir, mais son mari a vraiment un caractère difficile. C'était difficile de refuser la promenade qu'ils m'ont offerte à Carnac et à Quiberon — que j'avais déjà vus du reste —, mais au vrai, je suis mieux et vois[?] beaucoup plus seule. J. Paul, hélas, diminue, enlaidit tout avec son regard aigri. Mais n'en parle à personne. Ce serait de très mauvais goût qu'on sache que je potine à son sujet. C'est par le seul hasard que nous nous sommes trouvés tous dans la même région, Jacqueline Garneau nous ayant, à tour de

rôle, conseillé le même endroit — ou voisins car nous sommes à 8 kilomètres de distance.

[*Ajouté en marge :*] Pour la semaine prochaine donc, mon adresse sera à Paris, hôtel Lutèce, 5, rue Jules Chaplain[1].

[*Ajouté en marge sur la première page :*] Vers le 4 ou 5 juillet, je pense être chez Esther, Century Cottage, Upshire (Waltham Abbey), Essex, England.

*

Port-Navalo, le 25 juin 1955

Mon cher Marcel,
Je t'écris de mon petit coin préféré, entre les rochers, sur une espèce de table de pierre, environnée par le bruit des vagues, des pins, de l'odeur du varech ; des petites bécassines, de menus lézards affairés s'approchent parfois très près de moi ; si je ne bouge pas, si je siffle doucement, le petit lézard paraît sans crainte, reste immobile en me guettant de son petit œil rond sur le côté de la tête, mais une mouche, une fourmi viennent-elles à passer, hop, il les gobe, presque sans remuer, puis mâchonne et semble trouver à cette bestiole bon goût. Pour mes dernières journées dans le Morbihan, je suis servie à souhait : une belle température, un air doux et léger, une eau merveilleusement tiède. J'en profite le plus possible, mais je regrette à chaque instant que tu ne sois pas avec moi. Hier, nous avons eu une petite fête à l'hôtel, pour inaugurer officiellement le golf miniature du propriétaire, dont il est très fier. Le maire de la commune, le curé d'Arzon — village dont dépend Port-Navalo —, les notables, c'est-à-dire les marchands, le quincaillier, l'épicier, etc., étaient invités. Également les pensionnaires de l'hôtel ; tous nous fûmes conviés à la fête par une invitation sur une carte posée sur chacune de nos tables. C'était amusant. Nous avons fait une bonne partie, le bon curé en tête. Le Préfet est arrivé ensuite, accompagné de sa mère et de sa fille, une beauté, née aux Antilles et moitié antillaise. Musique du pick-up — vieux airs d'autrefois. Discours, et patati et patata. Le Préfet félicita Le Bonniec[1], propriétaire de l'hôtel et du golf miniature, de son esprit d'initiative, de son allant dans la commune, le pays : tous allaient en profiter. Le Bonniec, un gras petit homme un peu gonflé, un peu parvenu, se rengor-

geait et remercia tous ceux et celles qui étaient venus « comme témoins... témoigner en ma faveur » et il était ému de « ces témoignages qui... témoignaient... ». C'était un peu comme les acteurs nécessiteux qui nécessairement se trouvent dans... la nécessité. Après, champagne, choux à la crème, chantilly, éclairs au café, sandwichs de crevettes. Le Préfet s'éclipsa ; des fenêtres, on guettait son départ dans une grosse auto américaine. Puis l'on dîna. Les Le Bonniec avaient retenu des amis de Lorient, qui me questionnèrent sur le Canada. Mais ils avaient les réponses toutes faites déjà dans leur esprit. « Il faisait un froid terrible là-bas, il neigeait sans dérougir, et nous étions cousins... » Quand même, il est touchant, en dépit des rengaines, de voir quelle sympathie les Français éprouvent pour nous. J'attends les Cojocaru cette après-midi. Je t'embrasse bien tendrement. Mes amitiés pour Jean et René Laberge.

Gabrielle

[*Ajouté en marge* :] Je viens de recevoir les épreuves d'*Alexandre Chenevert* de New York et les parcours. Ç'a l'air très bien.

[*Ajouté en marge sur la première page* :] J'ai eu une autre lettre de Theodor Rocholl[2]. Il est très avancé dans sa traduction et prépare une émission pour la radio de Berlin, une scène entre Alex et M. Fontaine, directeur de la banque.

⁂

Port-Navalo, le 30 juin 1955

Mon cher Marcel,

J'ai peur que tu ne t'inquiètes de ne pas recevoir de lettres de Paris où les tiennes m'attendent sans doute. Dieu que j'ai hâte de les lire ! Figure-toi que j'ai été retenue ici par une crise violente d'hémorroïdes. Ah ! ça n'a pas été drôle ! J'étais vraiment trop souffrante pour prendre le train. Heureusement, le jeune médecin de Sarzeau me soigne bien, avec des piqûres pour hâter la guérison. Déjà, je suis très soulagée, quoique incapable de partir avant dimanche. Cette crise fut pire que l'autre, il y a quelques mois. Aussi bien, je suis décidée à me faire opérer quand je rentrerai. Ne t'inquiète pas : ce médecin de Sarzeau, tout jeune et très bon, me soigne comme il faut — mais ça va me coûter les yeux de la tête car il doit faire 15 kilomètres pour venir me voir. N'importe ! J'aurais mieux aimé me faire soigner par le docteur Béclère, mais il ne pouvait être question de faire 2 heures de car, ensuite 7 heures de train. La nuit dernière, j'ai assez bien dormi — et tout va rentrer dans l'ordre, je pense.

Heureusement, ici, je peux faire monter mes repas, et de ma chambre regarder les arbres et entendre la mer. Je t'ai fait envoyer avant-hier, de la quincaillerie où je l'ai acheté, un petit service à déjeuner de faïence de Quimper, en deux colis postaux. J'espère qu'il n'y aura pas de frais de douanes ; je ne pense pas. Je t'ai envoyé aussi les épreuves en placards de *Rue Deschambault*.

Je t'écrirai de nouveau demain. En attendant, écris-moi souvent, n'est-ce pas ? J'ai grand besoin de tes lettres, tu sais.

Heureusement, avant d'être malade, j'ai pu terminer la lecture des épreuves d'*Alexandre Chenevert* et les retourner avec mes corrections à New York. Dans l'ensemble, la traduction de Binsse est vraiment très belle, très digne[1]. Je t'embrasse [*ajouté en marge :*] bien tendrement.

Gabrielle

*

Port-Navalo, le 2 juillet [19]55

Mon cher Marcel,
Je vais beaucoup mieux. Le docteur Bodin, de Sarzeau, viendra me donner une piqûre aujourd'hui, puis demain, je pourrai prendre le train de Paris. Le docteur Bodin me donne, alliée à un peu de novocaïne[1], une solution sclérosante et cela semble décongestionner très bien. Il me recommande aussi des compresses d'eau froide. Au début, j'étais un peu sceptique, mais après avoir essayé le froid, je trouve que cela soulage mieux en effet que le chaud. Il fait un temps merveilleux, et je suis désolée de ne pas être au bord de la mer. Cette après-midi, je descendrai m'asseoir au soleil. T'ai-je dit que Marie LeFranc[2] habite non loin d'ici, dans le village de Sarzeau. C'est le docteur Bodin qui me l'a appris. Peut-être viendra-t-elle me voir avant mon départ. Mais évidemment, elle est assez âgée et n'a peut-être pas de moyen de venir jusqu'ici, sauf par le car. Je ne sais plus trop ce que je t'ai écrit dans ma lettre d'avant-hier. J'avais pris tant de phenergan[3] que j'avais l'esprit très brouillé — et il se peut que je me répète. Tous ici ont été très bons pour moi. Une Pari-

sienne, pensionnaire de l'hôtel, madame Clément, me fait mes commissions, à la poste, à la pharmacie, etc. J'ai eu pas mal de tintouin à faire envoyer le tableau acheté à M. Prin à Paris où je le prendrai : lettres, téléphones, etc., mais enfin, il est à l'agence de voyages Club Voyages, alliée à l'agence Claude Michel. Cette agence m'a rendu de grands services, envoyant même quelqu'un chercher le tableau à Pacy-sur-Eure. Si je suis assez bien, je partirai vers la fin de la semaine prochaine, soit le 8 ou le 9, pour aller chez Esther et, plus tard, passer quelques jours à Londres. J'espère bien être rétablie pour profiter de la fin de mon voyage. À part cette saleté, j'étais très bien, le voyage, je crois, m'ayant profité admirablement. Que j'ai hâte d'avoir de tes nouvelles, il y a si longtemps que je n'ai reçu aucune lettre de toi. J'espère que ta santé est bonne. N'oublie pas, dès que tu recevras les divers colis, faïence de Quimper, jeu d'épreuves, livres, de me le dire. Je t'embrasse bien tendrement.

Gabrielle

⁂

Paris, le 5 juillet 1955

Mon cher Marcel,
Aucune lettre de toi pour moi en arrivant à l'hôtel ; j'en déduis que tu as dû m'écrire chez Esther. Mais comme je suis déçue de ne pas trouver un petit mot de toi !

J'ai vu le docteur Béclère cet après-midi. Il m'interdit formellement de partir dès maintenant et m'envoie consulter demain le chirurgien Perrotin à Neuilly-sur-Seine. Paula m'a accompagnée chez le docteur Béclère, a fait mes commissions et s'est montrée une amie précieuse. Anne Hébert, qui est aussi dans ce même hôtel, a été gentille pour moi, et de même que les Lemieux qui m'ont emmenée dans leur auto jusqu'à Vannes y prendre mon train. Le trajet n'a pas été trop pénible et aujourd'hui, je ne souffre presque pas. Mais il reste une protubérance assez grosse. J'avais pensé que les piqûres, comme m'en a données le médecin de Sarzeau, pourraient achever la guérison. Mais le docteur Béclère m'a dit qu'elles n'agissent que sur de petites hémorroïdes ; ce que j'ai fait cette fois-ci, m'a-t-il dit, c'est une phlébite ou hémorroïde étranglée et que je ne peux absolument pas rester comme ça, que je pourrais être exposée à des ennuis très graves.

J'ai hâte de voir le docteur Perrotin ; peut-être sera-t-il moins pessimiste. Le docteur Béclère me dit qu'à son avis, l'intervention chirurgicale est indispensable, et que c'est à lui — au docteur Perrotin — de décider si elle doit se faire dès maintenant ou plus tard. En tout cas, je t'écrirai dès demain pour te rendre compte de la consultation avec le docteur Perrotin. S'il juge l'opération indispensable, crois-tu que je devrais me faire opérer ici, et me reposer un peu avant de revenir ou quoi ? Préfères-tu que je rentre dès que je le pourrai au Canada pour me faire opérer à Québec ?

Dès demain, je t'écrirai de nouveau. J'ai pris beaucoup de phenergan qui me rend somnolente et l'esprit lourd.

À bientôt, mon chéri. Je voudrais bien que tu sois près de moi.

Je t'embrasse tendrement.

Gabrielle

*

Paris, le [6] juillet 1955

Mon cher Marcel,
Je viens de voir le docteur Perrotin, qui est un charmant homme, et lui ne me conseille pas l'opération pour le moment, en état de crise. Tout simplement, il me demande de passer 48 heures à la clinique Perronet où il va extraire un caillot de sang, ce qui va me soulager complètement, dit-il. Si cela est, je t'assure que j'en serai contente. Donc, j'irai à la clinique demain soir, en sortirai probablement vendredi et, si tout va bien, je pourrai partir pour l'Angleterre vers le milieu de la semaine prochaine où je me reposerai convenablement. Par avion, ce n'est qu'une heure de voyage, de Paris à Londres. De toute façon, je garderai ma chambre ici à l'hôtel Lutèce pendant les deux jours de clinique et j'espère que tu recevras mes lettres assez tôt pour pouvoir me répondre à Paris. Je suis bien soulagée à présent que j'ai vu le docteur Perrotin car hier, le docteur Béclère m'a plutôt effrayée. Paula est avec moi aujourd'hui encore. Quelle véritable amie. Dis aux Madeleine, si tu les vois, que je leur écrirai bientôt. Ne sois pas inquiet, mon chéri. Tu vois, maintenant, je suis assurée que je serai tout à fait rétablie dans peu de temps. C'est quand même dommage que cet embêtement me soit arrivé juste quand j'allais si bien et que j'avais pris de l'entrain et de la vitalité.

Hâte-toi de m'écrire. Tu ne sais donc pas à quel point j'ai besoin de tes lettres.

Gabrielle

P.S. Anne Hébert est une personne complètement transformée, l'air encore fragile, mais tranquille, assurée, joyeuse, ayant pris goût à la toilette, animée, gaie, sortant, voyageant, d'allure très jeune et amoureuse de la vie. C'est une véritable résurrection ! Que va devenir son talent au bout de cette transformation, ça, évidemment, personne ne le sait ! Les Lemelin sont passés par Paris. Apparemment, la maison Flammarion a donné pour Roger chez d'Uckermann un de ses grands cocktails retentissants, et pousse la publicité des *Plouffe* à fond.

À bientôt, mon chéri, je t'embrasse de tout cœur.

*

Paris, le 8 juillet 1955

Mon cher Marcel,

Tout va bien, sauf que je me sens droguée par le penthotal, et tout le nembutal[1] qu'on m'a donné. Le docteur Perrotin est le plus charmant homme qu'on puisse imaginer, très spontané, très ouvert, un peu dans le genre du docteur Jutras auquel il ressemble un peu physiquement, quoique plus grand. Il m'a soignée avec une bonté incroyable. Évidemment, ce n'est pas l'opération complète, hélas ! Que je voudrais être totalement débarrassée, mais il m'a enlevé un caillot de sang qui avait provoqué une inflammation peu ordinaire. Pour une si petite chose, on m'a cependant entourée, soignée, dorlotée, comme s'il s'agissait d'une intervention capitale. J'ai beaucoup aimé cette clinique Perronet à Neuilly ; on y est vraiment très bien. Je pense qu'il y aurait place chez nous pour des cliniques de ce genre. Le docteur Perrotin refuse d'accepter un sou. Il va me falloir, plus tard, quand je serai plus forte, songer à envoyer un très beau cadeau, et à lui et au docteur Béclère qui s'est occupé de moi avec un dévouement tout à fait remarquable. Tu as laissé au docteur Béclère un souvenir très vivace et très amical. Je suis persuadée qu'il a pour toi la plus haute estime. Hier sous l'effet du penthotal j'étais complètement ébarouillée. Aujourd'hui, ça va mieux, sauf que j'ai très mal au cœur, d'avoir pris tant de drogues. Je ne sais pas à quelle heure on va me libérer. Sans doute cette après-midi. Je retournerai donc à l'hôtel Lutèce pour 2 ou 3 jours. Je partirai pour Londres par avion mardi le 12, et je serai le soir même chez Esther où j'achèverai de bien me reposer. Je serais très bien dès maintenant si ce n'était que toutes les drogues prises depuis près de dix jours m'ont fatigué estomac et foie. J'espère, chez Esther, arriver à me remettre d'aplomb. Ce soir, en sortant de la clinique, je prendrai un taxi et irai chez Paula qui va me faire un petit repas léger et cependant agréable. Hier après-midi, elle a passé presque deux heures près de moi. Dieu que j'étais heureuse de la voir arriver ! Son amitié est une des plus précieuses choses que j'ai eues dans ma vie. J'ai incroyablement hâte d'avoir une lettre de toi — depuis si longtemps que je n'ai rien reçu.

Je t'embrasse, mon chéri, avec grande tendresse.

Gabrielle

*

Paris, le 10 juillet 1955

Cher chou,
Cela va beaucoup mieux depuis la petite opération que m'a faite le docteur Perrotin. Je suis sortie de la clinique de Neuilly vendredi soir. Hier, en taxi, j'ai pu me promener un peu avec Paula et même m'arrêter aux Trois-Quartiers acheter quelques fichus et autres petites choses pour donner plus tard en cadeau. Il faisait un temps merveilleux ; Paula prenait soin de moi comme d'une petite sœur, et la vie me paraissait merveilleuse. Après ces quelques jours de maladie, je redécouvrais le bonheur de la liberté, et des choses quotidiennes si douces et que l'on prend pour ordinaires alors qu'en réalité elles sont pleines de quoi émerveiller. Ah, si on s'arrêtait seulement à penser qu'il est bon, si bon, de pouvoir marcher dans une ville, côtoyer ses semblables, rire, parler avec eux !

J'ai été admirablement soignée à la clinique. Que tout y était élégant ! Ainsi, quand Paula m'a appelée au téléphone, le premier jour, d'abord, avant de sonner dans ma chambre, l'infirmière venait voir si je ne dormais pas — et comme je dormais, on le faisait dire à Paula — qui appela ainsi 3 fois avant que je fusse éveillée pour lui parler. Quand elle arriva enfin vers 3 heures, j'étais sans doute sous l'effet du penthotal. En tout cas, j'éprouvais un sentiment de bien-être total. Jamais je n'ai éprouvé une telle sensation de légèreté, de confiance et aussi d'unité. Tu sais — ce sentiment de dédoublement, d'être deux personnes ensemble à la fois et qui s'opposent, eh bien il n'en existait plus rien. Il me semblait que je n'étais vraiment plus qu'un seul être — dans l'harmonie la plus parfaite. Paula m'a promis de t'écrire un mot ce jour-là, car j'étais bien et sans fatigue, mais incapable par ailleurs de diriger mes gestes et mouvements. Cette petite maladie m'a coûté pas mal d'argent, mais que veux-tu, il le fallait. À la clinique, quelque 20 mille francs. Au docteur Perrotin qui ne voulait pas accepter d'honoraires, j'ai fait envoyer hier un assortiment de liqueurs — après avoir demandé conseil au docteur Béclère — oseille fine, grande Chartreuse, champagne — le tout pour 11 mille francs. Le plus ennuyeux, c'est qu'il me faudra peut-être, plus tard, subir l'opération complète, mais à chaque jour suffit sa peine. Pour le moment, je n'ai besoin que d'un bon repos pour me remettre tout à fait d'aplomb et reprendre mon poids normal, car j'ai un peu maigri, n'ayant presque rien mangé pendant toute une semaine. Je t'ai envoyé il y a quelques jours le dernier jeu d'épreuves de *Rue Deschambault,* le jeu en pages et aussi mes reçus de mes frais de voyage dans une enveloppe séparée. Mets cette enveloppe, si tu veux bien, dans le tiroir de ma table, afin que je la trouve au moment où je devrai faire mon rapport pour l'Impôt. À propos, je te remercie mille fois d'avoir envoyé un chèque pour moi à Nadeau.

J'ai acheté pour ta mère un très très beau foulard qui lui ira très bien à ce qu'il me semble. J'apporte le tableau de Prin avec moi — le laisserai en douane durant mon séjour en Angleterre — pour le reprendre au moment du départ de Londres à Montréal. C'est une chose mélancolique qui s'intitule *Pluie sur la route de Cocherel,* mais d'une qualité toute classique il me semble. Mardi soir, je serai chez Esther et j'ai hâte de vivre au ralenti, dans une atmosphère de grande tranquillité, car j'ai malgré tout les nerfs un peu fatigués à force d'impressions neuves et d'émotions.

Je t'embrasse bien tendrement et te prie d'offrir mon bon souvenir à tous nos amis. Embrasse bien ma petite sœur Léon-de-la-Croix pour moi et dis-lui combien j'aimerais être à Québec pour me promener avec elle[1].

Gabrielle

Saskatchewan
automne 1955

L'état de Marcel Carbotte n'inspirant plus de crainte, Gabrielle Roy le laisse se reposer seul à Baie-Saint-Paul et part, à la mi-août, pour la Saskatchewan. Elle passera une vingtaine de jours à Dollard, chez son frère Joseph, l'aîné des enfants Roy — qu'elle n'a pas revu depuis plus de trente ans —, et sa femme Julia. Elle accompagnera aussi, pendant quelques jours, des fonctionnaires du Department of Agriculture, *en tournée d'inspection dans la région de Dollard. Le groupe ira entre autres du côté de la Frenchman's Creek, une petite rivière qui coule dans le sud de la Saskatchewan.*

C'est à son retour de ce séjour dans l'Ouest que la romancière se serait mise à la rédaction de La Montagne secrète *(Montréal, Beauchemin, 1961).*

Montréal, le 17 août [1955]

Mon cher Marcel,
Il fait encore dix fois plus chaud à Montréal qu'à Québec. C'est intolérable. Je ne pense pas dormir beaucoup cette nuit dans cette chambre qui est une véritable étuve. J'espère que tu ne souffres pas, toi, de la chaleur — eh que j'ai hâte de te savoir à la Baie, car rien n'est aussi débilitant que cette chaleur humide. J'ai fait un petit voyage tranquille, enfoncée dans mon coin, ne parlant à personne. Je n'ai vu aucune connaissance. Il se peut que j'aille dîner demain soir avec Judith chez Lucette Robert[1]. Je t'en reparlerai plus tard.

Le 18 août

Il fait toujours aussi chaud et humide. J'ai dormi quand même un peu et ce matin, j'ai fait des courses dans les magasins. J'ai trouvé un assez joli manteau — couleur charcoal, à peu près de la couleur de mon petit costume gris foncé, chez Simpson et à bon prix. Je le prendrai avec moi et ferai envoyer mon vieux par le magasin au soin de Mme Chassé. Malheureusement, je n'ai pu parler avec Nadeau qui est en vacances jusqu'après la fête du travail. Je m'en doutais un peu. Je tâcherai donc de le voir au retour. Je n'ai pas pu atteindre non plus Yves Jasmin des Relations Extérieures de Trans-Canada, mais peut-être sera-t-il à son bureau demain. Ce soir, je dînerai chez Lucette Robert et elle tâche d'atteindre Judith pour l'inviter aussi, ce que j'aimerais beaucoup.

J'ai tellement hâte, mon chéri, de te savoir au bon air de la Baie, et je te recommande d'être bien sage, de prendre le plus d'air et de soleil possible. Puisqu'un mois de repos t'a fait un si grand bien, il est sûr que 18 jours à ajouter à ce mois consolident le bienfait commencé. Je regrette de n'être pas avec toi. Si j'avais pu prévoir quelle sorte d'été nous passons, certainement j'aurais loué la maison de Madeleine et je serais restée avec toi tout l'été. Ce que je souhaite de tout cœur, mon chou, c'est que tu ne t'ennuies pas trop et que tu arrives à bien te détendre. Je parie que Copain va te manifester bien de la joie en te voyant revenir. Et ce qui me rassure aussi, c'est de penser que les deux Madeleine, si généreuses, s'occuperont à te distraire. J'ai bien hâte, comme tu dois t'en douter, d'être rendue en Saskatchewan, de constater ce qu'il en est, et surtout d'avoir une adresse à te donner afin que tu puisses m'écrire souvent.

Pour l'avenir, j'aimerais que tu ne t'inquiètes aucunement et que tu t'efforces de vivre tranquille et sans te faire de soucis — car si ton travail te fatiguait trop, nous avons toujours la ressource de chercher et de trouver le genre de travail qui te conviendrait. Nous tâcherons aussi d'organiser notre vie de façon plus agréable et plus économique. En attendant, ce qui importe, c'est de prendre le repos nécessaire. N'oublie pas non plus tes médicaments. Je t'écrirai de nouveau avant de partir pour l'Ouest, ou peut-être en cours de route. Et puis, mon chéri, si tu sens le besoin de me revoir, écris-le-moi, je tâcherai de revenir le plus vite possible.

Et si tu as besoin d'argent, il faut aussi me le dire en toute franchise.

Je pense à toi à chaque minute de la journée et de toute mon âme je désire que tu te rétablisses vite et que tu sois heureux.

Je t'embrasse bien tendrement, mon chéri.

Gabrielle

J'ai commencé, hier soir, ne pouvant dormir, à lire *Félicité* de Katherine Mansfield. La traduction me paraît bonne, et j'ai un certain plaisir à la lire en français. Toutefois, je ne pense pas que la traduction soit aussi étrangement espiègle et rêveuse que l'original. Il y a une très belle préface de Louis Gillet : une analyse fine du génie de Mansfield[2].

Dis toute mon amitié aux Madeleine, à madame Blatère et à Françoise Drouin[3]. Je viens d'apprendre que Judith est malade, à l'hôpital. On craint quelque chose du côté du foie, peut-être résultant de son voyage en Inde. J'irai la voir [*ajouté en marge :*] ce soir à l'Hôtel-Dieu avec Lucette[4].

✳

[Montréal,] le 19 août 1955

Mon cher Marcel,
J'ai à peu près fini mes courses — sauf que je n'ai pu voir Nadeau cette fois-ci —, et je vais aller coucher ce soir à La Prairie, dans une vieille maison paraît-il adorable, où Lucette Robert se réserve une chambre pour l'été. C'est au bord du fleuve, et à ce que dit Lucette, extrêmement sympathique. En tout cas, je pourrai sans doute y dormir mieux qu'en ville où la chaleur est atroce. Des amis de Lucette me prendront cette après-midi vers 5 heures et demain soir viendront me conduire en ville pour prendre le train de l'Ouest. Je suis toute contente d'aller revoir ce petit coin de La Prairie que j'aimais tant autrefois et où nous avons fait tous deux de si belles balades. J'ai encore à l'oreille le bon souvenir de ta voix entendue hier soir ; elle paraissait plus joyeuse, indiquant que tu te sens mieux et cela m'a fait un grand bien. J'ai téléphoné ce matin pour prendre d'autres nouvelles de Judith. On a commencé à lui faire suivre des tests et examens en vue de définir le mal dont elle souffre ; il s'agit probablement de quelque chose du côté du foie ou de l'intestin et cette maladie serait les suites de ce qu'elle a eu en Indochine. En plus de tout cela, la pauvre enfant est la victime de deux feuilles de chou de Montréal, de sales feuilles à sensation, où on l'attaque même dans sa vie privée. Lorsqu'elle a quitté Maugé, elle était devenue amoureuse d'un petit poète — marié, père de famille — et ce petit journal fait mousser l'affaire[1]. C'est du véritable chantage, puisque Judith ne peut pas les poursuivre en justice étant donné qu'il y a un peu de vrai dans tout ce qu'ils débitent, mais en dépassant tellement le vrai par des insinuations abominables. Mon Dieu, que tout cela est triste, n'est-ce pas, et que ce milieu de la radio me paraît mener une vie pathétique ! Soigne-toi bien — couche-toi toujours tôt —, n'est-ce pas, éteins ta lumière [*ajouté en marge :*] à une heure bien raisonnable. Je t'embrasse bien tendrement.

Gabrielle

✳

Le 20 août 1955[1]

Mon chéri Marcel,
Je vais tâcher de t'écrire en route, pourvu que le balancement du train ne soit pas trop fort ! Ces nouveaux trains du C.P.R., en acier inoxydable, sont extrêmement confortables. À l'intérieur, on ne sent pas la chaleur qui était atroce à Montréal, hier soir, et du reste depuis longtemps, paraît-il. J'ai bien dormi et me sens reposée ce matin. Vendredi soir, j'ai été, avec Lucette Robert, à La Prairie, chez des amis où elle a une chambre pour l'été. C'est chez les Pagé — nous avions rencontré les deux fils Pagé, Paul, décorateur chez Eaton, Alex, technicien à Radio-Canada, chez Lucette, le soir où s'y trouvaient François Rozet et les Lortie[2]. C'est une brave famille, très sympathique et l'accueil que j'y ai reçu fut bien charmant. Je me suis baignée dans le fleuve. Mais l'eau est basse — plus basse que jamais à cause des travaux de la canalisation du fleuve — et presque chaude. C'était bien peu revigorant après l'eau tonique de la Baie-S[ain]t-Paul. Cette canalisation du Saint-Laurent amènera peut-être une grande déconvenue aux gens qui ont des maisons sur la rive sud, comme à Saint-Lambert, Côte-Sainte-Catherine et La Prairie — car l'on prévoit que l'eau baissera considérablement sur cette rive — surtout à Saint-Lambert, entre les deux ponts, là, tu te souviens, où nous avions déniché cette si belle vieille maison en pierre. Celle des Pagé est presque aussi belle, en pierre grise, et près du fleuve, entre le village de La Prairie et [de] Côte-Sainte-Catherine. Sans doute, quand nous faisions si souvent nos promenades en auto de Ville LaSalle jusqu'à Saint-Lambert, nous avons dû voir cette maison en passant. Mais comment aurais-je pu penser alors qu'un soir j'y coucherais ! Lucette fut très charmante pour moi, et à la fin de cette belle journée d'hier, elle est venue me reconduire à la gare. La journée d'aujourd'hui paraît radieuse. Je vois à peu près ce que virent les « Déserteuses » : des petits lacs purs et bleus, des rochers, des sapins. Sans doute bientôt, nous commencerons à longer le « plus grand lac du monde »[3]. J'ai bien hâte de recevoir une lettre de toi. J'espère qu'il y en aura une à Dollard pour moi dès que j'arriverai. Par-dessus tout je souhaite que tu profites bien de tes dernières semaines de vacances à la Baie, et que tu continues à reprendre des forces.

Je t'écris du salon, à l'arrière du train, un beau wagon à deux ponts ou étages, comme les autobus de Londres. Le paysage l'emplit de tous côtés, sauvage, très vert, presque toujours animé par l'eau vive : petites rivières, lacs, étangs couverts de mousse ; comme notre pays est grand et encore peu habité !

Maintenant que le train roule à bonne allure, ses mouvements rendent difficile d'écrire. Pourras-tu me lire ?

Je vais tâcher de mettre cette lettre à la poste au prochain arrêt, sans doute à Chapleau, et je souhaite que tu la reçoives sans délai. J'écrirai aux Madeleine bientôt. D'ici là, dis-leur que je pense souvent, très souvent à elles, avec affection. Comment se comporte notre Copain ?

Je t'embrasse bien tendrement. Continue à bien te reposer. C'est là ce qui peut me faire le plus grand plaisir.

Gabrielle

⁂

Le 22 août, 1955[1]

Mon cher Marcel,
Je t'écris en route, entre Portage-la-Prairie et Brandon[2] ; le train roule beaucoup ; je me demande si j'arriverai à écrire lisiblement. La journée est splendide. Du salon à voûte vitrée, je découvre des milles et des milles de plaine parfaitement droite. Mais déjà, dans le Manitoba, les récoltes sont rentrées. Je suis déçue de ne pas voir les moissons sur pied : sans doute, en Saskatchewan, j'en verrai. C'est une des choses que je désire le plus retrouver. J'ai causé hier avec un très charmant homme de Montréal qui doit occuper un poste important au C.P.R. Il m'a raconté l'histoire de la compagnie, la construction des deux tronçons : ouest, est, leur rencontre en 1886[3], tout cela avec des détails que je ne connaissais pas et qui m'ont beaucoup intéressée. Malheureusement cet homme est descendu à Winnipeg et je n'ai plus personne avec qui causer. Par ailleurs, c'est agréable de rêver, en regardant courir le paysage uniforme. Le ciel est très beau, et on le voit à merveille du « scenic dome ». Ceci est vraiment la plus belle amélioration apportée au voyage par rail.

Je pense que je vais terminer ma lettre immédiatement. Le roulis du train rend la chose trop difficile.

Je t'embrasse de tout mon cœur — et j'ai bien hâte d'avoir des nouvelles de toi. N'oublie pas de me dire comment tu te portes, si tu continues à prendre du mieux. Est-ce que tu te couches tous les soirs de bonne heure ?

Cent fois par jour, mes pensées vont vers toi.

Gabrielle

J'ai vu les premiers puits d'huile à Virden[4]. Maintenant, c'est la Saskatchewan. Je vois partout de jolis petits sloughs[5] où se trouvent autant de canards sauvages qu'à la Petite-Poule-d'Eau. Je ne peux m'empêcher de penser à toi faisant ce trajet pendant les vacances. Cela me plaît de voir ces paysages que tu as si bien connus.

*

Dollard, le 24 août 1955

Mon cher Marcel,

Enfin, je suis arrivée hier soir à Dollard. Le voyage fut long, mais pas du tout fatigant. Ma belle-sœur m'a rencontrée à Shaunavon[1] et nous avons dîné chez sa fille, mariée à un M. Poulin, marchand à Shaunavon, et j'ai par le même coup fait la connaissance de leurs deux enfants. Shaunavon est un village assez plaisant, assez vivant, dans le genre de tous ces villages de l'Ouest : une grande rue extrêmement large, en gravier, bordée de petites boutiques en bois, dont les façades nues évoquent les films du Far-West. Que je me sens loin de la province de Québec ! D'ici, on s'aperçoit que la vieille province a quand même atteint un âge respectable et un fini dont l'Ouest est encore bien loin. Mais j'aime l'air vif de ces beaux plateaux, et le ciel ouvert. Dollard compte quatre élévateurs, un assez bon nombre de bicoques semées un peu au hasard, un comptoir d'une compagnie d'huile — je n'ai encore eu le temps que de jeter un coup d'œil sur l'ensemble — mais dans cet espace, le tout paraît bien petit. J'ai trouvé mon frère Jos[2] moins mal que je m'y attendais, toussant beaucoup, râlant passablement, mais gai, et si content de me voir que j'en suis tout émue ; un bon bougre au fond. Ma belle-sœur a la gérance du téléphone, et cela l'empêche de sortir beaucoup, car sans être occupée, il faut qu'elle soit présente à toute heure. Jos la remplace de temps en temps.

Ce qui m'inquiète un peu, c'est la lenteur du courrier d'ici à Montréal, puisque les lettres doivent aller à Shaunavon, de là à Moose Jaw[3], ce qui prend deux jours, avant d'être mises sur le transcontinental. S'il devait t'arriver d'avoir besoin de moi, promets-moi de me téléphoner — puisque nous avons le central à domicile, ce serait simple — ou de m'envoyer un télégramme. Je pense que je vais trouver bien des choses intéressantes à observer et noter — mais je devrai demeurer chez mon frère, du moins quelques jours, car l'hôtel est plus que rudimentaire. Enfin, d'ici quelques jours, je verrai mieux comment agir. J'espère, mon chou, que tu continues à bien te reposer. Je voudrais bien avoir de tes nouvelles très fréquemment. J'arrive au plus beau temps de l'année, en pleine saison des récoltes — l'une des plus belles depuis des années. Le pays est très beau par ici, un peu accidenté en larges et magnifiques ondulations que recouvrent les moissons. Il y a une colonie huttérite dans la région[4]. Je tâcherai d'aller la visiter.

Toute cette distance entre nous me rend inquiète. Aussi bien, je serais heureuse que tu me donnes un bulletin de santé le plus souvent possible. Pour ma part, je t'écrirai souvent, en regrettant toutefois le temps que mes lettres vont mettre à te rejoindre.

Sois bien sage, mon chéri, garde-moi toute ton affection, et pour me faire plaisir, repose-toi le plus possible.

Je t'embrasse affectueusement et te prie de saluer les Madeleine et de leur dire mon amitié.

Gabrielle

*

Dollard, le 25 août 1955

Mon cher Marcel,
Je trouve extrêmement intéressants les caractères, l'histoire et la vie de ce petit village. Autrefois, quand je vivais dans l'Ouest, je ne songeais pas à observer tant de choses qui m'entouraient. Comme c'est étrange ! Ainsi, hier, j'ai passé quelques heures dans un des élévateurs du village, pour voir un chargement de blé dans des wagons de marchandises. J'avais un peu mal à la gorge, mais comme tout cela m'a fascinée. Je comprends que le pauvre Jos ait les poumons presque brûlés, lui qui a respiré l'odeur, la poussière du blé pendant des années. Tout le monde

est extrêmement gentil pour moi. J'ai rencontré quelques-uns des premiers pionniers de l'endroit : la famille Cadorai, des Bretons, venus ici avant le chemin de fer ; mon père — le père Léon comme on le nomme encore dans la région —, avait décidé le père Cadorai à s'établir par ici ; un vieux Basque, le bonhomme Ismouillat[1]. J'ai aussi découvert que la femme de l'oncle Majorique — le vrai, qui était un frère de papa — s'appelait Augusta Allard[2]. C'était une Belge. J'ai rencontré des cousins et aussi des gens de la Tide Water, compagnie d'huile qui exploite la région, tout cela en une journée. J'ai vu l'ancienne terre de papa[3]. Comme c'est beau ! Des blés magnifiques, une belle étendue dorée avec des petites buttes çà et là : au loin, les Cypress Hills[4]. Il paraît que mon père chérissait cette terre comme la lumière de ses yeux ! Je voudrais bien qu'elle nous appartînt encore. J'avais cinq ans, lorsque je suis venue ici[5]. Je croyais ne rien me rappeler ; et, cependant, à mesure que j'écoute et que j'observe, des fragments du passé me reviennent à la mémoire, tels des bouts de rêve. L'huile a apporté des améliorations dans le pays : de meilleures routes d'abord, un peu plus d'activité, des magasins, etc. Shaunavon est assez animé. Mais il ne semble pas que le gouvernement socialiste de la Saskatchewan accomplisse toujours des merveilles. Au point de vue médical, il y a du bon et du mauvais. Les médecins salariés — je crois qu'ils touchent tant pour chaque consultation — semblent avoir intérêt à faire revenir leurs patients à la clinique aussi fréquemment que possible, sans nécessité. Du moins c'est ce que j'ai entendu dire dans le village. Ma belle-sœur Julia a une vieille auto ; lorsqu'elle peut s'échapper du téléphone, nous faisons de petites promenades. Je pense que j'arriverai à voir pas mal du pays de cette manière et peut-être avec des gens du Department of Agriculture ; c'est ce que j'espère obtenir.

Parle-moi de ce que tu fais à la Baie, de Copain, des Madeleine ; surtout de ta santé. J'espère que tu te mets au lit tôt et que tu dors bien. Dieu que j'ai hâte d'avoir de tes nouvelles !

Je ne serai pas avec toi le jour de notre anniversaire de mariage. Cela m'attriste beaucoup. Mais nous ferons une petite fête lorsque je serai de retour, veux-tu ? En attendant, je t'offre mes vœux de bonheur, de bonne santé, je t'envoie mon plus tendre souvenir. Je pense beaucoup à ce jour — il y aura bientôt huit ans — où nous partions ensemble dans la vieille Man-Can, à notre première petite cabine au long de la route. Tu chantais presque tout le temps au volant ; j'étais très heureuse — et je le suis toujours de vivre avec toi.

Mon chéri, je t'embrasse bien tendrement, en pensant à tout cela et en espérant pour nous deux de paisibles et bonnes années à venir.

Gabrielle

Je tâcherai, pour notre anniversaire, de t'apporter quelque petit souvenir de l'Ouest.

*

Dollard, le [26] août 1955

Mon cher Marcel,
J'ai reçu deux lettres de toi, hier ta lettre du 20 août, juste après t'avoir envoyé la mienne ; ce matin, ta lettre du 21. Je suis contente d'avoir de bonnes nouvelles de toi. Je ne suis pas étonnée que Puce te fasse rire[1] ; l'été dernier elle nous a tant fait rire que nous en étions épuisées. Mais elle s'use vite à dépenser son énergie nerveuse. Copain est-il gentil ?

Hier soir, j'ai été veiller avec ma belle-sœur chez les Cadorai, premiers Français à arriver dans le pays, c'est-à-dire chez le fils de ces gens. Lui et sa femme ont évoqué pour moi des souvenirs précieux et très drôles du temps de la colonisation par ici. Ce sont des fermiers extrêmement riches qui émigrent tous les automnes en Californie et qui se sont bâti, en pleine prairie, un bungalow genre californien. Tous deux ont reçu ta mère et M. Dordu à dîner il y a quelques années, lorsqu'ils sont venus dans cette région. J'ai hâte de te raconter ces précieuses anecdotes oralement, car il faut mettre le ton, les gestes et tout faire pour qu'elles prennent toute leur drôleté. M. Cadorai fils est d'ailleurs un conteur des plus fins. En somme, ce fut une bonne soirée. Malheureusement, en notre absence, le pauvre Jos avait pris quelques verres de bière, pas énormément, mais il lui en faut si peu pour le rendre malade. Quel triste spectacle ! Aujourd'hui il est tout repentant. Il y a quelque chose de tellement pathétique en lui que j'en ai le cœur broyé. Il fait toujours beau, et partout les fermiers sont occupés à « swather » — c'est-à-dire à faucher le blé en longues bandes qu'ils laissent sur le sol à sécher pendant une dizaine de jours avant de le battre. Ces bandes de blé par terre, en dessins parfois rectilignes ou en éventail, composent un beau paysage géométrique que l'on voit très bien, quand elles s'alignent sur les pentes des collines ou des buttes. Dieu que j'aimerais avoir une auto à mon entière disposition pour parcourir le pays à mon goût. Je n'ai pourtant pas à me plaindre. Dans les quelques jours passés ici, j'ai vu beaucoup de choses déjà.

Dis à M. Chassé que j'ai reçu l'envoi de Harcourt Brace, c'est-à-dire le catalogue, ainsi que sa lettre, et que je la remercie. Je lui ai écrit en vitesse de Moose Jaw et lui écrirai encore bientôt. Continue à bien te reposer et à garder une bonne humeur; rien ne peut mieux t'aider à retrouver une bonne santé. Je suis si contente que tu sois retourné à la Baie. Écris-moi encore et le plus souvent possible. Tes lettres me sont d'un si bon réconfort. Tous ici pensent à toi et t'offrent leurs amitiés. Un bon souvenir pour M. Bergeron et pour toute la communauté. Je t'embrasse tendrement.

Gabrielle

[*Ajouté en marge sur la première page :*] As-tu reçu mes deux lettres écrites à bord du train, l'une envoyée de Chapleau, l'autre de la Saskatchewan, je crois?

⁕

Dollard, le 27 août 1955

Mon cher Marcel,
J'ai écrit aujourd'hui — en fait, je viens tout juste de le faire — à M. Bergeron; je ne te répéterai donc pas les nouvelles que je lui donne et dont elle te fera part, je pense. On fête aujourd'hui les 68 ans du vieux Jos, et je viens de raconter à Madeleine comment. Le bonhomme est aujourd'hui plein de bonnes intentions, touchant, contrit et parfaitement sobre. Son gâteau de fête est en train de cuire. Julia court du standard du téléphone au poêle, retourne au téléphone, manœuvre ses fils, ses fiches, tout cet appareil compliqué, court de nouveau au poêle. Je ne sais vraiment pas comment elle arrive à faire les repas, de la couture, son ménage; car le téléphone la réclame aussitôt qu'elle quitte son tabouret et son poste. On a le « telephone office » dans la cuisine même; c'est te dire qu'on est mis au courant des affaires du village sans délai, depuis la business des compagnies d'huile, jusqu'aux business plus privées des citoyens. Je ne pouvais pas être mieux placée pour connaître la vie d'ici.

De plus, lundi, mardi et peut-être mercredi, je voyagerai avec des gens du Department of Agriculture vers le nord, le sud, l'ouest. Je ne pouvais pas trouver mieux. Je n'ai eu qu'à téléphoner au bureau d'East End pour obtenir cette permission. Il faut en ceci rendre justice aux gens des Prairies : leur accueil est spontané, généreux et sans chichis. Il y a chez eux quelque chose de l'enfance encore : une simplicité d'êtres primitifs, un peu rustiques, mais honnêtes et francs. Je vais tâcher de t'envoyer aujourd'hui un télégramme pour notre anniversaire au cas où ma lettre d'avant-hier ne t'arriverait pas à temps. Les tiennes, celles du 20 et du 21, me sont tout de même parvenues plus vite que je n'espérais, avant-hier et hier, et j'en suis si contente, car je craignais d'être privée assez longtemps de nouvelles de toi. Cela m'aurait été intolérable.

Un joli vent des Prairies aujourd'hui souffle et fait se balancer les buissons du village, les deux petits érables du Manitoba de Jos, placés de chaque côté du seuil. Il n'y a pas beaucoup d'autres arbres au village. Ce vent plutôt chaud soupire une espèce de plainte douce, nostalgique. C'est bien le vent des Prairies tel que je me le rappelais. Comme j'aimerais pouvoir marcher des milles et des milles par la campagne. Du moins, au début de la semaine prochaine, je verrai du pays ; sans doute des fermes où nous arrêterons en passant. J'ai très hâte ; c'est exactement ce que je souhaitais.

Continue, mon chéri, à bien te reposer. Ce n'est pas du temps perdu, bien au contraire ; ta santé raffermie, tu verras quel bienfait ces semaines de repos et de détente t'auront apporté.

Je t'embrasse bien tendrement.

Gabrielle

[*Ajouté en marge sur la première page :*] Ne sois pas inquiet si je n'ai pas le temps de t'écrire lundi. Il se peut que je revienne assez tard.

*

Dollard, le 29 août 1955

Mon cher Marcel,

Le voyage que je devais faire très tôt ce matin a été remis à cette après-midi. J'ai donc le temps de t'écrire un mot avant de partir, et j'en suis bien contente. Ici, les nuits deviennent très froides, claires ; avant longtemps sans doute il y aura une gelée. Cependant, aussitôt que le soleil paraît, l'air est vite réchauffé et chaque journée se poursuit dans une sorte de limpidité et de beauté merveilleuses. Quel dommage que la vie ici soit encore si dure et si peu confortable ! Je m'arrange bien malgré une installation un peu rudimentaire, et pour la nourriture, j'ai tout ce qu'il me faut, mais pour le confort, c'est loin d'être l'hôtel Belle-Plage ou la maison Greenshield[1]. Hier nous avons eu la visite de Bobby, le fils du vieux Jos et de Julia, qui travaille à Gull Lake au service de l'Anglo-American Oil Company. C'est un beau et charmant garçon. J'ai le sentiment qu'il pourrait faire beaucoup mieux que son travail actuel. Il est bien élevé, très sympathique et intelligent. Malheureusement, la vie des jeunes garçons ici semble être faite de travail abrutissant et puis de parties où ils boivent trop de bière et de folles randonnées en auto d'un pauvre village à un autre. C'est tout à fait la vie de frontière dans ces régions, le samedi soir surtout, quand tous les fermiers viennent au village pour leurs achats. La taverne s'emplit ; les gens parcourent les trottoirs en bois ou se réunissent au magasin. On entend des accents de plusieurs pays. Et bien qu'il y ait de la gaieté, il reste qu'une sorte de mélancolie imprègne tout cela, peut-être la tristesse des pays encore informes et gauches[2]. J'ai visité hier après-midi la seule colonie huttérite de cette partie du pays. Un outillage mécanique des plus parfaits, des graineries qui peuvent contenir plus de grain qu'aucun élévateur de village, des machines des plus coûteuses, un joli village bien peint, entouré de fleurs, des bandes d'oies, de canards (800 canards), autant de cochons ; enfin une ferme collective extrêmement attrayante. Ces gens sont riches, progressistes et, ici du moins, amicaux et contents de voir arriver des visiteurs à qui ils font faire le tour du propriétaire en leur montrant tout ce qu'ils possèdent avec fierté, et un peu de supériorité. Cela fait très allemand. J'aurai sans doute autre chose à te raconter demain. Pour le moment, je t'embrasse bien affectueusement et j'espère que ta santé s'améliore de jour en jour.

[*Ajouté en marge :*] À bientôt, mon chéri. Salue les Madeleine pour moi et Copain chien.

Gabrielle

*

Le 31 août 1955[1]

Mon cher Marcel,
Je t'écris un mot en route à l'hôtel où j'ai mangé. Cette tournée est assez intéressante ; je vois un paysage que je trouve merveilleux, une plaine en belles et profondes ondulations comme dans le Wyoming. Les récoltes sont belles, malgré une assez grande sécheresse. Aujourd'hui, il fait un vent terriblement chaud qui soulève la terre fine et la promène sans arrêt. C'est assez fatigant, ce vent plaintif, très sec, presque brûlant. Mes compagnons de route s'occupent de toutes sortes de choses ; de distribuer des prix aux enfants pour leurs petits potagers, de remplir des fiches sur les mérites des verrats du gouvernement, répartis çà et là afin d'améliorer l'élevage des porcs, etc. Il me semble que comme partout au monde, ces jeunes fonctionnaires passent le plus clair de leur temps à remplir des formulaires. J'ai vu cette après-midi une ferme prospère, très belle, appartenant à une famille du Québec, originaire de Rimouski, je crois : les Ruest. Avec beaucoup de travail et d'ingéniosité, ils ont réussi à faire des digues sur un maigre cours d'eau et avec le temps, ils ont obtenu dans ce pays aride un beau petit lac que des jeunes arbres entourent à présent de fraîcheur. Cela fait plaisir à voir.

Partout, partout cependant, on voit des trous d'eau, des sloughs envahis par les joncs et que fréquentent les oiseaux aquatiques.

Je termine en vitesse. J'ai reçu hier ton télégramme et j'en étais bien contente. Je t'embrasse bien tendrement. Mon bon souvenir aux Madeleine,

Gabrielle

*

Dollard, le 2 septembre 1955

Mon cher Marcel,
Ta lettre du 29 août reçue ce matin m'a fait bien plaisir, attristée un peu aussi, car je vois que tu t'ennuies. Mais je reviendrai bientôt, prends courage ; peut-être vers la fin de la semaine prochaine ou dans la semaine suivante en tout cas. Ce ne sera plus très long maintenant ; toutefois il me faut prévoir que j'arriverai à Montréal, que je devrai être à Montréal

pour voir Nadeau, donc de lundi à vendredi, et d'ici, il me faudra aussi prévoir plusieurs jours d'avance la date de mon départ afin de téléphoner pour une chambrette à bord du train. Ce week-end-ci tout est fermé; il n'y a rien à essayer, mais je pense m'occuper de cela dès mardi — et j'espère que cela ira vite.

J'ai fait un voyage excessivement intéressant aujourd'hui — en fait j'arrive et je suis couverte de la terrible poussière de la route — avec l'ingénieur de l'Irrigation dans le sud de la Saskatchewan. C'est un Canadien français : Larose, mais qui parle plutôt l'anglais, un homme qui connaît bien son métier, et qui m'a expliqué clairement le projet d'irrigation dont une bonne partie est réalisée. Nous avons traversé la région autrefois la plus aride de la province — aujourd'hui partiellement irriguée —, et aussi — ce qui m'a très séduite — les fameuses collines Cypress et j'ai vu en passant quelques-uns des grands ranches de bœufs. Ces ranches couvrent jusqu'à 12 milles de territoire. Le paysage a une grandeur et une mélancolie inoubliables. La chaleur persiste. Un vent très chaud soulève la terre fine et m'a brûlé le visage. Je t'assure que je suis contente d'avoir mes verres filtrants de France, bien que je sois obligée d'essuyer la poussière qui s'y dépose à tout instant. J'ai beaucoup aimé ce voyage de 70 milles environ d'aujourd'hui. Maintenant, je crois que je vais me reposer quelques jours, car je me sens assez fatiguée. L'air est bon, cependant, sur ces plateaux et me soutient. Que la couleur des champs de blé et de foin est belle en ce moment, d'un or très doux. Dans les collines, j'ai respiré l'odeur sauvage des herbages des ranches, celle de la sauge, surtout, qui est si agréable.

Malgré l'ennui que tu éprouves, tâche de continuer ta cure de repos, cela te sera si profitable.

Le fils d'Herbert[1], Maurice je crois, nous a invitées — Julia et moi — et nous allons tâcher de lui rendre visite demain.

À partir de maintenant, je crois que tu ferais bien de garder mon courrier à la maison, mais écris-moi encore tant que je ne te dirai pas la date exacte de mon retour, au cas où je serais un peu retardée. Ce serait trop triste d'être plusieurs jours sans lettre de toi, et puis je serais inquiète.

Repose-toi bien, chéri. Je t'embrasse bien affectueusement.

Gabrielle

⁂

Dollard, le 4 septembre 1955

Mon cher Marcel,
Comme la fin de tes vacances approche, je t'adresse cette lettre, ainsi que j'ai fait pour celle d'avant-hier — à Québec. Le beau temps, merveilleusement clair, persiste ; cela semble presque un miracle. Il n'y a pas eu une goutte de pluie durant les douze jours que j'ai passés ici. Les fermiers ont déjà rentré une moitié environ de leurs céréales. Hier après-midi, Julia m'a conduite chez le fils d'Herbert, Maurice. Son ranch est à une quinzaine de milles dans les collines Cypress. Quelle aventure pour arriver chez ces gens ! Ce fut presque aussi compliqué que pour atteindre la Petite-Poule-d'Eau. Au lieu d'eau vive à traverser, c'était à tout instant des barrières à ouvrir, les unes fort compliquées, quatre en tout. Mais le voyage valait bien cette peine. Une belle sauvagerie parsemée de touffes de sauge odorante, des troupeaux paissant dans la plus pure tranquillité. Nous avons atteint la maison, si seule, si loin de tout, auprès d'un petit creek[1]. La jeune femme de Maurice, une Suissesse, je crois, [est] fort charmante. Leur fils Frantz est un beau et aimable petit garçon de 14 ans qui aide considérablement son père. Lui et sa sœur font six milles à cheval, par champs et par monts, pour venir à l'école de Dollard[2]. Leur vie est dure, certainement, leur isolement presque tragique, et pourtant, dans leur vieille petite maison en rondins, ils m'ont paru plus heureux que ne le sont la plupart des gens. Ils nous ont régalé de bon café, de brioches et [d']excellentes pâtisseries, puis Julia et moi avons repris la piste frayant son cours capricieux dans l'herbe haute. Je pense que j'ai fait un plaisir immense à ces gens en allant les voir — et je suis reconnaissante à Julia, qui n'est plus jeune, qui n'a plus une très bonne santé, de m'avoir menée par de tels chemins. Sans doute un tel voyage la fatigue, mais elle n'en montre rien. Je découvre en elle de superbes qualités. Et que de jolies histoires de sa jeunesse passée au temps pionnier de Dollard elle me raconte tous les jours ! Comme un garçon, monté sur un petit cheval des Prairies, elle parcourait alors ces espaces avec ivresse. Ce qui est beau par-dessus [tout] en elle, je crois bien, c'est d'avoir conservé jusqu'à ce jour le goût de l'aventure, et que toute aventure l'amuse. Ainsi cette promenade d'hier jusque chez les Dordu. Pour ma part, je pense que je garderai longtemps une nostalgie de leur vallée et de leur contentement.

Je te disais avant-hier que je rentrerai bientôt. J'aimerais pourtant passer encore 3 ou quatre jours ici, pour bien me reposer, car je me sens assez fatiguée, et puis peut-être, mais ce n'est pas sûr, aller passer quelques jours à Calgary, comme je suis proche au fond. À partir de maintenant garde mon courrier à la maison. Tu pourras passer à Madeleine Chassé les lettres qui demandent une réponse immédiate, s'il y en a de telles. Ouvre mon courrier et juge par toi-même. S'il y avait quelque chose d'extrêmement urgent, tu pourrais m'en aviser par télégramme ou téléphone. En tout cas, si je vais à Calgary, je te ferai savoir immédiatement où je logerai — probablement à l'hôtel Palliser du C.P.R. et ce ne sera que pour quelques jours. De là, je prendrai le train pour Montréal, évitant le trajet de Shaunavon à Moose Jaw qui est d'une lenteur désespérante. Julia ne veut pas entendre parler de ce retour pour moi par Shaunavon, et me conduirait plutôt à Gull Lake d'où je peux prendre un des trains transcontinentaux. En tout cas, que j'aille à Calgary ou que je m'embarque immédiatement pour Montréal, je ne voyagerai maintenant que sur une des grandes lignes ; les trains locaux sont vraiment trop lents.

Cette après-midi, dimanche, nous ferons ensemble une petite promenade en auto vers le Frenchman's Creek, paysage que l'on dit très beau.

J'espère, mon chéri, que tu ne t'ennuieras pas trop de retour chez nous, que tu n'abandonneras pas les bonnes habitudes que tu as prises pendant tes vacances. J'aimerais tant te retrouver reposé. Tâche donc d'être patient ; je serai de retour assez rapidement et alors nous aurons plaisir à parler de ta province natale et de tout ce que j'ai vu. Mais comment traduire cette immensité presque douloureuse, sur laquelle le travail des hommes a eu si peu d'effets encore ! Je t'embrasse de tout mon cœur, et j'ai grand' hâte de te revoir.

Gabrielle

[*Ajouté en marge sur la première page :*] Il n'y a rien eu encore, n'est-ce pas, de Leclercq[3], mon traducteur ?

*

Dollard, Sask., le 5 septembre 1955

Mon cher Marcel,
Comme je te l'écrivais hier, je vais aller passer quelques jours à l'hôtel Palliser ; de là, je ferai mes réservations pour le retour. J'espère ne passer qu'une moitié de journée à Montréal, si, toutefois, j'y arrive le matin, par le train Dominion. Étant si proche de Calgary, cela me tente beaucoup de voir un peu cette ville, mais surtout le commencement des Rocheuses. Julia viendra me conduire mercredi matin à Gull Lake ; de là, je prendrai le train et serai à Calgary le soir. Mon adresse à partir de mercredi pour quelques jours sera donc l'hôtel Palliser.

J'imagine que tu es de retour chez nous. Ne va pas, mon chou, perdre le profit de tes vacances en te jetant trop vite en plein travail. Vas-y « mou » et tâche de te mettre au lit très tôt. J'ai vraiment peu de nouvelles à te donner aujourd'hui. Hier, nous avons fait une assez belle promenade en suivant la vallée assez fertile d'une toute petite rivière, à peu près comme la Seine, à Saint-Boniface. Mais évidemment, ici, une telle rivière prend beaucoup d'importance. Et je m'aperçois combien précieux est le moindre cours d'eau dans cette contrée. Il y aura deux semaines demain que je suis arrivée à Dollard. Malgré tout, le temps a passé assez vite. Il est vrai que j'ai visité presque toute la région dans un rayon de quarante milles environ. À présent, j'ai hâte de voir Calgary et d'y passer quelques jours dans un hôtel confortable, prendre un bain, etc. Car ici, bien que je n'aie pas manqué du confort essentiel, c'est tout de même assez rudimentaire. Mais ce qui vaut plus que le confort et qui restera longtemps dans ma mémoire, c'est la beauté primitive et le sentiment d'infini qui règnent dans ce pays.

Si tu reçois cette lettre assez tôt pour m'envoyer quelques mots à Calgary, j'en serai très heureuse. Je t'écrirai bientôt encore et t'annoncerai le plus tôt possible le jour où je reviendrai. Tâche de ne pas te fatiguer trop et donne-moi de tes nouvelles, si possible, tout de suite. Je t'embrasse de tout cœur.

Gabrielle

*

Dollard, le 6 septembre 1955

Mon cher Marcel,
Je me demande s'il fait aussi beau à Québec qu'ici. — Le temps miraculeux dure avec maintenant, le soir et le matin, tôt, une fraîcheur revigorante de l'air. J'aime beaucoup ce climat sec et vif. Je quitte donc le village demain matin pour me rendre en auto jusqu'à Gull Lake et demain soir, je serai à Calgary. J'espère bien avoir une lettre de toi ici, demain matin, avant de partir, ou bien à l'hôtel Palliser en y arrivant. Si tu ne te sens pas bien, je voudrais que tu me le dises franchement et je reviendrai tout de suite. Autrement, si ta santé est bonne, je verrai un peu Calgary et les premières montagnes aux environs. J'ai vraiment hâte de rentrer, mais j'estime raisonnable de voir un peu de l'Alberta du Sud, puisque je suis si proche de cette région.

Tout le monde parle anglais ici, les Canadiens français comme les autres. En dehors de quelques gros villages, comme peut-être Gravelbourg et Ponteix[1], je pense qu'il en est de même presque partout en Saskatchewan. La cause du français me paraît une cause perdue d'avance ici; je ne vois pas comment on pourrait faire survivre ici une langue déjà si appauvrie. Trois religieuses d'une communauté française viennent d'arriver à Dollard pour y faire la classe : elles auront fort à faire si elles entendent sauver la langue française. Le curé est un gros homme rougeaud, genre trappeur, assez sympathique au fond, légèrement gris la plupart du temps.

Donc, Cyrias est venu à la Baie, accompagné d'une beauté. Cela ne m'étonne pas trop, chaque fois — ce qui arrive rarement — qu'on le voit avec une femme, toujours c'en est une tout à fait extraordinaire. Hier après-midi j'ai marché un assez bon bout de chemin, sur une de ces routes grises, sèches que j'aime tant, entre les champs, les uns dégarnis, les autres couverts de leurs moissons; il faisait un temps assez frais, ensoleillé, idéal pour aller à pied. J'aurais pu marcher des heures et des heures tant l'air était agréable, et beau ce pays de plaines parsemées de buttes si capricieuses. Je pensais à toi et au plaisir que nous aurions à revoir ensemble ce pays auquel nous resterons toujours attachés sans doute.

Je t'embrasse bien tendrement.

Gabrielle

Port-au-Persil
hiver 1956

En février 1956, Gabrielle Roy passe une dizaine de jours seule, à Port-au-Persil, dans Charlevoix. Elle prend pension, comme c'est son habitude lorsqu'elle séjourne dans ce village, à la petite auberge tenue par mademoiselle Bouchard. Elle travaille vraisemblablement à La Montagne secrète, *dont elle a entrepris la rédaction à son retour de la Saskatchewan, à l'automne 1955. Il se peut aussi qu'elle travaille à* La Saga d'Éveline, *le roman inédit dont elle laissera trois versions, toutes inachevées, et qui évoque la migration de ses ancêtres maternels vers l'Ouest canadien à la fin du* XIXe *siècle.*

Port-au-Persil[1], le 4 février 1956

Mon cher Marcel,
C'est beau ici depuis que je suis arrivée, beau comme rarement j'ai vu ce coin. Quelle chance : j'ai eu du soleil tous les jours. Je m'asseois dans le petit balcon vitré, sur le devant de l'auberge et, bien emmitouflée, je prends du soleil et le grand air pur. Je pense bien que cela va me faire grand bien. Le petit hameau, au pied de la colline, aussi endormi que jamais, a l'air d'un village peint. Hors le mince filet de fumée qui s'échappe de quelques toits, il n'y a aucun signe de vie, seulement à l'heure où les enfants reviennent de l'école. Puis, peu après, les enfants rentrés, la route est vide, et le vent maître de la mer et du champ. Il y a très peu de glace sur le fleuve, et l'eau, de même que le ciel, est très bleue. Il faudra que tu viennes te reposer ici quelque temps : je pense que ça te ferait beaucoup de bien. Mémère a raccommodé deux ou trois de mes petites affaires et aussi une de tes chemises que je lui avais apportée, celle qui était déchirée au coude. Elle a fait un bon petit job, pas à dire. La nourriture est bonne. C'est passablement chaud, et j'ai une chaufferette dans ma chambre pour les moments où j'en aurais besoin. La nourriture est bonne ; le seul inconvénient — mais bien léger en somme —, c'est la télévision tous les soirs. Du reste, presque personne ne s'y intéresse, mais il faut que ça marche. Ces images que l'on regarde de temps en temps, ce brouhaha de voix ou de musiquette, font partie de la soirée. J'ai marché à en attraper des courbatures partout. N'importe, je vais arriver ainsi, j'espère, à me dérouiller.

Mon chéri, j'espère que tu ne fais et ne feras rien pour te fatiguer durant mon absence. Cela me peinerait tant de te retrouver moins bien.

Les nouveaux maires, Paul Armand et sa femme Isola, habitent ici. Ils sont bien gentils. Le gros Paul est tout transformé. Au lieu de son vieux loup marin rapiécé, il porte maintenant du matin au soir une chemise blanche. Comme dit Mlle Annette : « Maintenant c'est son temps de chemise blanche. » Mémère boude la télévision et lui tourne carrément le dos. Même pendant que les autres regardent l'écran de la T.V., Mémère ouvre son petit poste de radio et, l'air renfrogné, écoute *Séraphin*[2]. Il y a des moments où, à cause de tous ces bruits, on ne s'entend pas parler : les gens gueulent à qui mieux mieux. Et se bercent dans tous les coins.

Dis bonjour aux Madeleine pour moi. Je leur écrirai bientôt, et à toi aussi encore, prochainement.

Je t'embrasse bien tendrement.

Gabrielle

Mlle Annette, Mémère et tous se sont beaucoup informés des Madeleine.

⁂

Port-au-Persil, le 6 février 1956

Mon cher Marcel,
J'espère que tu as reçu aujourd'hui ma lettre écrite samedi le 4. Le courrier ici est vraiment lent. Jusqu'à ce moment, et presque tout le temps que j'ai été ici, le temps a été magnifique, clair et ensoleillé. Tout va bien, mais je reste quand même un peu abattue et amorphe. Dieu, que j'ai hâte que cela se passe ! Avec tout l'air et le soleil que je prends, cela devrait se dissiper bientôt.

Comment vas-tu, mon chou ? Pas trop mal, j'espère, et ne t'ennuyant pas trop. Je m'ennuie bien un peu moi-même. Je trouve toujours les premiers jours les plus durs ; après, on se fait une raison. Je pense bien que j'irai cette après-midi jusqu'au village de Saint-Siméon, histoire de me distraire un peu. La télévision a été assez bonne hier soir. Rien de renversant, mais quelques programmes assez vivants, comme *La Clé des champs* par exemple. Puis, le télé-théâtre *La Double Inconstance* de Marivaux[1] ; c'était assez bien. As-tu songé d'aller chercher le disque que l'on devait remplacer ? Je dors bien et me couche très tôt. Fais-tu la même chose ? Je te souhaite un meilleur sommeil, mon chou, mais même si tu n'as pas très sommeil, mets-toi quand même tôt au lit.

Jeudi, ce sera ta fête. J'ai de la peine d'être éloignée de toi pour ce jour. J'ai même pensé un moment d'aller passer cette journée avec toi, mais il faudrait que je reste deux jours à cause des communications et je pense bien que je perdrais tout le profit de mon repos ici si je l'interrompais trop tôt. Mais, du moins, je t'appellerai au téléphone ce jour-là. J'espère que les Madeleine ne l'oublieront pas. Je n'ai pas osé le leur rappeler — ce qui aurait pu avoir l'air de demander un cadeau pour toi —, mais je serais contente qu'elles s'en souviennent.

N'oublie pas de me raconter tout ce que tu fais, jour après jour, et promets-moi de te reposer autant qu'il est possible.

Je t'embrasse bien tendrement.

Gabrielle

⁂

Port-au-Persil, le 10 février [1956]

Mon cher Marcel,

J'ai enfin reçu ce matin ta première lettre, et j'en suis bien contente. Évidemment que le courrier est lent — mais si tu n'écris pas, il sera encore plus lent. J'ai été bien tentée de t'appeler hier encore au téléphone, pour te renouveler mes souhaits. As-tu au moins reçu le sucre à la crème ? Était-il encore frais ? Mamzelle Annette n'arrête pas de fricoter ces jours-ci, puisque ce sont, comme elle dit, les jours gras. Il est bien dommage que je ne puisse même pas goûter à ces bonnes choses. On passe ici par des alternances stupéfiantes : grand calme où on entend le tic-tac de la vieille horloge ou quelque mouche, réveillée de sa torpeur hivernale par la chaleur ; puis, tout à coup, des voix éclatent en une discussion véhémente et puérile à propos d'une petite chose de rien du tout. Les Bouchard ont la passion de la discussion pour le seul plaisir. Tout peut servir cette passion : le temps, la neige, un bateau qui passe sur le fleuve. Par exemple, on peut discuter pendant une heure à propos d'une remarque lancée par l'un d'eux. « Il fait un hiver doux. » Alors, chacun émet son opinion, et la discussion générale prend ; le ton monte ; et bientôt, on pourrait croire tout ce monde en colère. C'est assez drôle de les voir vivre. En tout cas, j'ai rarement vu gens moins inhibés. Ils sont bien libres de complexes.

Mme Rose fait sa visite tous les jours — je devrais dire « several times each day », et sa petite voix pointue, en cascade, m'annonce son arrivée. De ma chambre, je ne peux m'y tromper. Elle arrive donc, parfois seule, parfois flanquée de son Ulysse, un peu neurasthénique. Hier soir, en veine sombre, il prédisait l'abandon du village de S[ain]t-Siméon. « On sera abandonné, disait-il; S[ain]t-Siméon sera abandonné. » Le gros Paul Armand, lui, me faisait penser à l'oncle Majorique[1]. Il clamait qu'on ira bientôt à la lune, se demandant si elle est habitée. Là-dessus, Mémère gémissait et prophétisait qu'on pourrait bientôt retourner plutôt au vieux temps dur de sa jeunesse, au pain noir et à la galette. Mais Mlle Marie venait de recevoir son petit manteau de fourrure, une veste — imitation de vison —, l'essayait et se pavanait comme une pintade. Isola fait plus moderne et montre une certaine réserve de maîtresse d'école. J'irai peut-être faire ma petite veillée annuelle d'une demi-heure dans la sombre maison de McClaren, Seigneur de l'endroit. « Nanan » Bouchard, frère d'Ulysse, habite en bas, au hameau, avec sa vieille. Mlle Annette veut m'emmener là aussi. Je ne dis pas oui, je ne dis pas non. Je dors bien et je mange assez bien, mais je n'ai encore aucun entrain; et malgré le bon air, l'avant-midi, je me sens encore lourde comme une pierre.

As-tu passé une bonne soirée chez Jean? As-tu vu un bon film au Ciné-Club? Moi, ici, avec deux semaines de retard sur Québec, *Le Survenant* et *Les Plouffe*[2]. *Le Survenant* me plaît et témoigne de beaucoup plus de goût, de beaucoup plus de connaissance vraie du cœur humain que tous les autres programmes. À part cela, le niveau de la [illis.] de ces programmes est bien faible.

Je tâcherai de t'écrire plus souvent. Tâche de ne pas trop t'ennuyer, mon chou. Je t'embrasse bien tendrement.

Gabrielle

L'abbé Hunfeld[3] m'a envoyé des reçus pour la somme que je lui ai donnée pour Clémence et pour Adèle. Je lui ai demandé de me retourner ces reçus pour « fins de charité ». S'il écrit de nouveau, garde-moi sa lettre chez nous et mets-la dans mon secrétaire. Tu pourras l'ouvrir, et me dire simplement si elle contient les reçus tels que je les ai demandés.

G.

⁂

Port-au-Persil, le 13 février 1956

Mon cher Marcel,

Moi aussi, j'ai été paresseuse pour t'écrire durant ce séjour-ci. À vrai dire, je ne retrouve guère d'entrain, malgré un régime bien sage, beaucoup d'air, un peu d'exercice. Mais peut-être que j'emmagasine pour l'avenir et me trouverai bien, plus tard, de cette petite vie si quiète que je mène en ce moment. Il y a [eu] une assez jolie tempête de neige hier, avec du vent et des rafales. Il est loin d'y avoir autant de neige, toutefois, que l'an dernier. Le chasse-neige ouvre notre petite route et même la route si difficile de la montagne. Pour les 8 ou 10 familles qui habitent la montagne, c'est bien coûteux, c'est-à-dire coûteux pour la municipalité.

Les journées sont si tranquilles que le soir venu, je ne boude plus la télévision. Que veux-tu, avec les Romains, j'agis comme les Romains. Certains programmes m'amusent, mais je me demande si c'est bien reposant. J'ai l'impression que cela ne délasse pas profondément comme le cinéma.

Mam'zelle Annette est la gentillesse même et me dorlote à souhait.

Je m'ennuyais beaucoup cette après-midi et je n'ai pu me retenir de t'appeler. Entendre ta voix m'a fait du bien. J'espère que toi aussi tu as été réjoui de ces quelques minutes, quatre exactement. C'est curieux comme on ne pense pas alors à dire justement ce qu'on voudrait dire. Ainsi, j'ai oublié de te demander des nouvelles des Madeleine et de la mère de M. B. J'ai écrit un petit mot à Madeleine B. seulement, la semaine dernière.

Si tu veux venir pour le week-end je t'attendrai, mais tâche de venir jeudi ou vendredi, afin de profiter un peu du séjour ici et de te reposer. Appelle-moi, si tu viens par le train, et j'irai te chercher à la Malbaie ou j'enverrai le taxi.

Tous ici seraient bien contents de te voir.

Je t'embrasse bien affectueusement.

Gabrielle

Jean Soucy avait parlé de venir à Port-au-Persil. Se décide-t-il ? Avec toi peut-être ?

Petite-Rivière-Saint-François
été 1956

À l'été 1956, Gabrielle Roy loue la maison de son amie Jori Smith à la Petite-Rivière-Saint-François, près de Baie-Saint-Paul, dans la région de Charlevoix. La romancière y arrive au début de juin et repart à la fin de septembre. Elle se remettra à La Montagne secrète, *roman entamé l'hiver précédent. Marcel vient y passer ses vacances avec elle, en juillet.*

Seules ces deux lettres écrites en août 1956 ont été retrouvées. On peut cependant supposer que Gabrielle Roy a écrit souvent à Marcel pendant ce séjour dans Charlevoix — puisque c'était son habitude de le faire lorsqu'elle était séparée de lui — et que les lettres ont été perdues.

Petite-Rivière-S[ain]t-François, le 1er août 1956

Mon cher Marcel,
J'espère que tu as fait un bon voyage de retour et, surtout, que tu as bien dormi enfin. Tu aurais dû me dire que tu étais souffrant ici. Comment peut-on s'entendre si on ne cherche pas du moins à s'expliquer en paroles ! Nous aurions dû ce mois-ci aller à Montréal te faire examiner à fond. Depuis si longtemps nous en avons parlé, mais rien ne se fait. Si tu pouvais avoir quelques jours ce mois-ci ou le mois prochain, il faudrait y aviser et cette fois se décider. Ne le penses-tu pas ? En attendant, tâche de fumer moins. Tu me paraissais tellement mieux au mois de mai, quand tu fumais très peu. Je sais que c'est extrêmement difficile, mais tu es certainement capable de cet effort, à condition de le vouloir véritablement.

Je me sens un peu mieux aujourd'hui, délivrée, du moins pour le moment, de presque toutes mes démangeaisons. Mais je n'aurai aucune paix d'esprit tant que je n'aurai pas de bonnes nouvelles de toi. Mon cher Marcel, de grâce, ne me refuse pas, comme à une étrangère, toute confiance. Oublions ce qui est passé pour cultiver un meilleur présent. Sois sage, essaie de te reposer le plus possible.

Ce matin, le ciel est partiellement triste, partiellement ensoleillé. Mais le pays a perdu beaucoup de charme à mes yeux. Il s'est comme éteint à mon regard, parce que j'ai l'esprit si troublé. Dis-moi si tu peux aller à Montréal te faire examiner, si tu veux que je t'accompagne. Ce qu'il pourrait y avoir encore de très beau entre nous, ce serait la franchise entière, et la confiance.

Riqui[1] est à la porte comme d'habitude. Je pense que je vais pouvoir marcher un peu aujourd'hui, et j'en suis contente. Marcher soulage si bien la tension des nerfs. J'ai dormi assez convenablement cette nuit, malgré tout. Mais je trouve la maison bien grande, bien vide ce matin. Invite ta mère à venir passer quelques jours à Québec du moins, et si elle a le goût de venir voir le pays ici et que tu aimes l'y emmener, fais-le. Pour coucher, j'ai peur toutefois qu'elle trouve les lits durs et inconfortables.

Je t'embrasse tendrement, et je souhaite de tout cœur, si tu voulais seulement y croire, que la paix te vienne et un bon sommeil.

Gabrielle

N'oublie pas d'écrire un mot à Laberge[2].

*

Petite-Rivière-S[ain]t-François, le 20 août 1956

Mon cher Marcel,
J'espère que tu [es] rentré hier reposé et content de ton week-end ici. Pour ma part, j'ai été heureuse de ta visite et de celle de Paul[1]. Ce matin, Émile Gagné s'est enfin décidé à déboucher le tuyau, l'aqueduc, selon son expression[2], et l'eau est abondante partout, en bas, en haut. Le débit est bien plus fort qu'au début de la saison. Pourvu que ça dure. En tout cas, le w.-c. se remplit à merveille.

Hier soir, après ton départ, M. Simard m'a demandé si tu pourrais lui apporter ou lui faire envoyer un bon sirop contre sa bronchite, probablement un sirop à la codéine. Je ne lui ai rien promis ; immédiatement après le cadeau des truites, c'était embêtant de savoir que dire. Je me demande même si le cadeau n'était pas fait dans l'intention d'avoir des remèdes en échange. Peut-être pas. Je me suis bornée à lui répondre que je t'en parlerais.

Aujourd'hui il fait un temps ravissant. J'accompagnerais bien femmes et enfants d'ici qui vont cueillir des bleuets au pied de la montagne, mais à ce qu'il paraît, les affreuses petites mouches noires sont toujours aussi vivantes et avides de sang. J'attendrai donc. Mon sommeil est maintenant assez bon ; ce matin j'ai retrouvé un peu d'élan dans le travail. Il ne faut donc pas m'exposer à perdre tout cela, si patiemment et durement acquis. Du reste, je passe des heures heureuses à me laisser brûler par le soleil sur la galerie arrière, et je [ne] me lasse pas de regarder la belle montagne.

À midi, j'ai mangé quelques-unes des petites truites, mais que d'ouvrage pour une seule bouchée ! Riquette a eu hier soir deux petits chats dodus, l'un à sa ressemblance, l'autre presque pareil à l'autre petite chatte Simard dite La Carrottée. Pour le moment, les deux bébés de Riquette sont au chaud dans une boîte derrière le poêle de la cuisine. Ils vivront sans doute jusqu'au retour de M. Simard qui, seul dans cette famille, possède le courage de tuer les bêtes, et on s'en remet à lui pour cette nécessité.

Riqui, lui, fait la chasse sur le toit de notre petite cuisine.

Ce matin, comme je me suis levée tôt, j'ai cru sentir dans l'air vif comme un premier signe d'automne, mais peut-être sera-t-il plus agréable qu'une bonne partie de cet été.

Je te souhaite une bonne semaine, du repos autant que possible, et je t'embrasse bien tendrement.

Gabrielle

Golfe du Mexique
hiver 1957

Le 14 février 1957, Gabrielle Roy entreprend, avec le peintre René Richard et sa femme Blanche, un voyage qui durera environ huit semaines. Ils se dirigent vers le golfe du Mexique, en voiture, traversant ainsi toute la côte est des États-Unis. Le 26 février, ils s'installent à Gulf Breeze, près de Pensacola, dans l'État de la Floride.

Après une quinzaine de jours à Gulf Breeze, ils se rendent pour quelques jours à la Nouvelle-Orléans et reviennent à Gulf Breeze à la mi-mars, où ils resteront jusqu'à la fin du mois.

Les impressions que Gabrielle Roy emmagasinera lors de ce voyage inspireront la nouvelle « L'Arbre[1] » et ses conversations avec René Richard sur les voyages qu'il a entrepris dans le Grand Nord canadien alimenteront son prochain roman, La Montagne secrète, *qu'elle a déjà commencé à ébaucher, mais qui ne sera publié que quatre ans plus tard ; c'est d'ailleurs Richard qui réalisera l'illustration qui figurera en couverture de ce roman.*

René Richard est né en Suisse en 1895. Sa famille est venue s'installer au Canada au début du XIX*e siècle. Il a étudié à Paris, à La Grande Chaumière, de 1927 à 1930, puis, de retour au Canada, il a peint sous la direction de*

Clarence Gagnon. En 1942, il s'est installé à Baie-Saint-Paul, dans la région de Charlevoix. Gabrielle Roy l'a rencontré en 1943, lors d'un séjour qu'elle a fait dans la région de Charlevoix pour préparer un reportage destiné au Bulletin des agriculteurs. *Le peintre et son épouse l'avaient alors accueillie chez eux.*

Richmond, jeudi le 14 février [1957]

Cher Marcel,

J'ai apporté cette lettre de Panneton, reçue ce matin et que j'aurais dû te laisser. Tu y verras que nous n'aurons pas la visite de ces bons amis — et pourquoi. Du moins, je suis ainsi tirée d'inquiétude ; Philippe et France Panneton ont reçu ma lettre dans laquelle je leur exprimais nos félicitations et nos souhaits ; c'est l'essentiel[1].

Vas-tu mieux, mon chou ?

Comme tu vois, nous ne sommes pas bien loin. Le Richmond dont m'avait parlé René R. est le Richmond de la province de Québec, non loin de Sherbrooke. J'ai pris une chambre à l'hôtel pour ne pas gêner les Richard et leurs amis. Sans doute irai-je dîner avec eux tous. Jusqu'ici, tout va bien. Évidemment nous n'avons pas fait une longue route encore ; presque rien. Et je pense que de ce train, on va mettre près de dix jours à atteindre le golfe. Je ne m'en plains pas. [Je] vais en profiter pour me détendre et « dormoter ».

Les Richard comptent s'arrêter chez les Boyd pour deux jours, après quoi, j'imagine, on filera sans plus de visites et interruptions. À tout hasard, au cas où tu voudrais absolument m'atteindre, je te donne l'adresse des Boyd où nous serons vraisemblablement samedi, dimanche, et peut-être lundi — car René veut visiter sa sœur qui habite aussi non loin. Cela m'ennuie un peu ; par ailleurs, Westport[2] est joli, je crois, et je pourrai voir la mer, non loin de chez les Boyd. Leur adresse :

Mr. A. T. Boyd
412, Compo Road
Westport, Connecticut

Je t'embrasse bien tendrement. Tâche de bien te reposer, te mettre au lit tôt et n'oublie pas que je t'aime.

Gabrielle

*

Westport, samedi le 16 février 1957

Mon cher Marcel,
Nous sommes arrivés cette après-midi chez les Boyd qui ont une très belle maison, spacieuse, une vraie demeure ancienne de la Nouvelle-Angleterre, et qui tiennent à nous héberger tous pour le week-end, d'ici lundi matin. Quant à moi, j'aurais mieux aimé filer tout de suite vers le Sud, mais ce n'est pas désagréable ici, et les pauvres vieux Boyd ont l'air enchantés de revoir les Richard. Hier, la traversée par le Vermont par beau temps clair fut très agréable. Nous avons couché à Bellow Falls[1], où nous avons eu un dîner excellent à l'hôtel Hendam. Le coucher fut moins bon, car le train passe sous l'hôtel, en sorte qu'une sorte de tremblement de terre, accompagné d'une sonnerie infernale, nous réveillait environ toutes les heures. Malgré tout, j'ai dormi passablement et je ne suis pas trop fatiguée. Ici, au bord de la mer, ce n'est pas froid, il n'y a plus de neige, mais l'air est humide, le ciel gris. C'est un peu comme au temps où nous sommes partis de Boston. L'hiver semble plus doux ici qu'à Québec, de beaucoup même.

Comme tu peux l'imaginer, j'ai bien hâte d'avoir de tes nouvelles. Le voyage serait infiniment plus agréable pour moi si je pouvais seulement communiquer avec toi tous les jours, et je vois bien que c[e n]'est guère possible. Nous pensons nous rendre jusqu'à Pensacola, sur le golfe du Mexique, et chercher dans les environs un village où nous établir pour quelques semaines. En tout cas, nous passerons y prendre notre courrier. Tâche de m'y écrire un mot pour me donner de tes nouvelles adressé comme suit :

General Delivery
Main Post Office
Pensacola
Florida.

Ne m'expédie aucun autre courrier là, cependant, du moins avant que je ne te le demande. Seulement une lettre de toi, car pense combien j'aurai hâte de recevoir quelques mots de toi.

Les Richard sont de bons compagnons, un peu pusillanimes peut-être et précautionneux, mais mieux vaut ainsi que trop hardis. Tu n'as certes pas à t'inquiéter car avec eux, c'est la sécurité avant tout. Je m'ennuie tout de même de toi, et j'espère que tu fais bien attention à ta santé et que tu continueras à te bien porter.

Je t'embrasse de tout cœur, mon chéri.

Gabrielle

⁂

Près Washington, lundi le 18 février [19]57
3e lettre

Mon cher Marcel,
Je n'ai pas osé te parler longtemps au téléphone, malgré le désir que j'en avais. D'abord, je te parlais du bureau d'un motel, pas très intime, et j'avais peur d'entendre la standardiste me rappeler que j'avais dépassé les trois minutes. N'importe, cela m'a rassurée et réjouie d'entendre ta voix. Nous avons fait une assez bonne journée aujourd'hui, environ 275 milles. Je pense que René ne pourra guère faire plus que 300 milles par jour. Il est vrai que nous sommes partis assez tard ce matin de Westport. J'ai trouvé les deux vieux Boyd, leurs fils mariés vivant tout près, les belles-filles, tout ce monde extrêmement sympathique. Nous y avons reçu un accueil chaleureux — tout à fait genre New-England et nous avons eu le plaisir de voir chez une amie des Boyd des peintures de Maurice Prendergast[1], un peintre américain assez coté, je crois. Aujourd'hui, nous avons emprunté le fameux New Jersey Turnpike de New York à Baltimore, quelque chose de si ingénieux, de si rapide que ça en est presque terrifiant. 110 milles de route rectiligne à 3 allées en chaque sens, avec des postes d'essence et relais-restaurants à tous les 25 milles environ. La vitesse est folle et quand on sort de cette route on a la sensation d'avoir navigué dans un des paysages fantastiques de H. G. Wells[2]. Vive quand même les bonnes petites routes, comme nous en avons connues dans le Vermont, où l'on reste de plain-pied avec les fermes,

les maisons, les villages. Ces autoroutes conçues pour traverser les pays sans les voir ont vraiment quelque chose d'hallucinant. Je suis contente d'avoir connu l'expérience d'aujourd'hui — mais je préfère ne pas recommencer. J'ai eu un peu le cœur dans la bouche pendant la traversée de l'Hudson via le pont George-Washington[3]. Notre pont de Québec est peu de chose auprès de ce mastodonte.

Demain nous traversons le Chesapeake Bay et sans doute un autre pont colossal[4]. Ensuite, j'ai l'impression que, laissant derrière nous les très grandes agglomérations, nous ferons une route plus facile et plus agréable. Déjà, il fait beaucoup moins froid qu'à Québec. C'est presque doux. Nous avons même vu quelques champs d'un vert pâle et passablement d'oiseaux.

J'ai hâte d'arriver à quelque endroit où nous pourrons nous fixer, afin de recevoir tes lettres. Dis bonjour aux Madeleine, je leur écrirai dès que je serai installée. En ce moment, je n'en ai guère le temps.

Je t'embrasse bien tendrement.

Gabrielle

⁂

Près Augusta, Caroline du Sud, le 20 février 1957
4e lettre

Mon cher Marcel,
Nous voilà presque en Georgie enfin. Les deux derniers jours ont été assez ennuyeux, à travers d'interminables forêts de pins, un pays au sol pauvre sans doute — ou appauvri — que l'on tend à récupérer en le reboisant. Hier, pluie constante, et le temps était maussade et triste. Mais aujourd'hui, en pénétrant dans la Caroline du Sud, la chaleur, la douceur de l'air ont augmenté presque à chaque mille, et ce soir, enfin, nous sommes entrés dans un riant pays, tout fleuri d'azalées ; toi qui les aimes, tu serais émerveillé des couleurs qu'elles prennent ici ; il y en a des blanches, des violettes, des rose pâle, des rouges. Aussi des camélias et nous avons vu les premiers vergers de pêchers, de poiriers ainsi que des magnolias. Tout cela sous un ciel pur qui me fait penser à celui de la Californie[1]. J'imagine que demain le paysage va continuer à embellir. Mais je pense qu'il ne me fera pas oublier de sitôt la tristesse épouvan-

table de certaines parties du Maryland et des Carolines, celles où l'on aperçoit les cabines des Nègres, toutes délabrées, sans peinture, au milieu de tas de détritus, tout cela avec leurs chiens galeux, leurs marmots. C'est un spectacle à fendre l'âme. Çà et là, de pauvres champs de coton ou de cannes à sucre, un sol blanchâtre et les cabanes en planches des Nègres, de petites cabanes un peu comme celle de Chenevert au lac Vert[2]. Eux, les Noirs, quand on les rencontre sur la route ou lorsqu'on les aperçoit assis sur leur perron, détournent les yeux comme s'ils ne se reconnaissaient pas le droit de nous regarder en face. À chacune de ces cabines des Noirs, on se rappelle la *Case de l'Oncle Tom*[3] tant c'est pareil à l'image qui nous en est restée dans l'esprit. Même désolation, même résignation pesante. Une humble petite chapelle baptiste — toujours baptiste dans leur village — semble l'image même de tout ce que la religion a jamais pu leur apporter : la résignation ici-bas et au-delà, sans doute, une véritable place enfin pour les Nègres. Nulle part autour d'ici [n']ont-ils l'air d'être chez eux. J'aimerais bien pouvoir m'arrêter dans leur milieu, gagner leur confiance peut-être et arriver à les mieux connaître. Mais Blanche a une peur d'eux, de ce pays qui lui met le feu aux talons. Jusqu'ici tout va bien, sauf que nous n'avançons pas très vite. J'ai quand même hâte de me fixer pour quelques semaines en quelque endroit. Tout ce voyage cependant me donne déjà l'impression qu'il ne peut rien apporter de comparable au moindre petit séjour en Europe. Il y a quelque chose aux États-Unis — sauf peut-être en Nouvelle-Angleterre — qui pétrifie et stupéfie l'âme — je ne sais quelle attention constamment tournée vers le confort seulement, quel éloignement de la chaleur humaine. Nous avons toujours l'idée de descendre jusqu'à Pensacola en Floride, sur le golfe. As-tu reçu ma lettre dans laquelle je te demandais de m'y écrire à [la] General Delivery ? Ainsi, en arrivant, j'aurais un mot de toi, et j'en aurai bien besoin pour me réconforter, car tu me manques beaucoup et vraiment je m'ennuie de toi et pense à toi sans cesse avec beaucoup de tendresse. Dis bonjour aux amis de la pension, aux Madeleine. Ménage bien ta santé et pense aussi à moi avec douceur.

À bientôt, mon chéri ; je t'embrasse de tout cœur.

Gabrielle

*

Panorama City, sur le Golfe, samedi le 23 février 1957

Mon cher Marcel,
J'ai été trop fatiguée pour t'écrire, ces derniers soirs, la journée faite, car nous avons roulé un peu plus tard. Enfin, nous voici parvenus sur le littoral du golfe du Mexique ; nous avons campé hier soir près de Panorama City, à quelques pas de la mer. C'est un endroit assez agréable. L'air est doux, à peu près comme chez nous au début de juin, et devant tant de fleurs, d'arbres, de plantes que je ne connais pas, je suis remplie de surprise et ne cesse de demander leur nom aux gens, qui bien souvent n'en connaissent rien. Quel pays celui-ci deviendrait sous la main des Français par exemple ! Il y a beaucoup de palmiers, de petits arbres à minuscules fleurs violettes qui ressemblent quelque peu au mimosa. Tout cela est coloré. Nous avons déjà aperçu plusieurs grands chênes moussus particuliers à la Floride. Au premier abord, ils sont très poffants, avec leurs mousses pendantes pareilles à des chevelures mal peignées. Mais le soir, ou sous un ciel un peu assombri, ils prennent un air assez macabre. Les prix pour coucher sur la côte sont meilleur marché qu'ailleurs, vu qu'ici la saison touristique est plutôt l'été. Nous allons sans doute pousser aujourd'hui jusqu'à Pensacola, et j'espère y trouver une lettre de toi. Tu ne peux imaginer combien j'ai hâte d'avoir une adresse fixe où tu pourras m'écrire, car ce sont tes lettres qui me manquent le plus. Peut-être nous établirons-nous pour quelque temps soit à Pensacola, soit aux environs. Cela dépendra de ce que nous allons trouver aujourd'hui, sans doute. Blanche paraît assez incertaine de ce qu'elle veut, mais enfin, j'imagine que d'ici quelques jours nous aurons décidé une installation pour au moins quelque temps. Comment vas-tu ? J'ai infiniment hâte d'avoir de tes nouvelles. Jusqu'ici je me porte assez bien, malgré deux jours de maux de tête assez forts, mais ce matin, après une bonne nuit, je me sens reposée, et je t'écris assise devant mon petit motel, entourée de géraniums fleuris et de palmiers — en attendant que se lèvent les Richard. Comme nous ne ferons aujourd'hui qu'une petite journée — cent milles seulement —, chacun prend ses aises ce matin. Certains jours nous sommes partis très tôt. N'oublie pas de dire aux Madeleine que je leur envoie mon souvenir et mille bonnes choses. Je leur écrirai bientôt. En attendant que je te demande de me faire parvenir mon courrier — ne le fais pas encore à Pensacola au cas où nous n'y resterions pas —, en attendant, dis-je, tu pourras l'ouvrir, si tu veux bien, et

demander à Madeleine Chassé, lorsqu'il y aura lieu, de répondre pour moi. Elle s'en tire très bien.

Prends bien soin de ta santé, mon chéri, salue nos amis pour moi, particulièrement Madeleine Lemieux et les Vachon si tu les revois. Je t'embrasse bien fort.

Gabrielle

*

c/o El Mar Units
Gulf Breeze, Pensacola, Florida, le 26 février 1957
[6]e lettre

Mon cher Marcel,
Je regrette de ne pas t'avoir écrit ces jours derniers. Le soir, j'étais assez fatiguée et j'espérais toujours que nous trouverions enfin un coin où nous camperions quelque temps. Enfin, nous l'avons trouvé, à une dizaine de milles de la petite ville de Pensacola, sur le golfe du Mexique. Je viens de t'envoyer un télégramme te donnant l'adresse et te demandant de m'envoyer mon courrier important — s'il y en a —, une fois seulement ici, car nous comptons y passer une semaine, peut-être pas davantage. L'endroit est beau, chaud, ensoleillé. La plage de sable blanc comme neige s'étend sur des milles et des milles où viennent se briser avec fracas de hautes vagues. Tout le monde est content d'avoir déniché ce joli coin où les prix sont fort raisonnables; pour moi, vingt-cinq dollars par semaine pour la chambre. Quant aux repas, ils ne nous coûtent pas très cher, puisque les Richard ont une kitchenette avec leur chambre et que nous y faisons la plupart de nos repas. En ce moment, il fait aussi chaud par ici que chez nous par une journée tiède d'été. L'eau de la mer est très salée, l'air vif, et la couleur du sable unique au monde, je pense, et si fine qu'on dirait du sel fin. Cela me rappelle un peu la mer aux environs de Biarritz[1]. Maintenant que je serai en place pour une semaine, je vais t'écrire plus souvent, et j'espère que tu m'écriras dès que tu auras mon télégramme. J'ai tellement hâte d'avoir de tes nouvelles. Dis aux Madeleine que je leur écrirai dès que je serai un peu reposée de la route. Comment vas-tu, mon chou? Ta santé se maintient-elle bien? Tu ne te fatigues pas trop? Je me hâte de terminer cette lettre afin que tu la

reçoives le plus tôt possible. Écris-moi par courrier aérien ; il faut mettre 7 sept[2]. Envoie-moi mon courrier par avion aussi ; autrement c'est trop long. Si tu n'as pas ce qu'il faut à la maison, confie tout cela à Madeleine Chassé qui s'occupera de m'expédier cela par avion. Après avoir envoyé mon courrier une fois — le tout ensemble —, tu attendras, veux-tu, d'autres nouvelles de moi avant de m'adresser un autre courrier.

J'entends sans cesse le grondement de la mer, et cela vaudrait déjà le voyage, je veux dire ce vieux chant des vagues et des brisants. Il y a beaucoup de jolis coquillages, je t'en choisirai quelques-uns. Les Richard t'envoient leurs amitiés. Rappelle-moi au bon souvenir de nos amis, principalement des Madeleine. Prends bien soin de ta santé. À bientôt, mon chéri. Je t'embrasse très fort.

Gabrielle

*

Gulf Breeze, Pensacola, le 27 février 1957
[7]e lettre

Mon cher Marcel,
Ce matin, je profite de notre arrêt et de ce que j'ai la tête reposée après une bonne nuit pour t'écrire. Je viens d'écrire aux Madeleine, leur décrivant quelques aspects de notre voyage. Blanche est un peu bougonne parfois, mais ce n'est jamais très sérieux et ne dure guère. Au fond, notre voyage accuse de mieux en mieux les caractères. Évidemment, je ne suis pas libre de voir le mien objectivement, et je me demande parfois comment il apparaît à mes compagnons. Ce que je vois le mieux, c'est la disparité assez cocasse de nos goûts. Au fond, René, s'il le pouvait, traverserait les États-Unis en « mouvant » d'une forêt à une autre, sans s'occuper de villes, de gens, et de cartes routières, en réglant sa course sur le soleil et les astres. Blanche, elle, au contraire, aimerait, je pense, se transporter de ville en ville sans voir de campagnes et surtout de Nègres. La traversée de la Georgie l'a mise sur les dents. Pour moi, c'est ce que j'ai trouvé de plus intéressant et peut-être de plus humain. Tout le reste est tellement bâti en série que c'en est décourageant. Quelle bonne leçon d'assouplissement du caractère que cette randonnée ! Tout va quand même très bien, et nous avons souvent des moments de franche rigolade. J'es-

père que tu as reçu toutes mes lettres à date. La plupart ont dû te paraître bien décousues. Je t'écrivais à la course, souvent fort fatiguée, à la fin d'une journée un peu harassante. Enfin, on a le temps de réfléchir, de se laisser vivre pour quelques jours. J'en suis bien contente. Ici et là, au hasard de nos campements, nous causons avec d'autres nomades comme nous, et chacun voudrait nous envoyer dans une direction ou dans une autre. Très influençable par ce genre de conseils, Blanche veut filer tantôt vers Tampa et la partie la plus chaude de la Floride, tantôt vers la Nouvelle-Orléans. Quant à moi, je tiens mon bout et irai certainement voir cette ville.

Dieu, que j'ai hâte d'avoir de tes nouvelles. C'est bien long. Heureusement que j'ai entendu ta voix trois fois depuis mon départ. Parfois, je suis un peu inquiète de toi, et passe un vilain quart d'heure. Maintenant, du moins, tu as mon adresse pour la semaine, jusqu'au 4 mars au moins, car tu as reçu mon télégramme, n'est-ce pas ?

Je t'embrasse bien fort et j'ai hâte de te revoir.

Gabrielle

⁂

Gulf Breeze, Pensacola Beach, le 1er mars 1957
[8]e lettre

Mon cher Marcel,
Notre semaine de séjour à Pensacola Beach est déjà presque à moitié prise et tout va assez bien. Hier, il a fait froid ; un vent aigre venait de la terre, car ici, le froid ne semble venir jamais de la mer. Aujourd'hui, le temps est clair, le ciel tout bleu, et je me suis levée tôt pour jouir du soleil. Hier nous avons visité un vieux fort espagnol, construit à la pointe extrême de l'île de Santa Rosa — où nous nous trouvons. Le fort, construit entièrement de briques faites par les indigènes, a très bien résisté au temps. C'est une vaste enceinte entourée de murs qui sont percés de meurtrières, et le tout rappelle beaucoup la citadelle de Québec. Pour nous rendre au fort Pickens[1] nous avons traversé une dizaine de milles de dunes toutes blanches où apparaissent, dans le sable, par touffes, d'étranges arbrisseaux et des bouquets de sauge parfumée, en ce moment fleuris. C'est une petite fleur mauve pâle, jolie à voir sur ces

dunes, et elle embaume l'air de ces déserts de son parfum piquant, un peu comme le thym et le romarin [embaument] la Provence. Ce que Dieu a mis ici reste beau et grand; ce que l'Homme y a mis — hors peut-être les anciens Espagnols — reste vulgaire, de peu de qualité. C'est toujours la même histoire, au fond, sur notre continent; l'homme défigure la nature et marque son passage par des cabanes. Nous sommes confortables dans nos motels, mais quelle vie artificielle. Au lieu d'ouvrir les fenêtres, on bouche tout, puis on ouvre la machine à air — air conditioning — qui fait un bruit de machine à laver et nous distribue ensemble le chaud et le froid. Des vitres opaques nous dérobent le paysage. En sorte qu'à l'intérieur de ces cases, au bruit incessant d'un moteur, on a l'impression d'être enfermé en une sorte de sous-marin ou de machine à mesurer les réflexes et l'endurance humaine. René se dit rebelle à ce genre de civilisation; je me sens de même. Heureusement, notre organisation nous permet de bien manger. S'il fallait s'en remettre aux gargottes, quick luncheonettes, sundries and snack bars de notre île Santa Rosa, ce ne serait pas drôle. Mais nous avons acheté des provisions pour plusieurs jours et nous nous faisons de bons repas.

L'île est extrêmement plate; comme les atolls du Pacifique, elle émerge tout juste de la mer; il nous semble qu'un coup de vent suffirait à la balayer, mais sans doute [qu']il n'y a guère ici de tempêtes. Presque toute la verdure a été obtenue à grands frais d'exportation. Ainsi, la petite allée de palmiers devant nos motels provient de la péninsule de la Floride, aux environs de Miami. Ces arbres ont été transportés gros déjà et plantés ici pour donner un air tropical à l'endroit. Apparemment, les palmiers poussent lentement; à cent ans, ils ne sont pas encore aussi hauts que nos ormes et érables moyens.

Pense combien j'attends des nouvelles de toi avec impatience. Je t'aurais appelé de nouveau au téléphone si ce n'était pas aussi compliqué ici. Il faut téléphoner d'une cabine et c'est très long pour avoir le circuit. Je me dis pour me consoler que j'aurai sûrement une lettre de toi ces jours-ci.

J'espère que tout va bien à la maison et que tu te portes bien. Ne manque pas de me donner toutes les nouvelles te concernant.

À bientôt, mon chéri. Je t'embrasse bien tendrement.

Gabrielle

Je t'envoie par le même courrier une lettre pour Madeleine Lemieux — car je n'ai pas son adresse. Voudras-tu la lui réadresser?

✳

Gulf Breeze, Pensacola, le 2 mars 1957
[9]e lettre

Mon cher Marcel,
Tu ne peux savoir combien j'ai été heureuse de recevoir ce matin — à l'instant — ta première lettre. Elle m'arrive par une journée divine, aussi chaude et douce qu'une journée de plein été, chez nous, au bord de la mer. Les palmiers frissonnent au vent léger, les vagues chantent : tout cela est si agréable que je me sens un peu coupable de penser que [je] jouis de tant de bienfaits alors que tu es au milieu de difficultés. Tu as bien fait de me raconter tes ennuis à l'hôpital. Je suis contente malgré tout que tu m'aies donné cette preuve de confiance, quoique affligée que l'on reconnaisse si mal ton merveilleux dévouement et ton habileté. Tu as raison : indigne-toi et exprime devant le bureau médical ton juste courroux. Advienne que pourra. Cette situation est unique et tu l'as trop longtemps supportée. Je t'approuve entièrement et j'enrage avec toi. J'ai confiance d'ailleurs qu'un coup d'éclat ne peut te faire tort. Au contraire ; il est temps, je pense, de faire crever cet abcès et rien que du bon ne peut qu'en sortir. Par cette journée merveilleuse, René, guéri de son rhume, nous a quittées tôt ce matin pour aller faire une huile des dunes de sable blanc au bout de notre île Santa Rosa. Sans doute est-il retourné dans la direction du vieux fort espagnol qui l'autre jour l'a séduit. Blanche fait cuire un poulet pour notre repas de midi. Je t'écris assise au soleil sur le petit patio de notre motel, tout en prêtant l'oreille au froissement des vagues sur la grève. Et comme je viens de l'exprimer, j'éprouve un sentiment de culpabilité à me voir dans un si beau pays, par une journée aussi radieuse, alors que toi tu n'y es pas. Ta lettre m'a tout de même grandement réconfortée. L'inquiétude où j'étais pendant le voyage, à penser que tu n'aurais pas pu communiquer avec moi, ne sachant au juste où je me trouvais — cette inquiétude m'a poursuivie et passablement gâté l'aventure jusqu'ici. Maintenant, je me sens moins inquiète, moins éloignée de toi et infiniment mieux portée à me réjouir de ce qui m'arrive. Peut-être, un autre hiver, pourrons-nous venir passer quelques semaines ensemble par ici. Sur le golfe, les prix sont très abordables et l'on peut facilement y louer des petits appartements avec cuisinette, et ainsi couper les dépenses en faisant soi-même ses repas. J'ai

l'impression que cela te ferait beaucoup de bien. Comme Madeleine Lemieux est bonne et gentille de prendre soin de toi pendant mon absence. Je la connaissais maternelle et généreuse ; ce que tu me dis m'en apporte une nouvelle preuve charmante. Je viens de t'envoyer une lettre gaie, un peu folichonne pour elle, je lui écrirai de nouveau avant longtemps et je t'enverrai la lettre à toi pour la lui réadresser. Ne manque pas de saluer tous nos amis pour moi. Ton histoire de la petite Noëlla m'a à moi aussi ouvert les yeux. Trop de fois nous sommes portés à nous plaindre de notre sort, alors que d'autres sont pourtant bien moins partagés. Que Noëlla t'ait dit tant de choses montre que tu lui inspires une belle confiance. Dis bonjour à ce drôle de Cabanes pour moi. En effet, ses efforts de conversation ressemblent à des explosions. Bonjour aussi à Mathilde et à Cyrias[1], en attendant que je leur envoie une carte.

Sans doute irons-nous d'ici à la Nouvelle-Orléans la semaine prochaine. Peut-être, comme il fait si bon et doux au bord de la mer, resterons-nous un peu plus longtemps que prévu à Santa Rosa. En tout cas, dès que nous changerons d'adresse, je t'en aviserai. Je t'embrasse de tout cœur, en souhaitant, mon chéri, que s'améliore ta situation à l'hôpital.

[*Ajouté en marge :*] Aie confiance, je crois vraiment que ce sera pour bientôt. Gabrielle

---

⁕

Gulf Breeze, le 4 mars 1957
[10]e lettre

Mon cher Marcel,
J'ai reçu aujourd'hui la lettre d'Albert que tu m'as réadressée, aussi une gentille lettre de Madeleine Chassé. Nous comptons partir d'ici mercredi matin pour gagner la Nouvelle-Orléans qui est à deux cents milles environ. J'ai retenu une chambre à l'hôtel S[ain]t-Charles, près du French Quarter. Les Richard préfèrent vivre en motel avec cuisinette. Pour ma part, comme je tiens à visiter la ville et les belles demeures de style colonial aux environs, j'ai cru préférable de prendre une chambre en ville. De la sorte nous serons séparés pendant quelques jours — peut-être une semaine; mais nous nous donnerons rendez-vous souvent

pour voir ensemble certaines choses d'intérêt. J'espère que tu m'écriras immédiatement en recevant ce mot, de la sorte j'aurai une lettre de toi en arrivant. Je le souhaite de tout cœur, car jusqu'ici je n'ai eu qu'une lettre de toi.

La lettre d'Albert m'a beaucoup tracassée, surtout à cause des nouvelles qu'il me donne de Clémence. En tout cas, je lui ai écrit aujourd'hui, en attendant de voir ce que je pourrai faire plus tard.

Es-tu encore aussi bouleversé au sujet de ce qui se passe à l'hôpital ? Tâche, chéri, de ne pas prendre cela avec colère ou, du moins si tu ne peux t'en empêcher — et je comprends que tu ne peux qu'être indigné — du moins ne t'use pas inutilement. Essaie de te distraire, de te détendre, car ta santé est plus importante que tout le reste. Ne manque pas de m'écrire le plus tôt possible. C'est fou ce que je peux m'inquiéter quand je passe plusieurs jours sans avoir de lettre. Je te téléphonerai bientôt, car j'ai besoin d'entendre ta voix. Je t'embrasse bien tendrement.

Gabrielle

Mon adresse sera la suivante :
The S[ain]t-Charles Hotel
211, S[ain]t-Charles Street,
New Orleans
Louisiana.
Écris-moi un mot au plus vite.
Je t'embrasse de nouveau.

G.

Nous allons profiter de notre dernière journée complète en l'île de Santa Rosa pour faire une promenade d'exploration, visiter peut-être d'autres vieilles fortifications et aussi des cimetières du temps des Espagnols. Je vais assez bien, malgré une certaine fatigue et j'espère de tout cœur que tu es toi-même en bonne santé et que tu gardes ton bon moral, ton tenace courage.

Mille baisers,

G.

*

[11][e] lettre
Mercredi le 6 mars [1957][1]

Mon cher Marcel,
Nous avons visité aujourd'hui les Bellingrath Gardens[2], surtout admirables pour les chênes géants recouverts de mousse espagnole et pour les azalées et camélias. Un vrai jardin des Mille et une nuits. Nous campons ce soir à Biloxi, à cent milles environ de New Orleans. En y arrivant vendredi, j'espère bien y trouver une lettre de toi. Mille baisers,

Gabrielle

*

Nouvelle-Orléans
Le 9 mars 1957[1]
[12][e] lettre

Mon cher Marcel,
Tu ne peux imaginer le bonheur que j'ai éprouvé hier soir à entendre ta voix toute proche de moi. Il me semblait que tu étais à côté de moi. J'en ai été immédiatement réconfortée. Cette après-midi, nous allons faire la tournée entière de la ville — vieille et nouvelle — avec un guide et autres touristes. Ni les uns ni les autres, nous [n']aimons beaucoup cette façon de visiter, mais c'est encore la plus économique et la plus rapide quand nous sommes sans auto dans une grande ville étrangère. Car René est bien trop nerveux pour conduire à l'aise à travers les villes. En suivant le highway cela va, d'autant plus que dans ce cas, nous côtoyons la ville plutôt qu[e d]'y pénétrer. La journée s'annonce radieuse. Je suis un peu fatiguée de toutes ces trottes à pied — hier j'ai parcouru le vieux carré à pied — mais je me reposerai ensuite. Je ne m'habitue pas à l'air climatisé des hôtels. J'ai l'impression de manquer d'air et de m'abrutir à ce bourdonnement impitoyable. J'ai aussi l'impression d'une manière de vivre qui réduit l'être humain à une norme sérialisée. C'est affolant. Quelle nostalgie, au fond, les Américains doivent éprouver pour une vie plus chaleureuse ; on le voit à leur passion pour les moindres vestiges du passé. Il faut les voir se ruer de tous les coins des États-Unis dans ce vieux carré de la Nouvelle-Orléans qui grouille de pauvres affamés, de pitto-

resque et de couleur ancienne. Quel Babel que ce vieux quartier : d'anciens petits couvents recueillis avec leur croix et leur patio secret derrière un mur blanc, des bazars, des comptoirs de pralines, d'audacieuses et gracieuses façades tellement ornées de balcons en fer forgé que l'on a peine à croire ses yeux; puis des bayous[?], des taudis, d'admirables petites maisons croulantes, la magnifique cathédrale S[ain]t-Louis à côté de tout cela, le fier Cabildo espagnol[2] — siège du gouvernement espagnol —, le musée avec fouets et collets en fer pour les esclaves rebelles; que de choses encore ! C'est un fouillis intéressant, barbare, doucement triste. J'y suis allée rôder de nouveau hier soir, en me tenant dans les petites rues les mieux éclairées. La vie nocturne résonne de jazz nègre derrière les hautes jalousies; ici, on mange dans un patio éclairé faiblement par des lampes à huile. Il y a des chiqués[?][3]— mais aussi des vestiges d'une gracieuse et folle et extravagante époque — et cela serre le cœur doucement.

Je t'écrirai de nouveau aussitôt que possible. Porte-toi bien, mon chéri. Je t'embrasse bien fort.

Gabrielle

⁂

Le 10 mars 1957[1]
13e lettre

Mon cher Marcel,
Quelle ville que cette Nouvelle-Orléans ! Je comprends enfin l'ampleur du problème noir dans le sud des États-Unis. Les visages sombres sont presque aussi nombreux que les visages pâles; du moins, on en voit autant en se promenant dans la rue principale — Canal Street — comme je l'ai fait aujourd'hui — cette rue passe pour être la plus large aux États-Unis. C'est une immensité à traverser, et on ne s'y risque pas sans frémir. Les visages noirs, à ce qu'il me semble, paraissent pour la plupart malheureux, ou moroses, ou renfrognés. Je comprends aussi la phobie des Américains, c'est-à-dire leur phobie de peur du communisme. Toute cette masse de Noirs misérables, vers quoi se portera-t-elle un jour ou l'autre sinon vers l'espoir que doit prendre à ses yeux l'utopie communiste ? Quoique gaie par bien des côtés — et même la plus latine

des villes d'Amérique —, c'est aussi une ville profondément tragique, bigarrée, malpropre — d'une richesse extravagante, d'une pauvreté sordide. Les Richard sont repartis m'attendre à Biloxi où nous avions passé une nuit, à 70 milles environ de la Nouvelle-Orléans. Ils sont tous deux nerveux comme des chats dès qu'ils sentent se resserrer autour d'eux la pression, le bruit, la tension d'une ville — et celle-ci, je dois le dire, a de quoi terrifier les timides. Pour ma part, une fois sur les lieux, j'ai préféré profiter de ce voyage pour faire connaissance — au moins superficiellement — avec une ville aussi étonnante. Je pense qu'elle a gardé et gardera encore quelque temps l'empreinte de toutes les influences ethniques qui ont joué ici, quelque chose de la profonde angoisse des Noirs, la violence et le mysticisme espagnols — et sûrement quelque chose de la légèreté, de l'indiscipline française. Tout cela ensemble donne, à ce qu'il me semble, bien plus de défauts que de qualités. Je n'ai jamais de ma vie vu une ville si malpropre, si mal pavée. J'ai vu des tas de saletés et du caca jusque dans les portiques des grands magasins, et je viens d'une visite au vieux cimetière S[ain]t-Louis, partagée entre le dégoût pour des gens si peu éduqués — j'ai vu des clochards boire au goulot de bouteilles, le dos contre les tombes — et l'émerveillement [de] cette civilisation disparue, telle que le vieux cimetière permet de la reconstituer quelque peu. J'ai pris des notes que je te montrerai — épitaphes naïves, noms pittoresques. Ce vieux cimetière est extraordinaire. Comme la ville est extrêmement basse — presque au niveau de la mer — et que l'eau n'est qu'à quelques pouces au-dessous, on a construit pour les morts des tombes exhaussées, c'est-à-dire des caveaux élevés, comprenant parfois 4, 5 ou 6 étages. Les morts y sont comme à la morgue, dans des espèces de tiroirs, aménagés dans la pierre, et une tablette recouvre chaque tiroir. En m'y promenant, j'ai fait la connaissance d'une Créole, partie Nègre, partie Française, une femme très intéressante qui m'a raconté un peu sa vie et la brillante vie d'autrefois dans le Vieux Carré[2]. J'ai l'intention si le voyage peut se faire rapidement d'aller jeter un coup d'œil à l'Evangeline Country — entre Lafayette et Baton Rouge. C'est à cent milles environ et, paraît-il, tout le monde là-bas parle français — plutôt une sorte de patois, j'imagine. Après quoi, je rejoindrai les Richard par autobus et nous filerons sans doute passer une autre semaine en notre île de Santa Rosa. C'est encore l'endroit le plus reposant, le plus agréable que nous avons découvert jusqu'ici. Je le disais aux Richard, mais ils sont nomades en diable, et du reste, ne savent à peu près jamais au juste après quoi ils courent. Tout de même, ce sont de bons compagnons, encore que rien ne les intéresse en voyage sinon les paysages. C'est dommage, car c'est au point de vue social que ce voyage à mon avis serait le plus intéressant. Je serai contente de me reposer à Santa Rosa après l'équipée en ville fatigante, car il y fait très chaud, une chaleur humide et les gens — au premier abord du moins — sont assez détestables, un accent épouvantable, une tenue négligée, etc. Mais je te parle du commun et de la foule des rues. Derrière les façades des grandes maisons de style colonial ou planteur doit se dérouler une vie toute d'élégance et de préciosité. L'adresse sera la même qu'auparavant. *El Mar Units, Gulf Breeze* (Pensacola) Florida. Je t'écrirai de nouveau très prochainement. Je t'embrasse avec infiniment de tendresse. Que j'ai hâte de te retrouver, mon chéri.

[*Ajouté en marge :*] Ne te laisse pas abattre par la bêtise et l'ignorance autour de toi. Tu auras mieux que tout cela avant longtemps, j'en suis sûre. Gabrielle

*

Biloxi, le 13 mars 1957

Mon cher Marcel,
J'ai rejoint les Richard ici avant-hier soir et aujourd'hui nous repartons pour Gulf Breeze, en Floride où nous séjournerons jusqu'au départ, de 8 à 10 jours probablement. La fin du voyage approche, et c'est là le meilleur endroit pour faire provision de soleil et de bon air salin — aussi de tranquillité. J'ai bien hâte, tu sais, de te revoir, mon chou. Dorénavant, écris-moi à l'ancienne adresse et demain, lorsque je serai un peu reposée, je t'écrirai plus longuement. J'ai reçu hier un télégramme, réadressé de l'hôtel S[ain]t-Charles, en Nouvelle-Orléans, et envoyé par Thérèse Brassard[1]. Elle me demande de lui écrire une lettre de recommandation pour la Bourse de la Société royale. Je n'ai vraiment pas le temps, ni le goût de m'occuper de cela. Je tiens à employer mon temps à prendre des notes, etc. Peux-tu lui faire savoir de s'adresser à quelqu'un d'autre, que toujours en voyage jusqu'au début d'avril, je ne peux, à mon grand regret, lui écrire la lettre qu'elle me demande. Ou, dis-lui, si tu préfères, que j'ai déjà recommandé trop d'autres artistes pour recommencer cette

année, mais dis-lui que j'admire fort son talent, et serais heureuse de lui voir obtenir la bourse. Elle ne me donne pas d'adresse dans son télégramme. Peux-tu donc lui faire mon message par téléphone. À bientôt, chéri ; nous sommes presque prêts à partir et comme toujours, René le nomade presse les préparatifs. Il n'est jamais aussi heureux que lorsqu'il lève le camp pour un nouveau déplacement. Un vrai romanichel !

Blanche est un peu grippée. Moi, jusqu'ici, je n'ai pas eu de rhume ; mon petit séjour à la Nouvelle-Orléans m'a très fatiguée. C'est pourquoi je suis contente de retourner dans l'île Santa Rosa où nous serons sur la belle plage de sable blanc, près de la grande enchanteresse qui là-bas parle et gronde sans cesse. Ici, c'est une mer toute léchée, de carte postale.

Je t'embrasse bien fort. Mes amitiés aux Madeleine,

Gabrielle

El Mar Units
Gulf Breeze
P.O. Box 53
Florida
Tel Pensacola Wellostone 2-2285

⁂

Gulf Breeze, le 14 mars 1957

Mon cher Marcel,
Je viens d'attraper un assez vilain rhume, et je n'ai guère le courage d'écrire. Je veux au moins t'adresser un mot afin que tu n'aies pas d'inquiétude. Je pense bien me débarrasser assez vite de ce rhume car il fait chaud, et le temps aujourd'hui a été ensoleillé. Il y a eu toutefois une vague d'humidité peu commune. 90 pour cent, paraît-il ; une humidité presque tropicale. C'est sans doute ce qui m'a donné un tel mal de gorge. René et Blanche ont aussi eu leur tour. Nous songeons au retour que nous allons entreprendre bientôt. Quant à moi, je serais prête à rentrer tout de suite malgré les attraits du climat, car tu me manques beaucoup. Je pense bien que nous [nous] mettrons sur la route de retour la semaine prochaine, peut-être mercredi ou jeudi. Comme j'ai hâte de te retrouver !

Vas-tu bien ? J'espère que durant mon absence tu as tout de même gardé ta bonne habitude de marcher un peu tous les soirs et que tu as un meilleur sommeil maintenant. Excuse cette petite lettre plate. Je me sens pas mal grippée.

Bonsoir, mon chou, à bientôt. Je t'embrasse bien tendrement.

Gabrielle

*

Gulf Breeze, le 15 mars 1957

Mon cher Marcel,
J'ai un peu moins mal à la gorge, mon rhume semble moins violent, et je pense que je serai rétablie pour reprendre la route la semaine prochaine. Ainsi nous devrions être de retour dans les derniers jours de mars ou au tout début d'avril. C'est difficile de prévoir exactement avec René, hostile aux itinéraires fixes. Je le comprends bien et en un sens l'approuve ; tout de même, à prévoir un peu mieux, à mieux préparer un itinéraire, nous verrions bien plus de choses.

Si maître Jean-Marie Nadeau envoyait, pour que je le signe, mon rapport de l'Impôt sur le revenu, demanderais-tu à Madeleine Chassé de lui écrire un mot, lui expliquant que je serai de retour un peu plus tard — et qu'il signe lui-même ma déclaration ou bien qu'il demande un délai jusqu'à mon retour. S'il y a quelque chose à payer — ça ne devrait être qu'une petite somme, car j'ai déboursé un assez bon montant au début de l'année —, enverrais-tu un chèque pour moi — en en gardant note pour moi, et je te rembourserai. N'oublie pas de faire toi aussi avant la fin du mois ta déclaration d'impôt. Cela doit être fait avant le premier avril, n'est-ce pas ? Ou est-ce un peu plus tard ?

J'hésite à prendre le train plutôt que de revenir avec les Richard. Ainsi je pourrais être auprès de toi une bonne semaine plus tôt. Cependant, j'ai peur de les froisser et, malgré tout, j'aurais scrupule de les abandonner, car ils sont assez peu débrouillards, en somme, et se reposent sur moi pour quantité de choses.

Si mon rhume se passe vite, tout ira bien. Je l'ai peut-être attrapé à force de me découvrir la nuit tant je souffre de chaleurs infernales depuis que j'ai suspendu le perandun. Depuis une semaine, je vis dans une véritable bouilloire, bien que je prenne toujours le premarin[1]. Peut-être pourras-tu trouver quelque autre chose qui me soulagera davantage. Autrement, je suis assez bien. Notre nourriture simple et saine me convient parfaitement.

Tu n'as pas idée comme j'ai hâte de te retrouver. J'espère que ta rage ne t'empêche pas tout de même de travailler et de croire à des beaux jours devant nous. Il le faut, mon chéri. J'aurais une peine atroce de te voir perdre courage et confiance. Tu verras, tout arrive, comme disait ma mère, à qui sait attendre. Par attendre, bien sûr, il faut entendre : se préparer pour le jour où les belles occasions se présenteront.

Je t'embrasse le plus affectueusement du monde, mon grand.

Gabrielle

Montréal
hiver 1958

Depuis qu'elle s'est établie avec Marcel à Québec en 1952, Gabrielle Roy a fait plusieurs courts séjours à Montréal, tantôt pour voir à ses affaires avec son agent, maître Jean-Marie Nadeau, ou avec la direction des Éditions Beauchemin, tantôt pour revoir ses amies, surtout Cécile Chabot, Judith Jasmin et Jacqueline Deniset. Au cours de son séjour à Montréal en janvier 1958 — séjour dont la durée exacte est impossible à déterminer puisqu'une seule lettre a été retrouvée —, elle se rend à Chambly chez Jacqueline Deniset. Elle en profite aussi pour se faire examiner par son médecin, le docteur Dumas

La lettre qui suit a été rédigée sur du papier qui porte l'en-tête « The Laurentien. Montréal, Canada ».

Le 29 janvier 1958

Mon cher Marcel,
J'ai fait tant de choses ces jours-ci qu'il me semble être à Montréal depuis au moins une semaine. Hier soir, j'ai pris un autobus pour aller voir la petite Jacqueline et sa famille à Chambly Bassin. J'ai eu le grand plaisir de la trouver assez bien installée — tellement mieux que dans l'odieux appartement de la rue Parc —, dans une bonne petite maison à eux que Jean a construite et qu'il achève peu à peu. La maison du frère, Henri, et d'Angélique est tout à côté ; ensuite il y a leur magasin — un emporium genre Steinberg assez considérable. La petite Jacqueline m'a l'air en voie d'atteindre une certaine aisance que la chère et vaillante petite femme mérite. La fillette, Louise, a l'air très douée pour la musique et le fils, petit Gilles, est un gentil bambin. Toute la famille m'a accueillie avec une réelle chaleur — je dirais une tendresse certaine qui m'a été droit au cœur.

J'ai aussi fait quantité d'achats. Tu ne me reprocheras plus de ne pas m'habiller. En tout cas, quand je m'y mets enfin, ce n'est pas de main morte. J'ai acheté déjà un manteau en solde, manteau demi-saison, une robe sac pour mes grandes sorties, et un costume noir. Presque tout du noir. Tu ne pourras donc pas dire que je ne suis pas tes conseils. Mon costume — British importation — sera prêt demain. J'attends de l'avoir pour commencer mes visites de cérémonie — pas que j'en ferai un grand nombre, mais pour me montrer un peu, je préfère quand même avoir tout mon neuf. Je ne te dis pas le prix du tailleur noir — c'est presque un crime de payer un tel prix —, mais par ailleurs, comme c'est un vêtement pour toute occasion et sans doute inusable, j'en aurai peut-être pour mon argent.

J'ai aussi vu le docteur Dumas cette après-midi. Pour la chute de mes cheveux, il me conseille de prendre beaucoup de calcium — osteotab — et premarin combiné avec testostérone. Il m'a suggéré pour un examen gynécologique de me rendre au laboratoire d'examen par frottis vaginaux de l'Hôtel-Dieu. J'irai peut-être puisque tu y tiens tellement — mais ça m'embête. C'est une madame Brosseau qui est la directrice et elle-même, paraît-il, forme d'excellentes techniciennes. Le docteur Dumas me dit que si à S[ain]t-Sacrement on est trop endormi pour se décider à venir enfin au diagnostic précis du cancer par examens de frottis, tu devrais toi-même, avec un ou deux confrères en gynécologie, t'installer un petit laboratoire. Il me dit que maintenant, à Montréal, on fait énormément d'examens d'après cette méthode, et que le docteur Meunier opère des femmes et fait des hystérectomies à la suite de ces examens lorsqu'ils révèlent des tissus cancéreux, alors cependant qu'il n'y a aucun autre symptôme visible. Je pense que Dumas a raison et que tu devrais commencer à t'organiser pour faire ces examens à Québec. Au besoin, tu devrais venir voir ce qui se fait à présent au Victoria — où l'on a d'abord commencé —, puis à l'Hôtel-Dieu.

Est-on venu chercher enfin ta porte de bureau pour la capitonner? J'espère que cela est fait.

Je te téléphonerai bientôt, mon chéri, car je vais rester en ville ce week-end-ci. Pour m'amuser entre mes courses en ville, je regarde la télévision dans ma chambre. J'ai le choix entre trois ou quatre postes, davantage même, tous aussi peu brillants les uns que les autres. Plattsburg ne vaut même pas Montréal. Je n'ai fait signe à personne encore, sauf aux Benoist.

Tâche de ne pas te fatiguer, de bien dormir et ne néglige pas de marcher un peu chaque soir. Mes amitiés aux Madeleine et pour toi mille tendres baisers,

Gabrielle

Saint-Vital
été 1958

En juillet 1958, Gabrielle Roy se rend de nouveau, comme à l'été 1947 — au cours duquel elle avait rencontré Marcel Carbotte —, au chevet de sa sœur Anna, atteinte d'un cancer à l'intestin, et dont l'état, lui a-t-on laissé croire, s'est considérablement détérioré. Pendant son séjour de deux semaines à Saint-Vital, elle revoit ses sœurs Bernadette et Clémence. Elle retourne aussi, avec Anna et Albert, dans la région de la Montagne Pembina, au sud du Manitoba, et revoit enfin, avec son ami Jos Vermander, la Petite-Poule-d'Eau, où elle n'était pas retournée depuis l'été 1937, qu'elle avait passé à enseigner dans cette région.

S[ain]t-Vital, le 19 juillet 1958

Mon cher Marcel,

J'ai trouvé Anna assez bien, somme toute, beaucoup mieux en fait que [je] ne m'y attendais ; elle était à la gare avec Albert, hier soir, pour mon arrivée, et je n'ai pas trouvé en elle le terrible changement auquel je m'attendais. Vu les diarrhées dont elle souffre, c'est presque un miracle. Elle doit posséder une résistance inouïe.

Le voyage a été facile, surtout le trajet dans le Canadian. Quel beau train, souple, tranquille, propre ! Je me suis trouvée à traverser la région du lac des Bois[1] de jour, avant la tombée de la nuit. C'est merveilleux. Cette belle région avec ses milliers de petites îles boisées m'a touchée énormément par sa silencieuse beauté et par les souvenirs qu'elle me rendait. Je nous ai revus cet été, il y a onze ans, allant nous baigner ensemble. Arrivant à Kenora, j'ai aperçu le toit de l'hôtel Kenricia, aussi le petit débarcadère d'où nous nous sommes embarqués tant de fois pour un tour du lac. Les souvenirs se sont élevés en moi comme nos hirondelles autour de leur maisonnette, doux, et un peu plaintifs. — Hélas, nous connaissons souvent nos joies lorsque nous les avons déjà dépassées.

La semaine prochaine, mardi ou mercredi, nous aurons une réunion de famille avec la petite Dédette, la pauvre Clémence qui, paraît-il, ne pèse plus que 82 livres, et peut-être Adèle, ce n'est pas sûr ; il paraît qu'elle m'en veut toujours[2]. Ah ! la pauvre, comme je plains son affreuse solitude !

Je te donnerai des nouvelles de tout ça bientôt. J'ai bien hâte d'avoir une lettre de toi. Qu'en est-il de l'appartement ? Du ménage ? J'espère que tu retourneras passer quelques jours au moins à la Petite-Rivière[3], surtout s'il fait chaud.

Prends bien soin de ta santé. Si tu m'aimes comme je le crois, fais ceci pour moi.

Albert se conserve bien et aide énormément Anna. Leur terrain est luxurieux ; une vraie petite jungle. Les fleurs poussent ici avec une force, une vigueur et une rapidité extrêmes. À côté d'elles, nos fleurs de la Petite-Rivière font chétif. Mais le triomphe c'est peut-être justement de les avoir fait venir au monde en dépit de tant d'obstacles.

Ta pensée ne me quitte pas. Jamais au reste, elle ne me laisse, mais ici moins qu'ailleurs où tant de choses me parlent de toi et de l'été 1947.

Anna aimerait donc te revoir. Elle a pour toi une profonde affection. Je lui dis que nous l'inviterons l'été prochain à la Petite-Rivière. Elle a l'air de croire que cela est possible. Comme elle reste attachée à la vie !

Dis bonjour aux Madeleine à qui j'écrirai un mot aussitôt que possible. Je n'aurai pas beaucoup de temps libre ces jours-ci car j'aiderai Anna autant que possible. Elle arrive encore à faire son petit ménage, avec l'aide d'Albert bien entendu.

Pense à moi, chéri, et donne-moi de tes nouvelles au plus vite.

Je t'embrasse tendrement.

Gabrielle

*

S[ain]t-Vital, le 20 juillet [19]58

Mon cher Marcel,

Encore un petit mot aujourd'hui afin que tu veuilles bien croire à quel point ta pensée toujours m'accompagne. Du reste, les oreilles doivent te bourdonner. Avec Anna et Albert, j'ai tant parlé de toi.

Anna m'étonne vraiment, je veux dire sa résistance me stupéfie. Elle est encore capable d'en faire presque autant que moi ; la petite besogne facile de la maison, de courtes sorties en auto. Mais il ne faut jamais trop s'éloigner des cabinets — ou de ce qui peut dans la nature en tenir lieu. Son intestin est affreusement capricieux. Cependant, elle a encore une certaine gaieté, et tant, tant de désirs, tant de désirs !

Adèle est en ce moment à Somerset où elle doit être au chevet de l'oncle Excide qui arrive aux derniers jours de sa vie. Je crois comprendre qu'elle éprouve une sorte de joie morbide à accourir auprès des mourants.

Cette après-midi, nous irons prendre la Clémence et ensemble voir notre pauvre petite Dédette. Il fait très chaud. Je crains [d']être arrivée au début d'une vague de forte chaleur. Je trouve cela crucifiant après l'air frais du fleuve de la Petite-Rivière. Hâte-toi de m'écrire ce que tu fais, si tu es retourné là-bas. Ce serait bien la chose la plus sensée, et je le souhaite, tu sais, pour ta santé. Il est vrai, on n'est pas mené bien souvent par le bon sens. Fais donc ce qui t'est le plus agréable. Je téléphonerai à Léona au cours de la semaine pour lui transmettre tes amitiés et la verrai sans doute au moins un petit moment.

La chaleur de l'Ouest m'accable au vrai, survenant alors que je suis à tout instant inondée de sueurs.

Écris-moi au plus tôt, mon chéri. Ah ! imagine-toi que, hier, Albert nous faisant faire une petite promenade en auto, j'ai demandé de passer par la petite chapelle où nous nous sommes mariés. J'ai tout à coup pensé au curé D'Eschambault, j'ai éprouvé le désir de le saluer en passant et, obéissant à mon impulsion, j'ai frappé à sa porte.

Une voix sans cérémonie m'a crié d'entrer. Puis a surgi le curé en manches de chemises, à travers un fouillis de paperasses volantes, de livres étalés. Véritablement l'antre d'un vieux garçon !

Mais la joie sur ce visage qui m'a reconnue dans l'instant même où il a levé sur moi les yeux. Je lui ai apporté ton souvenir et, je crois, lui ai fait un grand plaisir. À bientôt, chéri,

Gabrielle

*

S[ain]t-Vital, le 22 juillet [19]58

Mon cher Marcel,
Je viens de recevoir ta lettre du 19 juillet et j'ai été toute contente de la lire, bien qu'elle soit sur un ton désolé. Quel cochon, au fond, que ce Cohen[1] : alors que le nettoyage de notre appartement avait été prévu et promis, de nous laisser ainsi en panne, cela me dégoûte et cela me peine pour toi. Peut-être est-ce mieux pour toi que tu restes en effet quelque temps encore à la Petite-Rivière. La pluie ne durera pas, du moins je ne crois pas. Ici, la chaleur se resserre. Je la trouve vraiment inhumaine. J'avais oublié à quel point il peut faire chaud au Manitoba. Je pense que

ni l'un ni l'autre ne pourrions plus supporter ce chaud à présent que nous nous sommes habitués à des étés moins torrides et au bon souffle de la mer. Tu n'as pas idée combien le climat d'ici est devenu mou, humide et désagréable à mon avis. Anna est allée se faire réexaminer hier ; il n'y a pas en elle de changements profonds encore, et elle se fait des illusions que je trouve cruelles. Mais il me semble que ce n'est pas à moi de l'éclairer, et son mari ne veut pas le faire. Du reste, elle peut sans doute durer assez longtemps encore ; son amaigrissement est très lent encore, environ une ou deux livres par mois.

Je ne resterai pas très longtemps auprès d'elle, tout d'abord parce que je ne peux guère lui être utile, malgré le désir que j'en ai ; il est difficile d'aider dans la maison d'une autre, parfois même on complique plutôt les choses. Et puis, je ne pourrais tenir longtemps dans l'atmosphère déprimante de la maison. Pourtant, Anna par bien des côtés est plus aimable, plus agréable de beaucoup qu'autrefois. Mais tu n'as pas idée quelle souffrance c'est pour moi de renouer avec ma famille. Sans cesse je suis envahie par le sentiment de mon étrangeté au milieu d'eux, comme si nous n'avions pour ainsi dire plus rien en commun, qu'une si lointaine, si pâle ressemblance qu'elle semble un rêve. Or, c'est cette pauvre petite ressemblance qui est, au fond, la cause peut-être de la gêne que j'éprouve parmi les miens. Hier soir, Germain et Antonia sont venus nous voir, étant de passage à Winnipeg. Imagine-toi qu'à Fort-Alexandre[2], près de Pine Falls, où ils enseignent aux enfants indiens, ils logent dans une magnifique maison neuve, meublée, cela gratuitement, et reçoivent à eux deux $700.00 de salaire. Malgré cela, ils n'ont même pas songé à apporter à Clémence quelque douceur. Aussi bien, je n'ai aucune intention d'aller les voir. Celle qui m'inquiète le plus est Clémence, si maigre, l'air si malade. Sûrement, elle est atteinte d'une maladie que l'on ne parvient pas à découvrir. Qu'il est désolant de ne rien pouvoir pour elle.

J'espère bien, mon chéri, que tu ne t'ennuieras pas trop à la Petite-Rivière. Tu n'aurais pas raison, en tout cas, de t'y plaindre car tu es dans un endroit sain, beau, frais, et tu es près des êtres les meilleurs du monde. Tâche donc d'en profiter le mieux possible. Je m'aperçois de mieux en mieux que le bonheur est entièrement dans le regard, dans notre manière de voir et que les circonstances extérieures de nos vies y sont pour bien peu.

Je t'envoie cette lettre à la Petite-Rivière, mais j'avais averti le maître des Postes en partant de retourner notre courrier à Québec. J'espère qu'il aura le bon sens de s'informer si tu es de retour à la Petite-Rivière. Ceci est ma troisième lettre. J'ai adressé les deux premières à Québec.

Porte-toi bien, mon chou, continue à profiter de tes vacances, de l'air pur et de la mer et attends mon retour avec courage et sérénité. Écris souvent et bientôt. Je t'embrasse bien tendrement.

Gabrielle

*

S[ain]t-Vital, le 26 juillet 1958

Cher Marcel,
Une petite lettre de toi à moi, de moi à toi, tous les jours, ou du moins fréquente, ferait toute la différence au monde et pourrait à tous deux nous faire le plus grand bien, de toutes les façons imaginables, intellectuellement et autrement. Mais apparemment tu ne l'entends pas ainsi, c'est regrettable. Je ne peux pas écrire dans le vide. De toi, jusqu'ici, je n'ai reçu qu'une lettre. J'aurais mille choses à te dire, mais ton silence m'en fait perdre le désir ; et puis, il y a l'inquiétude, lorsque je suis plusieurs jours sans nouvelles. Je me demande ce qui t'arrive, je suis tracassée. De plus, le soutien de tes lettres m'aiderait à supporter certaines impressions pénibles que j'éprouve à renouer avec ma famille. Enfin, tout ceci, tu le sais ; n'en parlons donc plus.

J'ai été, avec Anna et Albert, passer un petit bout de soirée chez Léona. Je t'envoie dans une petite boîte certains instruments de médecine et ta brosse à cheveux que ta mère m'a remis ; j'ai ajouté un programme souvenir des fêtes de S[ain]t-Boniface et *Sarah Binks*[1] que son auteur — rencontré hier — m'a donné. Ta mère a les jambes très enflées, et elle m'a dit avoir retourné un paquet de la pharmacie Demers, envoyé C.O.D.[2] parce qu'entretemps elle avait pu se pourvoir des médicaments qu'il lui fallait ; du moins c'est ce que j'ai compris.

Le bébé de Léona est tout simplement adorable, ne pleurant jamais, très beau, tout à fait mignon.

L'état d'Anna est stationnaire ; il se peut qu'elle se maintienne quelque temps encore, mais je me demande comment, car elle mange peu et ne retient pas grand-chose.

As-tu eu des nouvelles de l'appartement ? J'espère que tout sera en ordre pour la semaine prochaine. C'est vraiment désolant que tout n'ait pu être fait tôt comme je l'avais demandé et comme Champion me l'avait promis. Au fond, il faudrait que pareils problèmes soient mis sur papier et réglés définitivement. Comme je ne sais où tu es dans le moment, je vais adresser cette lettre à Québec.

Herbert m'a bien demandé des nouvelles de son escalier à la mer, et je lui ai dit combien il nous était utile et combien nous l'avons trouvé facile.

À bientôt, toute ma tendresse, et bien des souvenirs d'Anna.

Gabrielle

*

S[ain]t-Vital, le 2 août 1958

Mon cher Marcel,
Je viens de recevoir ta troisième lettre, enfin ; à l'instant où j'écris tu es réinstallé, je l'espère, dans notre appartement, et confortablement à l'aise. J'ai pu avoir une chambrette pour lundi soir, à bord du Dominion, plus lent que le Canadian, mais il arrive à Montréal le matin, ce que je préfère, puisque autrement, je devrais coucher une nuit à Montréal. J'évite donc cet ennui en choisissant le trajet le plus lent et arrivant à Montréal mercredi matin. De la sorte, je pourrai prendre le train de Québec — le petit train à 2 wagons, vers cinq heures — et arriver chez nous vers neuf heures — heure solaire. Cela va me faire une longue attente à Montréal, plutôt fatigante, surtout s'il fait chaud. Mais qu'y faire. Au fond, j'ai peut-être eu tort, en effet, d'entreprendre ce voyage au plus chaud de l'été ; par ailleurs, j'ai vu Anna lorsqu'elle n'était pas encore trop mal et pouvait se promener avec moi et Albert en auto. Comme c'est pour elle un bon délassement, c'est ce que nous avons fait presque chaque jour, nous contentant de petites randonnées. Ainsi j'ai pu revoir une bonne partie du sud du Manitoba. De plus, lundi dernier, je suis partie avec les Vermander[1] pour un voyage de trois jours vers la Petite-Poule-d'Eau. J'en avais une profonde nostalgie et, fort heureusement, le retour à ces lieux n'en a pas diminué le charme à mes yeux. Cela restera le haut moment de ce voyage. Nous ne sommes pas allés jusqu'au

ranch, car c'était encore trop difficile d'accès, mais en quelque endroit, sur le Big Waterhen qui aurait pu être l'horizon de la Poule-d'Eau. Tu devrais voir les magnifiques routes qui sillonnent à présent le Manitoba, et jusqu'en des régions encore à peine peuplées. Comment peut-on arriver à construire de pareilles routes — plusieurs macadémisées — dans une province dont la population est si faible comparée à la nôtre ! Il faut donc en conclure que dans ce cher Québec, les gens sont trompés, bafoués, et encore plus mal gouvernés qu'on pouvait le penser. Winnipeg est en train de devenir une immense ville industrielle : beaucoup de manufactures y viennent s'installer, fabriques de confection de pneus, etc. Quant à la construction immobilière, je n'en reviens pas. Des rues nouvelles y sont créées presque sur le champ, les maisons, les égouts, les rues, les trottoirs, tout cela se faisant pour ainsi dire en même temps, avec un outillage, équipement lourd comme je n'en ai vu encore ailleurs que sur la route de l'Alaska, autrefois[2].

Ces rues entières, de bungalows presque identiques, s'étendant presque à l'infini, donnent cependant une impression de tristesse.

J'aimerais bien pouvoir aller saluer tes vieux oncles et tes vieilles tantes, mais maintenant je n'en aurai plus le temps et par cette chaleur, je n'ose pas m'aventurer en ville.

Il me faut me reposer avant mon départ lundi, car j'ai bien mal dormi tout au long de mon séjour ici. Les trois dernières nuits, j'ai ressenti cette vive douleur à l'épigastre, et jusque dans l'épaule, que j'avais eue quelquefois déjà depuis quelques mois. Je me demande ce que cela peut être, n'apparaissant pour ainsi dire que la nuit.

À moins de changements, que pour l'instant je ne prévois pas, je devrais être à Québec mercredi soir. J'aurais bien voulu avant de rentrer chez nous me reposer quelque part, car au fond je n'ai guère eu de repos ici, sauf les trois jours de mon voyage avec les Vermander, mais l'hôtellerie au Manitoba est bien la plus détestable au monde ; la tambouille qu'on y sert est affreuse. La pire des mauvaises habitudes des Américains s'est répandue et fixée ici pour de bon.

Je t'embrasserai donc bientôt et, en attendant, je te souhaite un bon recommencement à l'hôpital, au bureau, et je t'envoie mille tendresses.

Gabrielle

Rawdon
printemps 1959

En mars 1959, Gabrielle Roy se rend à Rawdon, espérant profiter de quelques semaines de tranquillité pour écrire. Dès 1940, la romancière avait pris l'habitude de se retirer, presque chaque année, à Rawdon, chez madame Tinkler, afin de se reposer et d'écrire. C'est d'ailleurs là qu'elle avait pu terminer, en 1953, son roman Alexandre Chenevert, *qui l'avait hantée au cours des six années précédentes. Mais depuis qu'elle a découvert la région de Charlevoix, vers 1954, elle n'y est pas retournée. Madame Tinkler — chez qui elle prenait toujours pension lorsqu'elle débarquait à Rawdon — étant décédée, elle séjourne à l'hôtel Rawdon Inn. Elle travaille alors à* La Montagne secrète, *son cinquième roman, qui sera publié à l'automne 1961 aux Éditions Beauchemin. La durée exacte de ce séjour — le dernier de Gabrielle Roy à Rawdon — est impossible à déterminer. Cependant, on peut supposer qu'il a été assez bref, puisqu'une seule lettre destinée à Marcel Carbotte a été retrouvée.*

Rawdon, jeudi le 26 mars 1959

Mon cher Marcel,
C'est plaisant de se retrouver à Rawdon après toutes ces années et d'y lire quelques signes de changement ; mais, en fait, il y en a peu, du moins pour sauter aux yeux. Il est vrai que je n'ai pas encore eu le temps de faire le tour du village ni de renouer des liens avec mes anciennes connaissances — ce que je ferai petit à petit.

Dès que je suis arrivée au bon air de Rawdon, hier soir, j'ai senti que mon rhume finissait pour ainsi dire. Tu vas rire de moi et soutenir que tout ceci est l'œuvre de l'imagination. Peut-être pour une part. N'empêche que l'effet est bon. La grand-rue est encore tout encombrée de neige, d'eau et de détritus de l'hiver, mais il fait aujourd'hui un de ces temps splendides où l'on se sent renaître. J'espère que tu pourras à Québec éprouver ce même temps béni, cette même gracieuse sensation de réconfort et de renouveau.

Avant de quitter Montréal — les derniers jours, après ton départ, ne furent pas très gais, passés presque en entier dans ma chambre à soigner mon rhume —, avant de quitter la ville j'ai fait envoyer à Rachel Jutras — pour samedi, veille de Pâques — une jolie composition de fleurs — telle que tu aimes toi-même les disposer : des jonquilles, des tulipes, quelques iris bleus. Le tout m'a paru séduisant et frais comme le printemps.

La veille de mon départ, j'ai fait venir la petite Jacqueline Benoist à l'hôtel[1], pour dîner avec moi, tout simplement chez Murray's du rez-de-chaussée. Sa visite m'a gentiment distraite et amusée, car j'aime l'entendre conter les nouvelles et décrire les gens à sa manière perspicace, fine et toujours si tendre.

Cette après-midi, j'irai me faire coiffer — avec le plus grand besoin — chez mon ancienne coiffeuse de Rawdon, Clémentine. Je n'ai fait qu'un petit tour dehors ce matin, sur le coup de onze heures. Tout le monde que j'ai rencontré m'a fait autant de belles façons, il me semble, qu'à une sorte de potentat ou de reine. C'est malgré tout assez agréable.

Est-ce que tu avances un peu tes petites besognes les plus pressantes en vue de ton déménagement à venir ? J'ai hâte de recevoir une lettre de toi. Apparement je n'apprendrai jamais au téléphone à t'interroger sur ce que j'ai le plus vif désir d'apprendre, ni non plus à exprimer ce que j'ai l'intention d'exprimer. Heureusement qu'il y a les lettres.

Je te souhaite, mon chéri, de joyeuses Pâques et de ne pas trouver trop long le temps de mon absence. J'espère arriver à mettre en train quelque chose ici dans le calme et le stimulant d'un air qui, moralement ou physiquement, va me remonter.

Je t'embrasse de tout mon cœur en te souhaitant mille bonnes choses pour Pâques et pour chacun des jours de ta vie. À bientôt,

Gabrielle

Rawdon Inn
Rawdon
(Montcalm)

Montréal
hiver 1960

Gabrielle Roy fait un court séjour à Montréal en mars 1960, dont elle profite — comme elle l'avait fait lors de son passage dans la métropole à l'hiver 1958 — pour revoir ses amies, parmi lesquelles Jacqueline Deniset Benoist, qui habite à Chambly, et Cécile Chabot. Il est impossible de déterminer la durée exacte de ce séjour, qui a dû être relativement bref puisqu'on n'a retrouvé qu'une lettre de mars 1960 destinée à Marcel Carbotte.

La lettre qui suit a été rédigée sur du papier qui porte l'en-tête « The Laurentien. Montréal, Canada ».

Le 23 mars 1960

Mon cher Marcel,

Tu as cherché à me rejoindre vers 6 h 30, d'après le message que j'ai eu en rentrant à l'hôtel vers 10 heures et, à mon tour, j'ai appelé notre numéro. J'ai jugé que tu ne rentrerais que tard et me suis mise au lit, en regrettant tout de même de ne t'avoir pas parlé le jour de ma fête[1]. Mais du moins, j'avais ton message et un télégramme de souhaits de la part des Madeleine. Et puis, j'avais passé une agréable soirée avec Jacqueline Benoist qui est venue me prendre à l'hôtel vers 5 h 30 et avec qui j'ai fait le petit voyage à Chambly pour dîner — un excellent repas — avec elle et sa petite famille. La veille, lundi, j'ai dîné chez Cécile Chabot, en pleine forme et qui travaille bien. Ce soir, j'irai probablement avec elle voir *Bousille et les justes*[2]. De plus, je me suis acheté un costume chez Morgan[3]. Voilà tout ce que j'ai fait pour le moment. Le costume est en tweed gris à petits mouchetages blancs, taillé à Paris. Je pense qu'il me va assez bien. J'ai eu grand peine à trouver quelque chose m'allant à peu près. J'ai eu ma tentation annuelle d'essayage de chapeaux, qui a tourné en la comédie habituelle. Mais cette fois j'ai résisté et n'ai rien acheté — et c'est tant mieux, car sous tout ce que j'ai essayé j'avais l'air grotesque. Il fait beau mais assez froid encore tout de même. Sur la S[ain]te-Catherine, c'est tout à fait sec, mais ailleurs, il y a passablement de neige. Pour cette fois, je ne trouve pas que le printemps soit à Montréal en avance de Québec. Des constructions s'élèvent tout autour de ce quartier. Le Nouveau Windsor aura sans doute la taille de l'Elizabeth[4] et d'autres buildings dans ce coin-ci seront plus grands encore. On entend le grondement constant des pelles mécaniques.

Heureusement j'ai pris une chambre très haut et le bruit ne me gêne pas. Sois bien sage, prends bon soin de toi-même et des plantes.

[*Ajouté en marge* :] Je t'embrasse tendrement.

Gabrielle

[*Ajouté en marge sur la première page* :] S.V.P. garde-moi *Jours de France* et *Match*, si tu veux.

Cape Cod
juin 1960

En juin 1960, Gabrielle Roy passe près de deux semaines à Provincetown avec Thérèse Dubuc, la nièce de Marie, qui y possède une maison.

Provincetown, le 15 juin 1960

Mon cher Marcel,

Nous sommes arrivées à Provincetown pour coucher hier soir, après avoir fait excellente route, bon ménage et tout cela par très beau temps. Ici aujourd'hui, c'est en partie ensoleillé, en partie pluvieux ; un peu comme la Bretagne. Nous avons déjà eu le temps de faire un tour dans les dunes en taxi-jeep qui secoue beaucoup, mais nous permet de voir un paysage d'une belle sauvagerie. Nous avons trouvé à nous loger dans un Guest House à $4,00 par jour, le café du matin compris. De petites chambres propres, au papier naïf, à petits rideaux blancs, donnant sur la mer ; c'est tout ce qu'il faut. En fait, on ne pourrait pas être plus près de la mer ; on la voit, presque à bout de bras et, bien entendu, on l'entend battre le rivage ; de même qu'on entend les mouettes et que l'on respire une bonne odeur d'algues. Parmi les dunes, j'ai vu toute une végétation bizarre et colorée ; du genêt, je pense, et des petits pruniers sauvages, aux prunes bleueres[?] dont on fait une spécialité, une gelée ; j'en ai acheté deux petits pots pour nos déjeuners à la Petite-Rivière. Il y a aussi une sorte de bruyère d'un beau jaune vif et des pois sauvages.

Provincetown est plaisant à voir, à visiter et à vivre, je pense. Il y a déjà passablement de touristes, genre artistes, un peu barbus, plutôt sympathiques. Cependant, ce n'est pas la grande foule encore, et l'on peut bénéficier des prix hors saison. Tout indique que nous nous plairons ici et nous pensons y passer peut-être une semaine, en rayonnant autour. Le ciel un peu gris, l'air vif, des masses de fleurs au vent autour des petits villas ; cela me fait un peu penser à la Bretagne.

J'espère, mon chou, que tu souffres moins de ton rhumatisme ou névralgie. As-tu parlé à Lesage de tout ceci ? Une piqûre pourrait peut-être te soulager. Cela est bien embêtant, n'est-ce pas ?

N'oublie pas de demander d'avance à madame Chassé de préparer la note pour avril-mai. Tu la connais ; elle n'est jamais pressée. Je t'écrirai de nouveau sous peu ou te téléphonerai. Je t'embrasse bien tendrement.

Gabrielle

⁂

Provincetown, jeudi le 16 juin [19]60

Mon cher Marcel,
Belle journée aujourd'hui, chaude et ensoleillée. Nous avons pu faire petite trempette. Dans cette eau très salée, au grand soleil, nous avons bruni toutes les deux à devenir presque des Peaux-Rouges. Ensuite, nous avons fait un petit tour par Orleans, Eastham (retrouvé enfin l'Auberge où nous avions couché, toi et moi, après le séjour à Boston), puis filé le tour du Pleasant Bay vers Chatham. Cette région est fort belle : des grandes maisons de famille entourent la baie, et ce n'est partout que fleurs et arbres magnifiques. Cela m'a fait penser à notre petit jardin, qui en son genre sera très réussi, je pense.

Si le beau temps continue, nous profiterons au maximum de ces petites vacances. Je trouve à manger assez facilement, du bon poisson très frais et grillé, comme je l'aimais tant autrefois, à Boston. C'est un vrai régal.

En somme, si nous pouvons continuer à rouler un peu tous les jours, nous connaîtrons le Cape Cod à fond, du moins une grande partie. Au fond c'est comme partout ailleurs ; il vaut mieux quitter la grand-route et prendre par de petits chemins pour apercevoir la physionomie du pays — ce que nous faisons le plus possible.

Je m'inquiète de ta douleur de côté. J'ai hâte d'apprendre ce qui en est, et si tu vas mieux. Ce ne sera plus très long avant mon retour, je pense, puisque nous avons déjà pris près de la moitié de ces vacances.

Porte-toi bien, et salue de nouveau pour moi les Madeleine (à qui j'ai envoyé une carte) et nos gens à la pension.

Mille baisers ; à bientôt, chéri,

Gabrielle

Printemps 1961

Au printemps 1961, le magazine Maclean *commande à Gabrielle Roy un reportage sur le Manitoba. L'article, intitulé « Le Manitoba », paraîtra en juillet 1962, et sera repris en 1978 dans le recueil* Fragiles Lumières de la terre.

Pendant ce voyage, la romancière assiste à la cérémonie au cours de laquelle sa nièce Yolande, la fille de son frère Germain, reçoit son diplôme d'infirmière. Germain, en se rendant à Saint-Boniface pour l'occasion, est victime d'un grave accident de voiture et meurt quelques jours plus tard.

Les deux lettres destinées à Marcel qui ont été retrouvées et qui datent de cette époque ont été écrites à Montréal, avant le départ de Gabrielle Roy pour le Manitoba. Comme elle le fait souvent lorsqu'elle séjourne à Montréal, elle en profite pour revoir ses amies Judith Jasmin et Cécile Chabot.

Le 7 mai 1961[1]

Cher Marcel,

Je partirai mardi plutôt que mercredi, afin d'être plus vite revenue, et puisque je suis prête. On a retenu une chambre pour moi au Fort-Gary et un ticket par reacté pour Winnipeg, en envolée directe de trois heures ; c'est incroyable, n'est-ce pas ? Ainsi située en plein cœur de la ville, je pourrai facilement voir les gens que je désire rencontrer et sans trop me fatiguer. Je pourrai aussi faire quelques petites randonnées autour de la ville, revoir certains endroits dont je veux rafraîchir en mon esprit le souvenir. Bien entendu, je téléphonerai en arrivant à ta mère, à Léona, ainsi qu'à mes sœurs — et je me garderai un jour ou deux à la fin de mon travail pour les voir tous. Peut-être que je pourrai être de retour en dix jours. Je le souhaite car je commence vite à m'ennuyer lorsque [je suis]séparée de toi.

Ce n'est pas uniquement pour ce reportage que je me suis laissé persuader d'entreprendre ce voyage. Les impressions que j'en rapporterai pourront m'être utiles pour mon prochain roman[2] — enfin il me semble que ce pourrait être.

J'espère que tu trouveras à ton goût ce que je t'ai acheté et surtout que tu peux te reposer plus que durant ces quelques semaines de fou que tu as passées. Si tu veux aller à la Petite-Rivière, il serait bon de téléphoner à Aimé[3] pour qu'il enlève les panneaux, ouvre la maison, etc.

Ce soir, j'irai dîner chez Cécile, et demain, je me reposerai afin d'être en assez bon état pour mon départ le neuf, vers 3 heures.

Écris-moi un mot à l'hôtel Fort-Gary. Je serai si contente d'avoir là quelques mots de toi. Je t'embrasse bien tendrement.

Gabrielle

[*Ajouté en marge sur la première page :*] Chou, ne porte pas tes pyjamas neufs avant qu'ils soient marqués.

⁂

Lundi le 8 mai [1961]

Mon cher chou,
J'envoie aujourd'hui de l'hôtel, par express, mon manteau brun avec fourrure dont je n'aurai plus besoin, je pense, et qui m'encombrerait. Je l'envoie à l'appt. 1, aux soins de Mme Chassé, comme je crains qu'on le livre alors qu'il n'y aura personne à l'appartement. Dès que tu auras reçu la boîte, veux-tu en sortir mon manteau pour le pendre dans ma garde-robe.

J'ai déjeuné avec Judith, qui m'a raconté bien des choses piquantes, comme toujours. Je te garde le compte rendu pour mon retour. Je t'embrasse tendrement.

Gabrielle

[*Ajouté en marge au début de la lettre :*] P.S. La Cécile partait aujourd'hui pour Québec. Je lui ai demandé de te téléphoner. Si tu as le temps de lui faire faire une petite balade, ce serait gentil, mais ne te crois pas forcé de le faire.

Percé
été 1962

À la fin de l'été 1962, Gabrielle Roy passe trois semaines à Percé, en Gaspésie. Elle s'y repose seule, sans Marcel, qui l'y a conduite en voiture et qui est aussitôt rentré à Québec. Plusieurs des personnes évoquées par Gabrielle Roy n'ont pu être identifiées (les Fisher, les Brasset, Miss Tardif, Paul Leduc et Mlle Bourgault). Il s'agit sans doute de gens rencontrés par hasard et qu'elle n'a jamais revus par la suite.

Guernsey Cottage, Percé, le 12 août 1962

Mon cher Marcel,

Après la flotte d'hier, aujourd'hui s'annonce beau et chaud, et j'espère que tu feras route agréable pour rentrer à Québec. J'aimerais que tu m'écrives un petit mot, ne serait-ce que deux lignes, pour m'apprendre que tu es rentré et si tout s'est bien passé. Tu n'as pas à te faire de scrupules au sujet des Fisher ; ils étaient partis, depuis très tôt samedi matin, alors que nous débattions si tu les prendrais oui ou non comme passagers. Hier soir, j'ai fait un bout de veillée chez les Brasset ; par cette soirée de pluie et de vent froid, leur grand feu de cheminée était fort accueillant. J'ai aussi de nouveau rencontré les Falardeau dans la rue, et c'est à peu près tout ce qui a marqué la journée d'hier. J'ai pris le déjeuner chez Bélanger, au *Bleu, Blanc, Rouge,* un bon repas, à peu près dans le genre de la Normandie, et passablement moins cher. J'ai essayé Béard pour le dîner, et là c'est franchement mauvais. Donc, dans ce bout-ci du village, il n'y a vraiment que le *Bleu, Blanc, Rouge* de convenable. Il semble qu'il y ait encore beaucoup de monde à Percé malgré la mauvaise journée d'hier, mais, il est vrai, le temps se répare vite.

La petite troupe d'acteurs du théâtre de Percé[1] semble fréquenter le *Bleu, Blanc, Rouge.* J'y ai revu Françoise Graton[2], en vêtement de pluie, très attrayant, un ciré et un chapeau de pêcheur bleu ciel et de grandes bottes noires. J'ai presque envie de retourner dans l'île aujourd'hui, pour me promener un peu vers le côté habité, c'est-à-dire où il se trouve quelques maisons. C'est vraiment un village où il y a pas mal de choses à voir et à faire. Le plus beau après les oiseaux, c'est sans doute les immenses rouleaux de vagues que j'ai vus hier soir, en m'arrêtant un peu sur la plage. Leur beau fracas, leur inlassable bruit de tonnerre m'ont rempli l'âme de nostalgie. J'ai pensé à nous deux avec tristesse et un grand désir que nous puissions enfin arriver à vivre ensemble en amis.

Je te souhaite un heureux retour au travail et de beaux souvenirs de notre voyage. Je t'embrasse.

Gabrielle

*

Percé, le 19 août 1962

Mon cher Marcel,
Je te remercie de m'avoir si promptement réadressé mon courrier. Un petit mot de toi était pourtant ce que j'espérais le plus. Je passerai cette semaine encore, je pense, à Percé, puisque l'air me fait réellement du bien. Il y a quantité de promenades à faire, toutes charmantes, et dont on ne peut avoir idée que lorsqu'on s'est familiarisé avec le pays. Par une journée splendide — la seule au reste de toute la semaine passée — j'ai fait une longue promenade dans l'île, presque le tour. Imagine que j'y ai rencontré Bertrand Vac — le docteur Aimé Pelletier — qui a acheté un grand bout de terrain, à l'extrémité sud de l'île et y vit en ermite pendant une quinzaine chaque été[1]. À côté de chez Miss Tardif habitent dans une petite maison louée pour la saison Léo-Paul Desrosiers et sa femme, Michelle LeNormand[2], dont j'ai fait la connaissance sur la grève, et depuis je les ai accompagnés dans plusieurs de leurs excursions aux plages voisines, l'Anse-à-Beaufils, la plage Sainte-Thérèse et d'autres. Ensemble nous avons cherché des agates; tous semblent succomber à cette passion ici, même les plus sérieux. Tu aurais dû voir Jean-Charles Falardeau, accroupi dans les cailloux, et occupé à fouiller. Il semble qu'ici les gens montrent le meilleur côté de leur nature. Pour ma part, grâce aux leçons de Léo-Paul Desrosiers, je ne ramasse plus de quartz et j'ai appris enfin à reconnaître les agates, mais il en reste peu et, à moins d'une chance extraordinaire, on n'en trouve plus que de tout petits morceaux. Toutefois, j'ai trouvé passablement de jaspe. Je me demande comment je vais pouvoir rapporter mon tas de cailloux, si je reviens par le train. J'ai aussi rencontré les Paul Leduc de Montréal, et que d'autres. Cependant, on peut très bien s'isoler si c'est cela qu'on désire le plus.

Même par mauvais temps, l'endroit est plein de charme et de ressources. Les beatniks à peu près tous disparus, le village prend maintenant un aspect plus tranquille et un peu vieillot tel il était, me dit-on, il y a quelques années. Les vieux habitués, tels Léo-Paul Desrosiers et sa femme, préfèrent évidemment le Percé calme et paisible de ces jours-ci, mais je n'ai pas détesté l'agitation des premiers jours.

Je suppose que les Madeleine sont rentrées ou sont déjà revenues peut-être. Dis-leur mes amitiés si tu les entrevois.

Je t'embrasse tendrement.

Gabrielle

Guernsey Cottage
Percé.

P.S. Au cas où notre blanchisseuse ne serait pas venue, comme je le lui ai demandé, et que tu veuilles l'appeler, voici son nom et numéro de téléphone :

Madame Beaumont
Vi 2-2037

*

Percé, le 27 août 1962

Mon cher Marcel,
J'ai reçu ta lettre, et je te remercie de m'avoir écrit un mot avant ton départ pour l'Ouest. J'espère que tu as fait un bon voyage et que tu es rentré dispos et content d'avoir revu nos plaines. Surtout à cette époque de l'année, elles sont émouvantes à contempler, n'est-ce pas. J'avais l'intention de rentrer pour notre anniversaire, le 31, et j'ai peur maintenant de ne pas m'y être prise assez à l'avance pour obtenir un billet de couchette à bord du train, ayant oublié que presque tout le monde rentre justement en ville cette semaine, la dernière des vacances à proprement dire. Si je réussis à obtenir un billet pour une roomette, j'arriverai vendredi matin, à Lévis. C'est un voyage très malcommode, mais peu importe. Ne te dérange pas pour venir à ma rencontre, comme ce sera tôt, sept ou huit heures du matin je crois, et que, par ailleurs, je ne suis pas assurée à date d'avoir un billet pour ce jour. Il y a aussi une possibilité que je rentre avec une connaissance, une amie de Mlle Bourgault qui

fera le voyage en auto. Ou bien, si cela est impossible, j'attendrai à mardi ou mercredi prochain pour revenir par train, alors que se sera écoulé le grand flot de voyageurs. Si je n'arrive pas vendredi, c'est donc que cela m'aurait été impossible et ne m'attends pas avant le milieu de la semaine prochaine. Le beau temps et la chaleur étant venus enfin, je mettrai ces jours-là à profit. Je regrette que tu n'aies pas vu Percé sous son jour le plus favorable, alors qu'il [l']est maintenant, les beatniks partis, le calme revenu. C'est vraiment un village adorable. Avec les Desrosiers, je vais presque à chaque après-midi sur une plage avoisinante — où il n'y a pas trop de chercheurs — et j'ai trouvé quelques petites agates, mais non pas encore la rare, la précieuse que je me suis mis en tête que je vais dénicher peut-être. Par ailleurs, j'ai trouvé deux ou trois assez beaux morceaux de jaspe. Je n'aurais pas cru que l'agatomanie me gagnerait à ce point et surtout que cette innocente passion puisse apporter une telle détente. C'est merveilleux. Au fond, rien ne nous repose comme de redevenir un peu enfant.

Aujourd'hui, je vais dîner au *Gargantua*[1] avec les vieilles filles, amies de Mlle Bourgault, toutes bien sympathiques ; l'une, le docteur Alley[2], est d'ailleurs une personnalité remarquable. Hier, les Brasset m'ont invitée à déjeuner. Et ce beau temps, chaud même ici. Cela doit être étouffant à Québec.

Si je ne puis rentrer pour vendredi, nous remettrons à un jour de la semaine prochaine notre petite fête d'anniversaire, veux-tu ? En attendant, je t'embrasse affectueusement, et te réserve mille petites histoires savoureuses à te raconter à mon retour.

Gabrielle

Saint-Sauveur-des-Monts
hiver 1963

À l'hiver 1963, Gabrielle Roy séjourne à Saint-Sauveur-des-Monts, dans les Laurentides. Elle y retrouve notamment l'écrivain Léo-Paul Desrosiers. Une seule lettre écrite à cette époque et adressée à Marcel a été retrouvée. Il a donc été impossible de déterminer la durée exacte du séjour de la romancière.

S[ain]t-Sauveur-des-Monts, le 20 février 1963

Cher Marcel,

J'aurais dû t'écrire plus tôt, mais en arrivant et pendant tous ces jours depuis, j'ai été comme assommée par le grand air, je suppose. Je n'ai rien fait d'autre que marcher, manger, dormir — à part une petite visite d'une heure ou deux l'après-midi chez les Desrosiers. Le temps n'a pas été très beau. À peine ai-je vu le soleil depuis mon arrivée. Pour les skieurs cependant, il y a tout ce qu'il faut, et surtout une neige fraîche presque chaque nuit. J'ai emprunté quelques livres de Desrosiers, et ainsi le temps passe assez bien. L'hôtel est sympathique, quoique un peu genre l'hôtel des Cascades à Métis Beach, pas aussi solennel pourtant. Je pense quitter pour m'en aller à Montréal vendredi peut-être ou dimanche au plus tard.

J'espère que tout va bien à la maison [et] que tu ne te surmènes pas trop. C'est dommage que tu n'aies pu m'accompagner ici. L'air est plus vif tout de même et t'aurait fait du bien.

Je te téléphonerai ou t'écrirai de nouveau dès que je serai à Montréal, à l'hôtel Laurentien, comme toujours, j'imagine. En attendant, je t'embrasse tendrement, en te souhaitant mille bonnes choses.

Gabrielle

Europe
août-septembre 1963

En août 1963, Gabrielle Roy part seule à destination de l'Angleterre et de la France, où elle séjournera pendant près de deux mois. Elle passe d'abord trois semaines à Londres, où elle rencontre une jeune journaliste suédoise du nom de Siv Heiderberg, avec qui elle se lie d'amitié. Elle se rend ensuite à Upshire, où elle passe quelques jours au Century Cottage, chez Esther Perfect ; il s'agit de la dernière rencontre entre les deux femmes.

Après ces quelques jours à Upshire, Gabrielle gagne Paris. Elle profite de l'occasion pour retourner à Saint-Germain-en-Laye, où elle revoit les Jarry, qui l'invitent à faire des promenades en voiture avec eux, ainsi que madame Racault, qui est toujours pensionnaire à la Villa Dauphine et que Gabrielle et Marcel avaient connue alors qu'ils y habitaient eux-mêmes, en 1948. À Paris, elle rencontre aussi Anne Hébert, et elle retrouve Julie Simard, une infirmière de Québec qui travaille au même hôpital que Marcel Carbotte.

Avec Julie Simard, la romancière fait un voyage d'une semaine en Provence, après quoi elle passe une autre semaine à Paris, avant de rentrer à Québec.

Pendant ce temps, Marcel s'occupe du déménagement : le couple change d'appartement au Château Saint-Louis.

Le 6 août 1963[1]

Cher Marcel,

J'ai fait le voyage sans fatigue, mais je préfère nettement Air France à B.O.A.C.[2]. La nourriture surtout. On nous a servi des tid-bits insignifiants, « wholesome and crisp ». Il y avait du poulet, c'est vrai, mais ce jour de mon départ fut trop complètement un jour de poulet ; à la pension déjà, à bord de l'avion Québec-Montréal, puis encore à bord du jet. Heureusement, la table est excellente au Stafford. Il y a un chef français, cela se voit. Je viens de prendre un vrai petit déjeuner parisien avec du café noir succulent. C'est un petit hôtel vieux genre, respectueux des traditions. Le concierge y est à demi-sourd, la réceptionniste a un accent indéchiffrable, mais dans l'ensemble, on s'y sent bien. C'est dans une petite rue tranquille, mais à deux pas de Piccadilly et de Trafalgar Square, que j'ai revus hier, en arrivant. Imagine-toi que, demandant mon chemin à une passante, je m'entendis répondre qu'elle-même était étrangère. De là nous liâmes un peu conversation. J'appris qu'elle était journaliste, suédoise ; une belle jeune femme blonde comme on en voit en ce pays. Pour finir, nous avons continué nos randonnées ensemble, marchant sur les Victoria Embankments hier soir, presque jusqu'à l'épuisement. En route, nous avons essayé de manger et n'avons trouvé que d'affreuses gargotes d'atmosphère graisseuse. En dehors des bons restaurants, il n'y a pas à se fier à ce qu'on peut trouver. C'est un peu comme lors de notre voyage ensemble à Londres. La nourriture y est abominable. Donc, nous avons décidé de revenir dîner à mon hôtel où ce n'est pas trop cher malgré tout, environ $2.75 pour une entrecôte, le potage et le dessert. Je dois retrouver cette Suédoise aujourd'hui encore pour nous promener un peu ensemble. Je n'ai pas encore eu le temps de voir ni Esther, ni Mrs. Vere-Hodge, puisque je n'ai passé qu'un jour à Londres. Pourtant cette journée me paraît plus chargée d'aventures que des semaines entières. Je me plairais assez à Londres, je pense, pour peu de temps, mais c'est la plus belle campagne anglaise que j'aspire surtout à retrouver. Cette ville n'est vraiment plus à la mesure humaine, trop vaste, trop surpeuplée. Je ne sais si c'est juste — car il faut se méfier parfois d'impressions hâtives —, mais il me semble que les Londoniens ont un air déprimé. Toujours gentils et obligeants tels je les ai connus autrefois, mais avec un air un peu triste. Je t'écrirai de nouveau prochainement. Tu peux toujours m'écrire ici, car je ferai suivre mon courrier si je déménage. Mille tendresses,

Gabrielle.

[*Ajouté en marge sur la première page :*] As-tu reçu mon télégramme ?

⁕

Jeudi le 8 août [19]63[1]

Mon cher Marcel,

J'ai revu hier la merveilleuse œuvre : *Arnolfini et sa petite épouse*[2]. Le catalogue parle de fiançailles, mais il m'a toujours semblé que la douce petite créature à côté d'Arnolfini était enceinte. Il est vrai qu'avec les volumineuses robes de ce temps-là, on n'en peut juger. Cependant, le geste bénisseur d'Arnolfini semble s'adresser, je ne sais pourquoi, à l'enfant à venir. Peu importe d'ailleurs, la beauté de ce tableau est inoubliable. J'imaginais pourtant la toile plus grande qu'elle ne l'est effectivement. Notre mémoire reconstruit sans cesse et sans cesse nous induit en erreur.

Avions-nous vu ensemble l'*Avenue* de Hobbema[3] ? Tu sais, cette rangée de grands arbres presque dénudés sauf dans le haut et qui laissent apercevoir un immense ciel nuageux. J'ai trouvé cela très beau. J'ai revu les Rembrandt, je crois qu'il y en a quelques nouveaux depuis notre visite. Je retourne cette après-midi voir l'École française et les portraitistes anglais. C'est commode ; la National Gallery est à cinq minutes de marche. Je continue à retrouver ma jeune Suédoise soit pour le lunch, soit pour une promenade l'après-midi mais nous rentrons tôt, chacune de notre côté, dans son hôtel, car nous n'en pouvons plus à la fin de l'après-midi. Pourtant hier soir, encore, je suis ressortie vers huit heures, pensant ne marcher que jusqu'au St. James's Park tout près, mais j'ai continué sur le Mall jusqu'à Buckingham Palace, de là jusqu'à Westminster Abbey, puis sur le pont et de retour à pied, ce qui m'a fait marcher au moins quatre ou cinq milles encore. C'est une frénésie pareille à celle que nous avons connue il y a deux ans à Paris. J'ai tout de même trouvé le temps de me rendre à la Maison du Québec et j'y ai passé un bon moment avec Hugues Lapointe[4]. Comme il fallait s'y attendre, je suis invitée chez eux à déjeuner, demain. J'ai aussi retrouvé Esther qui s'occupe d'une vieille femme presque impotente, c'est à une heure de Londres, dans un de ces vieux petits villages d'autrefois, à présent englobés dans le Grand Londres qui ne cesse de s'étendre. Esther n'a pas tellement changé. Toujours ces beaux yeux pers, souriants et mélancoliques. Elle voudrait bien pouvoir quitter sa vieille dame et ouvrir son cottage d'Upshire pour m'y recevoir quelques semaines, mais, paraît-il, la vieille dame doit attendre son tour pour trouver place « in a home » et, entretemps, il n'y a personne d'autre qu'Esther « to do things for the poor soul ». Cela me déçoit, mais qu'y faire. J'irai chez les Hodge à Cranleigh samedi. Madame Hodge a téléphoné et offert très gentiment de venir me chercher à leur petite gare. Te raconterai cela dans ma prochaine lettre.

[*Ajouté en marge :*] Ne te surmène pas trop et écris-moi bientôt. Je t'embrasse.

Gabrielle

⁕

Le 9 août 1963[1]

Mon cher Marcel,
Je commence à me sentir un peu fatiguée après cinq jours à marcher constamment, mais cela en vaut la peine. Comme je regrette que tu ne sois pas avec moi pour découvrir et explorer Londres, que nous n'avons pas vu vraiment il y a 13 ans, parce que nous avions trop faim et pas assez d'énergie, faute de nourriture, et aussi, dans ce temps-là, la ville était triste, alors que maintenant elle est colorée par la présence

de milliers de visiteurs de l'Inde, du Ghana, de partout dans le monde. C'est vraiment un spectacle exaltant. Ma gentille Suédoise, Siv Heiderberg, trotte avec moi. Elle s'est attachée à moi comme un petit chien, et aime me suivre comme elle ne connaît pas bien l'anglais. Hier midi, j'ai déjeuné chez les Lapointe, qui ont un magnifique appartement près de Park Lane et donnant sur Hyde Park. C'était un déjeuner de femmes, l'épouse de Blair Fraser[2], celle du Haut Commissaire du Canada, Mrs. Roger, et trois ou quatre autres dont je n'ai pas retenu le nom. Ce n'est pas étonnant, tant je fais d'efforts du matin au soir pour retenir ce que je vois, ce que j'entends. Puis, hier soir, avec ma Suédoise, j'ai fait un tour en bateau sur la Tamise, jusqu'à Greenwich, passant par la London Tower où il y a son et lumière tous les soirs. Revenant à l'heure du crépuscule, j'ai pu apprécier la silhouette de la Tour et du London Bridge qui, illuminés, faisaient beaucoup d'effet. À date, j'ai fait trois visites déjà à la National Gallery. C'est commode car tout près, à dix minutes de marche au plus. Il y a des nouveaux Cézanne, des nouveaux Rembrandt, une esquisse au crayon de Vinci, absolument admirables. J'ai acheté un assez bon nombre de cartes en couleurs reproduisant ces tableaux et t'en enverrai un paquet ces jours-ci.

J'ai oublié de te parler de Juliette Simard avec qui je me suis assise de Québec à Montréal, et qui s'est dégelée, la chère enfant, au point de bavarder sans répit d'un bout à l'autre du voyage. Ces timides, quand ils se laissent aller, sont parfois les plus loquaces des gens. Hier, j'ai reçu un mot d'elle, de Paris, où elle semble absolument enivrée. Mais, me dit-on, la vie est terriblement chère à Paris, tandis qu'ici, les prix me semblent raisonnables. J'aime beaucoup mon hôtel, situé dans un quartier beaucoup plus commode que Mayfair, pour moi du moins. Il se trouve près du Mall, du parc St.James, de Trafalgar Square, de Piccadilly, de Bond Street, et même de Westminster où je suis allée à pied plusieurs fois déjà. Tout ce quartier m'est maintenant presque familier. J'espère que tu vas bien et ne [te] surmènes pas. Je t'embrasse tendrement.

Gabrielle

[*Ajouté en marge sur la première page :*] La Maison du Québec, à Londres, est plus gaie et accueillante que Canada House.

*

Le 13 août 1963[1]

Mon cher Marcel,
J'espérais tellement recevoir une lettre de toi cette semaine. Tu sais, au loin, à l'étranger, on est si content de recevoir des nouvelles et un mot d'affection. J'ai dû déménager ce matin, ma chambre n'ayant été réservée que pour une semaine. D'ailleurs, c'était beaucoup trop cher, cinq dollars de plus par jour que je m'attendais. Claude Michel[2] réfère ses gens à des hôtels un peu trop coûteux, me semble-t-il. C'était merveilleux, mais je serai tout aussi bien ici, au fond, et pour la moitié du prix. J'ai revu Esther, et imagine-toi que sa vieille dame dont elle prenait soin est morte justement il y a deux jours. Esther retournera probablement vivre à Upshire et, si c'est le cas, j'irai me reposer chez elle une semaine ou deux. J'avoue que je m'en sens le besoin après huit jours à Londres. Le trafic est fou en cette ville, le bruit terrible, et j'ai tant trotté que je n'en peux plus. J'aspire donc au petit village d'Esther, et j'espère bien qu'elle y retournera sous peu. J'attends des nouvelles d'elle d'ici deux ou trois jours et je t'écrirai dès que je serai fixée. En août Londres est terriblement encombré. Paris aussi sans doute. C'est pourquoi j'aimerais bien passer le reste du mois dans un coin tranquille. J'ai fait un choix de cartes postales reproduisant quelques-uns des tableaux de la Tate Gallery pour toi, que je t'enverrai bientôt. Je t'ai déjà adressé un paquet de cartes de la National Gallery. Les couleurs sont loin d'être satisfaisantes, mais du moins, ces cartes nous aideront à nous représenter ces merveilleux tableaux et à nous les rappeler à la mémoire. J'ai une très grande hâte de lire un mot de toi. J'espère que l'aménagement de notre appartement ne te donne pas trop de souci. Je t'embrasse.

Gabrielle

[*Ajouté en marge sur la première page :*] Mon courrier adressé à l'hôtel Stafford suivra, et de même celui qui sera adressé ici.

[*Début d'une nouvelle page :*] Cher Marcel[3],
Je continue ma lettre, car je m'aperçois que j'ai oublié de te parler de ma visite aux Vere-Hodge, dans leur fameux cottage Tudor dont la date de naissance est 1627. Tu aurais trouvé là de quoi réjouir ton goût des vieilles choses précieuses. C'est presque un musée, mais les deux pauvres vieux, malgré tout leur attachement à cette vieille maison, se voient forcés de la mettre en vente, et se retireront dans leur cottage — qui n'est

pourtant pas si humble, il contient tout de même six bonnes pièces. Ils m'ont reçue très chaleureusement, l'accueil venait du cœur [sans] nul doute, mais la mangeaille préparée par le vieux professeur lui-même (a specialist in tropical diseases) venait, elle, « out of tins[4] » selon son expression. Et c'était abominable. Jamais je n'ai mangé quelque chose d'aussi affreux, et il fallait bien manger, de peur de faire de la peine à ces deux pauvres vieux qui faisaient tout de même de leur mieux sans aide, sans domestiques pour me recevoir. Ils partent pour le Canada rendre visite à leur fille ces jours-ci. Je leur ai donné notre adresse. S'ils t'appellent et que tu sois libre, leur ferais-tu faire un petit tour du parc peut-être ? Car en dépit de l'abominable repas qu'ils m'ont servi, ce sont deux chères âmes et ils me l'ont bien montré.

[*Ajouté en haut de la page :*] P.S. Vere-Hodge est leur nom et celui de leur gendre est : Brochocka, habitant Chicoutimi.

⁂

Cadogan Hotel, le 16 août 1963

Mon chéri,
Tu n'as pas idée combien ta lettre reçue ce matin m'a réjouie et réconfortée. Les nouvelles de Mme Chassé m'ont attristée, toutefois. Pauvre femme, cette mystérieuse maladie doit être horrible à supporter pour elle. J'ai un peu dérougi dans mes trottes à travers Londres depuis quelques jours. Au début, il nous vient comme un surcroît d'énergie nerveuse, due sans doute à l'intense curiosité qui nous anime ; mais ensuite, la fatigue se fait sentir durement. Ces jours-ci, j'ai tâté un peu des grands magasins pour découvrir que tous les objets un peu élégants sont d'importation : Suisse, France, Autriche, Italie surtout. On a l'impression que l'Italie est en train d'envahir le monde avec ses chaussures, ses soies et ses foulards. Évidemment, tout cela est hors [de] prix. Et on comprend que l'Angleterre, en dehors du marché commun, soit vouée à la ruine. De *Made in Britain,* je n'ai vu que des sacs à main, mais à un prix exorbitant. J'ai l'impression que le pays importe beaucoup plus qu'il n'exporte, en sorte qu'il semble y avoir ici un profond malaise économique. Tu as sans doute entendu parler du *Great Train Robbery* qui a fait tant de bruit ici[1]. Accompli dans le style des exploits du Far West, autre-

fois, il a soulevé les imaginations. Hier, on a fait des arrestations. Il se pourrait que quelques-uns des bandits soient canadiens, ce qui n'améliorera pas notre réputation en Grande-Bretagne.

Cher chou, malgré tout l'intérêt que je trouve à revoir Londres, ses musées et quelques-uns de ses plus beaux parcs — les plus beaux parcs au monde, il me semble —, je trouve dur de voyager seule. À certaines heures, une grande tristesse s'empare de moi. Ce serait tout à fait autre chose si nous voyions toutes ces merveilles ensemble. Je pense que c'est mon dernier voyage seule. Si j'en fais d'autres encore, ce sera avec toi. Je me suis réhabituée à l'horrible système de monnaie, mais avec difficulté. Je pense que j'ai dû me faire rouler les premiers jours. Alors j'ai pris le temps d'apprendre à compter ma monnaie.

Quelle ville étrange! On est ahuri, dégoûté par son vacarme effrayant, ses odeurs de diesel, et puis, tout d'un coup, on tombe sur un petit square aux grands platanes répandant une fraîcheur adorable, et on redevient confiant et heureux d'être ici. Ou bien on aperçoit une petite charrette de fleurs tirée par un vieux cheval que mène par la bride un vieux de la campagne, tout cela à travers le hideux trafic — et on part à rêver. J'ai l'impression que les classes de la société se reforment comme autrefois, avec des gens très riches d'un côté, et des très pauvres de l'autre. Et comme naguère, la ville est remplie d'Indiens à turbans et d'Indiennes en saris.

Je t'écrirai prochainement. Ne manque pas de m'écrire souvent. Tes lettres sont mon viatique.

Je t'embrasse tendrement.

Gabrielle

✳

Lundi le 19 août 1963[1]

Mon cher Marcel,
Je commence ma journée en t'écrivant tôt, dès mon petit déjeuner pris, car plus tard, après avoir trotté dans la ville, et après mon chemin par autobus ou le souterrain, je suis harassée et je n'ai plus une seule pensée claire. D'abord, je tiens à te dire quelque chose de ma visite au Commonwealth Institute où se tient actuellement une exposition de peinture

canadienne[2]. Jean Paul Lemieux y paraît en bonne place avec *La jeune fille au chapeau de fourrure* et *1910 Remembered,* que nous avons vu chez eux, du moins je l'ai vu, moi. Cette toile est la seule de l'exposition à avoir été reproduite dans le *Times*[3]. Il y a aussi, parmi les abstraits, une très belle chose de Rita Letendre, une, très colorée aussi, de Suzanne Bergeron, un Riopelle (secondaire, me semble-t-il), plusieurs McEwen, un pas très bon Goodridge Roberts, un Alleyn (pas très bon) et quelques autres qui représentent un certain intérêt. Ce que j'ai peut-être le mieux aimé, après Lemieux, c'est Christopher Pratt, de Terre-Neuve, qui expose une scène d'hiver, avec maison et étable toutes blanches dans un champ de neige sans arbres et absolument nu[4]. Je t'enverrai le programme ainsi que des cartes postales, en blanc et noir, cette fois, achetées au British Museum. Là, j'ai vu les fragments (parfois très importants) des métopes et de la frise du Parthénon, qui complètent ce que nous avons vu à Athènes. En fait, c'est au British Museum qu'il y en a le plus, et j'ai choisi les cartes susceptibles de t'intéresser. Garde bien ensemble toutes ces cartes et livres que je t'enverrai, afin que nous puissions les étudier, à mon retour. Au British Museum, j'ai vu aussi d'importants fragments du Mausolée d'Halicarnasse et du Temple de Diane à Ephèse, ainsi que quelques petites pièces du Trésor de Mycène. Comme je ne peux retenir beaucoup à la fois, je n'ai guère ensuite que jeté un coup d'œil aux salles égyptiennes et assyriennes. Le British Museum à lui seul exigerait une dizaine de visites.

J'ai revu Esther hier, à Hoddesdon[5]. Elle quitte l'endroit définitivement cette semaine pour retourner vivre à Upshire. J'irai la rejoindre jeudi le 22, et passerai quelque temps avec elle si le temps devient agréable. Depuis quelques jours il fait froid autant qu'en automne. Mais il paraît que c'est ainsi partout en Europe, sauf dans le Sud peut-être. Est-ce froid aussi par chez nous ? J'ai encore cet engourdissement de la main droite qui me rend très difficile la tâche d'écrire à la plume. Cela semble toujours pire le matin. Je me demande ce qui peut bien en être la cause. À partir de maintenant écris-moi donc chez Esther, à l'adresse ci-dessous. As-tu enfin reçu le tapis ? Je regarde un peu à droite et à gauche pour un présent à t'apporter. Tout est abominablement cher. Ne nous plaignons pas : la vie, chez nous, pour le petit luxe, est moins coûteuse qu'ici. J'espère que tu vas bien et t'embrasse affectueusement.

Gabrielle

même jour

Je viens de recevoir avec joie ta deuxième lettre. Je te remercie. L'histoire de la belle-mère morte en voyage m'a amusée. Il me semble qu'elle a une version que j'ai entendue autrefois, en France. Après tout, pour étonnantes qu'elles soient, ces choses peuvent arriver[6]. Oui, j'ai hâte moi aussi que le salon soit terminé, meubles et tapis en place[7]. Je te souhaite une bonne semaine et t'embrasse de nouveau. Toutes mes amitiés aux Madeleine. Je leur écrirai dès que je serai paisiblement en place chez Esther.

Gabrielle

[*Ajouté en haut de la première page :*]
1, Century Cottage,
Upshire village(Waltham Abbey)
Essex,
England.

*

Le 21 août 1963

Mon cher Marcel,
Ce n'est pas gai depuis quelques jours : pluie, pluie, pluie. Et il fait presque aussi froid qu'en octobre. Cela semble le cas presque partout en Europe, sauf en Grèce, au climat béni. Entre les averses, je sors quand même et marche à travers les quartiers voisins de mon hôtel. Ce n'est pas très loin de celui où nous avions logé, dans la rue où habitait Connie[1]. Je quitte demain pour me rendre chez Esther et t'écrirai presque dès mon arrivée. Elle ne semble pas avoir vieilli depuis la dernière fois que je l'ai vue. Il est vrai qu'elle a un visage sans âge, qui n'a jamais été jeune et qui ne sera peut-être jamais vieux. Plus que jamais elle appelle Dieu à son secours, à chaque instant et pour les raisons les plus futiles. Si Dieu était ce qu'elle imagine, il serait déjà occupé du matin au soir, rien qu'avec elle et ses innombrables requêtes. Il ne doit plus y avoir beaucoup d'Esther, nulle part au monde en cette époque « so wicked », comme elle dit.

Mes achats à Londres ne seront pas nombreux ; les modes sont laides, les prix fous, ou bien c'est d'importation. « Made in Britain » se voit de moins en moins. Je me demande ce qui se passe en ce pays.

L'américanisation dans laquelle il se lance lui coûte horriblement cher et ne lui convient guère. « Isn't it silly, dit Esther, to lose our nice British ways to be like the others, when we are not made to be like others[2] ? » Et elle a raison en partie.

J'éprouverai de la peine à quitter ma jeune Suédoise. J'ai rarement rencontré une jeune femme aussi raffinée, simple, sensible et tendre. Elle réunit en sa personne d'étonnantes qualités qu'on trouve rarement en un seul être humain. Elle est certainement d'une famille exceptionnelle. Son père a été curateur du musée de porcelaine du roi de Suède, et elle s'y entend là-dedans, aussi bien qu'en tapisserie, en expert.

As-tu pu aller à la Petite-Rivière, en fin de semaine, comme tu l'espérais ? Et comment sont nos fleurs ? Et Jori ? J'ai écrit à Berthe[3] ces jours-ci et envoyé une carte à Jori. Lorsque je serai chez Esther, j'aurai sans doute plus de temps pour ma correspondance.

J'ai aussi écrit à garde Simard à son adresse à Paris, et n'ai encore rien reçu d'elle. Je l'imagine assez ébarouillée à Paris, elle qui s'effraie si facilement, quoique, sous cette timidité, se cache une grande force de caractère, [sans] nul doute.

Est-ce que la pension marche assez bien malgré la maladie de Mme Chassé ?

Fais-lui mes amitiés et offre-lui mes meilleurs souhaits pour un véritable rétablissement. Pauvre elle, elle se plaint au point de lasser la compassion ; pourtant, quand on y pense, sa vie inspire énormément de compassion.

Tâche, toi-même, de veiller à ne pas te surmener.

Je t'embrasse très affectueusement, en espérant de tes nouvelles très prochainement.

Gabrielle

P.S. Je viens tout juste de recevoir une lettre de cette gentille petite Juliette Simard, qui s'est donné la peine de s'enquérir s'il y aurait une chambre disponible en septembre au Lutèce. Elle arrivait de Nice, chez une cousine, où elle a eu du soleil, la veinarde.

Je reviens d'une trotte au grand magasin Harrod's — tout près d'ici —, où je t'ai trouvé quelque chose d'assez charmant, je crois. Ce sera mon cadeau pour notre anniversaire, le 30 août. C'est un ensemble — cravate et foulard — de même tissu, en une sorte de pied-de-poule, noir et blanc. Je pense que ce sera très seyant pour porter avec ton bonnet de fourrure.

J'ai failli t'acheter un casque genre Sherlock Holmes. Il me semble que cela t'irait bien et que tu trouverais cela chaud pour la campagne. Cependant, j'ai eu peur que tu ries de moi ou d'un tel cadeau. Pourtant, comme j'ai été tentée !

Les vêtements et choses pour hommes sont remarquables ici. Je suis sûre que tu serais infiniment tenté.

Je t'embrasse de nouveau.

Gabrielle

⁂

Upshire village, le 23 août 1963

Mon cher Marcel,
Juste avant de quitter le Cadogan, j'ai eu ta lettre, ce qui m'a réconfortée pour entreprendre le petit voyage à Upshire. Mon Dieu, ce n'est qu'à 12 milles de London *proper,* mais il faut traverser borough après borough pour s'y rendre et c'est sans fin. Pourtant, quand on arrive dans la forêt d'Epping, c'est aussi verdoyant et paisible que si on était à cent milles d'une ville. Upshire est cependant un des derniers petits villages de la région londonienne à avoir conservé un air ancien. Tout le reste est mangé par d'énormes pâtés de maisons avec, chacun, son petit centre commercial. Si Upshire se maintient encore tel quel, c'est dû à Sir Thomas Buxton, le châtelain, qui conserve ici d'immenses terrains, qui a ses fermiers et ses garde-chasse. À notre époque, cela paraît inconcevable, n'est-ce pas ? J'ai retrouvé le village charmant comme autrefois, sauf que maintenant rien, ni personne, ni même le châtelain, [ne] peuvent empêcher les automobilistes d'emprunter cette petite route jadis paisible. C'est un flot presque ininterrompu, même en jours de semaine, et Esther me dit que les samedis et dimanches, c'est infernal. « I dare not cross the road », dit-elle, et [elle] doit [être] éprouvée à voir les choses changer si vite sous ses yeux, elle qui reste d'une autre époque. Pauvre elle, ce fut un coup de perdre sa vieille Miss Nolly à laquelle elle était attachée et chez qui elle était bien logée. Le Cottage tombe en décrépitude et on ne veut rien réparer pour elle. Évidemment, elle n'a pas l'argent pour assumer des frais de réparation. Je ne resterai pas ici longtemps, quelques jours encore au plus. Je gagnerai Paris et espère me

loger au Lutèce où les prix sont encore raisonnables. Le temps s'améliore un peu aujourd'hui, mais c'est encore très frais pour le mois d'août.

D'après ta dernière lettre il semble que c'est le même temps par chez nous, et j'en suis navrée pour toi. Je t'envoie aujourd'hui par courrier ordinaire un paquet de cartes postales, des livres que j'ai pris au musée, pas grand-chose, deux cartes à rendre, si tu veux bien, à Mlle Dionne — elles sont mises séparément dans une enveloppe —, une carte de la Grande-Bretagne pour nous et deux cahiers de dessins de broderie à me conserver.

J'ai dû faire mon petit lavage ce matin. À l'eau dure de Londres, mon linge avait pris une affreuse couleur grise. J'ai lavé à peu près comme ma grand-mère devait le faire, à la main, dehors, mais j'avais de l'eau de pluie, et je pense que mon linge sera propre.

Esther t'envoie ses amitiés. Pour ma part je t'embrasse bien tendrement. Je commence à m'ennuyer et pense à toi et à nos amis avec nostalgie. Excuse le ton sans grand élan de cette lettre. Après mon lavage, je me sens un peu lasse et aussi du voyage d'hier. Porte-toi bien et tâche de te reposer.

Affectueusement,

Gabrielle

*

Upshire, le 24 août 1963

Mon cher Marcel,
Quelques mots en vitesse, afin d'attraper le courrier partant dans quelques minutes. Le temps est si affreux — et ici, que faire sinon des promenades à travers la campagne, que le mauvais temps actuel rend impossibles ; je partirai donc pour Paris lundi, le 26, et j'ai demandé une chambre, par télégramme, à l'hôtel Lutèce. De toute façon, j'ai hâte de réentendre parler français.

Que je serais contente que le temps se mette au beau enfin. Depuis deux jours ici, c'est une flotte continuelle. Je vais tâcher d'envoyer à l'avance mes quelques vêtements d'été que j'avais pris et dont je ne me servirai plus ici, certainement. Et cela libérera mes valises pour les achats que je ferai peut-être à Paris. S'il y a moyen d'expédier cela par la petite poste d'Upshire, je t'adresserai donc ce paquet par courrier lent.

J'ai bien hâte de voir les meubles décapés. S'ils sont aussi élégants que tu dis, la grosse toile bleue ne sera peut-être pas ce qu'il faut en effet. Pourtant, j'en suis venue à la trouver à mon goût. Et n'oublie pas qu'il faut utiliser un bon tissu résistant, sans quoi nous vivrions dans la peur d'abîmer nos fauteuils et sofas. Mais tu t'y entends mieux que moi là-dedans.

Je donnerais je ne sais quoi pour avoir la certitude de deux ou trois semaines de beau temps devant moi, comme c'est souvent le cas en septembre.

Je reverrai sûrement Mlle Simard et j'arriverai à temps, je l'espère, pour revoir aussi les Jarry.

Je t'embrasse de tout mon cœur.

Gabrielle

Hôtel Lutèce
Rue Jules-Chaplin,
Paris (VIe)

*

Paris, le 26 août 1963

Mon cher Marcel,
Je t'écris en vitesse pour te dire que je suis arrivée à Paris, enfin, après un voyage interminable. Londres-Paris, c'est rien ; l'interminable, c'est du West London Air Terminal à l'aéroport de Londres, puis du Bourget à mon hôtel. Enfin je suis installée dans une chambre qui donne sur la petite rue Jules-Chaplain — et non Chaplin —, une chambre un peu démodée et ancienne, mais le lit a l'air convenable, et ce n'est pas cher : environ $4.00 par jour.

On dira ce qu'on voudra, les voyages par avion ne sont rapides que sur une longue distance. Autrement, ça prend une éternité. Au fond, je pense que ça prend autant de temps à faire le voyage entre Paris et Londres de nos jours qu'autrefois lorsqu'on faisait la traversée Dover-Boulogne.

J'espère que tu vas bien ; j'ai bien hâte d'avoir une lettre de toi. Sans doute m'as-tu écrit chez Esther, mais comme je n'y suis restée que quatre jours, dont un dimanche, tes lettres ou ta lettre n'ont pas eu le temps de m'y rejoindre. Peu importe, Esther a mon adresse et fera suivre mon courrier. Je suis arrivée par une pluie battante, sous un ciel blafard. Tu sais combien est triste, à première vue, le ciel de Paris, par temps brouillé. Mais on dit que c'est ainsi partout. Tout de même, j'ai eu bien peu de chance avec le temps. Tantôt, j'irai manger au Vasen où nous avions été dîner une fois, tu te souviens, il y a deux ans[1].

Esther m'a dit qu'elle enverrait pour toi, directement à Québec, deux beaux, très vieux chandeliers. Je crois que c'est en fer forgé. C'est tellement noir que je ne puis décider de quel matériau ils sont faits. Esther dit que, pourtant, « on the mantelpiece of dear aunt Mary, they shone like stars[2] ». Peut-être trouveras-tu le moyen de les nettoyer et de les faire briller.

As-tu déjà réfléchi à la curieuse vie des choses, étonnante autant pour le moins que la destinée des humains. Il y a vingt ans, sur la cheminée de la tante d'Esther, qui en avait hérité de Dieu sait qui, ces chandeliers prendront place chez nous. Ils tiendront curieuse compagnie à la canne de Mackerswell et à la cape d'Aumale[3].

Bon, je file manger un peu, et t'embrasse tendrement.

Gabrielle

P.S. Dieu que l'odeur de Paris est particulière sous la pluie !

*

Paris, le 29 août 1963

Mon cher Marcel,
J'ai passé hier une des plus belles journées de mon voyage et sans doute, celle qui me restera le plus fidèlement dans la mémoire. D'abord je me rendis à Saint-Germain-en-Laye, chez les Jarry, qui habitent maintenant un appartement ultra-moderne — tu sais comme les Français, quand ils se mettent à faire du beau moderne, peuvent y exceller et nous dépasser. C'est dans un ensemble d'habitations à 4 étages conçu par l'architecte Mathé ou Matté, si j'ai bien compris, l'un des meilleurs de Paris, avec sortie sur le parc royal, beaux jardins privés, grandes baies ouvertes de tous côtés, chauffé par le parquet et le plafond, bref un cinq pièces des plus commodes et agréables. Les Jarry m'ont reçue comme si nous ne nous étions quittés que d'hier. Elle n'a guère changé, lui, un peu vieilli,

mais encore alerte et chaleureux. Ils m'ont emmenée déjeuner chez Cazeaud[e]hore[1] ; c'est un des grands restaurants avec jardins dans la forêt, sur la route de Poissy, je pense. Inutile de te donner le menu : tout était parfait. J'ai mangé une truite au bleu, une merveille. Ensuite, voilà les Jarry qui décident de me faire faire un tour de Saint-Germain en auto. Puis, en route, l'impulsion leur vient de me mener voir la route de Nantes. Nous prenons par de petites routes plus loin et tout d'un coup, je reconnais au loin le clocher de ta première petite toile en France, le charmant petit clocher de Feucherolles. Je me retrouvai en territoire bien connu, tous ces coins où nous sommes passés tant de fois dans notre vieille Man-Can. J'ai revu Grignon, et les planeurs qui glissent toujours dans le ciel de cette douce région au dos arrondi. Par bonheur, il faisait beau hier. Je ne puis te dire comme cette promenade m'a remué le cœur. Enfin, nous arrivons à Anet. J'ai revu le beau petit château, puis nous avons pris le thé, non pas chez notre vieille excentrique, dont le restaurant existe toujours, mais elle-même doit être morte. Peut-être a-t-elle réussi à aller mourir au B.C. comme elle le souhaitait, afin de se faire bien embaumer. Au retour, nous avons visité la chaumière que le fils Jarry, Claude, vient de s'acheter, au cœur d'un vieux petit village : Goussainville, une chaumière presque en ruine que Claude et sa femme sont en train d'essayer de rendre habitable — et il y a de quoi faire. C'est la mode actuelle en France ; les jeunes gens s'achètent de vieilles masures où ils jouent quelque peu aux pionniers. Une certaine tension de la vie moderne semble éveiller un besoin chez les jeunes de se donner de la misère et de livrer combat contre la nature. De retour, nous passâmes par Houdan, puis, pour finir, nous prîmes le souper dans leur pension — où ils mangent maintenant le plus souvent — au Cèdre, rue d'Alsoc, qui est mieux tenue que ne l'était la Dauphine. À propos, madame Isoré a vendu le Franklin et la Dauphine ; elle vit maintenant à Paris. Madame Racault, elle, a trois ou quatre enfants prêtres ou religieuses. Je l'apercevrai peut-être, si je retourne à Saint-Germain. Enfin, les Jarry m'ont déposée à la petite gare où j'ai pris le train pour Paris. J'étais de retour un peu avant dix heures p.m., passablement fourbue, mais archicontente de ma journée et très émue de l'accueil incomparable des Jarry. Ils m'ont bien priée de t'exprimer leurs fidèles amitiés, et déplorent énormément que tu ne viennes pas en France cet automne. Il se pourrait qu'ils viennent eux-mêmes au Canada un de ces jours. Ils sont libres comme le vent, et semblent jouir de fort belles rentes.

À propos, j'ai mal orthographié mon adresse actuelle. C'est Jules-*Chaplain.* J'ai dîné un soir avec la petite mademoiselle Simard, gentille tout plein, et je la reverrai sans doute ce soir. Je m'étonne qu'elle ne perde pas tous ses effets l'un après l'autre, à Paris, tant elle a l'air distraite et un peu gauche. Mais elle est quand même débrouillarde, sous cet air de petit oiseau abandonné.

J'espère que tout va bien chez nous, que tu te portes bien. Et j'ai grand-hâte d'avoir une lettre.

Je t'embrasse tendrement.

Gabrielle

Hôtel Le Lutèce
5, rue Jules-Chaplain
Paris (VIe)

Je viens de recevoir ta bonne lettre que m'a fait parvenir Esther. Le temps s'améliore un peu. Quel ennui avec cette colonne de tapis[2] !

⁂

Paris, le 29 août 1963

Cher Marcel,

J'ai oublié, dans ma lettre de ce matin, de te dire que le peintre René Prin a donné aux Jarry, pour me le remettre, un beau dessin à la plume. Il m'a également offert un joli livre contenant des pages de journal de lui, des poèmes, et quelques-unes de ses encres de Chine, ainsi que des reproductions de plusieurs de ses toiles[1]. Y parlant des visiteurs célèbres qu'il a reçus au cours de sa vie en son restaurant *La Mère Corbeau,* il mentionne mon nom et celui des Jarry. Je pense qu'il te plaira de parcourir ce petit livre.

Hier soir, rentrant à mon hôtel de la gare S[ain]t-Lazare, j'ai traversé la Concorde. Blanche comme neige, avec les lumières jouant sur cette pierre claire, l'effet est prodigieux. J'en ai eu le cœur tout saisi. C'est vraiment incomparable. Tout se détache admirablement sur le blanc pur, la nuit : les fontaines, les silhouettes humaines et les innombrables réverbères de la place. Vraiment, tu aurais été enchanté de ce spectacle féerique.

J'ai fait quelques petits achats ce matin, chez Franck de Passy[2], là où j'avais acheté mon premier imperméable blanc que j'ai tant porté. Cette fois — tu vas sûrement rire de moi — je me suis acheté une sorte de tenue de chasse. Il s'agit d'un ensemble imperméabilisé, jupe, veste et capuchon, en tissu synthétique vert bouteille. Ce n'est pas que ce me sera très utile, je ne pense pas, sauf peut-être pour aller à la campagne, ou encore faire mes courses dans la rue Cartier, par mauvais temps, mais ce costume m'amuse et ce n'est pas vraiment très cher. Peut-être que je ferai une petite tournée des boutiques du Faubourg Saint-Honoré ou des magasins des grands boulevards avec garde Simard, samedi, mais au fond, je ne suis guère en humeur d'acheter.

Un jour, ça va à peu près bien, puis le lendemain je suis éreintée.

Ai parlé longuement avec les Jarry de nos impressions communes de la Grèce, qu'ils connaissent mieux que nous et chérissent d'une affection extrême. Mais ils y ont été deux fois, et chaque fois pour un long séjour, et avec leur auto. Le docteur Jarry me dit que les routes sont beaucoup moins périlleuses et difficiles qu'on pourrait le croire en voyageant par les cars, qui sont énormes, et qu'avec une auto on [n']a aucune difficulté. Ce doit être vrai, car il n'a pas l'air si entreprenant que cela sur les routes, au volant.

Eh bien, au revoir, mon chéri. Cela fait deux longues lettres aujourd'hui ; ce n'est pas si mal, n'est-ce pas ?

Je t'embrasse.

Gabrielle

*

Paris, le 2 septembre 1963

Mon cher Marcel,
J'ai passé deux très bonnes journées, hier et avant-hier, à trotter avec Juliette Simard. Samedi, nous avions formé le dessein de faire la rue du Faubourg Saint-Honoré, mais la pluie et le mauvais temps nous ont contraintes à chercher abri dans un musée. Ce fut un bonheur, car nous avons vu l'exposition Delacroix, qui est très importante. Des toiles sont venues, comme tu le sais, de tous les coins du monde, une de Toronto même. Hier, dimanche, nous avons revu Notre-Dame, puis la Sainte-Chapelle où l'on donnait d'excellentes projections. La voix était de Henri Rolland, le texte d'André Chamson ; le tout était féerique[1]. Puis, nous sommes entrées un instant à Saint-Julien-le-Pauvre — l'adorable petite

église, tout embaumée d'encens; enfin, une visite à Saint-Léverin. Pour finir la journée, nous avons dîné à la gare Montparnasse, où il y a, pour 11 francs, un menu monstre; de tout en quantité incroyable et très bon. J'ai dormi comme une souche après ce repas. Hélas, je m'aperçois que ce matin encore, le temps est à la pluie. Anne Hébert est arrivée à Paris il y a quelques jours et loge au même hôtel. Le mauvais temps l'incite à partir pour Menton où elle passerait un mois. Les Valin sont encore sur la Côte d'Azur, et Guita Falardeau[2] est elle aussi à Paris, me dit Anne.

Je trouve la compagnie de Juliette Simard rafraîchissante et très agréable, sauf qu'elle a la déconcertante habitude à tout moment, dans le débordement de sa nature, de se pendre à mon bras, de m'attraper par l'épaule, par le coude ou la main, cela en pleine rue et du matin au soir. D'une autre qu'elle, cela m'horripilerait. Mais elle est si gentille, si naturellement bonne et généreuse, qu'il faut bien lui pardonner ce tic dont elle est consciente au reste, mais dont elle n'arrive pas à se corriger.

Ma parole, si elle avait l'occasion, je suis sûre qu'elle s'accrocherait de même à la manche du Pape. Quelle amusante petite créature! Elle me fait penser à Juliette Masina dans *La Strada*[3], avec sa frange de cheveux droits sur le front et son petit visage mobile qui passe si vite d'une émotion à l'autre.

Comment vas-tu ces jours-ci? Une fois le tapis posé, j'imagine que tu pourras respirer plus à l'aise. J'ai bien hâte moi aussi que tout soit en place.

J'aime de mieux en mieux mon petit hôtel, où l'on sent une atmosphère familiale. Il est situé en un quartier curieux, où se trouvent dans une proximité étonnante des cabarets, des clubs de nuit et je ne sais combien de maisons pieuses, les Petites Sœurs des Pauvres, les Dames de Sion, les Augustines, etc. Sans cesse, j'entends tinter quelque cloche. Et puis, c'est tranquille.

Je viens de recevoir deux lettres de toi, une réadressée par Esther, l'autre ici. Je suis navrée moi aussi que notre lampe blanche soit brisée[4]. Je m'y étais attachée. N'y a-t-il pas moyen de la faire recoller? Tu vois comme on ne peut se fier à personne pour faire exécuter le moindre travail et on doit toujours tout surveiller. C'est cela qui devient fatigant. Enfin, souhaitons qu'il n'y ait pas d'autre dégât.

Comme j'ai hâte que tu puisses te sentir chez toi dans l'appartement.

Je t'embrasse de tout mon cœur.

Gabrielle

⁂

Paris, le 3 septembre 1963

Mon cher Marcel,
Je suis retournée voir l'exposition Delacroix avec Anne Hébert qui désirait la voir ; de toute façon, c'est une si importante exposition qu'elle mérite bien deux visites. J'ai eu l'impression de connaître Anne Hébert beaucoup mieux, en deux ou trois heures avec elle à Paris, que je n'aurais pu y arriver en des mois à Québec ou ailleurs au Canada. Elle est distante, cependant chaleureuse et au fond, comme tous, avide d'affection. Nous avons eu une bonne jase et j'étais contente de ma promenade avec elle. J'avais écrit une lettre aussi bien tournée que possible aux Jarry pour les remercier de leur accueil vraiment extraordinaire. Cependant, madame Jarry m'a téléphoné pour m'inviter ce soir encore à dîner avec eux et Claude, je pense, à Paris. Il n'y a pas à lasser leur générosité sans égal. À vrai dire, je me serais dispensée de cette invitation, car je ne fais pas bonne figure dans ces immenses dîners auxquels ils m'invitent. Tout de même, il me faut y aller, car je m'aperçois qu'ils me sont très sincèrement attachés et cherchent par tous les moyens possibles à me faire plaisir. Ils ont abandonné le projet de Chamonix comme le temps est vraiment très vilain en montagne à l'heure actuelle. J'avais eu le malheur, en leur parlant, de mentionner Saint-Rémy-de-Provence comme un endroit qui me tenterait. Et les voilà presque décidés à s'y rendre pour leurs vacances et qui m'offrent de les accompagner. Je ne sais trop que penser. Évidemment, j'aimerais bien vivre un peu au soleil avant de revenir, mais Saint-Rémy me paraît loin maintenant. Enfin, demain, après avoir revu les Jarry ce soir, à dîner, je te dirai ce qui en est de ce projet. Peut-être madame Jarry, assez changeante de nature, aura-t-elle déjà abandonné celui-là au profit d'un autre.

C'est aujourd'hui qu'on pose notre tapis, j'imagine. Je suis bien contente que cela se fasse enfin, et j'ai infiniment hâte pour toi que tout soit en place et que tu puisses te détendre convenablement dans ton coin avec tes petites affaires autour de toi.

Je t'embrasse avec tendresse.

Gabrielle

*

Paris, le 5 septembre [19]63

Mon cher Marcel,
Encore une journée de pluie, c'est vraiment lassant à la fin. J'en ai profité pour retourner chez Franck à Passy où j'ai acheté quelques chandails. Au fond, ils ne sont pas mieux que ce que l'on peut trouver chez Simons[1], mais sans doute un peu meilleur marché. Comme je m'y attendais, madame Jarry a déjà changé d'avis et n'a plus du tout en tête d'aller à Saint-Rémy. Par ailleurs, la petite garde Simard a formé le dessein de prendre une dizaine de jours de congé et descendrais dans le Sud avec moi, et j'avoue que cela me tente. Car j'ai eu si peu de soleil que je me sens le besoin de tâcher d'en trouver avant l'hiver, qui sera dur à ce qu'il paraît. Qu'en penses-tu ? Nous partirions samedi pour Avignon, de là devrions prendre un car pour Tarascon, et là un autre car encore pour Saint-Rémy-de-Provence. Cela semble tout un voyage, mais nous partirions peu chargées, une valise chacune seulement, laissant nos autres effets à Paris. Et puis, à deux, on se débrouille mieux que seul.

On nous dit que passé Lyon, il y a du soleil et que le temps y est agréable. En tous cas, nous allons ressasser ce projet demain encore ; mais il faudra décider alors sans plus tergiverser, car nous devrons partir samedi ou dimanche au plus tard, si nous nous en tenons à cette idée.

J'ai reçu une bonne lettre de Madeleine Chassé ce matin et diverses cartes et petits bouts de lettres en réponse aux miennes. On se croirait presque en fin octobre avec ce temps triste. Les marronniers ont l'air tout rouille. Cependant, quand luit le soleil pour une demi-heure environ chaque jour, tout devient charmant.

La petite garde Simard est bien débrouillarde, en dépit de sa timidité et de sa drôle de petite allure. C'est un cœur d'or.

J'espère que le tapis est enfin posé et sans t'avoir causé trop de fatigue et d'ennui. Quel boulot, hein !

J'ai reçu une lettre de Paula m'apprenant que son Claude est actuellement à Paris en route pour Avignon où il doit s'inscrire chez les Jésuites pour l'année scolaire. J'attends son coup de téléphone car je ne sais où le rejoindre. Il se peut bien que je n'y arrive pas, s'il tarde à m'appeler et si nous partons samedi.

Je t'embrasse de tout mon cœur.

Gabrielle

Alors, c'est décidé, nous partons demain pour Saint-Rémy. Je te donnerai une adresse là-bas aussitôt que nous serons logées à l'hôtel. En attendant, mon courrier me sera gardé à l'hôtel Lutèce où je reviendrai.

Gabrielle

*

Paris, le 6 septembre 1963

Mon cher Marcel,

Nous avons fait nos dernières courses dans Paris, garde Simard et moi, pour prendre nos tickets, retenir une place, etc. Ça n'a guère changé : c'est comme naguère ; il faut encore consentir une journée entière pour arriver à avoir tout ce qu'il faut pour partir. Cela sous la pluie presque constante aujourd'hui et par un temps vraiment froid. L'espoir de voir luire le soleil nous soutient. La petite Julie Simard a grand besoin de repos après tout ce qu'elle s'est démenée à Paris. Ne va pas dire au docteur Delage qu'elle part prendre quelques jours de vacances dans le Sud. Tyran comme il semble l'être, il voudrait la pauvre petite héroïquement et opiniâtrement dévouée aux travaux de recherche. Entre nous, elle m'a dit qu'elle lui écrirait pour le mettre devant le fait accompli — et il me paraît qu'elle a cent fois raison.

Donc, tout est prêt pour notre départ demain à 9 h 15. Ce sera la course au taxi comme d'habitude, et tout le tralala des pourboires. Vraiment, on se demande comment les Français, avec les ennuis de chaque jour qu'ils n'arrivent pas à résoudre, avec tout cet inconfort, en viennent à accomplir tant de travail. On dirait qu'ils mettent tout contre eux dès le départ. Et quand je vois les Parisiens faire la chasse au taxi pendant une demi-heure, parfois plus, sous la pluie battante, je me demande s'ils n'ont pas un côté un peu fou. Il est vrai que chacun a de l'attachement pour une sorte de misère à laquelle il est si bien habitué qu'il ne pourrait plus s'en passer, je suppose. Je t'écrirai dès que nous aurons trouvé un hôtel à Saint-Rémy ou ailleurs dans les environs.

Si tu reçois mon rappel de l'impôt sur le revenu, de la part de la Maison Archambault, rappel au sujet de mon versement trimestriel qui m'est envoyé en septembre — mais je ne sais plus trop vers quelle date —, aurais-tu la bonté d'envoyer deux chèques de ma part, l'un au nom du Receveur général du Canada, l'autre au Service de l'impôt provincial sur le revenu, car j'ai peur, si tu m'envoies ce rappel et que j'expédie mes chèques d'ici, d'être en retard. D'habitude, Archambault m'envoie ces rappels presque à la dernière minute. Tu serais gentil de faire cela pour moi et d'adresser les chèques à M. Henri Boivin, chez Archambault. Je te rendrai cet argent dès mon retour. Avec ce mauvais temps persistant, si je m'écoutais, je rentrerais aussitôt. Mais je me dis que je ne reviendrai sans doute pas de sitôt en France et qu'il faut tâcher de finir au moins en beauté si possible.

Mille tendresses. Je t'embrasse.

Gabrielle

*

[entre le 6 et le 10 septembre 1963][1]

Cher Marcel,
Nous serons à Saint-Rémy-de-Provence, à l'hôtel Glanum, jusqu'au 14 ou 15 septembre pour rentrer ensuite à Paris. Le mistral souffle, mais le soleil brille, et c'est un bonheur de le retrouver après le mauvais temps. Les Alpilles sont d'un enchantement extraordinaire. Peut-être aurons-nous le temps d'aller revoir les Baux.

Je t'embrasse.

Gabrielle

*

Saint-Rémy-de-Provence [, vers le 10 septembre 1963]

Cher Marcel,
J'ai peur de manquer d'equanil[1]. Il paraît que je peux en obtenir sur prescription même d'un médecin canadien — ou d'ailleurs. M'enverrais-tu deux prescriptions sur tes feuillets à en-tête pour 25 comprimés à 400 mg chacun. Si je n'en ai besoin que de 25, je ne ferai usage que d'une prescription. Envoie-moi cela, si tu veux bien, à l'hôtel Le Lutèce où nous serons probablement de retour à la fin de cette semaine. À Paris,

il pleut toujours, nous dit-on, alors qu'ici le soleil brille. Nous aurons toujours eu cela de beau temps. Hier nous avons fait une excursion à pied dans les Alpilles. Garde Simard était comme une chevrette et n'arrêtait pas de s'écrier : « Dieu, que vous avez bien fait de m'emmener ici ! Dieu, que je suis heureuse ».

Le spectacle était, en effet, incomparable, presque aussi impressionnant que les Baux.

Je t'écrirai bientôt plus longuement. Je t'embrasse affectueusement.

Gabrielle

Hôtel Le Lutèce
5, rue Jules Chaplain
Paris (VIe)

*

Avignon, le 12 septembre [19]63

Mon cher Marcel,

Nous faisons escale à Avignon pour deux jours ; hier nous avons assisté à *Son et Lumière* dans la Cour d'honneur du Palais des Papes. C'était très beau mais, me semble-t-il, aurait pu atteindre à mieux encore. Il est vrai que nous étions fatiguées et un peu fourbues par tout le grand air que nous avons pris à courir dans les Alpilles. Quels adorables paysages ! Je ne t'ai pas écrit comme je voulais durant ces quatre jours à Saint-Rémy, d'abord parce qu'il faisait très beau — les seules vraies belles journées en fait que j'ai passées au soleil depuis mon arrivée en France, et j'en ai profité le plus possible. Aussi, j'étais grisée de grand air et éprouvais une détente allant jusqu'à l'abrutissement. Au Glanum, nous avions un délicieux petit jardin bâti en gradins, parfumé de toutes les herbes de Provence et donnant sur le groupe des Antiques : un des plus jolis jardins que j'ai vus de longtemps. Nous y prenions notre repas du midi, dans l'air frais, au soleil. C'était ravissant. Mais il y a presque toujours une ombre à toute chose : là, c'était la rapacité de l'hôtelière contre laquelle nous avions sans cesse à nous défendre. La Provence, envahie par un flot sans pareil de touristes, puisque là seulement cet été on a trouvé du soleil, la Provence me paraît avoir changé. Si douce et accueillante jadis, elle extorque maintenant tout [ce] qu'elle peut du passant. Malgré tout, ce n'est pas si cher. C'est cet esprit de profiteur qui gâte un peu les choses. Tout de même nous y avons rencontré des gens de bon cœur.

J'ai très hâte d'arriver à Paris pour lire tes lettres qui doivent m'y attendre. J'ai pensé à toi presque à chaque instant en revoyant des sites que nous avons vus ensemble et hier soir plus que jamais en mettant pied à Avignon.

Garde Simard est une bonne compagne, un peu nerveuse, plus que moi encore, mais fine et gentille.

Je t'embrasse bien tendrement et j'ai hâte de te retrouver.

Gabrielle

⁂

Paris, le 15 septembre 1963[1]

Mon cher Marcel,
Nous sommes arrivées assez tard hier soir avec le flot de gens rentrant de vacances. Le train fut très bondé jusqu'à Lyon, ensuite pas trop encombré, mais à la gare, il fallut se mettre en file pour prendre un taxi. Tout de même, j'étais dans ma chambre vers minuit. On m'a donné cette fois une chambre au sixième, surplombant les toits, une sorte d'adorable petit pigeonnier que j'aime infiniment. Il a fait très chaud aujourd'hui à Paris, une belle journée d'été, et je suis allée avec la Julie traîner un peu la patte aux Champs-Élysées. Je pense que je ne tarderai plus guère, et vais bientôt penser à faire mes réservations pour la rentrée. Je t'ai un tout petit peu négligé durant la semaine passée, car j'étais fourbue après ces journées au grand air. Tout de même, je t'ai adressé deux lettres et une carte. J'étais contente d'avoir une lettre de toi m'attendant au Lutèce. J'espère bien en avoir une autre demain.

J'ai hâte de voir notre appartement avec ses tapis. Pour le reste, il ne faut pas se hâter et dans le doute, attendre que l'inspiration nous vienne, ne trouves-tu pas ? Julie Simard me disait aujourd'hui qu'une copine venait de lui apprendre par lettre qu'a eu lieu cette semaine l'inauguration du Centre Berger[2]. Je suppose que ce fut une fête importante et que tu y assistais.

À tout prendre, je m'aperçois que la vie est assez chère somme toute, surtout à Paris. Pas la chambre, dont le prix est assez raisonnable. Mais les repas coûtent assez cher en définitive. C'était évidemment beaucoup moins cher à Avignon où il y a maintenant, sur la place Jean-Jaurès, où nous allions souvent manger, quantité de restaurants qui se font une concurrence impitoyable. J'ai revu l'Auberge de France à Avignon, là où tu te régalais de civet et d'ailloli. Dans l'ensemble, Avignon est une ville bien sale mais vivante et intéressante. C'est infiniment plus grouillant en cette saison qu'au temps où nous l'avons connue ensemble. D'ailleurs, la ville a beaucoup grandi.

Petit à petit, bien des choses me reviendront que j'aurai plaisir à te raconter. En regardant nos cartes, nous nous remettrons sans doute bien des souvenirs en la mémoire.

Je t'embrasse bien tendrement en attendant la joie de te retrouver.

Gabrielle

*

Paris, lundi le 16 septembre [19]63

Mon cher Marcel,
Je t'ai demandé dans une lettre précédente de régler mon impôt sur le revenu — versement trimestriel, si le rappel de la Maison Archambault m'était adressé à l'appartement avant mon retour. Après réflexion, il me paraît plus simple de t'envoyer deux chèques sur lesquels tu n'auras qu'à inscrire le montant de chaque versement exigé.

Le beau temps continue. C'est merveilleux. J'ai envie d'aller entendre Brassens cette après-midi au Bobino[1]. Les théâtres commencent à ouvrir leurs portes ; c'est tentant. Pourtant, ce sont les parcs et les rues qui m'attirent encore le plus, en dépit de la fatigue que je ressens d'avoir tant marché.

J'espère que tu as eu du beau temps à Petite-Rivière et que tu as trouvé nos fleurs en bon état.

T'écrirai de nouveau demain. En attendant, je t'embrasse affectueusement.

Gabrielle

*

Paris, le 17 septembre [19]63

Mon cher Marcel,
Je viens de recevoir ta bonne lettre du 11 septembre, contenant la prescription. Je ne comprends pas que des lettres par avion mettent tant de temps à arriver. Je n'aurai sans doute pas besoin d'equanil, car maintenant que je suis rentrée à Paris, il y a moins de bruit, je me sens moins agitée et dors naturellement. Mais enfin, j'aurai ta prescription s'il arrivait que je dusse en acheter.

Le beau temps continue : une pure merveille, dont on connaît maintenant le prix, après ces longues semaines de froid et de pluie. De mon pigeonnier donnant sur ma petite terrasse personnelle, tu n'as pas idée comme c'est agréable, quand il fait beau comme ce matin, de plonger la vue sur les grosses tuiles des toits brillant de leurs couleurs chaudes. Enfin, je retrouve un peu du bonheur que j'ai eu jadis d'habiter Paris. Et cela tient à de toutes petites choses, presque insignifiantes pourrait-on dire, si on les prend isolément l'une après l'autre, mais ensemble, elles finissent par tisser une sorte de douceur très grande. Pourtant, je me sens irritée cent fois par jour par les manières d'agir des Français, et qu'ils n'aient pas encore résolu de simples problèmes, comme par exemple de prendre des billets de théâtre sans perdre la moitié de sa journée ; ou bien y laisser plus que le prix du billet en courses de taxi ou pourboires. Mais, un instant plus tard, pour une odeur de pain chaud flottant dans la rue, je reviens à la gratitude. Quelles étonnantes gens que ces Parisiens. Hier après-midi, j'ai poireauté pendant une heure et demie au Bobino, dans une queue interminable, pour obtenir un billet, et il me semblait n'avoir jamais vu de foule autour de moi plus soumise et plus mouton, au fond. Alors, ils se sont mis ensemble, comme dans *Le Major Thompson*[1], à vitupérer contre « ils »... J'ai fait comme eux. En cinq minutes, nous étions amis et liés contre les « ils ». Pour finir, j'eus une compagne pour s'asseoir près de moi, une dame de Sens qui m'a fait la causette. Quand nous nous sommes quittées, après la représentation, elle m'a serré la main comme si j'étais une vieille amie.

De la représentation, je te dirai seulement que j'ai ri autant et d'aussi bon cœur que lorsque nous sommes allés voir *Orion le Tueur*[2]. Un entrain, une chaleur, de quoi rire, de quoi être attristé, toutes les émotions en un spectacle de trois heures ; pour finir une heure de chansons de Brassens. Un Brassens vieilli, amaigri, qui a été très malade, qui paraît chétif avec sa grosse moustache dans un visage pâle, mais infiniment plus émouvant encore. Il faut le voir ainsi, en personne, comme un peu dérouté de se trouver sur la scène, avec un petit sourire furtif à la fin de chaque chanson, il faut le voir ainsi plutôt qu'à la télévision. J'ai été emballée presque autant que par Piaf, il y a quelques années.

Je vais tâcher d'avoir un billet pour la Comédie-Française, demain soir. On y donne du Feydeau : *Le Fil à la patte*[3].

Je continue à retrouver [Julie] Simard — ma petite Strada — pour dîner, le soir. Quelle gentille enfant ! Elle s'est attachée à moi d'une manière exclusive, passionnée, à la façon d'une enfant. J'ai presque peur de ce que j'ai fait, en la laissant s'attacher ainsi à moi. Il me faudra continuer à la voir à Québec, au moins de temps à autre, sans quoi ce serait cruel. J'ai une surprise pour toi, que tu auras dès mon retour.

Je t'embrasse bien tendrement.

Gabrielle

*

Paris, le 20 septembre [19]63

Mon cher Marcel,
Alors, c'est décidé : je rentre la semaine prochaine, soit mercredi ou jeudi, selon les places disponibles à bord de l'avion Paris-Montréal.

Julie Simard doit passer ce matin aux bureaux d'Air France pour faire les arrangements.

J'ai réussi enfin à rencontrer Claude Bougearel. Je l'ai emmené déjeuner puis au cinéma. Ou peut-être devrais-je dire que c'est lui qui m'y a entraînée, voir *West Side Story*[1].

Il a quinze ans. Sa voix mue, de temps à autre, prend un ton grave, puis craque. Il est charmant. L'air d'un enfant par moments, un peu boutonneux pour l'instant, mais il sera très beau, je pense, dans quelques années. Il a été vraiment très gentil avec moi, me confiant ses projets d'avenir — passablement brumeux — cela va de la carrière de spectacle jusqu'à celle d'ingénieur en passant par la marine marchande. « Ce que je veux surtout, marraine, voyez-vous, c'est l'aventure et de ne pas m'encroûter ».

Il parle l'anglais presque aussi bien que son français impeccable.

Il m'a chargée d'amitiés pour toi.

Je lui ai expliqué : « Ton parrain a peu de temps pour écrire, il y est peu porté au reste, mais malgré tout, il pense à toi souvent ».

Il m'a répondu : « Je sais. Moi-même, ça me pèse d'écrire des lettres. Mais maintenant qu'on se connaît, vous et moi, ça va être plus facile ».

Reste à savoir. Il m'a l'air d'une nature très rêveuse.

Il semble que les beaux jours d'été que nous avons connus ici en septembre soient terminés. Ce matin, il y a un peu de brume, et ça sent l'automne déjà. En fin de compte, j'aime encore mieux nos hivers avec neige que ces déprimants hivers de Paris ou de Londres.

J'ai bien hâte de te retrouver et t'embrasse affectueusement.

Gabrielle

C'est définitif : je prends l'avion à 7 heures pour arriver à Montréal à huit heures ; à cause du décalage d'heures, cela me fera 1 h de la nuit. Je ne sais pas si j'aurai une correspondance immédiate pour Québec. Il doit y avoir quelque chose arrivant vers 10 heures p.m., j'imagine. Le jour est mercredi, le 25.

Affectueusement,

G.

Phoenix
janvier 1964

Le 10 janvier 1964, Gabrielle Roy débarque à Phoenix, en Arizona, pour venir au chevet de sa sœur Anna, qui est mourante.

Anna est atteinte d'un cancer de l'intestin depuis une vingtaine d'années. Son mari, Albert Painchaud, est décédé en 1961, quelques mois seulement après que le couple eut vendu la « Painchaudière ». Anna est arrivée à Phoenix en octobre 1963 ; elle a habité chez Fernand, son fils, et la femme de celui-ci, Léontine, avant d'être hospitalisée. Ses deux autres fils, Paul et Gilles, vivent alors en Ontario et en Pennsylvanie.

Gabrielle rendra visite à Anna chaque jour, jusqu'à sa mort, le 19 janvier[1]*. Elle rentrera à Québec après avoir assisté aux funérailles.*

Phoenix, le 11 janvier 1964

Mon cher Marcel,
Il était si tard hier quand je suis rentrée dans ma chambre — un motel voisin de chez Fernand —, après une visite à Anna, que je n'ai pas osé t'appeler au téléphone. Je pense bien que la fin ne peut tarder. Je n'ai jamais vu un être aussi décharné. Toutefois, elle est très lucide encore et a paru heureuse quand elle m'a vue et que je lui ai exprimé tes sentiments ainsi que les miens. Paul et sa femme sont arrivés. Gilles viendra sans doute. Le médecin dit qu'elle peut durer quelque temps encore, mais j'en doute. Le pire est qu'on ne peut la garder à cet hôpital où elle se trouve et qu'on devra la transporter ailleurs au début de la semaine prochaine, même si elle n'en a plus que pour quelques jours. Je t'écris à la hâte parce que Paul doit passer me prendre pour aller à l'hôpital. Je te donnerai d'autres nouvelles prochainement. Le pays paraît très beau, ce que j'en ai aperçu hier soir et ce que je vois en ce moment de ma fenêtre.

Cela m'a fait un drôle d'effet hier soir de me voir transportée en un paysage de palmiers et d'orangers, après avoir connu au départ une petite tempête de neige.

Du moins, Anna semble avoir été heureuse ici durant les quelques semaines où elle a été assez bien, prenant plaisir, me dit Léontine, à se chauffer au soleil et à admirer les montagnes au loin. Cela m'a fait penser à « Ma tante Thérésina Veilleux[1] ».

Je t'embrasse bien tendrement. Pour le moment, je te laisse l'adresse de Fernand :

2 Blue Skies Trailer Park

3033 east Van Buren street
Phoenix

Ils habitent un trailer, mais immense, presque une maison, avec toutes les commodités : trois chambres à coucher, salle de bains, etc. Et cela coûte $160.00 par mois.

À bientôt,

Gabrielle

Mes amitiés aux Madeleine.

*

Le 13 janvier 1964[1]

Mon cher Marcel,

Je n'ai pas grand nouvelles à t'apprendre depuis que je t'ai parlé au téléphone. L'état d'Anna se détériore de jour en jour, mais elle était lucide encore hier soir et pouvait nous parler, quoique au prix d'un effort très pénible. Aussi ne lui faisons-nous que de petites visites courtes, deux ou trois fois par jour. [Le] pauvre Paul est très affecté. Cette mort lente est un spectacle difficile à supporter. Mais maintenant, elle désire mourir et elle est réconfortée chaque jour par le chapelain — un bon vieux prêtre dont elle aime la visite. Ce sera un enterrement triste avec bien peu de gens, puisqu'elle ne connaît pour ainsi dire personne par ici. Mais peu importe après tout. Gilles n'est pas arrivé encore. C'est compliqué pour lui de venir, et sa santé n'est pas bonne. Mais il viendra peut-être au tout dernier moment.

Je n'ai pas eu de goût pour m'intéresser au pays, qui semble pourtant fascinant. Je suis aux abords de la ville, et j'aperçois les magnifiques montagnes pelées, rouges, et j'ai pu voir aussi de ces grands cactus en tuyaux d'orgue, très saisissants, surtout lorsque, au couchant qui est d'un rouge vif, ils se découpent en sombre. C'est un pays qu'il me plairait d'explorer un peu. Le désert est tout proche, un désert non tout à fait dépouillé de végétation, car on y voit des herbes rugueuses, des fleurs même, et par-ci par-là, grâce à l'irrigation, des oasis où poussent des dattiers, d'innombrables orangers, et aussi des oliviers. Les arbres sont très variés et très beaux, dès qu'il y a un peu d'eau. Quant au climat, c'est le plus agréable du monde. Une bonne fraîcheur saine, la nuit, et le jour un soleil ardent, un air limpide et sec. J'imagine qu'à la longue, on pourrait se lasser de ce beau temps perpétuel, mais pour quelque temps, ce doit être très bienfaisant.

Je t'embrasse tendrement.

Gabrielle

Draguignan
hiver 1966

À partir de la fin de janvier 1966 et pour près de deux mois, Gabrielle Roy s'installe à Draguignan, en Provence, où a récemment emménagé son amie Paula Bougearel avec sa famille. Le mari de Paula, Henri, est depuis peu à la retraite, après avoir terminé son dernier mandat à Durban, en Afrique du Sud. Le couple a deux fils, Claude et Alain, et une fille, Monique.

Paula et Gabrielle ne s'étaient pas revues depuis l'été 1955. Les vacances de la romancière sont toutefois assombries par les difficultés que connaît la famille Bougearel, principalement par la dépression de Paula, qui sera même internée pendant le séjour de Gabrielle. La romancière se liera d'amitié avec une amie de Paula, Jeanne Klein, qui habite la maison voisine de celle des Bougearel et qu'elle fréquente de temps à autre.

Marcel, pour sa part, est demeuré à Québec ; il est question, à un certain moment, qu'il aille rejoindre Gabrielle en France, mais il renonce finalement à ce projet.

Draguignan, le 2 février [1966]

Cher Marcel,
Quelques mots seulement, à la course, pour te faire savoir que je suis bien arrivée et sans trop de fatigue, hormis celle qu'entraînent le manque de sommeil et le décalage d'heures. Pourtant, à bord de l'avion, j'ai eu trois places pour moi seule, ce qui m'a permis de m'allonger et de me reposer parfaitement. J'ai été aux petits soins tout au long du trajet Montréal-Paris, grâce sans doute à Claude Michel; il y a eu jusqu'à la présentation d'une petite bouteille de champagne, dont j'ai goûté sans dommage, cette fois. Ce fut un peu moins resplendissant dans la caravelle Paris-Nice où nous étions rangés comme des sardines en boîte. Mais quelle belle vue on a des Alpes et puis de la Méditerranée. Je suis arrivée par un temps ravissant, ensoleillé, avec les premiers mimosas. C'est te dire combien cela m'éloignait de la tempête de neige du jour de mon départ et qui a dû faire plus de ravages encore à Montréal qu'à Québec, car les rues étaient dans un état indescriptible.

Henri était venu m'accueillir à Nice et nous sommes revenus tous deux par train et taxi. Nous avons dîné ensemble hier soir, mais je tombais de sommeil et je ne pouvais pas faire attention, comme je l'aurais voulu, à tout ce qui s'est dit. Je réserve aussi mes impressions sur Draguignan et le pays pour ma prochaine lettre, car je veux t'en faire une description convenable. Pour l'instant, le pays et le climat me paraissent merveilleux, la petite ville assez attachante, au premier abord. C'est le confort, comme toujours, qui me semble manquer un peu, l'accent étant sur les repas qui durent, durent. Mais je t'en dirai plus sur cela à la prochaine lettre. Je t'embrasse bien tendrement.

Gabrielle

[*Ajouté en marge sur la première page :*] Paula, Henri, Monique t'envoient leurs amitiés affectueuses.

⁂

Draguignan, le 4 février 1966

Mon cher Marcel,
Enfin, j'ai un peu de temps pour t'écrire. J'en passe beaucoup chez Paula, évidemment — ou bien à me rendre chez elle ou à en revenir. Toute la famille me plaît beaucoup. Claude est un charmant jeune homme, un peu taquin, très attachant et qui a très hâte de te connaître. Il sera très beau. Pour le moment, son visage est encore marqué d'acné, ce qui fait le désespoir du pauvre garçon qui se pense très laid à cause de ses boutons. Tous les mois, il va voir je ne sais quel charlatan à Toulon qui lui vend des tas de drogues — inefficaces, j'imagine. Demande donc à Amyot s'il connaît un remède à cette maladie. Pour Monique, elle a l'air très bien physiquement, grasse et pas malheureuse. Mais la pauvre petite est bourrée de drogues de toutes sortes. Elle est actuellement sous les soins d'une doctoresse, une gentille jeune fille, à ce que Monique me dit, mais qui la soigne d'une manière toute contraire à celle du vieux médecin anglais de Durban. J'espère voir cette charmante enfant émerger de cet état-là, mais je me demande s'il ne lui restera pas toujours quelque chose. Le terrible, c'est que Paula et Henri, à leur insu peut-être, ont commencé à prendre l'habitude de couver et de sans cesse protéger leur Monique contre tout ce qui dans la vie peut faire un peu mal. Ils sont admirables tous les deux et j'ai infiniment de joie à les retrouver. Maman Nonore[1], elle, a quelque peu perdu la mémoire, mais de visage elle reste étonnament jeune. Alain est un beau gamin blond aux yeux bleus, l'air très dans le vent. Jeanne Klein, qui habite tout à côté des Bougearel, arrive chez eux pour le repas du midi. Moi-même j'arrive peu après et on jacasse tous ensemble, on remplit ce petit appartement d'un grand bruit de voix. Paula circule là-dedans, tâchant de préparer son repas ; les garçons rentrent, sortent, l'un joue un peu de sa gui-

tare, Monique veut nous faire entendre un disque de chants noirs de l'Afrique. Tout se passe le plus gaiement du monde. Paula, qui est devenue d'une patience d'ange, nous accueille avec le meilleur sourire. Comme dit Claude, on vit en tribu. Pour l'hôtel, je commence à m'y habituer et je pense que je vais m'y trouver bien, du moins en attendant de trouver mieux.

Quant au climat, il me paraît excellent. Hier, par exemple, j'ai pu sortir dans mon costume noir à col de fourrure — comme tu as bien fait de me le faire apporter. C'est peut-être celui qui me sera le plus pratique. Il devait faire soixante peut-être, et au soleil on était tout à fait bien. À l'arrivée à Nice, mardi, le thermomètre marquait 59. Je n'ai pas eu une seule crise d'éternuement depuis. Le paysage est charmant, bien que je n'aie pas réussi à en voir beaucoup encore, seulement le trajet en taxi des Arcs à Draguignan. Nous débattons, Paula et moi, de louer une auto et nous irons aux renseignements ces jours-ci. L'ennui est qu'elle est tellement prise avec Jeanne Klein, Monique et moi-même, puis ses garçons qui rentrent du lycée, affamés. Enfin, je pense que l'on devrait trouver à nous organiser. Je te souhaite une bonne et heureuse fête, mon chéri. Tout le monde chez Paula en fait autant, avant d'avoir le plaisir de t'accueillir ici. J'espère que tu recevras mes souhaits pour le 9. Mes amitiés aux Madeleine.

Tendrement,

Gabrielle

⁂

Draguignan, le 7 février 1966

Cher Marcel,
C'est étonnant, il n'y aura qu'une semaine demain que je suis ici et déjà j'ai l'impression que l'hiver et la neige, et les tempêtes de chez nous, sont bien loin de moi, et qu'il n'y a de vrai que le soleil et le beau temps de Provence. Il est vrai que le mistral souffle un peu aujourd'hui, mais ce n'est pas affolant comme à Avignon. Paula et moi avons fait des arrangements ce matin pour la location d'une petite auto — une Caterelle[1] ; ce n'est qu'une quatre places, et nous aurions voulu plus grand, mais il n'y a pas de choix ici même à Draguignan. Il faudrait aller à Nice. Pour

un mois, la location coûte environ $165,00 par mois plus un forfait de 14 francs par jour, c'est-à-dire quelques sous, pour chaque kilomètre au-delà de soixante kilomètres par jour. Il faut laisser une garantie d'environ $100,00, qui nous est rendue évidemment lorsqu'on retourne la voiture. La location de plus grandes voitures coûte évidemment plus cher. Nous avons demandé le prix d'achat d'une voiture que le garagiste ou concessionnaire s'engage à reprendre au bout de deux ou trois mois, selon le cas. Je pense qu'il y aurait économie. Par ailleurs, j'aimerais bien avoir auparavant quelques indications quant à la date approximative de ton arrivée, car cela nous aiderait pour faire nos plans. Il faudrait aussi que tu t'informes auprès de Claude Michel de la meilleure manière de procéder : louer ou acheter une auto. Jean Paul Lemieux pourrait sans doute te conseiller à ce sujet, puisque lors de son récent séjour en Europe il a eu à s'occuper de tout cela. De toute façon, nous allons louer une petite voiture pour une semaine peut-être seulement, bien que ce soit beaucoup plus cher à la semaine qu'au mois.

Maintenant, chéri, as-tu un peu idée de la date vers laquelle tu viendras ? Dès maintenant le climat est fort agréable, mais en mars ce sera sûrement le printemps pour de bon. Si tu pouvais venir pour la fin de mars, je pense que ce serait l'idéal, car avril doit être très beau par ici : c'est l'époque des fleurs, puis Pâques étant le 10, tu te trouverais à inclure dans tes vacances les trois ou quatre jours de répit que tu prends de toute façon à ce temps-là. Qu'en penses-tu ? Il y a ce congrès à Bordeaux, dont tu m'avais parlé déjà, qui n'a lieu, je crois, qu'en mai. C'est plutôt tard et puis j'imagine que tu aimerais échapper à la fin de l'hiver chez nous, car fin mars et début avril ne sont pas encore tellement agréables à Québec. Puis, revenant en mai, nous aurions deux printemps à la queue leu leu pour ainsi dire. Enfin, pense à tout cela et donne-moi une réponse là-dessus dès que tu le pourras.

J'espère que tout va bien à la maison, et j'ai grand hâte d'avoir de tes nouvelles. Je marche beaucoup et assez souvent avec Monique qui est tout de même une bonne petite compagne. Les choses ont l'air de se redresser un peu chez les Bougearel qui m'ont l'air d'avoir écopé dur depuis un an ou deux. Je commence à retrouver mon sommeil normal et je pense que ces vacances me seront bienfaisantes. Toutefois, il va me falloir, comme toujours en France, faire doublement attention à mon régime. Jusqu'ici, je mange chez Paula le midi, puis je dîne seule à l'hôtel vers huit heures. Pas moyen d'avoir à manger avant.

Mais je m'habitue assez bien. J'espère que ta santé est bonne et que le temps ne te paraît pas trop long. Je t'embrasse bien tendrement et te renouvelle les bons souvenirs de toute la famille Bougearel, y compris Jeanne Klein (très fine).

Gabrielle

*

Draguignan, le 10 février [19]66

Mon cher Marcel,
J'espère que tu as reçu hier ou avant nos bons vœux à tous pour ton anniversaire. J'ai pensé à toi maintes et maintes fois au cours de la journée, espérant qu'elle était belle pour toi. J'aurais voulu partager avec toi celle d'ici, qui était une véritable journée d'été, pleine de soleil et d'éclat. Ce beau temps est peut-être un peu plus hâtif que d'habitude, mais de toute façon, ici, on considère que c'est le printemps à partir du 15 février. Or, ce qu'ils appellent le printemps, c'est plutôt comme le début de l'été chez nous. En tout cas, hier était une ravissante journée.

Paula a pris quelques leçons d'auto-école pour rafraîchir ou plutôt retrouver ses habitudes un peu perdues, et surtout corriger celles qu'elle avait acquises en Afrique du Sud où l'on conduit à gauche. Aujourd'hui on doit nous livrer la petite auto louée, une 4-L, qui m'a l'air bien légère, mais c'est tout ce qu'on peut avoir par ici. Je t'engage de nouveau à t'informer avant ton départ pour avoir une bonne auto, à conduite automatique, et quelles sont les conditions. J'ai l'impression que nous n'allons pas faire de grandes promenades, tout au moins au début, car Paula se sent un peu nerveuse, surtout, je pense bien, à cause de Monique, quoique la petite me paraît à moi faire du progrès de jour en jour. Mais il y a aussi que la famille n'est pas heureuse en France. Ils se sont tous habitués à une vie plus facile, plus libre à Durban. Les garçons surtout ne se plaisent pas du tout en France. Ils trouvent qu'on les assomme de besogne au lycée. Quant à la grand-mère, elle est comme le Canadien errant, pleurant sur son pays perdu[1]. Peut-être vont-ils tenter un jour l'expérience du déplacement au Canada, que je n'ose pas trop encourager. Cependant, ce ne peut être pire qu'ici où ils se sentent tous dépaysés. Pourtant, le merveilleux climat à lui seul vaudrait le déplacement, mais il est vrai que le cœur aime aussi certaines misères. Mon chéri, je trouve que tu mets beaucoup de temps à m'écrire un mot. Je t'embrasse et t'envoie les amitiés de tous.

Gabrielle

*

Draguignan, le 16 février 1966

Mon cher Marcel,
Je ne comprends pas ce qui peut se passer ; il y a eu deux semaines hier que je suis arrivée ici, et je n'ai pas encore reçu un mot de toi. Ou bien tu as négligé de m'adresser ta lettre par courrier aérien ; ou bien tu ne m'as pas encore écrit, ce que je peux à peine croire. En tout cas, je suis inquiète et désolée.

J'attends aussi un mot de toi à propos de la date approximative de ton arrivée, car j'ai en vue un petit appartement meublé à 4 kilomètres de Draguignan, dans un joli site, que l'on pourrait louer pour 3 semaines un mois. Mais il faudrait, avant, que je sache si cela te plairait et quand tu viendras. Pour ce qui est de l'hôtel, ça va pour quelques jours, mais je ne pense pas que cela te plairait à la longue. Du reste, si tu dois beaucoup tarder à venir, je ne pense pas demeurer moi-même tout ce temps à Draguignan, car il est assez difficile d'y avoir mon régime, et par ailleurs, Paula est tellement prise par sa famille et surtout par Monique que je ne peux pas beaucoup me promener avec elle, même si nous avons loué une auto. C'est une question de temps au fond, et la pauvre n'en a tout simplement pas. Pour ces raisons, à moins que tu penses venir bientôt, je chercherais peut-être à m'installer ailleurs pour quelques semaines. Donc, tâche de m'écrire au plus tôt à ce sujet. À deux, évidemment, et avec une auto, le pays pourrait être agréable à habiter. L'appartement que j'ai en vue est tout neuf, il a l'air très propre, les gens qui le louent sont des Parisiens retirés, apparemment aimables et tranquilles. Même si nous devions manger souvent à l'extérieur et ne faire en somme qu'un repas par-ci par-là, en plus du petit déjeuner, ce serait encore moins coûteux que de vivre à l'hôtel et plus agréable, je pense, car il y a ce qu'il faut pour bien se chauffer. Donne-moi donc ton idée là-dessus au plus tôt. Si je devais recevoir une lettre de Flammarion, veille, s'il vous plaît, à me la faire envoyer par avion. Pour le reste, rien ne presse. Je t'embrasse tendrement. J'ai reçu une bonne lettre de Madeleine Chassé heureusement.

Gabrielle

Il vaut mieux, je pense, adresser tes lettres aux soins des Bougearel, au cas où je changerais d'hôtel.

G.

a/s Mme Henri Bougearel
Immeuble Le Dragon,
Quartier Saint-Jaume,
Draguignan (Var)
France

⁂

Draguignan, le 18 février 1966

Cher Marcel,
Je commence à être sérieusement inquiète d'être si longtemps sans nouvelles de toi. J'ai eu le temps d'écrire aux Madeleine, de recevoir une réponse d'elles à laquelle j'ai répondu — et cependant rien encore de toi. Je comprends que tu puisses ne pas avoir le temps de m'écrire une vraie lettre, mais quelques mots au moins pour me dire que tu vas bien. D'autant plus qu'il me faut avoir une idée de la date vers laquelle tu penses venir pour prendre mes décisions. Il y a ce petit appartement dont je t'ai parlé qui nous conviendrait très bien, je pense. — C'est mieux que l'hôtel, qui n'est que passable, à condition de louer une auto, car c'est à une petite distance de la ville. Il y a deux lits, deux chambres même, une cuisine, la salle de bains, tout ce qu'il faut, le chauffage, etc. Mais je n'irai quand même pas là seule, car c'est un peu isolé. À deux, je crois que cela serait agréable, d'autant plus que l'endroit est bien situé pour rayonner et voir du pays tout autour. Il me semble — si tu songes [à] prendre un mois de vacances — que du 15 mars au 15 avril par exemple serait un temps idéal. Certains jours il fait un peu froid encore, surtout le matin, mais le temps devrait se réchauffer rapidement. En tout cas, ce petit appartement ne pourrait être libre passé avril. Il est déjà retenu pour le mois de mai. De plus, si tu devais beaucoup retarder tes vacances, je ne pense pas que j'attendrais tout ce temps ici, d'abord parce que Paula est vraiment trop surchargée de besogne pour pouvoir se rendre libre. Actuellement, nous

faisons tous ensemble des petites promenades d'une heure ou deux au plus, de temps en temps. C'est dire que nous ne pourrons voir que le voisinage immédiat de Draguignan. Nous sommes assez contents de la petite 4-L, bien que sa carrosserie ait l'air très frêle. Paula fait donc tout ce qu'elle peut pour me rendre le séjour ici agréable, mais elle est débordée et fatiguée. Je tiendrais donc une semaine ou deux encore à t'attendre ici, peut-être jusqu'au quinze mars même, encore que cela me paraisse bien loin. Autrement, tâche de me le dire au plus tôt, car je chercherai peut-être quelque chose du côté de Nice. Il paraît qu'on peut y louer de petits appartements meublés à la semaine, ou ailleurs, sur la côte. Draguignan n'est pas désagréable, mais ce n'est qu'une petite ville et sans l'attrait de voyages tout autour, le séjour n'en est pas très captivant. Mais même tel quel, si Paula était un peu plus libre, je serais contente. Vu les circonstances, et si tu devais ne pas pouvoir te rendre libre toi-même avant la fin d'avril, peut-être vaudrait-il aussi bien que je rentre dans trois semaines ou un mois et nous ferions un autre voyage ensemble plus tard. Qu'en penses-tu ? Il est sûr que la région doit être agréable et très belle à parcourir dès mars, et qu'avec une auto nous devrions pouvoir faire de merveilleuses randonnées. Je vais tâcher d'aller voir à Nice ce que je pourrais trouver en attendant ta réponse qui ne tardera plus, j'espère, que ce soit pour m'écrire que tu peux ou ne peux pas venir assez prochainement. Évidemment, j'aurais dû me douter que Paula n'aurait pas la liberté de jadis. Tout de même, je ne pouvais m'attendre à la trouver ligotée à ce point. Tous cependant sont très heureux que je sois venue et désirent ardemment te voir. Je t'embrasse tendrement.

Gabrielle

*

Draguignan, le 22 février 1966

Mon cher Marcel,

Enfin, j'ai reçu une lettre de toi, par avion, la première depuis mon arrivée, c'est-à-dire en trois semaines exactement. Il était temps, car je ne me tenais plus d'inquiétude. J'étais sur le point d'envoyer un télégramme. Me voilà donc un peu rassurée, et j'en avais drôlement besoin, car le temps que j'avais eu si beau à mon arrivée s'est détérioré, et il pleut depuis cinq jours. Heureusement que mon hôtel est convenablement chauffé. Petit à petit, je me sens pénétrée par la tristesse qui se dégage de la famille Bougearel, à cause de Monique, car les psychiatres semblent croire que son état est inguérissable, à cause de bien d'autres choses et un peu aussi parce qu'ils sont tellement sans défense devant la vie. Il s'ensuit qu'à les approcher et à les voir vivre entortillés dans leurs problèmes, on en vient à se sentir paralysé. C'est un peu l'atmosphère de *La Ménagerie de verre*[1]. Je comprends donc de mieux en mieux les réticences de Claude Sumner[2], quoique les Bougearel, en un sens, ont peut-être raison de se plaindre de lui. On finit par ne plus savoir qui a tort, qui a raison dans cette histoire embrouillée. Si je te raconte un peu tout cela, c'est que je me demande si ce serait agréable pour toi, dans les circonstances, de venir vivre ici. Tu as tellement besoin de repos et de détente ! De toute façon, je pense aller à Nice vendredi avec Jeanne Klein pour un ou deux jours, et j'en profiterai pour voir ce qu'il y a là comme petit appartement ou hôtel. Ainsi nous aurons le choix. C'est quand même dommage que tu ne puisses pas venir plus tôt, du moins vers la mi-mars où il fera sans doute très beau. En tout cas, ne me laisse plus des semaines sans nouvelles, cela est terrible, surtout dans les circonstances actuelles. Tu diras que j'aurais dû m'y attendre, et c'est vrai. Au fond, je reste pleine de chimères — mais aussi, comment continuer à vivre sans cela !

Dès maintenant, prends garde surtout de m'adresser tes lettres par courrier aérien et envoie-les-moi aux soins de Paula ; de cette manière, si je change d'hôtel, elle me les fera parvenir sans faute.

Je suis navrée de constater que tu as eu tant de besogne. Il faudrait pourtant que tu tâches de trouver le moyen d'en laisser, car c'est ta santé qui va en souffrir, et pour de bon. Je voudrais tellement, si tu viens bientôt, que ce voyage soit pour toi reposant et agréable. De toute façon, où que nous soyons, à Nice ou ailleurs, pourvu que nous ayons une auto et un endroit calme, je pense que tout devrait aller. Le début du voyage, évidemment, m'a passablement déçue, mais tout peut changer.

Je t'écrirai de nouveau bientôt. De ton côté, tâche de m'envoyer au moins quelques mots le plus souvent possible. Je t'embrasse.

Gabrielle

a/s Mme Paula Bougearel,
Immeuble Le Dragon
Quartier Saint-Jaume
Draguignan (Var)

⁕

Draguignan, le 25 février 1966

Mon cher Marcel,
Le beau temps, du moins, est revenu, grâce au mistral qui disperse les nuages. Il souffle un peu fort aujourd'hui, mais je l'aime infiniment mieux que les pluies que nous avons eues et qui m'ont beaucoup étonnée. Je n'imaginais pas du tout la Provence sombre et sous la pluie.

À dire vrai, je ne sais que te dire de la vie en France — ce que j'en ai vu, qui est peu de chose malgré tout. J'éprouve une certaine déception, mais est-elle due à moi-même ou au pays ? Aux deux peut-être. C'est difficile à dire. Parfois il me semble que certaines choses que nous aimions en France, surtout peut-être une joie, un art de vivre, sont en voie de disparaître ici comme ailleurs, alors que d'autres choses pour lesquelles nous n'aimions pas tellement la France, sont, elles, en train de s'affermir de plus en plus. Cela sent l'urine un peu partout, il me semble. On se fait souvent répondre avec rudesse ou manque de politesse. Le service, souvent, est d'une lenteur désespérante. Il y a un parti pris anti-américain, tout à fait injuste et déplaisant. C'est à se demander si de Gaulle[1] est bon pour les Français. Il est peut-être l'homme qu'il faut à la France pour sa grandeur comme pays, dans l'histoire, mais pour les Français eux-mêmes, je me demande parfois s'il ne leur est pas fatal, renforçant leur sentiment de supériorité et de mépris envers les autres. Ceci dit, il reste bien du charme en Provence, surtout quand le soleil se montre et que les arbres fleurissent. Je ne sais tout de même pas si je dois oui ou non t'encourager à venir. Pour moi ça n'a pas tellement d'importance que ce voyage me déçoive quelque peu, mais je serais navrée que tu ne trouves pas en France le repos et la joie que tu en escomptes. Évidemment, je vais espérer que Paula pourrait peut-être voyager un peu avec nous, prendre le volant à l'occasion, mais je pense qu'il ne pourra en être question. Même si nous arrivions à placer Monique pour quelques semaines, comme nous l'espérons, Paula est déjà trop bouleversée et usée par des mois d'angoisse pour redevenir avant longtemps ce qu'elle a été. Bien sûr, leurs peines ont déteint sur moi et c'est peut-être ce qui me fait porter sur les choses un coup d'œil plutôt pessimiste. En tout cas, je te soumets la chose, selon ce qui te semblera le mieux ; ou bien tu reviens me trouver comme convenu à la fin de mars si possible, nous louons une auto et rayonnons nous deux, seuls, tranquillement, par des petites routes paisibles. Ou bien tu gardes ton mois de vacances pour cet été — si dans le fond de ton cœur, c'est ce que tu préfères — et nous le passons à Petite-Rivière s'il fait beau, ou nous allons ailleurs chercher du soleil ; puis, à l'automne ou à l'hiver prochain, nous irons vers la vraie chaleur, au Mexique ou dans le Sud. En ce cas-là, je reviendrai moi-même dans deux ou trois semaines.

Pour ce qui est des renseignements à prendre chez Claude Michel, si tu ne peux l'atteindre lui-même, son associé M. Jasmin, ou même la secrétaire de Michel, qui est tout à fait au courant, sauront tout aussi bien te renseigner.

Je vais à Nice demain avec Jeanne Klein, pour y passer deux ou trois jours. De retour, je te dirai ce qui en est et si les hôtels là me paraissent plus agréables. De ton côté, tâche de m'écrire immédiatement afin que je puisse dès la semaine prochaine envisager une décision dans un sens ou l'autre. Un exemple de petites choses qui enragent : depuis dix jours j'ai demandé chez Flammarion de me faire tenir les fonds qu'ils ont à mon crédit : réponse immédiate qu'ils *faisaient le nécessaire* pour que leur banque avise la mienne que... Et j'attends encore, tout ce temps dépensant des dollars !

Peut-être Nice va-t-il me réconforter. Je le souhaite car en dépit du bien beau temps d'aujourd'hui je me sens un peu en rogne. Les Bougearel t'envoient mille bonnes choses. Je viens de recevoir une bonne longue lettre aimante et tellement agréable de M. Chassé. Quelle tragédie que celle du Bois de Coulonges[2]. Je t'embrasse tendrement.

Gabrielle

⁂

Draguignan, le 2 mars 1966

Mon cher Marcel,
J'ai reçu, aujourd'hui, ta deuxième lettre. Deux en un mois, tu vois, ce n'est pas beaucoup. Je suis désolée pour ton vieil oncle Joseph[1], et Ismarie qui va sans doute se sentir bien seule.

Je suis revenue de Nice ni très emballée ni très réconfortée : il a plu une journée entière et les deux autres n'étaient pas spécialement belles.

Cependant, depuis, il fait un temps divin. En somme, tu as raison d'un bout à l'autre; février n'est pas un bon mois en Provence. Mars, dit-on, est mieux, est quelquefois excellent, mais ce n'est pas du tout à fait sûr. Par ailleurs, s'il faut attendre avril pour être sûr du temps, à ce compte-là on est presque aussi bien servi chez soi. Je te laisse donc décider, d'après ce que je t'ai écrit dans ma dernière lettre, de venir ou non. Si ce n'est que pour deux ou trois semaines, je pense qu'il ne vaudrait peut-être pas la peine de louer l'appartement du Mos — à supposer qu'il soit encore libre alors. Nous pourrions rester à l'hôtel qui est très convenable et rayonner. À condition de louer une auto, je pense que nous pourrions passer un moment assez agréable. Je crois qu'il faudrait éviter les Bougearel le plus possible, car j'ai l'impression qu'ils deviennent tous plus ou moins schizophrènes. Tout chez eux est problème, devient problème et le pire est qu'à les regarder vivre on devient comme eux. Tu vois que la situation n'est donc pas facile. Pourtant, tu n'aurais qu'à les voir une fois ou deux par politesse et puis nous pourrions nous arranger pour filer de notre côté. Autrement, il n'y a pas de paix possible. Pauvres gens, je voudrais bien les aider, mais j'ai peur qu'il n'y ait pas grand-chose à faire. Ils ont tous pris des habitudes de luxe dans leur Afrique du Sud et ne savent plus s'adapter à un autre genre de vie.

Donc, décide, mon chou, si tu veux quand même venir. Vers la fin de mars, le temps devrait être sûr, très beau, et la campagne, tout autour de Draguignan, est vraiment charmante. J'ai aussi découvert un bon petit restaurant pas cher, non loin de l'hôtel.

Quoi qu'il en soit, quelle que soit ta décision, ne manque pas de me la *donner au plus tôt, afin que j'agisse* en conséquence. Dès le jour même que tu recevras cette lettre, donne-moi une réponse définitive. Si tu viens, demande à Claude Michel de te donner un *billet de retour* Paris-Montréal par *Air Canada,* car les heures sont plus commodes. Autrement, il faut partir très tôt de Nice, je veux dire par Air France. Je viens du reste de lui écrire à ce sujet pour qu'il me change mon billet de retour d'Air France en billet d'Air Canada pour la partie *Paris-Montréal.* Rappelle-lui, à ce propos, ma lettre.

J'ai fait envoyer quelques-uns de mes effets personnels par messagerie pour alléger mon bagage, entre autres mes bottes et deux petits cadeaux sans prix que m'a faits Paula. Aussitôt que tu auras reçu le colis, ne manque pas de m'en aviser.

À la fin de mars — ou un peu avant —, veux-tu envoyer tous mes bordereaux reçus jusque-là — roses ou jaunes — dans l'enveloppe sur mon pupitre adressée à M. Boivin chez Archambault ? En cas d'absence, Mlle Ouellet pourrait continuer à venir comme d'habitude deux fois la semaine, ce qui fait une journée pleine, car je ne veux pas la perdre et c'est justice de l'employer comme convenu. Tu pourras régler avec elle une fois par mois, je suppose. Je vais d'ailleurs lui envoyer une carte postale. Je pense que c'est le genre de chose qui pourrait lui faire grand plaisir.

J'espère que cela t'aidera à prendre une décision. Évidemment, quant à moi, j'aimerais infiniment mieux que tu viennes, mais il est juste que je te dépeigne les choses telles [qu']elles sont pour que tu décides en connaissance de cause. Seulement, encore une fois, réponds-moi tout de suite là-dessus. Si tu ne devais pas venir, je rentrerais probablement en fin mars.

Je t'embrasse bien tendrement et j'ai hâte de te lire et encore plus de te revoir.

Gabrielle

À propos de location d'auto : la seule qu'on puisse louer ici sur place, c'est la 4-L, très légère, mais excellente, dit Paula. Il est vrai qu'elle ne roule que dix à 20 milles par jour, et encore. La pauvre est devenue presque aussi malade que Monique, j'en ai peur. Cela serre le cœur. Pour la conduite automatique, je pense que c'est assez difficile à trouver. Mais enfin, je te le répète, cette petite 4-L, quand on s'y est fait, semble très satisfaisante !

G.

⁂

Draguignan, le 7 mars 1966

Mon cher Marcel,
Je pense que tu as pris la plus sage des résolutions en décidant de ne pas venir. Cependant, malgré tout, j'en suis peinée, car le pays a quand même beaucoup de beauté, surtout depuis quelques jours, le soleil s'étant mis à luire et des milliers de petites plantes neuves et fraîches étant venues à la vie. Mais je dois en convenir, le malheur des Bougearel, ces problèmes où ils sont inextricablement pris — un peu, je le vois, à

cause de leur propre nature —, cela t'aurait en effet gâté tes vacances. Ou bien il aurait fallu s'éloigner aussitôt, les fuir, ce qui, dans les circonstances si dures de leurs vies, aurait été odieux et inhumain. Tu as donc décidé comme il fallait et je pense que c'est mieux pour toi... en un sens, car dans l'autre, il me semble que tu fais de trop longs bouts sans trêve ni repos. As-tu au moins eu le temps de veiller à travers tout ça à tes affaires propres? Par exemple, as-tu confié ton portefeuille de valeurs et titres au Trust?

Quand je rentrerai? Je ne le sais pas encore tout à fait au juste. D'abord, parce qu'il va me falloir corriger mes épreuves de New York ici, car elles vont prochainement m'être envoyées[1]. J'avais espéré faire retarder cela jusqu'en avril ou mai, vu que je suis si mal installée pour travailler à l'hôtel, sans même de dictionnaire — mais j'emprunterai celui de Claude. Mais il leur faut, à New York, les épreuves avant la fin de ce mois. En un sens, j'aime autant car je serai débarrassée. Tout ce que j'espère, c'est que cela ne traînera pas trop, pour m'immobiliser ici. Puis cela fait, il y a deux ou trois petits voyages par car que je vais tâcher de faire. Il y a assez longtemps que je rêve de la Haute-Provence, il va pourtant falloir contenter l'envie que j'en ai. D'ici peu de temps, je vais pouvoir prévoir la date de mon retour. Continue cependant à m'écrire aussi fréquemment que possible car tu n'as aucune idée comme on peut se sentir seul et inquiet quand le courrier fait défaut.

Paula dormant à peine plus de trois heures par nuit depuis longtemps, j'ai eu l'idée de lui faire prendre à l'essai un comprimé de chlortripolon à 12 mg dont j'avais une petite quantité[2]. Elle a pu dormir six heures d'un trait, ce qui lui a paru miraculeux, la pauvre. Ce médicament semble donc lui convenir. Je ne sais pas si l'on peut s'en procurer en France. Qui en est le fabricant? Veux-tu me le dire, dès ta prochaine lettre? Si c'est fait en Amérique, il n'y aura pas d'autre solution que [de] tâcher de lui en envoyer par avion — si cela peut passer. Demande donc au pharmacien de ton immeuble comment s'y prendre.

Cher chou, j'espère qu'en dépit de toute la besogne qui t'est tombée dessus, tu as de bonnes éclaircies et que tu arrives à bien te reposer. Moi, heureusement que j'ai la bonne Jeanne Klein. Ensemble, quand nous sommes sorties de l'atmosphère de problèmes que les Bougearel sécrètent par nature, du fait même qu'ils vivent, quand nous nous retrouvons libres, nous avons toujours de bonnes crises de fou rire qui nous soulagent énormément. Eux, hélas, ne savent presque plus rire.

Avec tout ça, j'ai bien hâte de te revoir et te raconter mille choses qui seraient trop longues à écrire.

Je t'embrasse tendrement.

Gabrielle

Je viens de recevoir ce matin seulement ta première lettre, expédiée par courrier ordinaire. Comme tu le vois, ce n'est pas rapide.

Tous mes bons vœux de rétablissement et de meilleure santé pour Arthur.

G.

*

Draguignan, le 10 mars 1966

Mon cher Marcel,
Paula est entrée hier en clinique pour une cure de sommeil ou de je ne sais trop quoi. Elle était complètement épuisée. La grand-mère pleure tout le temps. J'ai donc pris sur moi d'écrire à Claude Sumner pour le mettre au courant du tragique de la situation. En attendant, Jeanne Klein et moi tâchons de veiller à ce que marche à peu près la maison, repas et tout, avec l'aide d'une petite bonne espagnole. Ce n'est pas difficile, car les garçons mangent au lycée le midi. Pourvu que la pauvre Jeanne Klein n'y passe pas, dévouée comme elle est. C'est affreux d'être venue comme elle du bout du monde, en appel à l'invitation de Henri Bougearel, qui écrivait et insistait : « Venez, chère Jeanne, nous ferons ici la maison du bonheur ». En fait de maison de bonheur, je t'assure que c'est réussi. Tout de même, ne t'inquiète pas pour moi. Moi, je peux m'échapper quand j'en ai assez, rentrer dans ma bonne chambre d'hôtel et me reposer. Je n'y vais que le midi et dans les circonstances, il faut continuer au moins quelques jours.

À travers tout cela, j'ai cependant eu, hier, une bien jolie aventure. Tu te souviens sans doute de notre petit Chaudron. Or, imagine-toi qu'avant-hier, entrant au bureau de poste de Draguignan, qui est-ce que j'aperçois en train d'écrire à la longue table, si ce n'est le petit Chaudron en personne, sa cravate dans sa fiche, sa mèche sur le front, l'air pétillant, fin comme on l'a connu. Il m'a fait fête, presque aussi content de me retrouver que moi de l'apercevoir en cette ville. Toujours est-il qu'il me propose pour le lendemain une promenade en auto « pour me faire voir au moins quelque aperçu du plus beau pays du monde ».

J'accepte. Le lendemain après-midi, à l'heure dite, je vois, surgissant devant mon hôtel, une des plus vieilles voitures de France qui marche, on se demande comment, une décapotable, et là-dedans mon Chaudron.

Nous partons, à l'ahurissement des gens autour habitués à voir toute seule, comme ils disent, « la dame ». La « dame » était prise aussitôt dans un courant d'air du diable. Nous montions la route de Grasse par lacets — comme dans les Cévennes — à toute allure. Chaudron, à tout instant, quittait le volant pour gesticuler, m'indiquer un point du paysage, une ruine sur un piton et tout le temps la route se faisait plus sinueuse, plus haute et plus dangereuse. Mais quel paysage! L'un des plus nobles que j'aie jamais vus. Des gorges profondes, des collines blanches revêtues d'immenses pins parasols. Puis des champs de lavande, qui à cette époque de l'année évoquent curieusement des tourbières. Puis, des châteaux démantelés à des hauteurs prodigieuses.

Le petit Chaudron m'avait annoncé en partant qu'il m'amenait voir des amis à lui — c'est pour les revoir qu'il se retrouvait d'ailleurs en Provence —, lesquels s'étaient trouvé un mas à l'ancienne qu'ils avaient plus ou moins rafistolé et qu'ils habitaient maintenant en permanence.

Nous montions toujours. Finalement, nous nous engageâmes dans une piste affreusement raboteuse. Puis le petit Chaudron me dit : « Faudrait peut-être continuer à pied ». Je lui dis : « Je veux bien », quoique mes souliers n'en étaient pas pour la marche. Peu importe! Nous prenons à travers la montagne par un sentier rocailleux, raide, mais à travers un paysage de plus en plus âpre. En route, Chaudron me mène voir un précipice, puis un cabanon abandonné qu'il a l'idée d'acheter « peut-être »... Tout cela dans le paysage le plus vaste et le plus solitaire du monde. Et marche, marche, marche! Chaudron, en avant, tout exalté de respirer le grand air du pays. Moi, c'est à peine s'il me reste des souliers aux pieds. Enfin, là-haut, au-dessus de nous, nous entendons de vagues bruits de clarine, puis quelques bêlements de moutons. Et nous arrivons à la maison des amis. Ah, la maison! Belle, basse, chaleureuse, aux murs les plus épais que l'on puisse imaginer. La maison à faire rêver de tout quitter pour aller vers elle! La maison au bout du monde qui symbolise la paix retrouvée. L'accueil fut à l'avenant. La jeune maman, qui donnait le sein à son bébé d'un mois, nous offre des tartines de bon pain de ménage, au coin d'une vieille table de bois. De tous côtés la vue plonge sur une mer de sauvage et belle végétation, avec çà et là des vignobles. Je ne regrettais rien de ma fatigue pour arriver à cet endroit enchanteur. Je vois autour de moi des enfants aux joues roses, paisibles, heureux. Mon Chaudron est enthousiaste. Tout le monde, y compris une grand-mère transportée là de Paris, a l'air en paix.

Ce fut donc, comme tu le vois, une promenade réussie. Plus j'y pense d'ailleurs, moins je m'étonne de savoir que tant de gens de la ville la quittent pour se retirer ainsi en des coins solitaires. Mais il faut beaucoup de trempe et de force de caractère pour que réussisse ce retour à la terre.

Mon Dieu, que cette lettre va me coûter cher d'affranchissement. J'ai hâte de recevoir de tes nouvelles qui sont bonnes, j'espère. Actuellement, le temps est magnifique ici. Des journées délicieuses, sans pareilles.

Je t'embrasse tendrement.

Gabrielle

*

Draguignan, le 16 mars [19]66

Mon cher Marcel,
En tout cas, si je n'ai pas trouvé ici tout ce que j'y espérais, j'ai du très beau temps depuis deux semaines. Les trois dernières journées surtout ont été ravissantes tout comme nos plus belles journées d'été chez nous, mais sans mouches, sans insectes d'aucune sorte, quoique sans doute il y en a en temps et lieu. Je rentre d'une grande promenade le long de la petite rivière qui enserre Draguignan, la Nartuby. Le charme de cette petite ville, comme je te l'ai déjà dit, je pense, c'est qu'on en sort facilement pour se trouver, en peu de temps, dans une très jolie campagne.

Évidemment, comme tu l'as déduit justement, les Bougearel et cette infernale propension qu'ils ont pour se compliquer la vie m'ont assombri la vie, mais je suis maintenant déterminée à ne plus me laisser accaparer par leurs problèmes, car je pense que personne ne pourrait les en sortir. Je tâche donc de prendre l'air et du soleil en autant que possible avant de rentrer. Peut-être que je passerai encore un peu de temps à Nice au retour. D'ici peu de temps, je vais prendre des dispositions pour rentrer. Je devrais recevoir mes épreuves d'ici peu, et dès lors je serai libre d'aller et de venir.

Les journaux d'ici ont dédié des manchettes à ce nouveau scandale canadien[1]. J'en ai découpé deux que je t'apporterai. Quelle pitié en effet, et tout cela pour des sottises alors que le gouvernement devrait s'occuper de tant de choses importantes et qui pressent.

J'ai fait un merveilleux petit voyage par car à Moustiers. On longe le Verdon pendant plusieurs kilomètres et on aperçoit de très haut un fil d'eau vert émeraude au bas de très hautes falaises blanches. C'est très impressionnant. Tous ces petits villages de la Haute-Provence sont d'une beauté saisissante, exactement comme je les imaginais, plus beaux peut-être encore. Quel malheur que les choses aient tourné comme elles sont et que tu aies décidé de ne pas venir, car, nous deux seuls, à se promener dans ce pays, nous aurions été heureux, j'en suis sûre. Dans ces campagnes hautes et encore isolées, les gens m'ont l'air hospitaliers et d'avoir conservé les vertus d'autrefois et un accueil chaleureux envers les étrangers. Tandis qu'ici, c'est à qui le tondrait le mieux. Paula est toujours à la clinique. J'y suis allée la voir une fois — un petit trajet assez malcommode à une dizaine de kilomètres de la ville et franchement cette clinique ne m'a pas fait très bonne impression. Je ne sais trop si j'ai raison. Plus je vis à Draguignan, plus je découvre de gens dans le cas ou à peu près des Bougearel. Pieds-Noirs, Algériens déplacés, Tunisiens émigrés, et même des Parisiens venus s'installer dans le Sud pour cause de santé, et tous respirent le malheur, en dépit de ce que le pays est ravissant et facile. D'où vient cette difficulté d'adaptation qui semble ronger les gens et les rendre malades ? Est-ce de la France ? Ou des émigrés ? En tout cas, cette petite clinique dont je te parle est remplie de ces cas-là.

Pourtant, Dieu sait qu'il a mis ici tout ce qu'il y a de plus beau dans sa nature.

Moi aussi, je commence à m'ennuyer, et à avoir hâte de rentrer. N'oublie pas de m'envoyer un mot aussitôt que tu auras reçu mon premier colis par messagerie car j'en enverrai un autre dès que le premier sera arrivé. Je t'ai aussi fait envoyer ces jours-ci par courrier recommandé — mais lent — mon manuscrit que j'avais traîné avec moi, pensant travailler peut-être, mais ce n'est pas le moment.

Donc, un mot pour m'avertir que mes colis sont arrivés, si tu le veux bien. Je me garde le plus de place possible dans mes valises pour mes achats de dernière heure.

Je t'embrasse tendrement.

Gabrielle

C'est la fête de M. Bergeron cette semaine, le dix-huit. Si tu as oublié de lui faire tes vœux, mieux [vaut] maintenant, un peu [en] retard, que pas du tout.

*

Draguignan, le 22 mars 1966

Mon cher Marcel,
Pour cadeau de fête, j'aperçois à ma fenêtre, en me levant, un ciel pur et lisse, le commencement d'une belle journée qui sera sans doute tiède et ensoleillée comme celle d'hier. Aucun doute, c'est un beau et bon climat, mais surtout à partir de mars, comme tu l'avais dit. D'ailleurs, tu as eu raison en toute chose. J'attends toujours mes épreuves de New York — qui devaient arriver il y a deux ou trois jours — pour partir pour Nice, où j'avais l'intention d'en passer quatre ou cinq autres peut-être, avant de rentrer. Ce retard m'étonne et m'agace un peu. Cependant, maintenant qu'il fait si beau, le temps passe bien en petites promenades autour de Draguignan, à pied certains jours, puis à d'autres par car. Ainsi, il y a quelques jours, j'ai fait une partie de la fameuse route de Napoléon par Castellane[1]. C'est impressionnant. Un véritable défilé de montagnes, où l'on a parfois l'impression que le passage est de la largeur d'un homme seul, et encore ! Pourtant le car s'y glisse, se redresse, continue. Et même le chauffeur, un Méridional, lâche le volant, pour appuyer l'histoire qu'il raconte, se tourne vers les gens à l'arrière du car, puis miraculeusement, au moment où il semble que l'on va dégringoler les pentes, il rattrape le volant. Je pense que tu n'aurais pas tellement aimé conduire par pareilles routes. S'il y a quelque chose, c'est plus abrupt encore que dans le Péloponnèse[2].

Paula est toujours en clinique. Comme Henri a trouvé une Espagnole pour venir faire un repas par jour à la maison et que Jeanne Klein y voit un peu, je n'y vais guère plus moi-même tant l'atmosphère de cette maison s'est empoisonnée. Je me demande si le grand coupable de tous ces malheurs, ce n'est pas le pauvre Henri lui-même — un utopiste si j'en ai jamais vu un ! —, qui refuse de voir que Monique est une malade probablement inguérissable et de la séparer du reste de la famille, surtout de Paula qui n'en peut plus, comme tout le monde le conseille. Il est vrai que Monique ni ne déraisonne au sens propre du mot, ni ne paraît atteinte autant qu'elle l'est, car les médicaments qu'elle prend lui donnent une apparence de santé, mais au fond il n'y a rien de changé, et il suffit d'un contretemps ou d'une fatigue pour voir apparaître de mauvais signes sur son visage.

Le plus triste est qu'on ne peut vraiment rien faire, sauf leur donner un peu d'argent, qui n'arrange d'ailleurs pas grand-chose. À la demande de Paula, je me suis tout simplement permis d'écrire à Claude Sumner, car c'est à lui, il me semble, que reviendrait de prendre en charge quelque membre de sa famille, si le pire se produit un jour. J'irai voir Paula cette après-midi avec Jeanne Klein. C'est à une douzaine de kilomètres, en un lieu retiré, pas commode d'accès, et je dois dire que la clinique ne m'inspire pas une grande confiance, à première vue en tout cas. Mais il est vrai que je n'ai guère fréquenté d'établissements de ce genre. De jour en jour, je m'aperçois combien des gens comme nous sont à envier comparés à d'autres et combien nous avons de raisons de nous estimer heureux.

Ma crampe dans la main est revenue depuis quelque temps et j'ai assez de peine à écrire, le matin surtout. Pourtant, j'ai fait très attention à mon régime et dans l'ensemble, je l'ai suivi assez fidèlement. Peut-être cet engourdissement provient-il d'une autre cause ?

Et toi, mon chéri ? Je vois que tu t'ennuies et cela me peine. Moi aussi, va, et j'ai hâte de rentrer. Par ailleurs, le beau climat me réconforte, ce que toi tu n'as pas. Je suis infiniment mieux de la gorge et je n'ai pour ainsi dire plus eu d'éternuements. Par ailleurs le climat n'a rien changé à mon œil, ce qui prouve donc, je pense, que cet ennui n'est pas dû à ma sinusite.

Si je devais partir bientôt pour Nice, je te ferai savoir par télégramme mon adresse là-bas. Comme le tarif est extrêmement cher, je mettrai seulement le nom de l'hôtel et de la rue, l'adresse au minimum, quoi. Ne t'en étonne donc pas. Tâche de m'écrire un peu plus souvent. Tu dois te rendre compte par toi-même combien il est réconfortant de recevoir des lettres. Je t'embrasse tendrement.

Gabrielle

[*Ajouté en marge :*] J'ai envoyé hier un deuxième paquet de vêtements usagés par messagerie. Donc 2 paquets en tout par messagerie, plus un colis postal, mon manuscrit. Je pense qu'il faut compter trois semaines. Si le premier paquet arrive, demande à Mlle Ouellet de l'ouvrir et accrocher ou serrer mes affaires.

*

Draguignan, le 27 mars 1966

Mon cher Marcel,
J'ai moi-même laissé passer plusieurs jours sans t'écrire et j'espère qu'ils ne t'auront pas paru trop longs. C'est que j'attendais de jour en jour mes épreuves de New York que l'on m'avait annoncées pour le 18 ou 19. Le 22, n'ayant encore rien, j'ai écrit et reçu un télégramme qu'elles venaient de m'être envoyées. Elles sont probablement, à l'heure qu'il est, à la Poste, à deux pas de l'hôtel, mais il y a eu grève des postiers, puis de la S.N.C.F.[1], si bien que tout est ralenti et partiellement désorganisé. En un sens, c'est pire que des grèves générales où l'on sait à quoi s'attendre. Quoi qu'il en soit, j'ai été retenue à Draguignan au-delà d'une semaine par ce contretemps. Je suis à peu près assurée de recevoir mon courrier demain, lundi matin, après quoi je partirai immédiatement pour Nice pour me changer d'air — dans les deux sens du mot. J'y corrigerai mes épreuves et verrai à mon billet de retour. Comme on annonce une petite grève des employés d'Air France, je peux être un peu retardée. Mais je pense — si tout va bien — revenir quelques jours avant Pâques. Comme je te l'ai déjà écrit, dès à Nice, je t'enverrai l'adresse de mon hôtel. J'ai bien hâte de te revoir. Il y a un retour du froid ces jours-ci et j'étais joliment contente d'avoir gardé mon manteau de fourrure. Sur les montagnes, tout autour de Draguignan, il a neigé et ici le vent qui soufflait n'avait rien à envier à notre nordet le plus déchaîné. On suffoquait. As-tu reçu le premier au moins de mes paquets ?

[*Ajouté en marge :*] S'il y avait quelque chose d'urgent, avant que tu reçoives mon adresse à Nice, tu peux toujours communiquer avec Air France à qui je donnerai aussi mon adresse à Nice ou ici à l'hôtel Bertin qui fera suivre mon courrier. Je t'embrasse bien fort.

Gabrielle

*

Nice, le 31 mars 1966

Cher Marcel,
J'ai certaines difficultés à avoir une place d'avion à cause des grèves d'Air France et, du reste, je ne sais trop si cette lettre te parviendra aussitôt à cause des P.T.T.[1] aussi en grève.

Tout de même, je pense pouvoir retenir une place sur l'avion de mercredi le six. En ce cas, j'arriverais à Québec par l'avion de 8 heures, vol 450.

À moins de contrordre donc, à l'aéroport de Québec le 6 avril à 8 heures ou environ.

J'ai bien hâte de te revoir et t'embrasse tendrement.

Gabrielle

Il y a encore danger de grève d'Air France cependant.

Montérégie
été 1966

Après avoir passé l'été dans sa maison de Petite-Rivière-Saint-François, Gabrielle Roy s'offre quelques jours de repos dans la région de Montréal. Elle s'arrête d'abord à Chambly, où elle revoit Jacqueline Deniset Benoist et sa famille ; puis elle séjourne à l'Auberge Handfield, dans le village de Saint-Marc-sur-Richelieu.

Marcel, qui éprouve alors quelques ennuis de santé, est demeuré à Québec.

Chambly, le 17 août 1966

Mon cher Marcel,

Je suis arrivée hier beaucoup plus tard que prévu, car nous avons été très retardés par un véritable déluge sur la route 9. Orages, éclairs, pluie torrentielle, c'était beau à voir mais ne rendait pas la route facile. Enfin, je suis arrivée pour dîner avec Jacqueline qui venait tout juste de rentrer à 7 heures. À cause des travaux en cours du pont Jacques-Cartier, elle met quelquefois près de deux heures à rentrer de Montréal. Tout le monde, paraît-il, subit pareilles vexations, à l'heure actuelle, à Montréal, mais presque tous semblent les accepter de bon cœur, car ces travaux ont pour but de créer une grande ville moderne[1]. Tout de même, cela ajoute terriblement à la fatigue déjà grande des gens.

Jacqueline m'a trouvé un motel assez près de chez elle, et à première vue assez bien. Je ne sais toutefois si j'y resterai, car je le trouve assez bruyant. C'est peut-être parce que je viens du silence de Petite-Rivière, après quoi on entendrait même voler une mouche. Quoi qu'il en soit, si tu avais à me joindre rapidement, mieux vaut pour l'instant téléphoner chez Jacqueline, autant que possible entre sept et huit heures du soir, car au cours de la journée, chacun est à sa besogne, sauf, bien entendu, samedi et dimanche. Je te donne tout de même le nom du motel où je suis en attendant. C'est *Mon Repos* à Chamblyville.

J'ai hâte d'explorer un peu la région, si le temps peut se remettre. J'ai revu avec plaisir, hier, les bords de la rivière Richelieu. Quelle douceur dans la nature ! Après notre rude Charlevoix, c'est reposant à l'extrême. Mais les Benoist, qui ont eu le coup de foudre pour Petite-Rivière et sont restés sous le charme, ne comprennent justement pas qu'ayant un chalet à Petite-Rivière, on puisse avoir envie de venir à Chambly ! Pourtant, c'est bien le contraste toujours qui nous ouvre les yeux et renouvelle en nous l'enthousiasme.

J'espère que tu pourras toi-même aller à Petite-Rivière cette fin de semaine prochaine avec quelques amis peut-être.

J'espère surtout que tu continueras à aller mieux, sans te décourager si, par moments, ta santé ne s'améliore pas aussi vite que tu le voudrais. Il faut avoir confiance. Peut-être devrais-tu te remettre à la natation une fois au moins par semaine, pour ne pas perdre l'élan acquis et aussi parce que cela paraissait te détendre bien.

Je te donnerai des nouvelles prochainement et tâcherai de t'appeler au téléphone bientôt. Je t'embrasse tendrement.

Gabrielle

P.S. Par erreur, et un peu de ma faute, parce que je ne l'ai pas surveillé d'assez près, Willie a abattu le petit peuplier que nous aimions tant. J'en ai eu une vraie peine, et j'imagine que toi aussi tu en ressentiras. Il ne faudra toutefois pas en reparler au pauvre Willie[2], qui en pleurait presque de chagrin quand il a vu ce qu'il avait fait. Que veux-tu, c'est fait, il n'y a plus rien à dire. Autre nouvelle triste : René Richard a perdu son frère Marcel et venait de prendre l'avion pour Winnipeg lorsque j'ai téléphoné. Heureusement que je l'ai fait avant de partir, car autrement nous n'aurions rien su. Faute de mieux, j'ai écrit une lettre de condoléances à René. Il était trop tard pour des fleurs et quant aux messes, cela ne convient pas dans ce cas. Si tu écrivais un mot, toi aussi, à René, je suis sûre qu'il en serait très touché. Le docteur Léger, paraît-il, a été d'une bonté parfaite pour lui. En apprenant la nouvelle, il s'est offert à conduire René à Montréal en auto et ne l'a pas quitté jusqu'au moment de l'embarquement.

De nouveau, je t'embrasse.

Gabrielle

J'avais demandé une sonnette douce pour le téléphone, comme il est près de mon lit. Si tu la veux plus forte, afin de l'entendre dehors, c'est très facile. Le mécanisme est dans la petite boîte à la tête de mon lit. Si tu ne sais comment t'y prendre, Berthe fera cela pour toi avec plaisir si tu vas la chercher.

*

S[ain]t-Marc-sur-Richelieu, le 23 août 1966

Mon cher Marcel,
Je suis désolée que tu aies reçu ma lettre si en retard. Je pense que le patron du motel où je me trouvais, et à qui j'ai confié quelques lettres, dont la tienne, a dû les garder un jour au moins dans ses poches.

La campagne est peut-être encore plus belle ici qu'aux environs de Chambly, quoique celle-ci a beaucoup de charme. S[ain]t-Marc-sur-Richelieu m'a l'air d'être un des villages les mieux préservés du Québec. Ce n'est pas que chaque maison, chaque jardin ou chaque petit aperçu soit le plus beau, mais cela plaît par l'ensemble. Il y a peu d'annonces, presque rien de laid. L'atmosphère y est très douce, peut-être un peu trop calmante à la longue. Mais, pour quelque temps, c'est reposant et agréable. L'auberge Handfield est excellente, et pour toi qui manges de tout, ce serait parfait, car c'est un relais gastronomique. La chambre qu'on m'a donnée a vue sur la rivière et est très paisible, spacieuse et aérée. C'est un endroit où il faudra revenir, car je suis persuadée que tu aimeras beaucoup tout ce petit pays. C'est tellement campagne encore, quoique si proche de Montréal. Il doit y avoir quantité de promenades paisibles à faire par de petites routes à l'écart. Françoise Loranger[1], que j'ai rencontrée, et chez qui je dois dîner ce soir avec Judith Jasmin, Françoise me dit qu'il y a des rangs aussi peu touchés par l'influence de nos temps que s'ils étaient situés au fond de l'Abitibi. D'ailleurs, cette campagne est infiniment mieux préservée qu'aucune que je connaisse.

Je marche, marche sans arrêt, comme il fait frais et que, par ailleurs, il n'y a rien d'autre à faire. Mais c'est dans du plat tout le temps et ce n'est pas fatigant. Il y a toujours assez de monde pour le dîner, des couples surtout, de Montréal. Mais nous ne sommes que deux pensionnaires. L'autre, c'est un psychiatre de Montréal, d'origine haïtienne, et qui est au repos.

J'irai sans doute passer quelques jours à Montréal avant de rentrer, pour faire quelques courses dans les magasins. Je regarderai peut-être un peu les manteaux de fourrure. Je ne sais cependant si je me déciderai à en acheter un.

Je suis triste de penser que tu dors mal. Moi-même ça n'a pas été fameux tout l'été. Ici il semble que je dors mieux, à cause du climat peut-être ! Je t'appellerai de nouveau au téléphone ou t'écrirai.

Je t'embrasse tendrement.

Gabrielle

Québec
automne 1966

On n'a retrouvé qu'une lettre de Gabrielle Roy datant de l'automne 1966. La romancière se trouvait alors à Québec. Son dernier roman, La Route d'Altamont, *venait de paraître aux éditions HMH.*

On peut supposer que Marcel était alors en voyage en Italie, puisque des lettres de Marcel écrites en Italie, à l'automne, ont été retrouvées ; la date est inscrite au début des lettres, mais Marcel a omis d'ajouter l'année. De plus, Gabrielle Roy, dans sa lettre, renvoie à la description d'un jardin qu'avait faite Marcel dans une lettre précédente : dans sa lettre du 22 septembre, Marcel décrit le jardin de l'hôtel où il a pris pension à Florence : « [...] le jardin est un fouillis d'arbustes en fleurs, de pins parasols — mais ce que je préfère, trois beaux cyprès de plus de cent pieds dans un ciel bleu parfait ».

Québec, lundi le 26 septembre [19]66

Mon cher Marcel,
Je suis bien heureuse de voir que ton voyage commence bien et je souhaite de tout cœur qu'il continue ainsi tout au long. Ta description du jardin me donne le goût d'être sur les lieux.

Tous nous avons hâte de te voir revenir, les Madeleine et moi, et hâte de t'entendre nous raconter ton beau voyage dont tu sauras pleinement profiter, j'en suis sûre.

Je vais bien. L'appartement paraît vaste et désert — en dépit de beaucoup d'objets ! ! !

Je t'embrasse tendrement.

Gabrielle

New Smyrna
hiver 1967-1968

En décembre 1967, Gabrielle Roy accepte d'accompagner Cécile Chabot et sa mère lors d'un voyage à Miami. Les trois femmes doivent y retrouver Thérèse, la sœur de Cécile. Quelques jours seulement après son arrivée, Gabrielle quitte les Chabot pour aller rejoindre Marie Dubuc, qui lui a trouvé une chambre à New Smyrna, près de Daytona, dans un motel situé tout près de la mer.

C'est au cours de ce séjour de près de deux mois en Floride que Gabrielle Roy écrira la nouvelle « L'Arbre », qui s'inspire de son voyage dans le golfe du Mexique avec les Richard en 1957 et de ses promenades dans les forêts et sur les plages du Sud. C'est également à cette époque qu'elle aurait entrepris d'écrire La Rivière sans repos, *roman qui paraîtra en 1970 aux Éditions Beauchemin.*

Miami, le 31 décembre 1967

Mon cher Marcel,
J'ai tenté de te rejoindre au téléphone ce matin — après une dizaine de tentatives, j'ai dû renoncer. Impossible d'avoir une ligne. Je me reprendrai par un jour moins achalandé. Il fait un beau temps… déconcertant : 73 ce matin, et le thermomètre monte. J'ai enlevé mes bas et mis mon unique robe d'été. Je ne peux encore te donner mon impression de Miami. Je suis encore trop éberluée par le changement. Cela me semble plutôt bruyant dans ce quartier-ci. Toutefois, c'est convenable, en attendant que je me trouve quelque chose de mieux. Le voyage s'est fait très agréablement. J'espère que l'appartement ne te paraîtra pas trop vaste ni trop vide. Pendant quelques jours tu éprouveras sans doute bien du contentement à éparpiller tes livres et à faire exactement comme tu veux.

J'ai été rencontrer la mer hier soir, à l'heure où il n'y avait plus personne sur la plage publique. Le ciel était doré, et c'était très beau. La couleur de la mer est exactement comme dans la pochade de René Richard exécutée à Santa Rosa. C'est la même que dans les eaux du golfe du Mexique. Et combien salée. J'y ai trempé mes doigts pour la goûter : une forte saumure.

Je te renouvelle mes affectueux souhaits pour une bonne et heureuse année. Je te souhaite de trouver du contentement et du bonheur dans le changement de situation que tu t'apprêtes à accepter. Il me semble que tu vas en être heureux après quelque temps.

Mille bonnes choses. Je t'embrasse affectueusement.

Gabrielle

*

Miami, le 2 janvier 1968

Mon cher Marcel,
Marie Dubuc m'a trouvé un excellent motel, à ce qu'elle m'a dit ce matin au téléphone. C'est tout près de la mer, à un mille de chez elle, dans un endroit tout à fait calme et reposant. Je vais donc partir par autobus après-demain, jeudi matin, pour New Smyrna Beach. C'est un assez long voyage, mais cela me fera voir un peu de la Floride. Je serai à Smyrna vers 6 heures p.m. et Marie Dubuc m'y attendra pour me conduire à mon motel. Il y aurait peut-être moyen de trouver quelque chose ici, mais c'est très difficile. Il faudrait beaucoup chercher, et surtout, il faut s'engager pour deux mois, à moins de payer des prix fous. Au reste, c'est la grande foire, la grande foule, la presse, et je pense que décidément une plage moins fréquentée me conviendra infiniment mieux. Ici, avec les Chabot, ce n'est pas mal, mais proche de rues très passantes, fort bruyantes. D'ailleurs, ma chambre ne pourrait m'être louée passé le 15 janvier, car tout est réservé ici pour les mêmes gens qui reviennent d'année en année.

Les cousins de Julie, les Gagnon, ont été fort aimables pour moi. Je leur ai fait une petite visite hier, au nom de Julie et de Gemma[1]. Tous deux ont eu la bonté de visiter avec moi quelques petits appartements à louer. L'un d'eux m'aurait très bien convenu, mais c'est encore la même chose : il est retenu pour quelqu'un à partir du 15 ou 20 janvier. Pour toutes ces raisons, j'ai donc pensé que je trouverais plus facilement à New Smyrna, qui est beaucoup moins fréquenté, car moins chaud, dit-on, qu'à Miami. Cela ne me désappointera aucunement. Je préférerais une température un peu plus fraîche. Soixante-dix-huit degrés, lorsqu'on arrive droit de Québec, c'est plutôt chaud.

Je te donne l'adresse de Marie Dubuc en attendant que je t'écrive de nouveau, une fois sur place. As-tu passé un bon Jour de l'An en compagnie d'Adrienne et de Simone[2] ? Ici, parmi les palmiers, au son des grillons, je ne pouvais vraiment croire que c'était le Jour de l'An. Je t'embrasse affectueusement.

Gabrielle

[*Ajouté en marge au début de la lettre :*]
a/s Mlle Marie Dubuc

1905 Hill Street
New Smyrna Beach
Florida
Tél. 428-2973

*

New Smyrna Beach, le 5 janvier 1968

Cher Marcel,
Eh bien, je suis arrivée hier soir à Smyrna, un petit village miteux et graisseux, mais à deux milles plus loin, sur l'océan, dans les dunes, Marie Dubuc m'avait réservé un motel charmant. Je ne pouvais trouver mieux. Il y a tout : une cuisinette, une salle de bains, une belle grande chambre très propre, très bien éclairée, chauffée à l'électricité et avec air conditionné s'il fait trop chaud : tout cela pour $30 la semaine. Je n'en reviens pas, car à Miami Beach, on m'a demandé $100, même $110 la semaine pour les quelques endroits que j'ai été voir et d'ailleurs, presque aucun n'était vraiment propre. À côté de chez Thérèse Chabot, c'était assez gentil, mais bruyant et un peu dans le genre de l'atmosphère du *Tramway nommé Désir*[1]. De toute façon je suis contente de me trouver ici où il y a de l'air, de la solitude et du monde aussi, mais à une distance raisonnable. Marie habite à un mille d'ici, une maison qu'elle m'emmènera voir bientôt. J'aurai un mille à faire pour me rendre chez elle ou pour aller aux provisions, mais je pense que ce sera une promenade agréable, vu que c'est par un petit chemin sableux et peu fréquenté. Comme paysage, ce que j'en ai vu jusqu'ici me fait penser à certains endroits de la côte du Cape Cod. Je t'avoue que je suis contente de me sentir installée, pour quelques semaines en tout cas, au bon air et dans la tranquillité. Marie Dubuc a l'air en pleine forme. Elle met cela sur le compte du climat, qui me paraît meilleur en effet qu'à Miami, moins humide et plus vivifiant. Quand j'entends parler à la radio du temps froid qu'il fait au Canada, je n'arrive pas à le croire ni à croire à ma bonne fortune présente.

J'ai hâte d'avoir de tes nouvelles, que j'espère bonnes, et j'espère que tu as commencé de préparer tes cours sans trop de misère.

Je t'embrasse affectueusement.

Gabrielle

Je viens d'aller marcher sur la plage. Nulle part au monde, j[e n]'en ai vu de plus belle. Elle est d'un sable blanc comme les banquises du Grand Nord et si ferme qu'on peut y rouler même en auto. C'est d'une grande beauté !

*

New Smyrna Beach, le 7 janvier 1968

Cher Marcel,
Smyrna, comme je l'ai baptisée et continue de l'appeler, à la grande joie de Marie Dubuc, ne cesse de m'enchanter. À moins de découvrir des défauts encore cachés à mes yeux, je pense avoir découvert l'un des endroits les plus agréables à vivre, pour un ou deux mois par année. D'abord, la plage ! C'est une merveille. Des milles et des milles de sable fin, éblouissant de blancheur, à peine fréquentés — du moins à cette époque —, sinon par des milliers de mouettes. Près du petit fort que Marie m'a emmenée voir hier, il y a des pélicans. La broussaille des dunes est dense et étrange, forte de palmetto serrés, serrés, et de petits arbustes à feuilles grasses. Partout poussent à l'état sauvage des gaillardes et ce qui me semble être des phlox que l'on appelle ici periwinkle. Il y a aussi une petite marguerite jaune à cœur sombre, ressemblant à nos black-eye[d] susans[1]. Il faudra que tu viennes par toi-même te rendre compte du charme de cet endroit non encore gâté — mais pour combien de temps ! Assoiffés d'une solitude et d'une pureté semblable, les Américains, au bout de quelque temps — comme nos gens d'ailleurs —, finissent par la gâter en y introduisant ce que l'on appelle le progrès. Pour l'instant, il y en a assez et pas trop. Jusqu'ici le climat me plaît beaucoup, moins mou qu'à Miami, et assez chaud. Le croirais-tu, je n'ai éternué qu'une fois depuis mon arrivée en Floride. Marie Dubuc me dit se porter très bien aussi depuis qu'elle passe les hivers ici. Je pense donc que tu en retirerais le plus grand bien toi aussi pour tes voies respiratoires et pour ta santé générale. De plus, ce qui a son importance, les prix sont bien plus abordables ici qu'à Miami, car Smyrna étant deux cents milles plus au nord, les gens s'imaginent que c'est beaucoup moins tempéré, par conséquent ils y viennent plutôt l'été. Donc, on bénéficie l'hiver des prix hors saison. Pourtant je vois bien peu de dif-

férence dans le climat, deux ou trois degrés au plus. Peut-être est-ce plus venteux ici, mais pas tellement.

Chez Marie, j'ai rencontré la femme de Jacques Lapointe, frère de Jeanne, sous-ministre au Ministère de la Justice. Le pauvre a fait un infarctus presque en arrivant. Il est à l'hôpital à Daytona Beach où Marie, en allant lui rendre visite hier, m'a emmenée. C'est une autre grande plage bruyante et populeuse. Jacques Lapointe va mieux, à ce qu'elle me dit, et pourra sortir de l'hôpital dans quelques jours. J'ai appris qu'il est le chef de notre Jean Miko. À propos, as-tu songé de prendre des nouvelles de[s] Hargitay[2] ? J'espère que tu téléphoneras au moins assez souvent, afin qu'ils ne se sentent pas abandonnés de nous dans des heures si cruelles pour eux. J'ai écrit à Marguerite, de mon côté, et le ferai encore. Mais tâche de me donner des nouvelles à leur sujet.

Aujourd'hui, c'est la première journée depuis mon arrivée que je vois un ciel un peu chargé, mais il fait tiède. Peut-être y aura-t-il de la pluie. Elle est rare ici et très désirée par les maraîchers et par les gens pour leurs charmants jardins. Tu serais ravi par la fascinante végétation du Sud. As-tu reçu mon remboursement de frais de voyage de la part du gouvernement ? Je voudrais bien être au moins assurée que ma note a été reçue.

Marie est très gentille pour moi. À mon arrivée, j'ai trouvé mon motel paré par ses soins de bouquets de fleurs, d'un panier de fruits et dans le frigidaire, elle avait mis pour moi un bouillon de poulet, du lait, des œufs, du pain. Il y avait tout ce qu'il fallait pour souper ce soir-là et pour mon petit déjeuner du lendemain. Elle attend pour bientôt Colette, une sœur de Jean Palardy, puis elle a loué un appartement pour les Allard — les Hector Allard[3] —, ses grands amis, à ce que j'apprends, et qui viennent pour un ou deux mois. À cause d'elle qui a tellement d'amis, il semble que va se constituer ici une petite colonie canadienne, mais je ne pense pas que nous nous nuisions. Jusqu'ici, je suis très heureuse d'avoir découvert la Nouvelle-Smyrna et j'espère que toi aussi tu en viendras à la connaître. Je t'embrasse tendrement.

Gabrielle

*

New Smyrna Beach, le 10 janvier 1968

Tel. chez Marie : 428-2973
3301 Hill Street
New Smyrna Beach
Florida

Cher Marcel,
J'ai reçu ce matin les lettres de Jean Martineau, de Dédette et d'Everson que tu as eu la bonté de me faire parvenir. Je te remercie. J'ai surtout hâte d'avoir une lettre de toi, même si elle n'est pas longue.

Dimanche, Marie Dubuc m'a emmenée faire une promenade qui m'a enchantée, par un vieux petit chemin secret tels [qu']en connaissent les initiés seulement d'un pays. Une vraie petite route du vieux Sud comme on en imagine parfois, bordée de grands chênes verts aux branches couvertes de leurs mousses grises et ayant à leurs pieds toute une broussaille touffue de palmetto, de vignes maritimes et de fleurs vivement colorées. Le chien Moka s'en donnait à cœur joie dans son exploration de ces fourrés. Quelque part sur cette route solitaire, nous sommes arrivées sur un groupe de vautours occupés à dévorer la carcasse d'un étrange reptile dont je ne me rappelle plus le nom[1]. J'ai aimé cette promenade à la folie. Ce matin, je suis allée faire mes emplettes à la petite ville, dormante, lente — je t'assure qu'on est loin ici de la trépidation américaine.

Demain nous irons faire un tour à Daytona Beach. J'essaie de m'entraîner à travailler au moins une heure ou deux le matin. C'est difficile comme toujours pour démarrer.

D'ici quelques jours, il y aura sans doute quelqu'un pour répondre au téléphone au bureau de mon motel et je [te] donnerai alors le numéro. Pour l'instant, retiens celui de Marie, pour un cas urgent, et elle pourrait me relayer le message. Mais désormais, tu pourras adresser mon courrier à mon motel. Chez Marie : 428-2973.

Il a fait un peu plus frais ces jours-ci, mais quand je compare la température de par ici avec celle du Nord dans la colonne des journaux, j'arrive à peine à en croire mes yeux. Le gérant du motel — a retired army man, très affable et serviable — s'occupe présentement à transplanter des plants de tomates. Un bougainvillier tout fleuri orne ma façade. Mais c'est la plage qui fait surtout mes délices. Je n'ai jamais vu pareille blancheur. Le sable, la crête des longues vagues, les oiseaux du rivage, tout est blanc et va se perdre au loin dans une sorte de légère brume blanche qui poudre un peu comme une fine poudrerie. C'est beau à ne pas s'en rassasier. Je me dis pour m'égayer que tu viendras voir cela un jour. Je t'embrasse.

Gabrielle

*

New Smyrna Beach, janvier, le 13, 1968

Mon cher Marcel,
J'ai reçu ta bonne lettre du cinq qui m'a rendue bien joyeuse. Je vois pourquoi elle a mis si longtemps à m'arriver : c'est que tu l'as envoyée par courrier ordinaire. Toutefois, je me demande si l'on gagne tellement par courrier aérien. Enfin, quelque effet de la vague de grand froid du Nord se fait sentir ici depuis hier soir. Brusquement, le thermomètre est descendu dans les cinquante. C'est un peu frisquet sur la plage, mais à l'intérieur, j'ai un bon chauffage et me sens tout à fait bien. Je suis contente d'échapper au lancement des « Portes de la vie[1] ». Je suis loin d'être poussée à y assister. Cependant, si cela te tentait, il n'y aurait rien là de déplacé, après tout. C'était gentil aux de Saint-Victor d'avoir préparé un petit discours à mon intention[2]. Qu'ont-ils donné cette année en guise de cadeau ? Je te garde le petit mot de félicitations que m'ont adressé les bonnes sœurs. Le cœur y est, mais comme style, que c'est donc ampoulé !

Marie Dubuc m'a emmenée faire un petit bout de veillée cette semaine dans une vieille famille sudiste de New Smyrna, les Du Bose, autrefois président, lui, de la compagnie d'aluminium d'Arvida, à présent retiré, qui sont de descendance française. Le nom à l'origine a dû être Dubois, est devenu Dubose, puis enfin Du Bose. Là nous avons rencontré un petit groupe très sélect de vacanciers canadiens — Canadiens anglais de Montréal la plupart — très riches, comme l'ancien président à Londres des chemins de fer nationaux, puis Corneliers qui occupa aussi un poste important à Arvida. Marie connaît tout le monde ici. Je n'ai pas l'intention de me mêler avec la société, mais pour une fois j'ai trouvé intéressant de rencontrer ces gens. Encore plus de pénétrer dans l'intimité d'une famille sudiste. Il n'y a aucun doute, ces gens ont un raffinement, des manières d'être pleines de séduction. Nous sommes aussi entrés en passant chez un antiquaire de ses amis, un nommé Bouchelle, dont la collection te ferait mourir d'envie. Il paraît qu'on trouve encore assez facilement par ici des objets de grand prix, à condition de payer cher, j'imagine.

N'as-tu pas encore reçu le remboursement de nos frais de voyage à Ottawa[3] ? Sinon, je vais écrire bientôt de nouveau, je crois. Me ferais-tu un petit paquet de mes livres que tu pourrais me faire envoyer par Mlle Ouellet. Elle sait où prendre dans le petit vestiaire entre la cuisine et la salle, des cartons pour les emballer. Il faudra aussi sur le paquet faire mention qu'il s'agit de livres. J'aimerais que tu m'envoies un exemplaire de *The Road Past Altamont,* hard cover, un *Hidden Mountain,* et un *Where Nests the Water Hen,* celui-ci dans la collection « Canadian Library » de McClelland [&] Stewart[4]. Ces livres seront encore le cadeau le plus apprécié des quelques personnes à qui je dois des bontés, surtout le propriétaire de mon motel, un ancien colonel retiré de l'Armée, d'une vieille famille sudiste lui aussi, et extrêmement obligeant. Lui et sa femme me choient sans bon sens. Donc, envoie-moi ces trois livres très bien empaquetés, mais si possible dans un paquet qui pourra être ouvert facilement aux douanes si nécessaire.

Marie aussi est infiniment tendre à mon égard. Hier encore, elle m'a apporté une casserole pleine d'un excellent bouillon de bœuf qu'elle venait de faire. Il n'y a pas de jour qu'elle n'arrive pas avec quelque chose : son petit appareil transistor, une grosse lampe de poche, un crabe dont j'ai goûté pour la première fois hier. C'est délicieux ! Mais les oranges tangello ! Quelle merveille. Je t'embrasse tendrement et espère avoir bientôt une autre lettre de toi.

Gabrielle

Au paquet, tu pourrais peut-être ajouter un *Street of Riches* de la « Canadian Library » également[5].

Dans le tiroir à gauche de mon pupitre, dans une boîte de papier à lettre, tu trouveras, je crois, le prénom de l'Aide de camp : Nantel, à qui il faut adresser les réclamations pour remboursement. Veux-tu avoir la bonté de me l'écrire, si toutefois rien n'est encore venu d'Ottawa.

✳

New Smyrna Beach, le 15 janvier 1968

Mon cher Marcel,
Eh bien, le froid nous a rejoints ici. Il y a eu du gel dans l'intérieur ; ici le thermomètre est descendu à près de trente. Mais je pense que le pire est déjà passé et que l'on va voir revenir la chaleur. Je t'assure que je n'avais pas trop de mes deux chaufferettes en pleine marche pour m'empêcher d'avoir froid. Cela m'a fait penser à notre nuit à Arles[1]. Ici non plus les maisons ne sont pas conçues pour lutter contre le froid. Heureusement, Marie m'a passé amplement de quoi lire pour occuper les journées un peu moins agréables. Hier, elle m'a emmenée de nouveau par les routes que j'aime tant, dans les mystérieux bois du Sud avec leurs arbres tendus de mousse grise. Sous un ciel chargé, dans la pénombre, je t'assure que c'est d'aspect plutôt funèbre... envoûtant cependant à l'extrême. Si tu n'as pas encore envoyé le paquet de livres que je t'ai demandé, veux-tu y ajouter un *Where Nests the Water Hen* de la collection de l'édition pour la Colombie-Britannique, avec de si jolies illustrations et une si charmante couverture[2]. Ils sont dans l'armoire à livres du salon, à côté de mon fauteuil.

Je m'ennuie tout de même passablement, par moments, surtout quand le temps n'est pas assez beau pour me tenir longuement sur la grève. Car c'est là le grand agrément de Smyrna. Je pense que le beau temps est à la veille de revenir. Déjà d'ailleurs le soleil paraît. Vas-tu bien ? Travailles-tu un peu ? J'essaie pour ma part et ne sais pas encore si cela va donner quelque chose.

Je t'embrasse tendrement.

Gabrielle

P.S. Ajoute à l'adresse en m'écrivant le code 32069 ; cela hâte, à ce qu'il paraît, la livraison.

⁂

New Smyrna Beach, le 20 janvier 1968

Cher Marcel,
J'ai reçu hier ta deuxième lettre, qui m'a fait bien plaisir. J'en avais une de Madeleine Lemieux également, dans laquelle elle m'apprenait qu'elle t'avait reçu à un dîner au canard à l'orange. J'en ai été bien contente

pour toi. Quant à moi, je me plais toujours à la Nouvelle-Smyrna. La beauté encore un peu sauvage de l'endroit est vraiment remarquable et d'ailleurs déjà rare à trouver sur ces côtes, paraît-il. Le seul ennui, c'est que Smyrna ne possède pas de vraiment bon restaurant, seulement des gargotes, à vrai dire. Mais je vais m'approvisionner une ou deux fois la semaine avec Marie, et je tâche de me faire des repas simples, quoique assez complets. Ce qu'il y a de meilleur, ce sont les oranges d'abord, surtout les Tangello — absolument délicieuses — et les fruits de mer, crabe, poisson, crevettes.

As-tu reçu l'exemplaire de la petite feuille locale, *Le Pélican,* que je t'ai envoyé hier ? Je ne sais trop comment — par quelques paroles de la part de Marie sans doute — la dame journaliste qui dirige cette feuille a appris qui j'étais — patati et patata — et s'est présentée à mon motel demandant une interview[1]. C'était difficile de la mettre à la porte. Elle était d'ailleurs fort gentille et n'a pas si mal tourné sa petite histoire, comme tu l'as vu — ou le verras. Nous avons bien ri de toute cette histoire, en fin de compte, Marie et moi. Le plus drôle, c'est que j'ai acquis ici, du coup, une sorte de considération qui se manifeste un peu partout. C'est aujourd'hui qu'arrivent les Hector Allard pour un séjour de deux ou trois mois. Elle, à ce que me dit Marie, est la gentillesse même. Est-ce que nous ne les avions pas rencontrés à Ottawa ?

Il y a eu deux très belles journées, puis aujourd'hui le temps est couvert. Apparemment, janvier n'est pas le mois le plus sûr, même en Floride. En février, paraît-il, le temps devient beaucoup plus agréable. Si tu penses ne pas trop t'ennuyer, j'ai donc pensé retenir mon motel — sans cela je risquerais d'être sans logis — pour le mois de février, et peut-être même jusqu'au 8 mars, environ cette date-là en tout cas. C'est un peu plus long que je pensais au départ, mais si je veux travailler un peu et faire quelques petits voyages, comme à Key West par exemple, qu'on dit extraordinaire, il me faut bien au moins tout ce temps.

Penses-tu pouvoir venir ? Ne serait-ce que pour une semaine, cela en vaudrait la peine. Tu te rendrais compte par toi-même du charme de l'endroit. Cela te ferait sûrement du bien. Par avion, tu pourrais voyager direct de Montréal à Tampa, puis de Tampa à Daytona Beach où nous pourrions aller te chercher en auto. L'idéal, évidemment, serait de venir en auto, pour l'avoir ici aux fins de rayonner un peu et de faire nos courses, mais sans doute que tu n'aimerais pas entreprendre seul un aussi long voyage en auto. À moins que tu te trouves un compagnon, une compagne de route, par exemple Julie Simard ou Gemma. Parle-leur-en, en tout cas, et penses-y.

Si c'est impossible pour cet hiver, nous pourrions peut-être réserver quelque chose pour l'hiver prochain. Car pour être bien logé, il faut retenir d'avance, du moins durant les mois achalandés, à partir de février.

J'espère que ton travail avance à ton goût. Pour moi, c'est la vieille histoire : un jour, ça va à peu près bien ; le lendemain, ça ne démarre plus. Comme il faut d'acharnement pour continuer. Surtout ici où la tentation est grande de vivre dehors. Mais ne t'inquiète [pas]. Je passe une très grande partie de la journée au grand air et ici, il est grand.

J'ai hâte de voir mon chandail, cadeau de Mme de Saint-Victor. De quelle couleur est-il[2] ? Je lui enverrai sous peu un mot de remerciement.

Au revoir, chéri ; je t'embrasse affectueusement.

Gabrielle

⁂

New Smyrna, le 24 janvier 1968

Mon cher Marcel,

J'ai travaillé un peu plus ces derniers jours, c'est pourquoi je t'ai peut-être écrit un peu moins souvent. Je ne sais ce qui sortira de cet effort, mais en tout cas je cherche à m'appliquer régulièrement. Et puis Marie m'a trimballée — peut-être même un peu trop à mon goût, mais, par ailleurs, ce serait dommage de ne pas en profiter. Nous sommes allées à De Land, le chef-lieu du comté — Volusia —, petite ville universitaire tranquille, charmante avec ses grands arbres aux mousses pendantes. Tout à fait l'atmosphère cent fois décrite avec tant de saisissante vérité par Julien Green[1]. Nous sommes allées voir des coins de dunes sauvages. Elle a aussi reçu chez elle des petits groupes de ses amies sudistes dont le raffinement me frappe. Puis les Allard sont arrivés, que j'ai à peine vus encore toutefois, car Mme Allard est arrivée malade et ne s'est pas encore montrée. Lui m'a fait le meilleur effet du monde, un homme fort séduisant encore et pas du tout, comme on le dit, poseur. Nous les verrons sans doute souvent dès que Marie-Nicole — que l'on dit charmante — sera guérie. T'ai-je dit qu'une sœur de Jean Palardy — Colette — divorcée d'avec son mari, Guy Loranger — est la présente invitée de Marie pour un séjour de deux mois ? Elle est gentille, bonne, un peu bavarde comme Jean, sans malice et agréable. J'adore le grand chien de Marie, Moka, et rien n'est plus charmant que de le voir nous accompagner à la promenade sur la longue plage au sable blanc. Il bondit à la vitesse du guépard, explore les moindres touffes d'herbe, va se rafraîchir dans le premier rouleau de vagues, revient un instant marcher auprès de nous en nous regardant comme pour dire : « La belle vie, hein ! », puis nous quitte et s'élance pour s'amuser à faire lever les sternes et les petites maubèches par milliers tout le long de la mer.

Hier soir, Marie m'a encore invitée chez elle, cette fois pour entendre chanter, en s'accompagnant à la guitare, une jeune amie à elle qui a déjà une importante collection de chants de folklore du Kentucky, du Tennessee, etc. J'ai été fort étonnée de constater qu'il existe aux U.S.A. un si merveilleux folklore. Ç'a été une soirée inoubliable. Tout de même, je suis un peu fatiguée de tant d'allées et venues, même si je rentre toujours me coucher très tôt. Marie dit que nous allons cesser pour quelque temps, mais je me demande si elle le peut : elle semble avoir un grand besoin de se démener en dépit de ce qu'elle se dit malade du cœur. Ça, j'ai vraiment de la peine à le croire.

Il fait actuellement beau moyen, c'est-à-dire à peu près comme une belle journée de fin mai, début juin chez nous, et les nuits sont agréablement fraîches.

Je voudrais que tu puisses voir l'appartement des Allard : deux bonnes petites chambres à coucher avec chacune son cabinet de toilette ; une salle de bains ; un grand living avec un coin salle à manger et un autre coin cuisine ; le living s'ouvrant par des portes-fenêtres sur la plage et la mer. Le tout entièrement meublé — sans service cependant — pour $275.00 par mois. Ils ont eu une chance extraordinaire, mais paraît-il, cela se trouve. Bon, je termine en t'embrassant de tout cœur.

Gabrielle

⁂

Le 25 janvier 1968[1]

Bonjour mon chéri,
Pour aujourd'hui, je ne prendrai que le temps de t'écrire un mot. Le froid est revenu, mais je sais maintenant que ça ne dure pas. Cette après-

midi, Marie reçoit chez elle les Allard, quelques autres. Je m'y rendrai à pied par mon petit chemin de sable que j'aime tant. Hier nous avons trouvé de singuliers coquillages sur la plage. Et que de beaux oiseaux, sternes, maubèches et d'énormes goélands ! Je t'embrasse tendrement.

Gabrielle

*

New Smyrna Beach, le 29 janvier 1968

Mon cher Marcel,

Hier, dimanche, notre petit groupe, les Canadiens français de Smyrna, c'est-à-dire Marie, son amie en visite chez elle, Colette Palardy-Loranger, puis les Allard et un couple de leurs amis, les Cloutier, parents de la fameuse beauté Suzanne Cloutier[1], épouse de Peter Ustinov et lui, Cloutier, ex-imprimeur de la Reine, enfin tout ce monde nous avons commencé la journée ensemble par la messe à la petite église de la paroisse catholique. J'étais ensuite invitée chez Marie pour le déjeuner, puis nous étions tous invités pour le souper chez les Allard pour clôturer la journée qui se trouvait être celle de la fête de Marie : soixante-cinq ans. Elle n'en avait pas l'air, mince, joyeuse, charmante et comme toujours élégante. Marie-Nicole Allard — une amie de longue date de Marie Dubuc —, à peine arrivée depuis une semaine tout juste, s'était pourtant donné un mal fou pour faire elle-même un excellent repas — le meilleur que j'ai mangé jusqu'ici en Floride —, et la soirée fut charmante. La veille, il y avait eu une petite réunion chez les Cloutier, l'avant-veille chez Marie elle-même. Je trouve ça un peu trop raide, mais c'est fini maintenant et d'ailleurs, ces réunions comencent à 5[h 00] ou 5 h 30 pour se terminer à huit heures au plus tard. Donc ça ne tue personne. Toute la bande d'ailleurs suit un régime anti-cholestérol, Hector Allard surtout, qui a fait un infarctus il y a dix ans. Maintenant nous allons reprendre notre petite vie de longues promenades sans fin sur la plage et de petites visites aux uns et aux autres. Depuis trois ou quatre jours, il ne fait pas du tout chaud, mais ce n'est pas vilain pour marcher, assez bien vêtue. Marie m'entretient de son projet de me faire visiter tout le Sud de la Floride, les *Keys*. Ce serait un voyage de trois ou quatre jours au moins. Je n'ai pas besoin de te dire que j'en serais enchantée. J'espère qu'elle trouvera moyen de réaliser ce projet durant mon séjour actuel à Smyrna. Les Allard, qui ont été en poste à Bruxelles, connaissent bien, il va sans dire, la vie en Belgique qu'ils ont beaucoup aimée. Ce fut leur poste préféré, d'après ce qu'ils en disent. Ils ont fait sept ans au Danemark et sept ans en Suisse. Toute la bande ayant beaucoup voyagé, la conversation ne manque pas d'intérêt, je t'assure. De ton côté, est-ce que tout va bien ? Par moments, bien que je me tienne occupée, j'ai de petits pincements d'ennui. De tous les coins de villégiature que je connaisse jusqu'à ce jour, je pense que c'est Smyrna qui, tout compte fait, réunit le plus grand nombre d'avantages pour nous. C'est pourquoi j'aimerais tellement que tu y viennes faire un séjour afin que tu puisses t'en rendre compte par toi-même. Ce n'est pas aussi chaud évidemment que Miami, pas mal plus frais même, étant situé 250 milles plus au nord, et ça compte beaucoup par ici. Toutefois, il semble que cet hiver-ci soit plus rigoureux que d'habitude sur tout le continent. Peut-être que nous pourrions revenir ensemble l'hiver prochain.

J'ai pris l'habitude d'aller donner à manger à « mes » sternes tous les jours et, ma parole, je crois qu'elles me reconnaissent ! Elles viennent manger presque dans ma main. Je n'ai jamais vu d'aussi beaux oiseaux. La végétation aussi est fascinante.

Bon, je crois que je vais terminer pour cette fois, en t'embrassant bien tendrement.

Gabrielle

⁕

New Smyrna Beach, le 1er février 1968

Mon cher Marcel,
J'ai reçu hier ta bonne lettre et le paquet de livres. Je les ai offerts à Marie, lui disant : « Ils sont à vous pour donner en cadeau à vos amis auxquels vous tenez le plus ». « Pas du tout, dit-elle ; je les garde ». Je lui ai dit que je lui en donnerais d'autres cet été pour elle, mais non. Il faut dire que je suis devenue une célébrité à New Smyrna grâce à l'article dans la petite feuille que je t'ai envoyée. Aux yeux des Smirnois, cela semble avoir plus d'importance que des revues dans le *Times*. Il est drôle de voir que cette « gloire » rejaillit un peu sur Marie qui en tire profit. Comme tout est relatif ! Évidemment, venant ici depuis 8 ans tous les hivers, elle a appris

à jouer le jeu social de l'endroit, et chacun a le sien. Ici, c'est un peu comme à Boston, tout plein de très vieilles « girls » soignées, pomponnées, charmantes, et qui au reste sont intéressantes à entendre. Il y a en elles comme un soupir encore d'*Autant en emporte le vent*[1].

Je suis bien contente d'apprendre que Nantel m'a enfin envoyé le remboursement de frais de voyage. J'envoie aujourd'hui une carte postale — de missile du Cap Kennedy — à Guy avec un mot de remerciement pour son cadeau. J'espère bien que ta situation sera bientôt réglée selon ton désir. Et, si cela ne devait pas être, tu n'as pas à tant le regretter, je suppose. En tout cas, je te souhaite de tout mon cœur que les choses s'arrangent pour le mieux. Le mieux aujourd'hui n'est pas toujours le mieux demain, évidemment. Le choix n'est jamais facile.

J'ai lu passablement depuis que je suis à Smyrna, des livres que je prends chez Marie. Ainsi, j'ai passé à travers les *Antimémoires*[2]. Contrairement à l'impression que j'avais eue d'après les extraits publiés ici et là, c'est un livre envoûtant, superbe et majestueux. Plein d'âme et de cœur aussi. J'ai aussi lu le dernier gros livre de Kazantzakis ; un merveilleux écrivain, un peu Zorba lui-même[3]. Maintenant je commence *Understanding Media* de Marshall McLuhan[4]. C'est un peu difficile de lecture, au démarrage. Je crois que cela va m'intéresser. Il est presque certain que nous allons faire le petit voyage dont je t'ai parlé, en partageant les frais à quatre. Je t'en reparlerai à la prochaine lettre.

Je t'embrasse tendrement.

Gabrielle

[*Ajouté en marge sur la première page :*] Simone a été assez malade d'après ce que m'a écrit Adrienne. Téléphone-lui donc pour prendre de ses nouvelles.

*

New Smyrna Beach, le 5 février 1968

Mon cher Marcel,
Je t'ai écrit un peu moins souvent depuis peu car j'ai été dérangée par plus de petites sorties et allées et venues. D'abord une soirée à Daytona Beach, de la Audubon Society : un très beau film sur les rivières sauvages de l'Amérique, une bonne partie du film s'attachant aux rivières du Grand Nord canadien[1]. Ensuite il y a eu une exposition de dessins au Stetson

College de De Land où nous a tous entraînés Marie[2]. C'est un vrai petit général. Le voyage jusqu'au bout de la Floride est décidé. Nous devons partir vendredi, le 9, jour de ta fête. Je tâcherai de te rejoindre au téléphone avant le départ, vers neuf heures. Nous filerons vers le golfe du Mexique puis, à travers les Everglades, jusqu'au bord de l'Atlantique. Ce devrait être un beau voyage. Je suis un peu craintive de partir avec trois femmes dont je ne connais pas à fond le caractère — Colette Palardy surtout m'inspire un peu d'inquiétude, portée comme elle l'est à parler sans arrêt. Mais je suppose qu'elle doit se fatiguer à la longue. Quant à l'autre compagne, Clara, une amie de Marie, elle a tout l'air d'une brave fille. Enfin, c'est là une occasion exceptionnelle de visiter la partie la plus intéressante de la Floride, et je serais bien gauche, ne trouves-tu pas, de ne pas en profiter? Nous serons parties cinq ou six jours, je pense. Dès le retour, je verrai à faire mes réservations de Daytona Beach à Tampa et de Tampa à Montréal par Air Canada. Il me faut faire changer mon billet qui est de Montréal-Miami. Il se peut que je ne revienne que le 15 mars, pour la bonne raison que j'aurais, en partant ce jour, l'occasion de me faire conduire en auto jusqu'à Daytona, et peut-être même Tampa, ce qui m'éviterait bien de la fatigue. Je commence à avoir hâte de revenir, bien que j'aime toujours beaucoup l'endroit, l'un des derniers peut-être aux U.S.A. qui ait le charme et la tranquillité d'un village. J'aurais donc été contente que tu puisses t'en rendre compte par toi-même dès cette année! J'espère que tout va bien. Je t'écrirai encore avant le départ pour le Sud, puis tâcherai de t'envoyer quelques mots au cours du voyage. Je t'embrasse.

Gabrielle

*

[entre le 6 et le 8 février 1968][1]

J'ai fait une petite visite de quelques heures à Saint-Augustine, supposé être le premier établissement des Blancs en Amérique. Il y a d'intéressants vestiges de l'époque espagnole et des reconstitutions bien faites. J'ai fait le voyage seule — par autobus. Départ à 11 [heures] le matin; retour à huit heures. Que de décès depuis quelque temps au Château S[ain]t-Louis! Pauvre madame Pinaut. Sa vie fut difficile, il semble.

[*Ajouté en marge au début de la lettre* :] Je t'embrasse.

Gabrielle

*

[entre le 9 et le 16 février 1968][1]

Cher Marcel,
Nous faisons un voyage parfait. Avons vu hier un grand jardin du Sud, fleuri de camélias et d'azalées géantes. Puis un petit port de pêche, Tarpon Springs, où l'on pêche l'éponge. Je t'en ai acheté deux belles. Nous sommes en route pour Sarasota et de là nous attaquerons la traversée des Everglades.

Je t'embrasse tendrement.

Gabrielle

*

New Smyrna Beach, le 16 février [19]68[1]

Je t'ai acheté des éponges « *vraies* ».

Cher Marcel,
Je suis de retour d'un voyage qui fut magnifique tout au long. J'ai surtout aimé la traversée des Everglades — sorte de marécages emplis d'oiseaux — et la petite ville de Key West avec ses anciennes maisons aux hautes jalousies et aux fers forgés comme en Louisiane. J'ai reçu ta lettre dactylographiée et l'autre contenant la demande de Beauchemin, etc. Merci bien. Je devrais être de retour le 15 mars si j'obtiens une place pour ce jour. T'écrirai longuement demain. Je t'embrasse.

Gabrielle

*

New Smyrna Beach, le 19 février 1968

Mon cher Marcel,
Eh bien, c'est réglé, j'ai ma confirmation pour mon billet de retour pour le 15 mars. Je serai à Québec le même jour, dans la soirée, et t'annoncerai plus tard par quel vol. Il fait un peu froid ces jours-ci encore. En fait,

je m'aperçois que la Floride n'est peut-être pas plus chaude que la Provence, mais malgré tout, j'ai été plutôt contente du climat qui, à Smyrna du moins, n'est pas souvent humide. En tout cas, je n'y ai pas eu mal à l'œil et je pense que mon séjour en tous points m'a fait un grand bien. Je n'ai qu'un regret, c'est que tu n'aies pas pu venir au moins pour une semaine ou deux. D'après ce que j'ai pu voir, c'est un des derniers endroits de la Floride ou l'on peut encore louer ou acheter à bon compte et y vivre en paix. Ailleurs c'est la cohue, la ruée et les prix fous. De plus, Smyrna a une beauté naturelle rare. Tu pourras toujours en juger quelque peu par des diapositives que Marie m'a passées pour en faire faire des copies. J'en apporterai une douzaine parmi les plus belles. Si ça ne coûtait pas si cher, j'en ferais faire beaucoup plus. Nous nous promenons souvent ensemble avec son beau grand chien, ou dans la forêt que je t'ai décrite avec ses arbres un peu tristes et ses mousses pendantes, ou sur la plage. Hier, c'était dans la forêt, et Moka — chasseur par nature — a attrapé un armadillo, curieuse créature qui semble préhistorique, avec un corps et une carapace de tortue, une longue queue de rat et une vraie petite tête étrange de sanglier. Moka, le terrible, l'a gardée vivante dans sa gueule, en ne l'écrasant que très lentement, peu à peu, sous ses mâchoires — et quelle force il a dedans ! — et j'avais de la peine pour la pauvre créature laide et souffrante. Dans ce temps-là, il n'y a pas moyen d'emmener Moka à lâcher sa proie, comme tu t'imagines. Autrement, il obéit assez bien.

Tu n'écris pas souvent, mon chou. Parfois je me sens un peu inquiète. J'espère que tout marche à ton goût. Ce ne sera plus tellement long maintenant avant mon retour. C'est fou, mais je pense déjà à revenir l'an prochain peut-être tant je me suis attachée à ces lieux.

Je t'embrasse tendrement.

Gabrielle

[*Ajouté en marge sur la première page :*] Je t'envoie une lettre pour madame Antoine Roy, la teigne[?]. Voudras-tu la réadresser correctement — c'est boulevard Saint-Cyrille — et la remettre à la poste ?

⁂

New Smyrna Beach, le 22 février 1968

Cher Marcel,
Je suis bien contente d'apprendre que tu as donné ton premier cours. J'ai l'impression — ou le sentiment — que tout a dû très bien marcher. Maintenant, tout devrait aller plus facilement : c'est le premier pas qui est le plus difficile dans cette sorte de choses. Je serais tentée de t'écrire que tu t'en fais trop et consacres plus de temps que nécessaire à pareil effort, mais je sais bien que je ferais la même chose à ta place et qu'au fond tu as raison. C'est toujours l'histoire telle qu'exprimée par le petit bonhomme d'Amyot : on s'excite, on s'excite, on s'excite ; puis on se calme et on travaille. Moi-même, après au-delà de trente années d'expérience, je n'ai pas trouvé d'autre moyen. Mais tâche quand même, maintenant que la forge est allumée, de te tracasser un peu moins si possible. Je pense qu'avec toi le seul danger c'est d'avoir en effet trop à dire en une fois. Mais je sais aussi combien il est difficile de condenser. Bonne chance pour le prochain cours. Pour ma part, je suis prise par la lecture de l'*Understanding Media* de Marshall McLuhan. C'est difficile à lire, surtout peut-être parce que passant une grande partie de la journée au dehors, je suis prise d'une envie de dormir dès que je m'assois pour lire. Tout de même, j'avance peu à peu. Parfois j'ai le sentiment que c'est un homme de génie — ou alors un hoax incroyable, un magicien sans pareil. Mais non, je crois qu'il est visionnaire, comme Teilhard de Chardin[1], et voit la vérité que personne ne peut plus percevoir. En tout cas, c'est une théorie fascinante de notre monde. J'aimerais que tu le lises afin que nous puissions en discuter ensemble.

Mon séjour ici commence à tirer sur sa fin. De voyages aux environs, il ne me reste que Kennedy Centre, à une quarantaine de milles seulement, et que je me propose de faire bientôt, peut-être seule par autobus, car au fond, on retient mieux quand on est seul. J'espère que tu auras eu un bon week-end avec Yolande et Jean. Ces deux-là sont bien sympathiques, n'est-ce pas ? Je viens d'envoyer à Gisèle une petite boîte de coquillages[2]. Rien d'extraordinaire : de simples petits [*ajouté en marge :*] coquillages que j'ai ramassés moi-même au cours de mes longues marches sur la plage. Pour trouver des choses rares, il faut se lever tôt.

[*Ajouté en marge sur la première page :*] Je t'embrasse affectueusement.

Gabrielle

*

New Smyrna Beach, le 27 février 1968

Mon cher Marcel,
J'ai pris quelques jours de repos entier après mon voyage, seule, par car, au Kennedy Space Centre, qui m'avait épuisée, mais cela en valait cent fois la peine. C'est sans doute le spectacle le plus impressionnant qu'il peut nous être donné de voir à notre époque. On aura beau l'avoir vu en images, à la T.V., rien n'est comparable au choc que l'on éprouve à se trouver devant ces étranges monstres remplis à leur manière d'une sorte de beauté, engins de mort et de destruction — ou de conquête, le nez tourné vers le ciel, [*ajouté en marge :*] *et cela presque à l'infini en un singulier paysage de marais et d'oiseaux.* Je veux laisser descendre en moi les impressions que j'ai ressenties avant de me mettre à en parler car les impressions que l'on ressent sont multiples, et d'une qualité étrange qui demande réflexion.

Comme je te l'ai annoncé, j'arriverai le 15 à Montréal, et le soir même à Québec à 7 h 30 par le vol 358, faisant escale à Trois-Rivières. C'est une heure peu commode et je n'avais d'autre choix que de prendre un avion arrivant passablement plus tard. Donc, à Québec à 7 h 30. Ou bien tu pourras demander à Mlle Ouellet de te servir ton dîner un peu plus tôt pour être libre de venir me chercher à l'heure. Ou bien tu pourras lui demander de nous laisser quelque chose de froid que nous mangerons ensemble en arrivant. Tu pourras peut-être aussi lui demander de faire un petit marché, ce qu'il faut pour samedi et dimanche, tout au moins pour deux repas, viande, pain, margarine, lait écrémé, yogourt.

Il y a eu un retour du froid. Le jour, cela va, mais les nuits ont frisé le gel. Tout de même, le climat est bon et en général assez sec.

Je suis invitée à toute une « run » de parties avant de partir, dans laquelle je vais faire un tri. Je n'ai jamais vu chose pareille : les invitations n'attendent pas l'autre. Évidemment, ce sont pour la plupart des gens qui n'ont guère autre chose à faire et qui d'ailleurs semblent le faire avec beaucoup de gentillesse.

J'ai bien hâte de te retrouver… en bonne santé, j'espère. Je t'embrasse.

Gabrielle

[*Ajouté en marge sur la première page* :] As-tu pensé de donner à Jean la boîte de livres que j'avais préparée et laissée dans la petite chambre près de la cuisine ?

✳

New Smyrna Beach, le 3 mars 1968

Mon cher Marcel,
J'ai reçu hier la lettre de Joyce que tu m'as fait parvenir. Quelle charmante lettre, n'est-ce pas ? Je connais peu de gens qui en écrivent de plus belles. Pour une personne si complexée, combien elle se livre et devient toute simple et vraie dans ses lettres[1].

Imagine-toi que je suis allée jeudi soir avec les Allard, Marie Dubuc et un monsieur Kinkle — ancien représentant des chemins de fer nationaux à Paris — assister à Daytona Beach à une représentation des Grands ballets de Winnipeg. C'était très beau, surtout les numéros d'ensemble. On sent qu'il doit y avoir là-dedans de la fougue ukrainienne. Il y a énormément de Canadiens anglais par ici, soit de Toronto, soit de Montréal, qui y passent l'hiver entier, y ayant leur maison. Kinkle est un de ceux-là, un charmant vieux monsieur, veuf depuis peu, je pense. Évidemment, ces gens-là s'ennuient bien un peu malgré tout et pour se distraire donnent des petites fêtes à tour de rôle. Moi, en dehors des petites réunions chez Marie, je n'ai été qu'à deux endroits, mais si je voulais je pourrais sortir tous les soirs. Je commence à avoir fortement le désir de rentrer au pays. J'ai aimé mon séjour, mais maintenant c'est assez et j'ai très hâte de rentrer. As-tu été faire de la raquette chez Simone en compagnie des Panel et Defond, ainsi que me l'annonçait Adrienne dans sa dernière lettre ?

Tu devrais voir le nombre de merles — rouges-gorges — par ici. Apparemment c'est une de leurs étapes dans leur voyage de migration. Ils y arrêtent pour festoyer à partir des baies des palmetto. Ce sont de petits fourrés serrés serrés de branches sèches, et les merles là-dedans en remuant font un raffut inimaginable. On les voit en sortir à certains moments épais comme des nuées de moustiques.

J'ai bien hâte de te revoir et t'embrasse affectueusement. Au 15 donc,

Gabrielle

*

New Smyrna Beach, le 7 mars 1968

Mon cher Marcel,
Il a fait un assez vilain temps pendant quelques jours, pluie vent et froid. « Mes » sternes, que j'ai l'habitude de nourrir et qui me reconnaissent, venaient à ma rencontre dès que je mettais le nez dehors pour me demander à manger. Elles m'entouraient un peu comme nos hirondelles te suivaient au temps où l'on installait leur maison à Petite-Rivière.

Heureusement le soleil est revenu aujourd'hui, quoique le fond de l'air soit encore assez frais. Je profite le plus possible de l'air salin qui est vraiment salubre à l'extrême ici, assez vivifiant, cependant pas trop énervant.

J'ai de plus en plus hâte de rentrer à la maison. Bons baisers. Au revoir, au 15 mars,

Gabrielle

New Smyrna
hiver 1968-1969

Gabrielle Roy a tellement apprécié son séjour à New Smyrna à l'hiver 1968 qu'elle a pris soin de réserver un appartement et d'entreprendre les préparatifs en vue d'y faire un autre séjour l'année suivante. Elle quitte cependant Québec, peu avant Noël 1968, dans un état de profonde dépression. Elle vient notamment d'apprendre que sa sœur Adèle a proposé à des éditeurs montréalais, quelques années auparavant, un manuscrit racontant « de façon bien malveillante[1] » son enfance et sa vie[2]. En outre, ses relations avec Marcel se sont considérablement détériorées depuis quelques années. Gabrielle doit non seulement composer avec le fait que son mari est homosexuel — ce qu'elle sait sans doute depuis un certain temps, bien qu'il soit impossible de le déterminer avec exactitude puisqu'il n'en est fait mention dans aucune de ses lettres —, mais également avec le fait que Marcel a un amant.

Le séjour de Gabrielle Roy à New Smyrna sera donc, cette année-là, entièrement consacré au repos et à la lecture. Quant à Marcel, il ira passer les vacances de Noël auprès de sa famille à Saint-Boniface.

New Smyrna, Noël 1968

Mon cher Marcel,

J'ai reçu ta bonne lettre hier, la veille de Noël, et elle a contribué à remettre un peu de paix dans mon âme. Ce matin, à la messe, voilà ce que j'ai demandé pour nous deux : [*ajouté en surcharge :*] *la paix.* Car c'est bien l'essentiel, n'est-ce pas. Je te souhaite de tout mon cœur une année heureuse et marquée par l'accomplissement de tes désirs les plus profonds. Peut-être cette année, alors que tu ne t'y attends plus tellement, verras-tu [se] réaliser certains projets auxquels tu as tenu si fortement. Je l'espère, et que tu reçoives cette lettre, à ton retour, pour le Jour de l'An. Il fait assez froid ce matin, mais le soleil brille gaiement sur la mer et sa frange d'écume. Marie donne un dîner de Noël auquel je suis invitée. Il y aura peu de monde ; son amie Geneva — une femme très intéressante, au fond —, l'amie anglaise qui habite dans la forêt, et un ami de celle-ci, un professeur à la retraite. Marie s'est donné beaucoup de peine pour préparer le repas, mais elle a l'air heureuse de le faire et de recevoir ses amis chez elle aujourd'hui.

Le grand événement de ces jours-ci, comme tu peux l'imaginer, fut le lancement d'Apollo 8[1]. Nous étions sur la plage à l'heure dite, Geneva, Marie et moi, et nous avons parfaitement distingué la fusée quoique à soixante milles de distance. Nous avons aussi pu très bien voir la séparation de la capsule et de la fusée de lancement et l'énorme nuage étrange qu'Apollo 8 a laissé derrière lui. La détonation, même à cette distance, a été très perceptible. Je ne peux te décrire la sensation d'émerveillement qui nous a gagnées à voir monter, puis disparaître dans le ciel, cette grosse boule de feu, si brûlante, en dépit de la distance, que nos yeux pouvaient à peine en soutenir l'éclat. D'émerveillement et d'une sorte de terreur, car au départ, beaucoup entretenaient de fortes craintes sur la possibilité de retour d'Apollo 8 dans l'orbite terrestre. Et voici que cela s'est accompli la nuit dernière. Le tout d'ailleurs semble s'être déroulé sans accroc nulle part et comme si c'était là une des choses les plus faciles au monde. Inutile de te dire combien l'atmosphère aujourd'hui est à la joie aux États-Unis. C'est un sentiment d'euphorie extraordinaire. Cela se comprend, car enfin l'événement est peut-être plus important encore que la découverte de l'Amérique. Cela fait donc un bien beau jour de Noël pour les Américains.

As-tu passé un bon Noël à Saint-Boniface ? As-tu trouvé ta mère en assez bonne santé ?

N'oublie pas, lors de la réunion du Jour de l'An chez Adrienne de lui renouveler et de renouveler à Simone et à Medjé mes vœux affectueux pour une excellente et heureuse année.

L'air vigoureux et calmant aussi en un sens de New Smyrna semble m'avoir déjà fait quelque bien. J'ai hâte évidemment de m'installer dans mon petit appartement avec une très belle vue sur la mer et qui me paraît très agréable.

Les Grégoire m'ont appelée hier au téléphone, n'ayant pas encore trouvé le moyen de faire les vingt milles qui nous séparent. Je crois que madame Grégoire est très malade. J'ai été frappée, hier au téléphone, par l'agitation que trahissait sa voix, la pauvre femme.

L'agitation est bien d'ailleurs l'un des maux dont les êtres humains souffrent le plus de nos jours, il me semble. Bien sûr qu'il est infiniment difficile de faire la paix en soi, mais il faut essayer. Je te souhaite, en t'embrassant, mon cher Marcel, d'y atteindre au moins quelque peu comme je me souhaite à moi-même d'en obtenir la grâce de temps à autre.

Je te souhaite la réalisation de tes désirs les plus chers, même si tu trouves qu'il est tard maintenant.

Affectueusement,

Gabrielle

J'ai fait part de tes vœux à Marie qui en a été touchée et t'adresse les siens.

*

New Smyrna Beach, le 27 décembre 1968

Mon cher Marcel,
Marie et Geneva, qui partent pour un court voyage demain, ont insisté pour m'emmener avec elles, et finalement, bien que je n'y tienne pas beaucoup, je me suis décidée à les accompagner. Nous partirons demain matin pour quatre ou cinq jours au plus. En route, Geneva veut faire une visite à l'Institut d'océanographie de Miami qui à lui seul devrait valoir la peine du voyage. L'itinéraire ne semble pas définitivement établi. Il paraît que nous nous arrêterons dans une forêt (réservée) où il y a des lions en liberté. Ensuite, nous ferons peut-être les Keys comme l'an dernier. Je pars sans grand élan, mais je m'aperçois que la compagnie de Geneva est très intéressante : on apprend sans cesse d'elle, si on veut s'en donner la peine.

De retour vers le premier de l'An, j'emménagerai directement dans mon petit appartement et je te donne ci-dessous l'adresse, aussi le numéro de téléphone des Joerg, les propriétaires, au cas où il surgirait quelque chose d'assez important. Ils peuvent m'avertir par un signal sans avoir à sortir de chez eux; et moi alors je n'ai qu'à descendre. Ils m'ont l'air extrêmement serviables, comme le sont d'ailleurs presque tous les Américains du Sud.

C'est aujourd'hui que reviennent les trois astronautes. Depuis près d'une semaine on [n']entend parler que de ce fabuleux voyage, à la télévision, à la radio, partout. S'il fallait que survienne un avatar à la dernière minute, après une équipée si triomphale, ce serait bien désastreux.

Les Américains baignent dans un climat d'allégresse et de fierté, ce qui est bien légitime. Ils ne peuvent s'empêcher, toutefois, de moraliser un peu trop à l'occasion de cet accomplissement grandiose. Mais on a l'impression qu'un pas gigantesque a été fait vers quelque manière de vivre nouvelle pour l'humanité — peut-être bonne, peut-être mauvaise, sans doute l'une et l'autre.

J'espère que tu ne rentres pas trop fatigué de ton voyage à Saint-Boniface, et j'ai bien hâte d'en avoir les détails. Ne manque pas, à la fête chez Adrienne, d'offrir à tous — y compris Alice[1] — mes souhaits affectueux.

Il fait très beau ces jours-ci. Il y a dans l'air une tiédeur, une fraîcheur délicieuse. Comme cet air léger te ferait du bien aux voies respiratoires !

Je t'embrasse tendrement.

Gabrielle

1809 Hill Street
New Smyrna Beach
Florida 32069
Téléphone : 1-904-428-8388

⁂

New Smyrna Beach, le 2 janvier 1969

Mon cher Marcel,
J'ai bien de la peine à cause de cette vilaine grippe que tu as prise et je t'avoue que j'ai été fort inquiète lorsque j'ai téléphoné la première fois, lundi le 30, et que madame Beaulac ne savait rien de toi, ni si tu étais rentré, ni si tu étais en route[1]. Enfin, heureusement, après beaucoup de difficultés, car je t'assure que ça n'a pas été facile d'obtenir une ligne la veille du Jour de l'An, j'ai été un peu rassurée, et je te souhaite maintenant de guérir au plus tôt. Cela se ferait en un rien de temps au bon air vigoureux de New Smyrna et sous l'effet du bon soleil, si seulement tu pouvais venir. Au retour de notre petit voyage, je suis venue m'installer directement dans mon petit appartement tout près de l'océan et avec une belle vue, sur presque tous les côtés des dunes et de la mer. On pourrait y loger à deux, même à trois très commodément.

Il a fait un peu froid la nuit dernière, mais c'est environ soixante aujourd'hui, avec un beau soleil radieux. On annonce plus chaud pour demain, sans doute près de soixante-dix. Dans les Keys, nous avons eu soixante-dix mais avec 80 % d'humidité et c'était assez fatigant. J'aime bien mieux le climat de par ici.

Je viens de recevoir une lettre de Dédette qui est contente d'avoir pu te parler au téléphone, mais un peu triste de ne pas t'avoir vu. Est-ce que ta mère allait mieux quand tu l'as quittée ? Elle, du moins, n'avait pas la grippe, j'espère. Tâche de bien te soigner. As-tu pu enfin comprendre comment au tele-serve[2] on répondait que tu serais absent jusqu'au 13 janvier ? Peut-être t'es-tu trompé toi-même, sous l'effet de la fièvre, ou on t'a mal entendu.

C'est dommage aussi que tu aies manqué le party d'Adrienne, qui se faisait une joie de te recevoir chez elle. Si tu veux me faire plaisir, appelle-la de temps à autre. Je sais qu'elle en sera heureuse.

Donne-moi des nouvelles de ta santé au plus tôt, car je suis encore assez inquiète malgré tout. Ici, on donne des vaccins contre cette grippe de Hong Kong aux gens âgés et aux médecins et infirmières. Est-ce qu'on ne faisait pas de même à Québec ? De toute façon, c'est trop tard maintenant pour toi. Comme je te l'ai dit dans ma lettre précédente, tu peux m'appeler chez mon propriétaire, en bas, qui a le téléphone. Ça ne prendra que deux ou trois minutes pour m'avertir, même pas, une minute sans doute. Je te renouvelle le numéro. C'est :

904-428-8388

M. Joerg et sa femme seront cependant absents pour quelques jours à la fin de cette semaine, je crois, peut-être même jusqu'à la fin de la semaine prochaine. Pendant ce temps, il n'y aura sans doute personne pour répondre au téléphone, mais après ce devrait être facile de m'atteindre, s'il y a lieu.

Tâche de bien te reposer et de [te] remettre au plus tôt.

Je t'embrasse tendrement.

Gabrielle

Ne manque jamais d'inscrire dans l'adresse le code, c'est-à-dire *Florida 32069,* car cela active considérablement la livraison.

⁂

New Smyrna Beach, le 11 janvier 1969

Mon cher Marcel,

J'ai enfin reçu, hier le 10, la grande enveloppe brune contenant plusieurs lettres qui m'ont fait bien plaisir, une entre autres de Yolande arrivée à Paris, et la tienne que j'espérais le plus. Je vois toutefois que tu étais encore loin d'être bien, le jour où tu as écrit cette lettre : je souhaite que tu aies remonté la pente depuis. Tu dis qu'Adrienne, Alice, les Rousseau, les Lemieux t'ont tous fait signe « comme si tu étais un pestiféré[1] ». As-tu pensé que ce pouvait être plutôt par affection et que l'on t'aime véritablement ? Nous ne sommes peut-être aucun de nous aimé jamais autant que nous le voudrions ni surtout comme nous voudrions, mais de là à dire que personne ne nous aime, c'est un peu fort. Mais peut-être qu'autant d'appels téléphoniques coup sur coup, lorsque tu étais si malade, t'ont énormément fatigué, et je le conçois. Pour Alice, qui peut devenir un peu lassante à force de sollicitude et aussi de curiosité, si elle te téléphone trop souvent, tu n'as qu'à lui dire que tu dois garder la ligne libre pour des patientes — ou quelque chose du genre. Elle ne pourra être blessée d'une excuse telle et elle est assez fine, je pense, pour comprendre.

Nous sommes allées, hier, Marie et moi, accueillir Colette qui arrivait des neiges à Daytona. Elle m'a dit qu'elle avait appris par Jori que les Lemieux avaient la ferme intention de venir à New Smyrna. Si tel est le cas, ils feraient bien d'avertir assez tôt, afin que nous leur réservions quelque chose de bien. Les Canadiens, en général, arrivent assez tôt à Smyrna. Il est vrai qu'ils y viennent, plusieurs, pour trois ou quatre mois. Dans une enveloppe séparée, je t'enverrai quelques-unes des lettres que tu m'as fait parvenir, par exemple celle de Vermander, celle aussi de Marie-Nicole Allard, car elles contiennent beaucoup qui est de nature à t'intéresser. Les Allard sont actuellement en Europe, mais regrettent apparemment la Floride. Ne serait-ce [de] leurs enfants établis là-bas, je crois qu'ils passeraient l'hiver ici. Et toi-même, chéri, n'es-tu pas tenté de venir ? Quand même ce ne serait que pour une semaine, enfin de vendredi au dimanche en huit, cela vaudrait la peine, il me semble. Tu aurais au moins ainsi une idée du pays pour des projets de vieux jours, ou que sais-je ! Le trajet est court, et le prix pour un aller-retour de trois semaines, ou moins, n'est que de 179.00[$] par Eastern Airlines à partir de Montréal avec correspondance (facile) à New York. Tu pourrais partir de Québec vendredi après-midi et arriver à Daytona à 9 h 50 et rentrer le dimanche en huit à une heure très convenable. Ainsi, tu n'aurais perdu qu'une semaine de travail. De plus, je t'offrirai de bon cœur 100.00[$] pour ton voyage comme cadeau de fête et pour cadeau de Noël que je ne t'ai pas encore offert. Il ne te restera donc pas tellement à défrayer. Ici, tu pourrais t'installer confortablement et je ne pense pas que tu t'ennuierais avec tout ce qu'il y a à voir comme végétation, oiseaux, beautés naturelles. Penses-y sérieusement. Même pour peu de temps, un voyage et un séjour à Smyrna te feraient sûrement du bien. En mars, par exemple, si tu pouvais te libérer, ce serait agréable ou même en février. Pour l'instant soigne-toi bien et [*ajouté en marge :*] écris-moi de nouveau le plus tôt possible. Je t'embrasse tendrement.

Gabrielle

⁂

New Smyrna Beach, le 14 janvier 1969

Mon cher Marcel,
J'ai reçu hier ta bonne lettre que tu m'as annoncée au téléphone dimanche matin, et la nouvelle que tu commences enfin à te remettre de cette satanée grippe m'a bien soulagée. Il faudra tâcher d'être prudent pendant plusieurs semaines encore ; on dit ici, en tout cas, que cette grippe — si c'est l'asiatique — laisse les voies respiratoires très fragiles — et toi qui ne les as déjà pas bonnes d'avance.

Aujourd'hui le soleil est éblouissant, et quoique le vent soit un peu fort encore, il fera bon de marcher le long de l'océan. Depuis deux jours, j'avais dû y renoncer, car le vent était vraiment trop fort.

J'ai reçu une première enveloppe contenant plusieurs lettres, comme je te l'ai déjà annoncé dans ma précédente — et je retourne aujourd'hui celles des Allard, des Vermander et de Yolande, que tu pourras détruire après les avoir lues. Il y aurait à garder la photo prise par Vermander de la cathédrale en feu[1] — une très belle photo. Tu pourras mettre ces photos dans mon pupitre. Regarderais-tu si je n'ai pas dans mon courrier une lettre de McClelland & Stewart. Je suis censée avoir mon chèque de fin d'année au début de celle-ci, du moins c'est leur habitude d'agir ainsi. S'il n'y a rien encore, je devrai m'informer.

Je passe mon temps à marcher, au village pour mes provisions, dans la forêt, plus loin, quelquefois avec Marie et son chien, plus souvent encore le long de la belle plage. Les bois sont très beaux aussi avec cet air un peu dépenaillé, un peu négligé des arbres du Sud qui est si prenant et si étrange. Je ne peux marcher entre ces grands arbres toujours un peu tristes, sans évoquer les puissantes descriptions qu'en a faites Julien Green, surtout dans certaines pages de son journal[2].

Alors, tu t'es mis à courir les lancements chez Garneau[3]. Ce n'est pas mon idée que tu vas longtemps trouver ça drôle. Ne te laisse pas trop entraîner par Alice. Gentille comme elle est, elle est aussi cependant tenace et crampon. Ses lettres sont toutefois beaucoup plus belles que je ne m'y attendais. Elles contiennent moins de lieux communs que sa conversation ordinaire qui en est saturée.

Mes propriétaires sont fort gentils. C'est un couple d'âge moyen restant seul, leurs deux enfants élevés et mariés. Le mari est un fervent pêcheur qui m'a fait cadeau, l'autre soir, d'un filet de red bass que je me suis fait cuire le soir même. Un régal extraordinaire ! J'espère qu'il me donnera encore de ce poisson exquis.

La Colette est aussi agitée, puérile et folichonne, mais elle habite assez loin de nous, à l'autre bout de la plage, et nous n'avons pas à supporter longtemps son babil incessant. Avec cela elle est pourtant la femme la plus serviable du monde. Continue à bien te soigner et à te reposer. Je t'embrasse affectueusement.

Gabrielle

⁂

New Smyrna Beach, le 21 janvier 1969

Cher Marcel,
Je t'ai commandé hier, pour ta fête, un envoi d'oranges tangello que tu recevras sans doute bien avant le jour de ton anniversaire. C'est difficile de tomber pile — le jour de livraison ne pouvant être garanti — alors j'ai préféré te faire envoyer le colis plus tôt que tard. Ce sera sans doute trop d'oranges pour toi, vu surtout que celles-ci ne se conservent pas très bien. Je te conseille d'en mettre le plus possible dans la glacière et le reste dans une pièce que tu pourrais garder fraîche en fermant le chauffage. Tu pourrais peut-être aussi en donner quelques-unes à Adrienne, Simone et Medjé, ainsi qu'à Alice. Enfin, fais comme tu voudras, en tâchant tout de même de ne pas perdre de ces oranges. J'espère que tu les trouveras aussi délicieuses que celles que je t'ai apportées l'an dernier. Dommage que le transport coûte si cher car j'en enverrais d'autres à intervalles.

Il a fait un temps ravissant ces jours derniers, à soixante-quinze environ, avec une douce brise de mer caressante et tiède. Aujourd'hui le temps est un peu couvert mais demeure doux. Colette nous a reçues, Marie et moi, pour un bon petit repas, dimanche midi, dans son cottage. Elle est excellente cuisinière, un peu moins bavarde maintenant que la dernière [fois], « a little subdued » et c'est tant mieux.

J'espérais un mot de toi aujourd'hui avant de clore cette lettre. Toujours rien. J'espère que tu vas mieux et te sens complètement guéri de ta grippe.

Je t'embrasse affectueusement.

Gabrielle

*

New Smyrna Beach, le 26 janvier 1969

Mon cher Marcel,
Je suis extrêmement désolée d'apprendre que tu as de graves ennuis avec l'auto. J'espère en effet que tu obtiendras un dédommagement substantiel, car cette voiture n'a pas beaucoup roulé tout de même. Je te le souhaite de tout cœur et que tes ennuis prennent fin. Oui, je comprends que tu éprouves un certain regret de quitter le bureau d'administration après ces années où tu t'étais habitué à prendre à cœur les intérêts de l'hôpital. Mais je ne serais pas étonnée que tu trouves bientôt un autre emploi pour y exercer les dons et qualités dont tu as fait preuve dans l'exercice de cette fonction.

Tu as raison, je suivrai ton conseil et j'écrirai un mot de félicitations à Félix-Antoine Savard[1]. Je me réjouis entièrement qu'il ait eu ce prix et je suis contente d'apprendre que tu étais là pour nous représenter tous deux. Quant à Julia Richer, on me dit qu'elle devient quasi folle avec l'âge, jouant à la jeune fille ; il est à craindre, si elle continue, qu'elle suive le malheureux exemple de Jean Desprez[2].

J'ai téléphoné avant-hier à Madeleine Lemieux, car il y avait chance de leur obtenir un très bel appartement tout meublé, sur la mer, pour $275.00 par mois, comprenant deux salles de bains, deux chambres à coucher, enfin une affaire magnifique ; c'est donné pour ce prix-là, mais c'est comme tu dis dans ta lettre, Madeleine ne peut quitter encore à cause de son œil. Si elle souffre de quelque chose de semblable à ce qui affecte le mien depuis quatre ans, elle serait peut-être guérie ici, ou tout au moins énormément soulagée. Pour ma part, c'est presque jamais que j'ai mal à l'œil depuis que je suis ici. Enfin, il y aura peut-être encore possibilité de leur avoir un appartement semblable à ce prix, s'ils viennent plus tard, c'est difficile, mais il arrive parfois que des gens qui ont réservé se voient contraints de se reprendre. J'ai hâte que tu reçoives tes bonnes oranges et que tu m'en dises des nouvelles. J'espère qu'elles seront aussi bonnes et juteuses que celles de l'an dernier.

Toute la semaine il a fait un temps si beau, si agréable, si caressant que j'arrive à peine à y croire. C'est mieux en général que l'hiver dernier. Hier, j'ai cru un moment que le temps allait changer ; l'air a fraîchi assez brusquement, mais non, en m'éveillant ce matin, j'ai retrouvé le ciel resplendissant.

Je te remercie pour le chèque de McClelland & Stewart. Il me le fallait pour compléter mon dossier de l'impôt sur le revenu, et j'ai eu peur d'avoir à écrire au service de comptabilité chez McClelland, ce qui entraîne tout un tintouin, tant maintenant l'administration est complexe, chaque service ignorant ce qui se passe dans l'autre. Enfin, c'est fait et je te remercie. Si je reçois d'autres chèques, le mieux est de me les envoyer immédiatement. J'ai terminé *L'Œuvre au noir* de Marguerite Yourcenar, et je me demande si j'ai jamais au cours de toute ma vie lu une œuvre plus généreuse, plus majestueuse en même temps, plus humaine et poignante. Le tout semble construit comme les grandes peintures flamandes. On reste avec des milliers de riches images colorées en tête. C'est plus beau encore que les *Mémoires d'Hadrien*[3].

Ne t'ennuie pas trop — je sais que c'est plus vite dit que fait, mais enfin essaie. As-tu commencé de peindre ? J'ai l'idée que Jean Paul, s'il vient jamais, sera pris par la sombre végétation du Sud et en fera des peintures remarquables. Il me semble que cela est dans le ton et le sens des recherches qu'il a menées depuis quelques années.

Pour ta part, tâche donc de t'y mettre. Je pense que tu en tireras satisfaction, les premiers durs moments passés. Et puis mange convenablement, ne te laisse pas aller à de simples grignotages.

Je t'embrasse affectueusement.

Gabrielle

Envoie-moi donc un exemplaire de *Sélections* contenant *La Route d'Altamont* que je voie ce que cela donne tout coupaillé[4].

⁂

New Smyrna Beach, le 6 février 1969

Cher Marcel,
Je viens de recevoir ta lettre du 2 février et m'empresse de te répondre. Si toi-même m'écrivais plus souvent, je ferais de même, tu peux en être sûr, mais ce n'est pas très animant d'écrire quand le correspondant met si longtemps à répondre. Je serais étonnée qu'Adrienne pense que c'est toi qui leur as apporté la grippe. Il me semble que tu ne devais plus être contagieux quand tu as été chez elle : du moins on dit toujours que l'on est contagieux dans la période d'incubation seulement. Je pense seulement qu'Adrienne est très, très lasse et que cette grippe l'a brisée. Elle y

est d'ailleurs très sujette et cela finit très mal pour elle, avec des bronchites dont elle a toutes les peines du monde à se défaire. Tu me ferais plaisir en prenant souvent de ses nouvelles, car elle a un peu l'impression, je crois, que tu attends toujours que d'autres fassent les premiers pas vers toi, et c'est un peu vrai, tu sais. Cependant elle t'aime beaucoup et serais heureuse que tu l'appelles, ne serait-ce que pour converser un peu avec elle. Tu as sans doute appris depuis ta dernière lettre que les Lemieux viennent en fin de compte ; ils arriveront vendredi prochain, le quatorze. Colette et moi avons réussi à leur trouver un bel appartement sur la mer à $100.00 par semaine. C'est un vrai miracle, le seul qui était encore libre. C'est d'ailleurs très difficile par ici de trouver à la semaine. J'espère qu'ils en seront contents. Je serai heureuse de les voir arriver. Un des grands intérêts de la région, c'est sa flore étrange et un peu envoûtante. Comme Madeleine s'intéresse vivement à la botanique, je pense que nous serons agréablement occupés à étudier ensemble fleurs, plantes et arbres, aussi sans doute les oiseaux. Quant aux paysages, ou de la forêt ou du littoral, il me semble qu'ils sont faits pour plaire spécialement à Jean Paul et qu'ils ont quelque chose de ses scènes de nuit un peu funèbres ou de ses immenses étendues blanches. En tout cas, nous devrions ensemble passer quelques bons moments. Tu ne m'as pas encore envoyé un des numéros de *Sélections* que j'aimerais bien avoir sous les yeux. Demain, Marie, Colette et moi irons en petite tournée de magasin à Orlando où je n'ai encore jamais mis les pieds. C'est à soixante milles seulement, mais Marie a horreur des villes un peu importantes. C'est pourquoi nous n'y sommes jamais encore allées. Il fait un peu moins beau aujourd'hui, mais la météo annonce le retour du beau temps pour demain. Nous sommes comme dans une oasis de toutes parts environnée de froid, de neige, de pluie, et qui préserve son ciel calme et sa douceur par on ne sait quel équilibre étrange des vents et des pressions atmosphériques. Je souhaite de tout cœur que les Lemieux aient ce beau temps durant leur séjour, en quel cas j'ai le sentiment qu'ils vont s'y attacher — à la Floride.

As-tu repris tes cours à l'université ? Ou est-ce plus tard seulement ? As-tu reçu aussi ton augmentation — tellement méritée — à Saint-Michel. Je te le souhaite, c'est grandement temps que tu l'obtiennes. Au sujet de l'appartement, a-t-on demandé une augmentation du prix du loyer ? Je suppose que oui, et espère que ce n'est pas trop. Je suis contente que tu aies trouvé les oranges bonnes et que tu en aies distribué autour de toi.

Tâche quand même de t'arranger pour en donner quelques-unes à Adrienne. Va leur en porter, sans rester, bien entendu, puisqu'elle n'est pas encore très bien. Je suis certaine que tu lui ferais ainsi un très grand plaisir.

Nous nous proposons, quand les Lemieux seront sur place, de faire quelques petites excursions pour leur faire connaître un peu le pays. J'en serai enchantée, car la vie a été un peu trop calme ces temps derniers, sans grande distraction. C'est tout un ou tout l'autre dans la petite colonie de nos amis et connaissances. Ou bien on se met à sortir tous les jours, à s'inviter mutuellement sans désemparer, ou bien chacun se claquemure chez soi et couve une sorte de crise de solitude. Peut-être que la mer invite à ces alternances.

Tâche d'écrire plus souvent. À force de n'avoir pas de lettres, je finis par perdre moi-même le goût d'en écrire. Mais je vais être généreuse et m'efforcer d'écrire plus souvent. Je t'appellerai dimanche pour ta fête.

Je t'embrasse affectueusement.

Gabrielle

*

New Smyrna Beach, le 9 février 1969

Mon cher Marcel,
Bonne fête et puisses-tu en vivre bien d'autres, heureuses et de meilleures en meilleures.

À bien y penser, c'est peut-être préférable que tu viennes en mars. Le temps est déjà très beau ici, en mars ; tu t'éviteras ainsi une partie encore dure de notre hiver. De plus, tu verras notre plage dans sa beauté naturelle et non point envahie comme elle doit l'être à Pâques. L'avantage de vacances prises à Pâques, c'est qu'elles auraient pu être plus longues de trois ou quatre jours, je suppose, et que nous aurions pu rentrer ensemble. Mais pour la rentrée, cela n'a pas tellement d'importance. Je te suivrais à une semaine ou deux d'intervalle, ce qui me donnerait le temps de tout ramasser et de laisser l'appartement comme on me l'a passé, c'est-à-dire impeccable.

Je te donne ci-joint l'horaire des vols que l'on m'a préparé à Air Canada, à Québec. Il y a peut-être mieux depuis, car il était question qu'Air Canada établisse un nouveau vol direct de Montréal à Daytona Beach. Informe-toi si c'est fait, sinon tu pourras peut-être suivre l'horaire ci-joint que j'ai trouvé très commode. Nous irons te chercher en auto à Daytona Beach. Retiens ton billet aller-retour aussi longtemps d'avance que tu peux. C'est toujours facile d'en changer la date s'il le faut, et mieux vaut avoir une réservation d'un mois à l'avance, surtout en mars, déjà très achalandé.

Tu remarqueras, dans l'horaire que je te donne, que pour la commodité des heures, il y a un vol à l'aller par Eastern Airlines, et au retour en partie par National Airlines, en partie par Air Canada. Mais je te le répète, il se peut qu'il y ait maintenant un horaire encore plus commode.

J'espère vraiment que tu pourras venir. Même pour 8 ou neuf jours, le voyage en vaut la peine. Je suis persuadée que cela te ferait du bien, et tu aurais au moins un aperçu de la région.

Je te donne le numéro des Joerg. Tu n'as pas à te gêner de m'appeler le soir ou même l'après-midi. Tous deux sont très serviables et d'ailleurs ça ne dérange guère de m'appeler là.

Je t'embrasse affectueusement.

Gabrielle

[*Ajouté en haut de la première page de la lettre :*] Début mars devrait être très beau ici. Fais-moi savoir la date de ton arrivée le plus tôt possible. Bon baisers. Gabrielle.

*

New Smyrna Beach, le 14 février 1969

Mon cher Marcel,
J'attends les Lemieux aujourd'hui, mais je ne sais trop à quelle heure. Ils doivent louer une auto, à Jacksonville qui est environ à cent milles d'ici, et continuer leur voyage en auto après le train. J'ai bien hâte de les voir arriver et surtout de voir s'ils vont se plaire ici. Avec Jean Paul, c'est toujours délicat. En tout cas il fait beau. Une de ces journées comme à Petite-Rivière quand le [vent] vient de la mer et la rebrousse en vagues scintillantes et que sur tout étincelle la lumière. Une de ces journées que tu aimes tant. Je souhaite de tout mon cœur que les Lemieux arrivent assez tôt à leur appartement qui donne sur la mer pour voir la journée

dans son éblouissement. En tout [cas] je te raconterai plus tard ce qui en est et sera. J'imagine que nous allons proposer aux Lemieux quelques-unes des promenades qui m'ont le plus frappée moi-même, en forêt et à la visite de l'énorme et ancien vieux chêne vert, ainsi peut-être qu'à certaines ruines des vieilles missions espagnoles. Avec l'aide de Marie qui doit aller me chercher des crevettes et des fraises locales — absolument délicieuses — je vais préparer une sorte de petit repas froid pour nous tous — Colette, Marie, les Lemieux — dimanche soir. Nous penserons sûrement beaucoup à toi en regrettant bien vivement que tu ne sois [pas] avec nous. Si tu viens, nous recommencerons cette petite fête, bien entendu.

Hier, j'ai entendu à la radio que la Bourse de Montréal était en partie démolie par des bombes de séparatistes[1]. Mon doux, c'est affreux; d'ici on n'entend parler du Canada qu'à la météo lorsqu'il est question du froid « venant toujours », à ce qu'on nous dit, « des plaines du Canada » ou lorsqu'il y a acte de terrorisme. Ça ne nous rend pas heureux.

J'ai de temps à autre d'assez bonnes nouvelles des Bougearel. Tous m'écrivent et me donnent l'impression qu'ils sont beaucoup mieux adaptés maintenant. Pas tout à fait peut-être, ce qu'ils ne seront jamais, j'imagine, mais en fait qui d'entre nous l'est absolument. Ce n'est jamais qu'une question de degré, de nuance.

La petite colonie canadienne de Smyrna est presque au complet et les parties commencent. Déjà, sachant que les Lemieux arrivent, j'ai trois ou quatre invitations à leur transmettre. Ils accepteront ou refuseront, c'est leur affaire. L'une de ces invitations cependant m'a beaucoup touchée, venant de cette vieille dame, femme du juge Humphrey, retirée ici avec son mari, grande dame s'il en fut jamais, et qui règne à tous points de vue sur la petite société de Smyrna. Quand tu es acceptée par madame Humphrey, c'est la consécration. À part ça, généreuse, bonne, affable, une véritable reine, et fine et intelligente avec une paire d'yeux bleus brillants encore d'humour et de vitalité. Elle profitera du passage des Lemieux pour donner une réception au Yacht Club. Comme les parties ici ont lieu entre cinq et sept, ils ne gaspillent pas trop la journée.

J'espère que tu vas bien et que tu réussis à manger convenablement. Je m'inquiète souvent de toi pour les repas. De manger seul est toujours pénible. J'ai moi-même à me forcer beaucoup pour m'obliger à manger trois repas par jour convenables. Enfin, j'espère que tu y arrives sans trop de difficulté.

Tu me ferais bien plaisir en écrivant plus souvent, ne serait-ce que trois lignes. En attendant, je t'embrasse bien tendrement.

Gabrielle

Les bordereaux pour l'impôt à faire parvenir à M. Léopold Boies du Trust général du Canada sont de :

1. La Banque de Montréal, intérêt
2. McClelland & Stewart, droits d'auteur
3. Librairie Beauchemin, [droits d'auteur]
4. Clarke Irwin & Co., [droits d'auteur]

Je pense que c'est à peu près tout, à moins qu'il y ait aussi quelques bordereaux de dividendes qui n'aient pas été envoyés au Trust comme je l'ai demandé, mais ça ne devrait pas.

✳

New Smyrna Beach, le 18 février 1969

Mon cher Marcel,

Depuis l'arrivée des Lemieux, vendredi, nous nous sommes vus beaucoup et je les pense très heureux d'être venus. Ils semblent aimer le paysage, ils sont contents de leur appartement. Arrivés pâles et fatigués, les voilà déjà reposés, de bonne humeur et détendus. Cependant, il a fait beaucoup moins chaud que la semaine précédente, et le temps se couvre de temps à autre ces jours-ci. Mais c'est quand même, pour eux qui émergent du froid, un temps fort agréable. Dimanche je les ai reçus à souper dans mon petit coin de salle à manger sous le gâble, que [Jean] Paul a promptement baptisé la wheel-house, car cela ressemble fort à une petite cabine de bateau. Marie n'a pu venir, souffrant d'une cystite — dont elle s'est heureusement rétablie depuis. Colette est venue avec les Lemieux. J'avais un repas simple mais qui a paru leur plaire : des crevettes, une salade, du riz en vinaigrette, et pour dessert, de merveilleuses fraises du pays, que nous avons mangées arrosées d'un peu de rhum et passées au gros sucre roux du pays. Je pense que c'était une sorte de régal. Colette va faire son petit party samedi, elle, et Marie jeudi. De plus, une amie de Marie, la vieille madame Humphrey dont je pense t'avoir déjà parlé, tient à inviter tout le monde à souper au Yacht Club où l'on mange très bien, paraît-il. Entre-temps les Lemieux font des petites balades dans l'auto qu'ils ont louée pour le séjour, flambant neuve et très agréable à conduire. Ce matin ils sont venus de chez eux à chez moi par la plage, à pied, absolument enchantés, comme je m'y attendais, de cette plage. Ça n'a pas l'air que [Jean] Paul va regretter son voyage. Ils m'ont raconté la merveilleuse coïncidence qui s'est produite, dimanche, le jour de ta fête, ton anniversaire et leur invitation à dîner tombant le même jour par un heureux hasard. J'en ai été bien contente et d'apprendre que vous aviez passé ensemble — avec Alice — une bonne soirée. Tant mieux. Ils m'ont aussi apporté la nouvelle du party donné par Lemelin en l'honneur du premier ministre du Canada, auquel leur Anne était invitée[1].

Je te remercie pour les seconal[2]. Je ne sais ce qui m'arrive; depuis quelques semaines je [ne] dors que deux ou trois heures, après quoi, réveillée, j'ai toutes les peines du monde à dormir encore. En fait, cela fait longtemps, plusieurs années, qu'il en est ainsi, mais auparavant, j'avais des accalmies durant lesquelles je dormais mieux. Peut-être qu'à la longue le climat de la mer me stimule trop, quoique celui de ces rivages passe pour être plutôt calmant. En tout cas, Jean Paul et Madeleine m'ont dit qu'ils dorment ici comme ils ont rarement dormi.

J'espère que l'hiver désarme quelque peu [à] Québec et qu'il y a des moments où l'on cesse de lutter contre le froid. [Jean] Paul me disait l'autre jour combien il trouve bon justement de ne pas dépenser de l'énergie simplement en luttant contre le froid.

Tu écris vraiment de moins en moins souvent. Pourtant tu dis aimer recevoir mes lettres. En ce cas, ne peux-tu donc imaginer ce que [je] ressens, moi à ne presque jamais recevoir de lettres de toi.

Merci aussi pour *Sélections du Livre français.* J'étais curieuse de voir ce que peut donner une œuvre condensée à ce point. Vraiment, à part quelques légers accrochages, c'est très bien fait. Ils doivent avoir des spécialistes dans ce genre de travail — qui est loin d'être facile.

Allons, je vais te souhaiter une bonne journée, et t'embrasser tendrement, en espérant avoir bientôt de tes nouvelles.

Gabrielle

Le 19 février

Aujourd'hui, très belle journée claire avec un grand soleil réchauffant quoique le fond de l'air soit un peu frisquet, comme dirait Mme Mille. La météo annonce plus chaud pour bientôt. J'en serais contente pour les Lemieux. Je voudrais qu'ils goûtent aussi aux douces journées tièdes de l'hiver en Floride. Mais, en ce moment, ils ont l'air heureux de tout.

G.

De ma fenêtre je viens de voir un oiseau cardinal. Quelle petite merveille !

*

New Smyrna Beach, le 25 février 1969

Mon cher Marcel,
Le courrier en effet est très lent, dû sans doute, pour une part, aux furieuses tempêtes de neige qui ont assailli les aéroports du Nord — tout le courrier étant maintenant expédié par air — et dû sans doute à de l'incurie. J'ai téléphoné hier à Adrienne, inquiète à son sujet, et elle m'a appris qu'elle est sur le point de venir se reposer une dizaine de jours en Floride, sur ordre de son médecin, mais dans une région plus chaude que celle-ci, du côté du golfe du Mexique. Une folie, me semble-t-il, car la différence de température d'un côté à l'autre ne peut être très importante. Enfin, j'ai été rassurée car elle semble aller assez bien.

Quant aux Lemieux, ils ont pris un rythme de vie lent, tranquille et reposant, se plaisant, comme je l'imaginais, à marcher des heures sur la plage. Tous deux me semblent avoir bien meilleure mine déjà qu'à leur arrivée. Notre petite ronde de parties, qui les a amusés, s'achève avec un cocktail ce soir chez les Du Bose, l'ancien directeur de l'Aluminium Company d'Arvida. J'espère bien que tu vas pouvoir venir. Comme c'est dommage que tu n'aies pu arriver alors que les Lemieux sont encore ici. Ils n'ont pas eu un temps aussi beau que cela devrait être en fin février, mais ils trouvent cela bien comme c'est.

La nouvelle de la mort du docteur Cayer m'a vivement frappée, même si je m'y attendais depuis longtemps. J'imagine que tu as dû être très touché, toi qui le connaissais de plus près encore. Pauvre homme, son existence a été une longue douleur, n'est-ce pas. La mort du docteur Colin, cela aussi a dû t'affecter.

Je suis contente que tu aies un cours sur le cancer, car c'est là un genre de travail qui t'intéresse. Mais tâche quand même de te ménager assez de temps libre pour t'évader un peu.

Téléphone si tu peux venir. Je t'embrasse tendrement.

Gabrielle

⁂

New Smyrna Beach, le 5 mars 1969

Mon cher Marcel,
Tu as sans doute eu bien des nouvelles fraîches de notre rencontre ici, les Lemieux et moi, de la part de Madeleine qui m'a promis de t'appeler dès le retour. De mon côté, j'attendais pour t'écrire, pensant recevoir peut-être, d'un jour à l'autre, la nouvelle que tu viendrais. Mais je suppose que tu as dû changer d'idée. En ce cas, je devrais rentrer vers la fin de mars, peut-être un peu avant ; les Everson, en route pour la pointe extrême de la Floride, se sont arrêtés à Smyrna pour une demi-journée en passant. Les Lemieux se trouvaient justement chez moi à ce moment, et j'ai pu les présenter les uns aux autres. De retour, les Everson doivent repasser par Smyrna et peut-être s'y arrêter pour quelques jours, s'ils trouvent à se loger. Lorna Everson a l'air infiniment mieux que la dernière fois que nous l'avons vue, et pas du tout déprimée. Elle s'intéresse à la nature, aux fleurs, aux oiseaux, ne parle pas beaucoup, mais semble calme et tout à fait normale — enfin à peu près.

J'ai eu un mot d'Adrienne, en ce moment en Floride elle aussi avec Simone, mais sur le littoral opposé, c'est-à-dire sur le golfe du Mexique, un peu au sud de Tampa, d'après ce que je crois comprendre. Son médecin, me dit-elle, lui a recommandé cet endroit soi-disant plus tempéré que la côte atlantique. Pour ma part, je doute qu'il y ait une grande différence, et tant qu'à venir en Floride, il me semble que toutes deux auraient dû venir me rejoindre. Enfin c'est peut-être mieux ainsi, et il se peut que l'eau de mer soit plus tempérée là-bas, ce qui compte pour elles qui se baignent tous les jours.

Pour ce qui est de mon manuscrit, j'aime mieux maintenant que [tu] le gardes à la maison. Si Adrienne devait revenir avant moi et te le redemander, dis simplement que j'ai décidé de le laisser reposer pour quelque temps.

Je regrette encore bien vivement que tu n'aies pu venir avec les Lemieux. Ils sont [de] bonne compagnie, quoique [Jean] Paul, de temps en temps, ait encore des petits accès de taciturnité mais ça dure peu et il redevient tout aussitôt gai et agréable. Nous avons aussi pensé, Madeleine et moi, qu'Amyot aurait peut-être été heureux d'un court séjour ici. Enfin, ce sont là des idées qui nous sont venues. Aujourd'hui, je profite de ce que ma logeuse va à Daytona Beach pour faire le petit voyage avec elle, en auto ; j'en profiterai pour faire quelques petites emplettes.

Je suis parfois inquiète au sujet de tes repas, de ce que tu manges et si tu le fais à des heures régulières. Est-ce que tu continues à aller au restaurant ? Au Petit Café ? Ou, de temps en temps, peut-être chez Mary ?

Pour moi, je suis un peu fatiguée de me faire à manger pour moi seule, mais en général, je fais l'effort nécessaire de préparer au moins un repas complet.

J'ai eu d'autres bonnes nouvelles de Paula dernièrement. Tout semble aller beaucoup mieux pour eux tous, et je m'en réjouis.

À part ça, je n'ai pas eu grandes nouvelles, sauf par Alice qui m'écrit bien fidèlement, ce dont je lui suis reconnaissante.

À assez bientôt, j'espère.

Je t'embrasse tendrement.

Gabrielle

*

New Smyrna Beach, le 6 mars 1969

Mon cher Marcel,

En effet, le courrier est terriblement lent. Je n'ai reçu qu'hier, le 5 mars, ta lettre du 27 février, pourtant acheminée par poste aérienne. Au fond, c'est la même chose qu'au Canada, le prix du service postal a augmenté, mais on n'est pas mieux servi pour cela... au contraire. Encore un autre signe des temps !

Je suis on ne peut plus déçue de voir que tu ne viendras probablement pas après tout. Je m'y attendais un peu, hélas, car ce fut ainsi il y a trois ans quand j'étais en Provence, puis l'an dernier encore. Je pense que c'est bien dommage car il me semble qu'une coupure l'hiver, une semaine au moins de changement et de repos, te permettrait d'atteindre l'été moins fatigué que tu ne l'as été au cours des étés passés. Comme le dit le proverbe : a stitch in time saves nine[1]. Il me semble que c'est trop long sans arrêt depuis septembre jusqu'à juillet, car on ne peut pas beaucoup considérer ton petit voyage de Noël au Manitoba, où tu vas du froid en plus froid, comme une cure de soleil et d'air, si c'en est une au point de vue moral. Il faudra que d'ici l'été tu t'arranges pour prendre quelques fins de semaine très reposantes pour te permettre d'arriver aux vacances de l'été moins exténué que l'an dernier.

Je suis navrée aussi d'apprendre que le loyer est aussi considérablement élevé. Hélas, à cela aussi je m'attendais, car d'autres locataires m'avaient annoncé qu'ils étaient augmentés de $30.00 par mois également et pour de plus petits appartements. Il faudra peut-être envisager de déménager. Après tout, nous aurions bien assez de cinq pièces. Mais où loger nos gros meubles dans un plus petit appartement ? D'ailleurs un cinq-pièces dans un immeuble neuf nous coûterait peut-être aussi cher. Il y aurait peut-être la solution d'acheter une petite maison près de la ville, mais acquérir une propriété dans l'état actuel où se trouve la province de Québec m'inquiéterait beaucoup, je te l'avoue. Enfin, pense à tout cela de façon aussi pratique que possible et nous en parlerons ensemble. Nous pourrons toujours en tout cas aller visiter appartements ou maisons si cela te chante. Ce qu'il ne faut pas oublier cependant, c'est qu'il devient de plus en plus difficile de trouver de l'aide domestique et qu'elle est de plus en plus coûteuse. En sorte que je me demande s'il y aurait vraiment économie à acheter ou louer une maison. Le grand avantage que j'y verrais pour toi — et pour moi aussi peut-être, je ne sais trop — c'est que tu pourrais te délasser en cultivant un bout de jardin. Encore qu'avec ton dos, ce n'est peut-être pas non plus tout à fait indiqué. Ce n'est pas facile d'organiser sa vie en tenant compte de tout, n'est-ce pas. En tout cas, je trouve que tu as bien manœuvré pour le bail de l'appartement, en obtenant que le prix de l'appartement et du parking n'excède pas trente dollars. En plus, tu as eu à acheter une nouvelle [voiture]. Cela fait en[core] de grosses dépenses, mais tu sais, pour ton voyage ici, je te l'offrais en guise de cadeau de Noël et de fête, que je ne t'ai pas offert encore. Enfin, si tu préfères, on peut mettre cela de côté pour un voyage ensemble, peut-être en Italie que tu aimes tant, ou au Mexique, à condition que nous nous installions dans une ville, rayonnant à partir de là, car je ne pourrais pas tenir le voyage continuel plus que quelques jours. À moins que nous puissions faire comme nous faisions autrefois en France, à petites journées, mais cela ne serait guère faisable maintenant, j'imagine, routes et hôtels étant toujours encombrés.

J'ai hâte de voir notre auto neuve et je suis contente que tu aies choisi vert. Enfin je devrais la voir bientôt car, comme je te l'ai écrit dans ma lettre d'hier, je vais m'occuper ces jours-ci de retenir ma place de retour vers la fin de mars. D'ici une semaine au plus tard je devrais pouvoir te l'annoncer.

Tu as été bien gentil d'aller rendre visite à cette pauvre Lucille[2] — as-tu jamais vu pareille cascade de malheurs — et de lui faire envoyer quelques fleurs.

Alice m'écrit souvent, de très belles lettres au fond, sauf pour de soi-disant petites envolées poétiques de temps en temps qui détonnent, mais dans l'ensemble ses lettres sont très agréables et réconfortantes.

Les Lemieux me manquent. En peu de temps on s'était déjà agréablement habitué les uns aux autres.

Je t'embrasse tendrement et espère de tout mon cœur que tu vas bien.

Gabrielle

*

New Smyrna Beach, le 11 mars 1969

Mon cher Marcel,

Eh bien, voilà, ma place de retour est prise pour vendredi le 28 mars. J'arriverai à Québec par le vol 360 à 5 h 40 de l'après-midi. Comme mademoiselle Ouellet sera à la maison vendredi après-midi, comme d'habitude, que penserais-tu de lui demander de nous préparer le dîner pour environ sept heures peut-être, ce que tu voudras, peut-être un poulet au four, si tu n'en es pas dégoûté, c'est encore ce qu'elle fait le mieux. Demande-lui aussi de prendre ou d'apporter une pinte ou deux de lait écrémé, de la margarine, s'il n'y en a plus, et de préparer légumes et dessert. Ainsi nous n'aurons pas besoin de sortir pour un repas immédiatement après mon arrivée. Je pense que j'en serai contente, car ce sera une journée exténuante pour moi, ayant décidé, pour ne pas arriver trop tard à Québec, de prendre le vol du matin à Daytona à 8 h 40. Mais il me faut partir de New Smyrna beaucoup plus tôt, et donc me lever au petit jour. Peu importe, j'aime mieux cela qu'arriver à Québec à la nuit.

Je n'ai pas besoin de te dire combien j'ai hâte de rentrer. Si ce n'est que j'ai espéré jusqu'au bout ta visite, je serais sans doute rentrée plus tôt. D'un autre côté, il ne fait vraiment tout à fait chaud que depuis peu. Mars est toujours le plus beau mois ici, et je vais profiter de la fin de mon séjour pour prendre le plus de soleil possible. Donne tes instructions à mademoiselle Ouellet pour le 28 mars dès après avoir reçu cette lettre afin de ne pas l'oublier, veux-tu ?

Les Everson ont trouvé un motel à quelques milles d'ici, au bord de l'océan, et nous avons fait deux petites balades ensemble en auto. Ils m'ont offert de rentrer avec eux par la route, mais je préfère revenir par avion. Finalement c'est moins fatigant. La seule chose que je regrette, c'est la visite que j'aurais pu faire en passant de la ville de Charleston en Caroline du Sud qu'on dit une des plus belles en Amérique.

Mais j'ai remarqué qu'à la fin d'un séjour à l'étranger on n'a plus le même intérêt pour visiter. Et puis je ne connais pas assez les Everson pour entreprendre avec eux un voyage de six ou sept jours.

Les Lemieux t'ont-ils fait rapport de leur voyage et en paraissent-ils contents ? Du moins nous avons tout fait ici pour rendre leur séjour heureux.

J'espère te trouver en bonne santé et pas trop fatigué.

Donc à vendredi le 28 mars à 5 h 40 p.m.

Je t'embrasse tendrement.

Gabrielle

Tu pourrais peut-être demander aussi à Mlle Ouellet, quand elle ira acheter le poulet, de prendre six steak club à 3/4 de pouce comme je prends habituellement.

*

New Smyrna B., le 13 mars 1969

Mon cher Marcel,

Je ne sais pas s'il y aura grève des postes ou non, si cette [lettre] te parviendra. En tout cas, je prends le risque. Comme je te l'ai dit hier après-midi au téléphone, ne dérange aucunement tes projets pour la fin de semaine du 28 mars à cause de mon arrivée. Je sais combien c'est profitable pour toi d'assister à ces congrès de médecine. Pour ma part, je continuerai tout droit à Québec pour t'y attendre, car au retour d'un si long voyage, devant partir très tôt le matin, il est sûr que j'aurai envie de réintégrer le logis au plus tôt. Ne t'inquiète donc pas pour moi. Si Alice est assez bien elle pourrait peut-être venir à ma rencontre, sinon je me débrouillerai.

J'ai oublié de te dire que j'arrivais à Montréal par Eastern Airlines, vol 188 à 1 h 57 de l'après-midi. Je pars pour Québec par le vol 360 [*ajouté en surcharge :*] *Air Canada* à 4 h 50 pour arriver à 5 h 40, c'est-à-dire six heures moins vingt.

Je t'en prie, ne te sens pas obligé de modifier tes projets. Si tu te trouves à Dorval à l'heure de mon arrivée à Montréal, tant mieux. Mais j'en doute, car tu ne viendras pas à Montréal par avion, j'imagine, et à cette heure-là tu seras sans doute en séance d'études. Donc ne te dérange pas.

Si tu reçois cette lettre, fais donc savoir à Madeleine Lemieux que j'ai reçu la sienne et que je lui apporterai comme convenu les bijoux qu'elle a commandés ici.

Je t'embrasse affectueusement.

Gabrielle

⁂

New Smyrna Beach, le 16 mars 1969

Mon cher Marcel,
Je n'entends plus parler de grève des postes, aux nouvelles du Canada, le matin, à la radio de Daytona Beach. J'en conclus qu'elle a dû être écartée et que tu as reçu mes lettres. Tant mieux. On se sent doublement éloigné, au loin, quand le courrier est suspendu.

Je pensais, restant un peu plus tard que l'an passé, que j'aurais pour la fin de mon séjour un temps chaud et parfait. Eh bien, c'est le contraire ; il vente et pleut, ou bien c'est plutôt frisquet. Mais, de toutes parts, on entend dire que « the weather is as it never has been ». En tout cas, je serais rentrée deux semaines plus tôt si j'avais pu savoir. J'ai encore la chance d'attraper quelques belles journées d'ici le 28. Mais j'ai vraiment hâte de te retrouver. Cependant ne change pas tes projets pour la fin de semaine du 28. C'est fou, j'ai choisi de rentrer un vendredi de préférence à un autre jour sachant que tu es libre le vendredi après-midi. J'aurais dû t'appeler avant de fixer la date, mais j'ai eu l'occasion d'aller à Daytona Beach et j'en ai profité pour faire mes réservations. Comme je changeais de ligne, de National Airlines à Eastern Airlines, je préférais le faire sur place plutôt que par téléphone. De toute façon, si tu restes à Montréal pour ton congrès, cela me donnera le temps de défaire mes malles, m'installer avant ton retour.

Les Everson, de retour de Key West, sont restés quelques jours dans les parages. Ils ont pris une option sur mon appartement pour un séjour de trois mois mais l'hiver prochain, le trouvant tout à fait à leur goût. Car, puisque tu n'es pas venu, je n'ai pas osé le retenir pour l'an prochain. Peut-être est-ce aussi bien ainsi. La seule chose que je regrette vraiment, c'est que tu n'aies pas eu une semaine de bon repos. Espérons que tu pourras rattraper cela cet été.

Est-ce que tes cours ont bien marché? Et ta causerie sur le cancer au centre commercial?

Colette rentre vendredi prochain. Sa fille part pour un séjour de quatre mois en Espagne, je crois, et Colette veut la voir et l'embrasser avant son départ. Notre petite bande, comme les oiseaux nombreux ces jours-ci, commence à s'égayer.

Pour ma part, j'ai bien hâte de t'embrasser. Affectueusement,

Gabrielle

[*Ajouté en marge :*] À partir de maintenant garde tout mon courrier.

*

New Smyrna Beach, le 22 mars 1969

Mon cher Marcel,

Que me voilà peinée pour toi. J'espère qu'au moins tu ne trouveras pas ta mère trop mal ni souffrante et que tu pourras organiser avec Léona une manière commode et convenable de prendre soin d'elle. Je sais que ce n'est pas facile, et je prie de tout mon cœur pour que Dieu te vienne en aide et t'inspire.

J'ai d'abord songé à rentrer plus tôt, mais en quoi cela avancerait-il les choses, et puis il fait enfin très beau ici maintenant, et c'est peut-être sage d'en profiter. En plus, c'est un peu compliqué, d'ici, de modifier ses réservations par avion. Donc, je rentrerai comme prévu le vendredi 28 mars et attendrai ton retour à la maison. Comme toi, mon cher Marcel, j'ai bien hâte de te revoir. Je crois t'avoir dit que mon séjour au loin a été trop long cette fois, mais il est vrai que je l'ai prolongé dans l'espoir que tu viendrais. N'en parlons plus. Nous tâcherons ensemble de trouver quelque plan de voyage ou de séjour de repos qui nous convienne à tous deux, en y mettant chacun un peu du sien. Cela devrait pouvoir se faire. L'important, c'est de conserver l'amitié et l'estime très solide encore, Dieu merci, qui existe entre nous, et pour lesquelles nous devrions rendre grâce, ce n'est pas tellement fréquent.

Je te remercie pour ta bonne lettre affectueuse écrite pour le jour de ma fête et qui valait tous les cadeaux à mes yeux, à cause de son ton chaleureux.

Tâche d'encourager ta mère. Dis-lui que je suis navrée de son accident, que j'espère bien qu'elle sera debout avant trop longtemps. Après tout, c'est bien possible qu'elle se remette très bien. Seulement, il lui faudra sans doute changer de logis, à cause de l'escalier, j'imagine.

J'ai demandé à Dédette de faire envoyer quelques fleurs.

Présente mes bonnes amitiés à Léona, à Arthur et embrasse Guy[1] de ma part. A-t-il aimé le petit cadeau que tu lui as apporté de ma part à Noël ?

Surtout évite, si possible, de trop te surmener. Car, alors, mon pauvre chéri, tu n'arrives plus à te détendre.

Je t'embrasse tendrement.

Gabrielle

Saint-Boniface
printemps 1970

Le 21 mars 1970, Gabrielle Roy arrive à Saint-Boniface, pour venir au chevet de sa sœur Bernadette, atteinte d'un cancer du rein. Elle loge d'abord chez sa belle-sœur Antonia, puis chez sa cousine Léa Landry. Elle rentrera à Québec le 7 avril et ne reverra pas sa sœur vivante. Tous les jours, à partir du 8 avril et jusqu'à la mort de Bernadette, le 25 mai, la romancière lui adressera une lettre[1].

[Saint-Boniface], le 21 mars 1970

Cher Marcel,

En arrivant, j'ai trouvé notre Dédette l'air très souffrant, bien piteuse à voir, mais le lendemain, est-ce partiellement la joie de ma visite ou le renouveau de son propre élan vital vraiment extraordinaire à constater — quelle vie encore, en effet, dans ce pauvre corps usé —, elle a repris d'une façon tout à fait étonnante. Depuis, elle mange un peu et digère assez bien. Toutefois elle dort peu et demeure agitée. Je suis entrée dans le jeu du rêve de Petite-Rivière qu'elle désire si ardemment revoir, et tu devrais voir ses yeux briller rien qu'à la mention de ce voyage[1]. Il semble qu'il y aura peut-être une petite période d'amélioration de son état, après quoi elle empirera... peut-être vite... peut-être lentement. Apparemment, le médecin, le docteur McLeod, ne se prononce pas catégoriquement, mais il a interdit pour le moment qu'on dise ce qui en est à Dédette. Toutes les sœurs, et surtout la Supérieure, sœur Valcourt[2], l'entourent de soins admirables. Dédette a été ravie de l'icône dorée, qu'elle tient à garder constamment sous ses yeux et qu'elle fait admirer à toute sa visite — trop nombreuse déjà, hélas, ce qui la fatigue énormément. La mienne ne semble pas trop la fatiguer cependant. Elle semble même se détendre quand je suis auprès d'elle et que je lui parle de ton jardin, des arbres de Petite-Rivière, du fleuve et des goélands, et n'aurais-je obtenu que cela que le voyage vaudrait d'avoir été entrepris. Elle me parle sans cesse de toi et me redit toujours combien elle t'a de reconnaissance pour les égards que tu as eus pour elle durant son séjour à Petite-Rivière, et en toutes autres occasions.

Hier soir, j'ai fait une visite à Léona. Ta mère est descendue et m'a paru assez bien. Elle a maigri, évidemment, mais son visage me paraît bon. Elle a hâte, la neige fondue, de pouvoir marcher un peu au dehors. Guy était allé à ses cours de marine et avait fait promettre que j'attende son retour avant de m'en aller, ce que j'ai fait. Il est devenu un beau petit bonhomme charmant et affectueux. Dans son joli costume de marin, il a belle allure. Il était extrêmement content de sa lampe qu'il a tout de suite été installer, après quoi il m'a invitée dans son petit coin à lui au sous-sol pour l'entendre à la batterie. J'ai été émerveillée de son habileté. C'est vraiment un enfant exceptionnel et il parle un français très pur. Arthur et Léona m'ont ramenée chez Léa[3] et m'ont priée de t'exprimer toute leur affection. Lundi, nous irons sans doute chercher Clémence à Otterburne[4] et les sœurs la garderont au couvent pour une ou deux nuits. Je profiterai du voyage pour m'entretenir avec la Supérieure du foyer d'Otterburne au sujet de Clémence. Je suis entourée de beaucoup de bonté de la part de tous, ce qui m'aide à supporter la fatigue de ce voyage. Tu serais gentil de communiquer les nouvelles au sujet de Dédette à Adrienne, à Alice et aux Madeleine, car je n'ai pas le temps d'écrire à tous. Je compte faire à Dédette de fréquentes visites, courtes, plutôt que de longues qui la fatiguent trop. Ne m'envoie pas de courrier ici. Pour les lettres importantes qui exigent une réponse immédiate, passe-les à Marie-Blanche Devlin[5] qui peut répondre de ma part.

Tâche de ne pas te surmener et de prendre des repas convenables. Au cas où tu ne l[es] aurais pas noté[s] ou égaré[s], je te répète l'adresse et le numéro de téléphone de Léa. Tu n'as pas idée comme elle est affectueusement dévouée à mon égard. C'est vraiment bouleversant.

Je t'embrasse affectueusement.

Gabrielle

141 Enfield
Crescent
1-204-233-4789

[*Ajouté en marge sur la première page :*] Madame Després[6] aussi est atteinte du cancer et très mal, à ce que m'a dit Léona.

Phoenix
hiver 1970-1971

Le 15 décembre 1970, Gabrielle Roy revient à Phoenix, en Arizona, où elle était venue sept ans plus tôt au chevet de sa sœur Anna. Elle y retrouve Fernand Painchaud, le fils d'Anna, et sa femme Léontine, qui ont vu à lui trouver une chambre tout près de chez eux et chez qui elle prendra tous ses repas. Son travail est quelque peu au ralenti depuis la parution de La Rivière sans repos *en septembre, et elle n'entreprendra rien de nouveau pendant son séjour en Arizona, au cours duquel elle apprendra qu'elle est la lauréate du prix David (Grand Prix de la Province de Québec) pour l'année 1969.*

[Montréal, entre le 10 et le 15 décembre 1970][1]

Cher Marcel,
Tâche de voir le bon côté et tout ce qui nous reste de beau et de digne. L'important, c'est de ne pas abîmer ton système nerveux davantage. Je t'en prie, essaie des gestes calmes, une voix calme. Quand tu hausses le ton, il arrive parfois que tu puisses donner l'impression d'être bourru. Il est ridicule de le penser pour qui te connaît bien, mais des gens timides, facilement effrayés et pas très intelligents peuvent se mettre cette idée en tête. Je ne m'en vais pas le cœur léger, te sachant si fatigué. Je te demande comme cadeau de Noël de faire tout ton possible pour te reposer. Je vais prier notre Dédette pour qu'elle t'aide. Je t'embrasse tendrement.

Gabrielle

*

Phoenix, le 17 décembre 1970

Cher Marcel,
Tu le vois : à peine arrivée, je me hâte de t'écrire. En fait, avec le décalage de deux heures, il se trouve huit heures, ce matin. Je suis arrivée assez tard, avec plusieurs heures de retard. Le voyage par avion me paraît s'être détérioré horriblement, en dépit de l'augmentation des tarifs. À Montréal — mais cela, ce n'est pas la faute de la compagnie Air Canada, qui reste d'ailleurs la meilleure à mon avis —, fouille des bagages à main et fouille des poches et vêtements au moyen d'une sorte de radar. Cela a

occasionné un retard d'une grosse demi-heure. Ensuite, sur le parcours Montréal-Chicago express par B.O.A.C., la place est plus restreinte que je [ne] l'ai jamais vu nulle part et le repas exécrable. La dernière partie du voyage par American Airlines n'est guère mieux. Il y a plus de place mais le service est d'une lenteur à désespérer les plus patients. Cependant, ce matin, je m'éveille au soleil, je vois dans la courette derrière mon appartement des pins du Sud, à aiguilles un peu rugueuses : je vois que ce sont les mêmes qu'on appelle aussi en Floride les pins d'Australie, ou cassuarinas, dont j'ai fait mention dans « L'Arbre[1] ». Il y a aussi trois ou quatre orangers, chargés de fruits, dont plusieurs traînent par terre comme nos pommes de notre petit pommier sauvage à Petite-Rivière. Ce matin, je ferai un petit marché. Je suis bien installée : ce sera confortable. Léontine et Fernand sont tout à côté de moi. Évidemment, je n'ai encore rien vu de la ville ou même de mon voisinage. Je commence ma journée par cette lettre. Pour te rassurer sur moi. Et aussi pour tâcher de te rassurer. Il ne faut pas, Marcel, te tourmenter davantage pour cette maudite histoire de S[ain]t-Michel. Si de travailler dans cette atmosphère t'est trop pénible, je crois qu'il vaut infiniment mieux lâcher[2], avant que ton système nerveux soit irréparablement usé. Nous pourrions même, si tu y consens, tout lâcher dès ce printemps, passer un été entier encore à Petite-Rivière tout en cherchant une petite maison dans un village où nous pourrions vivre à peu de frais. Finalement, c'est peut-être au Québec que nous serions le moins dépaysés, qu'en penses-tu ? Nous pourrions chercher à S[ain]t-Michel-de-Bellechasse ou à Beaumont. Il faudrait avoir une maison pas trop coûteuse d'entretien, taxes pas trop élevées, pas trop coûteuse à chauffer, avec un bout de terrain où tu ferais un jardin potager. Il me semble que nous pourrions, en coupant au plus possible nos dépenses, n'ayant qu'un train de logis à soutenir, arriver à vivre avec nos revenus combinés. Toutes nos si fortes dépenses éliminées, nous y parviendrions, j'en suis à peu près sûre. Et tu trouverais bien de quoi t'intéresser, t'occuper. Autrement, usant sans merci ton système nerveux comme je te vois le faire depuis quelques années, j'ai peur, je t'avoue, que ce soit trop tard si nous attendons encore, comme tu le dis, deux autres années. Surtout qu'il est loin d'être sûr que tu pourras continuer à mettre passablement d'argent de côté durant ces années à venir, tes dépenses augmentant, le revenu diminuant presque sûrement. Alors est-ce que ça vaut la peine de s'esquinter pour rien de bon, au fond. Nous avons jusqu'à la fin de janvier pour le renouvellement du bail. D'ici là, il faudrait se préparer à une décision. Et, s'il nous arrivait de renouveler le bail, j'imagine que ce serait sage, ne crois-tu pas, de [ne] le renouveler que pour un an, surtout si l'augmentation est importante. Je regrette de t'écrire sur ce sujet dès mon arrivée, mais je suis tracassée, inquiète de ta nervosité, et je voudrais tellement te voir moins harcelé. Promets-moi au moins de te limiter le plus possible dès maintenant dans le tabac et aussi l'alcool, de tâcher plutôt, pour calmer tes nerfs, d'aller faire des promenades à pied au grand air.

Demain, je te décrirai un peu les lieux. C'est tout autre chose évidemment que la Floride, sauf pour les arbres qui se ressemblent assez.

Dis-moi que tu fais tout ton possible pour ménager tes nerfs. Je vais prier Dédette sans arrêt qu'elle t'aide à voir clair, à renoncer à quoi il faut renoncer, s'il y a lieu, et en toutes choses à te soutenir. Écris-moi au plus rapide, ne serait-ce que deux mots. Je t'embrasse avec une grande tendresse.

Gabrielle

*

Phoenix, le 18 décembre 1970

Mon cher Marcel,
Quelques mots seulement pour te redire que je suis avec toi dans les difficultés que tu as, que j'espère que tu les résoudras le mieux possible, et que celles qui seront insurmontables n'auront pas le pouvoir de t'abattre. Que veux-tu, nous arrivons à une époque, à un âge où normalement on serait en droit de s'attendre à du répit, à un cours ralenti et plus tranquille. Au lieu de quoi nous serions contraints de nous batailler plus que jamais. Le jeu en vaut-il la chandelle ? Pour moi, ce qui importe, c'est que tu ne compromettes pas davantage ton équilibre nerveux. Cherchons donc à nous acheminer au plus tôt vers une vie plus calme et retirée. Sera-t-elle pour cela plus pauvre ? Je ne pense pas. Il ne tient qu'à nous au fond de la rendre riche et intéressante — et cela c'est surtout par l'intérieur, il me semble.

J'ai terriblement hâte d'avoir de tes nouvelles et des démêlés avec ces horribles technocrates de S[ain]t-Michel-Archange. Un autre tribunal de justice dont le monde est plein à cette heure. Tu as raison, il faut tâcher d'en rire.

Tâche de passer quelques jours de repos et de grand air. N'oublie pas de renouveler à Alice et à Jacqueline mes vœux les plus affectueux pour un très joyeux Noël. N'oublie pas non plus d'apporter mes petits cadeaux. À toi, mon Marcel, je souhaite au-delà de tout la divine paix, don par excellence, sans lequel aucun des autres n'a de prix, le plus difficile certes à acquérir, mais rappelle-toi ce que disait le prêtre à la messe dimanche dernier, citant les propos du cardinal Daniélou[1] : Tout est possible chaque jour avec Dieu. Prends de l'air, beaucoup d'air, marche. Chaque fois que tu t'es entraîné à cela, je t'ai vu faire un grand progrès au point de vue équilibre nerveux.

Aujourd'hui, il doit faire 64 ou 65. Pour moi, venant du froid, c'est presque trop chaud, mais c'est quand même bien agréable. Phoenix se trouve bâti dans une oasis entourée par des montagnes de roc rouge qui se détachent en monts isolés aux formes très bizarres. Toujours on en aperçoit quelques-uns à l'horizon qui dépassent les petites maisons basses de la ville. Et c'est beau à voir, ces cimes aux contours singuliers dans le ciel limpide. C'est comme un rappel de quelque chose de bien plus grand que nous qui nous attend sans faute au bout de notre course et qui nous vengera de ce que nos vies ont de contraint, de trop petit, d'emprisonné. J'aime voir ces monts comme j'aime regarder monter le fleuve à la marée haute.

Je t'embrasse avec la plus grande affection, et te demande comme la plus grande grâce de garder la tête haute — tu en as le droit mille fois —, de ne pas céder au découragement et de penser que je t'admire toujours de la même façon entière.

Gabrielle

[*Ajouté en marge :*] Fernand, Léontine, Roger et Renald[2] — deux très beaux garçons — t'envoient leurs amitiés et leurs meilleurs souhaits.

⁂

Phoenix, le 20 décembre 1970

Cher Marcel,
J'espère que tu as commencé à recevoir mes lettres — celle-ci est la troisième, mais au temps de Noël il se peut qu'il y ait bien du retard. Il me faut te dire, si tu m'appelles au téléphone, quand tu me rappelleras,

n'oublie pas qu'il y a deux heures de différence entre Québec et Phoenix, que c'est plus tard ici. Par exemple, si tu m'appelles à 4[h] p.m., c'est-à-dire 16 heures, il sera 6 heures ici, l'heure du souper, et c'est justement le meilleur moment pour me téléphoner, car j'ai pris des arrangements avec Léontine pour prendre mon repas du soir chez elle. Elle est une bonne cuisinière, et c'est agréable d'aller manger avec elle et Fernand. Nous dînons quand Fernand rentre de son travail, à 5 h 50 ou 6 h 00. C'est donc l'heure la plus commode pour me rejoindre lorsque je ne peux manquer d'être chez eux, à moins de circonstances imprévisibles. Il est vrai que si tu m'appelles à d'autres heures et que je suis chez moi, c'est très facile aussi de me faire venir car je ne suis qu'à deux pas de chez eux.

La journée s'annonce belle et tiède encore, environ 60 à 64. J'ai découvert que je suis assez proche du jardin botanique de plantes du désert qui m'avait tellement intéressée il y a sept ans[1]. Je me propose donc d'aller le visiter assez souvent. En marchant hier, j'ai longé des champs incultes, emprisonnés çà et là entre les lotissements, des petits bouts de désert pierreux couverts d'arbustes, dont plusieurs étaient en fleurs, entre autres une sorte de mimosa dont je me suis fait un bouquet pour ma chambre. L'endroit me rappelle de plus en plus les garrigues du Languedoc où j'avais passé mon premier hiver en Provence et que nous étions allés voir ensemble, tu te rappelles, aux environs de Castries[2].

Je pense à toi sans cesse et j'ai très hâte d'avoir de tes nouvelles, espérant de tout mon cœur qu'elles seront meilleures, ou que du moins tu auras la force de ne pas te laisser accabler par ce genre de choses, puisqu'elles ne mettent en doute ni la qualité de ton travail ni ton intégrité morale. J'irai à la messe cette après-midi avec Léontine et demanderai que le ciel s'éclaircisse pour toi au plus tôt. Entretemps, je t'en prie, ménage autant que possible ton système nerveux. Présente mes amitiés à nos amis. J'ai déjà envoyé une carte à Alice, à Adrienne et à quelques autres.

Je t'embrasse affectueusement.

Gabrielle

*

Phoenix, le 21 décembre 1970

Cher Marcel,
À deux pas d'ici, presque en pleine ville, j'ai découvert un petit coin de désert presque intact, marqué dans le sable de faibles sentiers et de vieux lits desséchés de ruisseaux qui ont contenu de l'eau quelques jours seulement sans doute chaque année. J'ai vu de grands lierres sortir de maigres buissons épineux et foncer plus loin. Les belles montagnes rouges aux formes de vieux châteaux, de vieux créneaux à l'abandon, ferment l'horizon. De bonnes odeurs fines m'accompagnent, comme en Provence, celle de la sauge et peut-être du romarin, je n'en suis pas sûre. En marchant par là, je pense intensément à toi et souhaite de tout mon cœur te voir trouver une certaine paix. Que j'ai hâte de te parler, d'apprendre que les choses s'arrangent pour toi le mieux possible.

Tu peux appeler à n'importe quelle heure au fond. Après six heures c'est évidemment meilleur marché, et je suis presque toujours alors dans ma chambre tout à côté de chez Fernand. Cela ne prend que dix ou vingt secondes pour venir me chercher. Disons que tu appellerais si possible, de préférence, alors qu'il sera six heures ou sept heures à Québec. Pour moi il sera huit heures ou neuf heures, et c'est rare que je ne sois pas à la maison à cette heure.

On apprend par les journaux qu'il fait un froid vif ces jours-ci dans l'Ouest canadien, à Edmonton et aussi à Winnipeg. Le plus froid que nous avons eu ici le jour, c'est environ soixante et la nuit de quarante à cinquante.

Je t'embrasse bien tendrement et te réitère mes vœux les plus ardents pour un bon et joyeux Noël.

Gabrielle

*

Phoenix, le 24 décembre 1970

Mon cher Marcel,
Quel plaisir d'avoir causé quelques instants avec toi au téléphone avant-hier. Mais je suis désolée d'apprendre que tu étais seul pour passer cette petite opération. J'espère que tu es maintenant rétabli. C'est curieux ce

cauchemar que tu as eu à mon sujet, car moi j'en avais eu [un] la veille. Peut-être est-ce plutôt un bon signe, celui que nos épreuves et traverses sont à la veille de se terminer. Elles auront eu leur utilité — elles l'ont toujours sans doute si on sait les traverser sans être abattu.

Je marche beaucoup — heureusement que mon pied est pour ainsi dire guéri — tout autour du quartier où nous habitons, et où il y a encore des bribes de campagne. Je me fais l'effet, en marchant par ces sentiers sablonneux entre des touffes de cactus et de palo verde[1] aux branches si délicates, d'errer dans des décors de western. Mais la réalité est plus belle que les décors. D'abord, elle est pleine d'oiseaux. J'ai revu nos hirondelles de Petite-Rivière, piaillant par milliers dans un gros massif de lauriers roses où elles devaient picorer les graines, j'imagine. En tout cas, elles semblaient festoyer. Il fera beau aujourd'hui encore. Quelquefois il y a une petite ondée la nuit, juste ce qu'il faut pour abattre la poussière et réjouir les oiseaux, puis le soleil brille presque toute la journée. C'est bon et chaud tout le jour, refroidissant brusquement dès le coucher du soleil. Je n'ai pas encore eu de nouvelles d'Antonia[2] et j'espère toujours qu'elle pourra venir me rejoindre, car je suis grandement logée et persuadée qu'un séjour ici la remettrait sur pied... à moins qu'elle fasse encore de l'infection... en quel cas Lucille ne la laisserait pas partir. Demanderais-tu à madame Beaulac de m'envoyer les nouveaux *Figaro littéraire*, deux ou trois à la fois, quand ils arriveront, car je vais manquer bientôt de lecture en français.

J'ai bien hâte d'avoir de tes nouvelles.

Je t'embrasse affectueusement.

Gabrielle

*

[27 décembre 1970][1]

Mon cher Marcel,

Je t'ai enfin trouvé une carte représentant cet arbre si étrange que l'on nomme l'arbre de Joshua. En silhouette, au crépuscule contre le ciel rouge, c'est hallucinant. Aujourd'hui, dimanche, Fernand travaille. Après la messe, Léontine m'amènera faire une petite promenade. Nous ne pouvons jamais aller bien loin à cause de son diabète. Dans l'ensemble, elle va très bien. Fait-il bien froid à Québec ? Ici, c'est dans les soixante. N'oublie pas de me faire envoyer quelques *Figaro littéraire*. Est-ce que tu as repris tes cours de céramique ? Ai rêvé à toi plusieurs fois. Des amitiés aux Madeleine. Je t'embrasse tendrement.

Gabrielle

*

Phoenix, le 28 décembre 1970

Cher Marcel,

C'est bien vrai, hélas, j'avais fait une erreur dans le numéro de téléphone que je t'ai donné. Je viens de vérifier dans mon carnet d'adresses. C'est donc 275-3386. Je suis confuse et désolée de vous avoir occasionné tant d'ennuis le jour de Noël. La cause en est ce maudit mandrox[1]. Je diminue la prise progressivement et espère bien ne plus être obligée d'en prendre bientôt.

Hier, dimanche, Fernand travaillant à ses courses de chevaux, Léontine m'a amenée faire une petite randonnée en automobile. Je désirais voir le désert, et rien n'est plus facile. Hors de Phoenix, on y est pour ainsi dire, quelque côté que l'on prenne. J'ai trouvé le paysage fascinant. À plusieurs reprises nous avons quitté l'auto pour marcher vers les collines. En un rien de temps, passé un repli de terrain, la ville, la route, tout paraissait d'un autre âge, oublié. Nous étions enveloppées d'un silence presque total. Et j'ai découvert que cela tient en partie à ce qu'il y a si peu de feuillage dans ce pays, surtout hors de la ville, surtout en cette saison. Peu de vent non plus. On ne voit donc pas la végétation bouger — ou si peu. Et quelle étrange végétation ! Beaucoup de cactus ont déjà leurs pousses neuves de l'année, qui sont d'un vert extrêmement joli, presque blanc. Que je voudrais donc trouver un bon livre pour m'aider à identifier tant de plantes inconnues ! Peut-être que j'en trouverai un quand nous irons au jardin botanique.

Que feras-tu le Jour de l'An ? Pour moi, ce sera un jour bien calme. Nous avons une église assez près. J'y ai entendu la messe le jour de Noël et hier, dimanche. J'ai été fortement impressionnée par la piété des gens. J'étais loin de me douter qu'il y avait autant de catholiques en Arizona. L'église déborde à chaque messe. Les gens, par centaines, entendent la messe debout, des bébés dans les bras souvent. Il me semble que le renouveau chrétien est bien plus marqué ici que chez nous, et j'en suis émerveillée. Étrange Amérique décidément ! À cette heure, dans cette ville-ci du moins, sa piété dépasse tout ce que j'ai jamais vu. Remercie bien Alice en mon nom. Je lui ai écrit et lui écrirai encore sous peu. Aux Madeleine aussi. Tâche de m'écrire toi aussi et de me donner des nouvelles. Au sujet de S[ain]t-Michel-Archange. De ta santé. De tout et de tout.

Je t'embrasse et te renouvelle mes vœux les plus affectueux pour une très bonne et heureuse année.

Gabrielle

*

1er janvier 1971[1]

Cher Marcel,
Comme ton coup de téléphone hier m'a fait plaisir ! Justement je m'ennuyais au moment où tu as appelé. Nous passons une journée bien paisible. Fernand travaille aujourd'hui. Les garçons viendront peut-être dîner ce soir. Rien de certain, car eux aussi travaillent, pour défrayer leurs cours à l'université. Je t'embrasse de nouveau et te souhaite une année meilleure que toutes, et que se règlent enfin les problèmes qui t'ont tracassé.

Gabrielle

*

Phoenix, le 5 janvier 197[1]

Cher Marcel,
J'ai l'impression que Québec doit être plongé dans un froid terrible, ou est-ce le Middle West qui est surtout atteint. En tout cas, on sent les effets de cette vague de grand froid jusqu'ici ; il y a eu gel les deux dernières nuits. Toutefois, les journées sont claires et radieuses, quoique piquantes. Ce n'est quand même pas désagréable. Fernand, qui est

devenu frileux, se plaint sans bon sens. Pour lui et Léontine, cela équivaut aux plus terribles journées de nos hivers. L'un des jumeaux, Renald, nous a amenées, Léontine et moi, dimanche, faire une agréable promenade en auto à travers un paysage de cactus et d'arbres indigènes. Comme il y a des inscriptions çà et là pour définir la végétation, j'ai appris pas mal de choses. Dieu, que tout cela doit être beau, au printemps, quand éclate l'étrange floraison de ces plantes singulières. Les deux garçons, Renald et Roger, ne connaissent absolument rien des plantes du pays, ni leurs jeunes femmes. Ils m'ont vue m'y intéresser avec étonnement d'abord, puis ils m'ont emboîté le pas. Ils sont très sympathiques tous deux, et j'aime particulièrement la petite jeune femme de Renald que l'on nomme Bonnie. Tout ce monde est à peu près du même âge, vingt et un ans.

Je m'inquiète un peu, ayant eu si peu de nouvelles de toi, hors les merveilleux appels téléphoniques. Tu me parlais, au cours de l'un d'eux, d'une invitation à dîner chez les Madeleine. Raconte-moi un peu comment tout cela s'est passé. Sans doute vous avez mangé de la perdrix. Pour moi, le régal c'est un bon filet mignon que Fernand fait griller sur son feu de charbon dehors. Nous en mangeons une ou deux fois par semaine, le bœuf étant moins cher ici qu'au Canada, ou ailleurs aux États-Unis d'ailleurs. Il est aussi très bon.

J'ai fait quelques boutiques avec Léontine mais je n'ai encore rien trouvé qui me tente. C'est d'ailleurs un mauvais temps de l'année pour acheter, consacré plutôt à l'écoulement des vieux stocks. Ta mère t'a-t-elle écrit qu'elle avait reçu la grosse boîte de bonbons Laura Secord que je lui ai fait envoyer ? Il faudrait peut-être t'en informer car Clémence, dans sa lettre, ne me parle pas d'avoir reçu la sienne, et je me demande si les boîtes ont été livrées. Si ta mère n'avait pas reçu la sienne, parles-en à [Marie-]Blanche Devlin qui pourra s'informer au magasin Laura Secord de la rue Cartier, car c'est elle qui s'est occupée pour moi de ces commandes.

L'atmosphère à Saint-Michel-Archange s'améliore-t-elle ? Quelle tristesse d'avoir à batailler pour des droits élémentaires comme tu as à le faire, comme tant de gens de notre âge ont à le faire par ces temps-ci ! J'espère que tu ne te sens pas visé particulièrement par cette sorte de persécution qui, au fond, a quelque chose d'aveugle et de gratuit. Un horrible gaspillage d'énergie, de talent, d'expérience, voilà à quoi l'on assiste alors qu'on n'en a pas une parcelle à gaspiller.

Prends courage, cela ne peut durer et nous trouverons le moyen d'en sortir. J'ai bien hâte d'avoir de tes nouvelles. Je t'embrasse de tout cœur.

Gabrielle

⁂

Phoenix, le 9 janvier 197[1]

Mon cher Marcel,
Je commence à être inquiète d'être sans nouvelles de toi. Aucune lettre encore. Je n'ai pas non plus reçu les coupures de journal que tu m'annonçais au téléphone il y a plus d'une semaine. Que se passe-t-il ?

Est-ce que l'application de l'assurance-maladie s'améliore ? As-tu reçu quelque argent, au moins, du gouvernement ? Je suis inquiète au sujet de toutes ces choses.

La vague de froid dont nous avons senti les effets jusqu'ici semble enfin terminée. Pour moi, je n'en ai pas vraiment pâti car le ciel demeurait clair et lumineux, et c'est déjà beau. Ai reçu ce matin une bonne, longue lettre d'Alice qui a un vilain rhume. Un mot d'Adrienne qui est bien triste. J'ai surtout hâte d'avoir quelques nouvelles de toi. Je t'embrasse tendrement.

Gabrielle

⁂

[vers le 12 janvier 1971][1]

Cher Marcel,
Tout de suite après notre bonne conversation au téléphone, j'ai reçu ta lettre qui m'a fait bien plaisir et aussi la grande enveloppe contenant les coupures de journaux transmise par M.B. Devlin. Tout est donc bien. Il fait enfin très beau. Fernand nous emmènera probablement faire un petit voyage demain à Zyma, plus au sud. Ménage ta santé, tâche de te reposer et écris-moi. Je t'embrasse tendrement. Quelle pitié cette brouille entre S.[2] & Adrienne.

Gabrielle

*

Phoenix, le 14 janvier 1971

Cher Marcel,

J'ai enfin reçu ta bonne lettre du 1er janvier, et je ne peux comprendre qu'elle ait mis tout ce temps à me parvenir. Enfin, je suis rassurée et heureuse de constater que tu as passé une agréable soirée de Noël, de même qu'une belle journée de Noël. Cela me fait plaisir que tu aies renoué avec Jean Soucy, mais c'est une amitié à laquelle il faudra porter beaucoup de soins, car tous deux êtes des hypersensibles. À propos, as-tu parlé à Jean Soucy de tes grands cadres dorés ? Ne trouves-tu pas qu'il serait temps de songer à les vendre, moyennant un prix convenable, depuis le temps que nous en parlons. Tâche d'y voir au plus tôt, si ce n'est déjà fait. As-tu reçu de la part du Trust Général leur relevé de ce que te rapporteraient tes assurances en argent liquide si tu en disposais maintenant ? Si tu n'as pas entendu parler de cela, téléphone à Camilien Guay. Avant mon départ, il m'a dit qu'il était sur le point de t'envoyer des chiffres à ce sujet. Je pense qu'il serait sage de voir à ces choses-là au moins avant le renouvellement du bail pour notre appartement. Tu sais, je suis loin d'être rassurée sur le climat politique au Québec. Mon impression est qu'il s'envenime et empire, au contraire, à chaque heure. Ce n'est pas parce qu'on a traqué une petite bande de terroristes que le fond des choses va changer[1]. Je t'avoue que ce qui m'effraie peut-être autant, sinon plus que les activités anarchiques, c'est la montée d'un autoritarisme évident au Québec. Nous en avons eu de petits signes de toutes natures depuis quelque temps, mais surtout dans la répression de la grève des médecins spécialistes[2] et les agissements des bureaucrates à votre égard — ex. : S[ain]t-Michel-Archange —, trop de signes en effet pour douter que se prépare le règne des théoriciens et des technocrates. Nous aurons le choix — qui n'en sera pas un — entre être menés dans une socialisation à outrance [...][3]. De toute façon, je crois qu'il faut jeter du lest autant que possible afin d'être prêt pour un changement qui s'imposera peut-être avant longtemps, qu'on le veuille ou non. Ce qui me confirme dans cette opinion est une longue lettre de Joyce Marshall, que je viens de recevoir, dans laquelle elle analyse la situation au Québec avec beaucoup de jugement, en venant aux mêmes conclusions que moi. Donc, réponds-moi au sujet de tes assurances et tâche de vendre tes cadres — cela pour commencer.

Ma nièce Yvonne — mariée à un Américain, Harold Long, qui vient de se retirer à 55 ans, avec le grade de lieutenant-colonel — a eu mon adresse de son frère Bob à Vancouver et m'a écrit pour m'inviter à aller les voir[4]. Ils habitent tout près de San Antonio au Texas. Je lui ai retourné son invitation, lui disant de venir plutôt me rejoindre si elle avait vraiment le goût de me rejoindre. Je n'ai pas revu Yvonne — la fille aînée de Jos — depuis presque quarante ans. Elle m'a appelée au téléphone et s'est montrée très affectueuse. Il paraît que le mari s'est distingué d'une façon extraordinaire pendant la guerre et que ce grade de lieutenant-colonel dans l'armée américaine est très important. Voilà à peu près toutes mes nouvelles. Je constate que le froid règne au Canada, surtout à Winnipeg où le thermomètre s'est maintenu sous zéro pendant plus de deux semaines. Je t'avoue que pareil froid me paraît maintenant impossible à supporter. Quand on y a échappé une fois, on en a plus peur que jamais. Tâche de me répondre au plus tôt. Je t'embrasse tendrement.

Gabrielle

[*Ajouté en marge sur la première page :*] Aujourd'hui la température sera 65 à 67. C'est très agréable.

⁂

Phoenix, le 16 janvier 197[1]

Cher Marcel,
Je suis contente de t'avoir parlé au téléphone ce matin. Tout bien réfléchi, à moins qu'on nous offre un cinq-pièces tout à fait acceptable, il vaut peut-être mieux garder notre appartement pour un an encore. Cela nous donnera le temps de regarder un peu ailleurs, et surtout nous aurons quelque idée d'ici l'an prochain de la tournure des événements et de ce que te rapportera le medicare[1] en revenus. Tâche d'obtenir les meilleures conditions possibles avant de renouveler notre contrat, en faisant valoir que nous sommes là depuis longtemps, mais je pense bien que cela ne pèse guère auprès des propriétaires. De toute façon, les loyers sont chers partout à Québec, plus chers, dit-on, qu'à Montréal.

Il fait une chaleur de forge aujourd'hui, environ quatre-vingts, et comme cela est soudain, un saut de 12 à 14 degrés depuis deux jours, j'ai peine à penser. Ce n'est pas désagréable toutefois, le climat étant sec. Au fond, le soleil, le ciel, l'aspect un peu aride de la campagne me rappellent souvent la Grèce. La petite Yvonne — je ne sais pourquoi je l'appelle la petite Yvonne, elle qui a maintenant cinquante ans passés — m'a écrit qu'elle viendrait me voir pour quelques jours. C'est bien gentil de sa part. J'aurais presque mieux aimé pas, mais je ne peux faire autrement que de l'inviter lorsqu'elle le demande avec tant d'espoir.

As-tu du neuf à propos de Saint-Michel ? Ou l'affaire est-elle tout simplement tombée à l'eau ? Quelle horreur tout de même de se voir traité ainsi ! Jamais je ne pourrais pardonner à ces fonctionnaires la misère qu'ils t'ont fait endurer. Pas plus que je ne peux pardonner la grossièreté des gens à qui nous avons eu affaire dans nos démêlés avec la voirie à P.-Rivière. Et j'en ai peur, ces gens seront légion demain et vont avoir le bout du pavé pendant quelque temps. Enfin, espérons que bientôt nous pourrons trouver un petit coin de campagne pas cher où nous pourrons nous retirer, vivant de ce que nous avons, même si cela doit être modeste. J'aime mieux cela que la bataille insensée qui s'annonce contre les [*ajouté en marge :*] *ignorants. Je t'embrasse tendrement.*

Gabrielle

Au besoin, pour obtenir de meilleures conditions de prix avec les propriétaires du Château S[ain]t-Louis, tu peux aussi faire valoir que nous renoncerons à un ménage, peinture, etc., ce qui leur coûterait certainement au-delà de $500.00. Enfin, fais ce que tu peux et surtout ne te décourage pas. Quelque chose me dit que nous sommes à la veille d'arriver à un meilleur tournant.

Je t'embrasse affectueusement.

G.

N'oublie pas de rendre *Kamouraska* aux Madeleine. M.B.[2] ne l'avait même pas encore lu lorsqu'elle me l'a prêté.

⁕

Le 18 janvier 1971[1]

Cher Marcel,

Je viens de recevoir ta lettre et celle d'Anne Hébert[2]. Qui l'aurait cru : en lui écrivant un mot de louange sur *Kamouraska,* je l'ai profondément émue. Il est vrai, rien ne peut toucher un écrivain comme la louange venant d'un autre écrivain. Je comprends que le froid te fasse peur. C'est exactement ce qu'il me fait. Ici tu serais si bien. Aujourd'hui c'est environ 75. Je rentre d'une belle grande marche. J'ai presque honte de tant de bien-être alors que tu souffres au froid.

Ici on pourrait certainement vivre à assez bon compte, mais saurions-nous y pousser des racines afin de nous sentir pas trop dépaysés. À deux peut-être que oui. Après tout il faudra sans doute se faire une raison un jour ou l'autre : ou de vieillir dans les pays froids, ou au soleil, ce qui doit tout de même rendre les malaises de l'âge plus supportables.

Je suis navrée pour les mauvaises nouvelles à propos de l'enfant de Léon Carbotte[3]. Quelle pitié !

Ne te désole pas de n'avoir pas acheté un autre Jean Paul Lemieux. Les Madeleine, en un sens, sont mieux placées que toi pour acheter. D'abord c'est toi qui as de loin la plus belle collection comparée à la leur. Et puis, toutes deux auront — prochainement — une forte pension leur assurant la sécurité — ce que nous n'avons pas ni l'un ni l'autre. Avec *Pise* et le Jean Paul Lemieux dans ta chambre, tu possèdes, il me semble, quelques-unes des plus belles pièces de notre ami[4].

Je t'embrasse affectueusement.

Gabrielle

*

Phoenix, le 23 janvier 1971

Cher Marcel,
Je t'ai écrit moins souvent, ces jours derniers, je m'en aperçois tout à coup. J'espère que mes lettres ne t'ont pas trop manqué. J'ai été prise d'une sorte de paresse ou de fatigue peut-être due à trop de chaleur : 80 à 85 degrés, c'était trop pour moi. Et dire que pendant ce temps, toi, tu gelais.

Les choses se précipitent à ce que je vois : Beauchemin ayant décidé de refaire la composition de *Rue Deschambault,* encore un aria ! Mais il le faut apparemment, car les caractères sont trop usés. Puis les épreuves de *La Petite Poule d'Eau* arrivant enfin de France, mais remplies de fautes à ce que me dit Marc[1]. Il va se mettre à une première lecture et on verra pour le reste que faire. Sans doute que cela pourra attendre mon retour en mars.

La semaine prochaine, mardi peut-être, j'irai sans doute au Grand Canyon, par autobus. Il faut coucher une nuit. J'irai seule, car Fernand et Léontine ne sont pas intéressés et puis, de toute façon, j'aime mieux faire le voyage sans être distraite à tout moment par la conversation. Ensuite, Yvonne viendra passer quelques jours. Le temps passe vite malgré tout, et quoique tu me manques beaucoup. J'espère que tu ne te négliges pas, que tu prends tes repas à heures fixes et que tu te couches à une heure raisonnable. Rien ne pourrait me faire plus plaisir que de savoir que tu fais ce qu'il faut pour ménager ta santé.

Je t'embrasse affectueusement.

Gabrielle

*

Phoenix, le 25 j[anvier] 1971

Mon cher Marcel,

M. Saint-Germain vient de m'appeler pour me faire part de la fameuse nouvelle[1]. J'en suis presque atterrée. Sans doute que je reviendrai un peu avant mars. On me laisse libre de choisir la date de la réception, mais de toute façon, il va me falloir rentrer bientôt pour la correction des épreuves de *La Petite Poule d'Eau.* C'est trop compliqué à faire ici sans aide et surtout, les épreuves prennent un temps infini pour me parvenir. De Paris à Gilles Corbeil, de Corbeil en Arizona, c'est ridicule. De plus elles ne m'arrivent que par petites tranches, quarante pages à la fois. De quoi coupailler toutes mes vacances. Je ne ferai plus affaire avec Gilles Corbeil d'ici longtemps.

Donc, je pense revenir en février. Te dirai bientôt vers quelle date. C'est dommage car je me trouve à payer pour tout le mois. Par ailleurs j'aime autant revenir. Le ton un peu triste de ta dernière petite carte m'a pincé le cœur. Il ne faut pas tellement t'ennuyer. Je sais que c'est plus vite dit que fait. Moi-même j'ai eu des moments plutôt noirs. En ce moment j'ai un gros rhume, ce qui est plutôt curieux par un temps aussi beau. Peut-être que c'est à cause des extrêmes entre le jour, très chaud, et la soirée fraîche dès que le soleil est tombé. J'ai dû remettre mon petit voyage au Grand Canyon à cause de ce rhume. Ce serait bien diable que je ne puisse le faire.

Console-toi, prends courage, je serai de retour bientôt et tu verras, il y aura de meilleurs jours pour nous deux. N'envoie plus de revues : elles mettent trop de temps à m'arriver.

Je t'embrasse affectueusement.

Gabrielle

La vieille mère de Ronald Everson est morte enfin à près de 104 ans. Le pauvre en est tout chaviré. Trois membres de sa famille sont morts depuis un an.

*

Phoenix, le 26 janvier 1971

Cher Marcel,

Ne t'inquiète pas trop si je n'écris plus aussi souvent. D'abord, j'ai ce gros rhume. Puis, la nuit dernière, l'énervement d'avoir gagné ce prix si important m'a empêchée de dormir. Je reçois par tranches les épreuves de *La Petite Poule d'Eau* que je m'efforce de corriger, seule, au mieux. Marc Gagné s'est affolé pour rien. Il a pris au sérieux les petits défauts techniques — inégalités des espaces entre les lignes, etc. — pour des erreurs nous concernant, alors que ce sont des fautes sans importance qui sont automatiquement corrigées par les imprimeurs. Quand même, c'est un gros boulot que de revoir tout cela et j'en suis écœurée après tant de fois. Je te parlais hier de revenir vers le 15 ou le seize. Ce serait peut-être plus sage, si je le peux, d'attendre au moins une semaine plus tard, car si je reviens au grand froid je risque d'attraper un autre rhume. La réception au Parlement pourrait être remise au début de mars si je le souhaite, mais je devrai donner une réponse d'ici une semaine.

Ne t'inquiète donc pas si je n'écris pas beaucoup ces jours-ci. De toute façon mon retour se rapproche de jour en jour et n'est plus tellement loin. Si tu veux que je garde courage, tâche toi-même de ne pas te laisser abattre.

Je t'embrasse avec la plus vive tendresse.

Gabrielle

*

Phoenix, le 27 janvier 1971

Mon cher Marcel,
Il fait beau ici à ne pas le croire. Soixante-quinze degrés hier. Aujourd'hui on annonce 80. J'ai réussi à me trouver une robe blanche à peu près convenable, je pense, pour la réception. J'ai écrit à M. S[ain]t-Germain ce matin, lui demandant si la date pouvait être fixée le jeudi 4 mars. Au cas où la robe du soir serait de mise, veux-tu la sortir, ainsi que le grand manteau blanc, de ma valise de plaid dans ma garde-robe, et pendre les deux vêtements afin qu'ils se défroissent. Je ne sais pourquoi je les avais mis dans la valise. Si les circonstances le permettent, je resterais donc à Phoenix jusqu'à la semaine du 21 février, rentrant au cours de cette semaine-là, ce qui me donnerait le temps de bien guérir mon rhume et surtout de profiter de la belle chaleur, car il a fait froid ici aussi — enfin relativement froid — pendant quelques semaines.

Est-ce que tu prends des repas suffisants ? Et à heures fixes ? Voilà ce qui m'inquiète le plus, de penser que tu manges mal. Tâche de faire un effort. Ce ne sera plus tellement long avant que je rentre et alors nous reprendrons nos bons petits soupers à la bonne franquette.

Je t'embrasse tendrement.

Gabrielle

*

Phoenix, le 2 février 1971

Cher Marcel,
Ce sera ta fête dans une semaine. Je vais tâcher de t'atteindre au téléphone ce jour-là, mais au cas où je n'y parviendrais pas, je viens dès aujourd'hui t'offrir mes vœux les plus chaleureux, les plus tendres, pour un heureux anniversaire. Je te souhaite aussi un meilleur tournant dans tes affaires, dans ta vie et j'ai bien confiance que tu vas le trouver. Je regrette de n'être pas avec toi pour le jour de ta fête. En fait, j'ai hâte d'être de retour et si ce n'était du froid que je redoute, je reviendrais dès maintenant.

Mon rhume se passe, mais se complique d'une sorte de grippe intestinale, à moins que cela ne soit dû encore une fois à la nervosité qu'ont déclenchée les nouvelles du Prix et tout le reste. Je n'apprendrai donc jamais à ne pas m'en faire, pauvre petite nature.

Yvonne est arrivée hier par avion de San Antonio au Texas. Je m'attendais, Dieu sait pourquoi, à voir arriver une petite créature timorée, diminuée par la vie, de caractère un peu dolent, au lieu de quoi j'aperçus une très jolie femme, mise à ravir, très soignée de sa personne et pourtant simple, gaie, aimant la vie, rieuse ; enfin, le vrai portrait de sa mère, Julia, que j'ai tant aimée. Avec son mari, elle a fait toutes les garnisons du monde et a retenu d'aventures cocasses des souvenirs qu'elle raconte bien. Je crois qu'elle a été aussi contente de me retrouver que moi de la retrouver. Elle va habiter pendant les quelques jours de son séjour chez une vieille amie à elle à Sun City, ville de retraités à une dizaine de milles de Phoenix.

Si ce n'était des épreuves revues par Marc Gagné et qui n'arrivent toujours pas, j'irais peut-être y passer une journée. De toute façon, je verrai Yvonne une fois ou deux encore avant son départ.

J'ai très hâte de te revoir, de t'embrasser. De nouveau, bonne fête, mon chéri. Affectueusement,

Gabrielle

⁂

Phoenix, le 9 février 1971

Mon cher Marcel,
Ce matin, le jour de ta fête, je regrette de ne pouvoir t'appeler au téléphone tôt dès en me levant. Mais c'est déjà onze heures à Québec et tu es sans doute à l'hôpital. Je t'appellerai donc [cet] après-midi.

Je voudrais bien pour ta fête t'envoyer une journée d'ici, comme aujourd'hui par exemple, tout ensoleillée, pleine de chants d'oiseaux, du chant de l'oiseau moqueur en particulier, et aussi des lamentations des tourterelles, et un morceau de ciel parfaitement bleu comme en Grèce.

J'ai fichument hâte de te revoir. À l'avenir, il faudra s'arranger pour venir ensemble dans le Sud, au moins pour quelques semaines. Je t'avais acheté une chemise sport à manches longues pour ta fête, dans une boutique qui se spécialise dans les chemises pour hommes gros, grands, etc. Elle paraissait très belle. Quand j'ai ouvert le paquet, à la maison, j'ai découvert qu'elle était infiniment trop grande. Heureusement que j'ai pu ravoir mon argent, mais j'arrive les mains vides, ce qui me peine. D'autant plus que j'avais beaucoup cherché avec Léontine pour trouver enfin cette chemise sport à manches longues.

Aussitôt que j'aurai retenu ma place, je te ferai savoir le jour de mon arrivée, vers le 22 ou 23. Paul Painchaud et sa femme arrivent jeudi soir de Victoria, en auto, pour un court séjour. Il paraît qu'il est mieux. Je l'espère car s'il faut entendre ses habituelles plaintes, il ne me verra pas beaucoup. Enfin, je vais faire l'effort d'être aimable, car il n'y a pas meilleur cœur, au fond.

J'ai envoyé un télégramme de condoléances à Medjé et Adrienne[1], que faire d'autre. Comme cette histoire est tragique. Pourquoi aussi n'ont-elles pas fait voir cette malheureuse par un psychiatre, comme nous leur avons tellement recommandé.

Je t'assure que j'ai hâte que cette histoire du Prix David soit passée. Je dors mal et j'en tremble; moi qui avais eu tellement de misère à commencer à me passer un peu de mandrox et autres produits, me voici à leur merci comme jamais.

Je t'inclus une petite liste pour Juliette[2] de provisions qu'elle pourrait acheter la veille ou le jour de mon arrivée, afin que nous ayons de quoi nous faire quelques repas à la maison, sans courir au magasin.

Je t'embrasse de tout mon cœur. J'ai très hâte d'être de retour. Si ce n'était du froid et de la crainte d'attraper un autre rhume, je reviendrais plus tôt.

Gabrielle

P.S. Prescott, l'ancienne et première capitale de l'Arizona avant son entrée dans la Confédération, au temps où cette région n'était que territoire sous la juridiction du gouvernement des États-Unis, Prescott donc, que nous avons vue en passant, m'a paru une charmante petite ville. Elle possède un très joli musée, plein de choses des plus intéressantes à voir. Nous sommes aussi passés par la chaîne des montagnes de Sodona, dans leur genre aussi spectaculaires que le Grand Canyon. Au point de vue paysage, ce pays est vraiment extraordinaire. Rough, tough... je veux dire les gens. La Floride est tout de même plus policée.

Je t'embrasse de nouveau.

Gabrielle

⁂

Phoenix, le 12 février 1971

Cher Marcel,
Finalement, j'ai retenu ma place pour lundi, le 22, mais je te défends de sacrifier ton cours de céramique pour venir me chercher à l'aéroport. Il n'y a rien de plus simple que de prendre un taxi — qui a l'avantage d'être bien chaud — et de rentrer tout droit à l'appartement. J'attendrai ton retour de ton cours, si tu ne reviens pas trop tard, pour t'embrasser avant de me coucher. Je préfère rentrer lundi car autrement il m'aurait fallu retarder de quelques jours, et j'ai trop à faire à Québec, il vaut mieux que je rentre maintenant le plus tôt possible. Le reste de mes épreuves me sera sans doute envoyé là-bas et il faut aussi que je me prépare pour le 4 mars... quoique je n'aie eu encore aucune confirmation de cette date de la part de M. S[ain]t-Germain du Ministère des Affaires culturelles.

J'arriverai donc lundi soir à 9 h 40 à Québec, vol 381 — 9 h 40 ou 9 h 30, je ne [sais] pas trop au juste. De toute façon, je te donne ces précisions — non pour que tu viennes, je te le répète, j'aime vraiment autant rentrer seule et ça me ferait de la peine de te voir manquer ton cours — simplement par mesure de sécurité.

J'ai très hâte de te revoir. Je t'embrasse tendrement.

Gabrielle

Demande à Juliette qu'elle fasse les petits achats de provisions — la liste que je t'ai envoyée dans la dernière lettre — lundi après-midi, si possible, en s'en venant chez nous.

⁂

Phoenix, le 17 février 1971

Cher Marcel,
Je suis bien peinée d'apprendre que tu es grippé. J'espère que tu as réussi à couper ta grippe, peut-être. De nouveau, je te répète, ne viens pas à l'aéroport, c'est si facile pour moi de prendre un taxi. J'arrive d'ailleurs plus tôt que je ne te l'ai écrit dans ma lettre précédente. C'est à 9 h 20 par

le vol 386. Je te donne ces détails simplement par mesure de sécurité. Je pense qu'on devrait toujours le faire quand on voyage par avion, de manière à ce que l'on puisse aller vite aux renseignements si cela devient nécessaire.

N'oublie pas de faire acheter un peu de provisions, steak, etc., par Juliette.

Je t'embrasse affectueusement. J'ai très hâte de te revoir. Soigne-toi bien.

Gabrielle

[*Ajouté en marge :*] Pour toute autre invitation, dis que je n'accepte rien d'ici le 4 mars. Et sans doute après non plus car je n'ai pas encore terminé la correction des épreuves. Une dernière tranche m'arrivera probablement à Québec.

Saint-Pierre-Jolys
août 1971

Après la mort de Bernadette, Gabrielle Roy a entrepris de s'occuper de Clémence, sa sœur aînée atteinte d'une maladie mentale. En septembre 1970, elle s'est rendue une première fois au Manitoba, afin de voir à ce que Clémence soit bien logée et ne manque de rien. Clémence est alors pensionnaire à la Résidence Sainte-Thérèse, à Otterburne, un foyer tenu par les sœurs de la Providence. À l'été 1971, la romancière interrompt la rédaction de Cet été qui chantait *— qui sera achevé au mois de novembre suivant — pour se rendre de nouveau au Manitoba, où elle passe deux semaines auprès de Clémence. Elle y retrouve aussi sa belle-sœur Antonia, la veuve de Germain.*

Marcel, pendant ce temps, prépare un voyage en Europe. Il se rendra d'abord en France, puis en Allemagne, et enfin en Belgique, où il reverra des membres de sa famille.

[Saint-Pierre-Jolys,] le 20 août 1971[1]

Cher Marcel,
J'espère que tu as reçu ma première lettre sans retard. Je continue à m'occuper de Clémence. Grâce à Antonia, qui peut enfin conduire sa vieille auto sans trop de fatigue, à condition que ce ne soit pas en ville, j'ai à peu près habillé Clémence en neuf et vu à ses besoins les plus pressants. C'est inouï de constater comment les gens de cette pension sont loin de tout, abandonnés à eux-mêmes. Mais il ne semble pas y avoir encore un grand choix de pensions ou foyers pour gens âgés au Manitoba. Ou alors c'est à des prix fous. J'espère rentrer plus tôt que je ne pensais, s'il y a moyen. Est-ce un peu moins bruyant dans l'appartement ? Ici ce n'est pas non plus tout à fait calme, mais maintenant les nuits sont fraîches. Quelle décadence, cependant, dans la vie quotidienne, particulièrement des Canadiens français. On en a le cœur affreusement serré. Ce gouvernement-ci semble devenir bien tyrannique.

Dis bonjour aux Madeleine de ma part. À Alice et à Adrienne aussi. Explique-leur que je donne tout mon temps à Clémence et que lorsque je rentre des promenades que nous faisons ensemble, je suis claquée.

N'oublie pas de me préparer une liste, peut-être en double, des hôtels et villes où tu seras au cours de ton voyage. J'espère qu'il te profitera. Je t'embrasse de tout cœur. Antonia t'embrasse aussi.

Gabrielle

Ouest canadien
automne 1972

Comme lors des deux années précédentes, Gabrielle Roy se rend au Manitoba, auprès de Clémence, à la fin de l'été 1972. Elle revoit Léona, la sœur de Marcel, et son mari Arthur. Elle retrouve aussi sa belle-sœur Antonia, qui décide de l'accompagner dans un voyage que la romancière avait prévu de faire à Vancouver. Les deux femmes quittent le Manitoba en train vers le 20 septembre. En Colombie-Britannique, elles retrouvent Robert Roy — le fils de Joseph et Julia — et sa femme Brenda. Elles visitent Vancouver et ses environs, et passent ensuite quelques jours dans un cottage qu'elles ont loué à White Rock, à une cinquantaine de kilomètres de Vancouver. Gabrielle Roy rentrera à Québec à la mi-octobre.

Marcel Carbotte, pendant ce temps, est demeuré à Québec.

[Winnipeg,] le 4 septembre 1972[1]

Mon cher Marcel,

Notre bonne sœur Berthe nous a amené Clémence à Winnipeg où elle séjourne depuis chez Antonia[2]. Je l'ai amenée moi-même chez Eaton et je t'assure qu'une tournée de magasins avec Clémence, c'est une expérience peu banale. Tout va assez bien : je la trouve presque en meilleur état que l'été précédent. Toutefois j'ai attrapé moi-même un vilain rhume dès en arrivant, à cause, j'imagine, des changements trop brusques de température. Grâce aux bed-caps[3], je commence à m'en défaire. Antonia est presque décidée à m'accompagner à Vancouver et, si elle se décide et si nous pouvons obtenir des billets pour la semaine prochaine par train, nous partirions sans doute vers le 14 ou 15 ; c'est une bonne chose qu'Antonia soit d'attaque, car après mes courses fatigantes avec Clémence et ce rhume j'étais presque en train de renoncer au projet Vancouver. En faisant une promenade avec Clémence, samedi, nous sommes passées, sœur Berthe, Antonia et moi-même, par chez les Allard qui avaient avec eux leur fils Beaudoin, théologien diplômé de l'Université de Louvain et qui doit s'établir à Hull comme conseiller spécial, je crois, de l'archevêque de Hull. Juste le temps de saluer la famille et nous avons continué jusqu'au lac Manitoba par un trail à eux qu'ils nous ont indiqué à l'aide d'une carte maison. Nous sommes arrivées sur une des plus belles plages du monde, à une dizaine de milles de Saint-Laurent, où nous avons fait un pique-nique. La pauvre petite Clémence était aux anges. Hier nous avons fait la visite du cimetière, de nos morts et de la cathédrale restaurée, que je trouve assez bien réussie, ma foi. Dans un ou deux jours, j'irai faire une visite à Léona et à ta mère.

J'espère que tout va bien à la maison et que le temps ne te paraît pas trop long.

Je t'embrasse affectueusement.

Gabrielle

*

[Winnipeg,] le 8 septembre 1972

Cher Marcel,
J'ai fait une visite hier soir à Léona que j'ai trouvée très bien. Ta mère, quoique un peu maigre et taciturne, m'a l'air tout de même assez bien physiquement. C'est le moral chez elle qui semble un peu bas. Pourtant, tous autour d'elle paraissent la choyer et s'ingénier à lui rendre la vie douce autant que possible. Guy a été charmant et a tenu à me présenter son plus cher ami de l'heure, le jeune Denis Lavoie, fils du docteur Lavoie. Tous deux ont réussi à dénicher des exemplaires de *La Petite Poule d'Eau* pour me les faire signer et, j'imagine, les exhiber ce matin au collège. Moi qui espérais passer inaperçue !

Antonia et moi partons jeudi le 14 pour Vancouver par C.P.R. et serons à Coquitlam [*ajouté en surcharge :*] *samedi le 16* près de chez Bob pour quelques jours. S'il surgissait quelque chose d'important, tu pourrais toujours m'atteindre par Bob dont voici l'adresse et le numéro de téléphone :

M. Robert Roy
1500 Eden avenue
Coquitlam
B.C.
Tel. : 1+604+936+2967

Nous irons sans doute explorer quelque peu Victoria et j'espère y trouver un lieu de repos où je pourrai me remettre du surmenage du séjour à Winnipeg, avec les préoccupations au sujet de Clémence et les suites d'un gros rhume. Heureusement, Antonia est un bon soutien et d'un moral toujours gai.

J'espère que tout va bien à la maison. As-tu pu retourner à Petite-Rivière au cours de la fin de semaine de la Fête du travail ? On nous promet un beau mois de septembre et ce doit être beau là-bas en ce moment. En fait, P.-R. reste un des plus merveilleux coins du monde que je connaisse. Quel dommage que nos hivers soient si rigoureux ! Comment va ta santé ? J'ai reçu un mot d'Alice, fidèle épistolière s'il en est une. Dis bonjour aux amis de ma part. Le chat de Léona est une merveille, mais le chien Marquis, quel caractère ! T'embrasse affectueusement.

Gabrielle

*

Le 13 septembre 1972
a/s M. Robert Roy
1500 Eden avenue
Coquitlam, B.C.
1+604+936+2967

Cher Marcel,
Je suis un peu déçue et un peu inquiète de n'avoir pas reçu même un petit mot de toi durant mon séjour de deux semaines à Winnipeg. J'espère que j'en aurai un dès mon arrivée à Vancouver. Bob nous a retenu deux chambres assez près de chez lui où nous passerons quelques jours en attendant que je trouve mieux, à moins que son choix soit aussi agréable que je le désire. J'ai traîné ma grippe presque tout ce temps en dépit des antibiotiques pris au début et du temps en général fort beau, quoique un peu humide peut-être. Ça doit être ma sinusite qui s'aggrave tout le temps. J'ai eu le bonheur de retourner voir Clémence samedi, puis dimanche encore avec la chère sœur Berthe Valcourt qui est venue exprès de S[ain]t-Jean-Baptiste pour m'offrir son temps, son auto et son appui moral sans pareil. Nous avons fait bien des démarches, Antonia et moi, pour voir s'il n'y aurait pas moyen de placer Clémence dans un endroit plus vivant, où il y aurait plus pour la distraire. Cela paraît impossible pour l'instant. Ce gouvernement de l'heure, même s'il construit beaucoup, me semble tourner à la dictature. Des êtres comme Clémence ne sont plus que des numéros. Malgré tout il y a bien des avantages à Otterburne, ne serait-ce que la faible distance entre ce village et Saint-Jean-Baptiste. Ainsi, sœur Berthe me promet d'aller lui rendre visite au moins une fois par mois. C'est cent fois, mille fois plus qu'en

fait le reste de la parenté, Léa, Éliane[1] et les autres, pour qui maman a pourtant eu tant de bonté. Hors sœur Berthe et Antonia, je vois que je ne peux compter sur personne ici. Il est vrai que Clémence n'est pas facile. Pour l'heure, elle est cependant assez docile et plutôt gaie. En tout cas, sœur Berthe et Antonia l'aiment bien. Nous partons jeudi soir, demain, pour arriver samedi matin, le 16, à Coquitlam.

Je t'embrasse affectueusement.

Gabrielle

*

Le 23 septembre 1972[1]

Mon cher Marcel,
J'ai reçu hier, enfin, ta lettre du 18 septembre que tu as dû tarder à mettre à la poste. Je regrette que tu aies eu tant de misère à me rejoindre au téléphone. En général, j'étais pourtant tous les soirs chez Antonia à l'heure du souper et à partir de 8 h 30-9 h 00 dans ma chambre. Nous avons joué de malchance, c'est tout. Ici, depuis notre arrivée, nous n'avons eu que deux jours de soleil. Est-ce habituel pour la côte en cette saison ? Je ne sais, mais en tout cas, c'est très décevant comme climat. Nous avons été passer deux jour[née]s à Victoria, une mi-ensoleillée, une mi-orageuse, avec une bruine l'après-midi. Le climat de la Bretagne almost ! et presque la même végétation, d'ailleurs. Nul doute la ville de Victoria et les alentours, le petit port, les parcs, quelques-uns laissés à l'état sauvage comme les « commons » de Londres, tout cela crée une atmosphère très charmante, en autant qu'il fait assez beau, mais je pense que nous ne trouverions pas là le climat qui nous convient. Bob et Brenda sont exquis. Ils font tout leur possible pour nous rendre notre séjour agréable. Ils nous ont fait faire un grand tour de Vancouver, ville immense... dans un beau site, mais plutôt laide en dehors des beaux quartiers, comme toutes les villes canadiennes en somme. Le petit Bob est un enfant délicieux. Ce n'est pas étonnant que Rodolphe[2] ait eu tant d'affection pour lui. Il a des manières adorables.

Je suis contente d'apprendre que Léona va te rendre visite. Elle m'avait parlé de cette possibilité et je l'avais fortement encouragée à aller te voir, surtout lorsqu'elle me confia que t'ayant téléphoné au mois de juin, elle avait eu l'impression que tu étais terriblement déprimé. Car j'ai vu alors qu'elle se tracassait beaucoup à ton sujet. J'espère donc que sa visite te réconfortera et lui fera à elle aussi du bien.

Pour ma part, ce voyage me change les idées, mais il n'est guère reposant. À Winnipeg, le souci que me donne Clémence m'accablait. Ici, le climat est mou et je traîne un peu les pieds. Bob nous cherche quelque chose au bord de la mer, et j'accepterai peut-être d'y passer une semaine si le temps devient meilleur.

Je te téléphonerai un après-midi de semaine à ton bureau, car c'est le seul endroit où je puisse être sûre de t'atteindre. En principe, nous resterons à cet hôtel quelque temps encore. Mais il ne faut pas oublier, si tu devais me téléphoner, que c'est trois heures plus tôt ici qu'à Québec. Merci de m'avoir envoyé les lettres de Jeanne Klein. Elle me confirme dans le sentiment que j'ai depuis longtemps que toute la famille Bougearel est en train de sombrer. Quelle tristesse ! Je souhaiterais tellement une éclaircie de bonheur dans leur vie. Pour l'amour du ciel, laisse tomber un peu de besogne. C'est plus important de ménager ta santé que de faire tout l'argent du monde. L'argent, il est rare qu'on ne puisse s'en procurer au moins assez pour bien vivre, mais la santé, quand on l'a perdue, il n'y a plus rien à faire. Et l'épuisement nerveux est tout aussi irréparable. Tâche donc de diminuer un peu tes heures de bureau, je t'en prie, je t'assure [que] cela vaudra mieux pour toi en fin de compte. J'ai envoyé une carte aux Madeleine. À Petite-Rivière, Berthe m'écrit qu'elle, Jean-Noël et Aimé[3] ont accompli le travail que je leur ai demandé. Tu devrais aller jeter un coup d'œil pour t'assurer que c'est bien fait.

Des amitiés à nos amis. Antonia, Bob et Brenda t'envoient mille bonnes choses.

Je t'embrasse.

Gabrielle

Tu recevras sûrement une invitation pour le lancement de mon livre[4]. Moi, je ne veux pas y venir, comme je l'ai d'ailleurs clairement exprimé dès le début. Mais je serais heureuse, puisque ce lancement se fera — contre mon désir — que toi au moins y sois.

Je t'embrasse de nouveau.

Gabrielle

*

Le 25 septembre 1972

Mon cher Marcel,
Le soleil luit enfin sur la ville, et je la trouve infiniment plus agréable. Hier, Bob & Brenda m'ont emmenée faire un tour dans la vallée de la rivière Fraser et nous avons eu quelque aperçu des grandioses montagnes. À Hope, une petite ville encerclée par les monts, j'ai trouvé l'air revigorant, mais j'ai ressenti la même impression qu'en Suisse lorsque nous étions montés dans la haute montagne : celle de me trouver enfermée. Je ne suis pas faite, c'est sûr, pour un pays de montagnes. Bob, malheureusement, est assez occupé, car il a accepté d'organiser la campagne électorale de Marc Rose, le député N.P.D. de cette circonscription à Ottawa[1]. Antonia est partie pour deux jours à White Rock, à 30 milles environ de Vancouver, chez une amie de longue date, avec qui elle enseignait naguère, une certaine Irène Guilbert, qui a épousé un Français, de Leach — une espèce de bon à rien, selon Tonia. Mais Irène est fort gentille. C'est avec elle que nous avons fait le court voyage à Victoria. J'hésite à y retourner. Si nous avions quelque assurance que le temps resterait au beau, je serais peut-être tentée d'y retourner pour une semaine. Nous avons loué ici, pas trop loin de chez Bob, un petit appartement avec kitchenette, au prix de $18.00 par jour, et nous nous faisons la plupart de nos repas. J'espère que ton programme est un peu moins chargé maintenant. Mais les temps ne sont guère propices, n'est-ce pas, à une vie quelque peu reposante. Je te la souhaiterais pourtant de si grand cœur.

Je t'écrirai de nouveau sous peu. D'ici là, je t'embrasse et espère que le temps ne te pèse pas trop.

Gabrielle

*

White Rock, le 27 septembre 1972

Cher Marcel,
Hier, l'amie d'Antonia, Irène de Leach, nous a trouvé un gentil cottage ici, à White Rock, non loin de chez elle, près de la mer. C'était ce que j'espérais, pour me reposer, avant de revenir. L'air est plus vif, c'est une

petite ville à 30 milles seulement de Vancouver. Brenda et une amie sont venues nous conduire hier soir. Il semble qu'il y a de jolies promenades à faire le long de la mer et dans la petite ville, mais dans la ville, c'est en pente, monte, descend... Je tâcherai de t'appeler d'ici peu, aujourd'hui s'il y a moyen. Nous n'avons pas de téléphone dans le cottage, mais je pourrai sans doute t'appeler du bureau. Je te donne le numéro, le propriétaire m'ayant dit qu'il viendrait me chercher pour un appel téléphonique. C'est 604-536-9966. L'adresse est la suivante :

Ideal Motel
158699 Pacific avenue
White Rock
B.C.

J'ai reçu hier, frais de l'imprimerie, un premier exemplaire de *Cet été qui chantait...* Je me demande bien quelle impression créera ce livre. Je n'en ai vraiment aucune idée[1]. Antonia me prie de te transmettre ses amitiés. J'ai rencontré à Vancouver une certaine Arcand, Yvonne ou autre chose, je ne me rappelle plus, qui dit te connaître. Elle aurait été étudiante garde-malade à S[ain]t-Boniface pendant que tu étais médecin résident. En tout cas, elle garde de toi un souvenir flatteur. Elle se trouve être une cousine de Bob, sa mère étant une Marquis, sœur de Julia, la femme de Jos.

J'espère que nous trouverons ici paix et détente. Je t'embrasse affectueusement et espère avoir bientôt de tes nouvelles.

Gabrielle

Dis aux Madeleine que je leur écrirai bientôt, qu'en attendant je leur envoie bien des choses.

*

White Rock, le 5 octobre 1972

Cher Marcel,

J'ai réservé une place par avion pour samedi le 14 et j'arriverai à Montréal, par le vol sans escale de Vancouver, à 10 h 00 p.m. Je prendrai le dernier avion pour Québec à 10 h 50 et arriverai à Québec à 11 h 40 p.m. [*ajouté en surcharge :*] *vol 556.* C'est bien tard, mais je ne peux faire autrement à moins de coucher à Montréal. Si toutefois il fait beau et que tu as envie d'aller passer la journée à Petite-Rivière, ne te gêne pas. Je prendrai un taxi pour rentrer à la maison.

Au lancement, s'il y a lieu, ou avant, ne dis pas que j'arriverai bientôt. Reste dans le vague et dis que tu m'attends dans une semaine ou deux. Je m'arrangerai ensuite avec nos amis. Depuis quelques jours, enfin, il fait très beau, et cette petite ville de White Rock, bâtie au bord de la mer, comme un San Francisco miniature, devient très plaisante. Elle est presque sur la frontière des États-Unis. À mon goût, c'est aussi agréable que Victoria comme climat et atmosphère.

J'avais pensé m'arrêter au Manitoba encore une fois au retour pour revoir Clémence, mais c'est tellement compliqué d'aller à Otterburne, il me faut toujours compter sur quelqu'un ; de toute façon ce ne serait que pour la voir une fois, alors finalement j'ai pensé filer tout droit et ne pas perdre le bienfait des quelques jours de vrai repos que j'ai eus à la fin seulement de mon séjour dans l'Ouest.

J'ai bien hâte de te revoir. N'oublie pas : ne lâche rien sur la date de mon retour.

Je t'embrasse. Antonia t'envoie mille choses. Elle est vraiment une très bonne compagne de voyage et j'aime beaucoup ses amies Irène et Cécile Guilbert. Une autre sœur, Rita, doit venir en visite dans quelques jours. Affectueusement,

Gabrielle

[*Ajouté en marge sur la première page :*] Demande à Juliette d'acheter du steak haché pour dimanche, du pain et du lait écrémé, s.v.p.

Tourrettes-sur-Loup
hiver 1972-1973

Répondant à l'invitation de Suzanne Boland, une artiste belge qui envoie depuis quelque trois ans à Gabrielle Roy des lettres disant toute l'admiration qu'elle a pour elle, la romancière s'envole à destination de la Provence, plus précisément à Tourrettes-sur-Loup, le village où Suzanne passe l'hiver avec sa famille. Elle y loue un petit appartement, plutôt rudimentaire, et passe la plus grande partie de son temps à faire des courses au village.

Ce serait au cours de ce voyage que Gabrielle Roy aurait écrit la nouvelle « Le printemps revint à Volhyn », qui deviendra, quelques années plus tard, la nouvelle éponyme du recueil Un jardin au bout du monde *(Montréal, Beauchemin, 1975).*

Marcel ira pour sa part passer le temps des fêtes au Manitoba, auprès de sa famille.

Tourrettes-s[ur]-Loup, le 11 décembre 1972

Cher Marcel,

Je suis arrivée enfin à destination après des péripéties incroyables. Au long du voyage, tout a accroché. Ma valise a été égarée en route. Je ne l'ai reçue que le lendemain. Air France avait envoyé un télégramme pour moi à Josette et à son mari qui les avait complètement embrouillés. Ils n'étaient pas à Nice à mon arrivée. Après quatre heures d'attente, je suis partie de Nice en taxi. À Tourrettes, le chauffeur et moi avons cherché pendant une heure dans de petites rues moyenâgeuses à peine éclairées la maison de la-dame-qui-peint : il n'y a pas de numéro aux maisons et bien souvent pas même de noms de rues. Nous butions sur des pierres partout : des marches dans la pierre s'écrasaient. Ça sentait l'urine à plein nez. Enfin nous avons trouvé Rémy et Josette — Suzanne étant à Bruges. Une journée de fous. Alors nous sommes repartis, Rémy, Josette et moi, à travers d'autres ruelles obscures chercher mon logis. Je me suis couchée la mort dans l'âme. Mais, au réveil, hier matin, j'ai aperçu par les portes-fenêtres un paysage de rêve. L'appartement, peut-être un peu difficile à chauffer, est agréable. Je commence à apprendre mon chemin dans le dédale des petites rues tournantes. Ça me prend tout mon temps rien que pour faire mes emplettes, faire mes repas et retourner me chercher autre chose à manger. Josette et son mari sont bien obligeants. Je t'en raconterai plus dans ma prochaine lettre. Je suis encore tout ahurie. À Montréal, l'avion pour Paris avait trois heures de retard. J'ai raté la communication avec Nice. C'est ainsi qu'il n'y avait personne à mon arrivée. Si un mauvais départ assure le succès de la fin, celle-ci devrait être bien bonne.

Partage mes amitiés avec nos amis.
Je t'embrasse tendrement.

Gabrielle

Mon adresse :
Chez Mme Lockyer
Grand'rue
Tourrettes s/Loup
a.m.

*

Tourrettes-sur-Loup, le 14 décembre 1972

Cher Marcel,
Je suis encore si éberluée et fatiguée aussi de ce voyage harassant que j'ai peine à rassembler mes esprits. D'abord Suzanne Boland n'est toujours pas de retour. C'est sa sœur Josette et le mari, Rémy, qui s'occupent quelque peu de moi, mais comme ils sont très pris de leur côté, elle à soigner son vieux père de quatre-vingts ans qui loge en haut de chez eux, aussi les enfants de sa sœur qui viennent prendre le repas du midi chez elle — la sœur habitant en permanence plus haut dans la montagne —, également le gros chien de Suzanne, ils ont peu de temps de reste. Je dois apprendre à me débrouiller seule avec un chauffage au gaz et le ravitaillage en grosses bonbonnes (l'électricité étant loin de suffire à chauffer la maison), avec un w.-c. qui marche mal, et je t'en passe ! Le site est admirable, mais on est loin du confort auquel on est habitué. À deux, avec une voiture pour les courses, on s'en tirerait sans doute. Josette et son mari ne font que cela — s'en tirer —, y travaillant à journée longue. De plus le coût de la vie est inimaginable ; surtout le petit luxe de chez nous coûte les yeux de la tête : une petite boîte de Kleenex environ soixante cents ; de même pour du papier hygiénique qui ne soit pas aussi rude que du papier sablé. Le steak est à un prix fou, plus cher encore que chez nous. Il semble que j'ai eu une chance inespérée d'obtenir la maison que j'ai à ce prix : 400 francs par mois. Mais cela ne comprend pas le chauffage, qui va coûter cher, tout en m'occasionnant bien des ennuis. Je suis peut-être portée à voir en sombre, tout ayant accroché depuis mon arrivée. J'ai tout de même récupéré ma valise, mais cela a occasionné un

autre voyage à Nice. De plus, nous y sommes retournés une fois encore hier pour découvrir un nettoyeur à sec qui voulait bien consentir à essayer de détacher mon costume pied-de-poule sur lequel j'ai reçu toute une tasse de café à bord de l'avion. Je n'ai pas une grande affection pour Air France, je t'assure. À part cela, il y a des bons points, entre autres la gentillesse de quelques-uns encore qui compense pour la grogne habituelle de ceux qui ne peuvent perdre une occasion de nous rabrouer ou de nous faire la leçon. Je vais quand même passer un mois ici, et si cela va vraiment trop mal je rejoindrai Jeanne Klein à Menton. D'ici là, j'aurai peut-être appris à la rude école à laquelle je suis soumise.

Et toi-même ? Vas-tu assez bien ? J'espère que cette lettre te parviendra avant ton départ pour le Manitoba. Du moins le temps est encore assez doux le jour à Tourrettes. C'est moins chaud toutefois qu'à Nice.

Je te souhaite un joyeux Noël, à toi et aux tiens. De même une bonne et heureuse année. Je regrette de n'avoir pas le temps de t'envoyer un souvenir de Tourrettes qui t'arriverait pour les fêtes. Ma pensée du moins va vers toi, pleine de sollicitude et d'affection.

Je t'embrasse tendrement.

Gabrielle

Chez Mme Lockyer
Grand-rue
Tourette s/Loup
06-490

*

Tourrettes-sur-Loup, le 26 décembre 1972

Cher Marcel,
Je n'ai reçu ton télégramme que ce matin, le lendemain de Noël. Il ne faut pas s'en étonner. Ici, à quelque quarante milles de Nice, on vit encore un peu comme au Moyen Âge. Ça me prend ma journée entière pour aller au ravitaillement : pain, viande, papier, gaz à brûler et maintenant pétrole plutôt, car hier, venues me faire une petite visite, Suzanne et Josette ont détecté une odeur de butane. La chaufferette avait une fuite, dont je ne m'étais pas aperçue. Grand émoi. Si je m'étais couchée sans éteindre cette chaufferette, j'aurais pu ne jamais me réveiller. Une mort

bien douce en somme ! Résultat : nous avons déniché un autre genre de chauffage à une sorte d'huile appelée Kerdane. Ça ne chauffe pas trop mal, mais consomme beaucoup. Il semble que je devrai aller au ravitaillement tous les deux jours en prévoyant qu'un tel ferme boutique ce jour-ci, un autre, le lendemain. Je te dis qu'il faut se délurer vite pour survivre ici. Je pense honnêtement que nous avons passé l'âge de pareils tours de force et que nous avons besoin de plus de confort. Or, le véritable confort, tel qu'on y est habitué, coûte par ici les yeux de la tête. J'ai dépensé trois cents dollars en deux semaines et je ne sais pas trop en quoi. Le plus beau de mon séjour jusqu'ici, ce fut la messe de Noël, messe du jour chantée moitié en latin, moitié en français. Une pauvresse près de moi, emmitouflée en ses vieux châles, chantait avec une pure voix toute jeune, aussi bien toute la partie en latin de la messe que les vieux Noëls français. J'en étais émue profondément. Comparé à nos messes traînantes, ennuyeuses, c'était une apothéose d'allégresse et de foi.

Vu les circonstances et ne sachant si je pourrai rester ici bien longtemps, je crois qu'il vaut mieux que tu ne m'y fasses pas parvenir mon courrier.

Pour l'instant en tout cas. Si je me décide à rejoindre Jeanne Klein, je te le ferai savoir au plus tôt. D'ici là, toi, écris-moi cependant et au plus vite. Je n'ai rien reçu du Canada à ce jour qu'une lettre d'Alice — il faut donner cela à Alice, elle est d'une fidélité épistolaire exemplaire — et ton télégramme. J'ai passé une journée de Noël plutôt triste, la tribu Boland-Clercx, avec leur visite venue de Belgique, étant déjà débordée, car ils vivent tous, Suzanne, sa sœur, le vieux père, ensemble dans une espèce de caverne à étages comme des troglodytes, fort à l'étroit, une autre sœur mariée habitant dans la montagne. Josette est un peu étrange, ayant fait de la clinique à plusieurs reprises, le mari Rémy assez étrange aussi. Je suis tombée dans un clan bizarre.

N'oublie pas d'expédier tes lettres par courrier aérien. Mets un timbre de quinze cents. Même ainsi le courrier est d'une lenteur décourageante. Donne-moi des nouvelles. J'ai l'impression non seulement d'être au bout du monde, mais d'avoir reculé dans le temps, trois ou quatre siècles en arrière, comme dans cette histoire à la télévision. Dans ma rue en coupe-gorge, à peine éclairée, en y revenant le soir, mes pas résonnant sur la pierre, j'ai le sentiment qu'un meurtrier peut surgir de chaque embrasure sombre. Mais ce qui en sort par-ci par-là, c'est des hippies aux cheveux longs ou quelque vieille folle anglaise.

J'espère que tu as fait un bon voyage au Manitoba et que tu as trouvé ta mère en assez bonne santé.

Affectueusement,

Gabrielle

*

Tourrettes, le 29 décembre 1972

Mon cher Marcel,
Je m'acclimate un tout petit peu mieux, c'est-à-dire que, aiguillonnée par la nécessité, j'apprends à mieux me défendre et m'organiser. J'ai à peu près chaud maintenant et si le soleil revient, car il fait gris depuis deux jours, je n'en demanderai pas beaucoup plus. De toute façon, je n'ai pas encore de réponse de Jeanne Klein. Peut-être que tout est plein dans son hôtel pour les vacances des fêtes. J'attendrai donc encore une semaine ou deux avant de quitter Tourrettes, qui sait! Peut-être un peu plus longtemps, s'il faisait vraiment très beau! De toute façon, je peux m'entendre avec la poste ou avec Suzanne Boland pour faire suivre mon courrier. J'ai hâte d'avoir de tes nouvelles. Je n'irai jamais si loin que l'on ne puisse au moins se rejoindre par téléphone. Et ici, ce serait quasi impossible. Il faudrait attendre son tour des heures, appeler d'un téléphone public au P.T.T. Un aria du diable! Les Boland et Clercx m'ont tout de même invitée à partager le repas de la veille du Jour de l'An avec eux dans un petit restaurant d'ici. J'ai bien peur que ce soit une tambouille fort indigeste. Je ne les trouve pas très cordiaux; peut-être est-ce tout simplement une incapacité chez eux d'extériorisation. Alice m'a envoyé une coupure du *Soleil* contenant des reproches envers Constantineau[1]. Il était temps que se manifeste tout de même une certaine réaction. As-tu fait bon voyage? Ici, le courrier est lent à mourir, par chez nous aussi j'imagine, en sorte que cela traîne sans bon sens. Malgré tout, mon séjour jusqu'ici à Tourrettes m'a fait quelque bien, car l'air est pur au moins. Mais, au fond, quoique peu éloigné de Nice, Grasse et Vence, cela demeure, pour qui n'a pas d'auto, un petit trou encore assez primitif. On s'en tire, mais au prix de quel effort!

Je te renouvelle tous mes vœux de bonne année et t'embrasse bien fort.

Gabrielle

Je reçois à l'instant ta première lettre, datée du 17 — tu vois comme le courrier est lent ! — incluant la coupure de la *Gazette*[2]. Merci de me l'avoir envoyée. Cela répare quelque peu les insultes reçues. Tu n'as pas idée comme c'est réconfortant de voir rétabli par des lettres le pont de communication de Québec à Tourrettes. Peut-être que cette avalanche de difficultés et de malchance qui s'est abattue sur moi depuis mon départ, une tuile chaque jour sans manquer, est à la veille de cesser. J'en serais bien heureuse. Pour l'instant, je me sens beaucoup moins abattue, et, quoique les Boland-Clercx ne soient pas très communicatifs, je pense qu'à leur manière ils m'aiment. Mais il y a un monde, je le vois maintenant, entre l'Europe et nous.

T'embrasse de nouveau.

Gabrielle

Il a neigé sur les montagnes tout autour et, pour la première fois depuis mon arrivée à Tourrettes, ce matin, je me suis mise à éternuer. Ma sinusite proviendrait donc en bonne partie de l'humidité. Comment astu trouvé tous les tiens ?

[*Ajouté en marge sur la première page :*] Mes amitiés aux Madeleine, à Simone, à Adrienne.

✳

Tourrettes-sur-Loup, le 1er janvier 1973

Mon cher Marcel,

Bonne et heureuse année ! Une bonne santé surtout ! Je tiens à t'écrire mes souhaits tout de suite en me levant ce matin. J'ai réveillonné — c'est-à-dire soupé vers les neuf heures et veillé jusqu'à un peu passé minuit — avec Suzanne Boland, les Clercx, et un frère de Rémy venant de Liège avec sa femme et sa fille. Ces derniers, plus expansifs que Rémy, m'ont plu. Nous avons soupé dans ce qu[i] est pour ainsi dire le seul restaurant à prix abordable du village, le *Burger Bistro,* un petit restaurant tenu par des hippies américains. Une seule, immense table, occupe la salle. Nous étions assis autour : des Américains, une autre Canadienne, une Turque, une Algérienne, des Italiens, des Belges, une vraie société des Nations. Le restaurateur joue aussi du piano et a exécuté principalement des airs de jazz 1920-5, en sorte que l'atmosphère était très curieuse, un peu folle, la bohème d'antan ressuscitée au milieu de la bohème d'aujourd'hui. Les Clercx et Suzanne Boland gagnent à être connus mais quelles gens compliqués tout de même! Ils sont toujours pris dans un nœud inextricable, les deux sœurs ayant été plusieurs fois amoureuses du même homme et cette fois-ci encore du mari de Josette qui, lui, est un peu comme le coq en pâte, et tous sont plus possessifs les uns des autres que personne à ma connaissance. Hier soir, grâce au frère de Rémy, l'atmosphère était plus détendue.

Je pense que je devrai abandonner l'espoir d'aller rejoindre Jeanne Klein à Menton, à moins d'un miracle. Dans son hôtel, il n'y a rien jusqu'à la fin de février, et ailleurs pas grand-chose. Menton est très recherché parce que [c'est] l'endroit de la côte nettement le plus chaud. Néanmoins, il pleut et fait gris et froid depuis cinq jours. C'est assez désolant. Je pense rester jusque vers la fin du mois de janvier, pas beaucoup plus tard, ou peut-être rentrer au début de février. Tu n'aimerais pas ça ici : c'est un nid de hippies, d'étranges fous échappés de tous les coins du monde et si le village est beau et restauré avec goût, le confort y est rudimentaire. De plus, ce n'est vraiment pas chaud du tout. Je suis parvenue à réchauffer l'appartement, c'est-à-dire la pièce du bas, en condamnant pour ainsi dire tout le jour la prise du haut où la chaleur se perdait sans profit. Mais je dois éteindre mon chauffage au gaz la nuit, car il y a toujours possibilité d'une fuite, l'appareil étant défectueux. En sorte que le matin, je me tire à peu près d'affaires maintenant, ayant été à la rude école de la nécessité. Je trouve les gens du pays, du moins ceux à qui on s'adresse journellement, les commerçants, bourrus, énervés et agressifs. Tu disais que je m'étais fait cette opinion à Draguignan à cause des malheurs des Bougearel qui m'affectaient tellement, mais je comprends maintenant qu'il n'en était rien, que j'ai vu juste alors. Les Français sont devenus insupportables. Bien entendu, quand on les rencontre dans l'intimité de leur vie, quantité d'entre eux sont affables, serviables et raffinés. Mais dans le train-train ordinaire, ils ne perdent pas une occasion de t'envoyer une impertinence. Je perds à jamais mes illusions sur ce pays, la Provence en tout cas, et je pense bien que les tiennes ne tiendraient pas plus de quelques jours. Finalement, je pense que la Floride est bien plus indiquée pour des gens comme nous et que ses grandes plages de sable blanc et ferme forment un attrait qui compense pour certains désavantages. L'ennui ! Rémy Clercx me disait hier soir qu'il périt d'ennui ici, après une vie super-active à tâcher de se distraire ; un peu de natation à

Nice, quand le temps le permet, une promenade au col de Vence pour la pureté de l'air, les nécessaires courses dans les magasins qui grugent une bonne part de la journée, etc. Et pourtant c'est un homme qui aime la lecture, qui dévore livre après livre. Je pense que cet ennui provient [du fait] de passer d'une vie à une autre sans ralentissement ou décélération. Il faudrait peut-être y venir petit à petit, par degrés, au lieu de cesser brusquement toute activité professionnelle, comme il l'a fait, pour se trouver ne vivant plus que pour le loisir. Et le loisir tout seul, ce n'est sans doute pas plus agréable que le travail forcé, sans relâche.

Comment as-tu passé la veille et cette première journée de l'an 1973. J'espère qu'Adrienne ou Simone t'ont invité et que tu étais avec de nos amis. Pour ma part, je suis contente que ce temps des fêtes soit enfin derrière moi, car depuis longtemps et surtout depuis la mort de ma si chère Dédette il me jette dans la tristesse bien plus qu'il ne m'apporte de joie. Comme nous sommes chimériques tous les deux d'avoir pu croire que nous mènerions une vie heureuse en Provence ! D'abord, le pays n'a plus rien de commun avec celui que nous avons connu et tant aimé durant l'hiver 1948-49. Et puis nous-mêmes maintenant, nous ne pourrions plus nous faire à un dépaysement si complet. Va pour quelques semaines en passant ! Mais au-delà, ce serait intenable. Je suis contente malgré tout de voir clair enfin et d'éliminer cette perspective qui n'a pas de sens. Si tu avais fait comme moi l'expérience de Floride et celle de Provence, tu verrais bien toi aussi quel est le seul choix pratique en fin de compte. J'ai hâte d'avoir une longue lettre de toi et toutes les nouvelles. Jusqu'ici, j'ai eu très peu de courrier, la seule chose qui m'apporte du réconfort.

Je t'embrasse de tout cœur et te renouvelle mes vœux les plus tendres.

Gabrielle

Aujourd'hui le 2, même temps gris, froid. Ce n'est guère mieux qu'à Paris.

*

Tourrettes-sur-Loup, [le 4 janvier 1973]

Cher Marcel,

Pour finir mes embêtements, voici que je ne reçois plus de courrier du tout depuis trois jours. Suite d'une grève postale à Paris peut-être[1]. Il n'aura vraiment rien manqué à ce voyage d'emmerdements. Et plus ça va et plus je me demande pourquoi Suzanne Boland a déployé tant de persuasion pour me faire venir ici, alors qu'elle n'a pour ainsi dire pas une minute à me donner, prise par son vieux père de 82 [ans] qu'elle nourrit à la becquée, sa sœur Josette, toujours sur le point d'une dépression nerveuse, l'autre sœur dans la montagne, avec qui elle ne s'entend guère, enfin son ravitaillement à elle, aussi compliqué que le mien, plus sa peinture à laquelle elle essaie de se remettre. J'en suis venue à me demander si elle n'était pas poussée par l'espoir que je marcherais dans l'invraisemblable projet qu'elle caresse, étant propriétaire d'un grand et beau terrain dans la montagne, sur lequel se trouve une tour en ruine d'une commanderie des Templiers — de restaurer cette ancienne commanderie et en faire une habitation, projet qu'elle ne peut réaliser, faute d'argent. Donc, espoir peut-être que moi je serais emballée et fournirais des fonds, m'installerais ici à demeure. Une idée de fou, quand on songe que ma journée passe entière à aller au ravitaillement, alors que je suis en plein village. Imagine-toi donc alors ce qu'il en serait d'une habitation au bout du monde, route à faire ouvrir, eau à amener du diable vert, etc. Cette femme n'a pas le sens pratique. D'ailleurs, toute la tribu me paraît un peu cinglée. J'ai eu bien peur d'avoir attrapé cette vilaine grippe qui fait des ravages actuellement, ayant un gros mal de gorge ce matin. Heureusement, le beau temps est enfin revenu — après plus d'une semaine de fortes pluies — et le soleil m'a fait un grand bien. J'en suis à sortir au dehors pour me réchauffer. Que j'ai hâte d'avoir du courrier. N'ayant pas grande illusion que ce sera mieux ailleurs, étant aussi quelque peu habituée à mes misères, je reste donc à Tourrettes pour deux ou trois semaines. Mais ne m'envoie quand même pas de courrier, sauf tes lettres à toi. Vas-tu bien ? Écris au plus tôt. Je t'embrasse affectueusement.

Gabrielle

*

Tourrettes-sur-Loup, le 6 janvier 1973

Mon cher Marcel,
Je viens de recevoir aujourd'hui seulement ta lettre datée du 22 décembre. Tu vois combien c'est lent. J'imagine que mes lettres à toi subissent pareil

retard, dû à la lenteur du courrier et aux grèves de tri à Paris. Hier, lisait-on dans les journaux, il y avait dix-sept mille sacs postaux d'empilés. Ne te décourage donc pas si tu reçois mes lettres avec beaucoup de retard. Il y en a peut-être qui seront perdues, c'est ça le pire. En tout cas, je t'écris souvent, en espérant qu'une sur deux au moins réussira à franchir tous les obstacles et à te parvenir. J'ai pris mon parti maintenant des difficultés de vivre ici et du caractère étrange des Boland & Clercx. Je pense que Josette est sur le bord de sombrer dans une dépression grave. Elle repart avec son mari pour Bruges ce matin. Quant à Suzanne, ou elle a trop à faire, ou c'est une nature solitaire : en tout cas, je ne la vois à peine qu'une heure parfois vers la fin de la journée. Donc à la guerre comme à la guerre ! Je fais de petites promenades seule et me débrouille un peu mieux. Quand on est pris, c'est étonnant ce qu'on trouve en soi de débrouillardise. Heureusement il fait beau pour l'instant et je reste dehors le plus longtemps possible. J'ai hâte d'avoir des nouvelles de ton voyage au Manitoba. Voilà au moins trois fois que je t'en demande.

N'oublie jamais, pour que tes lettres arrivent plus vite, d'inclure le code 06 sur ton enveloppe dans l'adresse et Saint-Tourrettes-sur-Loup. La moindre petite faute ou lacune retarde davantage le courrier. J'avais tellement d'espoir de recevoir du courrier tous les jours. Comme c'est là, j'ai reçu une lettre lundi et deux aujourd'hui le samedi. Porte-toi bien. Prends soin de ta santé. Dis bonjour à nos amis.

Je t'embrasse affectueusement.

Gabrielle

*

Tourrettes-sur-Loup, le 10 janvier [19]73

Cher Marcel,

Encore une bouteille à la mer ! Je me demande si mes lettres te parviennent après l'embouteillage monstre qui a eu lieu à Paris lors des grèves postales. Je me demande aussi si les tiennes ont franchi le barrage. En tout cas, cette semaine, je n'ai reçu aucun courrier. Il fait très beau enfin, heureusement, et je profite au maximum du soleil. Je marche autour du village par des sentiers pas trop abrupts. J'ai pris mon parti de vivre à peu près seule, Suzanne Boland étant prise à la gorge par ses obligations familiales et son propre destin qu'elle n'arrive pas à dénouer. Il faudrait qu'elle ait le courage de rompre cette situation infernale avec sa sœur et son beau-frère, mais il y a son vieux père qu'elle ne peut quitter et dont la santé n'est pas bonne. Maintenant que j'ai pris mon parti de cette situation — bien loin de celle que j'espérais, je m'aperçois qu'elle a ses avantages. Pour l'instant il fait bon et chaud. Je me promène au soleil. Je lis, je me laisse vivre. Il y a des moments d'ennui, mais je me dis qu'il faut profiter de ce qu'il y a de bon ici. J'ai payé un deuxième mois de loyer, ayant conclu ce marché dès le début. Je resterai donc au moins jusqu'à la fin de janvier, à moins que le temps ne change pour le pire. Mais on annonce un beau mois de janvier. Partout ailleurs, en Europe, c'est froid, humide et brumeux. Et toi ? Comment vas-tu ? Si seulement je recevais du courrier tous les jours. Cela me donnerait du courage pour affronter la solitude. Porte-toi bien. Tâche de m'écrire le plus souvent possible. Dis bonjour à nos amis. Je t'embrasse.

Gabrielle

*

Tourrettes-sur-Loup, le 19 janvier 1973

Mon cher Marcel,
Je viens de recevoir enfin ta troisième lettre, celle du 8 janvier. C'est curieux, je reçois plus vite des lettres des États-Unis ou de Toronto ou de Montréal. Que te dire au sujet de ton projet de me rejoindre ici ? Le principal ennui, c'est que sans auto, à Tourrettes, on est très handicapé. En louer une se ferait, mais c'est compliqué comme tout est compliqué ici. À part cela, les routes sont sinueuses, dangereuses et la congestion dans les villes affolante. Conduire à Nice est un cauchemar. Il reste donc la marche. Quand il fait beau, c'est très agréable, mais il pleut tout de même au moins un jour sur trois. La maison est difficile à chauffer. J'y arrive à peu près maintenant. Pour compagnie, on ne peut compter sur personne. Le village est peuplé, soit de hippies, soit d'étrangers belges, anglais, qui se cantonnent chez eux, soit de très vieilles gens. Pour parler franc, Suzanne Boland est de caractère insupportable, une sorte de Jeanne Lapointe, brillante si on la rencontre une fois, deux fois, mais instable au possible et complexée. Il n'y a pas non plus à Tourrettes un

seul restaurant attirant. Il faudrait aller manger à Vence qui est à 6 kilomètres. Ou, ce que je fais, préparer nos repas nous-mêmes et passer une bonne partie de la journée à acheter ce qu'il faut. Voilà pour le tableau. Si cela te tente de venir quand même, il faudrait que tu me télégraphies, et il faudrait que ce soit vers la mi-février car moi-même, pour mon impôt, il faut que je rentre avant la mi-mars. J'avais même songé revenir assez tôt en février. Aller te chercher à Nice pose aussi un problème, car l'avion de Montréal a presque toujours du retard et le taxi pour s'y rendre [*ajouté en surcharge :*] *à Nice* coûte $10,00 à $12,00. S'il y a retard, je ne peux garder le mien, il faut donc en prendre un autre pour revenir. Quant aux télégrammes, ils sont livrés par le facteur, comme du courrier ordinaire, les jours de la semaine seulement, ni samedi ni dimanche. Et le téléphone est un cauchemar. Une fois installé et pour assez longtemps, on n'est pas trop mal. Si les Clercx et Boland étaient amicaux et obligeants tout serait différent. Mais tels [qu']ils sont, il n'y a rien à attendre d'eux. Alors je ne sais vraiment que te conseiller. J'ai peur que tu trouves que ce soit un voyage bien long, bien coûteux, bien compliqué et qui vaudrait la peine seulement si le séjour ici était assez long pour permettre l'adaptation qui est difficile. Télégraphie tout de suite si tu veux quand même venir mais il faudrait que ce soit à la mi-février au plus tard. Affect[ueusement],

Gabrielle

[*Ajouté en marge :*] Autrement, je reviendrais moi-même à peu près vers cette date, j'imagine, ou un peu avant. Si tu veux venir quand même, télégraphie immédiatement, cela si tu peux vers le 15 février au plus tard.

*

Tourrettes, le 19 janvier 1973
2e lettre de la journée

Cher Marcel,
Je viens de relire ta lettre du 8 janvier et je n'arrive pas à déchiffrer lorsque tu parles de ton billet, au cas où tu viendrais, si c'est en fin de janvier ou février. De toute façon, après avoir pesé le pour et le contre de ce que je viens de t'écrire, et si tu es quand même désireux de venir,

envoie-moi un télégramme immédiatement, car je n'ai loué ici que jusqu'au 10 ou 9 février. Je pense qu'il serait possible d'allonger le séjour. Vu les circonstances, il faudrait passer une partie de nos journées à nous ravitailler, faire les repas, etc. Ou alors nous déménager à Vence ou Cannes. Ce que j'en ai vu en passant m'a inspiré de l'horreur. C'est la grande ville dans tout le bruit, l'affairement, la pollution de notre malheureuse époque. Et Tourrettes, en dépit de bien des inconvénients, est au moins reposant et l'air y est pur. Alors décide pour le mieux, selon ton cœur. Si nous étions ici ensemble pour plusieurs mois avec une auto, sans avoir à demander des services à celui-ci [ou] à celui-là, nous finirions sans doute par nous organiser assez bien. Actuellement, la seule personne sur qui je peux compter quelque peu c'est madame Henri Clercx, la belle-sœur de Rémy & Josette (qui eux sont partis pour Bruges) laquelle campe dans une caravane à 3 kilomètres d'ici. Elle a une auto et vient quelquefois m'aider à faire mes courses et je la trouve plutôt sympathique. Mais son mari doit revenir la chercher d'ici deux semaines au plus tard. Bon, je t'embrasse bien affectueusement. D'une façon ou d'une autre nous nous retrouverons donc d'ici à un mois. Je t'embrasse affectueusement. Des bons souvenirs à nos amis,

Gabrielle

Il y a de la neige aujourd'hui sur tous les sommets autour de Tourrettes. [*Ajouté en marge :*] Pourtant hier il faisait beau. C'est de Québec que le courrier est le plus lent car je reçois avant les tiennes des lettres de l'Ouest datées deux ou trois jours avant. Le mieux est que tu m'envoies un télégramme de toute façon, quelle que soit ta décision, m'avisant : « Arrive telle date, telle heure » ou bien « Ne viendrai pas », afin que je puisse moi-même prendre mes dispositions : billet de retour, location [d']appartement, etc.

*

Tourrettes-sur-Loup, le 22 janvier 197[3]

Mon cher Marcel,
Je viens de recevoir ta chère lettre du 10 janvier et j'en conclus que tu as compris qu'il valait mieux ne pas venir. En un sens, j'en suis contente, car tu aurais reçu un autre choc de terrible désillusion que j'espérais t'épar-

gner, tout en sachant que parfois il faut se heurter à la dure réalité, toi et moi, pour nous guérir de nos illusions tenaces encore en dépit de tant de déconvenues. Mais c'est tout à notre honneur de garder un cœur vulnérable. En plus du manque de confort — ce qui ne serait rien s'il était compensé par de la chaleur humaine, je trouve Suzanne Boland et les siens froids, égoïstes. Je ne voulais pas me rendre à l'évidence, ne pouvant imaginer que les gens qui m'ont pour ainsi dire fait venir ici, ensuite se préoccupent à peine de moi. Mais il faut bien que je l'admette, cette famille est faite de désaxés et tu en aurais trop de peine. Je reviendrai donc vers le début février, t'annoncerai la date exacte bientôt. Au fond, j'ai hâte de rentrer. Je pense mieux aimer les tempêtes de neige que le froid d'ici contre lequel on n'est pas armé. Ou la pluie qui tombe depuis trois jours. Peut-être devrions-nous décider de louer la maison sur la plage que Ronald nous céderait pour l'hiver prochain en Floride. Ou prendre un appartement meublé comme celui des Lemieux. Nous en parlerons. Pour cette année, pour compenser ton manque de vacances, si cela te tente et s'il fait beau de bonne heure, nous pourrions aller passer deux semaines de printemps à Petite-Rivière, au début de mai par exemple. Ah, que je suis déçue de ne pouvoir te dire « Viens passer un mois ici », mais vraiment, je crois que tu serais attristé comme je le suis et ce serait trop navrant de dépenser tant d'argent pour si peu d'effet. La prochaine fois, nous tâcherons de mieux peser les conditions de vie, etc. Ce qui m'a trompée cette fois-ci, ce sont les lettres de la Boland, incapable de rien donner que par-ci par-là, dans une lettre justement. J'avais bien des inquiétudes, rappelle-toi, mais quand même je n'aurais pu imaginer un pareil écart entre les lettres et le vrai caractère de cette femme. Enfin, nous oublierons cela et tâcherons de trouver un moyen de nous reposer ensemble.

[*Ajouté en marge :*] Je t'embrasse tendrement.

Gabrielle

⁂

Tourrettes, le 26 janvier 1973

Mon cher Marcel,

Eh bien, je pense rentrer la semaine prochaine, presque certainement dimanche le 4 février par l'avion arrivant à Québec à 19 h 55 ou celui de

20 h 10. Ce sont les heures qu'on m'a données à Vence et je vais retourner demain ou lundi au plus tard, pour faire confirmer tout cela. S'il y avait changement je t'avertirai par télégramme. Autrement, j'arriverai comme je viens de te le dire à 19 h 55 ou 20 h 10 dimanche soir. Ils font peut-être erreur, à Vence, car je trouve étonnant que deux avions de Montréal rentrent si près l'un de l'autre. Si tu ne reçois rien d'autre de moi d'ici là, ce sera signe que je serai à bord de l'un ou de l'autre. J'ai bien hâte de te revoir. Si tu avais pu venir début février, ç'aurait été possible de t'attendre, mais si ce n'est qu'en fin février, c'est bien loin, et bien long d'attendre, seule comme je suis ici, car les Boland et Clercx, je ne les vois pour ainsi dire pas. Je pense qu'ils ont dû se faire l'idée que j'étais cousue d'or et allais leur acheter la construction d'une autre maison dans la montagne. Tous plus fous les uns que les autres ! Ne dis pas aux amis et connaissances que j'arrive le 4 ou aux environs. J'aimerais avoir une semaine ou deux pour souffler en arrivant. Reste dans le vague et dis seulement que je suis censée revenir en février. Je vais trouver dur de retomber en hiver, mais j'aurai tout de même eu près de deux mois ici dont un au moins ensoleillé. J'envoie par courrier recommandé une grande enveloppe contenant des papiers, etc. pour dégager mes valises. Mais j'arriverai sûrement avant. En tout cas, je l'adresse à ton nom pour le cas du contraire. Je viens de recevoir ta lettre du 16 janvier puis, deux minutes après, ton télégramme. Vu les circonstances que je t'ai exposées aussi franchement que possible, c'est sans doute mieux ainsi. Je ne peux quand même m'empêcher d'éprouver de la peine que ne se réalisent pas les vacances à deux que nous avions projetées ici. Je m'aperçois qu'il vaudrait mieux partir ensemble et faire ensemble notre période d'adaptation. J'espère que tu vas bien et je t'embrasse affectueusement.

Gabrielle

Otterburne
septembre 1973

À l'automne 1973, Gabrielle Roy se rend de nouveau au Manitoba, auprès de Clémence. À Otterburne, elle loge, avec sa belle-sœur Antonia, dans une maison qui appartient aux sœurs de la Providence, tout juste en face du foyer où habite Clémence. À la même époque, sa bonne amie, la romancière Adrienne Choquette, est mourante ; le cancer l'emportera finalement à la mi-octobre, trois semaines après le retour de Gabrielle à Québec.

Otterburne, le 2 septembre 1973

Mon cher Marcel,
Un mot à la course. Suis arrivée en retard, par un temps affreux, pluie battante, orage, l'humidité étant encore plus forte ici qu'à Québec. Antonia, malade, n'avait pu venir à l'aéroport. Heureusement, la chère sœur Berthe y était et m'a amenée à Otterburne. Elle reste avec moi jusqu'à ce soir. Ensuite je serai seule quelque temps, mais la petite maison est confortable, et située tout à côté de la résidence. Si seulement le temps peut se mettre au beau.

Je t'embrasse bien affectueusement et te donnerai d'autres nouvelles bientôt. Clémence est dans un piteux état, très amaigrie, mangeant à peine, et bien faible. Cela me fait mal au cœur de la voir ainsi.

À bientôt. Je viens d'écrire un mot à Adrienne. Téléphone souvent à Simone. Cela la réconfortera.

Gabrielle

*

Otterburne, le 3 septembre 1973

Mon cher Marcel,
À cause du long congé, tu n'as sans doute pas reçu rapidement le petit mot que je t'ai écrit dès en arrivant. Je t'assure que j'ai bien fait de venir, en dépit d'Adrienne, car Clémence dépérissait. Je ne pense pas qu'elle soit en danger immédiat — je verrai son docteur demain ; les résultats

d'examens n'étaient pas encore arrivés hier —, mais elle est maigre et sans force. Pauvre petite! Pour le moment, je peux aller lui rendre de fréquentes petites visites courtes et je lui apporte du steak haché maigre, ce qu'elle semble digérer. Quelle pitié : coûter si cher au gouvernement et cependant ne pas avoir à manger de viande maigre d'un bout à l'autre de l'année. Ils achevaient de la faire mourir avec leurs soupes grasses, leurs saucisses et omelettes. Antonia est retenue à Winnipeg. Elle souffre, je pense, d'une sorte de crise du foie. Elle mange comme un goinfre aussi, la pauvre! De toute façon, je découvre que je peux assez bien me débrouiller toute seule. Il y a deux magasins passablement bien garnis à Otterburne et les sœurs sont serviables. Tout de même, comme j'aurais aimé garder ma chère sœur Berthe auprès de moi. Hélas, elle recommence ses classes aujourd'hui et de plus doit visiter les nouveaux petits couvents, c'est-à-dire les petits groupes de deux, trois, quatre sœurs établis çà et là dans des maison privées en lieu et place des anciens couvents. Celui de S[ain]t-Pierre, comme il fallait s'y attendre, a été acheté par les Mennonites. Ce sont eux, je pense, les vrais conquérants du Manitoba[1].

As-tu passé un bon week-end à Petite-Rivière? Il fait chaud ici aussi. Et la même humidité règne. 98 % hier. Je ne comprends plus rien au climat du Manitoba. Les fermiers vont avoir de la peine, à ce qu'il semble, à rentrer leurs récoltes. Je t'appellerai au téléphone dans quelques jours. Je t'embrasse tendrement et j'espère que tu pourras passer ces dures semaines à venir sans trop de peine. J'ai toujours devant les yeux le douloureux, cher visage d'Adrienne. C'est affreux de n'avoir pu rester [*ajouté en marge :*] *auprès d'elle. À bientôt,*

Gabrielle

Une dame Soive que j'ai rencontrée hier m'a dit que tu l'avais accouchée de son unique fils, Maurice. Elle t'envoie des amitiés.

⁂

Otterburne, le 7 septembre 1973

Cher Marcel,
Je voulais t'appeler au téléphone cette semaine, mais je n'ai guère vu passer le temps (bien long pourtant), occupée que j'étais à essayer de faire

manger Clémence et depuis deux jours l'obliger, à force de persuasion et d'efforts inouïs, à sortir prendre un peu d'air à deux pas de la maison. J'ai dû déployer je ne sais combien d'autres efforts, en fait toute une stratégie, pour attraper au vol le docteur Lim qui fait une fois par semaine la visite de la résidence. Il faudrait dire qu'il court à travers la maison. En une heure, il a vu tout le monde ou à peu près. Je n'ai donc pas réussi à obtenir beaucoup de temps de lui. En réalité, trois phrases en tout : que les résultats n'indiquaient pas de cancer de l'intestin comme il l'avait craint un moment. Qu'il allait changer les remèdes de Clémence pour tâcher de soulager sa gastrite aiguë. Troisièmement, qu'elle ne s'alimente pas assez, ce qui est visible. La pauvre ressemble à une échappée de Dachau. Tout de même, je dois convenir que les sœurs la soignent aussi bien qu'il est possible. Un cas comme le sien, c'est éprouvant pour tout le monde. Je tâcherai d'aller voir M. Bernardin, l'administrateur de la maison de Sainte-Anne-des-Chênes, par acquit de conscience, mais sans grand espoir. De toute façon, je suis presque certaine que Clémence ne serait pas mieux là-bas, pire même peut-être, puisqu'elle n'y connaît pas un chat. Je me suis aussi rendue compte qu'Adèle, par sa visite, n'avait pas fait autant de mal que je l'avais cru. Elle a quelque peu troublé Clémence, c'est entendu, par ses propos pessimistes et ses déclamations sur le passé, la mort, les ancêtres et sa hargne contre moi, mais Clémence avait déjà commencé à maigrir et à perdre l'appétit avant cette visite. Une bonne nouvelle à travers tout cela : Antonia est arrivée hier soir, guérie, joyeuse comme toujours et comme toujours exerçant autour d'elle une bonne influence. Elle sait presque mieux que moi s'y prendre avec Clémence et j'escompte qu'elle aura un bon effet sur elle. Puis, je me sens appuyée, et cela est beaucoup. Je n'ai pas encore téléphoné à Léona, étant trop préoccupée et aussi très fatiguée par le changement de climat. Après celui de Petite-Rivière, celui d'ici, tout pur qu'il soit, ne nous porte pas aussi bien. D'un coup, je me suis dégonflée comme un pneu crevé. J'espère retrouver un peu d'élan la semaine prochaine. Aujourd'hui la journée s'annonce très belle. Il se peut que sœur Berthe soit libre samedi ou dimanche. Si nous pouvions décider Clémence à une petite promenade d'auto, cela lui serait bienfaisant. J'espère donc que le beau temps va se maintenir.

À travers toutes ces préoccupations, la pensée d'Adrienne ne me quitte pas. Je rêve à elle presque toutes les nuits et revois sans cesse son pauvre visage creusé par la maladie. Rappelle-lui combien je l'aime et combien m'habite son souvenir. Et toi, te débrouilles-tu convenablement ? Juliette sera de retour la semaine prochaine, ce qui me console quelque peu, car je n'aime pas te savoir privé de ses services.

À bientôt, j'espère. Je t'embrasse affectueusement.

Gabrielle

*

Otterburne, le 12 septembre 1973

Cher Marcel,

Une des sœurs de S[ain]t-Pierre m'a conduite hier soir, après la classe, à Sainte-Anne-des-Chênes où j'avais rendez-vous avec M. Bernardin, l'administrateur des foyers d'Youville. De belles chambres spacieuses, une salle de bains particulière attachée à chaque chambre, un grand salon ; au premier abord cela crée une bonne impression. Mais dès qu'on fouille sous toute cette façade on découvre les mêmes maux de tous ces foyers pour gens âgés : repas à des heures impossibles, le souper par exemple à 4 h 30, tambouille de régiment. Je doute que Clémence soit mieux là-bas qu'ici. D'ailleurs, pour l'instant, elle est trop mal, je pense, pour être déménagée. L'important, c'est qu'elle sache la porte ouverte à d'Youville si elle veut changer, ce qui est fait. Ainsi elle se sentira sans doute moins prisonnière.

Le beau temps continue : une merveille ! Aujourd'hui, il n'y a même pas de vent : l'air est bon et sec. On atteindra sans doute 75. Je regrette que ce soit froid et pluvieux à Québec. Alice m'écrit à tout instant pour dire bien peu de choses au fond. Antonia m'est d'un bon secours, quoique moins alerte que l'été dernier. Tout de même, comme elle me seconde bien. Si ce n'était pas d'elle, je crois que j'aurais depuis longtemps perdu toute patience auprès de Clémence, rétive comme une mule. Quoique tellement affaiblie, elle me résiste moins cette fois. Et son sort est si peu rose !

Comment vas-tu ? Notre Juliette est revenue, j'espère, et ramasse un peu tes affaires à la traîne.

L'ennui, ici, c'est qu'il n'y a ni taxi ni autobus. Je dépends entièrement des sœurs pour la moindre sortie, même à S[ain]t-Pierre. Les sœurs de S[ain]t-Pierre sont les plus serviables, mais pour l'instant, ayant vendu leur couvent, elles restent à trois dans une petite maison prise en location, et elles attendent toujours l'installation du téléphone. Ça m'a l'air aussi lent qu'en France.

Porte-toi bien. J'ai hâte de revenir et j'espère que Clémence va commencer à donner des signes de rétablissement. Toutes mes amitiés aux Madeleine, à Simone, à Adrienne.

Je t'embrasse affectueusement.

Gabrielle

Otterburne
août – septembre 1974

Comme l'année précédente, Gabrielle Roy se rend à Otterburne, au Manitoba, où elle loge — d'abord seule, ensuite avec sa belle-sœur Antonia — dans une maison appartenant aux sœurs de la Providence, près du foyer où habite Clémence. Elle y passe une quinzaine de jours, pendant lesquels elle voit notamment à l'achat de vêtements pour Clémence. Marcel, pendant ce temps, est demeuré à Québec.

Otterburne, le 28 août 1974

Cher Marcel,

En dépit d'un arrêt de rigueur à Toronto — non prévu — pour réparer l'avion —, nous sommes arrivés avec du retard, mais pas trop tard et à sept heures et demie j'étais dans la cabane. Les sœurs avaient rempli le réfrigérateur de tout ce qu'il faut. Clémence d'elle-même est aussitôt descendue de sa chambre pour venir m'embrasser. Elle est bien maigre, bien fragile, la pauvre petite, mais son moral est bon, elle est même presque gaie, et j'en bénis le ciel. Pourvu qu'elle reste dans ces bonnes dispositions. Je me propose d'aller faire une tournée chez Eaton avec elle, car elle est vêtue de vieilleries inimaginables. Antonia était à l'aéroport pour m'accueillir, mais ne viendra me rejoindre que dans cinq ou six jours. J'en suis presque contente car d'avoir la petite maison à moi toute seule a de bons avantages, je t'assure.

J'ai donné à Clémence le petit thermomètre en lui disant qu'il venait de toi, et ses yeux ont brillé de joie comme si je lui avais apporté un cadeau de grand prix. Dans sa chambre hier soir, il indiquait 80 degrés. Aujourd'hui il pluviote, et c'est plus frais. Je te donnerai bientôt d'autres nouvelles.

T'embrasse affectueusement.

Gabrielle

[*Ajouté en marge :*] Mes amitiés aux Madeleine.

*

Otterburne, le 8 septembre 1974

Cher Marcel,
Voici déjà plus d'une semaine que je suis arrivée à Otterburne et Antonia est venue m'y retrouver depuis avant-hier. Tout marche assez bien. Clémence est en bien meilleure forme que l'an dernier. Je n'en reviens pas du changement et en conclus qu'elle est tout de même fort bien soignée ici. Avec l'aide de sœur Berthe, qui est venue expressément de S[ain]t-Jean-Baptiste pour me soutenir moralement, j'ai pu faire le tour des magasins dans une journée remplie à en perdre la tête. Nous avons acheté à Clémence en une seule séance un bon manteau d'hiver, un sac à main, un parapluie, des souliers, des bas, des bottes, tout un arsenal, deux robes aussi. Elle en avait l'air tout heureuse. Moi j'étais éreintée comme je l'ai rarement été de ma vie. Maintenant je me repose un peu et depuis que le temps s'est remis au beau et au sec, il me semble que je respire mieux par ici qu'au Québec et que je m'essouffle moins vite. La cabane est fort confortable et nous y sommes bien, les sœurs devenues de plus en plus obligeantes. Comme le climat semble améliorer mes bronches, je vais donc tâcher de rester quelque temps encore pour profiter de ce mieux-être. À part cette course folle à Winnipeg pour habiller Clémence, nous ne sortons que pour aller à S[ain]t-Pierre à l'occasion, avec les sœurs, chercher des provisions.

As-tu été au chalet durant la longue fin de semaine? Y a-t-il eu des nouvelles de Thomas Gérard? J'ai bien peur qu'il soit trop malade pour entreprendre les travaux chez nous. Pourtant il serait bien l'homme à pouvoir mener cela à bien. En ce moment, Antonia raccommode les hardes de Clémence auxquelles celle-ci tient le plus. Mais j'ai réussi à lui en faire donner ou jeter un bon paquet, à mon immense satisfaction. Ensuite, je l'ai aidée à ranger sa garde-robe qui est maintenant tout en ordre et avenante.

Tâche de ne pas trop te fatiguer. En ce moment, il fait un temps d'été, et c'est à peine si on commence les battages tant tout est en retard à cause de la longue sécheresse de cet été. J'ai reçu un mot d'Alice.

Dis mes amitiés à tout notre monde.

Je t'embrasse affectueusement.

Gabrielle

Winnipeg
été 1975

Gabrielle Roy se rend au Manitoba chaque année depuis la mort de sa sœur Bernadette, pour y voir Clémence et veiller à ce qu'elle ne manque de rien. C'est le cachet postal qui a permis de déterminer l'époque à laquelle la romancière a fait ce voyage, la seule lettre qui ait été conservée n'étant pas datée. Ce sera l'avant-dernier séjour de Gabrielle Roy au Manitoba ; elle retournera y passer le temps des fêtes la même année et ne verra jamais plus Clémence par la suite.

[Winnipeg, 8 juillet 1975]

Cher Marcel,

Le voyage a été éreintant. Tout de même, je [ne] suis pas trop mal ce matin. Sœur Amanda[1] m'emmène dès [cet] après-midi chercher Clémence à Otterburne pour la conduire chez Antonia qui va la garder deux ou trois nuits. Le temps de l'habiller un peu en neuf. Ensuite j'aviserai. Le climat à l'extérieur est bon. C'est la sécheresse de l'air à l'intérieur qui est le plus dur à supporter. Mais je crois que je m'en tirerai. Ne te fais donc pas trop de soucis pour moi. J'appellerai Léona ces jours-ci. Tu peux lui dire en l'appelant que je me propose de le faire.

Je t'embrasse affectueusement.

Gabrielle

Petite-Rivière-Saint-François
été 1977

Gabrielle Roy, en juillet 1977, travaille sur les épreuves de Ces enfants de ma vie, *qui doit paraître à l'automne, aux Éditions Stanké; elle se trouve alors à Petite-Rivière-Saint-François, où elle a l'habitude de passer ses vacances d'été depuis l'acquisition de sa maison en 1957. Pendant ce temps, Marcel est en voyage à Atlantic City, dans l'État du New Jersey.*

Petite-Rivière-S[ain]t-François, le 15 juillet [1977]

Mon cher Marcel,

J'ai reçu hier ta petite lettre qui m'a grandement fait plaisir. Ton immense gâteau de noces de neuf [cents] chambres me paraît plutôt sympathique[1]. J'espère avant toute chose que tu as là-bas un climat favorable. Ici, c'est moitié-moitié : quelques très belles journées, puis deux ou trois jours d'une moiteur, d'une humidité intolérable. Tu as bien fait d'aller tâter d'un autre climat. Stanké[2], avec son attachée de presse, est enfin venu, le 12 seulement. Il reste beaucoup de corrections à faire sur les épreuves. J'ai travaillé comme un forçat pendant 3 jours. Heureusement que Bibi[3] pouvait voir un peu à la cuisine pendant ce temps, car autrement, emportée par la besogne, je crois que j'en aurais oublié de manger. Ta longue terrasse le long de la mer me paraît attirante. Quant aux « phoques », il ne doit plus y avoir beaucoup de plages aujourd'hui qui en sont libres, j'imagine. Prends tout le repos possible. Reviens en meilleure santé.

Je t'embrasse affectueusement.

Gabrielle

[*Ajouté en marge sur la première page :*] Berthe, Aimé, tous t'envoient de bons souhaits.

Floride
hiver 1978-1979

Espérant que le climat du Sud allait améliorer sa santé plutôt chancelante — la romancière, depuis quelques années, souffre entre autres d'arthrite, d'allergies et de troubles respiratoires — et lui permettre de se remettre à la rédaction de son autobiographie, qu'elle avait entreprise en 1977, Gabrielle Roy se rend en Floride, sans Marcel, au début de décembre 1978. Elle s'installe à Hollywood, au nord de Miami. Mais la romancière n'arrivera pas à se remettre à son livre : elle se sent seule et sa santé se détériore. Elle rentrera à Québec deux mois plus tôt que prévu, le 22 février 1979. Il s'agit de son dernier voyage et par conséquent des dernières lettres adressées à Marcel qui ont été retrouvées.

Hollywood, le 2 décembre 1978

Cher Marcel,

Je suis arrivée sans trop de désagréments, sauf que mes valises ne sont guère solides et ne tiendront pas le coup longtemps, j'en ai peur. J'ai trouvé des chariots pour rouler moi-même mes bagages presque partout, et c'est le mieux au fond. Le pire, ç'a été la chambre au Hilton où on a prétendu qu'il n'y avait pas de réservation faite à l'avance pour moi et où on en a profité pour me caser dans une affreuse chambre à 48,00[$] la nuit, toute pleine du bruit des avions et où le système d'air climatisé déversait soit une chaleur extrême, soit un froid intolérable. Malgré tout, je n'ai pas pris le rhume et le reste du voyage s'est accompli sans pépins. Quant à l'appartement que j'ai loué ici, je réserve mon jugement pour un peu plus tard quand je le connaîtrai mieux. Il a d'indéniables avantages et est propre. Mais il y a aussi pas mal d'inconvénients. En outre, il est bien plus petit que j'imaginais et nous aurions peine à y loger tous les deux. Il est aussi passablement éloigné des magasins, quoi que m'ait dit la dame Cassioni par lettre et au téléphone. Évidemment, je suis arrivée par une chaleur torride, 86 hier, et le choc du changement a été assez brutal. Je verrai plus clair dans quelques jours. Je dois dire que je n'avais encore jamais vu pareille chaleur en Floride, ni non plus une si forte humidité. Je vais tâcher de voir M. Lambert, s'il est arrivé, et lui demander conseil. Rien de tel comme quelqu'un qui est habitué aux coutumes d'un endroit pour nous guider. Il semble y avoir deux ou trois restaurants convenables assez près. La mer est belle, avec un long boardwalk où l'on peut marcher en paix. Seulement ce ne serait pas habitable par là à cause des odeurs de friture qui, hier soir du moins, empuantissaient l'air. Mais peut-être est-ce dans une partie du fond de mer qu'existent ces odeurs. Tu comprends. Je suis encore tout ébarouillée de tant de changements et n'y vois pas très clair. Je te donnerai d'autres nouvelles plus détaillées dans quelques jours. Il se peut que tout soit mieux que je ne me l'imagine, à l'arrivée, avant d'avoir pris des habitudes. En tout cas, je suis à l'abri pour l'instant. Une chose est sûre toutefois : il faut s'y connaître à fond et avoir du coffre pour se lancer à voyager de nos jours.

Prends bien soin de ta santé.

Je t'embrasse affectueusement.

Gabrielle

*

Hollywood, le 6 décembre 1978

Cher Marcel,

Je me fais peu à peu à cette chaleur moite, mais ne me sens pas débordante d'énergie. C'est un climat qui rend paresseux. J'ai tout de même une bonne marche à faire pour aller à mes provisions. La patronne, madame Cassioni, m'amène quelquefois au grand centre commercial. Elle est d'humeur changeante, tantôt très gentille, tantôt portée à extraire de moi le plus possible. Maintenant que je déchiffre son caractère, je me débrouille bien. Elle tient bien ses villas. Tout est d'une exquise propreté, ce qui est remarquable dans le Sud où l'on a tendance à la négligence. Je peux aussi me procurer de bonnes provisions de viande et autres denrées à des prix raisonnables — un peu meilleur marché, je crois, qu'au Canada. Les premières nuits, je dormais peu, à cause de la chaleur, mais maintenant je commence à me détendre. Madame Cassioni dit qu'en mars elle pourrait sans doute te faire de la place. C'est une hâbleuse et cela veut probablement dire que oui, certainement. De toute façon, Louise Watson arrivera vers la mi-janvier et me conduira probablement visiter Delray comme elle me l'a promis[1]. Il est vrai que janvier, c'est déjà tard pour réserver. Toutefois, j'ai l'impression que ce sera peut-être plus facile cette année, à cause de la dévaluation de notre dollar. T'arranges-tu passablement bien pour les repas ? J'espère que ton moral a remonté. Fais tout ce qu'il faut pour cela. Dis bonjour aux Madeleine et à Alice de ma part. Je n'ai pas encore grand goût à écrire de longues et même de courtes lettres. [*Ajouté en marge :*] *Je t'embrasse tendrement.*

Gabrielle

As-tu d'autres nouvelles de ta mère ?

Est-elle toujours à l'hôpital ?

Affectueusement,

Gabrielle

[*Ajouté en marge sur la première page :*] Le climat du sud de la Floride est apparemment fort différent de celui des environs de Daytona. La nuit dernière il y a eu un peu de brume qui est déjà en train de se dissiper.

*

[Hollywood, vers le 10 décembre 1978][1]

Cher Marcel,

J'ai reçu ta bonne petite lettre hier qui m'a réconfortée. Tu as dû en recevoir deux de moi depuis. Il a fait une telle chaleur que j'étais privée de toute énergie. On nous annonce qu'un peu de froid du Nord va commencer à descendre vers nous à partir de cette nuit. C'est bien curieux : partout ailleurs aux U.S.A., même en Californie, il gèle. En Arizona il y a eu de la neige au désert. Ici on était comme aux tropiques. Je ne sais encore quel effet ce climat aura sur moi à la longue. Les premiers jours, malgré la chaleur, je me suis sentie mieux, au point de vue respiration. Mais depuis deux nuits, je m'entends « siller » un peu et je toussote. Rien de grave, mais c'est peut-être une [*ajouté en marge :*] *indication que ce climat n'est pas le meilleur pour moi.*

Je continue sur ce bout de papier.

Les Vézina, qui ont une maison d'appartements, sept en tout, où logent les Chalifour, père et belle-mère de Simone, sont venus me chercher en auto l'autre jour, soi-disant pour rendre visite au vieux monsieur Chalifour, comme je l'avais promis à Simone Boutin[2] ; mais avec une idée derrière la tête, qui était de me louer un studio. Les Lemieux en ont retenu un pour février-mars — c'est-à-dire du quinze au quinze. C'est plus près de la mer qu'ici. C'est dans un quartier plus élégant. Il y a un joli petit jardin à l'arrière. Mais c'est encore plus ville qu'ici, avec de hauts buildings tout autour. Je ne sais s'ils ont gardé leurs appartements fermés tout l'été, mais ça sent le moisi et le tapis mouillé. J'ai failli étouffer en entrant là-dedans. Ici au moins, c'est tenu strictement propre. La patronne est un peu agaçante avec ses règlements de propreté, mais au moins on peut être sûr qu'il n'y aura pas chez elle d'odeurs déplaisantes ni de coquerelles. En tout cas, le coin des Vézina[3] de Fort Lauderdale ne me sourit pas du tout, tout fleuri qu'il soit d'une fleur exquise à forme de lys, l'alamanda. Les salles de bains sont délabrées, et les patrons sont trop mielleux pour que je me sente en confiance. Finalement, je me sens mieux ici pour le moment en tout cas. On verra s'il y a mieux quand arrivera Louise Watson qui doit me mener voir Delray.

Au fond, ma logeuse, assez stricte de nature, est quand même fort obligeante et m'a déjà emmenée deux fois faire mon marché. J'arrive à me faire de petits repas convenables. En général, le lait, la viande, surtout les légumes et fruits sont passablement meilleur marché ici.

Je ne voulais t'écrire qu'une carte ce matin, et voilà que j'ai couvert deux pages. J'en profite pendant qu'il fait un peu frais avant dix heures.

Je t'embrasse tendrement. As-tu eu d'autres nouvelles du Manitoba?

Gabrielle

[*Ajouté en marge :*] N'oublie pas de me donner d'autres nouvelles de Mathilde[4]. Que j'ai de la peine de la voir partir si jeune encore. Pourtant, en un sens, je l'envie à cause de sa sérénité.

G.

*

Hollywood, le 14 décembre 1978

Cher Marcel,
Ou bien le courrier est bien lent! Ou bien c'est toi qui n'écris pas. Je suis un peu inquiète de ta santé. Toi qui souffres du froid là-bas, et moi ici, au début du moins, de trop de chaleur... notre vie est bien étrange!

Au fond, je commence à m'apercevoir que le climat de la Floride ne me convient guère mieux que le nôtre, hélas. J'ai recommencé à souffrir de la gorge, de la trachée et à tousser un peu la nuit. C'est chaud et moite, il faut ouvrir les fenêtres, et l'air de la nuit m'est tout aussi malfaisant ici qu'à Petite-Rivière ou à Québec. Je pense qu'il n'y a pas de solution et qu'il me faut envisager d'endurer mon mal sans espoir — sinon d'être un peu soulagée par périodes et c'est déjà bien ainsi, je suppose. Tout de même, je suis un peu déçue, car je m'étais assez naïvement imaginé que je serais pour ainsi dire remise comme neuve en mettant le pied ici, comme je l'ai été à Calgary. Mais peut-être aussi que le bienfait n'aurait pas duré à Calgary[1]. J'ai hâte de voir arriver quelques connaissances. C'est plutôt désert autour de moi. Sans doute y a-t-il non loin des gens avec qui je pourrais faire connaissance, mais comment procéder ! Plusieurs sont archicommuns, d'autres tellement âgés que l'on se demande où ils trouvent la force de se mettre en route. On voit de vieux couples touchants ayant peine à voir, à marcher, à entendre, qui s'épaulent l'un l'autre du mieux possible. L'église est bourrée de vieux à l'heure des messes. Je n'ai pas encore eu le temps de faire beaucoup plus qu'aller aux provisions, faire mes petits repas, écrire quelques lettres.

De tenir maison prend vraiment tout le temps d'une personne ici.

[*Ajouté en marge :*] Donne-moi bientôt des nouvelles. Je t'embrasse affectueusement.

Gabrielle

*

Hollywood, le 16 décembre 1978[1]

Cher Marcel,
Je t'adresse mes bien fervents vœux de Noël, en espérant de tout mon cœur que tu les recevras à temps et qu'ils t'apporteront un peu de joie. Tâche de m'appeler au téléphone. Pour moi il faut aller demander la permission dans la grande maison où il n'y a personne, la porte barrée, un lieu qui est plein d'étrangers. Ou me servir du téléphone dehors, presque dans la rue, au milieu du bruit. Si toi tu appelles, on viendra me chercher et je suis sûre qu'ils se montreront plus serviables. D'ici là, tâche de te bien porter et de garder le moral.

Je remonte peut-être un peu, mais quelques jours après mon arrivée je me suis pour ainsi dire effondrée de fatigue. Le climat me fatigue. Peut-être que j'en sentirai le bienfait plus tard. On verra. En attendant, donne de tes nouvelles. C'est la cinquième fois que je t'écris.

Je te réitère mes vœux pour un bon Noël et je t'embrasse tendrement.

Gabrielle

[*Ajouté en marge :*] Après l'avoir lue, mets la lettre de Shadbolt[2] de côté pour moi. G.

*

Hollywood, le 20 décembre 1978

Cher Marcel,
J'ai enfin reçu ta deuxième lettre. Le courrier est d'une lenteur exaspérante. Ça m'a l'air lent surtout du côté canadien. En tout cas, il faut compter une semaine pour l'aller, un peu plus pour le retour. Je suis désolée pour ton dentier. Le mien pourtant ne me blesse plus du tout. Tu sais, il faut être patient dans ce genre de choses. Rappelle-toi combien de visites j'ai faites chez le dentiste Hamel pour mon avant-dernière prothèse : une trentaine au moins, je pense, et pour avoir à tout recommencer au bout d'un an. Maintenant, ça va à peu près bien, sauf que ma lèvre inférieure creuse un peu, mais au diable cet inconvénient. Je t'encourage à retourner et retourner chez Lemieux tant qu'il n'aura pas ajusté ton dentier parfaitement. C'est la seule manière de t'en sortir. Et tâche de ne pas mordre trop dur au début et sur de trop grosses bouchées. Cela aide de prendre de très petites bouchées et de mastiquer lentement.

Le beau temps continue ici. On en vient à douter que c'est l'hiver dans notre pays. Mes réactions au climat sont étranges, et je ne sais trop qu'en conclure. Certains jours, je suis assez bien. Quelquefois, la nuit, j'ai de vilaines quintes. Ma logeuse, hier, a fait battre les rideaux de l'appartement qui étaient un peu poussiéreux. Elle pense que c'est peut-être la poussière qui me fait tousser. Je crois plutôt, pour ma part, que c'est l'humidité. J'essaie tantôt l'air du dehors, tantôt l'air conditionné. Les deux ont des inconvénients, mais en fin de compte je dors mieux, il me semble, à l'air conditionné. Tu as raison : je réserve mon jugement sur l'endroit. Il a de grands avantages : l'approvisionnement, qu'il faut faire soi-même — rien, absolument rien n'est livré à domicile — n'est pas trop compliqué. Il y a une église catholique toute proche. Ma logeuse, dans l'ensemble, est aimable et assez distinguée. L'appartement, quoique petit pour deux personnes, est gai, propre et, comparé à ce que j'ai été voir ailleurs dans le quartier, très bien tenu. Les inconvénients par ailleurs sont assez nombreux : on est un peu trop loin de la mer — deux bons milles. Et puis l'air est très pollué par une circulation intense. Mais ça m'a l'air ainsi partout, même au bord de la mer qui est un vrai Coney Island[1]. Il n'y a d'air pur que dans des plages très select pour millionnaires, ça m'a tout l'air. Je t'assure qu'on est loin du grand air de Petite-Rivière. Même à Fort Lauderdale, où sont les parents de Simone Boutin, on est loin d'être à l'abri du bruit et de la pollution de la circulation automobile. Je croyais que nous en avions à Québec, mais c'est encore la campagne comparé à ce que l'on voit ici.

Tout ça pour te dire que je ne sais trop que penser encore de l'endroit. Il y a de petites rues qui ont l'air plus tranquilles, mais les appartements sont tassés les uns contre les autres, et on entend tout ce qui se passe chez le voisin. J'ai fini par penser que j'aurais pu tomber mille fois plus mal que chez madame Cassioni, même si je trouve la rue un peu bruyante et l'air plutôt pollué. Donc, pour l'instant, je patiente, je tâche de m'arranger le mieux possible des conditions en attendant de voir plus clair. Et je me repose autant que je le peux. Je ne pense pas jamais arriver à travailler ici. Je me sens trop dépaysée. Le climat ne porte pas non plus au travail. J'essaie donc de ne pas trop m'ennuyer en lisant, en faisant de fréquentes petites marches. Lorsque monsieur Lambert arrivera, il me rendra sans doute des services. Mais, tu sais, j'ai vite déchanté à propos de l'idée que nos compatriotes se montreraient plus serviables que les Américains. C'est presque le contraire. Quand même, je ne veux pas te paraître complètement déçue.

Comme toi, je rêve toujours à quelque Eldorado et les conditions que je trouve ne correspondent pas, fatalement, à ce que j'espérais. Mais dans ce cas-ci, considérant que je suis venue à tâtons pour ainsi dire, il me faut convenir que l'endroit est beaucoup mieux qu'il aurait pu être. C'est bien loin toutefois du New Smyrna que j'ai connu il y a douze ans, avec ses longues plages encore presque désertes, mais cela n'existe plus nulle part, je pense, en Floride. Les humains sont répandus partout comme des mouches.

Pour le moment, donc, je patiente. Peut-être trouverais-je mieux ailleurs, mais j'ai peur en changeant de ne rien améliorer. La vie en condominium m'a l'air encore plus ennuyeuse que tout ce que j'ai vu jusqu'ici. C'est la prison dorée — au grand luxe — mais la prison tout de même.

J'ai peur que les Lemieux soient bien déçus de l'appartement qu'ils ont retenu à Fort Lauderdale. Ça sentait le moisi là-dedans à vous écœurer. Évidemment, le petit jardin juste à l'arrière est bien joli, bien gentil, mais touffu et sombre, il entretient l'humidité qui imprègne l'appartement. Ici au moins, le soleil entre à grands flots et ça sent propre. Laissons donc les choses en suspens. D'ici un mois je devrais avoir une meilleure idée des possibilités et je t'en ferai part.

Je te souhaite une bonne année, très cher. Que ta retraite te soit douce, reposante et te permette de te livrer à des occupations que tu aimes. Donne-moi des nouvelles de ta mère. Prends bien soin de toi-même. Garde le courage.

Je t'embrasse affectueusement.

Gabrielle

*

[vers le 27 décembre 1978][1]

Cher Marcel,
Merci de m'avoir appelée. Il n'y a rien pour réconforter aussi bien que la voix. Je patiente, puisque je suis venue loin, mais le climat n'améliore pas mes bronches. Je tousse maintenant tous les jours. J'ai recommencé l'intol hier[2]. Cela m'aidera sans doute. Je te donnerai d'autres nouvelles prochainement. Lorsqu'on téléphone pour moi prends au moins le nom de la [*ajouté en marge :*] personne qui appelle, veux-tu ? Je t'embrasse.

Gabrielle

*

Hollywood, le 2 janvier 1979

Cher Marcel,
Mon Dieu que le courrier est lent ! Je viens de recevoir aujourd'hui seulement ta troisième lettre, datée du 19 décembre. Le temps a changé depuis une semaine. C'est plus frais, mais il pleut fréquemment. Nous avons eu trois jours nuageux, gris. Aujourd'hui, des coups de vent, et des

orages. L'air, cependant, reste toujours moite et lourd. Je commence à être persuadée que ce climat ne nous serait pas très bienfaisant ni à l'un ni à l'autre. J'ai hâte que les Lambert arrivent, car je vis plutôt seule parmi des gens qui me restent étrangers, car ils ne demeurent que trois ou quatre jours, parfois une semaine. Aujourd'hui, avec ta lettre, j'ai reçu un gros courrier, beaucoup de cartes de Noël. Cela m'a procuré un moment agréable, mais maintenant, je vais devoir m'atteler à répondre à tout ce monde. La photo d'une vieille dame que tu as reçue, de la part de la cousine Laurier, doit être de sa grand-mère, donc de ma grand-tante Anastasie, la sœur de mon père. Je ne suis pas étonnée que les Madeleine ne donnent pas signe de vie. Au fond, on se demande si elles sont mues par autre chose que la curiosité. Toutefois, par égard pour les temps passés où nous avons eu des moments heureux ensemble, téléphone-leur quelquefois. Il vaut encore mieux garder cette petite flamme, très petite flamme d'amitié, que rien du tout. J'espère que tu ne t'ennuies pas trop. Pour moi, j'ai des moments de cafard. Ce qui m'aide encore le mieux à les surmonter, c'est de partir devant moi et marcher indéfiniment. Malheureusement, mon pied droit s'est remis à me faire souffrir et je ne peux pas marcher trop longtemps à la fois. J'ai beaucoup prié pour nous deux à la messe de veille du Jour de l'An, messe française comme celle de Noël. L'église était bondée, l'atmosphère était chaleureuse. On se serait cru au Québec aussi bien ; sortir de l'église pour se retrouver dans une nuit d'été créait un impression d'irréalité. Ce que j'ai vu de plus beau jusqu'ici, c'est une immense orangeraie à quelque douze milles de Hollywood que ma logeuse m'a emmenée voir. C'est une curieuse femme, capable d'un bon mouvement du cœur et l'instant d'après abrupte et cassante. Quand elle est dans ses bonnes et qu'elle en a le temps, elle me propose une petite promenade. Et celle à l'orangeraie m'a beaucoup plu. C'est la première fois depuis mon arrivée ici que je me suis sentie respirer à fond, en communion avec la nature et la beauté du monde. Il paraît que le domaine est à vendre. Ça doit bien aller chercher le million, j'imagine. Je vais tâcher d'aller porter cette lettre à la poste même, une bonne petite marche, afin que tu la reçoives au plus tôt. N'oublie pas de rappeler à Grenier[1] de faire peinturer au plus tôt les deux salles de bains. Insiste, insiste, insiste.

Je n'ai pas encore reçu l'article de Godbout[2]. En un sens, j'ai hâte de le lire. Dans un autre, je l'appréhende. Son tour d'esprit m'a toujours déconcertée.

Ah, que je n'oublie pas de t'annoncer la triste nouvelle. Léontine Painchaud m'apprend dans sa dernière lettre que Fernand a été opéré d'un cancer à la prostate. On ne lui a pas dit que c'était cancéreux car il pourrait vivre assez longtemps encore. De plus, il est atteint d'un emphysème très grave. Il a pourtant vécu depuis bien des années dans le meilleur climat possible pour les gens atteints de cette maladie[3]. C'est à ne plus savoir que faire. Pauvre bougre ! Il n'a pas eu la vie facile. Mais qui l'a facile, au fond.

Je t'embrasse bien fort. Écris-moi souvent.

Gabrielle

⁕

Le 12 janvier 1979[1]

Cher Marcel,
Merci pour ta lettre du 4 janvier reçue hier. Voici l'église catholique près de mon motel où je vais chercher réconfort et prier pour nous deux. Le dimanche soir il y a une messe entièrement en français, très belle. Heureusement que j'avais tous mes médicaments et des antibiotiques, sans quoi j'aurais été aussi malade, je pense, qu'il y a 4 ans à Petite-Rivière. Je commence à me remettre un peu, le temps aidant, car il vente un peu, ce qui chasse l'excessive humidité. J'ai eu une belle visite de mon cousin Philippe[2], accompagné de sa femme Ethel, très gentils. Mais Dieu qu'il a l'air vieux. [*Ajouté en marge :*] Évidemment ! Je ne l'avais pas revu depuis nos 20 ans. Je t'embrasse.

G.

⁕

Le 14 janvier 1979

Cher Marcel,
Madame Cassioni, qui devient très gentille envers moi, m'a emmenée avant-hier me faire voir à son médecin, un Québécois de Montréal, établi à Pompano depuis un an environ et qui fait des affaires d'or. Il

ne voulait pas renouveler mon ordonnance pour l'exilophylin[1] sans m'avoir vue et auscultée. Il m'a fait un assez bon examen et a fini par constater que mes médicaments étaient les meilleurs dans les conditions actuelles et me recommande de continuer comme j'ai commencé : antibiotiques, ventolin[2] et le sirop. J'ai eu une assez bonne nuit cette fois-ci. Le jour, je suis très bien. Je devrais être rétablie bientôt. C'est cette grippe que j'ai attrapée qui a tout compliqué. Ne t'inquiète pas. Je tousse moins et reprends des forces. Prends bien soin de toi-même. Je t'embrasse.

Gabrielle

*

Hollywood, le 23 janvier 1979

Cher Marcel,

Ta lettre du 15 janvier reçue hier m'apporte de bien tristes nouvelles. La mort de Mathilde, à laquelle je m'attendais, il est vrai, mais pas si vite, sais-tu[1]. Je croyais bien qu'elle ferait encore quelques mois. L'avant-veille, figure-toi, j'avais écrit une lettre à Cyrias, m'excusant d'être partie sans avoir averti Mathilde, car en vérité, je voulais éviter ce qui aurait eu l'air d'un adieu entre nous. Me voilà donc tenue d'écrire de nouveau. Ça devait être de la télépathie. J'ai dû écrire au moment où elle mourait. Pauvre chère Mathilde ! Sa douce vie n'aura pas fait grand bruit, mais elle laissera de sincères regrets derrière elle et un souvenir attendrissant. Tu as bien fait d'offrir une messe. C'est encore la meilleure chose entre amis. L'autre nouvelle triste, et je me demande si elle ne m'attriste pas encore plus que celle de la mort de Mathilde, c'est la disparition de la maison de Pascal. Je me sens le cœur serré affreusement à la pensée de leur malheur, Pascal, la vieille tante Anna, Pauline ! Je ne peux imaginer le paysage de là-bas sans la maison bleu et blanc, tenue si propre par Pascal, et sur laquelle, à ma petite table, je levais les yeux cent fois par jour[2]. Dieu qu'elle va me manquer ! On dirait que notre vie là-bas, notre bonheur là-bas nous est ôté petit à petit, ne trouves-tu pas ? On dirait que vient vite le jour où aura péri tout ce que nous avons tant aimé là-bas et qui nous a fait vivre. Nous nous disions : ça prendra du temps. Et, au contraire, la mort s'installe là-bas à grands pas. La disparition de cette maison, c'est pour moi comme un glas, l'annonce de la fin. J'aurais pu pleurer en lisant ta lettre. Où sont allés Pascal et Anna et Pauline ? Comme Berthe va se sentir seule !

Mon rhume prend du temps à disparaître. Ou bien c'est l'asthme et la bronchite revenus en force qui me malmènent. Je n'ai pour ainsi dire pas passé une seule bonne nuit depuis des semaines. Je prends plus de sirop et de ventolin qu'à Québec pendant l'hiver. Autant du moins. Ce n'est donc guère un progrès. Il est vrai que je peux aller m'asseoir dehors une heure ou deux tous les jours. Mais je ne peux pas faire grand-chose d'autre. Aller dans les magasins me fatigue. C'est tout juste si je peux aller à mes petits achats pour la cuisine et à la messe le dimanche. J'y vais avec une dame française, de Montréal, madame Lion, qui est la plus gentille de la bande. À te dire la vérité, les nôtres ne sont guère attirants, du moins la plupart de ceux que je rencontre dans les parages. De braves gens sans doute, mais pas très dégrossis. Les Lambert sont enfin venus me rendre une petite visite l'autre soir. Ils étaient arrivés depuis une semaine, m'ont fait de belles déclarations et offres d'aide mais guère plus. Il est vrai qu'ils ne sont pas venus dans leur auto, mais avec des amis. Et comme ils habitent à dix rues à peu près d'ici, qu'ils n'ont pas de téléphone, j'ai l'impression que je les verrai peu. Je me propose de leur rendre leur visite, mais eux-mêmes, sans mauvaise volonté de leur part, ne pourront pas me rendre beaucoup de services. J'ai appris qu'il faut se débrouiller seule et que sans auto on est vraiment handicapé. D'ailleurs, monsieur Lambert n'a pas l'air bien de sa santé. Du reste, c'est toujours la même chose. De loin, les gens s'imaginent que ce sera facile de se retrouver, de se rendre des services, mais en vérité, chacun sur place est pris par sa petite bande — on suit ou on n'a personne —, s'établit un rythme de vie et n'a pas de temps pour l'esseulée dix rues plus loin. Je ne m'en plains pas. J'ai vite compris que c'est comme cela ici, malgré toutes les protestations que l'on peut faire au départ. De toute façon, je rentrerais comme un chien dans un jeu de quilles dans la plupart de ces groupes de Québécois en vacances à Hollywood. Il ne faut pas s'en faire. Je ne m'éterniserai pas ici. Je vais essayer de me raisonner pour y passer quelques semaines encore. Peut-être, s'il ne fait pas trop froid, que je rentrerai en février. Enfin, on verra !

Toi aussi, prends bien soin de toi. J'avais espéré aller faire un tour dans les belles boutiques mode de Miami, mais les gens ici courent les magasins de camelote et je n'ai aucun moyen de me rendre à Miami, sinon par l'autobus qui prend une éternité à faire le voyage, et cela me fatiguerait beaucoup trop. Je me suis bornée à m'acheter des sandales, quelques chemisiers, un sac à main blanc.

Et puis, je t'ai fait envoyer — peut-être un peu trop d'avance — une boîte de fruits : oranges et pamplemousses, pour ta fête. J'espère que tu les recevras en bon état. Je serai avec toi de tout cœur ce jour-là comme les autres jours.

Je t'embrasse affectueusement.

Gabrielle

Non, de grâce, ne m'envoie pas la photocopie du contrat de *Tin Flute*. Ça doit être tout simplement la photocopie que j'avais envoyée naguère à Gratien Gélinas et qu'il me retourne. C'est du vieux[3]. Ne t'inquiète pas. Tâche de faire terminer la peinture des salles de bains au plus tôt. Au revoir,

G.

[*Ajouté en marge sur la première page* :] La peinture de Jean Paul Lemieux évoque en effet le gothique américain. Le vieux Diefenbaker n'est peut-être pas si bête.

⁂

Hollywood, le 29 janvier 1979

Cher Marcel,
Je pense bien avoir passé la semaine sans t'écrire une seule fois, et je le regrette. C'est que j'ai fait une rechute de ma grippe — ou Dieu sait quoi. En tout cas, j'ai été encore plus malade que la première fois. Un bon bougre du Québec, locataire aussi de madame Cassioni, m'a conduite chez ce même docteur Bourque que j'avais consulté il y a 3 semaines, à Pompano Beach, à vingt-cinq milles d'ici, c'est toute une affaire ! Il m'a attendue et ramenée. Je ne sais comment m'acquitter envers lui. En tout cas, le docteur Bourque m'a remise aux antibiotiques, de la vibramycine[1] cette fois-ci. Je te dis qu'il n'y va pas de main morte, lui, avec les antibiotiques. J'ai eu un gros mal de gorge, la gorge enflée sans doute parce que j'avais peine à avaler, puis je me suis mise à tousser et cracher à l'infini. Le pire est passé. Je commence à reprendre souffle, quoique amortie par la vibramycine. Je t'assure que cette expérience d'être malade au loin, seule, sans autre soutien que celui de bons voisins

compatissants, est dure. La Cassioni n'est pas très serviable, sauf certains jours, quand ça lui chante. Les Lambert ne se sont pas montrés depuis leur petite visite d'il y a deux semaines. Heureusement que parmi les locataires, il s'en trouve de sympathiques. Ils m'ont fait mes commissions pendant les deux ou trois jours où j'ai été le plus malade. Maintenant ça va aller, je pense. J'espère reprendre assez de forces pour revenir en février, je ne sais quand au juste. Je t'ai dit, n'est-ce pas, que je t'ai fait envoyer des fruits pour ta fête, tangellos et pamplemousses. S'il y a moyen d'attraper le téléphone le 9, je t'appellerai pour te faire mes souhaits. La peinture des salles de bains est-elle terminée ? Il est très important que cela soit fait bien avant que je n'arrive et qu'il n'y ait plus d'odeur de peinture dans l'appartement.

En vérité, je ne sais trop si c'est la malchance ou le climat qui est [à] blâmer, mais je n'aurai guère été bien ici, sauf quelques journées par-ci par-là, comme aujourd'hui justement où le baromètre est à la hausse, le ciel clair, l'air plutôt froid et beaucoup plus sec que d'habitude. Ce qui m'amène à penser que c'est la variabilité excessive du climat ici et peut-être l'humidité, aussi très variable, qui le rendent si difficile à supporter. Hélas, toi tu aurais peut-être été mieux. J'ai vu un bonhomme souffrant d'œdème du poumon qui s'est dit bien, lui, ici. Mais comment savoir ? Et j'ai trouvé cette expérience bien décevante et bien usante. Enfin, j'espère refaire mes forces avant de revenir assez prochainement. Tu m'apporteras mes bottes à l'aéroport. Avec elles et mon manteau de laine très chaud, le blanc, que j'ai apporté, je ne risquerai pas de prendre froid.

Je t'embrasse bien affectueusement et espère avoir bientôt de bonnes nouvelles de toi.

Gabrielle

⁂

Hollywood, le 30 janvier 1979

Cher Marcel,
Heureusement que tu m'as rappelée hier soir. J'ai tout de même été rassurée et je suis bien contente de voir que tu as eu la sagesse de te faire hospitaliser et de [te] mettre entre bonnes mains. Ainsi, tu devrais revenir vite à la santé. Mais comme il va te falloir ensuite veiller à ne pas

faire d'autres crises. J'en suis, pour ma part, à surveiller la poussière, tout ce que [je] respire et, le croirais-tu, beaucoup de choses que je mange. Ainsi j'ai dû mettre de côté le ketchup, tout ce qui est un peu épicé, le poivre presque en entier et, bien entendu, même un peu de bière. Je me demande si tu ne devrais pas faire le sacrifice de tes mets assez piquants et peut-être aussi de l'alcool à tout jamais. Enfin, fais-toi donner un régime et suis-le à la lettre, je t'en supplie.

Pour ma part, j'en suis à mon cinquième jour de vibramycine et j'ai encore quelques expectorations colorées, le matin. Le docteur Bourque prétend que j'ai évité une pneumonie de justesse. Si j'étais moins faible, je pense que j'essaierais de revenir à l'instant, mais, ma parole, je serais incapable de prendre l'avion et de faire le voyage. Tâche donc de te débrouiller avec l'aide de Juliette et en faisant venir des poulets cuits ou mets apprêtés, mais pas trop riches, fais très attention. Si tu pouvais perdre quelques livres, ça t'aiderait un peu. J'espère que tu recevras les oranges et pamplemousses pour ta fête et en bon état. Les fruits sont vraiment délicieux ici. Depuis quelques jours j'ai quelques voisins affablement gentils, et cela m'aide beaucoup à supporter les sautes d'humeur de la Cassioni, de même que l'ennui. Ne te tracasse pour rien. Petit à petit, nous nous organiserons. Si seulement toutefois tu pouvais t'arranger avec Michel Champagne[1] pour nous prendre les deux grands portraits dans leur cadres dorés, cela me ferait bien plaisir. Il pourrait peut-être les envoyer chercher. J'espère que les salles de bains ont été peintes. Si elles ne l'ont pas encore été, mieux vaut peut-être laisser tomber, car la peinture t'irriterait trop les bronches.

Ah, mon pauvre Marcel, nous voilà bien secoués ! Autour de moi ici, ce ne sont que des cas semblables. Presque tous gens âgés, malades, à moitié infirmes. Cependant ils s'entraident tous et le spectacle, malgré tout, réchauffe le cœur.

Garde le moral et de grâce, soigne-toi bien, évite en nourriture ou boisson tout ce qui peut te faire du mal.

Je t'embrasse.

Gabrielle

*

Hollywood, le 7 février 1979

Cher Marcel,
J'aurais dû t'écrire fréquemment ces jours-ci, mais je ne savais pas si je devais t'adresser mes lettres à la maison ou à l'hôpital. Je m'ennuie beaucoup des tiennes qui m'arrivaient assez régulièrement. Je continue à être inquiète à ton sujet. Qui sait : tu aurais peut-être été bien ici. Je commence à me demander si l'infection ne proviendrait pas une fois encore de mes sinus, car je m'éveille avec un mal de tête localisé dans le front droit presque tous les matins. Maintenant j'ai hâte d'être de retour, même au froid. Les Boutin étaient de passage à Fort Lauderdale pour quelques jours seulement. Ils sont venus me chercher pour une promenade et un déjeuner en ville, avant-hier. Comme toujours ils ont été merveilleux. Ils repartent demain déjà et si j'avais été prête, j'aurais été tentée de rentrer avec eux, ce qui m'aurait donné confiance, car je me sens encore ébranlée. Néanmoins, il vaut peut-être mieux me donner une semaine ou deux encore. De retour à la maison, repose-toi beaucoup. Fais bien attention de ne pas faire de rechute.

Je viens de recevoir deux exemplaires de *Children of my Heart*[1]. Le projet de la couverture a été changé. C'est autre chose maintenant, plus sobre, mais peut-être aussi beau. En vérité, je ne sais trop qu'en penser.

J'ai hâte d'être de retour quoique me sentant effrayée à mourir de la pression qui commence à s'exercer sur moi. Rien que le courrier a de quoi m'écraser. Il va nous falloir nous trouver un refuge sûr et nous défendre de l'envahissement qui me guette.

[*Ajouté en marge :*] Soigne-toi bien pour l'amour du ciel. Bonne fête, mon très cher. Je t'embrasse.

Gabrielle

*

Hollywood, le 8 février 1979

Cher Marcel,
Quelle joie d'entendre ta voix au téléphone hier, et qui paraissait meilleure ! J'ai tant prié pour que tu reviennes à une meilleure santé. J'ai retenu ma place. Je reviens le 22 février à 22 h 40. C'est tard, mais je ne

peux faire mieux en partant tôt l'après-midi de Fort Lauderdale. Je viens de téléphoner aux Boutin pour les remercier d'avoir mis une journée de leur courtes vacances à ma disposition. Ils se sont offerts pour venir me chercher à l'aérogare, mais je leur ai dit que tu serais probablement assez bien alors pour venir toi-même. Entre nous, s'il faisait mauvais temps ou très froid, mieux vaudra que je prenne un taxi. Si tu le peux cependant, avec l'aide de Juliette, achète ce qu'il faut pour la nourriture : lait, pain, margarine, viande hachée, crème glacée, yogourt.

Continue à bien te soigner. J'ai hâte moi-même de me faire soigner plus à fond. J'ai un peu peur que le pire provienne encore des sinus. Enfin, on verra. Garde tout le courrier et, sauf pour Stanké et McClelland & Stewart, n'annonce à personne que je reviens le 22. À C.B.C. le 15 février, je ne sais à quelle heure, on doit montrer le petit film sur moi et sur Marie-Claire Blais[1]. Je ne sais même pas s'il passera à Québec.

Des amitiés aux amis.

À bientôt. Reprends des forces.

Bonne et heureuse fête, et toute l'année à venir à sa ressemblance.

Gabrielle

Notes

Kenora, été 1947

1. Le texte, qui s'intitule « Réponse de Mlle Gabrielle Roy », sera repris dans *Fragiles Lumières de la terre* en 1978 sous le titre « Retour à Saint-Henri ». La réception de Gabrielle Roy à la Société royale aura lieu à Montréal, le 27 septembre 1947. Une fois la cérémonie terminée, Gabrielle et Marcel quittent Montréal en direction de New York, où ils embarqueront à bord du *Fairisle* qui doit accoster à Londres. La traversée durera douze jours. Ils demeureront en Europe jusqu'à la fin de l'été 1950, Marcel y poursuivant ses études de spécialisation médicale.
2. La Painchaudière est le nom donné à la maison d'Albert Painchaud et d'Anna Roy. Albert l'a construite en 1939.
3. Sur ces événements, voir *Le temps qui m'a manqué,* Montréal, Éditions du Boréal, 1997, coll. « Cahiers Gabrielle Roy », p. 63-74.

Lettre du 14 [juillet] 1947

1. Ce mot signifie ici « couvent ».
2. « Belette » signifie ici « curieux », « indiscret ».
3. Dédette est le surnom donné par Gabrielle à sa sœur Bernadette.
4. Île située à moins d'un kilomètre du village de Kenora, sur le Lake of the Woods. En 1947, on pouvait y accéder par bateau. Depuis, on y a construit un pont qui permet de s'y rendre à pied

Lettre du 14 [juillet] 1947 [Deuxième lettre de la journée]

1. Cécile Toupin, née à Saint-Boniface en 1913, se marie avec Roméo Favreau en juin 1939 ; le couple s'installe à Kenora. La famille Toupin habitait rue de la Morénie depuis 1911, une rue voisine de la rue Deschambault où habitait la famille de Gabrielle Roy à Saint-Boniface.

Lettre du 15 [juillet] 1947

1. À partir de 1946 et pour environ cinq ans, à la demande de maître Jean-Marie Nadeau, agent de Gabrielle Roy, Maximilian Becker représente les intérêts de Gabrielle Roy aux États-Unis et à l'échelle internationale. Becker dirige alors, avec sa femme Ann Elmo, l'agence AFG Literary Agency, dont les bureaux sont situés sur la Cinquième Avenue à New York. La lettre à laquelle Gabrielle Roy fait allusion n'a pas été retrouvée. Il est question ici des droits danois pour *Bonheur d'occasion.* Le roman sera publié au Danemark en 1949, sous le titre *Blikflojten.*
2. Adèle Roy est la sœur aînée de Gabrielle. En 1947, elle vit à Tangent, en Alberta, où Gabrielle lui a rendu visite lors d'un voyage dans l'Ouest en 1942 pour une série de reportages destinés au *Bulletin des agriculteurs* et au *Canada.* Adèle inspirera le récit « Pour empêcher un mariage » de *Rue Deschambault.* Clémence Roy est une autre sœur aînée de Gabrielle. Elle souffrait d'une maladie mentale. Elle vécut avec leur mère, Mélina Roy, jusqu'à la mort de celle-ci en 1943. Elle habita ensuite seule, pendant quelques années, la chambre qu'elle occupait avec sa mère chez madame Jacques, rue Langevin à Saint-Boniface. En septembre 1947, elle sera admise au Joan of Arc Home à Winnipeg. C'est sans doute Clémence qui inspirera le récit « Alicia » de *Rue Deschambault.*
3. Keewatin est un village voisin de Kenora, au nord-ouest de l'Ontario. Les sœurs des Saints Noms de Jésus et de Marie y possédaient une maison. Bernadette a été pendant quelques années supérieure du couvent des jeunes filles.
4. Pierre Adigard des Gautries a été le consul de France à Winnipeg de la fin janvier 1945 à la fin décembre 1949. La Colombienne dont il est question ici est l'épouse d'Adigard, Sara-Elena de Vengohechea. Marcel Carbotte figurait parmi la liste des invités de la table d'honneur au banquet du 14 juillet qui avait lieu au Consulat de France (« Un banquet à l'occasion du 14 juillet », *La Liberté et le Patriote,* le 18 juillet 1947, p. 12).

Lettre du 16 juillet [19]47

1. Il s'agit d'Arthur Saint-Pierre (1885-1959), sociologue et professeur à l'École des Sciences sociales de 1923 à 1959. Il était le président, en 1947-1948, de la section « Littérature, histoire, archéologie, économie politique, et sujets connexes » de la Société royale du Canada.
2. Gabrielle Roy a connu l'écrivain canadien Ronald Gilmour Everson — né en 1903 — à l'époque où elle vivait à Montréal et travaillait comme journaliste.
3. Gabrielle Roy fait allusion à son projet de mariage avec Marcel Carbotte.

Lettre du 17 juillet [19]47

1. Dans sa lettre du 15 juillet, Marcel écrivait à Gabrielle : « Écoute Gaby ! Je n'aime pas te savoir, les soirs, sur la véranda de l'hôtel. Tu ne vois peut-être pas les blonds, mais je suis sûr qu'ils t'ont vue... et cela c'est encore pire ! »
2. Traduction : *Voyons donc ! je me sentirais comme un roi qui volerait la suce d'un enfant. Je n'accepterais pas un sou d'elles.* [...] *Et qui êtes-vous que je puisse accepter votre argent ? Voyons donc ! j'ai trouvé mon plaisir à voir ces sœurs rire et s'amuser.*
3. Dans sa lettre du 15 [juillet], Marcel écrit à Gabrielle qu'il a « été occupé toute la matinée à la salle d'opération » et qu'il n'est « allé déjeuner qu'à deux heures ». Dans la soirée, il a « une enquête » à effectuer.
4. Il s'agit du docteur Léon-Georges Benoit (1883-1949), médecin de Winnipeg. Le docteur Benoit avait deux filles, Jacqueline et Lorraine.
5. Il s'agit du *Winnipeg Tribune*, un journal qui a publié quelques articles sur Gabrielle Roy et *Bonheur d'occasion*. Fondée en 1920, Picardy était une chaîne de restaurants de Winnipeg reconnue pour ses pâtisseries et ses confiseries. En 1947, elle comptait six établissements. Les restaurants ont fermé leur porte dans les années 1960.
6. Maître Jean-Marie Nadeau (1906-1960), avocat, devient l'agent de Gabrielle Roy en septembre 1945. Il occupera cette fonction pendant une dizaine d'années.
7. Selon toute vraisemblance, Gabrielle Roy n'écrira jamais pour cette revue. D'ailleurs, aucun magazine littéraire portant le nom de *'47*, de *1947* ou de *Forty-Seven* ne figure dans les répertoires de périodiques de l'époque. Seule une revue consacrée à l'éducation et publiée à New York par la *School of Deaf* est intitulée *'47*, mais il est peu probable que ce soit celle à laquelle la romancière fait allusion.

Lettre du 18 juillet [19]47

1. Réponse au passage suivant de la lettre de Marcel : « Tes lettres sont si intéressantes et si belles que je crains de t'expédier ma prose terne et banale. » (17 juillet 1947)
2. « [...] comme tu vois, le premier soir au moins j'ai été fidèle à tes ordres. » (15 juillet 1947) ; « Comme il fait trop chaud pour dormir, j'espère que tu ne m'en voudras pas d'oublier tes ordres et de penser à toi. » (16 juillet 1947)
3. ⁄\ Ce signe est dessiné à la suite du mot « homme » sur le manuscrit.
4. Gabrielle envoie à Marcel, avec sa lettre du 18 juillet, une lettre qu'elle a reçue d'un certain Paul Gélinas, qui la félicite pour *Bonheur d'occasion*. La romancière a ajouté une note au bas de la page, à la main : « Drôle, hein ! pour un inconnu de s'adresser ainsi à moi sur ce ton. Conserve cette lettre. J'enverrai au moins ma carte à ce cœur sensible. »

Lettre du 20 juillet 1947

1. Il s'agit sans doute des 222, des analgésiques qui étaient beaucoup employés autrefois.
2. William Arthur Deacon (1890-1977) a été le directeur littéraire de la revue *Saturday Night* de 1922 à 1928 et du *Toronto Mail and Empire* de 1928 à 1936. En 1947,

il est chroniqueur au journal *Globe and Mail* de Toronto, dont il est aussi le directeur littéraire depuis 1936; il exercera cette fonction jusqu'en 1960. Deacon a publié des articles sur *Bonheur d'occasion* en 1946 et en 1947 dans le *Globe and Mail,* dont « Superb French-Canadian Novel Is About Montreal's Poor Folk » (26 avril 1947). Gabrielle Roy l'a rencontré en 1946 : elle a alors passé le week-end de Pâques chez Deacon et sa femme, Sally Townsend, à Toronto. Dans une lettre datée du 15 juillet 1947, Gabrielle Roy annonce à William Arthur Deacon son projet de mariage avec Marcel Carbotte, en le priant de ne pas répandre la nouvelle. Dans la même lettre, elle lui demande conseil au sujet du versement de ses droits d'auteur. Deacon lui répond, dans une lettre datée du 18 juillet 1947. Il la félicite pour son mariage, lui demande l'« exclusivité » de la nouvelle de son union avec Marcel Carbotte, puis il lui conseille de ne pas accepter l'offre qu'elle a reçue, selon laquelle l'argent qui provient de ses droits américains serait gelé pour une période de dix ans. Le 20 juillet, Gabrielle Roy écrit de nouveau à Deacon pour le remercier de ses conseils et lui signifier qu'elle lui accorderait bel et bien l'« exclusivité » des nouvelles concernant son mariage.

3. Dans sa lettre du 19 juillet 1947, Marcel écrit à Gabrielle : « Les tiens sont fiers de toi, mon cher amour. Quant à moi, je te décernerais tout de suite le prix Nobel. »

Lettre du 22 juillet 1947

1. Le Lake of the Woods est le nom d'un hôtel de la région de Kenora, situé sur les rives du lac du même nom.

Lettre du 23 juillet 1947

1. Georges Duhamel (1884-1966), romancier français, a fait un voyage au Canada et aux États-Unis à l'automne 1945, au cours duquel il s'est arrêté à Montréal. « L'objet de ce voyage était une mission de l'Alliance française » (Georges Duhamel, *Tribulations de l'espérance,* Paris, Mercure de France, p. 232), dont Duhamel était le président.
2. « "Bonheur d'occasion" dans la bibliothèque de l'"Empress of Canada" », *Le Canada,* 21 juillet 1947 (le nom du journal et la date sont inscrits à la main par Gabrielle Roy). On apprend dans l'article que la bibliothèque de l'"Empress of Canada", un paquebot de la compagnie Canadien Pacifique, « est dotée d'une grande variété de volumes susceptibles de rencontrer les exigences des lecteurs de toute catégorie », dont le *Bonheur d'occasion* de Gabrielle Roy.

Lettre du [23 juillet 1947] [Deuxième lettre de la journée]

1. Manuscrit : *mardi.* Il s'agit bien d'un mercredi, puisqu'à la fin de la lettre, Gabrielle écrit « demain jeudi ».
2. Il est impossible de déterminer avec certitude à qui Gabrielle Roy fait allusion. Il s'agit peut-être de Lucien Kéroack, le fils d'un libraire de Saint-Hyacinthe venu s'établir au Manitoba et qui a ouvert une librairie-papeterie à Saint-Boniface

en 1881. Dans la nécrologie de ce Lucien Kéroack, qui était le directeur du service des incendies de Winnipeg depuis 1928, on dit qu'il était « one of the most colorful of the city's firefighters » (voir le *Winnipeg Free Press*, 10 avril 1957, p. 37).

3. Allusion au passage suivant de la lettre de Marcel (22 juillet 1947) : « Tu es chanceuse que ces lettres ne soient pas arrivées avant mon départ pour Kenora, car j'aurais volé chez toi non pour t'embrasser, mais t'étrangler. Je ne dirai pas l'heure qu'il est, mais ce soir encore j'ai, pour penser à toi, ignoré tes *prières*. Depuis que tu fréquentes les religieuses, j'ai remarqué que ton vocabulaire devenait onctueux. J'en jouis religieusement. »
4. Le texte en question s'intitule « L'Éloquence ». Il est dactylographié à interligne double et couvre deux pages et demie. C'est une copie d'un texte de Ferrier Chartier du journal *Le Devoir*. Au bas de la troisième page est inscrit « Kenora, le 20 juillet 1947 ».
5. Il s'agit du père Émile Legault (1906-1983), fondateur et directeur de la troupe des Compagnons de Saint-Laurent.
6. Cette citation n'est pas exacte. Cet extrait, tiré de *Variété V* (Paris, Gallimard, 1944, p. 157), s'en rapproche : « Comment une œuvre remarquable sortirait elle de ce chaos, si ce chaos qui contient tout ne contenait aussi quelques chances sérieuses de se connaître soi-même et de choisir en soi ce qui mérite d'être retiré de l'instant même et soigneusement employé ? »
7. Il a été impossible de déterminer à qui appartenait cette chatte. Moumoute est aussi l'un des surnoms que Marcel donnait à Gabrielle.
8. Gabrielle Roy fait peut-être allusion au *Kenora Daily Miner*. Cet hebdomadaire publiera d'ailleurs, en première page de son édition du 25 juillet 1947, un article sur Gabrielle Roy intitulé « Noted Canadian Authoress Here On Brief Visit », dans lequel sont annoncés le séjour de la romancière à Kenora et la vente des droits cinématographiques pour *Bonheur d'occasion*. On y apprend aussi que Gabrielle Roy a une sœur qui fait partie de la communauté des Saints Noms de Jésus et Marie, qu'elle travaille à un nouveau livre et qu'elle trouve la région de Kenora particulièrement reposante et agréable.
9. Traduction : *J'ai lu votre livre. Il est merveilleux — mais tellement déprimant* [...] *La vie l'est aussi* [...] *Regardez-nous, gens heureux qui allons tous nous rafraîchir dans le lac. Avez-vous déjà pensé aux milliers de petits enfants, de gens fatigués qui n'ont jamais eu cette chance et qui sont enfermés dans des édifices en briques, dans des pièces chaudes et étouffantes ? Non, hein ? Le problème avec vous, c'est que vous ne réfléchissez pas.*

Lettre du 5 août [19]47

1. Il n'y a pas de lac qui porte ce nom dans la région de Kenora. Gabrielle Roy fait sans doute allusion à la plage de Coney Island, puisque *coney*, en français, signifie « lapin ».
2. L'écrivain américain Damon Runyon (1884-1946) est surtout connu pour ses nouvelles humoristiques. John Steinbeck (1902-1968) est d'origine américaine. Son roman *Tortilla Flat* (1935), qui est présenté sous la forme d'une suite de tableaux

humoristiques, se veut une satire de la bourgeoisie américaine. Enfin, Gabrielle Roy fait peut-être allusion aux *Contes du jour et de la nuit* (1885) de Guy de Maupassant (1850-1893), ou au *Horla* (1887), un récit dont le fantastique constitue le fondement.

3. Ici, le mot signifie « sœurs ».

Genève, hiver 1948

Lettre du 13 janvier 1948

1. François de Senarclens est né en 1912. Il est gynécologue. Il a le souvenir d'avoir rencontré Marcel Carbotte à l'hôpital Broca, où il a lui-même fait un stage en 1946-1947. Il croit également que Marcel a pu visiter la maternité où il était médecin-adjoint à Genève en 1948. C'est par l'intermédiaire de Marcel que Gabrielle Roy l'a rencontré.
2. C'est Marcel qui a conseillé à Gabrielle de consulter le docteur Naville.

Lettre du 14 janvier 1948

1. Adapté du roman *Le Diable au corps* de Raymond Radiguet (1903-1923) publié en 1923 (Paris, Bernard Grasset), ce film réalisé par Jean Aurenche et Pierre Bost (1943), mettant en vedette Gérard Philipe et Micheline Presle, raconte l'aventure adultère vécue d'un adolescent et de l'épouse d'un soldat parti combattre au front.
2. La lettre de Marcel est datée du 12 janvier 1948. Il y décrit minutieusement la chambre qu'il occupe à l'hôtel de la Cloche : « J'ai une chambre de tonalité grise — le plafond et le lambris gris perle et gris éléphant —, le papier tenture gris, vieux rose, noir et vert olive représentant des anémones stylisées reliées par des nœuds de ruban sur un fond à rayures — un manteau de cheminée en marbre gris encadrant un foyer qui n'a jamais connu la joie d'un beau feu et supportant une immense glace Louis XV qui renvoie aux portes de la garde-robe, l'injure du gris de la chambre... [...] À la fenêtre, des draperies en tapisserie qui devaient être magnifiques au temps de Ruskin, des meubles : lit, garde-robe, table de nuit en palissandre style 1920, agrémentés de festons de roses en bronze, une table en noyer sculpté, un fauteuil d'époque indécise recouvert d'une tapisserie de velours, fané aux endroits non-protégés, deux fauteuils contrefaçon de style Empire à dossiers et sièges recouverts de peluche framboise et dont les appuis forment dauphins maigrelets. »
3. Marcel écrit qu'il a « fumé douze cigarettes » dans la soirée du 12 janvier (Marcel à Gabrielle, 12 janvier 1948).
4. Allusion au passage suivant de la lettre de Marcel (12 janvier 1948) : « Je dois te dire qu'après le dîner, je suis allé au salon. Je m'y suis trouvé seul, j'ai ouvert une *Illustration* et sais-tu que je l'ai ouverte à la critique des livres où tu m'apparus toute souriante, entourée de ces dames du prix Femina. Comme j'étais seul et comme cet

article ne figurait pas dans mon *scrap-book*, je l'ai déchiré et enfoui dans ma poche de veston pour servir de témoignage à ceux qui nous suivront. »

Lettre du 15 janvier 194[8]

1. La lettre de Jean-Marie Nadeau est datée du 20 décembre 1947. Elle a été conservée avec la lettre du 15 janvier 1948 envoyée à Marcel. Dans sa lettre, Nadeau rappelle d'abord à Gabrielle Roy à quel point les gens au Canada sont ravis qu'elle ait obtenu le prix Femina. Nadeau lui explique ensuite qu'il n'est pas encore arrivé à une entente avec l'éditeur Reynal & Hitchcock quant au versement des droits sur l'édition américaine de *Bonheur d'occasion.* Il donne aussi à Gabrielle Roy quelques précisions concernant les revenus qu'elle devra déclarer à l'impôt. Enfin, il lui donne des nouvelles d'Henri Girard, avec qui la romancière a été liée dans les années 1940, avant son mariage avec Marcel Carbotte.
2. En 1948, Pierre Tisseyre (1909-1995) est le directeur du Cercle du livre de France, dont il acquiert la même année des actions pour en devenir le propriétaire et le directeur général. Dans une lettre datée du 24 novembre 1947, il annonçait à Gabrielle Roy qu'il avait vendu à la *Revue moderne* la nouvelle intitulée « Sécurité » et au *Petit journal* la nouvelle intitulée « La lune des moissons ». Quant à Guy de Clercq, il est, en 1948, le directeur du bureau de l'Agence littéraire atlantique à Paris.
3. René d'Uckermann est le directeur littéraire de la Librairie Ernest Flammarion, qui a publié *Bonheur d'occasion* en 1947.

Lettre du 15 janvier [1948] [Deuxième lettre de la journée]

1. Il s'agit de Jean Rousseau, avec qui Marcel Carbotte a étudié la médecine à l'Université Laval, et de sa femme Yvonne.
2. Gabrielle Roy fait ici allusion au kiosque situé derrière la maison d'Anna (la Painchaudière) et à la chapelle Saint-Émile, la petite église où son mariage a été célébré en août 1947.
3. Monsieur et madame Claude Béclère. C'est auprès du docteur Béclère que Marcel effectue son stage.
4. Honoré de Balzac (1799-1850) a eu une liaison avec Èva Hanska, née comtesse Rzewuska, de 1832 à 1850. Dans les premières années, Balzac et madame Hanska se sont rencontrés à Genève à quelques reprises, notamment du 24 décembre 1833 au 8 février 1834. Ils avaient alors l'habitude de loger à l'Auberge de l'Arc, située sur la route de la Savoie, près d'un triangle de verdure appelé le Pré-Lévesque. Dans l'abondante correspondance qu'ils échangèrent entre 1832 à 1848, il n'est pas fait mention d'un séjour à l'hôtel de l'Écu (voir Honoré de Balzac, *Lettres à madame Hanska,* tome I : *1832-1840,* Roger Pierrot (dir.), Paris, Éditions du Delta, 1967, 752 p., et *Lettres à madame Hanska,* tome II : *1841-juin 1845,* Roger Pierrot (dir.), Paris, Éditions du Delta, 1968, 666 p.). Par ailleurs, aucun indice ne permet de déterminer l'époque à laquelle Jean-Paul Sartre et Simone de Beauvoir auraient logé à l'hôtel de l'Écu. Les biographies des deux écrivains n'ont pas davantage permis d'établir quand ils auraient séjourné à Genève.

Lettre du 17 janvier [19]48

1. « Je voudrais être un de ces cygnes du lac Léman. Comme je glisserais gracieusement devant ta fenêtre pour te distraire ! » (Marcel à Gabrielle, 15 janvier 1948)
2. Marcel écrivait à Gabrielle dans sa lettre du 15 janvier 1948 : « Hier soir, en rentrant, j'ai regardé mes cartes postales de Genève pour y découvrir l'hôtel de l'Écu. Malheureusement, le dernier peuplier ou cyprès de l'île Rousseau me cache ta fenêtre. J'aurais tant voulu y voir la petite Gabi. »
3. André Gide insiste souvent, dans son *Journal 1889-1939* (Paris, Gallimard, coll. « Bibliothèque de la Pléiade », 1951), sur l'importance de la solitude pour l'accomplissement de son travail. L'idée est notamment exprimée dans les passages suivants : « Quelques plongeons dans la solitude me sont aussi indispensables, chaque jour, que le sommeil des nuits. » (p. 170) ; « Urgent besoin de solitude et de ressaisissement. Il ne s'agit plus de séduire autrui, ce qui ne va jamais sans concessions et sans une certaine duperie de soi-même. Il faut accepter que ma route m'éloigne de ceux vers qui mon cœur m'incline ; et même reconnaître que c'est ma route, à ceci : qu'elle m'isole. » (p. 881) ; « Pour travailler vraiment, je veux dire : pour me livrer à un travail producteur, il ne me manque plus que la solitude. [...] je n'ai jamais rien fait qui vaille, sans une longue continuité dans l'effort. » (p. 1316)
4. Marcel avait ajouté un post-scriptum à la fin de sa lettre du 15 janvier 1948 : « Je vais m'acheter un *Petit Larousse* car j'ai honte. »
5. Marcel et M. d'Uckermann ont assisté à une représentation de la pièce *Le Procès d'Oscar Wilde* de Maurice Rostand à la Comédie des Champs-Élysées.
6. *Tannhaüser*, que Gabrielle Roy avait orthographié « Tannehauser », est un opéra en trois actes et quatre tableaux de Richard Wagner. La production dont il est question ici est présentée au Grand-Théâtre de Genève les 17, 19 et 21 janvier 1948 par la Société Romande de Spectacles, sous la direction de Robert Denzler. C'est Marcel qui avait suggéré à Gabrielle d'assister à une représentation de *Tannhaüser* (dans sa lettre du 15 janvier 1948). Marcel Dupré (1886-1971), compositeur et organiste français, est à Genève pour donner un seul concert, le 17 janvier 1948, à la cathédrale Saint-Pierre. Il interprète, en plus de pièces qu'il a lui-même composées, des œuvres de Bach, Mozart et César Franck.
7. Ces lettres n'ont pas été retrouvées. Il s'agit sans doute de Pauline Boutal (1895-1992), née LeGoff, qui est artiste peintre et dessinatrice de mode. Pauline est née en Bretagne et a émigré au Manitoba en 1908. En 1916, elle a épousé Arthur Boutal. En 1925, elle entre avec lui dans le Cercle Molière, troupe de théâtre amateur dont Gabrielle Roy fera partie dans les années 1930. Quant à Émilienne, il s'agit peut-être d'Émilienne Daraedt, qui est évoquée dans la lettre du 28 janvier 1948 et qui aurait été serveuse au restaurant Doucet, jadis situé rue de Strasbourg, à Paris.
8. Selon les petites annonces du « Carnet professionnel » du journal *La Liberté et le Patriote* de Winnipeg en juin 1946, le docteur E.T. Etsell est spécialiste des maladies de reins. Quant au fermentol, il s'agit d'un liquide antiacide prescrit pour le soulagement des brûlures d'estomac.

Lettre du 18 janvier [19]48

1. Le conte qu'écrit alors Gabrielle Roy est l'esquisse du premier chapitre du roman *Alexandre Chenevert* (Montréal, Beauchemin, 1954).
2. Saint-Cergue est situé dans la région de la Haute-Savoie, en France, à une cinquantaine de kilomètres de Genève. Gabrielle Roy procédait sans doute ainsi pour éviter les contrôles douaniers.
3. Il s'agit de la journaliste Judith Jasmin (1916-1972), que Gabrielle Roy a commencé à fréquenter à l'époque où elle rédigeait ses reportages pour le *Bulletin des agriculteurs* ; les deux femmes sont amies depuis la parution de *Bonheur d'occasion.*
4. Gabrielle Roy faisait envoyer ses lettres de Paris, afin de cacher aux membres de sa famille qu'elle voyageait seule pendant que son mari poursuivait ses études. Voir notamment la lettre du 22 janvier 1948, que la romancière a adressée à Bernadette pendant son séjour à Genève, mais qui commence par l'inscription « Paris, 22 janvier 1948 » (*Ma chère petite sœur. Lettres à Bernadette 1943-1970,* édition préparée par François Ricard, Dominique Fortier et Jane Everett, Montréal, Éditions du Boréal, 1999 [1988], coll. « Cahiers Gabrielle Roy », p. 22).

Lettre du [19 janvier 1948]

1. Il s'agit de deux cartes postales, en noir et blanc, envoyées dans une enveloppe, l'une représentant la Tour et la Place du Molard, l'autre le Palais des Nations de Genève.
2. Le Musée d'art et d'histoire de Genève possédait à cette date cent dix-sept tableaux du peintre suisse Ferdinand Hodler (1853-1918), qui est associé au mouvement symboliste.

Lettre du 20 janvier [1948]

1. Il s'agit de la Maison des étudiants canadiens, située boulevard Jourdan, à Paris.
2. Marcel a envoyé à Gabrielle un compte rendu de *Bonheur d'occasion* signé par André Belland : « Gabrielle Roy. Bonheur d'occasion », *La Nef,* n° 38, janvier 1948, p. 143-144.

Lettre du 21 janvier [19]48

1. La lettre de Marcel datée du 19 janvier 1948 commence ainsi : « Je m'attendais à recevoir une lettre où tu m'aurais parlé longuement de ta santé et de la consultation du docteur Naville. »
2. Georges Vanier, ambassadeur du Canada à Paris, et sa femme Pauline.

Lettre du 21 janvier [19]48 [Deuxième lettre de la journée]

1. Gabrielle Roy reprendra ce thème dans le roman *La Rivière sans repos* (Montréal, Beauchemin, 1970), dans lequel Elsa, une jeune esquimaude, se fait violer par un G. I. américain de qui elle aura un fils qu'elle prénommera Jimmy.

2. Paul Landowski (1875-1961) est sculpteur. Gabrielle Roy fait allusion au Monument international de la Réformation, aussi connu sous le nom de Mur des Réformateurs, qui a été inauguré en 1909 à l'occasion du quatre-centième anniversaire de la naissance de Jean Calvin. Il a été érigé pour rappeler qu'au XVIe siècle, Genève était surnommée la « Rome protestante ». L'autre artiste évoqué est le sculpteur français Henri Bouchard (1875-1960).
3. Réponse à la question de Marcel, formulée à la fin de sa lettre du 19 janvier : « Je t'appelle dans la nuit, m'entends-tu au moins ? »

Lettre du 22 janvier [19]48

1. Gabrielle Roy avait pris l'habitude, à partir de 1940, d'effectuer de longs séjours à Rawdon, chez madame Tinkler. Elle y a rédigé une partie de *Bonheur d'occasion.*
2. Pierre Dupuy, l'ambassadeur du Canada en Hollande, avait assisté à la cérémonie de réception de Gabrielle Roy à la Société royale du Canada le 27 septembre 1947. Il sera l'ambassadeur du Canada en France de 1958 à 1963.

Lettre du 23 janvier [19]48

1. « Pas de lettre de toi, quelle journée j'ai passée. » (Marcel à Gabrielle, 20 janvier 1948)
2. Auteur, acteur et cinéaste français (1885-1957). En janvier 1948, il jouait dans la comédie dite « des couturières », tirée du film *Le Diable boiteux* dont le tournage est empêché par la censure française (le tournage ne sera autorisé qu'en avril 1948).
3. Sans doute afin de justifier le fait que Gabrielle séjourne seule en Suisse : « J'ai écrit à Maman et je lui ai dit que je t'avais laissée en Suisse parce que la nourriture était meilleure et que notre hôtel était mal chauffé. » (21 janvier 1948)
4. Cette lettre a sans doute été perdue.

Lettre du 23 [janvier] 1948 [Deuxième lettre de la journée]

1. Manuscrit : 23 février 1948.

Lettre du 25 janvier 1948

1. Allusion au personnage principal de ce qui va devenir le roman *Alexandre Chenevert.*
2. Hôtel de grand luxe inauguré le 1er mai 1834 et situé sur les rives du Rhône.

Lettre du 26 janvier [19]48

1. Voir la lettre de Marcel datée du 22 janvier 1948 : « J'ai ce que je veux, il ne me reste plus qu'à réussir — ce que je ferai car je travaille avec bonheur de neuf heures à une heure et de quatre à sept, trois heures à midi pour déjeuner et mes soirées libres. »
2. « Si tu manques d'inspiration pour ton travail, laisse-[le] là, tu le reprendras plus

tard... La volonté est une mauvaise maîtresse de l'imagination. » (Marcel à Gabrielle, 24 janvier 1948)

3. « Il y a quelque chose de décroché en toi, mon cher amour, qu'il faudra connaître et ressaisir. » (Marcel à Gabrielle, 22 janvier 1948)
4. « Mais il va falloir que toi tu organises ta vie pour te libérer, aller au théâtre, au concert, il faudra que tu t'intéresses à quelque chose qui finira toujours par te servir, ne serait-ce que pour récupérer ta paix d'esprit. » (Marcel à Gabrielle, 22 janvier 1948)
5. *L'Homme au chapeau rond* (1946), film réalisé par Pierre Billon d'après le roman de Dostoïevski, avec Jules Muraire (dit Raimu), Aimé Clariond, Gisèle Casadesus et Jane Marken. Marcel a vu le film au cinéma de la Cité universitaire, à Paris.
6. Il s'agit de l'épouse et de la fille du professeur Mocquot, un médecin que Marcel côtoie à l'hôpital Broca.
7. Le château de Chillon est un château médiéval situé en Suisse, sur les rives du lac Léman, près de Montreux. Il tire son nom du rocher sur lequel il est construit. Gabrielle Roy fait ici allusion au poète Lord Byron, qui y a été emprisonné et en a tiré un poème célèbre : « Le prisonnier de Chillon ».
8. Voir le premier chapitre du roman *Alexandre Chenevert* (1954).

Lettre du 28 janvier 1948

1. Marcel décrit ainsi sa visite à Vézelay dans sa lettre du 26 janvier 1948 : « Mon cher amour, il n'y a presque pas de mots pour décrire la beauté de ce spectacle. On a presque l'impression que Dieu nous entre dans les yeux. C'est à mon humble avis le temple le plus grandiose que j'ai jamais vu. Le style roman m'avait fait imaginer la basilique de la Madeleine comme un temple solide mais lourd... Solide oui, mais quelle légèreté, quelle sveltesse et aussi quelle couleur ! Le soleil éclairait la nef quand nous sommes entrés et l'emplissait d'une buée dorée qui nous laissait espérer l'apparition de Dieu. [...], elle présente les transitions effectuées entre le roman pur et le beau gothique simple du XIIe siècle. On y rencontre les meilleurs exemples des deux styles. La nef est de style roman byzantin, les bases des arcs se rapprochent. On a obtenu à l'aide de la pierre seule des effets de couleur inimaginables, des teintes pastel que le soleil réchauffe... Une ambiance de rêve, des blancs, des gris, des roses, des mauves, un véritable poème de Rimbaud. »
2. *Les Enfants du paradis* (1945), film réalisé par Marcel Carné, avec Arletty, Jean-Louis Barrault, Pierre Brasseur, Pierre Renoir, Maria Casarès et Louis Salou ; *La Part de l'ombre* (1945), film réalisé par Jean Delannoy, qui met en effet en vedette Jean-Louis Barrault et Edwige Cunati, dite Edwige Feuillère.
3. Gabrielle et Marcel sont mariés depuis cinq mois.

Lettre du 29 janvier 1948 [Deuxième lettre de la journée]

1. Gabrielle fait allusion à ce passage de la lettre de Marcel : « Tu crois parfois, cher amour, que ma foi est quiétude facile, une espèce de satisfaction béate que la nécessité de bonheur a inventée pour disculper la conscience inquiète des lâchetés

communes envers les hommes, un passe-partout qui ouvre à notre niaise crédulité les portes d'un ciel confortable qu'une foi sans action nous permet d'espérer. [...] » (27 janvier 1948)

2. Paula Sumner est née vers 1915. Elle épouse le diplomate français Henri Bougearel à Montréal, le 23 septembre 1943. Gabrielle Roy a connu Paula au Manitoba, à l'époque où celle-ci était membre de la Fédération des femmes canadiennes-françaises. Dans les années qui suivent le mariage, le couple Bougearel habite San Jose, au Costa Rica, où Henri a été nommé chargé d'affaires pour la France. À la fin des années 1940, il est de retour en France, où il siège au Conseil européen, à Strasbourg. Gabrielle Roy est la marraine de Claude, le fils cadet du couple né vers 1947. Paula Bougearel mourra à Nice, en France, en 1973.

Lettre du 30 janvier [19]48

1. La décongestine est une pâte destinée à soulager les douleurs musculaires et articulaires.

Concarneau, été 1948

1. François Ricard, *Gabrielle Roy, une vie*, p. 321.
2. « L'Île de Sein », dans *Le Pays de Bonheur d'occasion et autres récits autobiographiques épars et inédits*, édition préparée par François Ricard, Sophie Marcotte et Jane Everett, Montréal, Éditions du Boréal, coll. « Cahiers Gabrielle Roy », 2000, p. 69-77.
3. Ce texte est repris dans *Fragiles Lumières de la terre* (p. 127-135) sous la rubrique « Paysages de France ».
4. Gabrielle Roy reviendra à ce projet à trois reprises. Christine Robinson a préparé une édition critique du roman, intitulé à titre posthume *La Saga d'Eveline* (thèse de doctorat, Université McGill, 1998).

Lettre du 28 juin 1948

1. Il s'agit d'un hôtel situé sur la plage de Concarneau ; voir la lettre du 4 juillet 1948.

Lettre du 29 juin 1948

1. La lettre est accompagnée d'une carte postale vierge représentant le « Dolmen de Rostudel », de la série « Scènes et Types Bretons ».
2. Il s'agit de Jeanne Lapointe (née en 1915), professeur de lettres à l'Université Laval, que Gabrielle Roy a rencontrée l'automne précédent lors d'une réception donnée par l'ambassade du Canada à Paris pour le prix Femina que venait de remporter *Bonheur d'occasion.*
3. Voir la lettre du 5 juillet 1948 où il est question d'une carte sur laquelle figure le portrait de la « vierge noire ».

Lettre du 30 juin [19]48

1. Gabrielle Roy fait allusion à l'accident de la route dont Marcel a été victime : « [...] au sortir d'Orléans, un camion glissant sur le pavé mouillé a failli m'expédier ad patres. Ne t'inquiète pas, l'auto n'a rien eu. Quant à moi j'ai eu une frousse terrible : ma présence d'esprit m'a sauvé. Ce n'est que quelques minutes plus tard que j'ai réalisé comme je l'avais échappé belle. Je me suis mis à trembler, à tel point que j'ai dû m'arrêter quelque temps, j'ai braillé comme un veau et je me suis décidé à rentrer à Paris à trente milles à l'heure. » (Lettre de Marcel à Gabrielle, 28 juin 1948)
2. Le Villars Palace est un établissement hôtelier du type « Club Med » situé dans le village de Villars, en Suisse.

Lettre du 2 juillet 1948

1. Dans une lettre datée du 29 juin 1948, Marcel évoque les cérémonies des vêpres auxquelles il a assisté en route vers Paris, notamment à Tréguier.
2. Arthur Koestler (1905-1983), écrivain britannique d'origine hongroise. Son roman *La Tour d'Ezra* a été publié en 1946. En plus de constituer une sorte de plaidoyer « pro-sioniste », le livre de Koestler dénonce le nazisme et le fascisme. Gabrielle Roy fait probablement allusion, en second lieu, au livre de Jérôme et Jean Tharaud, intitulé *Causerie sur Israël* (Paris, Lesage, 1926).
3. « Klim » est une marque de lait en poudre.

Lettre du 3 juillet 1948

1. Le bismuth est indiqué pour le soulagement des troubles gastriques et intestinaux.

Lettre du 4 juillet [19]48

1. Dès 1940, Gabrielle Roy prend l'habitude de passer des vacances en Gaspésie, à Port-Daniel. Elle y a rédigé une bonne partie de *Bonheur d'occasion*. On peut lire le récit de son séjour à Port-Daniel, après la mort de sa mère en 1943, dans *Le temps qui m'a manqué* (p. 77-92).
2. Réponse à la lettre de Marcel du 1er juillet 1948, dans laquelle il revient sur les événements qui ont précédé son départ de Concarneau : « Mon cher amour, si tu savais combien j'aurais voulu t'exprimer toute la tendresse qui montait en moi avant notre départ. À peine conçus, les mots venaient mourir d[an]s ma gorge ; aussi, avoue-le, tu ne m'as guère aidé. Il est vrai que la veille, souffrant, j'avais eu à ton égard des mots durs que j'ai bien regrettés, va ! Mais tout de même, quand avant le déjeuner je suis allé m'allonger près de toi, tu t'es refusée à m'aider ! [...] Je souffrais de ta distance et lorsque je me suis approché tu t'es reculée. Te souviens-tu alors des mots durs que tu as proférés, si durs parce que tu en connaissais toute la profonde injustice. L'amour est humble, cher petit, ne l'oublions jamais ! »
3. Dans sa lettre du 1er juillet, Marcel a annoncé à Gabrielle qu'il devait se rendre le soir même à l'Ambassade du Canada pour prendre part à la réception du *Dominion Day*.

4. Il s'agit de Paul et Simone Beaulieu, qui ont mis leur appartement de Neuilly à la disposition de Marcel. L'appartement est situé boulevard Maillot, dans l'hôtel particulier des de Miramon Fitz-James. Paul Beaulieu a dirigé la revue *La Relève* avec Robert Charbonneau à la fin des années 1930. Depuis 1942, il est à l'emploi du ministère des Affaires extérieures du Canada. En 1946, il est nommé attaché culturel à l'Ambassade du Canada à Paris, fonction qu'il occupera jusqu'en 1949, avant d'être muté à Boston, aux États-Unis. Sa femme, Simone Aubry-Beaulieu, est peintre. De janvier à mai 1946, elle a représenté le service international de Radio-Canada à Paris. Sa toile *La Femme assise dans un paysage* remportera le Premier prix de peinture de la Province de Québec en 1949.

Lettre du 5 juillet 1948

1. Voir la lettre de Marcel du 2 juillet 1948, dans laquelle il raconte la soirée qu'il a passée en compagnie de monsieur Spencer (« le directeur des services du Canadien Pacifique à Paris ») et son épouse, Marcelle Barthe, madame Bruchési et le docteur Morin.
2. Ancien élève du peintre québécois Jean Paul Lemieux (1904-1990), le peintre québécois Jean Soucy est venu se perfectionner dans les académies parisiennes. De 1946 à 1950, il fréquentera l'École du Louvre, l'Académie Julliani et la Grande-Chaumière.

Lettre du 7 juillet [19]48

1. Il a été impossible de déterminer à quoi Gabrielle Roy fait allusion ici. Elle renvoie peut-être à un événement qui serait survenu lors d'un séjour dans le village de l'Isle-Adam, situé au nord-ouest de Paris, dans le Val-d'Oise.
2. Allusion à la lettre du 5 juillet 1948 de Marcel, dans laquelle il raconte un court voyage qu'il a fait en Normandie en compagnie du docteur Morin et de Marcelle Barthe. Le trio est allé chez des amis du docteur Morin, monsieur et madame de Coup.

Lettre du 8 juillet [1948]

1. Carte postale « Scènes et Types Bretons / Les Causeurs Menhirs de l'île de Sein », envoyée dans une enveloppe.

Lettre du 9 juillet 1948

1. Gabrielle répond ici à un passage de la lettre du 7 juillet 1948 de Marcel : « Je donnerais n'importe quoi pour qu'une grande joie ou même une peine survienne pour me sortir de ce banal ennui. Si encore je pouvais t'oublier, le temps me semblerait moins long, mais véritable supplice de Tantale, ton visage m'apparaît constamment. »
2. « George Washington » est une marque de café instantané introduite sur le marché en 1909.

Lettre du 10 juillet [19]48

1. Marcel a écrit à Gabrielle, dans sa lettre du 7 juillet 1948 : « Jeanne Lapointe n'a pas encore donné signe de vie. Espérons qu'elle ne s'est pas fait pincer avec ton chèque. Pour tout ce qu'on en sait, elle est peut-être en boîte. »
2. Marcel annonce à Gabrielle, dans sa lettre du 8 juillet 1948, que le peintre Jean Soucy doit rentrer au Canada, « faute de fonds », et qu'il doit renoncer à l'exposition de ses œuvres qui devait avoir lieu l'automne suivant à Paris.
3. Dans sa lettre du 8 juillet 1948, Marcel raconte également à Gabrielle que le docteur Béclère doit recevoir « la plupart des médecins canadiens » le lendemain et qu'il n'a pas été invité.
4. Gabrielle répond sans doute à un passage de la lettre du 8 juillet 1948 de Marcel, dans lequel celui-ci se plaint du fait qu'elle lui « parle bien peu » de son travail : « Je souffre ton absence pour un travail dont je ne connais pas le premier mot. »

Lettre du 12 juillet [19]48

1. Le *Fairisle* est le bateau à bord duquel Gabrielle Roy et Marcel Carbotte ont fait la traversée de l'Atlantique à l'automne 1947.
2. Paul Valéry, « Le Philosophe et La jeune Parque », dans « Pièces diverses de toute époque », *Œuvres*, t. I, Jean Hytier (éd.), Paris, Gallimard, 1957, coll. « Bibliothèque de la Pléiade », p. 164.

Lettre du 12 juillet 1948 [Deuxième lettre de la journée]

1. Marcel a finalement été invité à la réception donnée par le docteur Béclère : « Je reviens de la réception du docteur Béclère, toujours aussi enthousiasmé de cette ambiance polie et raffinée. [...] Celui dont nous sommes le plus fiers au Canada et qui devrait en tout nous représenter et nous faire honneur, le docteur Mercier Fauteux, notre grand chirurgien du cœur, était saoul comme un cochon. » (Marcel à Gabrielle, 10 juillet 1948)
2. « [Béclère] m'a remis une lettre pour le professeur Simonet qui m'enseignera les dosages hormonaux et une autre pour le docteur Delinotte qui pourrait me prendre dans son service de chirurgie à l'hôpital Lariboisière du milieu de juillet au milieu d'août. Le docteur Delinotte me permettra d'entrer en relation avec les prospecteurs de l'école d'anatomie où je pourrais me faire la main sur les cadavres. » (Marcel à Gabrielle, 9 juillet 1948)

Lettre du 14 juillet 1948

1. La lettre écrite au dos d'une carte postale représentant Amiens (11 juillet 1948) commence comme suit : « Nous revenons d'Amiens, pauvre ville éprouvée par deux guerres, qui reprend espoir au pied de sa magnifique cathédrale. » Marcel a fait ce voyage à Amiens « avec Soucy, Lambert et Braga », comme il le précisera dans sa lettre du 12 juillet 1948.

2. « Je dois rencontrer les docteurs Simonet et Delinotte demain. » (Marcel à Gabrielle, 12 juillet 1948)

Lettre du 15 juillet 1948

1. Traduction : *autos tamponneuses.*
2. Gabrielle Roy, avant de rentrer à Montréal en 1938, avait séjourné en Provence. Elle en fait le récit dans *La Détresse et l'Enchantement* (p. 467-486). Gabrielle et Marcel iront y passer les fêtes de fin d'année 1948.

Lettre du 16 juillet 1948

1. Dans sa lettre du 12 juillet 1948, Marcel offre une description de la cathédrale d'Amiens à Gabrielle ; il évoque les vitraux, les sculptures, les stalles, le chœur et les voûtes, de même que l'architecture gothique de l'édifice.
2. Traduction : *C'est ainsi que Sir Christopher voulait qu'on la perçoive.* Il est ici question de Sir Christopher Wren (1632-1723), l'architecte qui a dessiné les plans de la St. Paul's Cathedral de Londres — la plus grande cathédrale d'Angleterre.
3. La lettre d'Aline Carbotte, que Marcel a envoyée à Gabrielle avec sa lettre du 12 juillet 1948, est écrite au dos d'une lettre qu'elle a elle-même reçue d'une certaine Ismérie. Madame Carbotte fait notamment allusion, dans sa lettre, au fait que Gabrielle n'est pas encore enceinte. Elle écrit que sa filleule Lydia lui aurait demandé « si Tante Gabrielle et Tante Léona [la sœur de Marcel] aurai[en]t bientôt des bébés ». (Bibliothèque nationale du Canada, Fonds Gabrielle Roy, MSS 1982-11/1986-11, boîte 6, chemise 9) Dans sa lettre du 12 juillet 1948, Marcel écrit à Gabrielle que sa mère doit arriver à Cherbourg en septembre, ce qui les obligera à « écourter » ou à « avancer » le voyage qu'ils projettent de faire en Italie.
4. Dans sa lettre datée du 13 juillet, mais vraisemblablement écrite le soir du 14, Marcel raconte à Gabrielle qu'il a passé la soirée avec Jean Soucy et Benoît Lambert « rue [de] Lappe, près de la Bastille, où se trouvent les uns accolés aux autres une dizaine de bals musettes ».
5. Henri Bougearel est alors en poste au Japon.
6. Le *Gladstone bag* est un sac de voyage.

Lettre du 25 juillet 1948

1. Marcel était venu rejoindre Gabrielle à Concarneau pour environ une semaine.
2. « Tout confort, sur la plage, suivre l'itinéraire en ville ou la corniche » est sans doute le slogan publicitaire de l'hôtel de Cornouailles.
3. Traduction : *Meilleurs vœux et heureux souvenirs à Marcel.*
4. Traduction : *Salutations de la perfide Albion au beau pays de France.*

Lettre du 26 juillet [19]48

1. Il s'agit du quatrième vers du poème « Recueillement » de Charles Baudelaire

(Charles Baudelaire, *Œuvres complètes*, t. I, Claude Pichois (éd.), Paris, Éditions Gallimard, 1993 (1975), coll. « Bibliothèque de la Pléiade », p. 140).
2. Il s'agit d'une carte postale représentant le château de Josselin.

Lettre du 29 juillet [19]48

1. Allusion à Kenora, où a séjourné Gabrielle dans les semaines qui ont précédé son mariage avec Marcel à l'été 1947. Marcel évoque Kenora dans sa lettre du 27 juillet 1948 : « Te rappelles-tu cette journée si chaude à Kenora... Eh bien ici, c'est encore pire... »
2. « Hier soir, vers dix heures, je suis allé une heure à la Maison Canadienne à la recherche de lait. Je suis revenu les mains vides et le cœur plein d'espoir. D'ici quelques jours, je pourrai te faire un colis. » (Marcel à Gabrielle, 27 juillet 1948)
3. Jack McClelland est l'un des dirigeants de la maison d'édition McClelland & Stewart qui a obtenu, en 1946, les droits pour la distribution de la version anglaise de *Bonheur d'occasion* (*The Tin Flute*) au Canada. Cette maison torontoise sera l'éditeur canadien-anglais de Gabrielle Roy pendant toute sa vie.
4. Marcelle Barthe (1904-1964), journaliste et animatrice canadienne ; elle a été au service de la Société Radio-Canada de 1938 à 1964, animant entre autres les visites royales de 1939 et de 1951. Gabrielle Roy a connu Marcelle Barthe dans le milieu du théâtre et de la radio. Barthe était notamment du nombre des membres fondateurs de la société dramatique La Rampe à Ottawa, en 1935. Gabrielle Roy fait allusion à cette troupe de théâtre dans « Le Cercle Molière... Portes ouvertes », dans *Le Pays de Bonheur d'occasion et autres récits autobiographiques épars et inédits*, p. 23-33. Marcel écrit à Gabrielle, dans sa lettre du 26 juillet, qu'il a accompagné Marcelle Barthe, qui venait tout juste de rentrer d'un séjour en Italie, « au théâtre de dix heures ».
5. Il s'agit du Monument aux Réformateurs, situé dans le Parc des Bastions, auquel Gabrielle Roy fait allusion dans ses lettres de Genève en janvier 1948.
6. Il est question de Charles Dullin (1885-1949) — comédien et metteur en scène français qui a fondé le théâtre de l'Atelier à Paris — dans la seconde partie de *La Détresse et l'Enchantement*. Gabrielle Roy y raconte avoir rencontré Dullin à Paris, lors de son premier séjour en Europe en 1937-1938, où elle s'était rendue avec l'intention d'entreprendre des études en art dramatique. La troupe de Dullin répétait alors la pièce *Volpone* : « Alors sortit du lit un homme de petite taille, bossu à ce qu'il me sembla, plutôt laid, l'air sévère et qui m'examina sous de gros sourcils ébouriffés. Je n'ai jamais vu Charles Dullin ailleurs. Je ne peux donc affirmer que ce soit lui ou Volpone que j'ai rencontré face à face. » (p. 275)

Lettre du 30 [juillet] 1948

1. Manuscrit : *le 30 août.*
2. Manuscrit : *stouks.* En anglais : *stook.* Synonyme de « moyette ». Selon le *Dictionnaire de la langue québécoise* de Léandre Bergeron (Montréal, Typo, 1997 [1980], coll. « Dictionnaire », n° 131, p. 471), une « stouque » est « un tas de gerbes dressées en forme de cône dans un champ pour permettre leur séchage ». Gaston Dulong (*Dictionnaire des canadianismes*, [s.l.], Larousse Canada, 1989,

p. 412) orthographie le mot « stook » et le définit comme une « moyette formée de quatre à six bottes de céréales ».

Lettre du 31 [juillet 19]48

1. Manuscrit : *31 août.*
2. « Je te souhaite au moins des nuits fraîches pour renouer le fil de ton élan littéraire que l'inopportunité de ma visite a rompu. Cette apparition imprévue était un geste bien égoïste dont je n'avais pas considéré les conséquences. » (Marcel à Gabrielle, 28 juillet 1948)
3. Il s'agit des anciens francs français. 19 840 francs équivalent à environ 40 dollars.

Lettre du 2 août [19]48

1. Gabrielle Roy parle sans doute de « L'Île de Sein ». Voir lettre du 6 août 1948.

Lettre du 3 août [19]48

1. Le maréchal Pétain était représenté par Me Payen lors de son procès. Pierre Laval était quant à lui représenté par deux avocats : Me Baraduc et Me Naud. Il a été impossible de déterminer lequel de ces avocats a séjourné à Concarneau à l'été 1948 en même temps que Me Payen.

Lettre du 4 août 1948

1. « [...] je me suis aperçu qu'on avait forcé le ventilateur de la porte de droite, tu sais, celui qu'on ne peut ouvrir et que j'avais bloqué depuis que la manivelle est cassée. J'ai fait l'examen complet de la voiture et n'ai rien constaté, sauf que le coffret du tableau de bord ne se fermait plus comme si on avait tenté de l'ouvrir en glissant un instrument par l'ouverture du ventilateur. Ce n'est que le soir, après avoir transporté mes effets chez les Beaulieu, que j'ai constaté que la poignée du coffre n'[y] était plus, ainsi que le pneu. Je suis allé porter plainte devant le commissaire de police [...]. » (Marcel à Gabrielle, 1er août 1948)
2. Madame Beaulieu a demandé à Marcel de garder ses chats pendant quelques jours. Après le départ des Beaulieu, les deux chats ont entrepris de grimper sur les meubles et de s'accrocher aux rideaux. Marcel les a poursuivis, jusqu'à ce qu'il réussisse à les enfermer dans la cuisine. Voir la lettre de Marcel du 1er août 1948.
3. « Je te promets "domnéravant" l'épître quotidienne. » (Marcel à Gabrielle, 1er août 1948)

Lettre du 5 août [19]48

1. Carte postale « En Bretagne / 579 Concarneau (Finistère). Chapelle du château de Keriolet », envoyée dans une enveloppe avec une autre carte postale vierge représentant la « Chapelle de la Croix et la Baie de la Forêt » de Concarneau.

Lettre du 6 août [19]48

1. « Même l'harmonie du divin Mozart ne parvient pas à rompre l'étendue de cette plate monotonie et la frayeur du soir qui descend — les êtres les plus affreux, les crimes les plus odieux, la bêtise la plus obscène prennent d'assaut mon esprit. Si tu savais pourquoi j'abhorre la solitude totale. Je ne peux aimer qu'un être à la fois et le fond de mon âme est si peu beau que j'en ai peur... Si au moins je pouvais prier ! — Il me faudra mériter ta présence — voilà l'obsédante pensée qui m'accable sans relâche. » (Marcel à Gabrielle, [3] août [1948])
2. Il s'agit peut-être de l'épouse de l'historien Jean Bruchési. Marcel écrit à Gabrielle, dans sa lettre du 3 août 1948, que madame Bruchési — « cette pauvre âme dépouillée d'ardeur et d'espoir » — lui a donné ses « tickets de lait ».

Lettre du 7 [août 1948]

1. Marcel, dans sa lettre du 4 août 1948, reproche à Gabrielle de ne pas lui avoir décrit monsieur Dufresne,« la cible de [leurs] [...] caquets »
2. Marcel souhaite se rendre à Bruxelles pour acheter une roue de secours et pour faire réparer le coffre de la voiture qui a été endommagé lors du vol dont il a été victime quelques jours plus tôt.

Lettre de [vers le 11 août 1948]

1. Carte postale « La Bretagne idéale » (« Côtes-du-Nord — Morbihan — Ille-et-Vilaine — Finistère »), envoyée dans une enveloppe dont le cachet postal indique la date du 11 août 1948.
2. « J'ai hâte de te revoir, ma Gaby, si tu savais combien ma solitude est grande et stérile. » (Marcel à Gabrielle, 6 août 1948)

Lettre du 19 août [19]48

1. Marcel est allé en Belgique pour faire réparer sa voiture. Il en a profité pour visiter Bruges et Gand.

Lettre du 21 août [19]48

1. « Cette lutte des deux Gaby — celle de la Pointe du Raz qui voudrait que la terre finisse dans la mer comme une saillie du réel dans le néant ; cette Gaby qui croyait trouver dans le fracas des vagues contre la falaise une image du pauvre cœur humain se tordant de douleur dans la recherche de l'Absolu — et celle de l'île de Sein, la Gaby qui croit au bonheur, à quelque chose qui ne finit pas là, comme ça, et qui est heureuse de découvrir, plus loin que la Pointe du Raz, plus loin que le phare de la Vieille, un petit rien à l'horizon qui fait mentir le Finistère et qui crie plus fort que les vagues qui s'épuisent sur la masse orgueilleuse des rochers, résistant à l'usure comme un défi à l'Éternel. L'île de Sein — ce leitmotiv de la Gaby du

rêve contre la Gaby du réel — revient au moment le plus inattendu, juste au moment où l'autre semblait nous avoir gagné à sa cause avec les ailes blanches de ses coiffes et l'or de ses genêts — une promesse de l'une et nous rendons immédiatement ses cadeaux à l'autre. » (Marcel à Gabrielle, 17 août [1948])

2. Allusion à Tartarin de Tarascon, personnage de la trilogie (*Les Aventures de Tartarin de Tarascon* [1872], *Tartarin dans les Alpes* [1885], *Port-Tarascon* [1890]) du romancier français Alphonse Daudet (1840-1897).

Lettre du 23 août [19]48

1. Depuis 1905, la fête des filets bleus a lieu chaque année dans les rues de Concarneau (surnommée la « Ville bleue »), en août; on y présente des défilés et de la danse folklorique.
2. Saint Philibert, qui faisait partie de l'ordre des Bénédictins, a fondé l'Abbaye de Jumièges, à une trentaine de kilomètres de Rouen, en 654, et le Monastère de Noirmoutier, au sud de la Bretagne, en 677.

Lettre du 23 août [19]48 [Deuxième lettre de la journée]

1. « J'ai passé mon été en ville dans l'ennui et la lassitude, travaillant sans enthousiasme. Je me sens vidé, souffrant d'une lassitude comme je n'en ai encore jamais connue et j'ai perdu du poids. Je n'ai jamais eu de vacances véritables depuis que je suis sorti de l'université. J'espérais cet été ou cet automne accumuler un peu de soleil et voilà, je crois bien le beau rêve à vau-l'eau. Toutefois, je désirerais prendre quelques semaines de véritable repos sans bouger, dans un endroit où je pourrais me réalimenter. Je me sens faible et disposé à pleurer. » (Marcel à Gabrielle, le 19 août 1948)

Upshire, automne 1949

1. Gabrielle Roy, *La Détresse et l'Enchantement*, p. 392.

Lettre du 19 août 1949

1. À la Villa Dauphine, où Marcel et Gabrielle habitent, on a donné une nouvelle chambre à Marcel, que celui-ci décrit à Gabrielle comme « une véritable étuve » (voir la lettre de Marcel du 15 août [1949]). Depuis le départ de Gabrielle, Marcel reçoit les égards de certaines pensionnaires de la Villa — madame Hamel, madame d'Aumale et madame Mille —, qui lui apportent entre autres des livres et des journaux pour le distraire.
2. Cécile Chabot (1907-1990), peintre et écrivain née à l'Annonciation, est à Paris depuis l'automne 1948. Gabrielle et Cécile se sont rencontrées à une exposition de Simone Beaulieu et sont par la suite devenues de grandes amies. Elles ont échangé

des lettres à un rythme plus ou moins régulier de la fin des années 1940 au milieu des années 1970. Cécile Chabot est notamment l'auteur de *Vitrail* (1939), de *Légende mystique* (1942), d'*Imagerie. Conte de Noël* (1943) et de *Paysannerie. Conte des rois* (1944). Elle a été élue membre de la Société royale du Canada en 1948.

3. Bien que la guerre soit terminée depuis 1945, le rationnement alimentaire est toujours en vigueur, en Angleterre, en 1949 ; il ne prendra fin qu'en 1954.
4. Les *Barley Sugars* sont des friandises à base de sucre d'orge.
5. Traduction : *la contrebande est une activité illégale.*

Lettre du 21 août [19]49

1. Thomas Gray (1716-1771), poète britannique. Le texte évoqué par Gabrielle Roy s'intitule *Elegy Written In a Country Churchyard* (1751).
2. Aucun roman portant ce titre ne figure dans les catalogues des bibliothèques et des archives britanniques. Mais il s'agit peut-être du roman *A King's Ransom* de Nina France Layard, publié vers 1888 (la date est incertaine), qui raconte l'une des nombreuses évasions du roi Charles II et qui met en scène des puritains et des papistes.

Lettre du 22 août [19]49

1. Irène est vraisemblablement domestique à la Villa Dauphine. Dans sa lettre du 17 août [1949], Marcel apprend à Gabrielle qu'une rumeur circule selon laquelle Irène donnerait naissance à l'enfant du cuisinier de la Villa.
2. Gabrielle et Marcel ont selon toute vraisemblance rencontré madame Hamel à Saint-Germain-en-Laye. Cette dame semble avoir été, comme eux, pensionnaire à la Villa Dauphine. Brisson est également un pensionnaire de la Villa Dauphine. Marcel apprend à Gabrielle, dans sa lettre du 18 août, qu'il occupe « l'ancienne chambre de M. Brisson ».
3. En l'absence du docteur Larget, auprès de qui Marcel doit travailler, c'est le docteur Lamarche qui le prendra sous son aile.
4. Harold I ([?]-1040), fils de Canute II — roi du Danemark, de la Norvège et de l'Angleterre — a été roi d'Angleterre de 1037 à 1040. Harold II (1022-1066) n'a été sacré roi des Anglo-Saxons qu'en 1066, année où il tua Guillaume le Conquérant ; c'est à lui que Gabrielle Roy semble faire allusion ici.

Lettre du 23 août 1949

1. Le diplomate Henri Bougearel — le mari de Paula — est alors en poste à Strasbourg.
2. Gabrielle Roy a connu Connie Smith lors de son premier séjour à Londres en 1938. Il semble que Connie lui ait prêté de l'argent à la veille de son départ pour la Provence. Gabrielle se rendra à Londres à quelques reprises pour voir Connie au cours de ce séjour à Upshire. Puis, à l'automne 1951, Connie viendra au Canada où Gabrielle l'engagera comme domestique ; la relation entre les deux femmes ne tardera pas à se détériorer et Connie retournera en Angleterre dès le début de février 1952 (voir à ce sujet les lettres de Ville LaSalle, janvier et février 1952).

Lettre du 24 août 1949

1. Victor Bucaille, « La Manche », *Les Nouvelles littéraires, artistiques et scientifiques,* jeudi 11 août 1949, p. 8. Cet article fait partie d'une série intitulée « Les mers de France », parue dans *Les Nouvelles littéraires* en juillet et en août 1949. La première partie du texte de Bucaille porte sur l'histoire de la Manche. L'auteur évoque ensuite des écrivains et des peintres qui auraient été inspirés par la Manche, notamment Campion, Flaubert, Maupassant et Lemaître chez les écrivains, Courbet, Manet, Boudin et Dufy chez les peintres.
2. « Je suis allé à l'hôpital ce matin. Je crois que j'y ferai un stage épatant. Tout le monde a été d'une courtoisie exquise à l'égard du Canadien, ce frère d'outre-mer. L'hôpital est très bien tenu et Larget est en avance sur la moyenne des chirurgiens français. » (Marcel à Gabrielle, 20 août 1949)
3. L'appellation « damson » regroupe les variétés de prunes les plus communes en Europe et en Asie.
4. Les landes de Lanvaux sont de petites collines situées dans le sud de la Bretagne, dans la région du Morbihan, là où Gabrielle Roy a séjourné à l'été 1948 (voir les lettres de Concarneau, été 1948). Gabrielle et son mari y sont probablement allés en juillet 1948, au cours de la semaine que Marcel est venu passer à Concarneau.
5. Dans *La Détresse et l'Enchantement* (p. 380), Gabrielle Roy fait allusion à la reine Bodicea. À son arrivée à Upshire en 1938, elle a aperçu une « stèle » à la mémoire de Bodicea. Esther lui expliqua alors que Bodicea était « notre chère reine saxonne des temps lointains. Fuyant ici dans son chariot les Romains qui allaient l'atteindre, plutôt que de tomber vivante entre leurs mains, elle absorba une dose mortelle de poison. On dit qu'elle rendit l'âme à peu près à l'endroit où s'élève la stèle. »

Lettre du 25 août 1949

1. Loughton est situé dans le comté d'Essex, au sud-ouest d'Upshire, dans la forêt d'Epping.
2. Traduction : *du romarin comme souvenir.* Il s'agit d'une réplique du personnage d'Ophélie dans *Hamlet* de Shakespeare. Ophélie dit à Laertes (acte IV, scène V) : « Voici du romarin ; c'est comme souvenir : de grâce, amour, souvenez-vous ; et voici des pensées, en guise de pensées. » (William Shakespeare, *Richard III. Roméo et Juliette. Hamlet,* François-Victor Hugo (trad.), Paris, Éditions Garnier-Flammarion, 1979, p. 343)

Lettre du 26 [août] 1949

1. Traduction : *pépinière.*
2. En français, la fleur en question est aussi connue sous le nom d'« aster ».
3. Traduction : *aubépine* et *mûrier.*
4. Selon la lettre de Marcel, datée du 24 août 1949, madame Jacquart logerait à la Villa Dauphine.

5. Gabrielle Roy orthographie « Racaud ». Il est vraisemblablement question ici de madame Racault, qui était pensionnaire à la Villa Dauphine, tout comme madame Mille.

Lettre du 28 août 1949

1. Il s'agit de madame Isoré, la propriétaire de la Villa Dauphine où logent Gabrielle et Marcel.

Lettre du 29 août 1949

1. Ce commentaire de Gabrielle Roy est sans doute inspiré de la lecture qu'elle a faite de l'article de Robert d'Harcourt, intitulé « Sagesse de Goethe » (*La Revue de Paris*, août 1949, p. 3-14), dans lequel le critique explique que pour Goethe, « l'ennui, par exemple, pouvait être un bon allié. Le vide extérieur favorisait les maturations intérieures, les [...] croissances organiques qui font les œuvres durables et que trouble, au contraire, le caquetage du monde. Goethe s'est élevé à une sorte d'ascétisme du silence. Il a loué "la solitude absolue" [...]. » (p. 5)
2. Cette citation n'est pas exacte. Gabrielle Roy évoque peut-être le passage suivant : « [...] besoin d'ennui pour me lancer dans le travail. » (André Gide, *Journal 1889-1939*, p. 828) Voir aussi la lettre du 17 janvier 1948 (Genève), dans laquelle la romancière fait allusion à cette idée de la solitude nécessaire au travail exprimée par Gide dans son *Journal*.
3. Traduction : *marchand de fruits et de légumes.*

Lettre du 30 août 1949

1. Chanson d'après le poème « Annie Laurie » (1685) de William Douglas d'Angleterre. Elle a été composée par Lady John Douglas Scott (1810-1900) de Berwickshire en Écosse ; Lady Scott a modifié le second verset du poème de Douglas et en a ajouté un troisième. « Annie Laurie » a été la chanson fétiche des Écossais durant la guerre de Crimée (1853-1856).
2. L'exposition Gauguin a eu lieu au musée de l'Orangerie, à Paris, à l'automne 1949. Marcel décrit ainsi l'œuvre du peintre : « C'est une peinture à plat, comme la peinture japonaise, avec des harmonies de couleurs gaies ou tristes, une peinture sensuelle de peau ensoleillée, expression fidèle d'un peuple lié par tous ses sens à une terre facile. Ce n'est pas une peinture profonde, aucune idée ne dépasse la terre, même dans ses prétendues peintures religieuses, rien ne dépasse le sensible. » (Marcel à Gabrielle, 26 août [1949])

Lettre du 31 août 1949

1. Il s'agit d'Elizabeth I (1533-1603), la dernière reine de la dynastie des Tudor, qu'on appelait Gloriana, « The Virgin Queen » — parce qu'elle ne s'est pas mariée — ou « Good Queen Bess ». Elle succéda à sa sœur, la reine Mary, en 1558, et régna sur l'Angleterre pendant quarante-cinq ans.
2. *Body Odour* : sueur.

Lettre du 1er septembre 1949

1. Traduction : *pharmacien.*

Lettre du 2 septembre 1949

1. Personnage du roman *L'Île au trésor* (1883) de l'Écossais Robert Louis Stevenson (1850-1894). Gabrielle Roy et Marcel Carbotte donnent le surnom de « Long John Silver » à l'une de leurs connaissances : madame Hamel (voir la lettre de Marcel Carbotte du 27 août 1949). Madame Hamel, selon ce que raconte Marcel dans sa lettre du 27 août, a « attaqué M. Barbe et lui a demandé si sa compagnie ne lui plaisait plus — le pauvre petit homme a failli piquer une nouvelle crise d'apoplexie tellement il a été suffoqué par cette agression ».

Lettre du 3 septembre 1949

1. Les Joly ont invité Marcel à déjeuner chez eux, à Paris, le 1er septembre.
2. John Wesley (1703-1791), théologien, est avec son frère Charles (1707-1788) le fondateur du méthodisme en Angleterre. Ils prônent un retour aux sources de la Réforme.
3. William Wordsworth (1770-1850), poète britannique, auteur, avec Samuel Taylor Coleridge (1772-1834), des *Lyrical Ballads* (1798), considérées par plusieurs comme marquant l'avènement du romantisme anglais. Gabrielle Roy, dans *La Détresse et l'Enchantement,* raconte avoir découvert Wordsworth vers l'âge de quatorze ans, alors qu'elle fréquentait l'Académie Saint-Joseph, à Saint-Boniface : « La littérature anglaise, portes grandes ouvertes, nous livrait alors accès à ses plus hauts génies. J'avais lu Thomas Hardy, George Eliot, les sœurs Brontë, Jane Austen. Je connaissais Keats, Shelley, Byron, les poètes lakistes que j'aimais infiniment. » (p. 71-72)

Lettre du 4 septembre 1949

1. Le dicholium est un médicament qui soulage les crises de foie.

Lettre du 5 septembre 1949

1. « [...] j'ai conclu de ton silence que tu avais trouvé ma lettre trop courte et que tu n'avais pas reçu les fleurs que je t'avais fait envoyer. Je le regrette, mais les fleuristes fermant le dimanche après-midi et le lundi, je ne pouvais vraiment pas faire autrement. » (Marcel à Gabrielle, 1er septembre 1949)
2. Traduction : *aubépine, romarin, menthe, valériane, asters d'automne, houblon, véronique, lavande.*
3. Marcel décrit monsieur Joly comme « un homme supérieurement intelligent, [...] de 130 kilos, un véritable mandarin chinois ». Joly « dirige une société d'assurances et s'occupe, à titre d'administrateur, d'une demi-douzaine des plus grandes maisons de France. C'est un bibliophile émérite. » (Marcel à Gabrielle, 1er septembre 1949)

Lettre de [vers le 6 septembre 1949]

1. Carte postale dont le cachet indique la date du 7 septembre 1949, écrite lors de la visite de Gabrielle chez Connie à Londres et représentant les *Houses of Parliament.*

Lettre du 8 septembre 1949

1. La lettre de Marcel est datée du 4 septembre, qui est un dimanche. Marcel y écrit qu'« il fait une telle chaleur que le seul effort de penser [le] [...] fait transpirer ».

Lettre du 10 septembre 1949

1. La *High Church* met l'accent sur les formalités liturgiques et cérémoniales, sur l'apparence, et elle prône l'utilisation de nombreux objets dans la célébration de l'Eucharistie. La *Low Church* prône plutôt la sobriété : les services religieux ne sont pas chantés et les objets et images sont considérés comme superflus dans l'exercice du culte. Dans *La Détresse et l'Enchantement,* Gabrielle Roy écrit que le père Perfect lui aurait expliqué, en 1938, lors de son premier séjour à Upshire, qu'Esther et lui adhéraient à la Low Church : « Nous estimons que Dieu est trop grand pour que nous en cherchions la représentation en des images et des statues. Il convient d'aller à sa rencontre dans notre propre cœur seulement. » (p. 381)
2. Il a été impossible de trouver la traduction exacte de cette expression dans les dictionnaires et les lexiques. Il s'agit vraisemblablement d'une expression locale. Il est aussi possible que Gabrielle Roy ait mal orthographié « bud » : le mot *body,* dans le parler britannique, signifie « type ». L'expression pourrait ainsi renvoyer à une femme pouvant être assimilée au campagnard brave, courageux et travaillant.
3. Le serment prononcé lors de la cérémonie du mariage se lit habituellement comme suit : *For richer or poorer, in sickness or in health, until death do us apart.* En français, le serment se lit comme suit : « Je promets de te demeurer attaché(e) dans les bons et les mauvais jours, dans la prospérité et la détresse, dans la santé et la maladie, et de te rester fidèle jusqu'à ce que la mort nous sépare. »
4. « Let the Rest of the World Go By » est une chanson tirée du film *When Irish Eyes Are Smiling* (1944). « When Irish Eyes Are Smiling » a été écrite par Chauncey Olcott et George Graff, Jr. en 1912 ; la musique est de Ernest R. Ball.

Lettre du 12 septembre 1949

1. En 1946, le gouvernement britannique a mis sur pied le National Health Service, ce qui a entraîné la nationalisation des hôpitaux et instauré la gratuité des soins médicaux, autant pour les citoyens du pays que pour les étrangers de passage.
2. En français, c'est Aliénor. Aliénor d'Aquitaine (1122[?]-1204) a été reine de France de 1137 à 1152 lorsqu'elle était l'épouse de Louis XII. Elle a été reine d'Angleterre de 1154 à 1189 lorsqu'elle était l'épouse de Henri II. Elle est la mère des rois anglais Richard I — Richard Cœur-de-Lion — et Jean. La croix à laquelle Gabrielle

Roy fait allusion a plutôt été érigée à la mémoire de la reine Eleanor, morte en 1290. Elle fait partie d'une série de douze croix semblables que le roi Edward I a fait construire à la mémoire de son épouse.

3. Charing Cross a été détruite en 1647 pendant les Guerres civiles. Une réplique fut installée en 1863, à Londres, dans le parc près duquel est aujourd'hui située la station de métro Charing Cross.
4. Il s'agit du photographe français Yvon Kervinio, surtout connu pour ses photos « touristiques » : un grand nombre de cartes postales représentant Paris étaient à cette époque signées « Yvon ».

Lettre du 13 septembre 1949

1. Marcel a demandé à Gabrielle de lui faire parvenir, par l'intermédiaire de son éditeur en Angleterre, Heinemann, deux livres sur la gynécologie : *The Epithelia of Woman's Reproductive Organs* et *Gynaecological Histology.*
2. Il s'agit de la voiture de Marcel, que le couple a fait transporter avec lui en France.
3. Dans la période de l'après-guerre, en France, on exerçait non seulement un contrôle sur les aliments et les biens non périssables (le savon, par exemple), mais on limitait aussi les changes et la circulation d'argent ; toute demande excédant la norme devait être justifiée.
4. Il s'agit de colorants nécessaires aux examens par frottis vaginaux, que Marcel a demandé à Gabrielle de lui faire parvenir par l'intermédiaire de Max Becker.
5. Le mot était orthographié « Shangrilla ». Le 13 février 1944, Gabrielle Roy s'exprimait en des termes semblables dans une lettre à sa sœur Adèle alors qu'elle séjournait à Rawdon : « Ici cependant, à Rawdon, c'est mon Shangri-La, en autant qu'aucun endroit où l'on est seul, et pas tout à fait chez vous peut apporter de bienfaits, de détente et ressemble *au vieux rêve ancien, chez-soi. Shangri-La,* le sais-tu, sont deux mots tibétains qui signifient « lieu de repos », « lieu de bonheur » ou quelque chose approchant. » (Archives nationales du Canada, Fonds Marie-Anna A. Roy, MG30 D99 et 1991-245) Shangri-La est le nom d'une vallée imaginaire située dans les montagnes Himalaya selon le roman *Lost Horizon* (1933) de l'écrivain britannique James Hilton (1900-1954).

Lettre du 14 septembre 1949

1. « Je suis allé hier après-midi voir *Les Vignes du Seigneur,* comédie de de Flers et de de Croisset — j'ai passé quelques heures très amusantes. Il s'agit d'une cocotte qui, sans s'être jamais mariée, a eu deux filles avec des gens de très haute volée. L'une est déjà l'amante d'un comte romain qui ne prétend pas l'épouser car elle n'est pas de sa qualité — quant à l'autre, la mère l'a fait élever en Angleterre pour l'éloigner du mauvais exemple de la famille et aussi pour la destiner au mariage, car dans son ascendance toutes les familles avaient au moins une fille qui fût mariée, ce qui assurait la respectabilité de la lignée... Le tout se termine par deux mariages. Le thème n'a rien d'extraordinaire, mais il est prétexte à un feu roulant de bons mots et de reparties fines... » (Marcel à Gabrielle, 12 septembre [1949])

Lettre du 16 septembre 1949

1. Référence à Luzina Tousignant, personnage du roman *La Petite Poule d'Eau.*

Lettre du 19 septembre 1949

1. Sir Stafford Cripps (1889-1952), ministre de l'Économie et chancelier de l'Échiquier britannique de 1947 à 1950.
2. Allusion au conte *Alice in Wonderland* (1865) du mathématicien et écrivain britannique Charles Dodgson, dit Lewis Carroll (1832-1898).

Lettre du 20 septembre [1949]

1. Il s'agit du docteur Thomas John Barnardo (1845-1905), philanthrope britannique, qui a fondé à Londres, en 1867, l'orphelinat East End Juvenile Mission. En 1870, il a ouvert la première Barnardo's Home, un établissement réservé aux garçons orphelins ou issus de familles pauvres. Une centaine d'autres établissements du genre — ouverts aux filles aussi bien qu'aux garçons — ont été fondés depuis.
2. Le *squire* — en français, *châtelain* — est le propriétaire terrien qui occupe le sommet dans la hiérarchie du village.
3. « Les Vacances de Luzina » est le titre de ce qui deviendra la première partie de *La Petite Poule d'Eau.* La « nouvelle » dont Gabrielle Roy parle ici est sans doute « L'École de la Petite Poule d'Eau », qui deviendra le deuxième récit de *La Petite Poule d'Eau.*

Lettre du 23 septembre [1949]

1. Dans sa lettre du 20 septembre 1949, Marcel écrit à Gabrielle : « Le docteur Larget est de retour et demain nous fonctionnerons à plein rendement. Il m'a reçu à bras ouverts, il m'a présenté à tout le personnel enseignant de l'hôpital avec la plus grande amabilité et m'a réitéré son intention de faire de moi un gynécologue compétent. »
2. Pension située à Saint-Germain-en-Laye, dans la rue Franklin, voisine de la rue Anne-Barratin où est située la Villa Dauphine.

Lettre du 25 septembre [19]49

1. Traduction : *fête des moissons.* Les églises sont alors décorées de fleurs, de fruits et de légumes issus de la dernière récolte. *Le Harvest Festival* est l'équivalent de la fête de l'Action de grâces — *Thanksgiving* — qui est célébrée aux États-Unis en novembre et au Canada en octobre.

Lettre du 26 septembre [19]49

1. Traduction : *vicaire.*
2. Allusion à la parabole du bon grain et de l'ivraie (Matthieu 13[24-30]). Dans cette

parabole, le Royaume des Cieux est comparé à un homme qui sème du blé dans son champ. Pendant la nuit, son ennemi vient y semer de l'ivraie. L'homme ordonne à ses serviteurs de ne pas ramasser l'ivraie, pour éviter d'arracher le blé en même temps.

Lettre du 5 octobre 1949

1. Gabrielle Roy fait sans doute allusion au tableau *The Arnolfini Marriage* (*Les fiancés Arnolfini*) de Jan Van Eyck (1390-1441). Ce tableau, réalisé en 1434, représente le mariage de Giovanni Arnolfini et Giovanna Cenami. Dans *La Détresse et l'Enchantement* (p. 347), Gabrielle Roy se rappelle cette visite à la National Gallery comme étant celle qui l'a le plus marquée : « Par ailleurs, j'ai retenu très peu d'une visite que nous avons faite [Stephen et moi] à la National Gallery. C'est d'une autre visite, au cours de mon deuxième séjour en Angleterre, alors que j'y étais venue seule, que je garde des souvenirs durables, particulièrement, pourquoi donc ? du portrait d'*Arnolfini et sa femme* que je ne cesse de revoir presque à chaque jour de ma vie. »
2. Graham Greene (1904-1991), écrivain britannique. *Brighton Rock* (*Le Rocher de Brighton*) a été publié en 1938 et *The Heart of the Matter* (*Le Fond du problème*) en 1948 par les éditions William Heinemann.

Lyons-la-Forêt, 1950

1. Ils arriveront à Montréal le 15 septembre.

Lettre du [20 juin 1950]

1. Carte postale de Lyons-la-Forêt — « Lyons-la-Forêt (Eure). L'Église (XVe siècle) », envoyée dans une enveloppe. Le cachet postal indique la date du 20 juin 1950.

Lac Guindon, hiver 1951

Lettre du 8 janvier 1951

1. Le Domaine des Lacs est un hôtel d'une vingtaine de chambres construit dans les années 1940 sur les rives du lac Guindon.
2. Il s'agit de l'une des chattes de Gabrielle Roy.

Lettre du 10 janvier 1951

1. La Cunard est la compagnie de navigation par laquelle le couple Roy-Carbotte est rentré au Canada à l'automne 1950.

Port-Daniel, été 1951

Lettre du 25 juin 1951

1. Le Château Laurier est un hôtel où Marcel Carbotte séjournera de nouveau en janvier 1952, lorsqu'il obtiendra un poste à Québec (voir les lettres de Ville LaSalle, hiver 1952).
2. Le premier séjour de Gabrielle Roy à Port-Daniel remonte à 1940.
3. Voir la présentation des lettres de Lyons-la-Forêt, 1950.

Lettre du 1er juillet 1951

1. Il s'agit de Solange Chaput-Rolland (1919-), journaliste et future députée libérale. Elle a écrit un article sur *La Petite Poule d'Eau* (« La Petite Poule d'Eau », *Amérique française*, vol. 3, nº 1, janv.-fév. 1951, p. 61-62). Les Rolland sont une famille puissante dans la région de Saint-Jérôme. Sans doute Solange intercède-t-elle là-bas auprès des autorités médicales en faveur de Marcel. La lettre à laquelle Gabrielle Roy fait allusion n'a pas été retrouvée.
2. Marcel Carbotte obtiendra officiellement son permis d'exercice du Collège des médecins du Québec le 12 juillet 1951, mais sans doute le savait-il depuis quelques jours puisque Gabrielle lui en parle dans sa lettre du 10 juillet.
3. Il s'agit de Harry Lorin Binsse, qui sera le traducteur des livres de Gabrielle Roy depuis *La Petite Poule d'Eau* jusqu'au début des années soixante. *Where Nests the Water Hen* est le titre proposé par Binsse, qui a été retenu pour la version anglaise de *La Petite Poule d'Eau.*
4. C'est à cette date que paraîtra *Where Nests the Water Hen,* simultanément chez Harcourt Brace & Company à New York et chez McClelland & Stewart à Toronto.
5. Il s'agit d'Eugène Issalys, qui est alors le directeur de la Librairie Beauchemin, la maison d'édition montréalaise qui a publié *La Petite Poule d'Eau* en 1950.

Lettre du 2 juillet 1951

1. La Charité-sur-Loire est une cité monastique fondée vers 1059 par l'ordre de Cluny. Elle est située sur la rive droite de la Loire, à l'extrémité ouest de la Bourgogne, à quelque deux cents kilomètres au sud de Paris. Il a été impossible de déterminer quand Gabrielle Roy et Marcel Carbotte s'y sont rendus. On peut cependant supposer qu'ils s'y seraient arrêtés lors de leur voyage en Provence, à l'occasion des fêtes de fin d'année en 1948.

Lettre du 3 juillet 1951

1. « J'attends tes lettres avec impatience. Tu m'avais promis de m'écrire à l'hôtel. J'y passe chaque jour sans y trouver le mot qui me ferait du bien ; dans l'état actuel de mon esprit, une lettre de toi me ferait tant de bien. [...] J'ai tant besoin de ton amour dans cette période d'usure et de désespoir. [...] Rends-moi ton absence

moins pénible. Écris-moi tout de suite. » (Marcel à Gabrielle, 30 juin 1951 — carte postale représentant le Château Frontenac)

Lettre du 5 juillet 1951

1. Il s'agit du Centre hospitalier Sainte-Jeanne-d'Arc de Montréal. Marcel écrit à Gabrielle dans sa lettre du 3 juillet : « Les nouvelles d'ici ne sont pas aussi bonnes que je l'espérais. Les sœurs ne veulent me donner que le titre d'assistant-bénévole sans aucune rémunération et j'ai appris par le docteur Demers que j'étais accepté à Sainte-Jeanne-d'Arc. Ce sont les mêmes Sœurs qu'ici, je vais accepter en attendant l'offre des Sœurs grises si elle se présente. »
2. Marcel évoque aussi, dans sa lettre du 3 juillet, la possibilité de pratiquer à Saint-Jérôme.

Lettre du 6 juillet [19]51

1. Il s'agit de l'hôpital Saint-François-d'Assise de Québec.
2. L'Hôtel-Dieu de Saint-Jérôme est alors dirigé par les Hospitalières de Saint-Joseph.
3. Gabrielle Roy fait allusion au père Élias dans le reportage intitulé « Pêcheurs de la Gaspésie », qu'elle a écrit pour le compte du *Bulletin des agriculteurs* en 1944 (vol. 40, n° 5, mai 1944, p. 9, 49-53) et qui a été repris dans le recueil *Fragiles Lumières de la terre* en 1978. La romancière aurait rencontré le père Élias en 1941, lors de son premier séjour à Port-Daniel.
4. *Si le grain ne meurt* a été publié en 1928 chez Gallimard, à Paris.
5. Allusion au père Joseph-Marie, personnage du troisième récit de *La Petite Poule d'Eau*, intitulé « Le Capucin de Toutes-Aides ».

Lettre du 9 juillet [19]51

1. Allusion aux problèmes auxquels se heurte Marcel dans sa recherche d'emploi et dont il fait état dans sa lettre du 5 juillet : « [...] c'est le même jeu qui recommence. Je crois bien qu'il ne me restera plus que Saint-Jérôme ».
2. Georges Bétournay n'est pas médecin (du moins son nom ne figure pas au répertoire du Collège des médecins du Québec), mais il œuvre selon toute vraisemblance dans le domaine de la santé. Il n'a pas été possible de déterminer de qui il s'agit exactement. Cela dit, quelques Bétournay habitaient Saint-Boniface au Manitoba ; parmi ceux-ci se trouvait Louis, qui a été le secrétaire de la Commission scolaire de l'endroit. Il n'est donc pas impossible qu'il y ait un lien entre le Georges Bétournay dont il est question ici et les Bétournay de Saint-Boniface.
3. Marcel annonce à Gabrielle, dans sa lettre du 5 juillet, que Connie Smith lui a envoyé un livre.

Lettre du 10 juillet 1951

1. Les Hamel sont les propriétaires de l'appartement que Gabrielle Roy et Marcel Carbotte louent à LaSalle.

Lettre du 11 juillet 1951

1. Paula Sumner-Bougearel.
2. Allusion à un article d'Andrée Maillet sur *La Petite Poule d'Eau* (« Lettre à Gabrielle Roy », *Amérique française*, vol. 3, nº 2, mars-avril 1951, p. 60-61). C'est Marcel qui avait envoyé l'article à Gabrielle, avec sa lettre du 5 juillet.

Lettre du 13 juillet 1951

1. En français, les titres des contes évoqués par Gabrielle Roy sont : « Le Cœur révélateur », « Éléonora » et « Aventure dans les montagnes rocheuses ». Ils ont été traduits par Baudelaire (voir Edgar Allan Poe, *Œuvres en prose*, Paris, Éditions Gallimard, 1951, coll. « Bibliothèque de la Pléiade », 1165 p.).
2. Erskine Caldwell (1903-1987), écrivain américain, est l'auteur d'une vingtaine de romans — surtout des romans d'inspiration sociale. Plusieurs de ses héros, comme celui de *Poor Fool* (1930), sont des marginaux qui n'arrivent pas à s'intégrer à la société.

Lettre du 15 juillet [19]51

1. La lettre de Marcel, datée du 12 juillet 1951, débute ainsi : « Je te t'ai pas écrit hier. J'avais le cœur gros et j'ai cru bon de laisser passer cet orage intérieur sans t'en faire part — il ne sert à rien de se désoler à deux. Tu as un travail à accomplir et tu dois rester en dehors de tout ceci. »
2. Gabrielle Roy fait sans doute allusion à la Toilet Laundries Ltd., un nettoyeur situé sur la rue Guy, à Montréal.
3. Simone Routier, poète et essayiste née à Québec en 1900. De 1950 à 1955, elle occupa le poste d'attachée de presse et d'information à l'ambassade du Canada à Bruxelles. Elle est notamment l'auteur des recueils de poèmes *L'immortel adolescent* (1929), *Ceux qui sont aimés* (1931), *Paris, Amour, Deauville* (1932), *Les Tentations* (1934) et *Le long voyage* (1947), ainsi que de *Adieu Paris ! journal d'une évacuée canadienne 10 mai-17 juin 1940* (1940).
4. Suzanne de Vester, « La Petite Poule d'Eau par Gabrielle Roy », *La Libre Belgique*, vol. 68, nº 140, 20 juin 1951, p. 12. L'article est effectivement très favorable au roman de Gabrielle Roy. De Vester écrit entre autres que dans *La Petite Poule d'Eau*, « ce beau livre, lourd d'une exceptionnelle valeur humaine où l'espérance a la plus grande place, tout ravit, séduit, conquiert parce que exquisement poétique et douloureusement vrai à la fois ».
5. Il s'agit du personnage principal du troisième récit de *La Petite Poule d'Eau*, intitulé « Le Capucin de Toutes-Aides ». Le père Joseph-Marie y est présenté d'entrée de jeu comme un missionnaire qui parle « une bonne dizaine de langues » et « qui n'avait pas encore remarqué que, de l'amour des hommes et de Dieu, il connaissait surtout l'élan et l'allégresse lorsque, tel le Sauveur lui-même, il prenait la route ». (p. 157-158)
6. Allusion au *Photo-Journal* du 19 juillet 1951 (p. 38), dans lequel est publié un article de Lucette Robert intitulé « Gabrielle Roy, revenue au pays, retrouve un climat d'amitié ».

7. Il s'agit de l'un des chats de Gabrielle Roy, nommé d'après l'homme politique vietnamien Hô Chi Minh.

Lettre du 17 juillet [19]51

1. Le nouvel hôpital des Sœurs grises — l'hôpital Rosemont — ouvrira ses portes en 1954. En 1971, l'établissement fusionnera avec l'hôpital Saint-Joseph de Rosemont — fondé par les Sœurs de la Miséricorde en 1950 — pour former l'établissement connu aujourd'hui sous le nom d'hôpital Maisonneuve-Rosemont.

Lettre du 20 juillet 1951

1. « Je ne vis que dans l'attente de ta petite lettre quotidienne. Tu es le seul être qui ne me lâche pas. » (Marcel à Gabrielle, 15 juillet [1951])

Lettre du 22 juillet 1951

1. Réponse à Marcel, qui écrit, dans sa lettre du 19 juillet 1951 : « [...] vraiment, c'est un pauvre été et tu as été mal avisée d'aller passer tes vacances en Gaspésie ».

Lettre du 23 juillet 1951

1. Gabrielle Roy, lorsqu'elle était enfant, passait les vacances d'été avec sa mère chez le frère de celle-ci, Excide Landry, à Somerset, dans la région de la Montagne Pembina. La romancière évoque ses séjours chez l'oncle Excide au chapitre IX de *La Détresse et l'Enchantement,* lorsqu'elle parle de l'obtention de son premier poste d'institutrice dans le petit village de Cardinal, situé non loin de Somerset (p. 111-121) : « Cardinal présentait entre autres — et c'est celui qui compta le plus pour moi — l'avantage immense d'être peu éloigné de la chère ferme de mon oncle Excide où, enfant, j'avais vécu des vacances si heureuses. J'y allai passer presque toutes les fins de semaine [...]. » (p. 112) Dans *Rue Deschambault,* l'oncle Majorique du récit « Le Titanic » aurait été inspiré par Excide Landry qui était, comme le Majorique du roman, le « plus jeune frère » de la mère de la narratrice.

Lettre du 24 juillet [1951]

1. Il s'agit de Jeanne Lapointe (voir note 2, lettre du 29 juin 1948).
2. Marcel avait écrit, dans sa lettre du 21 juillet : « Je reçois à l'instant une lettre de madame Mille, qui laconiquement te remercie de ton livre. » Cette lettre de madame Mille n'a pas été conservée.

Lettre du 25 juillet 1951

1. Le docteur Léon Gérin-Lajoie (1895-1969) pratique la médecine depuis 1918. Il a fait ses études à l'Université Laval.

Lettre du 27 juillet 1951

1. Cette lettre est conservée à la Bibliothèque nationale du Canada, dans le Fonds Gabrielle Roy (MSS 1982-11/1986-11), boîte 9, chemise 5. Gabrielle Roy et Marcel Carbotte ont vraisemblablement rencontré la famille Le Bigot alors qu'ils logeaient chez madame Isoré, à la Villa Dauphine, puisque les Le Bigot habitaient aussi Saint-Germain-en-Laye, en banlieue de Paris. La lettre est datée du « 17 et 20 juillet 1951 ». Madame Le Bigot y remercie Gabrielle Roy de lui avoir fait parvenir un exemplaire de *La Petite Poule d'Eau*. Elle lui donne aussi quelques nouvelles de son mari, qui occupe le poste de « chef des Services Financiers des Forces Nord-Atlantiques à l'Headquarters du Gal Eisenhower », et de ses enfants.
2. Marcel écrit, dans sa lettre du 23 juillet, qu'il se « couche tôt » et qu'il se « lève tôt ».

Lettre du 31 juillet 1951

1. Il sera aussi question du docteur Albert Jutras dans les lettres de Ville LaSalle, hiver 1952. Gabrielle Roy a connu le docteur Jutras — un ami du docteur Dumas à Montréal pendant la guerre. Le docteur Jutras habitait une maison voisine de l'appartement des Carbotte, à Ville LaSalle. Albert Jutras et Marcel Carbotte iront passer quelques jours dans la région de La Malbaie en août 1951 « pour y faire de la peinture ». (Marcel à Gabrielle, 1er août 1951)
2. Cette épicerie était située sur le boulevard LaSalle, à Ville LaSalle.

Ville Lasalle, hiver 1952

Lettre du 22 janvier 1952

1. Allusion au Château Saint-Louis : « J'irai voir demain au Château Saint-Louis, le grand immeuble situé sur les plaines d'Abraham. L'on m'a dit que j'y pourrais trouver le gîte et la pension pour 80 dollars par mois. » (Marcel à Gabrielle, 21 janvier 1952)
2. Connie Smith est une amie londonienne que Gabrielle Roy a fait venir d'Angleterre, à l'automne 1951, pour la prendre à son service comme domestique. Une dispute a éclaté entre les deux femmes au sujet d'une augmentation de salaire refusée par Gabrielle ; c'est pourquoi Connie décide de rentrer dans son pays.
3. Il s'agit sans doute des cousines Soumis : Irène, qui est institutrice, et Rose, qui sera la « bonne » de Gabrielle Roy à Petite-Rivière-Saint-François à la fin des années 1950. Ce sont les cousines de Gabrielle Roy au « troisième degré », du côté maternel : la mère d'Irène, Delvina Desrochers, est la cousine de Mélina Landry, la mère de Gabrielle. Les Desrochers, comme les Landry, sont originaires de Saint-Alphonse-de-Rodriguez, au Québec.

Lettre du 28 janvier 1952

1. Le docteur Morin a été victime d'une crise d'angine.

2. Depuis avril 1950, Habib Bourguiba (1903-2000) est engagé dans une lutte pour l'autonomie de la Tunisie. Cette lutte durera jusqu'au 20 mars 1956, date à laquelle sera proclamée l'indépendance de la Tunisie.

Lettre du 30 janvier 1952

1. Le titre complet de la revue est *Historia. Zeitschrift für alte Geschichte. Revue d'Histoire ancienne. Journal of Ancient History. Rivista di Storia Antica.* Elle est publiée par les éditions Franz Steiner Verlag GMBH depuis 1950 et contient des articles en allemand, en français, en anglais et en italien.
2. Dans le fonds Cécile Chabot de la Bibliothèque nationale du Québec (447), aucun texte ne correspond à celui d'une conférence qu'aurait présentée la poétesse à Québec en janvier 1952. Toutefois, on peut supposer qu'il s'agit de la même conférence qu'elle prononcera au Cercle universitaire de Montréal le 18 février 1952. Voir la lettre du 5 février 1952.

Lettre du 1er février 1952

1. Dans sa lettre du 31 janvier, Marcel explique à Gabrielle qu'il « est très heureux », puisqu'on l'a mis en charge « de la clinique externe [...], [et] de la clinique pour la prévention du cancer ».
2. Le thymol est une substance extraite du thym et utilisée comme antiseptique ; l'ictère est un autre nom pour désigner la jaunisse. « Thymol » et « ictère » ne sont pas des tests médicaux en soi. Les hépaxacides aminés sont des suppléments de protéines. Le stenediol est un stéroïde anabolisant qui favorise la reproduction et la croissance des tissus et qui a pour effet d'accélérer la guérison après une intervention chirurgicale (voir la lettre du 12 février 1952 où il en est fait mention). Par ailleurs, aucun médicament du nom de « perandun » ne figure dans les répertoires de l'époque. On peut supposer qu'il s'agit d'un autre stéroïde anabolisant. Quant à Ciba, il s'agit d'une compagnie pharmaceutique dont le nom complet est Ciba Geigy. Enfin, la pharmacie A. Couture était située sur la rue Édouard, à Ville LaSalle.

Lettre du 3 février 1952

1. « Je serais l'homme le plus heureux du monde si tu venais me faire une visite surprise. J'ai deux lits dans ma chambre et nous pourrions camper ensemble. » (Marcel à Gabrielle, 1er février 1952)
2. Selon le répertoire téléphonique de la ville de Montréal pour l'année 1952, la rôtisserie Chic-N-Coop — que Gabrielle Roy orthographie « Chicken Coop » — était située rue Sainte-Catherine Ouest, à Montréal.

Lettre du 5 février 1952

1. La conférence que Cécile Chabot présentera au Cercle universitaire le 18 février 1952 s'intitule « Images de France ». Le Cercle universitaire fait partie de l'Université McGill et est aujourd'hui connu sous le nom de Faculty Club.

2. « Je crains fort que le départ de Connie ne t'ait occasionné un surcroît d'efforts. Tous ces ennuis stérilisent l'imagination. Tu devrais prendre un petit repos et changer de milieu. » (Marcel à Gabrielle, 2 février 1952)
3. Les Soumis habitent alors le quartier Rosemont, dans l'est de Montréal.
4. « J'ai fait la clinique ce matin. M'étant préparé depuis une semaine, je crois avoir réussi mon petit effet comme il convenait pour une première apparition devant les élèves de troisième et quatrième années. » (Marcel à Gabrielle, 2 février 1952)

Lettre du 7 février 1952

1. Le docteur Gagnon est le superviseur de Marcel.
2. Souverain d'Angleterre depuis 1937, George VI est mort le 6 février 1952 ; c'est la princesse héritière Elizabeth Alexandra Mary (Elizabeth II) qui lui succédera.
3. L'anniversaire de naissance de Marcel Carbotte est le 9 février.

Lettre du 10 février 1952

1. *The Louisiana Story* (1948) est un documentaire réalisé par Robert Flaherty (1884-1951). Le film raconte l'histoire d'un jeune garçon cajun qui prend conscience de l'industrialisation de la Louisiane en observant le travail sur les plates-formes de forage. Le titre complet du film *Nanook* est *Nanook of the North*. Il s'agit d'un documentaire sur les Inuits, réalisé par Robert Flaherty en 1922. Le tournage de ce film a été raconté par Flaherty dans un livre intitulé *My Eskimo Friends, « Nanook of the North »* (Garden City, New York, Doubleday, Page & Co., 1924). Le titre complet du film *Tabu* est *Tabu. A Story of the South Seas*. Il a été réalisé par F. W. Murneau et Robert Flaherty en 1931. Le film, tourné à Tahiti, raconte l'histoire d'une jeune femme qui est déclarée « sacrée » par la tribu à laquelle elle appartient et qui défie les lois de celle-ci lorsqu'elle s'éprend d'un homme qui n'en fait pas partie. Enfin, *Industrial Britain* (1931) est un documentaire sur l'industrialisation de la Grande-Bretagne, réalisé par John Grierson (1898-1972) de l'Office national du film — en collaboration avec Robert Flaherty. *Farrebique* (1946) est un documentaire de Georges Rouquier qui a pour toile de fond le cycle de la vie paysanne traditionnelle.

Lettre du 11 février 1952

1. Les gouvernements canadien et américain discutaient alors de la mise sur pied d'un projet d'aménagement hydraulique du fleuve Saint-Laurent. Les séances d'étude consacrées au projet de canalisation ne débuteront toutefois pas avant l'automne suivant. Les travaux seront entamés en 1954 et achevés en 1959.

Lettre du 14 février 1952

1. Il s'agit de Philippe Panneton, qui a signé en 1938 le roman *Trente arpents* (Paris, Éditions Flammarion) sous le pseudonyme de Ringuet. Depuis 1947, il est président de l'Académie canadienne-française ; il occupera cette fonction jus-

qu'en 1953. Il a aussi écrit un article sur Gabrielle Roy : « Prix Femina 1949 [*sic*]. Gabrielle Roy publie "La Petite Poule d'Eau" », *Bulletin d'information des Éditions Flammarion*, nº 36, Paris, mai 1951, p. 6-8. En 1952, il habite Mont-Saint-Hilaire en Montérégie. Quant à Jean Désy, il sera l'ambassadeur du Canada en France de 1954 à 1957.

Lettre du 16 février 1952

1. René Garneau est un critique réputé ; il a signé quelques articles sur les livres de Gabrielle Roy, dont « Du côté de la vie âpre. *Bonheur d'occasion* par Gabrielle Roy » (*Le Canada*, Montréal, 6 août 1945) et « *Rue Deschambault* » (*Livres de France*, Paris, décembre 1955, p. 17 ; texte repris dans *Le Droit*, Ottawa, 11 avril 1956, et reproduit dans *Écrits du Canada français*, nº 49, Montréal, 1983). Le restaurant Le Petit Trianon ne figure pas dans les répertoires des commerces et des numéros de téléphone de la ville et de la région de Montréal pour l'année 1952.
2. William Lyon MacKenzie King (1874-1950) a été premier ministre du Canada de 1921 à 1930 et de 1935 à 1948.
3. Le comte Carlo Sforza (1872-1952) a été ministre des Affaires étrangères d'Italie en 1920-1921 et de 1947 à 1951.
4. Drame lyrique de Modest Petrovich Moussorgsky (1839-1881) écrit en 1868-1869. Gabrielle Roy évoque cet opéra dans *La Détresse et l'Enchantement*, lorsqu'elle se rappelle les moments passés avec Stephen, à Londres, en 1938 : « Des années, des milliers d'années, me semble-t-il parfois, ont passé depuis cette heure paisible sous le grand arbre de Richmond Park. De notre liaison si pleine d'affolement des sens et de leur tyrannique pouvoir sur nos vies, il ne me reste rien de plus troublant que le souvenir de Stephen me fredonnant à l'oreille un air de Boris Godounov et, peut-être encore plus émouvant, celui de l'aveu prononcé à la face du ciel. » (p. 352)

Lettre du 19 février 1952

1. La lettre du 17 février débute ainsi : « Je suis très inquiet, voilà quatre jours que je n'ai pas de nouvelles de toi. Si tu n'es pas bien tu devrais me téléphoner pour me dire ce qu'il en est — je croyais que cette absence de nouvelles me ménageait la surprise de ton arrivée. »

Lettre du 5 [mars] 1952

1. Manuscrit : 5 février 1952.
2. Il s'agit en effet d'un mot élégant qui, en Angleterre, désigne un emploi de domestique.

Lettre du 7 mars 1952

1. *Everybody's Magazine* est une revue bimensuelle fondée à la fin du XIXe siècle et qui a pignon sur rue à New York. Elle publie notamment *des short stories* (nouvelles).

2. William Somerset Maugham (1874-1965), écrivain britannique, est notamment l'auteur du célèbre roman *Of Human Bondage* (Garden City, Doubleday, 1915) et de nombreuses nouvelles. *Trio* est un film à sketches britannique réalisé par Ken Annakin et Harold French en 1950. Trois nouvelles de Maugham y figurent : « Sanatorium », avec Jean Simmons, « Mr. Know-all » (« Monsieur Je-sais-tout »), avec Nigel Patrick, et « The Verger » (« Le Bedeau »), avec James Hayter. Dans le film, « The Verger » n'est pas la première nouvelle qui est présentée ; elle vient plutôt en troisième. Dans cette nouvelle, un bedeau, Albert Edward Foreman, qui est au service de la paroisse St. Peter's depuis une quinzaine d'années et qui est très apprécié de ses concitoyens, doit quitter ses fonctions lorsque le vicaire et deux marguilliers apprennent qu'il est analphabète. Foreman ouvre alors un bureau de tabac, et il obtient un immense succès. Il en fondera six autres. Le gérant de la banque, impressionné par la fortune qu'a réussi à amasser Foreman, lui suggère d'investir son argent dans la bourse. Son client hésite, puisqu'il ne peut lire le contrat qui lui est proposé. Le gérant est fort impressionné lorsqu'il apprend que Foreman réussit à gérer ses établissements et sa fortune en ne sachant ni lire ni écrire (voir Somerset Maugham, *Les Nouvelles complètes*, Paris, Presses de la Cité, 1992, coll. « Omnibus », p. 643-649).
3. La lettre n'est pas signée.

Lettre du 18 mars 1952

1. Ringuet aurait donné une conférence à Québec, à l'occasion du centenaire de l'Université Laval, en 1952 (sans titre ; 10 p.). Il a également donné une conférence devant l'Alliance française à Montréal le 14 mars 1952.
2. Jacqueline Deniset Benoist (1916-1995), amie d'origine franco-manitobaine de Gabrielle Roy. C'est elle qui a dactylographié le manuscrit de *Bonheur d'occasion* en 1944. En 1952, elle habite Saint-Lambert.

Lettre du 22 mars 1952

1. « Le docteur Gagnon vient de me proposer d'aller passer 2 mois aux États-Unis à l'Institut national pour la recherche du cancer avant d'ouvrir un laboratoire de dépistage du cancer, avec bourse substantielle qui pourvoirait à nos besoins à tous les deux. Voilà un événement auquel je ne m'attendais pas et qui complique encore nos projets immédiats. Il m'obtiendrait une double bourse de l'Institut national des recherches pour le cancer et une bourse de la province, les deux ensemble nous permettant de vivre largement. » (Marcel à Gabrielle, [vers le 20 mars 1952])
2. William Henry Bartlett (1809-1854), peintre d'origine britannique, a notamment peint la Cathédrale de Montréal et le Mont-Royal (*The Mountain*) vu du Saint-Laurent. Les toiles représentant Montréal ont été peintes autour de 1838, alors que Bartlett séjournait au Canada. C'est également à cette époque qu'il a réalisé les illustrations pour les livres *Canadian Scenery* (1840-1841-1842).

Lettre du 26 mars 1952

1. Il s'agit de Jean Palardy (1905-1991) et de sa femme Jori Smith (1907-). Jean Palardy est ethnologue et muséologue. En plus d'avoir réalisé une centaine de courts et longs métrages à l'Office national du film, il a dessiné et fabriqué des meubles de style ancien. Jean Palardy et Jori Smith se sont mariés dans les années 1930. Gabrielle Roy les a connus à Montréal, durant la Seconde Guerre mondiale.

Lettre du 29 mars 1952

1. « Après tes reproches au téléphone, je ne peux faire autrement que d'avouer mon défaut de diligence à t'écrire. Je profite de ce nouveau levier pour te répondre immédiatement. » (Marcel à Gabrielle, 27 mars 1952)

Lettre du 6 avril 1952

1. Marcel LeGoff est le frère de Pauline LeGoff-Boutal. Sa femme, Agathe de Montigny, est originaire de Richer au Manitoba. Gabrielle Roy les a sans doute connus par l'intermédiaire de Pauline, qu'elle a rencontrée à l'époque où elle faisait partie de la troupe de théâtre amateur Le Cercle Molière.

Rawdon, printemps 1952

Lettre du 16 avril 1952

1. Il est possible que Gabrielle Roy évoque ici la plaine qui précède les collines de Saint-Alphonse-de-Rodriguez (d'où sa mère est originaire), où elle allait souvent se promener — à ski l'hiver et à pied l'été — lors de son premier séjour à Rawdon en 1942. Elle y fait d'ailleurs allusion dans *Le temps qui m'a manqué* (p. 22) : « Invariablement je prenais le chemin des petites collines de Saint-Alphonse-de-Rodriguez. C'était d'ailleurs à cause d'elles que j'étais venue m'installer à Rawdon, pour être proche des paysages et des souvenirs dont ma mère m'avait parlé tout au long de mon enfance. Et en un sens les collines étaient encore plus en moi par la mémoire que par mon regard qui en saisissait le doux profil bleuté au-delà de la plaine de neige. »

Lettre du 20 avril 1952

1. Il s'agit sans doute du docteur Lucien Godin (1915-1971) et de son épouse, que Gabrielle Roy aurait rencontrés lors de ses premiers séjours à Rawdon, à l'époque où elle rédigeait *Bonheur d'occasion*. Le docteur Godin a pratiqué à Rawdon de 1941 à 1971.

Lettre du 24 avril 1952

1. Dans sa lettre du 20 avril 1952, Marcel raconte à Gabrielle qu'il est allé à Trois-Rivières, où il a assisté à une conférence du docteur Jutras, et qu'il a eu un accident de voiture.
2. La série des *Thibault*, de l'écrivain français Roger Martin du Gard (1881-1958), lauréat du prix Nobel de littérature en 1937, est composée de onze volumes, parus entre 1922 et 1940 chez Gallimard.

Lettre du 26 avril 1952

1. « À la suite de mon petit accident de dimanche, j'ai fait un petit choc nerveux qui m'a quelque peu ébranlé deux jours après — ça va mieux maintenant, quoique la nuit dernière j'ai encore fait un rêve épouvantable de bras arraché. » (Marcel à Gabrielle, 24 avril 1952)
2. Hector est le nom du chat de madame Chassé.

Lettre du 28 avril 1952

1. Roger Peyrefitte, écrivain français né en 1907, est surtout connu pour son roman *Les Amitiés particulières*, paru en 1944. Le texte intitulé « Le Miracle de Saint-Janvier » a été publié dans *La Revue de Paris*, dans le numéro de mars 1952 (p. 16-36). L'auteur écrit avoir assisté à la cérémonie du « Miracle de Saint-Janvier », qui a lieu une fois par année, dans une cathédrale de Naples. Pour l'occasion sont présents de nombreux dignitaires — des ecclésiastiques, mais aussi des représentants de familles princières —, qui revêtent leurs vêtements les plus nobles. Peyrefitte raconte, sur un ton ironique, que cette cérémonie est superficielle et que son protocole frôle le ridicule.

Lettre du 2 mai 1952

1. *Ces dames aux chapeaux verts* est un roman de l'écrivain français Germaine Acremant (1889-1986), publié en 1922 à Paris. Le frère de la romancière, Albert Acremant, en a tiré une pièce de théâtre qui fut jouée en 1939-1940 au Théâtre de l'Odéon à Paris. Le roman raconte l'histoire d'une jeune femme qui, après le suicide de son père, est recueillie par quatre de ses tantes. Celles-ci habitent en province et vivent un peu comme des religieuses. La jeune héroïne les décrit ainsi : « Quatre vieilles filles, qui habitent une vieille maison dans le plus vieux quartier d'une des plus vieilles villes du Pas-de-Calais... On les a surnommées les Dames aux chapeaux verts... Elles sont aussi grotesques que surannées... Je ne les ai guère vues qu'aux cérémonies de la famille : les enterrements et les mariages... Mais je suis persuadée qu'elles sentent le tabac à priser et la naphtaline ! » (*Ces dames aux chapeaux verts*, Paris, Éditions Plon, coll. « Livre de poche », n° 2401, 1922, p. 14)

Lettre du 7 mai 1952

1. Armand Renaud Lavergne (1880-1935) fut député, proche d'Henri Bourassa, et un

des leaders du mouvement anti-conscription en 1918. Il est notamment l'auteur de *Trente ans de vie nationale* (1934). Dans sa lettre du 4 mai, Marcel écrit ceci au sujet d'Armand Lavergne: « Monsieur Routhier m'a conté un bon mot d'Armand Lavergne. Il défendait un jeune homme impliqué dans une affaire de bestialité à Chicoutimi. Ayant invoqué tous les déboires en amour du pauvre jeune homme, il termina son plaidoyer par cette phrase amusante : "Il vaut mieux taure que jamais." Une autre fois en chambre, on avait accusé Sir Lomer Gouin d'avoir deux faces — Armand Lavergne se lève pour le défendre : "On calomnie monsieur Gouin. Monsieur le Président, jugez-en par vous-même, si monsieur Gouin avait deux faces, il ne montrerait certainement pas celle-là" — Sir Lomer étant très laid. »

Lettre du 13 mai 1952

1. Dans sa lettre du 9 mai 1952, Marcel écrit à Gabrielle qu'il est allé visiter un sous-marin américain dans le port de Québec.

Port-Daniel, été 1952

Lettre du 5 juillet [19]52

1. « Samedi, la caravane Jutras, Garneau et Larkin m'ont téléphoné d'aller les rejoindre à Cap-Santé, première étape de leur tournée de la Gaspésie. Ils m'ont demandé ton adresse — je crois bien qu'ils passeront te saluer mercredi ou jeudi prochain. » (Marcel à Gabrielle, [3] juillet 1952)
2. « Dimanche, je suis allé me baigner à l'Île d'Orléans avec René Laberge et Jean Soucy. Nous avons pris un bon bain de soleil. Hier, Guy Roberge m'a invité à quatre heures à sa maison de Saint-Antoine-de-Tilly. Il est venu me chercher. Nous sommes allés nous baigner et avons fricoté nous-mêmes un petit souper. » (Marcel à Gabrielle, [3] juillet 1952)
3. Guy Roberge (1915-1991) est avocat et fonctionnaire. Il a été admis au Barreau du Québec en 1937. Il sera le délégué général du Québec au Royaume-Uni de 1966 à 1971. Il œuvrera aussi pendant de nombreuses années à l'Office national du film.

Lettre du 10 juillet 1952

1. Le docteur Albert Jutras, René Garneau et Kerwin Larkin. Larkin était professeur de physique à l'Université Laval.

Lettre du 18 juillet 1952

1. Il est ici question des élections provinciales du 16 juillet 1952. L'Union nationale de Maurice Duplessis a été reportée au pouvoir pour la troisième fois consécutive (1944, 1948 et 1952). Elle a remporté 68 sièges, alors que le Parti libéral, dirigé par Georges Lapalme, en remportait 23.

2. Flora Hill, que Marcel a bien connue, est infirmière. Elle a travaillé dans la région de Rorketon, Toutes-Aides et Portage-des-Prés au Manitoba.

Lettre du 31 juillet 1952

1. Il s'agit du peintre québécois Jean Paul Lemieux (1904-1990), de sa femme Madeleine, et de Marius Barbeau (1883-1969), folkloriste et ethnologue.

Lettre du 5 août 1952

1. La lettre de Marcel est datée du 1er août 1952. Il y raconte sa rencontre avec le docteur Ruth Graham, responsable du laboratoire où il doit effectuer son stage. Il y évoque aussi la chambre qu'il occupe temporairement à l'hôtel Lenox, en attendant de trouver un appartement meublé qui pourra les accueillir tous les deux, Gabrielle et lui.

Lettre du 14 août 1952

1. « Hier soir, je suis allé dîner chez le docteur Siu, femme médecin chinoise qui travaille depuis un an au laboratoire de Mrs. Graham. Elle est native de Shangaï où son père était doyen de la faculté de médecine avant l'arrivée des communistes. C'est une fille extraordinairement intelligente et très bien élevée. » (Marcel à Gabrielle, 10 août 1952)

Lettre du 20 août 1952

1. En 1949, Gabrielle Roy et Marcel Carbotte ont passé le temps des fêtes à Strasbourg, chez Paula Bougearel. Il est possible qu'ils se soient rendus à Colmar au cours du même voyage.
2. Gabrielle Roy fait sans doute allusion à cette « faute » commise par Marcel dans sa première lettre du 16 août 1952 : « Ici, l'art, la beauté, la science *a apparu* sur la terre avec la venue des Pilgrims. » (C'est nous qui soulignons.)

Lettre du 24 août 1952

1. L'*Océan Limitée* est un train. Il en est question dans un reportage qu'a écrit Gabrielle Roy sur la Gaspésie en 1940 : « Et tout en gagnant rapidement la vallée de la Matapédia où je dois prendre l'Océan Limitée pour Montréal, je ressasse les impressions contradictoires et multiples que tout voyageur doit rapporter de la Gaspésie [...]. » (« La belle aventure de la Gaspésie », *Bulletin des agriculteurs*, novembre 1940, p. 8-10)

Rawdon, automne 1952

Lettre du 29 août 1952

1. Dans sa lettre du 26 août, Marcel écrit à Gabrielle qu'il souhaite, le dimanche suivant, « aller par bateau à Cape Cod ».
2. Gabrielle Roy fait peut-être allusion à la « cabane de Miss Szabo », qu'elle a déjà habitée. Voir la lettre à Marcel datée du 20 avril 1952.
3. La Fête du Travail, qui a lieu le premier lundi de septembre.
4. Gabrielle Roy fait allusion à « A Letter From the Publisher », l'éditorial du *Time Magazine* (18 août 1952, p. 8). On y annonce que Lemelin vient de terminer son quatrième livre, *Pierre le Magnifique* ; on retrace aussi sa carrière depuis *Au pied de la pente douce* et on rappelle l'immense succès remporté par *Les Plouffe*. L'article n'est pas signé.

Lettre du 30 août 1952

1. Il s'agit d'une nappe en lin bis, que Gabrielle Roy a achetée à Concarneau à l'été 1948 et qu'elle a commencé à broder au cours de son séjour à Upshire à l'automne 1949 (voir la lettre d'Upshire, 4 septembre 1949, dans laquelle elle demande à Marcel de lui envoyer du fil).

Lettre du 2 septembre 1952

1. Robert Falcon Scott (1868-1912), explorateur anglais ; il fut le deuxième homme à atteindre la Pôle Sud, en 1912, un mois après le Norvégien Roald Amundsen. Scott et ses hommes moururent de faim et de froid au cours de cette expédition. L'hebdomadaire *Nouvelles littéraires, artistiques et scientifiques* a publié, de juin à août 1952, un récit de Jean Feuga sur l'expédition de Robert F. Scott, inspiré du film anglais *L'Aventure sans retour.*

Lettre du 6 septembre 1952

1. Dans sa lettre du 2 septembre, Marcel exprime ses inquiétudes concernant la bourse qu'il n'a pas encore reçue : « Je n'ai pas encore eu de nouvelles de ma bourse et j'en suis très inquiet ; j'ai écrit au docteur Gagnon avant-hier pour lui demander de presser un peu les affaires, sinon je serai obligé de repartir pour Québec au début d'octobre, faute de fonds. »

Lettre du 27 septembre 1952

1. Le methiscol est un supplément multi-vitaminique.

Lettre du 1er octobre 1952

1. La traduction anglaise de *La Petite Poule d'Eau, Where Nests the Water Hen,* a été

publiée à Londres, chez Heinemann, en 1952. Il n'a pas été possible d'identifier les articles en question, surtout que l'éditeur (Heinemann) ne les possède pas dans ses archives et que Marcel Carbotte ne les a pas conservés dans son *scrap-book.*

2. Hugo McPherson est critique littéraire. Il a entre autres collaboré aux émissions *Critically Speaking* et *Anthology,* qui étaient diffusées sur les ondes de la télévision anglaise de Radio-Canada ; il a aussi écrit de nombreux articles pour des revues. Il signera notamment un important article sur Gabrielle Roy, « The Garden and the Cage. The Achievement of Gabrielle Roy », dans *Canadian Literature* (n° 1, été 1959, p. 46-57).

Lettre du 2 octobre 1952

1. Dans sa lettre du 30 septembre, Marcel propose à Gabrielle de « mettre deux lits dans [sa] […] chambre qui est très grande » lorsqu'elle viendra le rejoindre, et de prendre les repas au restaurant.

Montréal, janvier 1953

Lettre du 23 janvier 1953

1. Jori Smith.
2. Allusion au personnage principal du roman *Alexandre Chenevert,* qui souffre d'insomnie.
3. Il s'agit de France LeRiger de Laplante, mariée en premières noces à un monsieur Marcotte qui travaillait à la direction de la Régie des alcools du Québec.

Lettre du 27 janvier 1953

1. Le nom complet de ce restaurant, dont la spécialité était les mets français, est : La Maisonnette Carol. Il était situé rue Peel, au centre-ville de Montréal.

Rawdon, printemps 1953

Lettre du 21 avril 1953

1. Expression qui désigne les porteurs de bagages.
2. Il s'agit du bureau de comptables qui était chargé de préparer les déclarations d'impôt de Gabrielle Roy.

Lettre du 23 avril 1953

1. Aucun médecin portant ce nom de famille ne figure dans les répertoires du Collège

des médecins pour l'année 1953. Le docteur de Saint-Victor pourrait être un médecin étranger de passage à Québec ou un médecin nouvellement arrivé au pays qui n'a pas encore obtenu son permis d'exercice du Collège.

Lettre du 25 avril 1953

1. Marcel écrit à Gabrielle, dans sa lettre du 25 avril, qu'il est sorti la veille, la vie au Château Saint-Louis étant perturbée par des travaux de rénovation.

Lettre du 28 avril 1953

1. Il s'agit de la comédie dramatique *Limelight* (1952) — *Les Feux de la rampe* —, avec Charlie Chaplin, Claire Bloom, Buster Keaton, Sydney Chaplin Junior, Marjorie Bennett, Charlie Chaplin Junior, Geraldine Chaplin, Michael Chaplin et Josephine Chaplin. Marcel donne ses impressions sur le film dans sa lettre du 27 avril : « Le texte, la musique, la direction, le jeu sont l'œuvre de Chaplin, ce qui explique l'unité de la pièce — et quelle simplicité dans le jeu, aucune recherche de l'effet, mais aussi aucune fausse note. On le voit constamment sur l'écran, mais il trouve moyen de nous laisser croire que la ballerine est l'acteur principal. [...] Chaplin a joué des rôles plus drôles, plus mordants — il a composé ici son rôle le plus humain. »
2. Marcel apprend à Gabrielle, dans sa lettre du 27 avril, que « d'après Guy Roberge, Jean Paul [Lemieux] aurait vendu une quinzaine de toiles ».
3. Une adaptation cinématographique d'*Othello* de Shakespeare, qui mettait en vedette Orson Welles et Suzanne Cloutier, a été réalisée en 1952 ; c'est peut-être à ce film que Gabrielle Roy fait allusion ici. La romancière a découvert le théâtre de Shakespeare alors qu'elle fréquentait l'Académie Saint-Joseph à Saint-Boniface. Elle en fait le récit dans le cinquième chapitre de *La Détresse et l'Enchantement* (p. 61-72).

Lettre du 1er mai 1953

1. Champion est vraisemblablement le propriétaire du Château Saint-Louis.
2. « Madame Chassé croit bien que tu resteras tout le mois de mai à Rawdon. Elle m'a demandé si on pourrait occuper ta chambre — on commence les travaux au rez-de-chaussée et au premier en même temps, ce qui veut dire que les pensionnaires de ces étages seront appelés à chercher ailleurs. » (Marcel à Gabrielle, 29 avril 1953)

Lettre du 2 mai 1953

1. Jeanne Lapointe avait signifié à Gabrielle Roy, lors de sa première lecture du manuscrit d'*Alexandre Chenevert,* que celui-ci demandait à être retravaillé. Jeanne acceptera de venir passer quelques jours à Rawdon pour aider Gabrielle à terminer son roman, dont le manuscrit final sera envoyé en juin à la Librairie Beauchemin et chez Flammarion à Paris.

2. Il s'agit de la pièce de théâtre d'Henri Ghéon (1875-1944) — pseudonyme d'Henri Vangeon —, dont le titre complet est : *La Farce du pendu dépendu*. La pièce a été adaptée pour la télévision en 1953 par Martine Jasmin. L'émission a été réalisée par Georges Groulx et présentée le 1er mai 1953 à la télévision française de Radio-Canada. Jean Gascon, Antoinette Giroux et Guy Hoffmann y tenaient les rôles principaux.
3. La production du *Tartuffe* de Molière à laquelle Gabrielle Roy fait ici allusion a été jouée en 1953 et était le septième spectacle de la Troupe du Théâtre du Nouveau-Monde. La pièce a été présentée à Montréal, au Gesù, et à Québec, au Palais Montcalm, dans une mise en scène de Jean Gascon. Antoinette Giroux y incarnait le rôle de Dorine.

Lettre du 24 mai 1953

1. Arthur Corriveau est le mari de Léona Carbotte, la sœur de Marcel. Il vient d'être nommé professeur à l'École normale de Winnipeg. Germain Roy est né à Saint-Léon le 9 mai 1902. Il est le huitième des enfants de Léon Roy et Mélina Landry. Il a fait carrière dans l'enseignement. Lui et son épouse, Antonia Houde, ont eu deux enfants : Lucille et Yolande. Il est question de Germain et d'Antonia au chapitre XV de la première partie de *La Détresse et l'Enchantement* (p. 184-185).
2. Il s'agit de Winnifred Siu, la jeune médecin asiatique qu'a connue Marcel lors de son séjour de recherches au Vincent Memorial Hospital de Boston à l'automne 1952. Winnifred, dans sa lettre aux Carbotte, explique qu'elle a reçu une lettre adressée à quelqu'un d'autre et qu'elle en a été « déçue ». (Bibliothèque nationale du Canada, Ottawa, Fonds Gabrielle Roy, 1982-11/1986-11 ; la lettre n'est pas datée)

Lettre du 26 mai 1953

1. Il s'agit de la médaille que l'Académie canadienne-française (la première que l'Académie a remise) avait décernée à Gabrielle Roy, en 1946, pour *Bonheur d'occasion*, et qu'elle n'a pas encore reçue.

Été 1953

Lettre du [12] juillet 1953

1. Manuscrit : *13 juillet*. Ce serait plutôt le 12 (dimanche), puisque la lettre suivante est de lundi, donc du 13.
2. Il s'agit de Marie Dubuc, fille de l'industriel J.-E.-A. Dubuc. Marie est une amie de Jeanne Lapointe. Gabrielle la reverra quelquefois à Québec et à l'île d'Orléans, où elle possède une maison. En 1967, elle la retrouvera à New Smyrna, en Floride (voir les lettres de New Smyrna, hiver 1967).

Lettre du [16 juillet 1953]

1. Dans sa lettre du 14 juillet, Marcel écrit à Gabrielle de ne pas épuiser son « amitié avec les Lemieux ».
2. Cyrias Ouellet était alors doyen de la faculté des Sciences de l'Université Laval. Un documentaire sur lui sera réalisé par l'Office national du film en 1960 : « Cyrias Ouellet, homme de sciences ».
3. Allusion à l'excursion qu'a faite Marcel en compagnie de René Laberge et de Jean Soucy à l'île d'Orléans le dimanche précédent.
4. Suzanne Rivard Lemoyne est peintre. C'est une amie très proche de Judith Jasmin.

Lettre du 19 juillet [19]53

1. Il s'agit du chien de Jean Paul et Madeleine Lemieux.
2. Gabrielle Roy fait sans doute allusion au peintre Jean-Charles Faucher, qui était alors professeur à l'École des Beaux-Arts de Montréal.
3. Bernadette Roy venait à l'occasion, l'été, suivre des cours à l'Université Laval. Voir à ce sujet : *Ma chère petite sœur. Lettres à Bernadette 1943-1970*, p. 34.

Lettre du 20 juillet [19]53

1. Miss O'Rorke est le nom de l'institutrice qui succède à mademoiselle Côté dans « L'École de la Petite Poule d'Eau », le deuxième récit du roman *La Petite Poule d'Eau*. Elle y est décrite comme une « vieille fille » intolérante, qui ne peut « abandonner une seule de ses idées fixes et de ses petites manies. » (p. 87) Le personnage a peut-être été inspiré par Miss Rorke, un professeur d'art dramatique de la London Guildhall School of Music and Drama où Gabrielle Roy a suivi des cours en 1938. Dans *La Détresse et l'Enchantement*, la romancière raconte que Miss Rorke était surnommée « le dragon », et qu'« elle n'arrêtait pas de nous invectiver, nous traitant de *snails* à cause de notre lenteur, je suppose, ou de *momies*, ou de pauvres spectres incapables de se faire entendre. » (p. 321)

Lettre du 23 juillet 1953

1. Marcel apprend à Gabrielle, dans sa lettre du 20 juillet, que la sœur de Jean Soucy est atteinte d'un cancer du sein et qu'elle doit être opérée le lendemain.

Lettre du 27 juillet 1953

1. Ce portrait, qui se trouve aujourd'hui à la Bibliothèque Gabrielle-Roy à Québec, est reproduit en page couverture de *La Détresse et l'Enchantement* (coll. « Boréal compact », n° 7).
2. Il ne s'agit vraisemblablement pas de Jean Rousseau, dont la femme se prénomme Yvonne.
3. Le docteur Amyot Jolicœur est un collègue de Marcel Carbotte.

Automne 1953

1. Le scénario, intitulé « Le plus beau blé du monde ou La mère Zurka », n'a jamais été achevé.

Lettre du 18 septembre [19]53

1. Allusion au roman *Vol de nuit* (Paris, Flammarion, 1931) de l'écrivain français Antoine de Saint-Exupéry (1900-1944). Ce thème sera repris par Gabrielle Roy dans « Terre des Hommes. Le thème raconté », texte qui a paru — avec quelques suppressions — dans l'album *Introduction à Terre des Hommes / Man and His World,* à l'occasion de l'Exposition universelle de 1967. La version intégrale de ce texte fera partie du recueil *Fragiles Lumières de la terre* en 1978.

Lettre du 3 octobre [19]53

1. Avant de se rendre en Jamaïque pour suivre la visite royale de novembre 1953, Judith Jasmin et René Lévesque, qui étaient au service de la Société Radio-Canada, avaient déjà couvert ensemble le voyage de la princesse Élisabeth et du duc d'Édimbourg au Canada, en 1951. Ils s'étaient aussi rendus à Londres, en juin 1953, pour couvrir les cérémonies du couronnement d'Élisabeth II. Depuis septembre 1953, Jasmin et Lévesque animent une émission radiophonique intitulée *Carrefour,* qui est diffusée cinq soirs par semaine, *Reportages,* une émission hebdomadaire d'informations, et *Hors série,* une série d'émissions spéciales.
2. Il s'agit de René d'Uckermann, directeur de la maison Flammarion à Paris, à qui Gabrielle Roy a envoyé le manuscrit d'*Alexandre Chenevert* au début de l'été 1953.
3. Herbert Dordu est le second mari de la mère de Marcel, née Aline Scholtes.

Hiver 1954

Lettre du 3 janvier 1954

1. C'est le nom d'un autre hôtel de Baie-Saint-Paul.
2. Gabrielle Roy avait aussi évoqué le personnage de *La Petite Poule d'Eau,* Miss O'Rorke, dans sa lettre à Marcel Carbotte datée du 20 juillet 1953 et écrite à Port-au-Persil.
3. Madeleine Chassé est fonctionnaire. Elle vit avec Madeleine Bergeron et agira comme secrétaire de Gabrielle Roy jusqu'au début des années 1960. Elle est la belle-sœur de madame Chassé, qui était logeuse au Château Saint-Louis lorsque Marcel y a pris pension, en 1952, et lorsque Gabrielle et lui y ont loué un appartement dès 1953.
4. Il s'agit de l'école Cardinal-Villeneuve de Québec, que Madeleine Bergeron a fondée en 1935 et dont elle était la directrice. Monsieur Gravel est le propriétaire de l'hôtel où loge Gabrielle Roy.

5. Gabrielle Roy a rencontré Madeleine Bergeron et Madeleine Chassé en 1953. Cécile Chabot avait confié un colis à Madeleine Chassé ; celle-ci l'avait remis à son amie Madeleine Bergeron, qui s'était chargée d'aller le porter à Gabrielle Roy au Château Saint-Louis. Dès leur rencontre, un lien étroit s'est tissé entre les trois femmes.

Lettre de la [fin février ou début mars 1954]

1. Guy Boulizon (1906-) a succédé à Eugène Issalys en 1952 à la direction de la Librairie Beauchemin ; c'est lui qui en 1950 avait fondé la librairie Flammarion de Montréal.

Lettre du 3 mars 1954

1. Manuscrit : *Québec.*
2. Jean Bruchési est né en 1901. Il a été professeur d'histoire et de science politique à l'Université de Montréal de 1927 à 1937, puis sous-secrétaire de la province de Québec de 1937 à 1959. Il a collaboré comme rédacteur au *Canada,* de 1928 à 1931, à la *Revue moderne,* de 1930 à 1936, et à l'*Action universitaire,* de 1935 à 1937. Il est aussi l'auteur d'*Histoire du Canada,* paru en 1933. Il a reçu la Médaille de la Société royale du Canada en 1951 et a été le président de la Société en 1953-1954. Il a aussi été président de la Société historique du Canada de 1951 à 1952, et de la Société des écrivains canadiens de 1946 à 1955.

Lettre du 5 mars 1954

1. Manuscrit : *Québec.*
2. Il s'agit sans doute d'un exemplaire d'*Alexandre Chenevert.*

Lettre du 7 mars 1954

1. Rachel Jutras, l'épouse du docteur Albert Jutras (voir lettres de Ville LaSalle, 1951).

Manitoba, printemps 1954

1. Ce texte, publié en 1954 dans les Mémoires de la Société royale du Canada, est repris dans « *Le Pays de Bonheur d'occasion* » *et autres récits autobiographiques épars et inédits,* p. 13-22.

Lettre du 3 juin 1954

1. Traduction : *membres.*
2. Gabrielle Roy parle ici de Léona, la sœur de Marcel Carbotte, et de son mari, Arthur Corriveau.

3. Francis Reginald Scott (1899-1985) est un personnage très important sur la scène littéraire canadienne. Professeur, historien et avocat, il a aussi écrit des poèmes (*Overture : Poems*, 1945). Il est l'auteur, avec Anne Hébert, de *Dialogue sur la traduction. À propos du Tombeau des rois* (1970). Il a occupé la fonction de doyen de la faculté de Droit de l'Université McGill de 1961 à 1963. Jean-Charles Falardeau (1914-1989) a été professeur au département de sociologie de l'Université Laval de 1943 à 1980 ; il est notamment l'auteur de *Paroisses de France et de Nouvelle-France au XVIIe siècle* (1943), *Analyse sociale des communautés rurales* (1944), *French Canada Past and Present* (1951) et *Essais sur le Québec contemporain* (1953).
4. Georges Trossi a effectivement tenu une boucherie, à Saint-Boniface, dans les années 1930. De 1939 à 1952, il a travaillé à la St. Boniface Winery, où il produisait le vin Trossi. Puis, en 1952, il a ouvert, avec son épouse, le restaurant Mama Trossi's, situé sur le chemin Pembina, dans l'ancienne salle municipale de Fort-Garry. On y servait surtout des mets italiens. Il est possible que les Trossi aient connu Gabrielle Roy à Saint-Boniface, dans les années 1920 ou 1930, puisque leur domicile ou leur commerce étaient toujours situés près de la rue Deschambault, où habitaient les Roy.
5. C'est lui qui avait célébré le mariage de Gabrielle Roy et Marcel Carbotte le 30 août 1947.
6. Il s'agit de la compagnie Supercrete Ltd., fondée en 1947 par les frères Joseph-Francis et John William Boux — qui sont d'origine belge. On y fabrique et distribue des « general building supplies » (*Winnipeg Free Press*, 31 janvier, 1961, p. 17). Les Boux étaient des amis de Marcel Carbotte, qui avait même acheté des parts de l'entreprise.
7. Allusion au kiosque qui se trouvait derrière la Painchaudière, la maison d'Anna et Albert Painchaud, où Marcel et Gabrielle avaient l'habitude de flâner ensemble pendant l'été 1947.

Lettre du 7 juin 1954

1. Somerset est situé à une centaine de kilomètres au sud-est de Winnipeg. Les parents de Gabrielle Roy, Léon et Mélina, y ont tenu un magasin général dans les années 1890. C'est à Somerset qu'habitaient les grands-parents maternels et les oncles de Gabrielle.
2. Excide Landry, l'oncle de Gabrielle Roy du côté maternel.

Été 1954

Lettre du 25 juin 1954

1. Il s'agit du Mont-Tombelaine — situé en Normandie, dans le nord-ouest de la France — qui est l'îlot voisin du Mont-Saint-Michel. Dans les années 700, un effondrement des terres dans la région a entraîné l'envahissement de la mer, ce qui a provoqué l'insularité du Mont-Tombe (devenu le Mont-Saint-Michel) et du Mont-Tombelle (devenu Tombelaine).

Lettre du 13 juillet 1954

1. L'abbé Pierquin est né en France en 1880. Il a été ordonné prêtre en 1906 et s'est vu confier la paroisse de Sainte-Rose-du-Lac, au Manitoba. Il n'a pas été possible de déterminer s'il a déjà rencontré Gabrielle Roy. Mais il a pu s'intéresser à la carrière de la romancière, étant lié par correspondance à des écrivains tels Léon Bloy et Colette. Il mourra à Laurier, où il a été curé de 1928 à 1952, en décembre 1957.

Lettre du 24 août [1954]

1. Port-au-Saumon est un village situé à une vingtaine de kilomètres à l'est de La Malbaie.
2. Allusion possible au roman de Jon Godden (1906-1948), *The House by the Sea,* paru en 1948, dont la traduction française porte le titre *La Maison au bord de la mer.* Gabrielle Roy parle d'ailleurs de ce texte dans une lettre adressée à Madeleine Bergeron et Madeleine Chassé à l'été 1954 : « J'ai tant aimé *La Maison au bord de la mer* que je vous l'envoie tout de suite, espérons que la lecture vous apportera une bonne détente. » Gabrielle Roy a également donné le titre « La maison au bord de la mer » à une nouvelle inédite qu'elle aurait selon toute vraisemblance écrite entre 1950 et 1955. Le manuscrit, qui compte neuf pages dactylographiées — avec quelques corrections de la main de l'auteur — est conservé à la Bibliothèque nationale du Canada (Fonds Gabrielle Roy, MSS 1982-11/1986-11, boîte 71, chemise 1).
3. Algernon Charles Swinburne (1837-1909), poète anglais. Le vers de Swinburne est tiré du poème « Laus Veneris » et se lit comme suit : « Or where the wind's feet shine along the sea » (voir *Collected Poetical Work,* New York, Harper, 1928).

France, printemps-été 1955

Lettre du [6 mai 1955]

1. Cécile Chabot a réalisé, vers 1954-1955, les illustrations de deux manuels scolaires : celui de Robert Edward Brennan (*Initiation à la psychologie : une étude de l'homme selon saint Thomas,* Charles Bilodeau [trad.], Montréal, Centre de psychologie et de pédagogie, 1955) et celui de Madeleine Forest-Ouimet (*Nous allons à l'école : mon premier cahier d'exercices : 1re année,* Montréal, Centre de psychologie et de pédagogie, 1960). Le livre de M. Forest-Ouimet n'a paru qu'en 1960, mais il a été « approuvé par le Comité catholique du Conseil de l'instruction publique » en décembre 1954.
2. M. Jackson est le nom d'un personnage du premier récit de *Rue Deschambault,* intitulé « Les deux nègres ». Les lettres C.P.R. désignent la Canadian Pacific Railways. *Rue Deschambault,* le quatrième roman de Gabrielle Roy, paraîtra en France, chez Flammarion, en septembre 1955, et chez Beauchemin le mois suivant.
3. Annette Zarov et son mari, Basil, sont photographes à Montréal. Ils ont signé la plupart des photographies officielles de Gabrielle Roy à partir de 1945.

4. Comme la copiste de Gabrielle Roy, Jacqueline Deniset Benoist, était sur le point d'accoucher, c'est Madeleine Chassé qui, à l'automne 1954, a dactylographié le manuscrit de *Rue Deschambault*.

Lettre du 8 mai 1955

1. Roman (Québec, Éditions Belisle, 1949) de l'écrivain québécois Roger Lemelin (1919-1992), paru à Londres, aux Éditions Jonathan Cape, en 1952, et à Paris, aux Éditions Flammarion, en 1954. Dans une lettre à Madeleine Bergeron, datée du 9 mai 1955, Gabrielle Roy s'étonnera de n'avoir « vu aucun livre [des *Plouffe*] aux étalages. » « Les *Plouffe* sont annoncés assez abondamment », écrit-elle. Elle ajoute, un peu plus loin : « Mais est-ce étonnant. Il me semble qu'il doit sortir cent livres par jour à Paris. » (Fonds Gabrielle Roy, Montréal, *Dossier Madeleine Bergeron et Madeleine Chassé : lettres de Gabrielle Roy aux Madeleine, 1954-1979*)

Lettre du 9 mai [19]55

1. Cette production d'*Athalie* était présentée à la salle Richelieu de la Comédie-Française. Véra Korène (1901-1996) — de son vrai nom Véra Koretzky —, qui jouait le rôle d'Athalie, assurait aussi la mise en scène. Dans *La Détresse et l'Enchantement*, Gabrielle Roy se rappelle avoir assisté à cette représentaion d'*Athalie* : « [...] je ne me rappelle pas quelle fut ma première pièce au Théâtre Français. Je me souviens d'autres pièces que j'y vis et particulièrement, durant un autre séjour à Paris, d'*Athalie* avec Véra Korène, qui m'enchanta. » (p. 273)
2. Il s'agit de Rock et Nicole Valin. Monsieur Valin était professeur de linguistique à la Faculté des lettres de l'Université Laval et madame Valin était professeur de français au Collège classique des filles de Jésus-Marie à Sillery.
3. Denver Lindley est le nouvel « éditeur » de Gabrielle Roy chez Harcourt Brace, à New York.

Lettre du 12 mai [19]55

1. Le titre exact de la pièce de Jean Blanchon est : *Le Capitaine Smith*. La pièce est présentée au Théâtre Montparnasse-Gaston Baty, aussi connu sous le nom de Gaîté-Montparnasse. Les rôles principaux sont interprétés par Raymond Souplex et Anne Carrère.
2. Pièce en un acte de Henry de Montherlant (1896-1972), parue à Paris, chez Gallimard, en 1954 et jouée pour la première fois la même année à Paris, au Théâtre de l'Odéon. En 1955, la pièce est présentée à la salle Luxembourg de la Comédie-Française, qui est située dans le VIe arrondissement. La mise en scène est de Jean Meyer. Font notamment partie de la distribution : Renée Fauré, Annie Ducaux, Micheline Boudet, Yvonne Gaudeau, Andrée de Chauveron, Henriette Barreau, Germaine Kerjean, Line Noro, Suzanne Nivette et Claude Winter.
3. Jean Désy est l'ambassadeur du Canada en France depuis 1954. Il occupera cette fonction jusqu'en 1957.

Lettre du [15 mai 1955]

1. Pièce d'Henry de Montherlant (1896-1972), parue en 1947. Gabrielle Roy et Marcel Carbotte auraient assisté à une représentation du *Maître de Santiago* en mars 1948, à Paris. C'est du moins ce que la romancière écrivait à Pauline Boutal dans une lettre datée du 23 mars 1948 : « Au théâtre, nous avons vu une pièce tout à fait inoubliable. Je sais qu'elle s'imposera à mon souvenir tout aussi longtemps pour le moins que l'exquise *Noé.* Il s'agit du *Maître de Santiago* de Montherlant. Le sujet en est implacablement austère, proposant la recherche de l'absolu telle que je ne l'ai encore jamais vue au théâtre. » (Société historique de Saint-Boniface, *Fonds Pauline Boutal : lettres de Gabrielle Roy à Pauline Boutal 1948-1951*) En 1948, *Le Maître de Santiago* a été présenté au Théâtre Hébertot.
2. Agan Khan est le nom donné au chef spirituel des Ismaéliens. Il est ici question de l'Agan Khan III qui, depuis 1954, souffre de lumbago et éprouve beaucoup de difficulté à se déplacer. Begum est le nom dont héritent les épouses des Agan Khan ; depuis 1931, l'Agan Khan III est marié à Yvette Lebrusse, qui est d'origine française.
3. « Ma tante Thérésina Veilleux » est le onzième des dix-huit récits de *Rue Deschambault.*
4. *Das Kleine Wasserhun,* Munich, Paul List Verlag, 1953. La traduction est de Theodor Rocholl.

Lettre du 19 mai 1955

1. Théâtre situé boulevard de Clichy et fondé en 1921 par Roger Ferréol et André Dahl. C'est un théâtre de chansonniers, où on joue des revues satiriques. En mai 1955, on y présentait un spectacle intitulé « Ah ! Quelle histoire », avec J. Raymond, René Paul, P. Gilbert et Dinel.
2. Il s'agit de René Garneau et de sa femme. Garneau, qui a été, au début des années 1950, le directeur du Service international de la télévision de Radio-Canada, est alors attaché culturel à l'ambassade du Canada.
3. Robert Kemp est critique littéraire. Il a écrit un article sur *Bonheur d'occasion* de Gabrielle Roy : « Pensées d'Ève », *Les Nouvelles littéraires,* 13 mai 1954, p. 2. Il est aussi l'auteur d'études sur la littérature française : *Lectures dramatiques : chronique théâtrale, d'Eschyle à Giraudoux* (Paris, Renaissance du livre, 1947) et *Vie des livres* (Paris, Albin Michel, 1955). Il sera reçu à l'Académie française le 27 mars 1958.
4. *Living-Room* (1953) de Graham Greene (1904-1991) est alors présentée au Théâtre Saint-Georges, situé rue Saint-Georges, dans le IXe arrondissement. Cette production met en vedette Jean Mercure et Jandeline.
5. La pièce adaptée du roman d'André Malraux, *La Condition humaine,* a été présentée en avril et en mai 1955 au Théâtre Hébertot, situé boulevard des Batignolles. Cette production était mise en scène par Marcelle Tassencourt et les rôles principaux étaient joués par Jaques Dufilho, Roger Hanin, Jean Paredes, Ludmilla Olms et Henri Giquel.
6. Il s'agit vraisemblablement de la bonne de Gabrielle Roy et Marcel Carbotte.

Lettre du 21 mai 1955

1. Il s'agit probablement de Roger Chartier, qui était professeur de relations industrielles à la Faculté des sciences sociales de l'Université Laval, et de son épouse, qui était d'origine mexicaine. Le couple a quitté le Québec pour le Mexique il y a une trentaine d'années.
2. Gabrielle Roy et Marcel Carbotte ont séjourné à la Villa Dauphine, chez madame Isoré, de l'automne 1948 à l'été 1950. Madame Racault y était pensionnaire en même temps qu'eux.
3. Les Jarry sont des gens que le couple Carbotte avait rencontrés à l'époque où ils vivaient à Saint-Germain-en-Laye, à la Villa Dauphine.
4. Anne est la fille de Jean Paul et Madeleine Lemieux.

Lettre du 27 mai [19]55

1. L'édition scolaire de *La Petite Poule d'Eau* a été préparée par R. W. Torrens et paraîtra en 1956 (Toronto, Clarke Irwin & Co.). Une autre édition scolaire du roman, préparée par J. Marks, paraîtra en 1957 à Londres (George G. Harrap & Co.).
2. Pièce de théâtre de l'acteur et dramaturge britannique Peter Ustinov (né en 1921) jouée pour la première fois le 23 mai 1951 au Wyndham's Theatre de Londres. Le titre original anglais est *The Love of Four Colonels.* Gabrielle Roy a assisté à la production présentée au Théâtre Fontaine, situé au 10 de la rue Fontaine, dans le IXe arrondissement.
3. *La Strada* a été réalisé par Federico Fellini, avec Anthony Quinn, Giulietta Masina et Richard Baseheart. Il a remporté l'Oscar du meilleur film étranger en 1954. *Miracle à Milan* (traduction de *Miracolo a Milano*) est un film (1951) de Vittorio De Sica. L'action se situe dans l'Italie d'après la Seconde Guerre mondiale. Les principaux interprètes sont Emma Gramatica, Francesco Golisano et Paolo Stoppa. *Miracolo a Milano* a remporté la Palme d'or au Festival de Cannes en 1951. *Les Diaboliques* (1954) a été réalisé par Henri-Georges Clouzot, d'après le roman *Celle qui n'était plus* (Paris, Denoël, 1952) de Pierre Boileau (1906-1996) et Thomas Narcejac (1908-) ; le film met en vedette Simone Signoret, Véra Clouzot, Charles Vanel et Paul Meurisse.
4. Il s'agit de Jean-Charles Falardeau et de son épouse.

Lettre du 2 juin [19]55

1. La pension Franklin, située près de la Villa Dauphine, à Saint-Germain-en-Laye, où le couple Carbotte a habité de 1948 à 1950. Il en est question dans les lettres d'Upshire (automne 1949).
2. Il s'agit de René Prin, peintre et cuisinier né en 1905 en Seine et Marne. Il habite Pacy-sur-Eure depuis 1927 et travaille au restaurant « La Mère Corbeau ». Le tableau dont Gabrielle Roy a fait l'acquisition s'intitule *Pluie, Route de Cocherel — Pays Eure.* Il fait partie de la collection d'œuvres d'art qu'a léguée Marcel Carbotte au Musée du Québec à sa mort.

3. Marcel Carbotte a effectué un stage auprès du docteur Larget à l'hôpital de Saint-Germain en 1949.

Lettre du 8 [juin] 1955

1. Manuscrit : *8 mai 1955.*
2. Il s'agit peut-être du livre de Marie Mauron : *La Transhumance du pays d'Arles aux Grandes Alpes* (photographies de Marcel Coen), Paris, Amiot-Dumont, 1952, 211 p. Gabrielle Roy a rencontré l'écrivain français Paul Guth (1910-1997) en 1947 pour une entrevue au sujet du Prix Femina qu'elle venait de remporter (voir « L'Interview de Paul Guth : Gabrielle Roy, Prix Femina 1947 », *La Gazette des lettres,* Paris, 13 décembre 1947, p. 1-2). *Le Naïf aux quarante enfants* a paru en 1955, aux Éditions Albin Michel (Paris), et il fera l'objet d'une adaptation cinématographique par Philippe Agostini en 1957. Le roman raconte l'histoire d'un nouveau diplômé qui fait ses débuts dans l'enseignement, et dont la première classe compte quarante élèves. Le jeune homme cherche à impressionner les enfants et leurs parents en recourant à des méthodes d'apprentissage novatrices.
3. Il s'agit de Marguerite Audemar, qui avait interviewé Gabrielle Roy à Paris, en décembre 1947 (voir M. Audemar, « Gabrielle Roy, romancière canadienne. Prix Femina 1947 », *Eaux vives,* Paris, février 1948, p. 27-28).
4. Anne Hébert (1916-2000) vient alors de publier *Le Tombeau des rois* (Québec, [s.é.], 1953). Jeanne Rhéaume est peintre ; c'est aussi une amie de Jeanne Lapointe.

Lettre du 16 juin 1955

1. Cette allusion n'a pu être éclaircie.
2. Dans une lettre datée du 4 juin 1955, Gabrielle Roy écrivait ceci à Bernadette à propos de son séjour à Québec, où elle doit suivre des cours à l'Université Laval : « Que je suis heureuse pour toi que tu puisses venir à Québec. Triste toutefois de penser que je ne serai pas là pour t'accueillir. Mais Marcel, j'en suis sûre, le fera à ma place, et il te fera faire quelques promenades, en autant qu'il aura de liberté. » (*Ma chère petite sœur. Lettres à Bernadette 1943-1970,* p. 34)

Lettre du 20 juin [19]55

1. Vallée du sud de la Bretagne, située près de Lorient.
2. La lettre n'est pas signée.

Lettre du 25 juin [1955]

1. La lettre n'est pas signée.

Lettre du 25 juin 1955 [Deuxième lettre de la journée]

1. Gabrielle Roy donnera le nom Le Bonniec à un personnage du roman *La Montagne secrète* (1961). Dans le roman, le père André Le Bonniec, qui est missionnaire dans le Grand Nord canadien, est d'origine bretonne.

2. Theodor Rocholl prépare alors la traduction allemande d'*Alexandre Chenevert*. Le livre paraîtra sous le titre *Gott geht weiter als wir Menschen* en 1956 (Munich, Paul List Verlag).

Lettre du 30 juin 1955

1. La traduction anglaise d'*Alexandre Chenevert*, intitulée *The Cashier*, paraîtra à New York chez Harcourt Brace & Co. et à Toronto chez McClelland & Stewart à l'automne 1955.

Lettre du 2 juillet [19]55

1. La novocaïne est un anesthésiant donné par injection.
2. Romancière et poète d'origine française (1879-1965). Elle a vécu au Québec de 1905 à 1929, avant de revenir s'installer en Bretagne, où elle est née. Ses œuvres s'inspirent en grande partie du Canada. Elle a remporté le Prix Femina en 1925 pour *Grand-Louis l'innocent* (Montréal, La Patrie, 1925).
3. Le phenergan est un antihistaminique, qui est utilisé comme sédatif. Il peut également être administré pour le soulagement de l'hypersensibilité, ainsi que pour le contrôle des nausées et des vomissements.

Lettre du 8 juillet 1955

1. Le penthotal est une préparation injectée par intraveineuse pour l'anesthésie générale. Le nembutal est un tranquillisant destiné au traitement des troubles du sommeil et de l'anxiété.

Lettre du 10 juillet 1955

1. Dans une lettre à Marcel Carbotte, datée du 19 juin 1955, sœur Léon-de-la-Croix — Bernadette Roy — écrit qu'elle aurait aimé voir Gabrielle au cours de son séjour d'étude à Québec : « C'est avec un certain désapointement que j'ai appris par la dernière lettre de Gabrielle [voir *Ma chère petite sœur. Lettres à Bernadette 1943-1970*, p. 34 ; 4 juin 1955] qu'elle est en France, et que je ne pourrais pas la voir cet été à Québec. Je lui annonçais dans ma lettre précédente que je retournais étudier à Laval cet été, du 28 juin au 6 août. » (Bibliothèque nationale du Canada, Fonds Gabrielle Roy, MSS 1982-11/1986-11, boîte 1, chemise 2) Elle rappelle aussi à Marcel combien elle souhaite le revoir.

Saskatchewan, automne 1955

Lettre du 17 août [1955]

1. Lucette Robert est journaliste. Elle a notamment écrit un article sur Gabrielle Roy dans le *Photo-Journal* du 19 juillet 1951.

2. Katherine Mansfield (1888-1923), écrivain britannique. *Félicité,* dont le titre original anglais est *Bliss,* est un recueil de nouvelles qui comprend quatorze textes. La troisième nouvelle s'intitule « Félicité ». Le texte de l'édition à laquelle Gabrielle Roy fait référence a été traduit par J. G. Delamain. Voir K. Mansfield, *Félicité,* préface de Louis Gillet, Paris, Éditions Stock, 1928, coll. « Cabinet cosmopolite », 299 p. Louis Gillet (1876-1943) était professeur, écrivain et critique d'art. Il s'est notamment intéressé à la culture religieuse médiévale (*Histoire artistique des ordres mendiants,* 1912). Il a collaboré aux *Cahiers de la Quinzaine* de Charles Péguy et à *La Revue des Deux mondes.* Il a été élu à l'Académie française le 21 novembre 1935.
3. Madame Blatère et Françoise Drouin logent probablement au Château Saint-Louis, où Gabrielle et Marcel louent leur appartement, mais il a été impossible de le vérifier.
4. Judith Jasmin a été gravement malade lors d'un séjour au Viêt-Nam, où elle était allée réaliser des interviews avec des habitants du pays, ainsi qu'avec des diplomates et des militaires canadiens, sur la mise en application de l'Accord de Genève, qui avait mis fin, un an plus tôt, aux combats entre la France et l'Indochine : « [...] atteinte de dysenterie et de malaria, ses jambes enflées et ravagées par les piqûres d'insectes, ce qui l'empêche de marcher [...] elle est hospitalisée une semaine, et on diagnostique un éléphantiasis. » (Colette Beauchamp, *Judith Jasmin, de feu et de flamme,* Montréal, Éditions du Boréal, 1992, p. 186) Judith Jasmin est hospitalisée pendant une autre semaine à son retour à Montréal.

Lettre du 19 août 1955

1. Il s'agit de Paul Maugé, homme d'affaires d'origine française : il était éditeur de programmes de spectacles. Judith Jasmin l'avait rencontré à l'automne 1938 et avait emménagé avec lui dès janvier 1939 ; elle l'a quitté à l'automne 1954. Le jeune poète avec qui Judith Jasmin a eu une liaison pendant quelques mois est désigné par la lettre « C. » dans la biographie de Colette Beauchamp (p. 183-184). Il a été impossible de retrouver le nom du journal et l'article auxquels Gabrielle Roy fait ici allusion.

Lettre du 20 août 1955

1. Papier à en-tête : « The Dominion en route ». Sigle du Canadian Pacific avec castor.
2. Il a été impossible d'identifier les Pagé et les Lortie. Quant à François Rozet, il est comédien. Il a notamment fait partie de la distribution du *Tartuffe* en 1952-1953 au Théâtre du Nouveau-Monde. Il a aussi participé à des pièces de théâtre radiophoniques, parmi lesquelles « La Cuisine des anges », présentée à l'antenne de Radio-Canada au début des années 1950.
3. Titre du huitième récit de *Rue Deschambault* (1955), qui raconte le voyage entrepris par la narratrice Christine et sa mère Eveline, en train, du Manitoba vers le Québec. Dans le récit « Les Déserteuses » de *Rue Deschambault,* la mère dit à Christine que le lac Supérieur est « le plus grand lac du monde ».

Lettre du 22 août 1955

1. Papier à en-tête : « Canadian Pacific Railway. En Route ».
2. Portage-la-Prairie a été fondé en 1738 par le Sieur de la Vérendrye ; il est situé au sud du lac Manitoba. Brandon est situé dans la vallée de la rivière Assiniboine, dans le sud du Manitoba, à une centaine de kilomètres à l'ouest de Portage-la-Prairie.
3. Les travaux visant à relier les tronçons est et ouest du chemin de fer trans-canadien ont été terminés en novembre 1885 et le premier voyage transcontinental a eu lieu en juin 1886.
4. Virden est situé à soixante-dix-sept kilomètres à l'ouest de Brandon, dans le sud-ouest du Manitoba.
5. Traduction : *marécages.* Dans *La Petite Poule d'Eau,* Gabrielle Roy évoque les *sloughs* du Nord manitobain : « Il [le père Joseph-Marie] s'enfonçait, satisfait pour l'instant de changer de paysage, dans ce qu'il appelait sa trotte au sec, quoique l'eau n'y manquât pas, flaques, marécages et petits *sloughs.* » (en italiques dans le texte) Dans une note de bas de page — dans *La Petite Poule d'Eau* —, on peut lire l'explication suivante au sujet du mot *slough* : « Nom donné, dans les Prairies, à de petites dépressions de terrain, souvent herbeuses, entourées d'arbres, où s'accumule l'eau à la fonte des neiges. » (p. 161)

Lettre du 24 août 1955

1. Shaunavon est situé dans le sud-ouest de la Saskatchewan, dans une région appelée Bone Creek Basin, à une cinquantaine de kilomètres de la frontière américaine.
2. Joseph, l'aîné des enfants Roy, est né à Somerset en 1887. Il vit depuis 1906 à Dollard (à cette époque, le village s'appelait Villeroy), où son père l'y a établi avec un groupe de colons. Il y a épousé Julia Marquis en 1913. Jos a des problèmes pulmonaires, conséquence de son travail aux élévateurs à grains de Dollard. Sa femme s'occupe de la centrale de téléphone du village. Joseph mourra d'emphysème en 1956. Gabrielle Roy écrit à son sujet, dans *La Détresse et l'Enchantement,* qu'il a mené une « vie errante » et qu'il « passait des années sans donner de ses nouvelles ». (p. 136)
3. Moose Jaw, en Saskatchewan, est située à la rencontre des voies ferroviaires du Canadien Pacific et du Canadien National. Dans les années 1950, elle comptait quelque mille sept cents habitants. C'est à cette époque qu'on y a construit des élévateurs à grains, initiative qui a permis aux agriculteurs de la région d'expédier leur récolte par le chemin de fer partout au Canada.
4. Gabrielle Roy avait écrit un article sur les Huttérites pour le *Bulletin des Agriculteurs* lors de sa tournée dans l'Ouest en 1942 (« Peuples du Canada : Le plus étonnant, les Huttérites », vol. 38, n° 12, décembre 1942, p. 10, 39-40). Ce texte sera repris dans *Fragiles Lumières de la terre* (1978).

Lettre du 25 août 1955

1. Cadorai est le nom que Gabrielle Roy donnera au personnage principal de son roman *La Montagne secrète.* Gabrielle Roy nommera Smouillya un personnage de

la nouvelle « Où iras-tu Sam Lee Wong ? », qui fait partie du recueil *Un jardin au bout du monde*, paru en 1975. Le Smouillya de la nouvelle, comme l'avait fait l'homme rencontré par Léon Roy alors qu'il était agent-colonisateur, est « parti tout jeune [...] de son village des Pyrénées Françaises » (Montréal, Boréal, 1994, coll. « Boréal compact », nº 54, p. 59) pour se retrouver au cœur des Prairies canadiennes, en Saskatchewan.

2. Dans *Rue Deschambault* (1955), le personnage de l'oncle Majorique est le frère de la mère de la narratrice ; il a vraisemblablement été inspiré de l'oncle de Gabrielle Roy, Excide Landry, le frère de sa mère.
3. Léon Roy possédait une terre en Saskatchewan, qu'il a dû vendre en 1918 pour faire installer le chauffage central à l'eau chaude dans la maison familiale de la rue Deschambault.
4. L'allusion aux Cypress Hills rappelle le décor que peindra Gabrielle Roy dans la nouvelle « Où iras-tu Sam Lee Wong ? ». Le Chinois — le personnage principal de la nouvelle — pourra en effet apercevoir, du village d'Horizon où il s'installe, une chaîne de collines qui évoqueront pour lui des souvenirs de sa Chine natale et qui lui permettront de « conserver une sorte d'identité et le sentiment que, projeté au Canada, il était encore un peu Sam Lee Wong ». (p. 52)
5. En 1914, la petite Gabrielle a accompagné sa mère, Mélina, jusqu'à Dollard, en Saskatchewan. Mélina cherchait alors à dissuader sa fille Adèle — qui enseignait à l'école du village — de se marier avec un certain Edward Marin. Ce voyage a vraisemblablement marqué Gabrielle Roy, puisqu'il a inspiré le récit « Pour empêcher un mariage » (*Rue Deschambault*).

Lettre du [26] août 1955

1. « Puce nous fait rire aux larmes à tous les repas, elle semble mieux que jamais. En tout cas elle a une vitalité que nous envions tous. » (Marcel à Gabrielle, 21 août 1955)

Lettre du 29 août 1955

1. L'hôtel Belle-Plage et la maison Greenshield sont des hôtels situés à Baie-Saint-Paul.
2. Cette atmosphère sera reproduite par Gabrielle Roy dans « Où iras-tu Sam Lee Wong ? » (*Un jardin au bout du monde*, 1975) : les habitants du village d'Horizon, qui pour la plupart sont des immigrants, ont conservé l'accent de leur pays d'origine.

Lettre du 31 août 1955

1. Papier à en-tête : « Cadillac Hotel », Cadillac, Sask.

Lettre du 2 septembre 1955

1. Herbert Dordu, le second mari de la mère de Marcel Carbotte.

Lettre du 4 septembre 1955

1. Traduction : *ruisseau.*
2. Gabrielle Roy s'inspirera vraisemblablement de cette visite dans les collines Cypress lors de la rédaction de *Ces enfants de ma vie* (Montréal, Stanké, 1977) : Frantz, le jeune homme de quatorze ans, n'est pas sans rappeler le Médéric du récit « De la truite dans l'eau glacée », et le trajet qu'effectuent les deux enfants pour atteindre l'école de Dollard rappelle celui parcouru par les petits Badiou dans le récit « La maison gardée ».
3. Denver Lindley — le nouvel éditeur de Gabrielle Roy chez Harcourt Brace —, jugeant que le travail d'Harry Binsse avait été trop lent pour la traduction d'*Alexandre Chenevert,* confia la traduction de *Rue Deschambault* à un certain Leclercq. Celui-ci « travaille si mal que l'on doit revenir à Binsse » (François Ricard, *Gabrielle Roy, une vie,* p. 362). La version anglaise de *Rue Deschambault, Street of Riches,* sera finalement publiée chez Harcourt Brace et chez McClelland & Stewart en octobre 1957.

Lettre du 6 septembre 1955

1. Gravelbourg est situé à une centaine de kilomètres au sud-ouest de Régina, en Saskatchewan. Le village a été fondé en 1906 par la famille Gravel et d'autres Canadiens français venus du Québec. Ponteix, village du sud de la Saskatchewan, a été fondé en 1908 par le père Royer, un prêtre venu de Ponteix, dans la région française d'Auvergne.

Port-au-Persil, hiver 1956

Lettre du 4 février 1956

1. Manuscrit : *Québec.*
2. Radioroman inspiré du roman *Un homme et son péché* (1933) de Claude-Henri Grignon. *Séraphin Poudrier* a été à l'antenne de la radio de Radio-Canada tous les jours, de 1939 à 1962. Le personnage de Séraphin était alors incarné par Hector Charland, et celui de sa femme Donalda par Estelle Mauffette.

Lettre du 6 février 1956

1. L'émission *La Clé des champs,* animée par Gérard Delage, a été diffusée sur les ondes de la télévision française de Radio-Canada de 1955 à 1957. Il s'agissait d'un jeu-questionnaire, dans lequel s'opposaient deux équipes formées de comédiens : les « Loups-garous » et les « Feux-follets ». Le jeu consistait à mimer et à deviner des proverbes, des titres, des maximes, des expressions, etc. L'adaptation pour la télévision de *La Double inconstance* (1723) de Marivaux (1688-1763), présentée sur les ondes de Radio-Canada, avait été diffusée une première fois le 22 janvier 1956.

L'adaptation était de Paul Alain. L'émission a été réalisée par Georges Groulx. Faisaient partie de la distribution : Charlotte Boisjoli, Jean-Claude Deret, Lise Lasalle, Ginette Letondal, Gérard Poirier, Jean Saint-Denis et Pierre Viala.

Lettre du 10 février [1956]

1. Allusion au personnage de Majorique du récit « Le Titanic » (*Rue Deschambault,* p. 77-86) ; ce personnage a été inspiré par Excide Landry, un oncle de la romancière du côté maternel.
2. Le téléroman *Le Survenant* a été diffusé du 30 novembre 1954 au 30 juin 1960. *La Famille Plouffe* a été le premier téléroman réalisé au Québec ; 194 épisodes ont été diffusés entre le 4 novembre 1953 et le 29 mai 1957.
3. L'abbé Alexandre Hunfeld (1920-1999), qui a été ordonné prêtre à Saint-Boniface en 1952, a été vicaire à la paroisse Saint-Eugène, une paroisse voisine de Saint-Émile — qui était la paroisse où habitaient Anna (la sœur de Gabrielle Roy) et son mari, Albert Painchaud —, de 1952 à 1956. La lettre dont il est question ici n'a pas été retrouvée.

Petite-Rivière-Saint-François, été 1956

Lettre du 1er août 1956

1. Aimé et Berthe Simard, qui habitent la maison voisine de celle qu'achètera Gabrielle Roy en 1957, ont deux chats : Riqui et Riquette.
2. Sans doute René Laberge.

Lettre du 20 août 1956

1. Il s'agit peut-être de Jean Paul Lemieux, que Gabrielle Roy appelle à l'occasion Paul.
2. Émile Gagné habite à la Petite-Rivière-Saint-François, à deux maisons de celle que Gabrielle Roy achètera l'année suivante. Il inspirera le récit « La Gatte de monsieur Émile » de *Cet été qui chantait* (1972). Dans le récit, le personnage de monsieur Émile est décrit comme « un homme porté à se créer des expressions à son goût pour désigner des choses selon lui mal nommées, ou dont il ne connaissait pas la définition d'après le dictionnaire » (Gabrielle Roy, *Cet été qui chantait,* Montréal, Éditions du Boréal, coll. « Boréal compact », nº 45, 1993, p. 23).

Golfe du Mexique, hiver 1957

1. Cette nouvelle a paru dans les *Cahiers de l'Académie canadienne-française,* nº 13, 1970, p. 5-28.

Lettre du 14 février [1957]

1. Philippe Panneton (Ringuet) vient d'être nommé ambassadeur du Canada au Portugal. Les lettres dont il est question ici n'ont pas été conservées.
2. Westport est située à une centaine de kilomètres de New York, dans l'État du Connecticut.

Lettre du 16 février 1957

1. Bellow Falls est située dans l'État du Vermont, à une centaine de kilomètres au sud de la frontière canadienne.

Lettre du 18 février [19]57

1. Maurice Brazil Prendergast (1858-1924), peintre né à Terre-Neuve. Il a émigré aux États-Unis en 1868 avec sa famille, qui s'est installée dans la région de Boston. Après un séjour de trois ans à Paris dans les années 1890, il revient aux États-Unis et s'installe en Nouvelle-Angleterre. Son œuvre — qui se compose principalement d'aquarelles — est en grande partie inspirée par les paysages de cette région.
2. Herbert George Wells (1866-1946), écrivain et philosophe britannique. Il est surtout reconnu comme l'un des pionniers de la veine romanesque du fantastique et de la « science-fiction » ; il a écrit de nombreux romans d'anticipation, notamment *La Machine à explorer le temps* (1895), *Les Premiers Hommes dans la lune* (1901) et *Anticipations* (1901).
3. Le pont George-Washington relie Manhattan (New York) et Fort Lee (New Jersey) depuis octobre 1931.
4. Le Chesapeake Bay Bridge Tunnel relie aujourd'hui Wilmington, au Delaware, à Virginia Beach, en Virginie. Les travaux de construction n'ont été complétés qu'au début des années 1960 ; il est donc peu probable que G. Roy et les Richard l'aient emprunté en 1957. La traversée de la baie de Chesapeake était autrefois assurée par un service de traversiers.

Lettre du 20 février 1957

1. Gabrielle Roy a séjourné en Californie de février à la mi-avril 1946, d'abord à Laguna Beach, puis à Encinitas, où elle a loué un chalet au bord de la mer. Au cours de ce séjour, elle a revu ses cousins, les fils de Moïse Landry — le frère de sa mère.
2. Voir la deuxième partie du roman *Alexandre Chenevert* (1954). Le chalet que loue Alexandre Chenevert est décrit, dans le roman, comme une cabane « si petite qu'Alexandre, habitué pourtant à d'étroits espaces, y jeta un regard furtif et déçu. [...] C'était une seule pièce évidemment, mais pourtant un véritable logis avec poêle, porte et fenêtres, en sorte qu'elle donna au grave Alexandre l'impression de se moquer de l'organisation domestique » (p. 152).
3. Allusion au roman *Uncle Tom's Cabin* (1851) de l'écrivain américain Harriet Beecher-Stowe (1811-1896). Le titre complet de la traduction française du roman est *La*

Case de l'Oncle Tom ou la vie des humbles. L'action se situe dans la période qui précède la Guerre Civile et le livre constitue une sorte de plaidoyer contre l'esclavage.

Lettre du 26 février 1957

1. Gabrielle Roy et Marcel Carbotte se sont sans doute rendus à Biarritz à l'été 1949, lors de leur séjour à Ascain.
2. Vraisemblablement sept timbres de sept cents.

Lettre du 1er mars 1957

1. Le fort Pickens a été construit entre 1829 et 1834 sous la supervision du colonel William H. Chase et était destiné, comme les forts Barrancas, McRee et Navy Yard, qui se trouvent également sur l'île Santa Rosa, à la protection de celle-ci. Le fort Pickens est situé à l'extrémité ouest de l'île, à l'entrée de la baie de Pensacola.

Lettre du 2 mars 1957

1. Cyrias Ouellet et son épouse, Mathilde Larochelle.

Lettre du 6 mars [1957]

1. Carte postale « The Imura variety of the camellia japonica is a very delicate, beautiful flower and quite popular in the Deep South ».
2. Les Bellingrath Gardens sont les jardins de l'homme d'affaires américain Walter Bellingrath et de sa femme Bessie. Ils sont situés au sud de Mobile, sur la rivière Fowl, dans l'État de l'Alabama. Aménagés en 1917, ils sont ouverts au public depuis 1932.

Lettre du 9 mars 1957

1. Papier à en-tête : « The St.Charles, New Orleans 12... Louisiana ».
2. Le Cabildo a été instauré au XVIe siècle dans les colonies espagnoles d'Amérique. Il s'agissait d'un gouvernement municipal autonome, qui exerçait à la fois les pouvoirs exécutif, législatif et juridique. C'est lui qui imposait les taxes, distribuait les terres, supervisait les hôpitaux et les prisons, et assurait le service de police. L'édifice dont parle ici Gabrielle Roy, construit en 1795, a été le siège du Cabildo jusqu'au XIXe siècle. Il abrite maintenant le Louisiana State Museum.
3. Selon le *Grand Dictionnaire terminologique,* « chiqué » vient de l'allemand « kitsch » et signifie « objet de mauvais goût ».

Lettre du 10 mars 1957

1. Papier à en-tête : « The St.Charles. New Orleans 12... Louisiana ».
2. Il y a une scène semblable dans *La Rivière sans repos,* le roman de Gabrielle Roy qui

sera publié pour la première fois en 1970 chez Beauchemin. Elsa, la jeune Esquimaude qui est le personnage principal du roman, visite un cimetière abandonné de Fort-Chimo où reposent des Blancs et des Esquimaux : « [...] le pauvre cimetière, s'il parlait de la cruelle vie d'autrefois, parlait aussi comme peu d'endroits au monde de fraternel accord. Ici, Esquimaux et Blancs reposaient côte à côte, sous les mêmes croix, dans de pareils enclos ceints de minces lattes un peu espacées et finement travaillées au couteau en naïves dentelles et fleurs de bois [...] » (*La Rivière sans repos*, Montréal, Éditions du Boréal, coll. « Boréal compact », n° 63, 1995, p. 157).

Lettre du 13 mars 1957

1. Thérèse Brassard est née en 1930. Elle est illustratrice.

Lettre du 15 mars 1957

1. Le premarin est un composé d'œstrogènes. Il sert à atténuer les symptômes de la ménopause, tout en diminuant les risques d'occurrence de l'ostéoporose et des maladies cardiaques.

Saint-Vital, été 1958

Lettre du 19 juillet 1958

1. Il s'agit du Lake of the Woods, dans la région de Kenora, en Ontario, où Gabrielle Roy a passé l'été 1947.
2. Gabrielle Roy fait ici allusion à l'incident de Tangent, en 1953. Gabrielle et Adèle ne se sont revues qu'à une reprise depuis, soit en 1954.
3. Gabrielle Roy a acheté une maison à Petite-Rivière-Saint-François en 1957.

Lettre du 22 juillet 1958

1. Cohen est probablement le concierge du Château Saint-Louis.
2. Fort Alexander est situé à une centaine de kilomètres au nord-est de Winnipeg.

Lettre du 26 juillet 1958

1. L'auteur de *Sarah Binks* (Toronto, Oxford University Press, 1947, 181 p.) est Paul Hiebert (1892-1987).
2. *Cash on Delivery.* Traduction : *paiement sur livraison.*

Lettre du 2 août 1958

1. Il s'agit de Joseph et Verna Vermander. C'est avec Joseph Vermander, qui était alors inspecteur des postes, que Gabrielle Roy s'était rendue à la Petite-Poule-d'Eau

en 1937. Sur Jos Vermander, voir « Souvenirs du Manitoba » et « Le Cercle Molière... Portes ouvertes », dans *Le Pays de Bonheur d'occasion et autres récits autobiographiques épars et inédits.*

2. Gabrielle Roy a entrepris, en juillet 1942, un voyage de près de quatre mois dans l'Ouest canadien, qui l'avait menée au Manitoba, en Saskatchewan, en Alberta, puis à Dawson's Creek, en Colombie-Britannique, où elle est allée assister à la construction d'une route vers l'Alaska, entreprise par les États-Unis quelques semaines plus tôt. Elle en a rapporté le reportage intitulé « Vers l'Alaska. Laissez passer les jeeps », une suite de quatre articles regroupés sous le titre « Regards sur l'Ouest » et une série de reportages intitulée « Peuples du Canada ».

Rawdon, printemps 1959

Lettre du 26 mars 1959

1. Il s'agit de l'hôtel Laurentien, rue Windsor, où Gabrielle Roy a l'habitude de loger lorsqu'elle vient à Montréal.

Montréal, hiver 1960

Lettre du 23 mars 1960

1. L'anniversaire de naissance de Gabrielle Roy est le 22 mars.
2. Pièce de théâtre (Québec, Institut littéraire du Québec ltée, 1960) en quatre actes de Gratien Gélinas (1909-1999) jouée pour la première fois le 17 août 1959 à la Comédie Canadienne. C'est à la même production de la pièce que Gabrielle Roy se propose d'assister puisque la production de 1959 s'est poursuivie jusqu'en 1960. La mise en scène était de Gratien Gélinas, en collaboration avec Jean Doat, et la pièce mettait en vedette, outre G. Gélinas, Pascal Degranges, Jean Duceppe, Yves Létourneau, Béatrice Picard, Juliette Huot, Nicole Filion, Paul Hébert, Gilles Latulippe et Monique Miller.
3. Henry Morgan & Sons Ltd était situé au centre-ville de Montréal, face au carré Philips, dans l'édifice qui abrite aujourd'hui le magasin à grande surface La Baie.
4. L'hôtel Windsor a été construit en 1878 à l'intersection du boulevard Dorchester (aujourd'hui René-Lévesque) et de la rue Peel, à Montréal. Il a été incendié en 1953, puis reconstruit au même endroit à la fin des années 1950. Il a été converti en édifice à bureaux dans les années 1980. L'hôtel Reine-Élizabeth a été construit dans les années 1950 par le Canadien National ; il est situé sur le boulevard Dorchester (René-Lévesque) à Montréal.

Printemps 1961

Lettre du 7 mai 1961

1. Papier à en-tête : « The Laurentien. Montreal, Canada ».
2. *La Montagne secrète,* qui paraîtra l'automne suivant aux Éditions Beauchemin, est pratiquement terminé. Gabrielle Roy travaille alors à *La Saga d'Éveline,* roman qui restera inédit, dans lequel elle devait faire le récit de l'histoire de la migration de sa famille maternelle, les Landry, du Québec vers l'Ouest à la fin du XIXe siècle (voir Christine Robinson, *Édition critique de La Saga d'Éveline,* thèse de Ph. D., Université McGill, décembre 1998). Il est aussi possible que la romancière ait commencé à écrire les récits de *La Route d'Altamont,* roman inspiré de son enfance au Manitoba et qui sera publié en 1966 aux Éditions HMH.
3. Il s'agit d'Aimé Simard, le frère de Berthe Simard, dont la maison est voisine de celle de Gabrielle Roy à Petite-Rivière-Saint-François.

Percé, été 1962

Lettre du 12 août 1962

1. Madame Tomi, la responsable du théâtre d'été de Percé à cette époque, a récemment cédé ses archives au Musée de la Gaspésie. Elles ne sont pas encore accessibles au public. C'est pourquoi il a été impossible d'identifier les acteurs évoqués ici par Gabrielle Roy.
2. Françoise Graton est comédienne. Elle a notamment joué le rôle de Flipote dans la production du *Tartuffe* de Molière à laquelle a assisté Gabrielle Roy, en 1953, au Théâtre du Nouveau-Monde.

Lettre du 19 août 1962

1. Bertrand Vac est le nom de plume d'Aimé Pelletier. Ce médecin de profession, né en 1914, a signé plusieurs romans, dont *Louise Genest* (Montréal, Cercle du Livre de France, 1950), *Deux portes... une adresse* (Montréal, Cercle du Livre de France, 1952), *Saint-Pépin, P.Q.* (Montréal, Cercle du Livre de France, 1955) et *L'Assassin dans l'hôpital* (Montréal, Cercle du roman policier, 1956).
2. Léo-Paul Desrosiers (1896-1967), écrivain, journaliste et bibliothécaire québécois, et sa femme, Michelle LeNormand. Léo-Paul Desrosiers est notamment l'auteur des *Engagés du Grand Portage* (Paris, NRF / Gallimard, 1938), pour lequel il remporte le prix de la province de Québec en 1939. Il a aussi écrit *L'Ampoule d'or* (Paris, NRF / Gallimard, 1950), un roman qui a pour toile de fond la Gaspésie et pour lequel il remporte le prix Duvernay en 1951. Michelle LeNormand est le pseudonyme de Marie-Antoinette Tardif (1895-1964) ; elle est l'épouse de Léo-Paul Desrosiers depuis 1922. Michelle LeNormand a entre autres signé des romans (*Couleur du temps,* 1919 ; *Le Nom dans le bronze,* 1933 ; *La Plus Belle Chose du*

monde, 1937, et *La Montagne d'hiver*, 1961), des « souvenirs » (*Autour de la maison*, 1916) et des recueils de nouvelles (*La Maison aux phlox*, 1941 ; *Enthousiasme*, 1947). Une lettre de Michelle LeNormand à Gabrielle Roy se trouve dans le Fonds Gabrielle Roy (MSS 1982-11/1986-11) de la Bibliothèque nationale du Canada à Ottawa (boîte 17, chemise 5).

Lettre du 27 août 1962

1. L'Auberge du Gargantua, qui a ouvert ses portes en juin 1959, est située sur la route des Failles, au cœur des montagnes de Percé. À l'époque où Gabrielle Roy l'a fréquentée, les spécialités de la maison étaient la bouillabaisse, les bigorneaux et les poissons.
2. Il s'agit probablement du docteur Armine Alley, née en 1907, qui a obtenu son doctorat en médecine de l'Université McGill en 1949 et qui pratique la médecine depuis 1951.

Europe, août-septembre 1963

Lettre du 6 août 1963

1. Papier à en-tête : « Stafford Hotel. St.James's Place. London, S.W. 1 ».
2. *British Overseas Airways Corporation.*

Lettre du 8 août [19]63

1. Papier à en-tête : « Stafford Hotel. St. James's Place. London, S.W. 1 ».
2. Gabrielle Roy a fait allusion à ce tableau dans une lettre datée du 5 octobre 1949 adressée à Marcel et écrite au cours de son séjour à Upshire.
3. Le titre exact de ce tableau du peintre hollandais Meindert Hobbema (1638-1709), réalisé en 1689, est : *Avenue at Middelharnis.*
4. Il s'agit de la Délégation du Québec à Londres, qui a été inaugurée en novembre 1961. Le premier délégué général a été l'honorable Hugues Lapointe (1911-1982). Lapointe avait été auparavant ministre des Affaires des anciens combattants du Canada d'août 1950 à juin 1957 ; à son retour de Londres, il sera nommé lieutenant-gouverneur du Québec, fonction qu'il occupera de février 1966 à avril 1968.

Lettre du 9 août 1963

1. Papier à en-tête : « Stafford Hotel. St. James's Place. London, S.W. 1 ».
2. Blair Fraser est journaliste. Il a notamment été l'éditeur du *Maclean's Magazine* à Ottawa. Quelques textes de Gabrielle Roy ont été publiés dans cette revue : « Feuilles mortes / Dead Leaves » (1er juin 1947), « Security » (15 septembre 1947) et « Sister Finance » (décembre 1962).

Lettre du 13 août 1963

1. Papier à en-tête : « Cadogan Hotel, Sloane Street, London, S.W.1 ».
2. Il s'agit de Claude Michel, propriétaire de l'Agence de voyages Claude Michel que Gabrielle Roy évoque dans sa lettre du 27 mai 1955, écrite au cours de son séjour en France.
3. L'en-tête du « Stafford Hotel » est biffée et remplacée par « Cadogan Hotel, 2 » (inscrit à la main par G. Roy).
4. Traduction : *de boîtes de conserves.*

Lettre du 16 août 1963

1. Un train de la Royal Mail a été cambriolé par Ronald Biggs et vingt-neuf autres bandits alors qu'il se dirigeait vers Londres le 8 août 1963 : deux millions et demi de livres ont été volées. Biggs, qui a vécu en exil au Brésil pendant plus de trente ans, est rentré en Angleterre en mai 2001, où il a aussitôt été arrêté par les autorités policières.

Lettre du 19 août 1963

1. Papier à en-tête : « Cadogan Hotel, Sloane Street, London, S.W.1 ».
2. Il s'agit de la « Fifth Biennial Exhibition of Canadian Art », qui a été inaugurée le 13 juin 1963 et qui se terminera à la fin d'août. C'est une exposition itinérante, organisée par la Galerie nationale du Canada.
3. *Girl with Fur Hat* (*La jeune fille au chapeau de fourrure*), toile réalisée en 1962, est reproduite dans *The Times,* vendredi le 14 juin 1963. *Nineteen Ten Remembered* (*Souvenirs de 1910*) n'est pas datée.
4. Rita Letendre est née à Drummondville en 1929. Elle a étudié à l'École des Beaux-Arts de Montréal. Elle a été associée à Paul-Émile Borduas et au groupe des Automatistes. La toile présentée à l'exposition, *Reflet d'août,* a été peinte en 1962. Suzanne Bergeron est née à Causapscal, en Gaspésie, en 1930. Elle a étudié à l'École des Beaux-Arts de Québec, notamment avec Jean Paul Lemieux. Elle a aussi étudié à l'École du Louvre, à Paris, en 1957, grâce à une bourse de la Société royale du Canada. La toile qui fait partie de l'exposition s'intitule *Dégel printanier* et a été réalisée en 1963. Jean-Paul Riopelle est né à Montréal en 1923. En 1946, il a participé à la première exposition du groupe des Automatistes à Montréal et a organisé, avec un autre peintre québécois, Ozias Leduc (1864-1965), l'exposition des Automatistes à la Galerie Luxembourg de Paris, en 1947. La toile qui est présentée au Commonwealth Institute s'intitule *Contre-jour* (1962). Jean McEwen (1923-1999) est originaire de Montréal. D'abord actif au sein du mouvement automatiste, auprès de son ami Paul-Émile Borduas, il quitte le Canada pour la France en 1955, où il rencontre les peintres Jean-Paul Riopelle, Sam Francis et Jackson Pollock, qui influenceront la suite de sa carrière. McEwen est membre-fondateur de l'Association des artistes non-figuratifs (Montréal, 1956). Deux de ses toiles sont présentées lors de l'exposition au Commonwealth Institute : « À Mauve ouvert » (1963) et

« Verticale traversant le vert » (1962). Goodridge Roberts (1904-1974) est né au Canada, mais il passe la majeure partie de son enfance en Angleterre et en France. Pendant la Seconde Guerre mondiale, Roberts se joint à la Royal Canadian Air Force, où il est nommé « Artiste de la guerre ». De 1945 à 1959, il enseigne à la Art Association de Montréal. La toile de Roberts qui est présentée lors de cette exposition s'intitule *Cantons de l'Est* (*Eastern Townships*) et a été peinte en 1962. Edmund Alleyn est né à Québec en 1931. Il débarque en France en 1955, après avoir obtenu une bourse de la Société royale du Canada, et il y demeurera jusqu'en 1970. À son retour, Alleyn s'installera à Montréal. Son œuvre touche à la fois à l'abstraction lyrique, au réalisme narratif et au *pop art*. La toile d'Alleyn qui fait partie de l'exposition s'intitule *Jacques Cartier Arriving in Quebec Sees Indians for the First Time in His Life* et a été réalisée au début de 1963. Christopher Pratt est né en 1935 à Saint-Jean de Terre-Neuve. Il a fait des études en art à l'Université Mount Allison, au Nouveau-Brunswick, et à la Glasgow School of Art, en Écosse. Il a occupé, de 1961 à 1963, le poste de curateur de la Memorial University Art Gallery, à Saint-Jean de Terre-Neuve ; depuis, il se consacre exclusivement à la peinture. Le titre de la toile qui fait partie de l'exposition est : *Maison et grange* (*House and Barn*). Elle a été réalisée en 1962.

5. Village situé dans le comté d'Hertfordshire, dans le sud de l'Angleterre.
6. « On m'a conté une histoire qui ressemblait à celle du chien de Mademoiselle Flood [?]. Une famille c[anadienne]-française roulait sur un des grands turnpikes américains : le père, la mère, la belle-mère et deux enfants en bas âge. La belle-mère se sent mal et meurt soudainement. On s'arrête au milieu du chemin. Les enfants, pris de panique, refusent d'entrer dans la voiture avec la morte. Le mari est obligé de placer celle-là dans le coffre arrière, puis repart vers le prochain village où ils descendent pour avertir la police. Quand ils reviennent avec les policiers, la voiture était disparue. Ils avaient laissé les clefs — on dit l'histoire authentique. Ce serait arrivé il y a trois semaines, et la voiture n'a pas encore été retrouvée. » (Marcel à Gabrielle, 15 août [1963])
7. Pendant le séjour de Gabrielle en Europe, Marcel fait repeindre « les meubles du salon » chez un ébéniste. On installe aussi des tapis neufs dans leur appartement du Château Saint-Louis. (Lettre de Marcel à Gabrielle, 15 août [1963])

Lettre du 21 août 1963

1. Gabrielle Roy et Marcel Carbotte auraient passé quelques jours ensemble à Londres à l'été 1950, avant leur retour au Canada.
2. Traduction : *N'est-ce pas stupide de perdre notre manière britannique pour être comme les autres, alors que nous ne sommes pas nés pour être comme les autres.*
3. Berthe Simard, la voisine de Gabrielle Roy à Petite-Rivière-Saint-François.

Lettre du 26 août 1963

1. Gabrielle Roy et Marcel Carbotte se sont arrêtés à Paris lors de leur voyage en Grèce en 1961.

2. Traduction : *sur la cheminée de ma chère tante Mary, ils brillaient comme des étoiles.*
3. Il a été impossible de déterminer qui était Mackerswell, mais il s'agit peut-être de quelqu'un que le couple Roy-Carbotte a rencontré lors de son séjour en Europe à la fin des années 1940. Quant à la cape, elle a été offerte à Gabrielle et Marcel par madame d'Aumale, qui était pensionnaire à la Villa Dauphine en 1948-1950 en même temps qu'eux. La cape aurait appartenu à l'aïeul de la dame, le duc d'Aumale.

Lettre du 29 août 1963

1. Le restaurant Cazeaudehore a pignon sur rue à Saint-Germain-en-Laye.
2. Dans sa lettre du 21 août, Marcel raconte à Gabrielle que « les tapis sont arrivés » et qu'il a fallu « trois hommes » pour « hisser cette colonne rigide dans l'ascenseur » et « près d'une heure à quatre hommes pour amener le tapis à l'appartement ».

Lettre du 29 août 1963 [Deuxième lettre de la journée]

1. Deux dessins de René Prin, intitulés *Saint-Aquilin de Pacy — près de Pacy sur Eure* (mine de plomb, encre et aquarelle, sur papier) et *Ouistream* (crayon feutre et mine de plomb sur papier), font partie de la collection d'œuvres d'art qu'a léguée Marcel Carbotte au Musée du Québec à sa mort. Il n'a pas été possible de déterminer celui auquel Gabrielle Roy fait allusion ici. Quant au livre, il n'a vraisemblablement pas été conservé.
2. Il s'agit d'une boutique de vêtements qui était située au 80, rue de Passy, à Paris.

Lettre du 2 septembre 1963

1. Henri Rolland est comédien ; il est aussi professeur au Centre d'art dramatique, rue Blanche, à Paris. André Chamson est l'auteur de plusieurs romans, dont *Roux le bandit* (1925), *Le Dernier Village* (1946) et *L'Homme qui marchait devant moi* (1948). En 1963, il est le directeur des Archives de France.
2. Guita Falardeau est l'épouse du sociologue Jean-Charles Falardeau.
3. Le prénom de l'actrice en question est Giulietta. Il est question du film *La Strada* dans la lettre du 27 mai 1955.
4. « Quand je suis rentré après le déjeuner, le travail était fait. En plus on avait cassé le globe de la lampe blanche ; ça m'a fait un peu de peine car j'y tenais assez [...]. » (Marcel à Gabrielle, 26 août [1963])

Lettre du 5 septembre [19]63

1. Chaîne de magasins fondée à Québec en 1840 et dont le premier établissement était situé rue Saint-Jean, dans le Vieux-Québec.

Lettre du [entre le 6 et le 10 septembre 1963]

1. Carte postale « Les Baux de Provence ». Le cachet de la poste est illisible.

Lettre de [vers le 10 septembre 1963]

1. L'equanil, connu aussi sous le nom de meprobamate, est un puissant sédatif qui était abondamment prescrit, dans les années 1950 et 1960, pour soulager les troubles d'anxiété.

Lettre du 15 septembre 1963

1. Papier à en-tête : « Hotel d'Europe, Avignon ».
2. Clinique médicale fondée à l'été 1963, qui était située au 1000, du chemin Sainte-Foy, à Sainte-Foy, où Marcel Carbotte travaillait. Outre les services de médecine générale, cette clinique avait aussi à son emploi des spécialistes — notamment des radiologues et des pneumologues. Quelques ordonnances et rapports d'examens médicaux subis par Gabrielle Roy entre 1964 et 1974 et issus de cette clinique sont conservés dans le Fonds Gabrielle Roy de la Bibliothèque nationale du Canada, dans la boîte 9a (chemise 6).

Lettre du 16 septembre 1963

1. Georges Brassens (1921-1981), auteur et interprète français. Il s'est produit à Bobino, un théâtre de chansonniers situé rue de la Gaîté, du 12 au 30 septembre 1963.

Lettre du 17 septembre [19]63

1. Le titre complet du livre de Pierre Daninos (1913-) est : *Les Carnets du major W. Marmaduke Thompson. Découverte de la France et des Français* (Paris, Hachette, 1954). Gabrielle Roy fait sans doute allusion au passage suivant : « Un mot très bref de son vocabulaire [le gentil Français], sur lequel mon si dévoué collaborateur et ami a bien voulu attirer mon attention, m'a livré la secrète identité des assiégeants : c'est *ils.* Et *ils* c'est tout le monde : les patrons pour les employés, les employés pour les patrons, les domestiques pour les maîtres de maison, les maîtres de maison pour les domestiques, les automobilistes pour les piétons, les piétons pour les automobilistes, et, pour les uns comme pour les autres, les grands ennemis communs : l'État, le fisc, l'étranger. » (p. 34-35) *Ils* est souligné dans le texte.
2. Pièce de théâtre de Jean-Pierre Grenier et Maurice Fombeure, dont le titre complet est : *Orion le tueur : fantaisie mélodramatique en six tableaux, deux enlèvements et un anneau magique* (Paris, Bordas, 1946). Il a été impossible de déterminer quand Gabrielle Roy et Marcel Carbotte ont assisté à une représentation de cette pièce. Il se peut que ce soit en 1955, à Montréal, au Théâtre de Quat'Sous, puisque la pièce y a été présentée cette année-là.
3. *Le Fil à la patte* (Paris, P. Ollendorf, 1899), comédie en trois actes de Georges Feydeau (1862-1921). La production de 1963 est mise en scène par Jacques Charron.

Lettre du 20 septembre 1963

1. Film (1961) réalisé par Jerome Robbins et Robert Wise, qui mettait en vedette Natalie Wood et Richard Beymer.

Phoenix, janvier 1964

1. Gabrielle Roy évoque la mort d'Anna dans ses lettres à Bernadette (voir *Ma chère petite sœur. Lettres à Bernadette 1943-1970*, p. 72-81) et dans *La Détresse et l'Enchantement* (p. 162-165).

Lettre du 11 janvier 1964

1. Titre du onzième récit de *Rue Deschambault* (1955). Dans ce récit, la tante Thérésina va mourir en Californie, sur la terre qu'avait achetée son mari, l'oncle Majorique.

Lettre du 13 janvier 1964

1. Papier à en-tête : « Hotel Desert Hills, 2745 East Van Buren, Phone Br5-4101, Phoenix, Arizona ».

Draguignan, hiver 1966

Lettre du 4 février 1966

1. Probablement la mère d'Henri Bougearel.

Lettre du 7 février 1966

1. Il s'agit de la 4-L, une voiture bon marché fabriquée par la compagnie Renault.

Lettre du 10 février [19]66

1. Allusion à la chanson « Le Canadien errant », d'Antoine Gérin-Lajoie (1824-1882) : « Un Canadien errant, // Banni de ses foyers, // Parcourait en pleurant // Des pays étrangers [...] ».

Lettre du 22 février 1966

1. Pièce de théâtre de Tennessee Williams (1911-1983) jouée pour la première fois en 1945. Le titre original anglais est *Glass Menagerie*. Dans cette pièce, le personnage d'Amanda, une mère dont la famille mène une existence particulièrement difficile, voudrait à tout prix que les siens puissent échapper aux contradictions de la vie moderne ; son obsession pour la liberté et pour le passé, qui était plus heureux, atteint un niveau tel qu'elle devient oppressante pour son mari, son fils et sa fille — atteinte de schizophrénie.
2. Claude Sumner est le frère de Paula.

Lettre du 25 février 1966

1. Le général Charles de Gaulle (1890-1970) a été le Président de la République française de 1959 à 1969.
2. Allusion à l'incendie qui a détruit la résidence officielle du lieutenant-gouverneur du Québec le 20 février 1966 et qui a coûté la vie à l'honorable Paul Comtois, qui occupait cette fonction depuis octobre 1961.

Lettre du 2 mars 1966

1. Il s'agit vraisemblablement d'un oncle du côté maternel, puisque le père de Marcel, Joseph, avait trois frères : Victor, Émile et Jules. Dans la nécrologie de Joseph Carbotte (*La Liberté et le Patriote,* 12 décembre 1947, p. 4), on peut lire que l'un des porteurs se nommait Joseph George. Il est possible que ce soit à lui que Gabrielle Roy fasse référence ici, mais il a été impossible de le vérifier.

Lettre du 7 mars 1966

1. Il s'agit des épreuves de *The Road Past Altamont,* la traduction anglaise de *La Route d'Altamont* (Montréal, HMH, 1966), qui paraîtra à New York, chez Harcourt Brace & World, à l'automne suivant. La traduction est de Joyce Marshall (voir note 1, lettre du 3 mars 1968).
2. Le chlortripolon est un antihistaminique qui soulage la congestion nasale et les symptômes liés aux allergies.

Lettre du 16 mars [19]66

1. Il s'agit de l'affaire Munsinger, un scandale politique et sexuel qui implique des parlementaires canadiens, notamment Pierre Sévigny. Celui-ci, qui fut ministre associé de la Défense de 1958 à 1963 dans le cabinet Diefenbaker, a entretenu, à cette époque, une liaison avec Gerda Munsinger, une espionne est-allemande. L'affaire a été mise au jour en 1966. On a soupçonné Munsinger d'avoir été en contact avec la police secrète est-allemande pendant la guerre froide et on a craint que cela ait des répercussions sur la sécurité publique au Canada. Le gouvernement de l'époque a mis sur pied une Commission royale d'enquête, au terme de laquelle Sévigny a été blanchi de toutes les accusations qui pesaient contre lui. Le quotidien français *Le Monde* a consacré trois articles à l'affaire Munsinger entre le 12 et le 15 mars 1966.

Lettre du 22 mars 1966

1. Allusion au trajet emprunté par l'Empereur Napoléon en mars 1815. Après s'être évadé de l'île d'Elbe le 26 février, Napoléon débarque à Golfe-Juan, le 1er mars. Il met ensuite sept jours pour atteindre Grenoble. Il passe entre autres par Cannes, Grasse, Castellane, Digne, Gap et Corps, parcourant ainsi une distance de quelque

trois cent cinquante kilomètres. Le village de Castellane, situé dans les Préalpes du Sud, se caractérise par les plis de calcaire sur lesquels il est construit.

2. Gabrielle Roy et Marcel Carbotte ont séjourné trois semaines en Grèce en septembre 1961, après que Marcel eut assisté à un congrès médical à Vienne, du 4 au 8 septembre. Il s'agit du dernier voyage qu'ils ont fait ensemble.

Lettre du 27 mars 1966

1. Société nationale des chemins de fers de France.

Lettre du 31 mars 1966

1. L'expression « P.T.T. » signifie « Poste Télégraphe Téléphone ».

Montérégie, été 1966

Lettre du 17 août 1966

1. Il s'agit des travaux réalisés en vue de la tenue de l'Exposition universelle de 1967 à Montréal.
2. Willie est le frère d'Émile Gagné. Il souffre d'une maladie mentale. Il aide souvent aux travaux de la ferme chez Aimé et Berthe Simard ; c'est lui qui coupe le foin là où il est impossible de passer avec la faucheuse. Gabrielle Roy évoque Willie dans le récit « Les Frères-Arbres » (*Cet été qui chantait*).

Lettre du 23 août 1966

1. Françoise Loranger, dramaturge québécoise née à Saint-Hilaire en 1913. Elle a — comme Gabrielle Roy — publié des articles dans la *Revue moderne* et le *Bulletin des agriculteurs* au début de sa carrière. Dans les années 1960, elle s'est tournée vers l'écriture dramatique ; voir entre autres *Une maison... un jour* (1965), *Encore cinq minutes* (1967 — prix du Gouverneur général) et *Double jeu* (1969). Une lettre de Françoise Loranger à Gabrielle Roy, datée de 1965, est conservée dans le Fonds Gabrielle Roy (Bibliothèque nationale du Canada, MSS 1982-11/1986-11, boîte 17, chemise 6).

New Smyrna, hiver 1967-1968

Lettre du 2 janvier 1968

1. Gemma Tremblay (1925-1974) est l'auteur de neuf recueils de poèmes, dont *Souffles du midi* (Paris, Jean-Grassin, 1972, coll. « Poètes présents », 80 p.), pour

lequel elle a remporté le Prix des poètes français en 1972. Elle a aussi collaboré à des revues littéraires, dont *Liberté*, *La Barre du Jour* et *L'Action nationale*.

2. Adrienne Choquette (1915-1973), romancière québécoise; elle est notamment l'auteur de *La nuit qui ne dort pas* (1954) et de *Laure Clouet* (1961). Elle a signé des articles pour la revue *Terre et Foyer*, au ministère de l'Agriculture du Québec, de 1948 à 1970. Gabrielle Roy se lie d'amitié avec Adrienne Choquette vers 1961, après la parution de *Laure Clouet*. Née à Québec en 1918, Simone Bussières est romancière, animatrice et éditrice; elle est l'auteur de *L'Héritier* (1951) et la fondatrice des Presses Laurentiennes. Gabrielle Roy rencontre Simone Bussières par l'intermédiaire d'Adrienne Choquette et de sa compagne, Medjé Vézina, directrice de *Terre et Foyer* depuis les années 1930 et auteur du recueil de poèmes *Chaque heure a son visage* (1934).

Lettre du 5 janvier 1968

1. Allusion à la pièce de théâtre de Tennessee Williams (1911-1983), dont le titre original anglais est *A Streetcar Named Desire*. La pièce fut jouée pour la première fois au Barrymore Theatre de New York en 1947. La pièce raconte l'histoire d'une femme, Blanche, qui vient à la Nouvelle-Orléans pour retrouver sa sœur, Stella. Celle-ci avait quitté la plantation familiale une dizaine d'années plus tôt, après la mort du père, et avait épousé un immigrant polonais. Blanche, dont le mari s'est suicidé après qu'elle a découvert son homosexualité, cherche à reprendre Stella à son mari et à la ramener à la plantation, afin de renouer avec le passé et de sortir du cercle vicieux de la mort qui a emporté tous ceux qu'elle aimait.

Lettre du 7 janvier 1968

1. Les *periwinkles*, qui sont originaires de l'île de Madagascar, sont abondamment cultivées dans le sud des États-Unis. Comme les phlox — qui sont, pour leur part, originaires d'Amérique du Nord —, elles donnent des fleurs aux couleurs très variées (roses, pourpres, blanches, etc.). La *black-eyed susan* est aussi connue sous le nom de *Gloriosa Daisy*. C'est une marguerite aux pétales jaunes et dont le centre est noir.
2. Jean Miko et sa femme Eugénie sont des réfugiés hongrois arrivés à Québec en 1957. Gabrielle Roy les a rencontrés par l'intermédiaire de Camille Deguise, qui loge au Château Saint-Louis et s'occupe des immigrants. Marguerite et Joseph Hargitay sont également d'origine hongroise et sont arrivés à Québec en 1956; ils ont aussi été présentés à Gabrielle Roy par Camille Deguise.
3. Hector Allard (1902-1984), diplomate originaire de Notre-Dame-de-Grâce au Manitoba. En 1929, il a épousé la chanteuse d'origine française Marie-Nicole Auffray. Allard a fait partie du service des Affaires extérieures du Canada de 1932 à 1967 : il a été chargé d'affaires dans les ambassades du Canada aux États-Unis, en Belgique, au Mexique, à Cuba, en République dominicaine, à Haïti, en Suisse et au Danemark. Après sa retraite, en 1967, il s'est retiré sur une ferme qu'il avait acquise en 1941 au Manitoba.

Lettre du 10 janvier 1968

1. Ce décor inspirera la nouvelle « L'Arbre ». Un passage du texte (p. 26) qui décrit le chien Moka chassant, puis dévorant sa proie — un « armadillo » —, reprend ce que Gabrielle Roy raconte ici à son mari.

Lettre du 13 janvier 1968

1. Il s'agit d'une collection de livres publiée en France. L'ouvrage dont il est question ici, intitulé *Canada*, offre une version condensée de *La Petite Poule d'Eau* (seules les deux premières parties du roman — « Les Vacances de Luzina » et « L'École de la Petite Poule d'Eau » — sont reproduites). Voir Gabrielle Roy, *La Petite Poule d'Eau* (avec préface de l'auteur), dans *Canada*, Paris, Éditions du Burin et Martinsart, 1967, coll. « Les Portes de la vie », p. 61-176 (257 p.). Sont aussi inclus des textes de Paul-Gérin Lajoie (« Message »), de Roger Gaudry (« Portrait d'un jeune géant ») et de Jeanne Lapointe (« L'éducation au Canada français »).
2. « La soirée chez les de S[ain]t-Victor a été très simple : un cocktail, suivi d'un excellent goûter. Ils ont beaucoup regretté ton absence. On avait même préparé un petit discours de félicitations pour ton élévation au rang de Compagnon de l'Ordre du Canada. » (Marcel à Gabrielle, 5 janvier [1968])
3. Il est ici question des dépenses faites par Gabrielle Roy et Marcel Carbotte lors de leur séjour à Ottawa, en juillet 1967, à l'occasion de l'élévation de la romancière au rang de Compagnon de l'Ordre du Canada. L'Ordre du Canada venait tout juste d'être créé, à l'occasion du centenaire de la Confédération canadienne ; Gabrielle Roy a donc été l'une des premières à recevoir cet honneur.
4. *The Road Past Altamont* est la traduction anglaise de *La Route d'Altamont*, parue chez McClelland & Stewart et chez Harcourt Brace & World en 1966. *Hidden Mountain* est la traduction anglaise de *La Montagne secrète*, parue chez McClelland & Stewart et chez Harcourt Brace & World en 1962. *Where Nests the Water Hen* est la traduction anglaise de *La Petite Poule d'Eau*, parue chez McClelland & Stewart et chez Harcourt Brace & Co. en 1951, et reprise dans la collection « New Canadian Library » (n° 25), chez McClelland & Stewart, en 1961.
5. *Street of Riches* est la traduction anglaise de *Rue Deschambault* (1955), parue chez McClelland & Stewart et chez Harcourt Brace & Co. en 1957, et reprise dans la collection « New Canadian Library » (n° 56), chez McClelland & Stewart, en 1967.

Lettre du 15 janvier 1968

1. Sans doute lors du séjour que Gabrielle et Marcel ont fait en Provence à l'occasion des fêtes de fin d'année en 1948.
2. Gabrielle Roy, *Where Nests the Water Hen*, Harry Binsse (trad.), Vancouver, Evergreen Press, 1965.

Lettre du 20 janvier 1968

1. L'article est intitulé « Distinguished Author Here » et a paru dans *The Pelican*,

vol. 17, nº 29, 1966, p. 7, dans la section « Books ». Il n'est pas signé. On y raconte que la « creative and distinguished writer » Gabrielle Roy, après avoir passé une semaine à Miami, est venue à New Smyrna pour rendre visite à son amie Marie Dubuc ; ce séjour à New Smyrna a, écrit-on dans le même article, apporté « so much joy and inspiration » au travail de la romancière qu'elle prévoit le prolonger d'un mois. La carrière littéraire de Gabrielle Roy est ensuite résumée et les titres de ses livres énumérés. On rappelle que la bibliothèque de la ville possède trois ouvrages de Roy : *The Tin Flute* (*Bonheur d'occasion*), *The Cashier* (*Alexandre Chenevert*) et *Street of Riches* (*Rue Deschambault*).

2. Marcel a pourtant écrit à Gabrielle, dans sa lettre du 10 janvier, que le chandail que lui ont offert les de Saint-Victor est « ocre ».

Lettre du 24 janvier 1968

1. Julien Green (1900-1998), écrivain français d'origine américaine. Gabrielle Roy fait peut-être allusion ici au roman *Le Voyageur sur la terre* (Paris, Éditions Plon, 1930). Ce roman, présenté sous la forme d'un recueil de nouvelles, raconte l'histoire de Daniel, un jeune homme qui entreprend ses études dans une petite ville universitaire du Sud, appelée Fairfax, que Green décrit comme une ville « bâtie au fond d'une vallée [...], au bout d'une chaîne de collines qui la cache comme d'un rideau. Un fleuve profondément encaissé la traverse. Toutes les rues sont bordées d'arbres et pavées de briques roses, mais les maisons se cachent au fond de petits jardins plantés de buis. C'est une ville grave et silencieuse [...] » (p. 43).

Lettre du 25 janvier 1968

1. Carte postale « Along the Beautiful Sandy Beaches of Florida... », envoyée dans une enveloppe.

Lettre du 29 janvier 1968

1. Suzanne Cloutier, née en 1927, est comédienne. Elle a notamment tenu des premiers rôles dans les films *Juliette ou la clé des songes* — un film de Marcel Carné, avec Gérard Philipe, en 1950 — et *Othello* — un film d'Orson Welles, inspiré de la tragédie de Shakespeare, en 1952.

Lettre du 1er février 1968

1. Titre français du roman de Margaret Mitchell, *Gone With The Wind*, paru en 1936. L'intrigue, qui est centrée sur la vie amoureuse d'une jeune sudiste, se déroule durant la guerre de Sécession aux États-Unis. La première adaptation cinématographique (1939), réalisée par Victor Fleming et produite par David O. Selznick, mettait en vedette Clark Gable et Vivian Leigh.
2. Livre d'André Malraux (1901-1976) paru aux Éditions Gallimard en 1967.
3. Nikos Kazantzakis (1883-1957), écrivain grec. Zorba est le nom du personnage

principal du roman *Vios kai politeia tou Alexe Zormpa* (1946), dont la traduction française s'intitule *Alexis Zorba*. Le roman a fait l'objet d'une adaptation cinématographique (*Zorba the Greek*, 1964) mettant en vedette Anthony Quinn.

4. Herbert Marshall McLuhan (1911-1980), sociologue canadien; *Understanding Media. The Extensions of Man* a paru pour la première fois à New York, chez McGraw-Hill, en 1964. McLuhan analyse l'impact qu'ont sur l'écrit des moyens de communication audiovisuelle comme la télévision et la radio. L'auteur est reconnu pour avoir inventé le terme de « *Global village* » et l'expression « *The medium is the message* ».

Lettre du 5 février 1968

1. La National Audubon Society, organisation fondée en 1886 à la mémoire du naturaliste et peintre américain John James Audubon (1785-1851), est la première organisation vouée à la préservation des oiseaux et des espèces en voie de disparition à avoir vu le jour aux États-Unis. Chaque État américain a sa propre section. Dans les années 1960, la société est impliquée dans la mise sur pied des lois et des politiques environnementales, notamment en ce qui concerne la protection des cours d'Eau et des forêts. Le film auquel Gabrielle Roy fait allusion n'a pu être identifié, mais il faisait vraisemblablement partie de la série « *Screen Tour* », qui consistait en des soirées au cours desquelles étaient présentés un film et une conférence (généralement donnée par le réalisateur du documentaire).
2. L'Université Stetson a été fondée en 1883 par Henry De Land. Elle est composée de trois *colleges* : le College of Arts and Sciences, la School of Music et la School of Business Administration. Il a été impossible de déterminer lequel de ces trois collèges a tenu l'exposition dont il est question ici.

Lettre du [entre le 6 et le 8 février 1968]

1. Carte postale « Castillo de San Marcos, National Monument, St. Augustine, Fla. / It is the oldest stone fort in the United States », envoyée dans une enveloppe.

Lettre du [entre le 9 et le 16 février 1968]

1. Carte postale représentant « Florida's Beautiful Royal Poinciana Tree », qui a sans doute été envoyée dans une enveloppe.

Lettre du 16 février [19]68

1. Carte postale (« Rustic altar at famous Mission of Hombre de Dios in St. Augustine, Florida, commemorates first Mass (September 8, 1565) at America's Oldest Mission. The 208-foot stainless steel cross (seen through trees) marks place where Cross of Christianity was first planted in U.S. ») envoyée dans une enveloppe et accompagnée d'une carte de la Floride sur laquelle Gabrielle a tracé au crayon le trajet parcouru au cours de son voyage dans les Keys.

Lettre du 22 février 1968

1. Pierre Teilhard de Chardin (1881-1955), philosophe et paléontologiste français; il était membre de la Société de Jésus. Gabrielle Roy décrit sa rencontre avec Teilhard de Chardin dans un texte intitulé « Rencontre avec Teilhard de Chardin » (dans *Le Pays de Bonheur d'occasion et autres écrits autobiographiques épars et inédits,* p. 65-68).
2. Yolande Roy, la fille de Germain, et son mari Jean Cyr; Gisèle est leur fille.

Lettre du 3 mars 1968

1. Joyce Marshall est écrivain et traductrice. Elle est née en 1913. Elle fut la traductrice de Gabrielle Roy pendant une dizaine d'années, du début des années 1960 au milieu des années 1970. Elle a notamment traduit *La Route d'Altamont* (*The Road Past Altamont*), *La Rivière sans repos* (*Windflower*) et *Cet été qui chantait* (*Enchanted Summer*). Les 99 lettres de Joyce Marshall à Gabrielle Roy sont conservées à la Bibliothèque nationale du Canada à Ottawa, dans le Fonds Gabrielle Roy. La lettre à laquelle Gabrielle Roy fait allusion est datée du 19 février 1968. Joyce Marshall écrit entre autres qu'elle est sur le point de déménager et décrit brièvement son nouvel appartement.

New Smyrna, hiver 1968-1969

1. Lettre à Bernadette Roy, 18 octobre 1968 (*Ma chère petite sœur. Lettres à Bernadette 1943-1970,* p. 131).
2. Le texte d'Adèle s'intitule *Les Deux Sources de l'inspiration : l'imagination et le cœur.*

Lettre de Noël 1968

1. Apollo est le nom du programme américain d'exploration de la Lune. La capsule Apollo 8 a été lancée le 21 décembre 1968, avec à son bord le commandant Frank Borman, le pilote du module de commandes James A. Lovell et le pilote du module lunaire William A. Anders. Apollo 8 a été la première de la série des Apollo à atteindre avec succès l'orbite de la Lune. Elle est revenue sur Terre le 27 décembre après une mission d'une durée totale de 147 heures, au cours de laquelle l'équipage a photographié la surface lunaire et recueilli l'information scientifique nécessaire à un éventuel atterrissage sur la Lune.

Lettre du 27 décembre 1968

1. Alice Lemieux-Lévesque (1905-1983), poétesse québécoise; elle est notamment l'auteur de *Heures effeuillées* (1926), de *Poèmes* (1929) et de *Silences* (1962). Gabrielle Roy l'a rencontrée au début des années 1960, par l'intermédiaire d'Adrienne

Choquette et de Medjé Vézina. Les deux femmes se sont surtout fréquentées entre 1968 et 1971, années au cours desquelles elles ont entretenu une correspondance assidue. Les lettres de Gabrielle Roy à Alice Lemieux-Lévesque sont conservées aux Archives nationales du Québec (ANQ), dans le Fonds Alice Lemieux-Lévesque (P227). Quant aux lettres d'Alice Lemieux-Lévesque à Gabrielle Roy, elles n'ont pas été conservées.

Lettre du 2 janvier 1969

1. On peut supposer que madame Beaulac était la femme de ménage du couple Roy-Carbotte.
2. Le *tele-serve* est un service de messagerie téléphonique inauguré vers le milieu des années 1950 et qui permet aux gens de faire transférer leurs appels vers une centrale, où des téléphonistes prennent les messages qui leur sont destinés.

Lettre du 11 janvier 1969

1. « Alice [Lemieux-Lévesque], Adrienne [Choquette], Madeleine [Lemieux] & Jean Rousseau m'ont téléphoné dès mon arrivée, me considérant comme un pestiféré. J'ai refusé leur visite — bien que moralement j'aurais eu bien besoin de leur soutien. » (Marcel à Gabrielle, 5 janvier [1969])

Lettre du 14 janvier 1969

1. Joseph Vermander — un ami manitobain de Gabrielle Roy —, qui a vraisemblablement pris la photo dont il est question ici lors de l'incendie qui a détruit la cathédrale de Saint-Boniface en juillet 1968. La cathédrale sera reconstruite et elle réouvrira ses portes en 1972.
2. Voir Julien Green, *Journal,* dans *Œuvres complètes,* t. IV, Robert de Saint-Jean (dir.), Paris, Éditions Gallimard, 1975, coll. « La Pléiade », 1820 p. Gabrielle Roy fait probablement allusion aux descriptions du décor et de la végétation du Sud qu'a écrites Green dans son *Journal* lors d'un voyage qu'il a effectué aux États-Unis en 1933-1934 (Julien Green, *Journal,* p. 279, 284-285 et 287).
3. « Hier, je suis allé au lancement du livre de cuisine de la mairesse de Québec — ceci se faisait chez Garneau. » (Marcel à Gabrielle, 10 janvier [1969]) Marcel a assisté au lancement du livre de recettes de Mary Lamontagne, *La Marmite diplomatique.* Mary Lamontagne est l'épouse de J.-Gilles Lamontagne, qui était alors maire de Québec. Il s'agit d'un livre de cuisine internationale.

Lettre du 26 janvier 1969

1. Monseigneur Félix-Antoine Savard (1896-1982), écrivain québécois ; il est notamment l'auteur de *Menaud, maître-draveur* (Québec, Librairie Garneau, 1937). En 1969, il remporte le prix David, qu'il avait reçu une première fois en 1939. En 1968, monseigneur Savard avait également été nommé officier de l'Ordre du Canada.

2. Julia Richer, née Sigouin, écrivain et critique québécoise ; elle est l'épouse de l'écrivain et journaliste Léopold Richer. Elle a signé des articles sur Gabrielle Roy (« *La Petite Poule d'Eau* de Gabrielle Roy », *Notre temps,* Montréal, 25 novembre 1950, p. 3 ; « *La Montagne secrète* », *Notre temps,* 4 novembre 1961, p. 5 ; « Échos littéraires. "*La Rivière sans repos*" par Gabrielle Roy », *L'Information médicale et paramédicale,* Montréal, 17 novembre 1970, p. 60). Elle est aussi l'auteur d'une étude sur Léo-Paul Desrosiers (*Léo-Paul Desrosiers,* Montréal, Fides, 1966). Jean Desprez (1906-1965), que Gabrielle Roy avait orthographié « Jean Després », est le pseudonyme de Claire Richard, de son vrai nom Laurette Larocque-Auger. Elle a signé plusieurs feuilletons radiophoniques, dont « Jeunesse dorée », de 1942 à 1965, et « Docteur Claudine », de 1952 à 1964. Une pièce de théâtre de Jean Desprez a été présentée en 1936 au Festival dramatique d'Ottawa, l'année où le Cercle Molière, troupe manitobaine dont Gabrielle Roy faisait partie, avait remporté le premier prix pour son interprétation des *Sœurs Guédonec* de Jean-Jacques Bernard. En 1940, Gabrielle Roy et Jean Desprez avaient partagé le premier prix au concours de nouvelles de la *Revue moderne.* La nouvelle de Roy s'intitulait « La conversion des O'Connor » et celle de Desprez « Le cœur de Nadine ».
3. Le roman *L'Œuvre au noir* a été publié en 1968 chez Gallimard et a valu à Marguerite Yourcenar (1903-1987) le prix Femina. *Les Mémoires d'Hadrien* avait été publié chez Gallimard en 1951.
4. *La Route d'Altamont* a été repris en version « condensée » dans *Sélection du livre,* Paris, Sélection du Reader's Digest, 1968, 512 p.

Lettre du 14 février 1969

1. La bombe a explosé en après-midi, le 13 février 1969. L'incident a fait 27 blessés mais aucun mort. Voir *La Presse,* vendredi le 14 février 1969, p. 1, 5-7.

Lettre du 18 février 1969

1. Il s'agit du romancier Roger Lemelin. C'est Pierre Elliott Trudeau qui est alors le Premier ministre du Canada.
2. Le seconal est un sédatif qui est prescrit pour traiter l'insomnie et l'anxiété, ainsi que pour prévenir les crises d'épilepsie.

Lettre du 6 mars 1969

1. Traduction : *un point à temps en vaut cent.* Cela signifie plus ou moins « Mieux vaut prévenir que guérir ».
2. Lucille est la fille aînée de feu Germain et d'Antonia. Elle a épousé un monsieur Watson.

Lettre du 22 mars 1969

1. Guy est le fils de Léona et Arthur Corriveau.

Saint-Boniface, printemps 1970

1. Voir *Ma chère petite sœur. Lettres à Bernadette 1943-1970*, p. 172-235.

Lettre du 21 mars 1970

1. Bernadette et Clémence Roy sont allées passer trois semaines à Petite-Rivière-Saint-François en 1965. Ce séjour semble avoir marqué Gabrielle Roy, puisqu'il inspirera les récits de *Cet été qui chantait* (Québec, Éditions françaises, 1972), qui auront pour décor l'environnement de Charlevoix.
2. Sœur Berthe Valcourt fait partie, comme Bernadette Roy, de la communauté des sœurs des Saints Noms de Jésus et de Marie. En 1970, elle est supérieure de l'Académie Saint-Joseph, à Saint-Boniface, établissement scolaire que Gabrielle Roy a fréquenté de 1915 à 1928. C'est sœur Berthe qui veillera sur Clémence après la mort de Bernadette. Gabrielle Roy et sœur Berthe Valcourt entretiendront une correspondance assidue entre 1970 et 1983.
3. Léa Landry (1909-1988), fille de l'oncle Excide, est la cousine de Gabrielle Roy. Les deux femmes ont échangé des lettres entre 1926 et 1981.
4. En 1968, Bernadette Roy a réussi à placer Clémence dans une maison de retraite d'Otterburne, village situé à une cinquantaine de kilomètres de Winnipeg. Cette maison, la Résidence Sainte-Thérèse, est tenue par les sœurs de la Providence.
5. Marie-Blanche Devlin, qui habitait au Château Saint-Louis, a été la secrétaire de Gabrielle Roy au début des années 1970.
6. Il s'agit probablement de Juliette Després, née Warnier, qui était connue à Saint-Boniface pour ses activités théâtrales, notamment avec la troupe du Cercle Molière.

Phoenix, hiver 1970-1971

Lettre du [entre le 10 et le 15 décembre 1970]

1. Cette carte a été écrite avant le départ de Gabrielle Roy pour Phoenix. Il s'agit d'une carte de souhaits de Noël, dans laquelle est imprimée la phrase suivante : « Que celui qui fit briller l'Étoile radieuse Vous inonde de Sa Lumière et de Paix réelle ! ».

Lettre du 17 décembre 1969

1. Gabrielle Roy évoque les cassuarinas dans les premières lignes du récit : « Peu à peu il sortit de la pénombre [le chêne vert]. Il se dégagea de l'inextricable masse, à grand peine contenue hors de la clairière, des buis et des cassuarinas, des palmettos secs et serrés toujours à cliqueter entre eux comme des sabres, des camphriers, des eucalyptus, des cyprès, des lianes et des quantités de buissons épineux auxquels

s'enroulait fraternellement, çà et là, le jasmin sauvage dont la douce petite fleur jaune embaumait » (p. 5).

2. Ces conflits ont été occasionnés par l'instauration du régime d'assurance-maladie par le gouvernement du Québec et sont une conséquence de la grève que les médecins spécialistes ont déclenchée à l'automne 1970, notamment pour protester contre la rémunération « à l'acte » qui leur est dorénavant imposée.

Lettre du 18 décembre 1970

1. Allusion à Jean Daniélou (1905-1974), auteur de nombreux livres sur la spiritualité et la foi catholique. Il a été impossible de retrouver cette citation.
2. Roger et Renald, les deux fils adoptifs de Léontine et Fernand Painchaud.

Lettre du 20 décembre 1970

1. Il s'agit des Desert Botanical Gardens, situés sur le North Galvin Parkway à Phoenix.
2. Gabrielle Roy raconte son premier séjour en Provence — en 1938 — dans la deuxième partie de son autobiographie, *La Détresse et l'Enchantement* (1984). Gabrielle et Marcel ont passé les fêtes de l'année 1948 en Provence ; ils ont alors fait un détour par Castries, la romancière tenant à présenter son mari à madame Paulet-Cassan, chez qui elle avait logé en 1938.

Lettre du 24 décembre 1970

1. *Palo verde* est une expression espagnole qui signifie « bâton vert ». Elle désigne un arbre de petite taille qui fait partie de la famille des légumineuses et qui vit surtout dans les régions désertiques de l'Arizona et de la Californie.
2. Antonia Houde, la veuve de Germain Roy, le frère de Gabrielle.

Lettre du [27 décembre 1970]

1. Carte postale représentant l'arbre de Josué, envoyée dans une enveloppe. Ce qu'on appelle l'« arbre de Joshua » est un petit arbre qui ressemble à la fois au palmier et au yucca. On le retrouve principalement dans le Joshua National Park, un désert situé à quelque deux cents kilomètres à l'est de San Diego.

Lettre du 28 décembre 1970

1. Le mandrox était un sédatif — ou calmant — utilisé pour le traitement des troubles du sommeil et du système nerveux ; il n'est plus vendu en Amérique depuis une quinzaine d'années.

Lettre du 1er janvier 1971

1. Carte postale représentant un cactus, envoyée dans une enveloppe.

Lettre de [vers le 12 janvier 1971]

1. Carte postale « Mitten Butte — Monument Valley / Navajo Tribal Park », envoyée dans une enveloppe.
2. Simone Bussières.

Lettre du 14 janvier 1971

1. Gabrielle Roy fait allusion à la crise d'Octobre 1970.
2. La grève s'est terminée au début de décembre 1970 avec la signature d'une entente entre la Fédération des médecins spécialistes du Québec et le ministre de la Santé, l'honorable Claude Castonguay.
3. La phrase est incomplète sur le manuscrit.
4. Yvonne et Robert sont les enfants de Joseph et Julia Roy.

Lettre du 16 janvier 1971

1. Traduction : *assurance-maladie.*
2. Le roman d'Anne Hébert a été publié à Paris, aux Éditions du Seuil, en 1970. M.B. désigne Madeleine Bergeron.

Lettre du 18 janvier 1971

1. Le premier paragraphe est écrit sur une carte postale représentant les « Japanese Flower Gardens » de Phoenix et la suite sur une feuille de papier.
2. La lettre d'Anne Hébert est datée du 10 janvier 1971. Hébert écrit à Gabrielle Roy qu'elle a été très émue par sa « lettre généreuse et belle » au sujet de *Kamouraska* et elle la remercie « de tout cœur » de lui avoir dit « avec tant de ferveur et d'amitié » qu'elle avait aimé son roman (Bibliothèque nationale du Canada, Fonds Gabrielle Roy, MSS 1982-11/1986-11, boîte 16, chemise 7).
3. Léon Carbotte est le cousin de Marcel. Il a été impossible de déterminer à quel événement ou à quelles circonstances Gabrielle Roy fait allusion. Cependant, il ne semble pas qu'elle fasse référence à la mort de l'enfant, puisque les principaux journaux de la région de Winnipeg, à l'époque (*La Liberté et le Patriote* et *The Winnipeg Free Press*), ne font aucune mention de la mort d'un enfant de la famille Carbotte entre janvier et avril 1970. Léon est le père de Dom Marcel Carbotte, qui fait partie de la communauté des Trappistes.
4. La toile intitulée *Pise* est de Jean Paul Lemieux et a été réalisée en 1965. Elle fait partie de la collection d'œuvres d'art léguée par Marcel Carbotte au Musée du Québec à sa mort. En plus de *Pise,* Marcel Carbotte possédait quatre autres toiles de Jean Paul Lemieux : *Jeune garçon* (1963), *Jeune fille ou Hildegarde* (1963), *Jeune fille dans le vent* (1965) et *Une journée à la campagne* (1967) — toiles qui ont aussi été léguées au Musée du Québec.

Lettre du 23 janvier 1971

1. Il s'agit des épreuves de l'édition Gilles Corbeil de *La Petite Poule d'Eau,* une

édition de luxe illustrée par Jean Paul Lemieux, qui paraîtra en 1971. Marc Gagné, professeur de littérature à l'Université Laval. Sa thèse, qui s'intitule *Visages de Gabrielle Roy,* sera publiée en 1973 aux Éditions Beauchemin.

Lettre du 25 janvier 1971

1. Clément Saint-Germain était fonctionnaire au ministère des Affaires culturelles. Il annonçait à Gabrielle Roy qu'elle remportait le prix David — le Grand Prix de la Province de Québec —, qui couronne, chaque année, un écrivain québécois pour l'ensemble de son œuvre. Au cours des années précédentes, ce prix a été accordé à Alain Grandbois (1969) et à Félix-Antoine Savard (1968).

Lettre du 9 février 1971

1. Medjé Vézina et Adrienne Choquette. Selon Simone Bussières, Gabrielle Roy pourrait faire allusion ici au suicide de Marie Vézina, la sœur de Medjé.
2. Juliette est vraisemblablement la bonne de Gabrielle Roy et Marcel Carbotte.

Saint-Pierre-Jolys, août 1971

Lettre du 20 août 1971

1. Papier à en-tête : « Telephone St.Pierre 43. // Travellers' "Your Community Hotel" Serving you throughout Manitoba. St. Pierre, Manitoba ».

Ouest canadien, automne 1972

Lettre du 4 septembre 1972

1. Papier à en-tête : « K-tel Motor Inns Westminster » (Winnipeg).
2. Clémence Roy habite toujours, en 1972, le foyer d'Otterburne, à une cinquantaine de kilomètres de Winnipeg.
3. Probablement des somnifères, mais aucun médicament portant ce nom ne figure dans les répertoires de l'époque. On désignait aussi sous le nom de *bed-caps* les couvre-matelas, mais il serait étonnant que ce soit à cela que Gabrielle Roy fasse référence.

Lettre du 13 septembre 1972

1. Léa et Éliane Landry, les filles de l'oncle Excide Landry.

Lettre du 23 septembre 1972

1. Papier à en-tête : « Cariboo Trail Hotel », Coquitlam, B.C.

2. Rodolphe Roy, le frère de Gabrielle, mort en 1970.
3. Jean-Noël est le fils d'Aimé Simard.
4. Pour souligner la parution de *Cet été qui chantait,* les Éditions Françaises de Québec ont choisi d'organiser un grand lancement, en présence de la ministre des Affaires culturelles, Claire Kirkland-Casgrain. Gabrielle Roy, qui n'est pas d'accord avec la tenue de cette soirée, n'y assistera pas.

Lettre du 25 septembre 1972

1. Marc Rose a été le député du comté de Mission Coquitlam de 1968 à 1972 et de 1979 à 1983.

Lettre du 27 septembre 1972

1. La plupart des comptes rendus critiques sur *Cet été qui chantait* qui paraîtront dans les revues et les journaux ne seront pas favorables au nouveau livre de Gabrielle Roy. Voir entre autres Gilles Constantineau, « Un bestiaire, car finalement c'en est un, mais anodin », *Le Soleil,* 18 novembre 1972, p. 16 ; Réginald Martel, « Bonheurs mièvres et enfantillages », *La Presse,* 9 décembre 1972, p. E 3.

Tourrettes-sur-Loup, hiver 1972-1973

Lettre du 29 décembre 1972

1. Il s'agit de deux « réponses » à l'article de Gilles Constantineau sur *Cet été qui chantait,* intitulé « Un bestiaire, car finalement c'en est un, mais anodin », qui avait paru le 18 novembre 1972 dans *Le Soleil.* Le premier texte, du romancier Jean-Jules Richard, insiste sur le fait que les propos de Constantineau relèvent de l'« ignominie », de l'« écœuranterie » et de la « bestialité ». Dans le second texte, T. Brouille-Naud affirme que Constantineau est atteint d'une sorte de « zoophobie », qu'il ne sait pas « reconnaître la fantaisie », puisque *Cet été qui chantait* est un de ces livres « qui apportent sourires, soleil et sérénité » (*Le Soleil,* samedi 16 décembre 1972, p. 49).
2. Marcel a peut-être envoyé à Gabrielle l'article de Dave Billington intitulé « Books '72 : Less Tinsel, More Gold », (*The Saturday Gazette,* Montréal, le 2 décembre 1972, p. 49). Selon Billington, c'est au cours de l'année 1972 que la qualité de l'œuvre des Morley Callaghan, Hugh McLennan et Gabrielle Roy a été découverte : « Oh we knew there were these funny people like Morley Callaghan, Hugh MacClennan [*sic*], Gabrielle Roy and other who wrote stories. But who outside the dusty halls of learning knew how good they were. »

Lettre du 4 janvier 1973

1. Dans le *Figaro* du 3 janvier 1973 (p. 3), on peut lire que le mot d'ordre de grève des syndicats C.G.T., C.F.D.T. et F.O. est très peu suivi chez les employés de la poste française : la veille, il y avait seulement 267 grévistes sur les 17 541 employés concernés.

Otterburne, septembre 1973

Lettre du 3 septembre 1973

1. Gabrielle Roy connaissait bien cette communauté puisqu'elle avait rédigé, pour le compte du *Bulletin des agriculteurs* en 1943, un texte intitulé « Femmes de dur labeur » qui portait sur les Mennonites. Le texte faisait partie d'une série de cinq reportages sur les « Peuples du Canada » ; il sera repris dans le recueil *Fragiles Lumières de la terre* (1978) sous le titre « Les Mennonites ».

Winnipeg, été 1975

Lettre du [8 juillet 1975]

1. Sœur Amanda Desharnais (son nom de communauté était sœur Irène-Lucille) est native de Saint-Pierre-Jolys. Elle fait partie de la communauté des Saints Noms de Jésus et de Marie, où elle a connu Bernadette Roy (sœur Léon-de-la-Croix). En 1975, sœur Amanda est directrice de la Holy Cross à Saint-Boniface, mais elle visite souvent ses parents et ses frères à Saint-Pierre. Elle a rencontré Gabrielle Roy lors des visites que celle-ci faisait à sa sœur Clémence à Otterburne.

Petite-Rivière-Saint-François, été 1977

Lettre du 15 juillet [1977]

1. Dans sa lettre du [10 juillet 1977], Marcel décrit l'hôtel où il loge à Atlantic City, le Malborough, comme « un hôtel merveilleusement rétro, où l'on rencontre les Miss America de 1890 — un véritable gâteau de noces de 900 chambres immenses et de 10 pieds de haut ».
2. Alain Stanké, éditeur québécois ; il a fondé, en 1975, les Éditions internationales Alain Stanké.
3. Bibi est le surnom de Bibiane Patry, la voisine de Gabrielle Roy à Québec. Elle est une sorte de « femme-à-tout-faire » pour la romancière : elle veille à la préparation de ses repas et aux tâches que Gabrielle lui confie.

Floride, hiver 1978-1979

Lettre du 6 décembre 1978

1. Louise Watson est la fille de Lucille Roy, la nièce de Gabrielle. Delray Beach est situé à une soixantaine de kilomètres au nord de Fort Lauderdale.

Lettre du [vers le 10 décembre 1978]

1. Premier paragraphe de la lettre au dos d'une carte postale (« Hollywood, Florida is a beautiful city with its tropical landscaping, fine hotels and beaches »).
2. Simone Boutin, épouse de l'avocat Pierre Boutin ; le couple habite à Pointe-au-Pic.
3. Probablement le docteur Vézina, qui est évoqué à quelques reprises dans les lettres de Marcel Carbotte.
4. Marcel a annoncé à Gabrielle, dans sa lettre du 4 décembre, que Mathilde (l'épouse de Cyrias Ouellet), qui est atteinte d'un cancer, a été admise à l'hôpital.

Lettre du 14 décembre 1978

1. Gabrielle Roy s'est rendue à Calgary en février 1978, pour assister au Congrès sur le roman canadien (« Conference on the Canadian Novel ») organisé par Jack McClelland. Cette rencontre, qui s'est tenue du 15 au 18 février à l'Université de Calgary, avait pour but de souligner le vingtième anniversaire de la collection « New Canadian Library ». C'est au cours de ce séjour que Gabrielle Roy a rencontré pour la première fois la romancière Margaret Laurence, avec qui elle correspondait depuis quelque temps déjà.

Lettre du 16 décembre 1978

1. Carte de souhaits représentant le parc Provencher de Saint-Boniface, sur laquelle est inscrit en caractères d'imprimerie : « Le parc Provencher, au centre de Saint-Boniface, fut à l'origine la cour du Collège de Saint-Boniface. À l'arrière, le dôme de l'ancien hôtel de ville de Saint-Boniface ».
2. Jack Shadbolt, peintre et professeur d'art né à Shoeburyness, en Angleterre, le 4 février 1909. En 1914, sa famille émigre au Canada et s'installe à Victoria, en Colombie-Britannique. Shadbolt a enseigné de 1938 à 1966 à la Vancouver School of Art. Il est l'auteur d'un essai sur la création artistique intitulé *In Search of Form* (1968) et d'un recueil de poèmes, *Mind's I* (1973). Roy et Shadbolt ont tous deux reçu le prix Molson du Conseil des Arts du Canada, assorti d'une bourse de vingt mille dollars, en 1978. Gabrielle Roy n'a pas assisté à cette cérémonie.

Lettre du 20 décembre 1978

1. Allusion à l'île située près de New York, sur laquelle se trouve notamment un parc d'attractions.

Lettre du [vers le 27 décembre 1978]

1. Carte postale « Romantic waterway in the Venice of America », envoyée dans une enveloppe. Le cachet postal indique la date du 27 décembre 1978.
2. L'intol est un médicament qui traite l'asthme et les problèmes respiratoires.

Lettre du 2 janvier 1979

1. Ce monsieur Grenier veille vraisemblablement à l'entretien du Château Saint-Louis, où habitent Gabrielle Roy et Marcel Carbotte.
2. L'article, qui raconte l'interview qu'a réalisée Jacques Godbout avec la romancière, à Petite-Rivière-Saint-François, et qui retrace les grandes lignes du parcours de Gabrielle Roy depuis son Manitoba natal, s'intitule « Gabrielle Roy : Notre Dame des bouleaux » ; il a paru dans la revue *L'actualité*, à Montréal, en janvier 1979.
3. Fernand Painchaud, le fils de feu Anna (la sœur aînée de Gabrielle Roy) et de feu Albert Painchaud, et sa femme Léontine, qui demeurent à Phoenix, en Arizona.

Lettre du 12 janvier 1979

1. Carte postale « Little Flower Church », envoyée dans une enveloppe.
2. Philippe Landry, l'un des fils de l'oncle Excide. Gabrielle Roy évoque sa jeunesse avec les cousins dans *La Détresse et l'Enchantement* (p. 187-191).

Lettre du 14 janvier 1979

1. L'exilophylin est un broncho-dilatateur.
2. Le ventolin a les mêmes effets que l'exilophylin : il sert à dilater les bronches et à dégager les voies respiratoires. Il est utilisé pour traiter l'asthme, les bronchites et l'emphysème.

Lettre du 23 janvier 1979

1. Marcel écrit à Gabrielle, dans sa lettre du 15 janvier : « Mathilde est morte samedi matin. Je suis allé au salon avec Alice [Lemieux-Lévesque] hier soir. Elle était méconnaissable tant elle avait maigri. Cyrias [Ouellet] était très triste, mais somme toute vraiment courageux. »
2. Pascal Simard, le frère aîné de Berthe, Anna, son épouse, et Pauline, la fille du couple, étaient les voisins de Gabrielle Roy à Petite-Rivière-Saint-François.
3. *The Tin Flute* est le titre de la version anglaise de *Bonheur d'occasion.* En 1976, Gabrielle Roy avait prié Gratien Gélinas, qui était alors président de la Société de développement de l'industrie cinématographique canadienne, d'intervenir afin qu'elle puisse reprendre le contrôle des droits cinématographiques de *Bonheur d'occasion.* Gélinas avait échoué et la compagnie du cinéaste Claude Fournier, Rose Films, s'était portée acquéreur des droits détenus depuis 1947 par la compagnie Universal Studios d'Hollywood. La première du film aura lieu en juillet 1983.

Lettre du 29 janvier 1979

1. La vibramycine est un antibiotique qui est notamment prescrit pour le traitement des infections pulmonaires.

Lettre du 30 janvier 1979

1. Michel Champagne est un ami de Marcel Carbotte. Il a travaillé au Musée du Québec.

Lettre du 7 février 1979

1. Il s'agit de la traduction anglaise de *Ces enfants de ma vie* (Montréal, Stanké, 1977), par Alan Brown, parue chez McClelland & Stewart en 1979.

Lettre du 8 février 1979

1. L'émission en question, réalisée par Carol Moore-Ede et diffusée sur les ondes de la Canadian Broadcasting Corporation — le réseau anglais de la télévision de Radio-Canada —, s'intitule *The Garden and the Cage*. Gabrielle Roy et Marie-Claire Blais y sont présentées à travers les personnages qu'elles ont créés.

Index onomastique

Noms de personnes et d'organismes et titres des œuvres de Gabrielle Roy évoqués dans le texte (à l'exception de la présentation et des notes)

C

M

N

O

P

Q

R

S

Table des matières

MISE EN PAGES ET TYPOGRAPHIE :
LES ÉDITIONS DU BORÉAL

ACHEVÉ D'IMPRIMER EN OCTOBRE 2001
SUR LES PRESSES DE L'IMPRIMERIE AGMV MARQUIS
À CAP-SAINT-IGNACE (QUÉBEC).